Jack London
Lockruf des Goldes
3 Romane

ALASKA KID
KID & CO.
LOCKRUF DES GOLDES

JACK LONDON

Lockruf des Goldes

ROMANE

UNIVERSITAS VERLAG BERLIN

Einzig berechtigte Übersetzung
aus dem Amerikanischen
von Erwin Magnus

© Universitas Verlag, Berlin
Gesamtherstellung Mohndruck Reinhard Mohn OHG, Gütersloh
Printed in Germany
ISBN 3–8004–0819–8

Alaska-Kid

Bärenfleisch schmeckt gut

Ursprünglich hieß er Christoffer Bellew. Als er die Universität besuchte, wurde er zu Chris Bellew. Später bekam er in den Kreisen der San-Franziskoer Bohème den Namen Kid Bellew. Und schließlich kannte man ihn nur noch als »Alaska-Kid«. Und die Geschichte, wie sich sein Name entwickelte, ist zugleich die Geschichte seiner eigenen Entwicklung. Es wäre aber nie so geworden, hätte er nicht eine nachgiebige, schwache Mutter und einen eisenharten Onkel gehabt, und wäre kein Brief von Gillet Bellamy gekommen.

»Ich lese soeben eine Nummer der ›Woge‹«, schrieb Gillet aus Paris. »Selbstverständlich wird O'Hara sich damit durchsetzen. Er macht aber, scheint's mir, einige Schnitzer.« (Hier folgte eine genaue Aufstellung aller Verbesserungen, die ihm für die neue mondäne Zeitschrift notwendig erschienen.) »Besuche ihn doch mal. Laß ihn aber in dem seligen Glauben, daß es deine Anregungen seien – er darf um Gottes willen nicht ahnen, daß sie von mir stammen! Sonst macht er mich zu seinem Pariser Korrespondenten, und das kann ich mir nicht leisten, weil die großen Magazine mir ja menschenwürdige Honorare für meine Aufsätze zahlen. Vor allem darfst du nicht vergessen, ihm zu sagen, daß er den langweiligen Affen, der die Musik- und Kunstkritiken schreibt, hinausschmeißen soll. Und noch eins: San Franzisko hatte früher immer seine eigene Literatur von besonderem Charakter. Das ist augenblicklich nicht der Fall. Sage ihm, daß er irgendeinen gutmütigen Trottel ausfindig machen muß, der eine lange lebendige Erzählung schreiben soll, in die er den ganzen romantischen Zauber und die schillernde Farbenpracht San Franziskos hineindichten kann.«

Seinen Instruktionen getreu, wanderte Kid brav und bieder zum Redaktionsbüro der »Woge«. O'Hara lauschte mit Interesse auf seine Ausführungen und erklärte sich mit ihnen einverstanden. Er entließ auch sofort den langweiligen Affen, der die Kritiken schrieb. Aber O'Hara hatte außerdem eine ganz besondere Art, die Gillet selbst in Paris, so weit vom Schuß, fürchtete. Wenn O'Hara sich nämlich etwas in den Kopf setzte, war keiner seiner Freunde imstande, es ihm auszureden. Er war so liebenswürdig und gleichzeitig so eindringlich, daß man ihm einfach nicht widerstehen konnte. Noch ehe Kid Bellew die

Redaktion verließ, war er Mitredakteur geworden, hatte versprochen, einige Kritiken zu schreiben, bis man eine brauchbare Feder gefunden hätte, und hatte sich endlich verpflichtet, eine lange, spannende San Franziskoer Erzählung in wöchentlichen Fortsetzungen von je tausend Zeilen zu schreiben . . . alles, ohne einen Heller dafür zu erhalten. Die »Woge« könnte noch nichts zahlen, erklärte O'Hara. Und ebenso überzeugend legte er dar, daß nur ein einziger in ganz San Franzisko imstande sei, diese Erzählung zu schreiben . . . und daß dieser einzige zufällig Kid Bellew sei . . .

»Du mein Gott, ich bin also selbst der gutmütige Trottel gewesen«, seufzte Kid vor sich hin, als er die schmale Treppe hinabstieg.

Und damit begann seine Sklaverei für O'Hara und für die unersättlichen Spalten der »Woge«. Woche für Woche saß er auf seinem Stuhl in der Redaktion, hielt dem Blatt mühselig die Gläubiger vom Leibe, schlug sich mit den Druckereien herum und schüttelte jede Woche zweitausendfünfhundert Zeilen verschiedensten Inhalts aus dem Ärmel. Und seine Arbeit wurde durchaus nicht leichter mit der Zeit. Die »Woge« war nämlich ein ehrgeiziges Blatt. Sie verlegte sich auf Bebilderung. Leider aber waren die Reproduktionsverfahren recht kostspielig. Folglich hatte das Blatt nie Geld, um Kid Bellew zu bezahlen, und aus eben demselben Grunde konnte es sich auch keine Erweiterung des Redaktionsstabes leisten.

»So geht es, wenn man ein guter Kerl ist«, brummte Kid Bellew eines Tages.

»Gott sei Dank, daß es gute Kerle gibt!« rief O'Hara und drückte Kid Bellew mit Tränen in den Augen die Hand. »Du allein, wirklich nur du allein, Kid, hast mich gerettet. Wärest du nicht gewesen, so wäre ich schon längst pleite gegangen. Jetzt gilt es nur noch ein bißchen durchzuhalten, lieber Junge, dann wird alles schon leichter werden.«

»Nie«, klagte Kid. »Ich kann mein Schicksal schon voraussehen. Ich werde mein Leben lang hierbleiben müssen.«

Kurz darauf glaubte er einen Weg gefunden zu haben, auf dem er entschlüpfen konnte.

Er benutzte einen Augenblick, da O'Hara zugegen war, um über einen Stuhl zu stolpern. Einige Minuten später stieß er gegen eine Ecke des Schreibtisches und griff mit unsicher suchenden Händen nach dem Kleistertopf.

»Spät nach Haus gekommen?« fragte O'Hara.

Kid rieb sich die Augen und starrte ihn ängstlich an, ehe er antwortete.

»Nee, das ist es leider nicht . . . es ist etwas mit den Augen . . . sie sind, scheint's, nicht mehr so gut wie früher. Das ist alles.«

Mehrere Tage stolperte er herum und stieß gegen die gesamte Einrichtung im Büro. Aber O'Haras Herz ließ sich nicht erweichen.

»Ich will dir mal was sagen, Kid«, meinte er eines Tages. »Du mußt sehen, daß du zu einem Augenarzt kommst. Geh zu Dr. Hassdapple – das ist ein verdammt tüchtiger Bursche. Und es braucht dich nichts zu kosten – wir werden ihm ein paar Inserate dafür geben. Ich werde selbst mit ihm sprechen.«

Und seinem Versprechen getreu, schickte er Kid zu dem Doktor.

»Ihre Augen sind ja ganz in Ordnung«, lautete das Urteil des Arztes, nachdem er ihn eingehend untersucht hatte. »Ihre Augen sind tatsächlich ganz hervorragend . . . nicht ein Paar unter einer Million sind so wie die Ihrigen.«

»Bitte, erzählen Sie das nicht O'Hara«, bat Kid. »Und verschreiben Sie mir eine Brille.«

Die Folge war nur, daß O'Hara sehr liebenswürdig wurde und mit glühender Begeisterung von dem Tage sprach, an dem die »Woge« imstande sein würde, auf eigenen Beinen zu stehen.

Glücklicherweise besaß Kid Bellew eigenes Vermögen. Wenn es auch nur klein war – im Vergleich mit vielen andern –, so war es doch jedenfalls groß genug, um ihm zu ermöglichen, Mitglied verschiedener Klubs zu sein und sich ein eigenes Atelier im Künstlerviertel zu leisten. Seit er Mitredakteur der »Woge« geworden war, hatten sich seine Ausgaben zweifellos bedeutend verringert. Er hatte nämlich einfach keine Zeit mehr, Geld auszugeben. Er besuchte nie mehr sein Atelier und lud nie mehr die Künstler des Viertels zu seinen berühmten und sehr lustigen Abendessen ein. Und dennoch war er jetzt völlig auf den Hund gekommen, denn die »Woge«, die immer am Rand der Pleite stand, zog nicht nur Vorteil aus seinem Gehirn, sondern auch aus seiner Brieftasche. Da waren die Zeichner, die in bösartiger Stimmung ablehnten, weiterzuzeichnen, die Buchdrucker, die es ebenfalls hin und wieder ablehnten, zu drucken, und endlich der Bürojunge, der sehr häufig erklärte, die Arbeit niederlegen zu wollen. Bei all diesen Gelegenheiten verließ sich O'Hara auf Kid, und Kid tat, was von ihm erwartet wurde.

Als der Dampfer Exzelsior aus Alaska kam und die ersten Nachrichten von den Goldfunden in Klondike brachte, die das ganze Land verrückt machten, unterbreitete Kid O'Hara einen durchaus nicht ernstgemeinten Vorschlag.

»Sieh mal, O'Hara«, sagte er. »Jetzt wird es ganz toll werden mit der Jagd nach dem Golde – genau wie in der guten alten Zeit von 49. Was meinst du dazu, wenn ich für die ›Woge‹ mitmache? Ich würde es natürlich auf eigene Kosten tun.«

O'Hara schüttelte den Kopf.

»Unmöglich . . . ich kann dich nicht in der Schriftleitung entbehren, Kid. Wir brauchen ja auch die Erzählung. Außerdem habe ich vor kaum einer Stunde Jackson gesehen. Er fährt morgen nach Klondike und hat sich bereit erklärt, uns jede Woche Briefe und Fotos zu senden. Ich ließ nicht locker, bis er es mir fest versprochen hatte. Und das beste ist, daß es uns nicht einen Heller kostet.«

Als Kid am selben Nachmittag in den Klub kam, hörte er wieder Neuigkeiten aus Klondike. In der Bibliothek traf er seinen Onkel.

»Tag, lieber Onkel«, grüßte Kid, ließ sich in einen Ledersessel fallen und streckte die Beine aus.

»Trinkst du ein Glas mit?«

Er bestellte sich einen Cocktail, während der Onkel sich mit dem dünnen, einheimischen Landwein begnügte, den er stets trank.

Er betrachtete mit erbosten und mißbilligenden Blicken erst den Cocktail und dann das Gesicht des Neffen. Kid merkte, daß sich ein Gewitter vorbereitete.

»Ich habe leider nur wenige Minuten Zeit«, sagte er schnell. »Ich muß noch etwas besorgen und mir auch die Keith-Ausstellung bei Ellery angucken und eine halbe Spalte darüber schreiben.«

»Was ist eigentlich mit dir los?« fragte der andere. »Du bist ja ganz blaß. Das reine Wrack.«

Kid antwortete nur mit einem Seufzer.

»Ich werde noch das Vergnügen haben, dich zu begraben, sehe ich schon.«

Kid schüttelte traurig den Kopf.

»Ich will nichts mit den Würmern zu tun haben. Für mich Verbrennung!«

John Bellew gehörte zu der eisernen, abgehärteten Generation, die in den Fünfzigern mit ihrem Ochsengespann über die Prärie gezogen war. Er besaß noch die Härte dieser Männer, und eine strenge Kindheit während der Eroberung des neuen Landes hatte ihn noch härter gemacht.

»Du führst auch kein vernünftiges Leben, Christoffer«, sagte er. »Ich schäme mich deiner.«

»Weil ich den Blumenpfad des Lasters schreite, meinst du?« kicherte Kid.

Der alte Mann zuckte die Achseln.

»Schüttle nicht deine blutbesudelten Locken, lieber Onkel. Ich möchte, ich schritte den Blumenpfad. Aber das ist alles schon vorbei. Ich habe einfach keine Zeit mehr.«

»Was ist es denn?«

»Überanstrengung.«

John Bellew lachte barsch und ungläubig.

»Wahrhaftig.«

Wieder lachte er.

»Wir Menschen sind das Resultat unserer Umgebung«, erklärte Kid feierlich und wies auf das Glas des anderen. »Deine Heiterkeit ist dünn und herb wie dein Getränk.«

»Überanstrengung!« höhnte der Onkel. »Du hast ja noch nie in deinem Leben einen Heller durch Arbeit verdient.«

»Du kannst schwören, daß ich es getan habe . . . ich bekomme nur das Geld nie. Augenblicklich verdiene ich sogar fünfhundert Dollar die Woche und leiste die Arbeit von vier Männern.«

»Bilder, die du nicht verkaufen kannst? Oder . . . oder . . . hm . . . sonst etwas Verrücktes? Kannst du schwimmen?«

»Ich habe es jedenfalls gekonnt.«

»Auf einem Pferderücken sitzen?«

»Hab' ich mehrmals ausprobiert . . .«

John Bellew rümpfte mißbilligend die Nase.

»Es freut mich, daß dein Vater nicht erlebt, dich im Glanz deiner Verderbtheit zu sehen«, sagte er. »Dein Vater war ein Mann, jeder Zoll ein Mann! Verstehst du, was das heißt? Ein Mann . . . Ich glaube, er hätte den ganzen künstlerischen und musikalischen Blödsinn aus dir herausgepeitscht.«

»Ach ja, unsere verderbte, heruntergekommene Zeit«, seufzte Kid.

»Ich könnte es noch verstehen und dulden«, fuhr der andere grimmig fort, »wenn du wenigstens Erfolge damit erzieltest. Aber du hast noch nie in deinem Leben einen Heller verdient und nicht ein Lot anständiger Männerarbeit geleistet.«

»Radierungen, Gemälde und Fächer«, bemerkte Kid in einer Weise, die nicht gerade besänftigend wirkte.

»Du bist ein Pfuscher und ein mißratenes Subjekt. Was für Bilder hast du denn gemalt? Verrückte Aquarelle und Plakate, die die reinen bösen Träume sind. Du hast noch nie ein Bild ausgestellt – nicht ein einziges Mal hier in San Franzisko.«

»Oh, du vergißt ganz, daß ein Bild von mir sogar in den Festräumen dieses Klubs hängt.«

»Eine ganz plumpe Zeichnung. Und Musik? Deine liebe närrische Mutter hat dir Hunderte von Stunden geben lassen. Du bist nur ein Pfuscher und ein Taugenichts geworden. Du hast nie auch nur einen Fünfdollarschein durch Begleiten in einem Konzert verdienen können. Deine Lieder? Mist, der nie gedruckt worden ist und den nur das verdrehte Künstlergesindel singt und spielt.«

»Ich habe auch ein Buch veröffentlicht . . . die Sonette, du weißt doch«, unterbrach ihn Kid sehr bescheiden.

»Und was hast du dafür bezahlen müssen?«

»Nur ein paar hundert.«

»Und welche Taten hast du sonst vollbracht?«

»Man hat ein Stück von mir auf der Freiluftbühne aufgeführt.«

11

»Und was hast du damit verdient?«

»Ruhm.«

»Und du hast früher schon mal geschwommen und versucht, auf einem Pferderücken zu sitzen!« John Bellew stellte sein Glas mit ungewohnter Heftigkeit auf den Tisch. »Was in aller Welt bist du denn für ein Kerl? Du hast eine ausgezeichnete Erziehung genossen, aber selbst auf der Universität hast du nicht Fußball gespielt! Du hast nicht rudern gelernt . . . du hast nicht . . .«

»Ich habe boxen und auch fechten gelernt, doch immerhin etwas.«

»Wann hast du das letzte Mal geboxt?«

»Seit damals nicht . . . aber man hat mir immer gesagt, daß ich Zeit und Abstand gut zu schätzen verstände . . . nur fand man, daß ich . . . ich . . .«

»Nur weiter . . .«

»Nur, daß ich ein bißchen . . . launisch war . . .«

»Faul – meinst du wohl. Mein Vater . . . dein Großvater also, junger Mann, Isaac Bellew, tötete einen Mann mit einem Hieb seiner bloßen Faust, als er schon neunundsechzig Jahre alt war.«

Der andere fragte: »Wer? Der Mann?«

»Nein, dein Großvater, du gottverlassener Lump . . . aber du wirst nicht einmal mehr eine Mücke töten können, wenn du neunundsechzig bist.«

»Die Zeiten haben sich eben geändert, lieber Onkel. Heute steckt man einen Mann ins Zuchthaus, wenn er jemand tötet.« Er lächelte überlegen.

»Dein Vater hat einen Ritt von hundertfünfundachtzig Meilen gemacht . . . ohne zu schlafen . . . und hat dabei drei Pferde zuschanden geritten.«

»Hätte er heute noch gelebt, so wäre er im Pullman gefahren und hätte über der Kursliste geschnarcht.«

Der alte Herr platzte fast vor Wut, aber er schluckte seinen Zorn hinunter, und es gelang ihm, zu fragen:

»Wie alt bist du eigentlich?«

»Ich habe Grund zu glauben, daß ich . . .«

»Weiß schon. Siebenundzwanzig. Mit zweiundzwanzig warst du mit der Universität fertig. Fünf Jahre hast du gepfuscht und Kinkerlitzchen und Dummheiten gemacht. Und was bist du heute wert? Als ich in deinem Alter war, hatte ich nur eine Garnitur Unterwäsche. Ich ritt mit dem Vieh in Colusa. Ich war hart wie Stahl und konnte auf dem bloßen Felsen schlafen. Ich lebte von Dörrfleisch und Bärenschinken. Ich bin in körperlicher Beziehung heute noch ein besserer Mann als du. Du wiegst über hundertfünfundsechzig Pfund. Ich kann dich noch heute zu Boden schlagen, dich mit meinen bloßen Fäusten verprügeln.«

»Man braucht eben kein Wunderkind an Körperkraft zu sein, um einen Cocktail oder eine Tasse Tee zu trinken«, murmelte Kid zu seiner Entschuldigung. »Siehst du denn nicht ein, lieber Onkel, daß die Zeiten sich geändert haben? Außerdem bin ich vielleicht auch nicht in der richtigen Weise erzogen. Meine liebe närrische Mutter . . .«

John Bellew sah ihn zornig an.

». . . war, wie du ja soeben sagtest, zu gut zu mir. Sie packte mich in Watte ein. Na, und wenn ich damals, als ich noch ein Jüngling war, an diesen besonders männlichen Ferienausflügen, für die du dich einsetztest, teilgenommen hätte . . . ja, ich frage mich, warum in aller Welt hast du mich denn nie dazu eingeladen? Du hast Hal und Robbie über die Sierras und nach Mexiko mitgenommen.«

»Ich glaubte, du fühltest dich zu sehr als der junge Lord Fauntleroy.«

»Das ist dein Fehler, lieber Onkel . . . und der Fehler meiner lieben . . . hm . . . lieben Mutter . . . Wie sollte ich wissen, was es hieß, ›hart‹ zu sein? Ich war immer nur das verwöhnte Mutterkind. Was blieb mir denn übrig, als Radierungen, Gemälde und Fächer zu machen? Ist es mein Fehler, daß ich nie schwitzen gelernt habe?«

Der Ältere betrachtete seinen Neffen mit unverhohlenem Unwillen. Er war nicht imstande, diese leichtfertige Sprache eines Schwächlings mit Nachsicht anzuhören.

»Nun, ich bin jetzt eben im Begriff, einen von diesen besonders männlichen Ferienausflügen – wie du sie nennst – zu unternehmen«, sagte er. »Was würdest du sagen, wenn ich dich einlüde, mitzukommen?«

»Du kommst leider zu spät. Wohin geht es denn?«

»Hal und Robert wollen nach Klondike gehen, ich fahre mit, um zu sehen, wie sie über den Paß nach den Seen hinunterkommen, und kehre dann zurück . . .«

Er kam nicht weiter, denn der junge Mann war aufgesprungen und hatte seine Hand ergriffen.

»Mein Retter!«

John Bellew wurde sofort mißtrauisch. Er hatte sich keinen Augenblick träumen lassen, daß seine Einladung angenommen würde.

»Es ist ja gar nicht dein Ernst«, sagte er.

»Wann fahren wir ab?«

»Es wird eine schwere Reise werden. Du wirst uns nur im Wege sein.«

»Nein, das werde ich nicht. Ich will auch arbeiten. Seit ich bei der ›Woge‹ bin, weiß ich, was arbeiten heißt.«

»Jeder muß Lebensmittel für ein ganzes Jahr tragen. Der Zustrom wird so groß werden, daß die indianischen Träger nicht imstande sein werden, die Arbeit zu bewältigen. Hal und Robert werden ihre Ausrüstung selbst schleppen müssen. Das ist auch der Grund, warum ich mit-

gehe . . . um ihnen behilflich zu sein, das Gepäck zu tragen . . . Wenn du mitkommst, mußt du es also ebenso machen!«
»Zerbrich dir nicht deinen Kopf!«
»Du kannst ja nicht schleppen.«
»Wann fahren wir ab?«
»Morgen.«
»Du brauchst dir nicht einzubilden, daß deine Predigt schuld daran ist«, sagte Kid, als er Abschied nahm. »Ich mußte sowieso fort von O'Hara . . . irgendwie und irgendwohin.«
»Wer ist O'Hara? Ein Japaner?«
»Nein – ein Irländer und ein richtiger Sklaventreiber und dazu mein bester Freund. Er ist Schriftleiter, Besitzer und in jeder Beziehung der große Tyrann der ›Woge‹. Was er sagt, geschieht. Selbst Gespenster tanzen nach seiner Pfeife.«
Am selben Abend schrieb Kid Bellew einen Zettel an O'Hara. »Es handelt sich nur um einen Urlaub von einigen Wochen«, erklärte er. »Du mußt sehen, irgendeinen gutmütigen Esel zu finden, der ein paar Fortsetzungen unserer Erzählungen fertigbringen kann. Du tust mir ja leid, alter Freund, aber meine Gesundheit macht die Sache notwendig. Wenn ich wieder da bin, kann ich sicher doppelt so kräftig schuften.«

Eine tolle Verwirrung herrschte am Strande von Dyea, wo Kid Bellew an Land ging. Ausrüstungen, die mehr als tausend Männern gehörten, lagen hier im Gewicht von vielen Tonnen aufgestapelt. Diese ungeheuren Mengen von Gepäck und Nahrungsmitteln, die von den Dampfern haufenweise an Land geworfen wurden, begannen jetzt langsam durch das Dyea-Tal und über den Chilcoot weiterzuwandern. Es waren nicht weniger als zwanzig Meilen, die man die Waren transportieren mußte – und es war nur auf Männerrücken möglich. Obgleich die indianischen Träger den Frachtpreis bereits von fünf auf vierzig Cent per Pfund getrieben hatten, konnten sie die Arbeit doch nicht bewältigen. Und man war sich schon darüber klar, daß der Winter den größten Teil dieser Ausrüstungen noch diesseits der Grenzpässe einholen würde.
Der grünste von allen Grünschnäbeln war Kid. Wie so viele hundert andere trug auch er einen schweren Revolver, der an einem Patronengürtel hing. Sein Onkel, der mit Erinnerungen an die alten gesetzlosen Tage erfüllt war, tat freilich dasselbe. Aber Kid Bellew war ein romantischer Träumer. Er war von dem Rauschen und Glitzern des Goldstroms verzaubert und sah das ganze Leben und Tosen mit den Augen des Künstlers. Er nahm es gar nicht ernst. Wie er auf dem Dampfer gesagt hatte, wollte er ja nicht sein ganzes Leben dort verbringen – es handelte sich nur um einen Ferienaufenthalt, und er hatte lediglich die Absicht,

einen kurzen Blick über die Pässe zu werfen, um »einen Eindruck zu erhalten«, und dann wieder umzukehren.

Er verließ seine Begleiter, die im Sand liegenblieben, wo sie warten wollten, bis ihr Gepäck an Land gebracht wurde, und schlenderte den Strand entlang bis zu der alten Handelsstation. Er ging nicht prahlerisch und breitspurig, obgleich er sah, daß viele von den mit Revolvern bewehrten Männern es taten. Ein gewaltiger, zwei Meter langer Indianer, der eine ungewöhnlich große Last auf dem Buckel trug, überholte ihn. Kid folgte ihm. Er betrachtete voller Bewunderung die herrlichen Waden des Indianers und die Anmut und Leichtfüßigkeit, womit er sich trotz der schweren Bürde bewegte. Der Indianer ließ seine Last auf die Treppenstufen vor dem Stationsgebäude gleiten, und Kid schloß sich der Gruppe von Goldsuchern an, die den Indianer bewundernd umringten. Das Bündel hatte ein Gewicht von hundertzwanzig Pfund, und diese Tatsache wurde von allen Seiten in ehrfurchtsvollem Ton besprochen. Das ist allerhand, dachte Kid, und er fragte sich, ob er überhaupt ein solches Gewicht heben, gar nicht davon zu reden, ob er es tragen könne.

»Gehen Sie damit nach dem Linderman-See, alter Freund?« fragte er.

Der Indianer, der vor Stolz ganz aufgeblasen war, grunzte bestätigend.

»Wieviel nehmen Sie für so ein Bündel?«

»Fünfzig Dollar.«

Aber jetzt erregte etwas anderes die Aufmerksamkeit Kids. Er bemerkte nämlich eine junge Frau, die in der Tür des Stationsgebäudes stand. Im Gegensatz zu den meisten Frauen, die von den Dampfern an Land gesetzt wurden, trug sie weder kurze Röcke noch Hosen. Sie war gekleidet, wie jede andere Frau sich auf Reisen kleiden würde. Was ihn überraschte, war das Gefühl, wie selbstverständlich ihm ihre Anwesenheit hier vorkam. Sie schien ihm irgendwie hierher zu gehören. Außerdem war sie jung und hübsch. Die strahlende, helle Schönheit ihres ovalen Gesichts fesselte ihn, und er starrte sie länger an, als die Höflichkeit eigentlich erlaubte ... starrte sie so lange an, bis sie es unwillig bemerkte und ihn mit ihren dunklen, sich hinter langen Wimpern bergenden Augen kühl und kritisch betrachtete. Von seinem Gesicht glitt ihr Blick dann, sichtlich erheitert, zu dem schweren Revolver an seiner Hüfte. Wieder kehrte ihr Blick zu seinen Augen zurück, und Kid las darin spöttische Geringschätzung. Er hatte die Empfindung, als ob sie ihn geschlagen hätte. Sie wandte sich indessen ruhig zu einem Mann, der neben ihr stand, und machte ihn auf Kid aufmerksam. Der Mann betrachtete ihn mit demselben heiteren Spott.

»Chechaquo«, sagte das Mädchen.

Der Mann, der in seinen billigen Überziehhosen und der mitgenom-

menen Jacke wie ein Vagabund aussah, grinste trocken, und Kid fühlte
sich ganz vernichtet, obgleich er nicht wußte, warum. Aber sie war auf
jeden Fall ein hübsches Mädchen, wie er feststellte, als die beiden sich
entfernten. Ihm fiel ihr Gang auf, und er fällte das endgültige Urteil,
daß er sie selbst nach tausend Jahren wiedererkennen würde.
»Sehen Sie den Mann mit dem jungen Mädchen drüben?« fragte ganz
aufgeregt der Kid am nächsten Stehende. »Wissen Sie, wer das ist?«
Kid schüttelte den Kopf.
»Das ist Charibo Charley. Er wurde mir eben gezeigt. Er hat Dusel ge-
habt in Klondike. Gehört zu den Alten hier. War schon zwölf Jahre am
Yukon. Jetzt ist er eben angekommen.«
»Was bedeutet Chechaquo?« fragte Kid.
»Sie sind einer, und ich auch«, lautete die Antwort.
»Mag sein, aber deshalb weiß ich ja nicht, was es ist. Also, was bedeutet
es?« – »Grünschnabel.«
Auf dem Rückwege nach dem Strande dachte Kid immer wieder dar-
über nach. Es wurmte ihn, von einem solchen Mädelchen Grünschnabel genannt zu werden.
Den Kopf noch ganz voll von dem Bilde des Indianers, der das riesige
Bündel getragen hatte, trat Kid an die Ecke eines Güterhaufens, um
einen Versuch zu machen, seine eigene Kraft zu erproben. Er wählte
einen Mehlsack, von dem er wußte, daß er genau hundert Pfund wog.
Er stellte sich breitbeinig über den Sack, bückte sich und versuchte ihn
auf die Schulter zu heben. Sein erster Gedanke war, daß hundert Pfund
immerhin ein ansehnliches Gewicht, der nächste, daß sein Rücken
nicht sehr kräftig sei. Dann schloß er seine Gedankenreihe mit einem
Fluch, nachdem er sich fünf Minuten vergeblich bemüht hatte, und
schließlich fiel er auf den Sack hin.
Er wischte sich die Stirn, als er John Bellew bemerkte, der ihn über
einen Haufen Proviantsäcke hinweg mit kaltem Spott anblickte.
»Gott im Himmel«, rief der Apostel der Abhärtung. »Aus unsern Len-
den ist ein Geschlecht von Weichlingen geboren. Als ich sechzehn Jahre
alt war, spielte ich mit solchen Dingern.«
»Du vergißt, lieber Onkel«, antwortete Kid, »daß ich nicht mit Bären-
fleisch aufgefüttert worden bin.«
»Und ich werde noch mit den Dingern spielen, wenn ich sechzig bin.«
»Es wäre nett, wenn du mir zeigen würdest, wie man es macht.«
John Bellew tat es. Er war achtundvierzig, aber er bückte sich über den
Sack, packte ihn, änderte seinen Griff, so daß er das Gleichgewicht fand,
und warf sich mit einem schnellen Schwung den Sack über die Schulter.
Dann stand er aufrecht da.
»Ein Dreh, mein Junge, nur ein Dreh . . . und dazu ein kräftiges Rück-
grat.«

16

Kid nahm ehrfürchtig den Hut ab.

»Du bist das reinste Wunder, Onkel, ein weithin leuchtendes Wunder. Glaubst du, daß ich den Dreh auch herauskriege?«

John Bellew zuckte die Achseln.

»Du? Du wirst nach Hause trotten, ehe wir überhaupt losgehen.«

»Keine Angst, lieber Onkel«, seufzte Kid. »Zu Hause wartet O'Hara wie ein brüllender Löwe auf mich! Ich kehre erst um, wenn ich muß.«

Kids erster Gang als Träger wurde ein Erfolg. Es war ihnen gelungen, Indianer zu dingen, um die ganze Ausrüstung von zweitausendvierhundert Pfund bis zu Finnegans' Kreuzweg zu schleppen. Von dort aus mußten sie das Gepäck selbst auf den Buckel nehmen. Sie hatten gedacht, eine Meile täglich zu machen . . . auf dem Papier sah die ganze Sache auch leicht genug aus. Da John Bellew im Lager bleiben und das Essen kochen sollte, konnte er nur hin und wieder beim Tragen behilflich sein – die jungen Männer mußten also täglich je achthundert Pfund eine Meile weit schleppen. Wenn sie das Gepäck auf Bündel von fünfzig Pfund verteilten, hieß das, daß sie täglich sechzehn Meilen voll beladen und fünfzehn Meilen ohne Last laufen mußten, »denn das letzte Mal brauchen wir ja nicht wieder zurückzugehen«, sagte Kid, als er diese angenehme Entdeckung machte. Wenn sie die Bündel achtzig Pfund schwer machten, brauchten sie nur neunzehn Meilen und mit Bündeln von je hundert Pfund sogar nur fünfzehn Meilen täglich zu laufen.

»Ich liebe das viele Laufen nicht«, sagte Kid. »Ich werde also jedesmal hundert Pfund tragen.« Er bemerkte ein ungläubiges Grinsen auf dem Gesicht des Onkels und fügte deshalb schnell hinzu: »Selbstverständlich werde ich es erst allmählich dahin bringen. Ein junger Bursche muß erst all die verschiedenen Drehs und Kniffe kennenlernen. Ich werde mit fünfzig anfangen.«

Er tat, wie er gesagt hatte, und machte sich heiter auf den Weg. Er warf den Sack auf den nächsten Lagerplatz ab und spazierte zurück. Die Sache war leichter, als er es sich gedacht hatte. Aber die zwei Meilen hatten immerhin die dünne Schicht von Ausdauer abgeschält und die Weichlichkeit, die darunterlag, bloßgelegt. Sein nächstes Bündel wog bereits fünfundsechzig Pfund. Es fiel ihm schon bedeutend schwerer, und er spazierte nicht mehr so flott daher. Er tat wie alle anderen, die ihr Gepäck trugen, und setzte sich hin und wieder auf den Boden, um sein Bündel gegen einen großen Stein oder einen Baumstumpf zu stützen. Als er das dritte Bündel nehmen sollte, war er schon ganz übermütig geworden. Er legte die Traggurte um einen Bohnensack von fünfundneunzig Pfund und marschierte los damit. Er war kaum hundert Schritt weit gekommen, als er schon fühlte, daß er am Zusammenbrechen war. Er setzte sich deshalb und wischte sich den Schweiß vom Gesicht.

»Kurzes Schleppen und kurze Pausen«, murmelte er vor sich hin. »Darin besteht der ganze Dreh.«

Zuweilen gelang es ihm kaum, hundert Schritt zu laufen, und jedesmal, wenn er mit unendlicher Mühe wieder auf die Füße gekommen war, um ein kleines Stück weiter zu schleppen, war das Bündel unleugbar schwerer geworden. Er schnappte nach Luft, und der Schweiß rann ihm in Strömen über den ganzen Körper. Er hatte noch keine Viertelmeile zurückgelegt, als er sich schon die wollene Jacke auszog und sie an einen Baum hängte. Bald darauf trennte er sich von seinem Hut. Als er die halbe Meile hinter sich hatte, war er sich darüber klar, daß er erledigt war. Noch nie in seinem Leben hatte er in dieser Weise geschuftet, und er verschwieg sich durchaus nicht, daß er überhaupt nicht weiter konnte. Wie er keuchend dasaß, fiel sein Blick zufällig auf den großen Revolver und den schweren Patronengürtel.

»Zehn Pfund überflüssigen Krams«, knurrte er und schnallte ihn ab.

Er gab sich nicht einmal die Mühe, die Sachen an einen Baum zu hängen, sondern schleuderte sie ins Gebüsch. Und als er die Gepäckträger beobachtete, die in einem stetigen Strom auf ihrem Wege hin und zurück an ihm vorüberglitten, stellte er fest, daß die andern Grünschnäbel ebenfalls begannen, ihre Schießeisen wegzuwerfen.

Seine kurzen Wege wurden indessen immer noch kürzer. Zuweilen konnte er nicht mehr als hundert Fuß bewältigen – dann zwangen ihn das verhängnisvolle Herzklopfen, das er schmerzhaft in den Ohren vernahm, und die widerliche Schwäche in seinen Knien zu einer neuen Ruhepause. Und diese Pausen wurden länger und länger. Seine Gedanken arbeiteten indessen unermüdlich weiter. Es handelte sich alles in allem um einen Transport von achtundzwanzig Meilen, was also eine Arbeit von ebenso vielen Tagen bedeutete. Dazu kam, daß dieser Abschnitt – nach dem, was alle sagten – unbedingt der leichteste des ganzen Weges war.

»Warten Sie nur, bis Sie zum Chilcoot kommen«, erzählten einige, die neben ihm saßen und sich mit ihm unterhielten, »dort werden Sie auf allen vieren kriechen müssen.«

»Es wird überhaupt keinen Chilcoot geben«, lautete seine Antwort. »Jedenfalls nicht für mich. Ehe wir so weit sind, werde ich längst in aller Ruhe in meinem kleinen Bett unter dem Rasen liegen.«

Ein Straucheln – und die ungeheure Anstrengung, die er machen mußte, um wieder auf die Beine zu kommen, erfüllte ihn mit Angst. Er hatte die Empfindung, als ob sein ganzes Inneres in Fetzen zerrissen war.

»Wenn ich mit diesem Bündel auf dem Buckel stürze, bin ich ein für alle Male erledigt«, sagte er zu einem andern, der auch ein Bündel schleppte.

18

»Das ist noch gar nichts«, lautete die Antwort. »Warte nur, bis du zum Canjon kommst. Da wirst du einen reißenden Strom auf einem sechzig Fuß langen Fichtenstamm überqueren müssen. Da gibt's kein Geländer, gar nichts, und in der Mitte, wo der Stamm sich biegt, reicht dir das Wasser bis zu den Knien. Wenn du mit deinem Bündel auf dem Buckel da runterfällst, kommst du nicht mehr aus den Traggurten heraus. Du bleibst drin und versäufst.«

»Schöne Aussichten«, erwiderte er. Und aus dem Abgrund einer völligen Erschöpfung heraus meinte er es beinahe buchstäblich.

»Da versaufen täglich drei oder vier Mann«, versicherte der andere. »Neulich war ich selbst mit dabei. Wir fischten einen Schweden heraus. Er hatte viertausend Dollar in schönen Scheinen bei sich.«

»Wirklich sehr ermutigend«, meinte Kid, während er sich mühsam aufraffte und weiterwankte.

Er und sein Bohnensack wurden allmählich zu einer wandernden Tragödie. Unwillkürlich erinnerte er sich des Märchens von dem alten Mann auf dem Rücken Sindbad des Seefahrers. Das ist also so ein besonders männliches Ferienvergnügen, dachte er. Im Vergleich mit dieser Schufterei war selbst die Sklavenarbeit bei O'Hara süß und angenehm. Immer wieder wollte er der Versuchung nachgeben, den verfluchten Sack im Gebüsch liegenzulassen, in das Lager zu schlüpfen und in aller Stille mit einem Dampfer in zivilisiertere Gegenden zurückzukehren.

Aber er tat es nicht. Irgendwo in ihm erklang eine harte Saite, und ein Mal über das andere wiederholte er sich, daß, was andere Männer konnten, auch er können müßte. Der Transport gestaltete sich für ihn zu einem wahren Alpdruck, und er klagte jedem, der ihn unterwegs überholte, sein Leid. In anderen Augenblicken beobachtete er, wenn er sich ausruhte, die stumpfsinnigen Indianer, die unter ihren viel schwereren Lasten so leicht und sicher wie die Maultiere dahintrotteten, und er beneidete sie. Sie schienen nie zu ruhen, sondern gingen hin und zurück mit einer Ausdauer und einer Regelmäßigkeit, die ihn verblüfften.

Er saß da und fluchte – solange er schleppte, hatte er nicht Luft genug, um es zu können –, während er einen verzweifelten Kampf mit der Versuchung ausfocht, sich nach San Franzisko zurückzuschleichen. Bevor er seine Meile mit dem Bündel gewandert war, hatte er indessen schon aufgehört zu fluchen und begann statt dessen zu heulen. Die Tränen, die ihm über die Wangen liefen, waren Tränen der Erschöpfung und der Selbstverachtung. Wenn je ein Mann ein Wrack war, so war er es. Als das Ziel des Transports in Sicht kam, nahm er sich mit der Kraft der Verzweiflung zusammen, erreichte den Lagerplatz und schlug, so lang er war, mit dem Bündel auf dem Rücken hin. Er starb nicht, aber er blieb immerhin eine Viertelstunde liegen, ehe er so viel Energie zusammengerafft hatte, daß er sich von den Traggurten befreien konnte. Dann wurde ihm tödlich übel, und in diesem Zustand fand ihn Robbie, dem es genauso ging wie ihm. Eigentlich war es Robbies jämmerlicher Zustand, der ihn bewog, sich zusammenzunehmen. »Was andere Männer können, können wir auch«, sagte Kid zu ihm. In seinem Innersten wußte er freilich nicht recht, ob er dabei aufschnitt oder nicht.

»Und ich bin erst siebenundzwanzig Jahre alt und ein Mann«, wiederholte er sich immer und immer wieder in den folgenden Tagen. Er hatte es aber auch wirklich nötig. Denn am Ende der Woche war es ihm zwar gelungen, seine achthundert Pfund täglich um eine Meile weiterzuschleppen, aber dabei hatte er von seinem eigenen Gewicht fünfzehn Pfund verloren. Sein Gesicht war mager und ausgemergelt geworden. Alle Spannkraft war aus seinem Körper und seiner Seele verschwunden. Er spazierte nicht länger, er schleppte sich mühevoll dahin. Und wenn er ohne Last nach dem Lager zurückging, zog er die Füße schlurfend nach, ganz als wenn er seine Last trüge.

Er war ein richtiges Arbeitstier geworden. Beim Essen nickte er ein, und sein Schlaf war tief und tierisch, mit Ausnahme der Augenblicke, da Krämpfe in den Beinen ihn wachhielten und er vor Schmerz laut aufschrie. Sein ganzer Körper war wund und schmerzte. Er hatte Blasen, die nicht verschwinden wollten, und doch war selbst das noch leichter zu ertragen als die furchtbaren Quetschungen, die er sich an den Füßen holte, als er über die vom Wasser scharfgeschliffenen Klippen der Dyea-Watten wandern mußte, durch die der Weg zwei Meilen weit führte. Diese beiden Meilen entsprachen in Wirklichkeit achtunddreißig Meilen gewöhnlichen Wanderns auf glattem Wege. Er wusch sich jetzt nur einmal täglich das Gesicht. Seine Nägel waren zerrissen, abgebrochen und voller Niednägel, und er reinigte sie überhaupt nicht mehr. Seine Schultern und seine Brust, deren Haut von den Traggurten abgescheuert wurde, ließen ihn zum erstenmal in seinem Leben mit Ehrfurcht und Verständnis an die Pferde denken, die er so oft gleichgültig in den Straßen der Städte gesehen hatte.

Eine Prüfung, die ihn zuerst fast ganz vernichtet hätte, bedeutete das Essen. Die ungewohnte Schufterei, die ihm hier auferlegt wurde, erforderte natürlich auch eine außergewöhnliche Heizung unter dem Kessel, aber sein Magen war nicht an die großen Mengen von Speck und groben, sehr schwer verdaulichen braunen Bohnen gewöhnt. Die Folge war, daß er sich dagegen auflehnte und daß Kid vor Schmerzen und Ärger und auch vor Hunger nahe daran war, zusammenzubrechen.

Bis endlich der glückliche Tag kam, an dem er wie ein ausgehungertes Tier aß und sogar mit gierigen Wolfsaugen immer mehr verlangte. Als sie die Ausrüstung über die schmale Brücke am Eingang des Canjons geschafft hatten, änderten sie ihre Pläne. Von jenseits des Passes kam das Gerücht, daß man die letzten Bäume am Linderman-See fällte, um Boote daraus zu verfertigen. Die beiden Vettern gingen mit Werkzeug, Bandsägen, Decken und Lebensmitteln auf dem Buckel los und überließen es Kid und seinem Onkel, sich mit dem gesamten Gepäck abzuquälen. John Bellew teilte sich jetzt mit Kid in das Kochen, so daß sie beide Schulter an Schulter schleppen konnten. Die Zeit verging schnell, und in den Bergen begann schon der erste Schnee zu fallen. Der Ältere nahm hundert Pfund auf seinen eisernen Rücken. Kid bekam einen Schrecken, aber er biß die Zähne zusammen und legte seine Traggurte ebenfalls um ein zentnerschweres Bündel. Angenehm war es nicht, aber er hatte den Dreh schon heraus, und außerdem war sein Körper jetzt von aller Weichlichkeit und von überflüssigem Fett befreit und abgehärtet, und die Muskeln wurden eckig und hart. Er verstand auch zu beobachten und nachzudenken. Er hatte die Kopfriemen der Indianer gesehen und verfertigte sich jetzt selbst einen, den er in Verbindung mit den gewöhnlichen Schultergurten gebrauchen wollte. Das erleichterte die Arbeit wesentlich, so daß er allmählich begann, einige nicht zu schwere, sonst lästige Gegenstände oben auf das Bündel zu legen. Dadurch wurde es ihm bald möglich, nicht nur die hundert Pfund in den Traggurten zu schleppen, sondern noch weitere fünfzehn oder zwanzig Pfund, die er dicht am Halse lose auf das Bündel legte. Und zu alledem trug er noch eine Axt oder ein paar Riemen in der einen und einige ineinandergestülpte Kochtöpfe in der andern Hand.

Aber so fleißig sie auch schufteten – die Arbeit wurde immer schwieriger. Der Weg wurde schlechter und schlechter, die Lasten schwerer und schwerer, und mit jedem Tage rückte die Schneegrenze um ein kleines Stückchen weiter bergab. Gleichzeitig schnellten die Frachtpreise bis zu 60 Cent empor. Von den Vettern auf der anderen Seite hörten sie kein Wort; die waren sicher schon an der Arbeit, Bäume zu fällen und sie zu Bootsplanken zu zersägen. Allmählich wurde John Bellew jedoch ängstlich. Als ein Haufen Indianer vom Linderman-See zurückkehrte, hielt er sie an, und es gelang ihm, sie zu überreden, die Ausrüstung weiterzutransportieren. Sie forderten nicht weniger als dreißig Cent, um das Gepäck bis auf die Paßhöhe des Chilcoot zu bringen, was John Bellew an den Rand der Pleite brachte.

Aber selbst da blieben noch gut vierhundert Pfund – Säcke mit Kleidern und Zeltbahnen – übrig, die sie nicht mitnehmen konnten. Der Alte blieb deshalb selbst zurück, um diese Sachen weiterzuschaffen, während er Kid mit den Indianern vorausschickte.

Auf der Paßhöhe sollte Kid dann allein bleiben und seine zwanzig Zentner Gepäck langsam weiterschieben, bis er von den vierhundert Pfund, die sein Onkel zu transportieren versprach, eingeholt wurde.

Mühselig schleppte sich Kid mit den Indianern weiter. Da es sich um einen sehr weiten Weg handelte, nämlich ganz bis zur Paßhöhe des Chilcoot, hatte er sich vernünftigerweise nur mit achtzig Pfund beladen. Die Indianer gingen ebenfalls mühsam mit den schweren Lasten auf dem Rücken, aber ihr Gang war schneller als der, welchen er gewöhnt war. Dennoch befürchtete er nichts, denn er war allmählich so weit gekommen, daß er sich als ebenso tüchtig wie die Indianer betrachtete.

Als die erste Viertelmeile zurückgelegt war, hoffte er, daß sie eine Ruhepause machen würden. Aber die Indianer gingen weiter. Er blieb deshalb bei ihnen und hielt sich auch auf seinem Platz in der Reihe. Als sie eine halbe Meile gegangen waren, war er überzeugt, daß er keinen Schritt weitergehen konnte, aber er biß die Zähne zusammen und hielt sich immer noch auf seinem Platz. Als aber eine ganze Meile hinter ihnen lag, wunderte er sich, daß er noch am Leben war. Dann trat der eigentümliche Zustand ein, den man als »zweites Stadium« bezeichnen könnte: die nächste Meile war viel leichter als die erste. Aber die dritte tötete ihn fast; obgleich er jedoch beinahe verrückt vor Schmerz und Müdigkeit war, ließ er keinen Klagelaut hören. Und als er schließlich feststellte, daß er jetzt bald vollkommen versagen mußte, kam die Rast. Aber statt die Gurte umzubehalten, wie die weißen Träger es taten, nahmen die Indianer Schulter- und Kopfriemen ab und machten es sich bequem, schwatzten und rauchten.

Es dauerte eine ganze halbe Stunde, bevor sie weitergingen, und zu Kids größtem Befremden fühlte er sich völlig erfrischt und erholt. Sein neuester Leitspruch war deshalb von jetzt an: »Langes Schleppen und langes Rasten.«

Die Paßhöhe des Chilcoot entsprach genau den Schilderungen, die man ihm gemacht hatte. Es gab mehrere Stellen, wo er tatsächlich auf allen vieren klettern und kriechen mußte. Als er aber in einem stiebenden Schneesturm die Höhe erreichte, hielt er sich trotz allem immer noch auf seinem Platz unter den Indianern. In der Tiefe seines Herzens war er auch sehr stolz darauf, daß er ihnen die Stange gehalten und sich weder beklagt noch schlappgemacht hatte. Fast ebensogut wie ein Indianer zu sein – das war jetzt das Ziel seines Ehrgeizes geworden.

Als er die Indianer entlohnt und sie hatte weggehen sehen, wurde es dunkel. Der Sturm wehte immer noch, und er war ganz allein hier oben, tausend Fuß über der Baumgrenze, auf der Höhe des Bergrükkens. Sein ganzer Oberkörper war durchnäßt, er war hungrig und erschöpft, und er hätte die Einnahme eines ganzen Jahres für ein Feuer und eine Tasse heißen Kaffees gegeben. Statt dessen mußte er sich mit einigen kalten Eierkuchen begnügen; danr. kroch er in die Falten einer zusammengelegten Zeltbahn hinein. Bevor er einnickte, hatte er nur noch Zeit, John Bellew einen flüchtigen Gedanken zu opfern, und er lachte schadenfroh vor sich hin, als er sich ausmalte, wie der die folgenden Tage zu tun haben mußte, um die vierhundert Pfund auf seinem männlichen Buckel bis zur Paßhöhe des Chilcoot zu schleppen. Er selbst hatte freilich zweitausend Pfund zu schleppen, aber sein Weg ging doch bergab.

Am nächsten Morgen war er noch ganz steif vor Müdigkeit und halb erstarrt vor Kälte, als er aus den Falten der Zeltbahn kroch. Dann aß er etliche Pfund kalten Specks, legte seine Traggurte um einen Zentner Gepäck und marschierte den steinigen Weg bergab. Ein paar hundert Schritte weiterhin führte der Weg über einen schmalen Gletscher zum Kratersee hinab. Mehrere Männer waren gerade dabei, ihr Gepäck über den Gletscher zu tragen. Den ganzen Tag über legte Kid alles, was er herbeischleppte, am oberen Rande des Gletschers nieder, und da der Weg, den er zu gehen hatte, nur kurz war, lud er sich jedesmal hundertfünfzig Pfund auf. Sein Erstaunen, daß er hierzu imstande war, hielt sich unverändert auf derselben Höhe. Für zwei Dollar kaufte er einem Indianer drei steinharte Schiffszwiebacke ab, und hieraus sowie aus einer ansehnlichen Menge rohen Specks bereitete er sich verschiedene Mahlzeiten. Ungewaschen, durchfroren und in Kleidern, die von seinem Schweiß ganz feucht waren, verbrachte er auch die zweite Nacht in den Falten seiner Zeltbahn.

Früh am nächsten Morgen breitete er eine Persenning auf dem Eise aus, lud einfach sein ganzes Gepäck darauf und begann sie zu ziehen. Als der Gletscherhang steiler wurde, begann seine Ladung schneller zu gleiten und überholte ihn sogar bald, so daß er sich auf das mächtige Bündel setzen mußte, das mit ihm weiter hinuntersauste.

Mehr als hundert Männer, die ihre Ausrüstung mühsam schleppten, blieben stehen, um ihm nachzusehen. Er stieß wilde Warnungsschreie aus, und alle, die ihm im Wege standen, sprangen erschrocken beiseite, um ihm schnell Platz zu machen.

Unten, wo der Gletscher aufhörte, stand ein kleines Zelt, und es sah aus, als ob es ihm entgegenliefe, so schnell rutschte er den Berg hinab. Er schwenkte von dem festgetretenen Wege ab, dem die Gepäckträger folgten und der nach links führte, und sauste durch den frisch gefallenen Schnee, der ihn wie eine eisige Wolke umstob, ihn aber gleichzeitig bremste.

Plötzlich sah er das Zelt wieder vor sich auftauchen, aber erst im selben

Augenblick, als er dagegenflog. Er saß noch immer auf dem mächtigen Haufen von Lebensmitteln auf der Persenning, als er die Eckpflöcke umwarf und die vor dem Eingang hängende Zeltbahn beiseite riß. Er kam erst wieder zu sich, als er sich schon im Zelt befand, das wie ein Betrunkener hin und her schwankte. In dem eiskalten Dampf fand er sich plötzlich Angesicht zu Angesicht mit einer ziemlich verblüfften jungen Dame, die aufrecht in ihrem Bett saß und ihn anstarrte . . . und es war ausgerechnet dieselbe Dame, die ihn in Dyea einen Grünschnabel genannt hatte!

»Haben Sie gesehen, wie ich gesaust bin . . . wie der Sturm?« fragte er vergnügt.

Sie sah ihn mißbilligend an.

»Das hier ist was anderes als der Wunderteppich im Märchen«, erklärte er.

»Würden Sie vielleicht den Sack da von meinen Füßen wegnehmen?« sagte sie sehr kühl.

Er sah sie an und stand schnell auf.

»Es war gar kein Sack – es war mein Ellbogen. Verzeihen Sie, bitte.«

Diese Berichtigung störte sie nicht im geringsten, und der kühle Empfang wirkte wie eine Herausforderung.

»Noch ein Glück, daß Sie nicht den Ofen umgeworfen haben«, sagte sie.

Er folgte ihrem Blick und bemerkte einen eisernen Ofen und darauf eine Kaffeekanne, die eine junge Indianerin überwachte. Er sog den Kaffeegeruch ein und wandte sich wieder zu dem Mädchen.

»Ich bin ein Chechaquo«, sagte er.

Ihr gelangweilter Blick zeigte ihm, daß es offenbar überflüssig gewesen war, das in Worten festzustellen. Er war indessen nicht kleinzukriegen.

»Ich habe mein Schießeisen schon weggeworfen«, fügte er hinzu.

Jetzt erst erkannte sie ihn wieder, und ihre Augen wurden etwas lebhafter.

»Ich hätte nie gedacht, daß Sie so weit kommen würden«, teilte sie ihm freundlich mit.

Er sog wieder den Kaffeeduft ein. Dieses Mal mit sichtbarer Gier.

»So wahr ich lebe . . . Kaffee!« Er drehte sich um und redete sie direkt an. »Ich gebe Ihnen meinen kleinen Finger . . . ich haue ihn mir auf der Stelle ab – ich tue, was Sie wollen . . . ich werde Ihr Sklave für ein Jahr und einen Tag sein oder für jeden anderen blöden Zeitraum, wenn Sie mir eine einzige winzige Tasse aus dem Pott da geben wollen.«

Und als sie beim Kaffee saßen, nannte er ihr seinen Namen und erfuhr den ihren . . . Joy Gastell hieß sie. Er erfuhr auch, daß sie zu den »Alten« im Lande gehörte. Sie war in einer alten Handelsstation am

Großen Sklavensee zur Welt gekommen und als Kind mit ihrem Vater über die Rocky Mountains nach dem Yukon gegangen. Jetzt war sie unterwegs nach dem Inneren des Landes – mit ihrem Vater, der von Geschäften in Seattle aufgehalten, dann mit der unseligen Chanter verunglückt und von dem Dampfer, der ihnen zu Hilfe kam, wieder nach Puget Sund zurückgebracht worden war.

Da sie noch immer im Bett lag, zog er die Unterhaltung nicht in die Länge. Er lehnte heldenmütig eine zweite Tasse Kaffee ab und entfernte sich und seine dreiviertel Tonnen Proviant aus dem Zelt.

Außerdem nahm er noch verschiedene Erkenntnisse von dort mit, zunächst die, daß sie einen bezaubernden Namen und ein Paar noch bezauberndere Augen hatte. Auch, daß sie höchstens zwanzig oder ein- oder zweiundzwanzig Jahre alt sein konnte. Ferner, daß ihr Vater offenbar Franzose war und daß sie selbst einen energischen Willen und ein bemerkenswertes Temperament besaß. Und schließlich, daß sie ihre Erziehung jedenfalls nicht im Grenzland genossen hatte.

Der Weg führte über vom Eise glattgescheuerte Felsen oberhalb der Baumgrenze um den Kratersee herum bis zu dem Bergpaß, über den man Glückslager und die ersten verkrüppelten Fichtenbäume erreichte. Wenn Kid sein schweres Gepäck um den ganzen See herum schleppen mußte, bedeutete das mehrere Tage unbeschreiblich harten Schuftens. Auf dem See lag freilich ein Boot aus Segelleinen, das als Fähre benutzt wurde. Zwei Fahrten damit, nur zwei Stunden im ganzen – und er war mit seinem Gepäck von zwanzig Zentnern Gewicht drüben. Aber er war vollkommen abgebrannt, und der Fährmann forderte vierzig Dollar für jede Tonne!

»Sie haben ja eine Goldmine in dem mistigen Boot, lieber Freund«, sagte er zu dem Fährmann. »Aber haben Sie nicht Lust auf noch eine Goldmine?«

»Zeigen Sie sie mir«, lautete die Antwort.

»Ich will sie Ihnen verkaufen, wenn Sie meine Ausrüstung übersetzen. Es ist freilich nur eine Idee, und ich habe kein Patent darauf . . . aber Sie können ja abspringen, wenn sie Ihnen nicht zusagt. Einverstanden?«

Der Fährmann nickte, und Kid fand sein Gesicht hinreichend vertrauenerweckend.

»Also, hören Sie: Sie sehen den Gletscher da? Nehmen Sie jetzt eine Axt und gehen Sie damit hin. An einem Tage können Sie eine ganz ordentliche Rinne vom Gipfel bis zur Sohle machen. Verstehen Sie, worauf ich hinauswill? Die Vereinigten Rutschbahnen von Chilcoot und Kratersee, Aktiengesellschaft! Sie können fünfzig Cent je hundert

Pfund verlangen und hundert Tonnen täglich schaffen . . . und Sie haben nichts zu tun, als die Pinke in die Tasche zu stecken.«

Zwei Stunden später stand Kid schon mit seinem Gepäck auf der anderen Seite des Sees und war seinen Berechnungen um drei Tage voraus. Und als John Bellew ihn endlich einholte, war er schon ein gutes Stück nach dem »Tiefen See« unterwegs, der gleichfalls von einem mit Eiswasser gefüllten vulkanischen Krater gebildet wurde.

Das letzte Stück Weges, das sie den Proviant noch tragen mußten, nämlich vom »Langen See« bis zum Linderman-See, betrug nur drei Meilen. Aber der Weg (wenn man ihn überhaupt so nennen konnte) kletterte erst über einen tausend Fuß hohen Bergkamm, schlängelte sich dann durch ein Gewirr von glatten Felsen in die Tiefe hinab und überquerte schließlich einen ausgedehnten Sumpf. John Bellew protestierte, als er sah, wie Kid mit hundert Pfund in den Traggurten aufstand und dann noch einen Mehlsack von fünfzig Pfund oben auf das große Bündel legte.

»Nur los, du Apostel der Abhärtung!« antwortete Kid. »Jetzt kannst du zeigen, was du leisten kannst . . . du mit deinem Bärenfutter und deiner einen Garnitur Unterwäsche.«

Aber John Bellew schüttelte den Kopf.

»Ich fürchte, ich werde doch alt, Christoffer.«

»Du bist erst achtundvierzig. Vergiß nicht, daß mein Großvater, also dein Vater, der alte Isaac Bellew, noch mit neunundsechzig einen Mann mit der Faust zu Boden schlug.«

John Bellew grinste und schluckte heldenmütig die bittere Pille.

»Lieber Onkel, ich will dir mal was Wichtiges sagen: Ich bin erzogen wie der kleine Lord Fauntleroy, aber ich kann mehr tragen als du, besser gehen als du, ich kann dich sogar werfen oder dich mit meinen bloßen Fäusten vertrimmen.«

John Bellew streckte die Hand aus und sagte feierlich:

»Ich glaube tatsächlich, daß du recht hast, Christoffer, mein Junge . . . Ich glaube sogar, daß du es mit der Last da auf dem Buckel schaffen kannst. Du hast dich gut entwickelt, mein Junge, obgleich ich es nie von dir erwartet hätte.«

Auf dieser letzten Strecke machte Kid den Weg viermal am Tage hin und zurück – das heißt, daß er täglich vierundzwanzig Meilen im Gebirge herumkletterte, davon zwölf Meilen unter einer Last von hundertfünfzig Pfund. Er war stolz und müde, aber glänzend in Form. Er aß und schlief, wie er noch nie in seinem Leben gegessen und geschlafen hatte. Und als das Endziel ihrer Reise in Sicht kam, war er ganz traurig darüber.

Ein Problem quälte ihn immer noch. Er hatte schon die Erfahrung gemacht, daß er mit hundert Pfund auf dem Rücken hinfallen konnte, ohne sich das Genick zu brechen. Aber er war ganz überzeugt, daß er es sich bräche, wenn er mit dem Extrabündel von fünfzig Pfund obendrauf stürzen würde. In alle Wege, die durch den Sumpf führten, wurden von den Tausenden von Gepäckträgern sehr schnell tiefe Löcher getreten, und man mußte deshalb immer neue Wege ausfindig machen. Bei der Suche nach einem solchen neuen Wege hatte Kid Gelegenheit, das Problem mit der Extralast von fünfzig Pfund persönlich zu lösen.

Der weiche nasse Boden unter ihm gab nach, so daß er strauchelte und kopfüber hinfiel. Die fünfzig Pfund drückten sein Gesicht in den Schlamm, glitten aber vom Halse weg, ohne ihm das Genick zu brechen. Mit den übrigen hundert Pfund auf dem Rücken gelang es ihm, auf Hände und Knie zu kommen – weiter aber nicht. Der eine Arm sank bis zur Schulter ein, so daß seine Backe tief in den Schlamm gedrückt wurde. Als er den Arm mit großer Mühe wieder herauszog, versank der andere bis zur Schulter. In dieser Lage war es ihm unmöglich, die Traggurte zu lösen, anderseits aber konnte er nicht daran denken, aufzustehen, solange er die hundert Pfund auf dem Rücken hatte. Er machte einen Versuch, auf Händen und Knien zu der Stelle zu kriechen, wo der Mehlsack lag, aber bald versank der eine, bald der andere Arm im Schlamm. Er erschöpfte seine Kräfte, ohne vorwärtszukommen. Und bei seinen heftigen Bewegungen zerschlug und zerriß er die mit Gras bewachsene Oberfläche des Stumpfes derart, daß sich allmählich unmittelbar vor seinem Mund und seiner Nase eine Pfütze von schlammigem Wasser zu bilden begann, die ihm sehr gefährlich zu werden drohte.

Er versuchte, sich auf den Rücken zu werfen, so daß das Bündel unten läge, aber der einzige Erfolg war, daß beide Arme gleichzeitig im Sumpf versanken und er einen kleinen Vorgeschmack des Ertrinkens bekam.

Mit unsäglicher Geduld zog er langsam erst den einen, dann den andern Arm aus dem Schlamm und streckte sie dann gerade über dem Boden aus, so daß er sein Kinn stützen konnte. Jetzt begann er um Hilfe zu rufen. Bald darauf hörte er Schritte im tiefen Schlamm schlabbern, und jemand näherte sich ihm von hinten.

»Reich mir eine Hand, Kamerad«, sagte er. »Oder wirf mir eine Leine zu oder sonst etwas.«

Eine Frauenstimme antwortete ihm, und er kannte sie sofort wieder.

»Wenn Sie nur die Riemen aufschnallen wollen, kann ich aufstehen«, sagte er.

Die hundert Pfund rollten mit einem nassen Klatschen in den Schlamm, und es gelang ihm, langsam auf die Beine zu kommen.

»Eine nette Patsche«, lachte Fräulein Gastell, als sie sein schlammbedecktes Gesicht sah.

»Durchaus nicht«, antwortete er überlegen. »Es ist meine beliebteste Turnübung. Sie müssen es mal versuchen. Es ist besonders gut für die Brustmuskeln und das Rückgrat.«

Er wischte sich das Gesicht ab und schleuderte dann den Schlamm mit einer raschen Bewegung von der Hand.

»Großer Gott!« rief sie, als sie ihn erkannte. »Das ist ... das ist ja Herr ... Herr Alaska-Kid!«

»Ich danke Ihnen aufrichtig für Ihre rechtzeitige Hilfe und für diesen Namen«, antwortete er. »Jetzt bin ich zum zweiten Male getauft – künftig werde ich darauf bestehen, daß man mich stets Alaska-Kid nennt. Das ist ein klangvoller Name und nicht ohne Vorbedeutung.«

Er machte eine Pause. Dann wurden sein Gesicht und seine Stimme plötzlich grimmig: »Wissen Sie, was ich jetzt muß?« fragte er. »Nach den Staaten zurückkehren. Ich soll heiraten. Ich werde eine große Kinderschar erziehen. Und abends werde ich dann die Kinder um mich versammeln und ihnen von den Leiden und Entbehrungen erzählen, die ich auf dem Wege nach Chilcoot durchgemacht habe. Und wenn sie dann nicht dabei heulen ... ich wiederhole es: wenn sie nicht dabei heulen, dann werde ich sie gehörig verdreschen.«

Jetzt näherte sich der arktische Winter mit schnellen Schritten. Der Schnee, der den ganzen Winter über liegenbleiben sollte, lag schon sechs Zoll hoch, und auf geschützt liegenden Gewässern bildete sich trotz den heftigen Stürmen schon Eis. Es war spät am Abend, als John Bellew und Kid eine kurze Pause während eines solchen Sturmes benutzten, um den beiden Vettern beim Verstauen des Gepäcks im Boot behilflich zu sein. Dann blieben sie am Strande stehen und sahen sie im Schneegestöber auf dem See verschwinden.

»Und jetzt werden wir die Nacht durchschlafen und morgen ganz früh abfahren«, sagte John Bellew. »Wenn uns der Sturm nicht auf der Paßhöhe festhält, können wir schon morgen abend Dyea erreichen. Und haben wir dann das Glück, gleich den Dampfer zu bekommen, so können wir schon in einer Woche in San Franzisko sein.«

»Warst du zufrieden mit deinen Ferien?« fragte Kid geistesabwesend.

Ihr Lager am Linderman-See bot diese letzte Nacht einen traurigen Anblick dar. Die beiden Vettern hatten alles mitgenommen, was irgendwie brauchbar war, selbst das Zelt. Eine zerfetzte Persenning, die sie ausgebreitet hatten, schützte sie nur zum Teil gegen das Schneegestöber. Ihr Abendbrot kochten sie in ein paar zerbeulten und zerschlagenen Töpfen über dem offenen Feuer. Sonst waren ihnen nur ein paar Decken und Proviant für wenige Mahlzeiten geblieben.

Von dem Augenblick an, da das Boot abgefahren war, schien Kid seltsam unruhig und geistesabwesend geworden zu sein. Sein Onkel hatte seinen Zustand bemerkt, dachte aber, es käme nur daher, daß es jetzt mit der Schufterei vorbei war. Einige Minuten später entfernte sich Kid in der Richtung des Zeltdorfes, wo die Goldgräber, die noch im Begriff waren, ihre Boote zu bauen oder zu beladen, Schutz gegen den Sturm suchten. Er blieb mehrere Stunden fort. Als er wiederkam und sich in seine Decken hüllte, war John Bellew schon eingeschlafen.

Es war ein dunkler, stürmischer Morgen, als Kid aus seinen Decken kroch und, nur in Strümpfen, ein Feuer zu machen begann, bei dem er zunächst seine gefrorenen Stiefel auftaute. Dann kochte er Kaffee und briet Speck. Es war dennoch eine kalte und ungemütliche Mahlzeit. Sobald sie vorbei war, legten die beiden ihre Decken zusammen. Als John Bellew sich anschickte, den Rückweg über den Chilcoot anzutreten, reichte Kid ihm die Hand und sagte:

»Auf Wiedersehen, lieber Onkel.«

John Bellew sah ihn an und fluchte vor lauter Überraschung. »Aber was in aller Welt hast du vor?«

Kid zeigte unbestimmt mit der Hand nach dem Norden über den sturmgepeitschten See hinaus.

»Was für einen Sinn hat es, umzukehren, wenn ich schon so weit gekommen bin?« fragte er. »Außerdem habe ich Geschmack an Bärenfleisch gefunden. Ich esse es sehr gern. Deshalb gehe ich los.«

»Aber du bist ja ganz abgebrannt«, entgegnete ihm John Bellew. »Und hast keine Ausrüstung.«

»Ich habe eine Stellung gefunden. Guck dir mal deinen Neffen, Christoffer Bellew, an! Er hat jetzt eine Stellung! Er ist Angestellter bei einem feinen Herrn! Er hat eine Stellung mit hundertfünfzig Dollar monatlich und freier Beköstigung. Er geht nach Dawson mit zwei Trotteln und einem anderen Angestellten dieses feinen Herrn . . . als Lagerkoch, Bootsführer und Mädchen für alles. Und O'Hara und die ›Woge‹ können zum Teufel gehen! Auf Wiedersehen.«

John Bellew war immer noch ganz aus dem Häuschen und konnte nur stottern:

»Aber ich verstehe nicht . . .«

»Man sagt, daß es eine Menge von Grizzlybären im Yukontal gibt«, erklärte Kid. »Na – und ich habe nur eine Garnitur Unterwäsche und Lust auf Bärenfleisch . . . das ist alles.«

Das Bärenfleisch

Fast ununterbrochen stürmte es, während Kid mühselig gegen den Wind nach dem Strande ankämpfte. In der grauen Morgendämmerung sah er einige Männer im Begriff, ein halbes Dutzend Boote mit den kostbaren Ausrüstungen, die über den Chilcoot getragen worden waren, zu beladen. Es waren nur schwerfällige, selbstgebaute Boote, von Männern zusammengezimmert, die keine Schiffsbauer waren und rohe Planken verwendet hatten, welche sie selbst mit eigenen Händen aus frischen, geschälten Baumstämmen gesägt hatten. Ein fertig beladenes Boot war schon zur Abfahrt bereit, und Kid blieb stehen, um sich die Sache anzusehen.

Der Wind, der auf dem See günstig war, wehte hier gerade gegen das Ufer und peitschte das Wasser der seichten Pfützen zu schmutzigen Spritzern. Die Männer, die zu dem abfahrenden Boot gehörten, schoben es, in hohen Gummistiefeln watend, in das tiefere Wasser. Zweimal taten sie es. Dann kletterten sie schwerfällig hinein; da sie aber nicht mit den Riemen umzugehen verstanden, wurde das Boot wieder an den Strand getrieben und stieß auf. Kid bemerkte, daß die Schaumspritzer an den Seiten des Bootes fast sofort zu Eis wurden. Der dritte Versuch führte immerhin zu einem Teilerfolg. Die beiden Männer, die zuletzt ins Boot kletterten, waren bis zum Leib durchnäßt, aber das Boot war jetzt jedenfalls flott. Sie arbeiteten ungeschickt mit den schweren Riemen, und langsam gelang es ihnen, von der Küste abzukommen.

Dann setzten sie ein Segel, das aus Bettdecken zusammengenäht war; aber ein einziger Windstoß zerriß es, und sie wurden zum drittenmal an die Küste getrieben.

Kid lachte vor sich hin und ging weiter. Alles das würde ihm vielleicht selbst bald passieren, denn auch er sollte – in seiner neuen Rolle als Angestellter eines feinen Herrn – in den nächsten Stunden in einem ähnlichen Boot von derselben Küste abfahren.

Rings wurde mit der Kraft der Verzweiflung gearbeitet, denn der Winter mit seinem Eis stand vor der Tür. Es war deshalb das reine Hasardspiel, ob es ihnen gelingen würde, die große Kette von Seen zu durchqueren, bevor alles zufror. Als Kid das Zelt der Herren Sprague und

Stine oben erreichte, war hier dennoch kein Anzeichen von Eifer und Arbeit zu bemerken.

Am Feuer, im Schutz einer Persenning, saß ein kleiner vierschrötiger Mann und rauchte behaglich eine Zigarette aus Packpapier.

»Hallo«, sagte er, »Sie sind wohl der neue Mann von Herrn Sprague?«

Kid nickte zur Bestätigung, hatte aber gleichzeitig das Gefühl, daß der andere absichtlich die Worte »Herr« und »Mann« betont hatte. Er war auch überzeugt, eine Andeutung von Blinzeln in den Augen des andern bemerkt zu haben.

»Na, und ich bin der Mann von Doktor Stine«, fuhr der Fremde fort. »Ich bin nur fünf Fuß und zwei Zoll lang, und ich heiße Kurz, Abkürzung von Jack Kurz, und manchmal heiße ich auch ›Hans Dampf in allen Gassen‹.«

Kid reichte ihm die Hand.

»Bist du mit Bärenfleisch aufgezogen worden?« fragte er.

»Todsicher«, antwortete der andere, »wenn mein erstes Frühstück, soweit ich mich entsinne, auch aus Büffelmilch bestand. Setz dich her und steck dir was ins Gesicht. Die Chefs pennen noch.«

Obgleich Kid schon einmal gefrühstückt hatte, setzte er sich doch hinter die Persenning und verzehrte sein zweites Frühstück mit dreifachem Appetit. Die schwere Arbeit, die seinen ganzen Körper gereinigt hatte, hatte ihm auch den Magen und den Hunger eines Wolfs geschenkt. Er konnte essen, was und soviel es sein sollte, und fand dabei gar keine Gelegenheit zu merken, daß er eine sogenannte Verdauung besaß. Er stellte fest, daß Kurz eine ebenso beredte wie pessimistische Persönlichkeit war, und er erhielt von ihm nicht nur etliche ziemlich überraschende Auskünfte über ihre beiden Chefs, sondern auch einige düstere Prophezeiungen in bezug auf ihr Unternehmen. Thomas Stanley Sprague war angehender Mineningenieur und Sohn eines Millionärs. Dr. Adolphe Stine war ebenfalls der Sohn eines wohlhabenden Vaters. Mit Hilfe der beiden Väter war es ihnen gelungen, eine Gesellschaft zu gründen, die ihr Klondikeabenteuer finanzierte.

»Sie sind einfach aus lauter Moneten gemacht«, erklärte Kurz. »Als sie in Dyea landeten, betrug der Frachtpreis schon siebzig Cent, doch es gab keine Indianer. Es gab aber eine Gesellschaft aus Oregon, richtiggehende Minenarbeiter, die hatten das Schwein gehabt, ein Gespann von Indianern für siebzig Cent zusammenzubringen. Die Indianer hatten schon die Traggurte angelegt – die Ausrüstung wog alles in allem dreitausend Pfund –, als Sprague und Stine ankamen. Die boten den Indianern achtzig und neunzig Cent, und als sie auf einen Dollar gekommen waren, sprangen die Indianer von ihrem Vertrage ab und ließen die dreitausend Pfund der Minenarbeiter liegen. Sprague und Stine sind also durchgekommen, mußten aber den Spaß mit dreitausend Dollar bezahlen. Und die Leute aus Oregon liegen noch heute am Strand. Sie werden erst nächstes Jahr weiterkommen.

O ja, es sind ein paar richtige Biester, dein Chef und meiner auch. Wenn es heißt, mit Geld um sich zu schmeißen oder andern Leuten auf die Zehen zu treten – dann sind sie tüchtig. Was haben sie zum Beispiel gemacht, als sie nach dem Linderman kamen? Die Zimmerleute waren eben dabei, ein Boot zu bauen, das sie vertraglich verpflichtet waren, einer Gesellschaft aus San Franzisko für sechshundert Dollar zu liefern. Sprague und Stine boten ihnen einen runden Tausender, und auch die sprangen dann aus ihrem Vertrag. Das Boot sieht ganz gut aus, aber die andere Gesellschaft ging dadurch kaputt. Jetzt hat sie ihre Ausrüstung hier liegen, aber kein Boot, um sie weiterzuschaffen. Und sie muß die Weiterfahrt nun auch aufs nächste Jahr verschieben.

Na, nimm noch 'n Pott Kaffee und laß mich dir sagen, daß ich nichts mit den Biestern zu tun haben möchte, wenn ich nicht um jeden Preis nach Klondike wollte. Sie haben das Herz nicht auf 'm rechten Fleck. Sie würden den Trauerflor vom Sarg wegnehmen, wenn es ihrem Geschäft nützen täte. Hast du 'n Vertrag unterschrieben?«

»Sie haben versprochen . . .«, begann Kid.

»Mündlich, jawohl«, unterbrach Kurz ihn. »Da steht also nur dein Wort gegen das ihrige, das ist alles . . . Na, in Gottes Namen . . . wie heißt du übrigens, Kamerad?«

»Kannst mich Kid nennen, Alaska-Kid.«

»Schön, also Kid . . . du wirst schon deinen Ärger kriegen mit deinem mündlichen Vertrag. Jetzt sollst du mal ein Beispiel hören, was du von ihnen zu erwarten hast. Mit dem Geld können sie um sich schmeißen, aber arbeiten können sie nicht. Auch nicht morgens aus der Falle kriechen. Wir hätten schon vor einer Stunde laden und abfahren sollen. Du und ich, wir müssen die ganze verfluchte Schufterei allein besorgen. Jetzt wirst du sie bald nach Kaffee brüllen hören – vom Bett aus natürlich, weißt du, und dabei sind sie doch erwachsene Männer. Was verstehst du übrigens vom Segeln auf dem Wasser? Ich bin alter Viehzüchter und Goldsucher, aber auf 'm Wasser bin ich der reine Grünschnabel, und die beiden da haben auch keinen Schimmer. Was weißt du denn?«

»Einen Dreck weiß ich«, antwortete Kid und schmiegte sich enger an die Persenning, als ein starker Windstoß den Schnee aufwirbelte. »Seit meiner Kindheit bin ich in keinem Boot gewesen. Aber ich denke, wir werden es schon lernen.« Ein Zipfel der Zeltbahn riß sich los, und Kurz bekam eine tüchtige Portion Schnee in den Kragen.

»Ja, lernen können wir es schon«, knurrte er mürrisch. »Natürlich können wir es lernen. Lernen kann jedes Wickelkind. Aber ich halte echte Dollars gegen Pfeffernüsse, daß wir heute nicht von hier weg-kommen.«

Es war schon acht Uhr geworden, als eine Stimme aus dem Zelt nach Kaffee rief, und es wurde neun, ehe die beiden Unternehmer auftauch-ten.

»Hören Sie«, sagte Sprague, ein gut genährter, rotwangiger junger Mann von fünfundzwanzig Jahren. »Es ist Zeit, daß wir abfahren, Kurz. Sie und ...« Bei diesen Worten schaute er Kid fragend an ... »Ich habe Ihren Namen gestern abend nicht recht verstanden.«

»Kid.«

»Gut, Kurz, Sie und Herr Kid machen sich jetzt wohl daran, das Boot zu beladen.«

»Nur Kid ... lassen Sie das ›Herr‹ ruhig fort«, schlug Kid vor.

Sprague nickte kurz und verschwand zwischen den Zelten. Dr. Stine, ein hagerer, bleicher junger Mann, folgte ihm.

Kurz sah seinen Kameraden vielsagend an.

»Mehr als anderthalb Tonnen ... und die rühren keine Hand dabei.«

»Vermutlich werden wir bezahlt, um die Arbeit zu tun«, antwortete Kid gut gelaunt. »Und wir können ebensogut gleich damit anfan-gen.«

Es ist durchaus kein Spaß, dreitausend Pfund hundert Schritt weit auf den Schultern schleppen zu müssen. Da es außerdem stürmte und die beiden in schweren Gummistiefeln durch den Schnee waten mußten, wurden sie ganz erschöpft. Dann mußten sie auch noch das Zelt abbre-chen und das Lagergerät verpacken. Hierauf blieb noch das Verstauen der ganzen Ausrüstung im Boot übrig. Und da es dabei immer tiefer sackte, mußten sie es immer weiter in das Wasser hinausschieben und auch eine immer weitere Strecke waten.

Gegen zwei Uhr war die Arbeit vollbracht, und Kid war völlig zermürbt vom Hunger, obgleich er zweimal gefrühstückt hatte. Die Knie zitter-ten ihm. Kurz, der sich in einem ähnlichen Zustand befand, wühlte in den Töpfen und Pfannen, bis er eine große Büchse fand, in der kalte gekochte Bohnen mit großen Happen Räucherspeck aufbewahrt waren. Sie hatten nur einen einzigen Löffel mit einem langen Stiel, und den tauchten sie jetzt abwechselnd in die Büchse. Kid war vollkommen überzeugt, noch nie in seinem Leben etwas gegessen zu haben, das ihm so herrlich geschmeckt hatte.

»Großer Gott«, murmelte er zwischen zwei Bissen. »Ich habe noch nie so einen Appetit gehabt wie auf dieser Reise.« Während sie sich noch dieser angenehmen Tätigkeit hingaben, erschienen Sprague und Stine.

»Worauf warten wir denn?« murrte Sprague. »Sollen wir denn nie von hier fort?«

Kurz war gerade an der Reihe; er tauchte den Löffel in die Büchse und gab ihn dann Kid zurück. Und keiner von ihnen sagte ein Wort, ehe sie die Büchse ausgekratzt hatten.

»Natürlich haben wir gar nichts getan«, sagte Kurz, während er seinen Mund mit dem Handrücken abwischte. »Wir haben nicht das geringste getan. Und Sie haben natürlich auch nichts zu essen gekriegt. Es war wirklich sehr nachlässig von mir «

»Ja doch«, sagte Stine schnell. »Wir aßen in einem andern Zelt . . . bei einigen Freunden.«

»Hab' ich mir gedacht«, grunzte Kurz.

»Aber jetzt sind Sie ja fertig, da können wir vielleicht abfahren«, schlug Sprague vor.

»Da ist das Boot«, sagte Kurz. »Beladen ist es schon. Aber wie haben Sie sich eigentlich gedacht, daß wir damit wegkommen sollen?«

»Wir klettern hinein und stoßen ab. Kommen Sie.«

Sie wateten alle ins Wasser, und die Chefs kletterten an Bord, während Kid und Kurz das Boot vom Ufer abschoben. Als die Wellen den oberen Rand ihrer hohen Stiefel erreichten, kletterten auch sie ins Boot. Aber die beiden andern hatten natürlich ihre Riemen nicht bereit, und deshalb wurde das Boot zurückgetrieben und saß gleich wieder fest. Mit einer ungeheuren Kraftverschwendung wiederholten sie das Manöver ein dutzendmal.

Kurz setzte sich verzweifelt auf das Dollbord, nahm einen soliden Priem und rief das Weltall zum Zeugen ihres Elends an, während Kid das Wasser aus dem Boot schöpfte und die beiden Chefs unfreundliche Bemerkungen untereinander austauschten.

»Wenn ihr meinen Befehlen gehorchen wollt, werde ich das Boot schon klarmachen«, sagte Sprague schließlich.

Der Versuch war gut gemeint; ehe es ihm aber gelang, ins Boot zu klettern, war er bis zum Gürtel durchnäßt.

»Wir werden ins Lager zurückkehren und Feuer machen«, sagte er, als das Boot wieder fest saß. »Mich friert.«

»Sei doch nicht wasserscheu«, schalt Stine. »Andere Leute sind heute auch schon abgefahren und waren nasser als du. Jetzt will ich es euch zeigen.«

Diesmal war er es, der naß wurde und mit klappernden Zähnen erklärte, daß er ein Feuer nötig hätte.

»Ein paar Spritzer wie die haben nichts zu sagen«, rief Sprague höhnisch. Auch ihm klapperten freilich die Zähne im Munde. »Wir wollen weiter.«

»Kurz, sehen Sie nach, wo mein Kleidersack steckt, und machen Sie dann ein Feuer!« befahl der andere.

»Sie wagen es nicht!« rief Sprague.

Kurz sah von einem zum andern und spuckte aus, rührte sich aber nicht.

»Er ist mein Angestellter, und ich denke, daß er meinen Befehlen gehorchen wird«, antwortete Stine.

»Kurz, schaffen Sie meinen Sack an Land.«

Kurz gehorchte, während Sprague zitternd vor Kälte im Boot blieb. Da Kid keinen Befehl erhalten hatte, blieb er ruhig sitzen. Er war zufrieden, daß er sich einen Augenblick ausruhen konnte.

»Ein Boot, das auseinanderfällt, kann nicht schwimmen«, murmelte er vor sich hin.

»Was wollen Sie damit sagen?« schnauzte Sprague ihn an.

»Ich hielt Selbstgespräche . . . eine liebe alte Gewohnheit«, antwortete Kid.

Sein Unternehmer beehrte ihn mit einem barschen Blick und schmollte weiter. Nach einigen Minuten gab er jedoch nach.

»Suchen Sie meinen Sack heraus, Kid«, befahl er, »und helfen Sie beim Feuermachen. Wir fahren erst morgen früh ab.«

Am nächsten Tage stürmte es immer noch. Der Linderman-See war eigentlich nur eine enge, mit Wasser gefüllte Schlucht. Der Wind, der von den Bergen herab in diesen Trichter wehte, war sehr unregelmäßig. Bald kam er in heftigen und stürmischen Stößen, bald besänftigte er sich und wurde zu einer leichten Brise.

»Wenn Sie die Sache mir überlassen, glaube ich, daß ich es schaffe«, sagte Kid, als wieder alles zur Abfahrt bereit war.

»Was verstehen Sie denn davon?« kläffte Stine ihn an.

»Nichts verstehe ich«, antwortete Kid und setzte sich wieder. Es war das erste Mal, daß er für Lohn arbeitete, aber er war schon auf dem besten Wege, die notwendige Unterordnung zu lernen. Gehorsam und liebenswürdig hatte er sich an den vergeblichen Versuchen, vom Ufer abzukommen, beteiligt.

»Wie würden Sie es denn machen?« fragte Sprague schließlich, halb seufzend, halb klagend.

»Ich würde mich ruhig hinsetzen und warten, bis der Sturm für eine Weile nachläßt, und dann aus allen Kräften losschieben.«

So einfach war seine Idee, aber er war doch der erste, der darauf kam. Und gleich das erste Mal, als sie seine Methode versuchten, hatten sie Erfolg. Dann hißten sie eine Decke als Segel und glitten auf den See hinaus. Stine und Sprague gerieten gleich in eine bessere Stimmung. Kurz war, trotz seinem Pessimismus, sowieso immer gut aufgelegt, und Kid interessierte sich zu sehr für die ganze Sache, um schlechter Laune sein zu können. Sprague quälte sich eine Viertelstunde mit der Ruderpinne ab, dann sah er Kid ermunternd an, bis er ihn ablöste.

»Meine Arme sind wie zerbrochen, so schwer ist es«, murmelte Sprague, wie um sich zu entschuldigen.

»Sie haben wohl nie Bärenfleisch gegessen?« fragte Kid liebenswürdig.

»Was, zum Teufel, meinen Sie damit?«

»Gar nichts . . . ich fragte nur.«

Aber hinter dem Rücken der beiden Chefs erwischte Kid ein verständnisvolles Grinsen von Kurz, der den tieferen Sinn des Gleichnisses verstanden hatte.

Kid steuerte das Boot durch den ganzen Linderman-See und erwies sich dabei als so tüchtig, daß die beiden jungen Männer, die ebensoviel Geld wie Unlust zur Arbeit hatten, ihn einstimmig zum Steuermann ernannten. Kurz war nicht weniger zufrieden damit und überließ die Bootsarbeit gern dem andern, während er selbst freiwillig das Kochen übernahm. Zwischen dem Linderman- und dem Bennet-See kam eine Strecke, wo die Ausrüstung wieder getragen werden mußte. Nachdem sie den größten Teil gelöscht hatten, wurde das Boot den engen, aber reißenden Strom hinabgelotst, und bei dieser Gelegenheit erweiterte Kid sein Wissen von Wasser und Booten um ein bedeutendes. Als sie aber die Ausrüstung tragen sollten, verschwanden Sprague und Stine spurlos, und die beiden Männer schufteten zwei Tage lang wie nie zuvor, um das ganze Gepäck zur neuen Ladestelle zu schaffen. Und dasselbe wiederholte sich ein Mal über das andere. Kid und Kurz arbeiteten bis zur völligen Erschöpfung, während ihre Herren und Meister sich regelmäßig drückten und auch noch Bedienung von ihnen verlangten. Aber der unerbittliche arktische Winter rückte immer näher, und immer wieder wurden sie von allen möglichen Verzögerungen, die sehr gut zu vermeiden gewesen wären, zurückgehalten. Als sie am »Windigen Arm« waren, nahm Stine eigenmächtig Kid die Ruderpinne aus der Hand, und es dauerte keine Stunde, so war es ihm schon gelungen, das Boot gegen das sturmgepeitschte Felsufer zu fahren, so daß es schwere Schäden erlitt. Die Reparatur kostete sie zwei Tage. Als sie dann wieder am Morgen abfahren sollten und an den Strand hinunterkamen, sahen sie, daß am Bug und Heck des Bootes mit Holzkohle in großen Buchstaben ein böses Wort geschrieben war: Chechaquo.

Kid amüsierte sich über den boshaften Bootsnamen, der hier so außerordentlich passend erschien.

»Aber hören Sie mal!« sagte Kurz, als Stine ihn beschuldigte, das verbrecherische Wort geschrieben zu haben. »Lesen kann ich freilich und auch zur Not buchstabieren, und ich weiß sogar, daß Chechaquo Grünschnabel bedeutet, aber meine Erziehung ist doch noch nicht so weit gediehen, daß ich so ein verflucht schweres Wort schreiben könnte.«

Beide Unternehmer sandten Kid durchbohrende Blicke, denn die Beleidigung saß. Und Kid hielt es nicht für nötig, zu erwähnen, daß Kurz ihn letzte Nacht gefragt hatte, wie ebendieses Wort buchstabiert würde.

»Das ist wenigstens ebenso schlimm wie deine Frage nach dem Bärenfleisch«, vertraute Kurz ihm später am Tage an.

Kid lachte. Während er immer wieder neue Fähigkeiten an sich selbst feststellte, gefielen ihm gleichzeitig die beiden Chefs immer weniger. Es war eigentlich nicht so sehr Ärger – den hatte er anfangs empfunden – wie Widerwillen. Er hatte selbst Bärenfleisch gekostet, und es schmeckte ihm herrlich – die beiden aber zeigten ihm, wie man es nie essen durfte. In seinem Herzen dankte er Gott, daß er nicht so geschaffen war wie sie. Er faßte einen Widerwillen gegen sie, der fast an Haß grenzte. Ihre Faulheit reizte ihn aber weniger als ihre hoffnungslose Unfähigkeit. Irgendwo tief in ihm wollte sich die Art des alten Isaac Bellew und all der andern abgehärteten Bellews durchsetzen.

»Du, Kurz«, sagte er eines Tages, als sie wieder wie gewöhnlich die Abfahrt verschoben hatten. »Weißt du, die beiden sind keine Liebhaber von Bärenfleisch. Ich möchte ihnen am liebsten eins mit dem Riemen über den Kopf versetzen und sie in den Fluß schmeißen.«

»Geht mir genauso«, stimmte Kurz ihm bei. »Sie sind keine Fleischesser. Richtige Fischfresser sind sie. Und es ist gar kein Zweifel, daß sie stinken.«

Endlich erreichten sie die Stromschnellen. Zuerst den »Büchsen-Canjon« und dann, einige Meilen weiter abwärts, das »Weiße Roß«. Der Büchsen-Canjon entsprach völlig seinem Namen. Er war eine Büchse, in der man fast steckenblieb, wenn man erst einmal hineingekommen war – eine richtige Falle. Wollte man wieder heraus, so mußte man durch den Boden hindurch. Zu beiden Seiten standen senkrechte Felswände. Der Fluß schrumpfte zu einem Bruchteil seiner bisherigen Breite ein und stürzte brüllend und mit einer so wahnsinnigen Schnelligkeit durch diesen dunklen Schacht, daß das Wasser in der Mitte zu einem Kamm schwoll, der gut acht Fuß höher war als das Wasser an den Felswänden. Und dieser Kamm war wieder von steifen, aufrechten Wellen gekrönt, die sich über ihm kräuselten, aber unveränderlich an ihrem Platze blieben. Dieser Canjon war sehr gefürchtet, denn er hatte seinen Todeszoll von den durchfahrenden Goldsuchern erhoben.

Kid und seine Begleiter legten am oberen Ufer bei, wo sie bereits eine Menge anderer Boote trafen, die dort in Ängsten warteten. Zu Fuß begaben sie sich dann weiter, um die Verhältnisse an Ort und Stelle nachzuprüfen. Sie krochen bis an den Rand des Canjons und blickten in das wirbelnde Wasser hinunter. Sprague zog sich schaudernd zurück.

»Mein Gott!« rief er. »Ein Schwimmer hätte nicht die geringste Chance dort unten.«

Kurz gab Kid einen leisen Stoß mit dem Ellbogen und flüsterte ihm zu:

»Er hat schon kalte Füße. Ich halte Dollars gegen Pfeffernüsse, daß sie nicht mitfahren.«

Kid hörte kaum, was er sagte. Von Anfang der Reise an hatte er sich bemüht, die Hartnäckigkeit und unfaßbare Böswilligkeit der Elemente zu erforschen, und der flüchtige Eindruck, den er jetzt gewann, als er dort hinabblickte, erschien ihm als eine Herausforderung.

»Wir müssen auf dem Kamm reiten«, sagte er. »Wenn wir nicht auf ihm hängenbleiben, schleudert die Flut uns gegen die Wände.«

»Und wir werden nie erfahren, was mit uns geschah«, lautete das Urteil Kurz'. »Kannst du schwimmen, Kid?«

»Wenn es uns dort unten schiefgeht, möchte ich es lieber nicht können.«

»Dasselbe sag' ich«, erklärte schwermütig ein Fremder, der neben ihnen stand und in den Canjon hinunterstarrte. »Und ich wünschte, ich wäre schon durch.«

»Ich würde meine Chance, durchzukommen, nicht verkaufen«, antwortete Kid.

Er meinte es aufrichtig, sagte es aber eigentlich nur, um dem Manne Mut zu machen. Er schickte sich an, nach dem Boot zurückzukehren.

»Wollen Sie es versuchen?« fragte der Mann.

Kid nickte.

»Ich möchte, ich hätte auch den Mut«, gestand der andere. »Ich bin schon seit einigen Stunden hier. Je länger ich hinuntergucke, um so mehr Angst bekomme ich. Ich habe nie etwas mit Booten zu tun gehabt, und außerdem habe ich nur meinen Neffen, der ein junger Bursche ist, und meine Frau mit. Wenn Sie heil durchgekommen sind, wollen Sie dann auch mein Boot durch den Canjon lotsen?«

Kid sah Kurz an, der mit der Antwort zögerte.

»Er hat seine Frau mit«, sagte Kid, um Eindruck zu machen. Er hatte sich auch nicht in seinem Kameraden geirrt.

»Selbstverständlich«, sagte Kurz. »Ich zögerte eben, weil ich daran dachte. Ich wußte, daß es einen Grund gab, weshalb wir es tun müssen.«

Wieder schickten sie sich an, weiterzugehen, aber Sprague und Stine rührten sich nicht vom Fleck.

»Glückliche Fahrt!« rief Sprague Kid nach. »Ich werde . . . werde . . .«, er zögerte einen Augenblick, »ich werde hier stehenbleiben und zusehen, wie es Ihnen geht.«

»Wir brauchen drei Mann im Boot, zwei an den Riemen und einen am Ruder«, sagte Kid ruhig.

Sprague warf Stine einen Blick zu.

»Fällt mir nicht im Traum ein«, erklärte dieser Herr. »Wenn Herr Sprague sich nicht fürchtet, hier stehenzubleiben und zuzugucken, tue ich es auch nicht.«

»Wer fürchtet sich?« fragte Sprague erregt.

Stine antwortete ihm im selben Ton, und als ihre Leute sie verließen, zankten sich die beiden Chefs aus Leibeskräften.

»Wir kommen schon ohne sie durch«, sagte Kid zu Kurz. »Du setzt dich vorn mit einem Riemen hin, und ich nehme das Ruder. Alles, was du tun kannst, ist, das Boot geradeaus zu halten. Wenn wir erst losgehen, wirst du nicht mehr hören können, was ich dir sage. Aber du sollst immer nur das Boot gerade voraus halten.«

Sie machten das Boot flott und arbeiteten sich in die Mitte des reißenden Stromes hinaus. Aus dem Canjon ertönte ein Brüllen, das immer stärker wurde. Der Fluß war so glatt wie geschmolzenes Glas, bevor er in die Mündung des Canjons hineingezogen wurde – und Kurz benutzte die Gelegenheit, um einen Priem zu nehmen. Dann steckte er seinen Riemen ins Wasser. Das Boot sprang sofort in die gekräuselten Wellen auf dem Kamm. Der Lärm, der donnernd von den engen hohen Felswänden widerhallte, war so stark, daß sie nichts anderes mehr hören konnten. Sie erstickten fast, so heftig schlugen die fliegenden Schaumspritzer ihnen ins Gesicht. Es gab Augenblicke, da Kid seinen Kameraden vorn im Bug kaum sehen konnte. Die ganze Geschichte dauerte zwar nur zwei Minuten, aber in dieser kurzen Zeit durchsausten sie auf dem Rücken des Wellenkammes eine Strecke von dreiviertel Meilen. Als sie heil hindurchgeschlüpft waren, legten sie das Boot im stillen Wasser hinter dem Canjon bei. Kurz, der während der Fahrt vergessen hatte, zu spucken, entleerte jetzt seinen Mund vom Priemsaft und spie kräftig aus.

»Das nenne ich Bärenfleisch!« rief er begeistert. »Richtiges Bärenfleisch! Weißt du, da fehlte aber nicht viel, nicht wahr, Kid? Im Vertrauen kann ich dir ja ganz ruhig erzählen, daß ich, ehe wir losfuhren, die allerjämmerlichste, lausigste Memme diesseits der Rocky Mountains war. Aber jetzt hab' ich Bärenfleisch gegessen. Und jetzt los, jetzt wollen wir das andere Boot durchbringen.«

Auf dem Rückwege zu Fuß trafen sie ihre beiden Unternehmer, die ihre wilde Fahrt von oben beobachtet hatten.

»Da kommen die Fischfresser«, sagte Kurz. »Wollen wir uns nicht lieber in Lee halten?«

Als sie das Boot des Fremden, der Breck hieß, durch den Canjon gelotst hatten, lernten sie auch seine Frau kennen . . . es war eine schlanke, mädchenhafte Frau, deren blaue Augen mit Tränen der Dankbarkeit gefüllt waren. Breck selbst versuchte, Kid fünfzig Dollar in die Hand zu stecken, und als es mißlang, wiederholte er den Versuch bei Kurz.

»Fremder«, sagte der, als er das Geld ablehnte, »ich kam hierher, um Gold aus dem Boden zu kratzen, nicht um es meinen Kollegen aus der Tasche zu ziehen.«

Breck suchte in seinem Boot und holte eine Flasche mit Whisky hervor. Kurz streckte schon die Hand aus, um sie zu nehmen, zog sie aber plötzlich wieder zurück. Dabei schüttelte er den Kopf und sagte:

»Wir haben noch dieses verdammte ›Weiße Roß‹ vor uns, und man sagt, daß es noch schlimmer ist als die ›Büchse‹. Ich glaube, es ist besser, wenn ich mir jetzt keinen Affen anschaffe.«

Einige Meilen weiter abwärts liefen sie wieder an den Strand und legten bei. Dann gingen sie alle vier weiter, um sich das gefährliche Gewässer anzusehen. Der Fluß, der hier lauter Stromschnellen bildete, wurde durch ein Felsriff nach rechts gezwungen. Die ganze Wassermasse wurde in einem scharfen Bogen in den engen Durchgang gedrückt, so daß die Strömung furchtbar gesteigert und der Fluß zu mächtigen Wogen gepeitscht wurde, die grimmig ihre weißen Schaumspritzer gegen den Himmel schleuderten. Das war die gefürchtete »Mähne« des »Weißen Rosses«, und hier gab es noch eine reichere Todesernte. Auf der einen Seite der »Mähne« war der Strom fast wie ein Korkenzieher, der teils emporschleuderte, teils hinabzog – auf der andern Seite der »Mähne« befand sich ein großer Wirbel. Um durchzukommen, mußte man folglich auf der »Mähne« selbst bleiben.

»Gegen dieses Aas ist der Büchsen-Canjon ja die reine Sonntagsschule«, sagte Kurz schließlich.

Als sie noch dastanden und das Gewässer betrachteten, fuhr ein Boot in die erste Stromschnelle hinein. Es war ein großes Boot, gut dreißig Faden lang, mit mehreren Tonnen Ausrüstung und sechs Mann an Bord. Bevor es die »Mähne« erreichte, tauchte es in die Wellen hinab und wurde dann wieder in die Luft geschleudert. Hin und wieder hüllten Schaum und Spritzer es vollständig ein, so daß es gar nicht mehr zu sehen war.

Kurz warf Kid einen langen Seitenblick zu und sagte:

»Es saust tüchtig und hat dabei noch nicht mal die schlimmste Stelle erreicht. Jetzt holen sie die Riemen ein. Und jetzt sind sie mitten drin . . . Gott im Himmel . . . das Boot ist ja ganz weg . . . Nein, da ist es wieder . . .«

Trotz seiner Größe verschwand das Boot doch zuweilen ganz hinter dem Schaumwirbel der Wellenköpfe. Im nächsten Augenblick war es

aber auf der »Mähne«, wurde von einem Wellenkamm hochgeschleu-
dert und dadurch wieder sichtbar. Zu seiner größten Verwunderung
sah Kid den ganzen langen Boden des Bootes mit dem Kiel sich deutlich
vom Hintergrund abzeichnen. Einen Augenblick – den Bruchteil einer
Sekunde nur – schwebte das Boot in der Luft, die Männer saßen untätig
auf ihren Plätzen, nur der Mann achtern hielt die Ruderpinne umklammert. Dann stürzte es ins Wellental hinab und entschwand für eine
Sekunde den Blicken der Zuschauer. Dreimal sprang das Boot in die
Höhe, und dreimal vergrub es sich wieder in den Wogen, dann sah man
am Ufer, wie es aus der »Mähne« hinausglitt und der Bug in die Wirbel
hineingezogen wurde. Der Mann am Steuer versuchte vergebens, es zu
verhindern; er warf sein ganzes Gewicht gegen die Ruderpinne, überließ sich dann aber völlig dem Stromwirbel und suchte nur das Boot
im Kreise zu halten.
Dreimal lief es im Wirbel herum, jedesmal so nahe an den Felsen, wo
Kid und Kurz standen, daß sie ohne Mühe hätten an Bord springen
können. Der Rudergast, ein Mann mit einem roten Bart, den er offenbar erst seit kurzem stehen ließ, winkte ihnen mit der Hand zu. Das
Boot konnte nur aus dem Wirbel herauskommen, wenn es wieder in
die »Mähne« hineingeriet. Bei der letzten Runde geriet es auch wirklich
in die »Mähne« hinein, unglücklicherweise aber quer zum oberen
Ende. Offenbar aus Angst vor dem furchtbaren Sog des Stromwirbels
versäumte es der Steuermann, das Boot wieder auf den richtigen Kurs
zu bringen, und als er es endlich versuchte, war es zu spät. Bald oben
in der Luft, bald tief in den Wellen begraben, durchquerte das große
Boot die »Mähne«, um in den Schlund des Korkenziehers auf der anderen Seite des Kammes eingesogen zu werden. Einige hundert Fuß weiter abwärts begannen Kisten, Schachteln und Warenballen an die
Oberfläche zu kommen. Dann tauchten der Kiel des Bootes und die
Köpfe der Männer auf. Zweien von ihnen gelang es, im stillen Wasser
unten das Ufer zu erreichen. Die anderen wurden hinabgezogen, das
ganze Wrackgut wurde von der starken Strömung fortgetragen und
entschwand bald den Blicken.
Eine lange Minute schwiegen sie alle. Dann ergriff Kurz als erster das
Wort:
»Los«, sagte er. »Wir können ebensogut gleich losgehen. Wenn ich
noch länger hier stehenbleibe, kriege ich bloß kalte Füße.«
»Das wird eine stürmische Fahrt werden«, grinste Kid.
»Es ist ja nicht deine erste«, lautete die Antwort. Hierauf wandte sich
Kurz an die Chefs. »Kommen Sie mit?« fragte er. Vielleicht war das
dumpfe Brüllen des Flusses schuld daran, daß die Einladung überhört
wurde.
Kurz und Kid wanderten jetzt durch den fußhohen Schnee zu ihrem

Boote zurück, das dort lag, wo die Stromschnellen begannen. Dann stießen sie ab. Zwei Erwägungen schossen Kid dabei durch den Kopf – erstens, daß sein Kamerad ein prachtvoller Kerl war – und natürlich wirkte dieser Umstand auch anspornend auf ihn –, zweitens – und das wirkte ebenfalls als Anreiz –, daß der alte Isaac Bellew und alle andern Bellews Ähnliches vollbracht hatten, als sie nach dem Westen wanderten. Was sie getan haben, kann ich auch tun! Es war das Bärenfleisch, das starke Bärenfleisch, das sie kräftig und hart gemacht hatte, aber er wußte auch – und besser als je –, daß nur Männer, die schon stark waren, Fleisch dieser Art essen konnten.

»Du hältst dich natürlich oben auf der Mähne«, rief Kurz ihm zu. Er nahm sich einen Priem, als das Boot in dem stärker werdenden Strom schneller zu gleiten begann und bereits in die erste Schnelle hineinsauste. Kid nickte, warf versuchsweise sein ganzes Gewicht mit voller Kraft gegen die Ruderpinne und hielt das Boot zum Sprung auf die »Mähne« bereit.

Einige Minuten später lagen sie, halb im Wasser begraben, im stillen Wasser unterhalb des »Weißen Rosses« am Ufer. Kurz spie einen Mundvoll Tabaksoße aus und drückte Kid die Hand. »Bärenfleisch! Bärenfleisch!« sang er dabei. »Wir essen es roh! Wir essen es lebendig!«

Oben trafen sie Breck – seine Frau blieb in einiger Entfernung von ihnen stehen. Kid drückte ihm die Hand.

»Ich fürchte, daß Ihr Boot nicht durchhält«, sagte er. »Es ist kleiner als unseres und kentert leichter.«

Der Mann zog ein Bündel Geldscheine aus der Tasche.

»Ich gebe jedem von Ihnen hundert Dollar, wenn Sie es durchs Roß bringen.«

Kid warf einen Blick auf die schäumende »Mähne des Weißen Rosses«.

Die graue Dämmerung, die hier im Norden lange dauerte, brach schon herein. Es begann kälter zu werden, und die ganze Landschaft bekam allmählich ein wildes und trostloses Aussehen.

»Darum handelt es sich nicht«, sagte Kurz. »Wir wollen Ihr Geld gar nicht. Wollen es nicht anrühren. Aber mein Kamerad weiß mit Booten Bescheid, und wenn er sagt, daß Ihr Boot nicht sicher ist, dann weiß er, was er sagt.«

Kid nickte bestätigend, aber im selben Augenblick fiel sein Blick auf Frau Breck. Ihre Augen waren auf ihn gerichtet, und er fühlte, wenn er je die Augen einer Frau hatte flehen sehen, so jetzt. Kurz folgte seinem Blick und sah dasselbe wie er. Die beiden sahen sich unsicher an, sagten aber kein Wort. Dann nickten sie sich, beide von demselben Gedanken ergriffen, zu und schlugen den Weg ein, der zu den Stromschnellen führte. Sie waren kaum hundert Schritt weit gegangen, als sie Stine und Sprague trafen, die ihnen entgegenkamen.

»Wo gehen Sie hin?« fragte Sprague.

»Wir wollen das andere Boot durch das Roß lotsen«, antwortete Kurz.

»Nein, das dürfen Sie nicht! Es fängt an dunkel zu werden, und Sie müssen das Lager in Ordnung bringen.«

So stark war der Widerwille Kids, daß er kein Wort herausbringen konnte.

»Er hat seine Frau mit«, sagte Kurz.

»Das ist seine Sache«, bemerkte Stine.

»Und ebensosehr Kids und meine«, gab Kurz zurück.

»Ich verbiete es euch«, erklärte Sprague barsch. »Kid, wenn Sie einen Schritt weitergehen, entlasse ich Sie.«

»Und ich Sie, Kurz«, fügte Stine hinzu.

»Da werdet ihr euch was Schönes einbrocken, wenn ihr uns entlaßt«, antwortete Kurz. »Wie, zum Teufel, wollt ihr denn euer Dreckboot nach Dawson bringen? Wer soll euch den Kaffee im Bett servieren und die Nägel maniküren? Los, Kid! Sie werden uns nicht entlassen. Außerdem haben wir ja unsere Verträge. Wenn sie uns entlassen, müssen sie uns soviel Proviant geben, daß wir durch den Winter kommen.«

Kaum hatten sie das Boot Brecks hinausgeschoben und das erste grobe Gewässer erreicht, als die Wellen auch schon die Reling überspülten. Es waren zunächst nur kleine Wellen, aber sie zeigten ernst genug, was kommen würde. Kurz warf einen launigen Blick zurück, während er seinen unvermeidlichen Priem nahm, und Kid fühlte, wie ein warmer Strom durch sein Herz lief, als er diesen Mann betrachtete, der nicht schwimmen konnte und, wenn sie kenterten, keine Chance hatte, sich zu retten.

Die Stromschnellen wurden immer wilder, und der Schaum begann sie zu bespritzen. In der zunehmenden Dämmerung sah Kid die schimmernde »Mähne« und den gewundenen Weg des reißenden Stromes. Er steuerte hinein und empfand eine brennende Befriedigung, als das Boot gerade auf die Mitte der »Mähne« geriet. Dann aber folgten die schäumenden Spritzer, das Boot wurde hoch empor und wieder in die Tiefe geschleudert und vom Wasser begraben, aber von alledem hatte er keinen klaren Eindruck. Er wußte nur, daß er sich mit seinem ganzen Gewicht auf die Ruderpinne warf und daß er wünschte, sein Onkel wäre dabei und könnte ihn sehen. Dann tauchten sie wieder auf, atemlos, bis auf die Haut durchnäßt, das Boot bis zum Dollbord mit Wasser gefüllt. Die leichteren Gepäckstücke schwammen frei im Boot herum. Kurz holte ein paarmal weit mit dem Riemen aus, und das Boot glitt durch das stille Wasser, bis es unversehrt das Ufer anlief. Auf dem Hange stand Frau Breck – ihr Gebet war erhört, und die Tränen strömten ihr über das Gesicht.

»Es ist einfach eure Pflicht, das Geld zu nehmen«, rief Breck ihnen zu.

Kurz stand auf, stolperte und setzte sich mitten ins Wasser, während das Boot das eine Dollbord in die See tauchte, sich aber gleich wieder aufrichtete.

»Zum Teufel mit dem Geld«, rief er. »Aber geben Sie uns den Whisky. Jetzt fange ich an, kalte Füße zu kriegen, und ich fürchte schon, daß es ein richtiger Schnupfen wird.«

Am nächsten Morgen waren sie, wie gewöhnlich, unter den letzten, die ihr Boot zur Abfahrt brachten. Selbst Breck, der nichts vom Segeln verstand und nur seine Frau und seinen jungen Neffen zur Hilfe hatte, brach schon beim ersten Tagesgrauen sein Zelt ab, belud sein Boot und segelte ab. Aber Stine und Sprague hatten keine Eile. Sie schienen gar nicht zu erfassen, daß die Seen jeden Augenblick zufrieren konnten. Sie drückten sich, wo sie konnten, standen überall im Wege, verzögerten alles und bekrittelten die Arbeit von Kid und Kurz.

»Ich werde bald meine Achtung vorm lieben Gott verlieren, wenn ich daran denke, daß er diesen beiden Mißverständnissen menschliche Gestalt gegeben hat.« Mit diesen lästerlichen Worten drückte Kurz seine Verachtung aus.

»Nun, dann gehörst du jedenfalls zur richtigen Sorte«, antwortete Kid grinsend. »Um so mehr muß ich Gott achten, wenn ich dich angucke.«

»Na ja, Verschiedenes ist ihm schon gelungen«, gab Kurz zurück, um seine Verlegenheit über die Schmeichelei zu verbergen.

Der Wasserweg nach Dawson führte auch durch den Le-Barge-See. Hier war kaum eine reißende Strömung, aber die ganze Strecke von vierzig Meilen mußte man rudern, wenn nicht zufällig ein günstiger Wind wehte. Die Zeit dieser günstigen Winde war jedoch schon vorbei, und eine eisige Kühle aus dem Norden blies ihnen ins Gesicht und schuf eine grobe See, gegen die anzurudern fast unmöglich war. Das Schneegestöber vermehrte noch ihre Schwierigkeiten um ein beträchtliches. Dazu kam, daß das Wasser auf den Ruderblättern sofort gefror, so daß ein Mann die ganze Zeit reichlich zu tun hatte, um das Eis mit einer Axt loszuschlagen. Wenn Sprague und Stine gezwungen wurden, beim Rudern zu helfen, versuchten sie ganz offensichtlich, sich zu drücken. Kid hatte gelernt, sein Gewicht beim Rudern richtig auszunutzen, aber er bemerkte, daß die Chefs nur so taten, als gebrauchten sie ihre vollen Kräfte, in Wirklichkeit aber die Riemen flach durchs Wasser strichen.

Als drei Stunden vergangen waren, zog Sprague seinen Riemen ein und erklärte, daß sie umkehren müßten, um in der Mündung des Flusses Schutz zu suchen. Stine stellte sich auf seine Seite, und damit war die harte Arbeit, die sie mehrere Meilen vorwärtsgebracht hatte, wieder vergebens gewesen. Am zweiten und dritten Tage wurden ähnliche vergebliche Versuche gemacht. In der Mündung des Flusses bildeten die vielen, beständig vom »Weißen Roß« herkommenden Boote eine Flottille von über zweihundert Stück. Mit jedem Tage kamen vierzig oder fünfzig neue an, und nur zwei oder drei erreichten das Nordwestufer des Sees und kehrten nicht wieder zurück.

Das stille Wasser vereiste, und es bildeten sich dünne Eisbänder um die Landzungen herum. Jeden Augenblick konnte man gewärtig sein, daß der See ganz zufror.

»Wir könnten es noch schaffen, wenn sie ein bißchen vernünftiger wären«, sagte Kid zu Kurz, als sie ihre Mokassins am Abend des dritten Tages am Feuer trockneten. »Wir würden es sogar heute geschafft haben, wenn sie nicht verlangt hätten, daß wir umkehrten. Nur noch eine Stunde, und wir hätten das andere Ufer erreicht. Sie sind ein paar richtige Wickelkinder.«

»Ja, wahrhaftig«, stimmte Kurz ihm bei. Er hielt seine Mokassins ans Feuer und überlegte einen Augenblick. »Hör mal, Kid. Es sind noch mehr als hundert Meilen bis Dawson. Wenn wir nicht hier einfrieren wollen, müssen wir irgend etwas tun. Was meinst du?«

Kid sah ihn an und wartete, daß er fortfahren sollte. »Wir haben allmählich die beiden Wickelkinder gehörig an die Strippe gekriegt«, erklärte Kurz. »Sie können nur Befehle geben und Geld hinausschmeißen, sonst aber sind sie, wie du richtig sagst, die reinen Wickelkinder. Wenn wir wirklich nach Dawson wollen, müssen wir das Kommando hier im Laden übernehmen.«

Sie sahen sich an.

»Gemacht«, sagte Kid und reichte Kurz die Hand, um das Übereinkommen feierlich zu bestätigen.

Früh am nächsten Morgen ließ Kurz, lange ehe es hell geworden war, seine Stimme hören.

»Raus!« brüllte er. »Raus aus dem Bett! Hier ist der Kaffee, ihr Langschläfer! Los! Wir fahren gleich ab.«

Knurrend und murrend krochen Stine und Sprague aus dem Zelt und mußten es sich gefallen lassen, daß sie zwei Stunden früher als je zuvor aufbrachen. Der Wind war noch steifer geworden, und es dauerte nicht lange, so waren alle Gesichter von einer Eiskruste bedeckt, während das Eis die Riemen noch schwerer machte als sonst. Drei Stunden lang kämpften sie sich vorwärts und noch eine vierte dazu. Ein Mann saß am Ruder, ein anderer schlug das Eis von den Riemen, die beiden übrigen schufteten an den Riemen, und alle lösten einander regelmäßig ab. Die Nordwestküste kam immer näher. Aber der Wind wurde auch immer steifer, und schließlich warf Sprague seinen Riemen in das Boot zum Zeichen, daß er den Kampf aufgab. Kurz griff zu, obgleich er soeben erst abgelöst war.

»Dann hauen Sie wenigstens das Eis ab«, sagte er und reichte Sprague die Axt.

»Aber wozu denn?« wimmerte der andere. »Wir schaffen es ja doch nicht. Wir wollen wieder umkehren.«

»Wir fahren weiter«, sagte Kurz. »Hauen Sie das Eis von den Riemen. Und wenn Sie sich erholt haben, können Sie mich wieder ablösen.«

Es war eine herzbrechende Quälerei, aber sie erreichten die Küste . . . freilich nur, um festzustellen, daß überall Klippen und Felsen waren, so daß sie nirgends landen konnten.

»Das hab' ich euch ja gesagt«, jammerte Sprague.

»Sie haben das Ufer ja nie gesehen«, antwortete Kurz.

»Wir kehren um.«

Keiner sprach. Kid steuerte das Boot gegen die Wellen, als sie an dem ungastlichen Ufer entlangsegelten. Zuweilen schafften sie mit einem Riemenzug einen Fuß, aber es gab auch Augenblicke, in denen drei oder vier Riemenzüge kaum genügten, das Boot auf derselben Stelle zu halten. Kid tat sein Bestes, um den beiden Schwächlingen Mut einzuflößen. Er erinnerte sie daran, daß die Boote, die erst einmal die Küste erreicht hatten, nie wieder zurückgekehrt waren – also, erklärte er ihnen, hatten sie irgendwo einen Hafen gefunden. Und sie arbeiteten noch eine Stunde und eine zweite.

»Wenn ihr beiden nur ein bißchen von dem vielen Kaffee, den ihr in euren Betten getrunken habt, in die Riemen hineinschwitzen würdet, dann schafften wir es schon«, sagte Kurz, um sie anzutreiben. »Aber ihr macht nur die Bewegungen und rudert nicht für einen Heller.«

Einige Minuten später warf Sprague seinen Riemen hin.

»Ich bin fertig«, sagte er. Und ein Schluchzen war in seiner Stimme.

»Das sind wir alle«, antwortete Kid, der selbst schon so erschöpft war, daß er jeden Augenblick hätte weinen oder einen Mord begehen können. »Aber wir arbeiten trotzdem weiter.«

»Wir wollen zurück. Wenden Sie gleich.«

»Kurz, wenn er nicht mehr rudern will, dann nimmst du seinen Riemen«, kommandierte Kid.

»Selbstverständlich«, lautete die Antwort. »Er kann Eis hauen.«

Aber Sprague lehnte es ab, den Riemen abzugeben. Stine hatte aufgehört zu rudern, und das Boot begann schon zurückzutreiben.

»Wendet das Boot«, befahl Sprague.

Und Kid, der noch nie in seinem Leben einen Mann verflucht hatte, wunderte sich über sich selber.

»Zuerst sollst du zur Hölle gehen«, antwortete er. »Nimm den Riemen und rudere los.«

Es gibt Augenblicke, in denen Männer so erschöpft sind, daß sie alle Hemmungen, die die Kultur sie gelehrt hat, abstreifen.

Ein solcher Augenblick war jetzt gekommen.

Alle ohne Ausnahme waren sie jetzt auf dem Punkt angelangt, wo es biegen oder brechen hieß. Sprague zog seinen Fäustling aus, zog den Revolver aus der Tasche und zielte auf den Mann am Steuer.

Das war ein neues Erlebnis für Kid . . . er hatte noch nie ein Schießeisen auf sich gerichtet gesehen. Und jetzt schien es ihm, zu seinem großen Erstaunen, eine ganz belanglose Angelegenheit. Er fand, daß es etwas ganz Selbstverständliches war.

»Wenn du das Schießeisen nicht sofort weglegst«, sagte er, »nehme ich es dir weg und haue dir damit über die Finger.«

»Wenn Sie das Boot nicht wenden, schieße ich«, drohte Sprague.

Da mischte Kurz sich hinein. Er hörte auf, das Eis abzuschlagen, und stellte sich hinter Sprague.

»Jetzt schieß nur ruhig los«, sagte Kurz und schwang die Axt. »Ich sehne mich direkt nach einer Gelegenheit, dir den Schädel einzuschlagen. Nur los . . . laß das Festessen sofort beginnen.«

»Das ist ja die reine Meuterei«, begann Stine. »Sie sind angestellt, um unseren Befehlen zu gehorchen.«

Kurz wandte sich zu ihm.

»Na, Sie kriegen auch Ihr Teil, wenn ich erst mit Ihrem Kompagnon fertig bin, Sie kleiner schweineprügelnder Schleicher.«

»Sprague«, sagte Kid. »Ich gebe Ihnen genau dreißig Sekunden, um das Schießeisen wegzustecken und den Riemen wiederaufzunehmen.«

Sprague zögerte einen Augenblick, lachte hysterisch auf, steckte den Revolver in die Tasche und begann wieder zu rudern.

Dann erkämpften sie sich abermals zwei Stunden lang, Zoll für Zoll, ihren Weg an den schaumgepeitschten Klippen entlang, bis Kid allmählich zu fürchten begann, daß er eine Dummheit gemacht hatte. Und da, als er schon an die Umkehr dachte, sahen sie unmittelbar vor sich eine enge Öffnung, die kaum zwanzig Fuß breit war und in einen kleinen Hafen führte, wo selbst die stärksten Windstöße kaum die Oberfläche des Wassers kräuselten. Das war der Hafen, den die Boote, die früher abgefahren waren, ohne zurückzukehren, ebenfalls erreicht hatten. Sie landeten an einem allmählich ansteigenden Ufer. Die beiden Chefs blieben ganz erschöpft im Boot liegen, während Kid und Kurz das Zelt aufschlugen, Feuer machten und zu kochen begannen.

»Du, Kurz, was meintest du eigentlich mit dem Ausdruck ›schweineprügelnder Schleicher‹?« fragte Kid.

»Der Deibel soll mich holen, wenn ich eine Ahnung habe, was es bedeutet«, lautete die Antwort, »aber das ist ja auch ganz schnuppe.«

Der Wind, der schnell wieder abgeflaut war, legte sich bei Anbruch der

Nacht völlig, und das Wetter wurde klar und kalt. Eine Tasse Kaffee, die zum Abkühlen beiseite gestellt und vergessen war, fanden sie wenige Sekunden später mit einer Eiskruste überzogen. Als Sprague und Stine sich gegen acht Uhr schon in ihre Decken gewickelt hatten und den Schlaf der völligen Erschöpfung schliefen, kam Kid von einem Besuch beim Boote zurück.

»Es gefriert jetzt, Kurz«, sagte er. »Es liegt schon eine Eisschicht über dem ganzen See.«

»Was willst du tun?«

»Es ist nur eins zu tun. Der See gefriert natürlich zuerst zu. Die reißende Strömung wird den Fluß jedenfalls noch einige Tage offen halten. Von heute ab muß jedes Boot, das noch im Le-Barge-See ist, bis nächstes Jahr dableiben.«

»Du meinst also, daß wir schon heute nacht abfahren müssen?«

Kid nickte.

»Raus, ihr Langschläfer!« lautete Kurz' Antwort, die er mit gewaltiger Stimme brüllte, während er schon begann, das Zelt abzubrechen.

Die beiden andern erwachten. Sie stöhnten – teils weil ihre überanstrengten Muskeln schmerzten, teils weil sie so brutal aus dem Schlaf der Erschöpfung herausgerissen wurden.

»Wie spät ist es denn?« fragte Stine.

»Halb neun.«

»Aber es ist ja noch ganz dunkel«, wadnte er ein.

Kurz löste die Zeltschnüre, so daß das Zelt zusammenzufallen begann.

»Es ist gar nicht Morgen«, sagte er. »Es ist immer noch Abend. Aber der See gefriert zu. Wir müssen durch.«

Stine erhob sich. Sein Gesicht zeigte Zorn und Empörung.

»Laß ihn zufrieren. Wir rühren uns nicht vom Fleck.«

»Schön«, erklärte Kurz. »Dann fahren wir eben allein mit dem Boote weiter.«

»Sie sind angestellt . . .«

»Um Sie nach Dawson zu bringen«, unterbrach ihn Kurz. »Und wir bringen Sie ja auch hin, nicht wahr?«

Er verlieh seiner Frage einen besonderen Nachdruck, indem er das Zelt über ihren Köpfen zusammenstürzen ließ.

Sie bahnten sich den Weg durch das dünne Eis des kleinen Hafens und gelangten in den See hinaus, wo das Wasser, das schon breiig und glasig wurde, am Riemen gefror. Es vereiste immer mehr, so daß die Bewegungen der Riemen behindert wurden, und wenn das Wasser von ihnen herabträufelte, bildeten sich lange Eiszapfen. Dann begann das Eis eine feste Decke zu bilden, und das Boot kam immer langsamer vorwärts. Später dachte Kid oft an diese Nacht, aber es gelang ihm nie, sich etwas anderes ins Gedächtnis zurückzurufen, als daß sie wie ein Nachtmahr gewesen war. Und er fragte sich unwillkürlich, welche furchtbare Leiden Stine und Sprague bei dieser Gelegenheit hatten durchmachen müssen. Als eines eigenen Erlebnisses erinnerte er sich, wie er sich durch die schneidende Kälte und durch schier unerträgliche Entbehrungen von solchem Ausmaß hindurchgekämpft hatte, daß ihm schien, sie hätten tausend Jahre oder noch länger gedauert.

Als der Morgen kam, saßen sie schon fest. Stine klagte, daß seine Finger erfroren wären, und Sprague tat die Nase weh, während die Schmerzen in Kids Wangen und Nase ihm zeigten, daß es auch ihn getroffen hatte.

Als das Tageslicht allmählich stärker wurde, erweiterte sich ihr Ausblick, und so weit sie überhaupt sehen konnten, war die ganze Oberfläche des Sees zu Eis geworden.

Das offene Wasser war verschwunden. Hundert Meter entfernt lag das Nordufer – Kurz behauptete, daß die Mündung des Flusses dort sein müßte und daß er offenes Wasser sehen könnte. Nur er und Kid waren noch imstande zu arbeiten. Mit ihren Riemen zerschlugen sie das Eis und schoben das Boot durch die so geschaffene schmale Rinne. Mit einer letzten Anspannung aller Kräfte gelang es ihnen, die Mündung des schnell strömenden Flusses zu erreichen. Als sie sich umblickten, sahen sie mehrere Boote, die sich während der ganzen Nacht weitergekämpft hatten, jetzt aber hilflos und hoffnungslos festsaßen. Dann schwenkten sie um eine Landspitze und wurden von der Strömung erfaßt, die sie mit einer Schnelligkeit von sechs Meilen in der Stunde weitertrug.

Tag für Tag trieben sie den schnell strömenden Fluß hinab, und Tag für Tag rückte das Eisfeld von der Küste her näher. Wenn sie abends lagern wollten, mußten sie zuerst ein großes Loch in das Eis schlagen, in dem sie das Boot die Nacht über liegen lassen konnten, und dann das gesamte Lagergerät mehrere hundert Fuß weit über die Eisfläche bis zum Ufer tragen. Und morgens mußten sie wieder das Eis, das sich inzwischen um das Boot gebildet hatte, zerschlagen, bevor sie die eisfreie Strömung in der Mitte des Flusses erreichen konnten. Kurz stellte den kleinen Blechofen im Boote auf, und Sprague und Stine lungerten dann die endlosen Stunden, die sie den Fluß hinabtrieben, um ihn herum. Die beiden hatten sich völlig in ihr Schicksal ergeben. Sie erteilten keine Befehle mehr, und ihr ganzes Trachten ging nur darauf aus, Dawson zu erreichen. Kurz, pessimistisch und unermüdlich wie immer, grölte heiter mit kurzen Zwischenräumen drei Verszeilen von der ersten Strophe eines alten Liedes, von dem er sich sonst an nichts mehr erinnerte. Je kälter es wurde, um so eifriger und häufiger sang er:

Wie den alten Argonauten
Kann uns keiner heut' verwehren
Auszuziehen, tum – tum – tum,
Um das Goldne Vlies zu scheren.

Als sie die Mündungen der Hoota linqua und des Großen und des Kleinen Lachsflusses passierten, entdeckten sie, daß sich große Mengen Packeis in den Hauptarm des Yukon hineinschoben.

Dieses Packeis staute sich um das Boot zusammen und hielt es fest, so daß sie jetzt sogar gezwungen wurden, es jeden Abend aus der vereisten Strömung herauszuschlagen. Auch morgens mußten sie sich dann wieder einen Weg durch das Eis bahnen, um das Boot in die Strömung zu bringen.

Die letzte Nacht am Ufer verbrachten sie zwischen den Mündungen des Weißen Flusses und des Stewarts. Gegen Morgen sahen sie, daß der Yukon in seiner ganzen Breite von fast einer halben Meile wie ein weißes Band zwischen den vereisten Ufern lag. Da verfluchte Kurz das gesamte Weltall mit weniger überströmender Laune als sonst. Dann warf er Kid einen verzweifelten Blick zu.

»Wir werden das letzte Boot sein, das dieses Jahr Dawson erreicht«, sagte Kid.

»Aber es ist ja überhaupt kein Wasser mehr da, Kid.«

»Dann müssen wir eben das Eis zerschlagen und Wasser schaffen. Nur los.«

Sprague und Stine protestierten vergeblich – sie wurden ohne weiteres im Boot verstaut, während Kid und Kurz eine halbe Stunde lang mit den Äxten arbeiteten, um die schnell fließende, aber vereiste Strömung zu erreichen. Als es ihnen gelungen war, das Boot vom Küsteneis frei zu machen, wurde es vom Treibeis der Strömung einige hundert Meter weiter am Rand des Eisfeldes entlanggetrieben. Bei dieser Gelegenheit wurde das eine Dollbord abgerissen und das Boot selbst schwer beschädigt. – Erst unterhalb der Landspitze, auf der sie die Nacht verbracht hatten und die sich weit in den Fluß hinausschob, gelangten sie richtig in die Strömung hinein. Jetzt arbeiteten sie sich immer tiefer in sie hinein. Aber es war schwerer als je, denn die Eissplitter hatten großen Schollen Platz gemacht, und das Treibeis, das es noch dazwischen gab, verwandelte sich schnell in eine feste Fläche.

Mit den Riemen schoben sie die Schollen beiseite, hin und wieder sprangen sie aufs Eis, um das Boot weiterschieben zu können, und als sie in dieser Weise eine Stunde gearbeitet hatten, erreichten sie die Mitte des Flusses. Fünf Minuten, nachdem sie ihre Arbeit beendet hatten, war das Boot eingefroren. Der ganze Fluß wurde im Weiterströmen zu Eis. Die Schollen wurden allmählich zu einer festen Fläche, bis das Boot schließlich mitten in einem Eisblock steckte, der fünfundsiebzig Fuß im Durchmesser maß. Zuweilen trieben sie seitwärts, zuweilen wieder geradeaus; das Boot zerriß durch sein Gewicht die unsichtbaren Fesseln, mit denen die Eismasse, die sich in stetiger Bewegung befand, es festzuhalten suchte, wurde aber immer wieder von noch stärkeren Kräften gebunden. In dieser Weise verlief Stunde auf Stunde, während Kurz den Ofen heizte, die Mahlzeiten zubereitete und seinen Kriegsgesang hinausschmetterte.

Es wurde Nacht. Und nach vielen vergeblichen Bemühungen gaben sie den Versuch auf, das Boot an die Küste zu bringen. Hilflos trieben sie weiter durch die eisige Dunkelheit.

»Und was geschieht, wenn wir an Dawson vorbeitreiben?« fragte Kurz.

»Dann müssen wir eben zu Fuß zurückgehen«, antwortete Kid, »wenn wir nicht vorher das Pech haben, im Packeis zerquetscht zu werden.«

Der Himmel war klar, und beim kalten Schein der Sterne sahen sie hin und wieder flüchtig die Silhouetten der Berge, die zu beiden Seiten in weiter Ferne emporragten. Gegen elf Uhr hörten sie unter sich ein dumpfes Knarren und Brüllen. Ihre Fahrt begann sich zu verlangsamen. Eisschollen stellten sich ihnen in den Weg, schoben sich übereinander, türmten sich auf und rutschten auf sie herab. Das Packeis drohte sie zu zerquetschen; eine Scholle, die nach oben geschoben wurde, zerriß die eine Seite des Bootes. Es versank zwar nicht, denn es wurde von dem Floß getragen, in dem es feststeckte, aber eine Sekunde lang sahen sie das schwarze Wasser kaum einen Fußbreit von der zerschlagenen Seite des Bootes auftauchen. Dann hörte jede Bewegung auf. Nach einer halben Stunde begann die ganze Eisdecke des Flusses sich zu bewegen, und fast eine Stunde lang glitt das Boot dann mit der ganzen Eisfläche weiter den Fluß hinab, bis neues Packeis eine Stockung verursachte. Wieder kam das Boot dann ins Treiben, und diesmal lief die Strömung schnell und wild; man hörte immerfort das Scheuern und Knarren der Schollen und Flöße. Bald darauf entdeckten sie Lichter an Land, und gerade als sie schon daran vorbeilaufen wollten, gaben das Gesetz der Schwere und der Yukon das Spiel auf, und der Fluß legte sich für sechs Monate zur Ruhe.

Einige Neugierige, die bei Dawson am Ufer standen, um zu sehen, wie der Fluß zufror, hörten durch die Dunkelheit das Schlachtlied Kurz':

> *Wie den alten Argonauten*
> *Kann uns keiner heut' verwehren,*
> *Auszuziehen, tum – tum – tum,*
> *Um das Goldne Vlies zu scheren.*

Drei Tage schufteten Kid und Kurz dann wieder, um die anderthalb Tonnen Gepäck von der Mitte des Flusses nach dem Bretterverschlag zu schaffen, den Stine und Sprague auf dem Hügel gemietet hatten, von dem aus man ganz Dawson überblicken konnte. Als die Arbeit beendet war und alle in der warmen Hütte saßen, rief Sprague Kid zu sich. Draußen zeigte das Thermometer fünfundsechzig Grad Fahrenheit unter Null.

»Ihr Monat ist freilich noch nicht ganz um«, sagte Sprague. »Aber hier haben Sie Ihren vollen Monatslohn. Und ich wünsche Ihnen guten Erfolg.«

»Aber wie steht es denn mit unserem Vertrag?« fragte Kid. »Sie wissen ja, daß hier Hungersnot herrscht. Man kann nicht einmal, wenn man seinen eigenen Proviant hat, in den Minen Arbeit bekommen. Sie haben sich ja einverstanden . . .«

»Ich weiß nichts von einem Vertrag«, unterbrach ihn Sprague. »Du doch auch nicht, Stine? Wir haben Sie für einen Monat engagiert, und hier haben Sie Ihr Geld. Wollen Sie die Quittung unterschreiben oder nicht?«

Kid ballte die Fäuste, und ihm wurde einen Augenblick rot vor Augen. Die beiden wichen erschrocken zurück. Noch nie hatte Kid einen Mann im Zorn geschlagen, aber er fühlte sich so sicher, Sprague niederschlagen zu können, daß es ihm einfach widerstrebte, es zu tun.

Kurz, der die schwierige Lage Kids erkannte, legte sich ins Mittel.

»Schau mal her, Kid, ich arbeite sowieso nicht weiter bei dem schäbigen Gesindel. Jetzt hab' ich auch mehr als genug und mach' mich dünn. Du und ich, wir halten zusammen, nicht? Nimm deine Decken und marschier geradewegs nach dem ›Elch‹. Ich begleiche nur noch die Rechnung hier. Nehme mir, was mir zusteht . . . und gebe ihnen, was ihnen gebührt . . . Auf dem Wasser tauge ich ja nicht viel, aber hier, mit festem Boden unter den Füßen, fühle ich mich eher zu Hause. Jetzt werde ich mal Sturm blasen . . .«

Eine halbe Stunde später erschien Kurz im »Elch«. Nach seinen blutigen Knöcheln und einer Hautabschürfung auf der rechten Wange zu schließen, hatte er den Herren Sprague und Stine offenbar gegeben, was ihnen gebührte.

»Du hättest nur die Hütte sehen sollen«, grinste er, als sie zusammen an der Bar standen. »Eine Rumpelkammer ist ein Staatssalon dagegen. Ich halte Menschendollars gegen Pfeffernüsse, daß keiner von ihnen sich die nächste Woche auf der Straße zeigen wird. Und jetzt wollen wir mal sehen, wie es für uns beide steht. Lebensmittel kosten anderthalb Dollar das Pfund. Arbeit kriegt man nicht, wenn man sich nicht selbst beköstigen kann. Elchfleisch verkaufen sie für zwei Dollar das Pfund – wenn sie es haben, aber sie haben nichts. Wir haben Geld genug, um uns Munition und Proviant für einen Monat zu kaufen, und dann marschieren wir den Klondike hinauf nach dem Hinterland. Wenn wir da keine Elche finden, bleiben wir einfach bei den Indianern. Aber wenn wir nicht binnen sechs Wochen mindestens fünftausend Pfund Elchfleisch bekommen haben, dann . . . ja, dann kehre ich reumütig zu unsern verflossenen Chefs zurück und bitte um gutes Wetter. Einverstanden?«

Kid gab dem Kameraden die Hand. Dann aber kamen ihm Bedenken.

»Ich habe ja keine Ahnung von der Jagd«, sagte er. Kurz hob sein Glas.

»Du bist ein Fleischesser – und ich werde dein Lehrmeister sein.«

Die Jagd nach dem Golde

Zwei Monate nachdem Alaska-Kid und Kurz auf die Elchjagd gegangen waren, um sich Proviant zu verschaffen, saßen sie wieder in der Kneipe »Zum Elch« in Dawson.

Die Jagd war glücklich beendet, das Fleisch hergeschafft und für zwei und einen halben Dollar das Pfund verkauft worden.

Gemeinsam verfügten sie jetzt über dreitausend Dollar in Goldstaub und über ein gutes Hundegespann. Sie hatten entschieden Glück gehabt. Obgleich der Zustrom von Goldsuchern das Wild hundert Meilen oder mehr in die Berge hineingetrieben hatte, war es ihnen doch schon, als sie die halbe Entfernung zurückgelegt hatten, gelungen, in einer engen Schlucht vier Elche zu erlegen.

Das Geheimnis, wie diese Tiere sich gerade dorthin verirrt hatten, war jedenfalls nicht größer als das Glück, das die beiden Jäger verfolgte. Denn noch ehe der erfolgreiche Tag zu Ende gegangen war, stießen sie auf ein Lager mit einigen ausgehungerten Indianerfamilien, die ihnen berichteten, daß sie seit drei Tagen kein Wild gesehen hätten. Kid und Kurz gaben ihnen Fleisch im Tausch gegen einige halb verhungerte Hunde. Nachdem sie die Tiere dann eine Woche lang tüchtig aufgefüttert hatten, spannten sie sie vor den Schlitten und fuhren das Fleisch nach dem sehr aufnahmefähigen Dawsoner Markt.

Jetzt handelte es sich für die beiden Männer darum, ihren Goldstaub in Lebensmittel zu verwandeln.

Der augenblickliche Preis für Mehl und Bohnen betrug anderthalb Dollar das Pfund, aber die Schwierigkeit bestand darin, daß niemand verkaufen wollte. Dawson lag eben in den ersten Wehen einer Hungersnot.

Hunderte von Männern, die Geld, aber keine Lebensmittel besaßen, hatten das Land verlassen müssen. Viele von ihnen waren, solange das Wasser noch offen war, den Fluß hinabgezogen, und noch mehr waren die sechshundert Meilen über das Eis nach Dyea gewandert, obgleich sie kaum Lebensmittel genug für die Wanderung bei sich hatten.

Kid und Kurz trafen sich in der warmen Kneipe. Kid bemerkte gleich, daß sein Kamerad blendender Laune war.

»Das Leben ist wahrhaftig kein Festessen, wenn man nicht wenigstens

Whisky und etwas Süßes dazu hat«, lautete Kurz' Gruß, während er ganze Eisklumpen aus seinem Schnurrbart zog, der langsam aufzutauen begann. Man hörte die Eisklumpen auf den Boden prasseln, wenn er sie wegschleuderte.

»Ich habe eben in diesem heiligen Augenblick achtzehn Pfund Zucker gekauft! Der Esel verlangte nur drei Dollar das Pfund. Und wie ist es dir ergangen?«

»Ich war auch nicht faul«, antwortete Kid stolz. »Ich habe fünfzig Pfund Mehl bekommen. Und am Adams-Bach wohnt ein Mann, der hat mir versprochen, mir morgen noch fünfzig Pfund zu geben.«

»Großartig! Wir werden schon durchhalten, bis die Flüsse wieder eisfrei werden. Sag mal, Kid, die Hunde, die wir da gekriegt haben, sind nicht ohne, weißt du! Ein Hundehändler hat mir schon zweihundert Dollar das Stück geboten – er wollte fünf haben. Aber ich habe flott abgelehnt. Sie haben sich ja auch fein herausgemacht, als wir sie mit dem Elchfleisch fütterten. Es ist freilich schon eine tolle Sache, Hunde mit Lebensmitteln zu füttern, die zweieinhalb Dollar das Pfund kosten. Komm, nimm noch ein Glas! Wir müssen wirklich unsere achtzehn Pfund Zucker feiern und einen heben!«

Als er einige Minuten später Goldstaub für die Getränke abwog, fiel ihm etwas ein.

»Donnerwetter, da hatte ich fast vergessen, daß ich noch einen Mann im ›Tivoli‹ treffen soll. Er hat etwas verdorbenen Speck, den er uns für anderthalb Dollar das Pfund ablassen will. Den können wir den Hunden zu fressen geben und damit einen ganzen Dollar pro Tag und Stück sparen.«

»Auf Wiedersehen also«, sagte Kid. »Ich geh' nach Haus und leg' mich schlafen.«

Kaum hatte Kurz das Zimmer verlassen, als ein pelzgekleideter Mann durch die doppelte Tür und den Windschutz hereinschlüpfte. Sein Gesicht erhellte sich sichtlich, als er Kid sah. Der erkannte sofort Breck, den Mann, dessen Boot er und Kurz durch den Büchsen-Canjon und das »Weiße Roß« gefahren hatten.

»Ich hab' gehört, daß Sie in der Stadt sind«, sagte Breck hastig, während sie sich die Hände schüttelten. »Ich suche Sie schon eine halbe Stunde. Kommen Sie mit hinaus. Ich möchte gern mit Ihnen sprechen.«

Kid warf dem summenden, rotglühenden Ofen einen sehnsüchtigen Blick zu.

»Geht's nicht hier?«

»Unmöglich. Ist viel zu wichtig. Kommen Sie mit hinaus.«

Draußen zog Kid sich einen Handschuh aus, zündete ein Streichholz an und sah nach dem Thermometer, das neben der Tür hing. Die Hand schmerzte in der schneidenden Kälte, und er zog den Handschuh

55

schnell wieder an. Über ihren Häuptern stand der flammende Bogen des Nordlichts. Ganz Dawson hallte wider von dem melancholischen Geheul der vielen Tausende von Wolfshunden.

»Wie stand es?« fragte Breck.

»Unter sechzig.« Kid spie versuchsweise aus, und der Speichel knisterte in der eisigen Luft. »Und ich glaube, es wird noch mehr fallen . . . es fällt ja unaufhörlich. Vor einer Stunde stand es erst auf zweiundfünfzig. Jetzt dürfen Sie mir aber nichts von einem neuen Goldfund erzählen.«

»Aber das ist es ja eben«, flüsterte Breck vorsichtig. Er warf ängstliche Blicke nach allen Seiten, aus Furcht, daß jemand in der Nähe sei und lausche. »Sie kennen doch den Squaw-Bach, nicht wahr? Er mündet drüben in den Yukon . . . dreißig Meilen weiter aufwärts.«

»Da ist nichts zu machen«, sagte Kid. »Den hat man schon vor vielen Jahren untersucht.«

»Das hat man auch mit all den andern reichen Bächen gemacht. Hören Sie jetzt mal her! Es ist eine Menge Gold da. Und es sind nur zweiundzwanzig Fuß bis zum Felsgrund. Es wird keinen Claim geben, der nicht mindestens eine halbe Million wert ist. Es ist noch ein großes Geheimnis. Zwei oder drei von meinen intimsten Freunden haben mich eingeweiht. Ich sagte gleich zu meiner Frau, daß ich Sie aufsuchen wollte, bevor ich losging. Also, bis auf dahin . . . Mein Gepäck liegt am Ufer versteckt. Die es mir erzählt haben, nahmen mir das Versprechen ab, erst gegen Abend loszugehen, wenn ganz Dawson schläft. Sie wissen ja selbst, was es heißt, wenn man Sie mit der ganzen Goldgräberausrüstung unterwegs sieht. Holen Sie jetzt Ihren Kameraden und kommen Sie mir nach! Sie werden sicher den vierten oder fünften Claim neben dem des Finders kriegen können. Vergessen Sie nicht: am Squaw-Bach! Er ist der dritte, wenn Sie am Schwedenbach vorbei sind.«

Als Kid die kleine Hütte auf der Anhöhe hinter Dawson betrat, hörte er das vertraute Schnarchen seines Kameraden. »Ach, geh zu Bett«, murmelte Kurz, als Kid ihn an der Schulter rüttelte. »Ich habe keine Nachtwache heute«, knurrte er weiter, als die Hand ihn immer kräftiger schüttelte. »Vertrau deine Sorgen dem Barmixer an.«

»Zieh dich schnell an«, sagte Kid, »wir müssen ein paar Claims abstecken.«

Kurz setzte sich im Bett auf und wollte einige energische Ausdrücke vom Stapel lassen, als Kid ihm die Hand vor den Mund hielt.

»Pst«, warnte Kid. »Es ist eine ganz große Sache. Weck nicht die Nachbarschaft. Dawson schläft noch.«

»Nanu . . . das wirst du mir erst beweisen müssen. Selbstverständlich erzählt keiner einem was von einem großen Goldfund! Oh, sie machen immer alle ein furchtbares Geheimnis daraus, aber eben deshalb ist es verblüffend, daß sie alle hinlaufen.«

»Es handelt sich um den Squaw-Bach«, flüsterte Kid. »Es ist alles in Ordnung: Breck hat mir den Tip gegeben. Der Bach ist ganz seicht. Von den Graswurzeln abwärts ist alles Gold. Komm jetzt. Wir machen uns ein paar ganz leichte Pakete und türmen dann sofort.«

Kurz schloß wieder die Augen und legte sich ruhig ins Bett zurück. Im nächsten Augenblick hatte Kid ihm die Decken weggerissen.

»Wenn du das Gold nicht haben willst, dann will ich es«, erklärte Kid entrüstet.

Kurz stand auf und begann sich anzuziehen.

»Wollen wir die Hunde mitnehmen?« fragte er.

»Nein, am Bach gibt es sicher keinen festgetretenen Weg, und wir kommen deshalb schneller ohne sie hin.«

»Dann will ich ihnen was zu fressen geben, damit sie nicht hungern, während wir weg sind . . . vergiß nicht, etwas Birkenrinde und ein Licht mitzunehmen.«

Kurz öffnete die Tür, spürte die beißende Kälte und zog sich schnell wieder zurück, um die Ohrenklappen festzubinden und die Fäustlinge anzuziehen.

Fünf Minuten später kam er wieder. Er rieb sich mit großer Energie die Nase.

»Du, Kid, ich bin sehr gegen dies Wettrennen. Es ist kälter heute als die Türangeln der Hölle vor tausend Jahren, ehe das erste Feuer angezündet wurde. Außerdem ist heute Freitag, der Dreizehnte, und wir werden nur Pech haben, so sicher, wie Funken nach oben fliegen.«

Mit kleinen Goldgräberbündeln auf dem Rücken schlossen sie die Tür hinter sich und rutschten den Hügel hinab. Die strahlende Pracht des Nordlichts war schon erloschen – nur die Sterne zitterten in der eisigen Kälte am Himmel, und ihr unsicherer Schein stellte den Füßen der Wanderer Fallen. Bei einer Wegbiegung strauchelte Kurz in dem tiefen Schnee, und das gab ihm Anlaß, seine Stimme zu erheben und den Tag samt Woche, Monat und Jahr in gut gewählten Worten zu segnen.

»Kannst du denn nicht den Mund halten!« zischelte Kid. »Laß doch den Kalender in Ruhe. Du weckst ja ganz Dawson, so daß sie alle hinter uns herkommen.«

»So, das meinst du? Siehst du das Licht in der Hütte dort? Und in der andern da drüben? Und hörst du die Tür dort knallen? Oh, ganz Dawson schläft, da ist gar kein Zweifel möglich! Die Lichter da? Alles natürlich nur Leute, die ihre toten Tanten begraben! Nichts liegt ihnen ferner, als auf die Goldsuche zu gehen . . . Ich wette mein Leben, daß sie gar nicht daran denken.«

Als sie den Fuß des Hügels erreichten und mitten in Dawson waren, blitzte Licht in allen Hütten auf, Türen wurden zugeworfen, und hinter sich hörten sie das schlurfende Geräusch vieler Mokassins auf dem hartgetretenen Schnee.

Kurz gab gleich seine Meinung zum besten.

»Aber der Teufel mag wissen, wo plötzlich all die trauernden Verwandten herkommen!«

Sie gingen an einem Mann vorbei, der am Wege stand und mit leiser Stimme vorsichtig rief: »Charley, Charley, mach ein bißchen dalli.«

»Siehst du das Bündel auf seinem Rücken, Kid? Der Friedhof muß verflucht weit weg liegen, daß die Trauernden ihre Bettdecken mitschleppen müssen.«

Als sie die Hauptstraße erreichten, waren mindestens hundert Mann in einer langen Reihe hinter ihnen her, und als sie in dem trügerischen Sternenlicht den Weg zum Fluß hinab suchten, hörten sie, daß noch mehr Leute sich hinten anschlossen. Kurz glitt aus und rutschte den dreißig Fuß hohen Abhang durch den tiefen Schnee hinunter. Kid folgte ihm freiwillig und warf ihn um, als er gerade wieder aufstand.

»Ich habe den Weg zuerst gefunden«, lachte Kurz und zog die Handschuhe aus, um den Schnee aus den Stulpen zu schütteln.

Im nächsten Augenblick mußten sie wie die Wilden durch den Schnee kriechen, um nicht mit den vielen, die ihnen folgten, zusammenzustoßen.

Als der Fluß seinerzeit zugefroren war, hatte sich hier Packeis angesammelt, und überall lagen in wilder Verwirrung Eisschollen, die der frische Schnee verbarg.

Als beide mehrmals gestürzt waren und sich tüchtig geschlagen hatten, zog Kid sein Licht hervor und zündete es an. Die Leute hinter ihnen gaben ihren Beifall durch laute Zurufe kund. In der windstillen Luft brannte die Kerze ganz klar, und es war jetzt tatsächlich leichter, den Weg zu finden.

»Es ist wahrhaftig das reinste Wettrennen«, stellte Kurz fest. »Oder meinst du vielleicht, daß es lauter Schlafwandler sind?«

»Wir befinden uns jedenfalls an der Spitze der ganzen Kolonne«, antwortete Kid.

»Da bin ich nun nicht ganz so sicher. Vielleicht ist es nur eine Feuerfliege da vorn. Vielleicht sind es lauter Feuerfliegen, die da . . . und die dort . . . Guck sie dir nur an! Glaub mir, es ist eine ganze Reihe da vorn.«

Der Weg nach der andern Seite des Yukon führte eine ganze Meile weit über das Packeis, und überall auf dieser ganzen weiten gewundenen

Strecke flammten Kerzen auf. Und hinter ihnen flammten noch mehr Lichter den Fluß entlang bis zu den Uferhängen.

»Weißt du, Kid, das ist schon kein Wettrennen mehr, das ist ja wie der Auszug aus Ägypten. Es müssen mindestens tausend vor uns und tausend hinter uns sein. Jetzt solltest du auch mal den guten Rat deines alten Onkels hören! Meine Medizin ist gut . . . Wenn ich eine Vorahnung bekomme, dann stimmt sie immer. Und meine Vorahnung sagt mir, daß wir bei diesem Wettrennen Pech haben werden. Laß uns ruhig umkehren und weiterpennen.«

»Spar dir lieber deine Puste, wenn du durchhalten willst«, knurrte Kid mürrisch.

»Uha, uha! Meine Beine sind freilich etwas kurz geraten, aber ich schleiche so besonnen mit schlappen Knien, ohne meine Muskeln zu überanstrengen, und ich bin todsicher, daß ich noch jeden Schnelläufer hier überholen kann.«

Und Kid wußte, daß Kurz recht hatte, denn er hatte schon längst die einzig dastehenden Fähigkeiten seines Kameraden im Marschieren kennengelernt.

»Ich habe mich ja auch nur zurückgehalten, um dir eine Chance zu geben«, neckte ihn Kid.

»Und ich laufe hier und trete dir auf die Hacken. Wenn du es nicht besser kannst, mußt du mich lieber vorangehen und das Tempo angeben lassen.«

Kid erhöhte die Schnelligkeit und hatte bald den nächsten Haufen der Wettläufer eingeholt.

»Mach jetzt ein bißchen schnell, Kid«, drängte sein Kamerad. »Laß die Toten liegen. Es ist ja kein Leichenbegängnis. Hau die Füße tüchtig in den Schnee, als wären es Pflastersteine.«

Kid zählte acht Männer und zwei Frauen in dieser Gruppe, aber noch ehe sie das Packeis hinter sich hatten, überholten sie schon die zweite Gruppe, die aus zwanzig Männern bestand. Wenige Fuß von dem Westufer schwenkte der Weg nach Süden ab, und das Packeis wurde durch ein glattes Eisfeld ersetzt, das jedoch von frischem, mehrere Fuß hohem Schnee bedeckt war. Durch diesen Schnee lief die Schlittenbahn, ein schmales Band, knapp zwei Fuß breit, wo der Schnee von vielen Füßen festgestampft war. Zu beiden Seiten dieses Pfades sank man bis zu den Knien oder noch tiefer ein. Die Wettläufer, die von ihnen überholt wurden, waren nicht sehr geneigt, ihnen Platz zu machen, und Kid und Kurz mußten deshalb stets in den tiefen Schnee hinauswaten und konnten nur unter ungeheuren Anstrengungen vorbeigelangen. Kurz war ebenso unüberwindlich wie pessimistisch. Wenn die Goldsucher schimpften, weil sie überholt wurden, antwortete er ihnen in derselben Tonart.

»Warum habt ihr es denn so eilig?« fragte einer.

»Warum ihr?« gab er zurück. »Gestern nachmittag ist eine ganze Bande von Goldsuchern vom Indianerfluß gekommen und hat euch den Rahm abgeschöpft. Es gibt keine Claims mehr.«

»Wenn das wahr ist, dann möchte ich wissen, warum ihr es so eilig habt?«

»Wer, wir? Ich suche gar kein Gold. Ich stehe im Dienst der Regierung. Ich bin in amtlichem Auftrag hier. Ich soll am Squaw-Fluß Volkszählung abhalten.«

Und als ein anderer ihn mit den Worten begrüßte: »Wo willst du denn hin, Kleiner? Glaubst du wirklich, daß noch Platz für dich im Wagen ist?«, antwortete er:

»Für mich? Ich bin doch der Entdecker der Goldminen am Squaw-Bach. Ich habe eben in Dawson meine Mutung eintragen lassen, damit mir kein Chechaquo die Claims wegnimmt.«

Die durchschnittliche Schnelligkeit, die die Wettläufer auf dem glatten Boden erreichten, betrug drei und eine halbe Meile stündlich. Kurz und Kid machten vier und eine halbe, aber sie liefen auch hin und wieder eine kurze Strecke und kamen dann noch schneller vorwärts.

»Ich werde dir schon die Beine ablaufen«, rief Kid herausfordernd.

»Hoho, ich laufe auf den Stummeln weiter und trete dir die Hacken von den Mokassins. Übrigens ist es gar nicht nötig! Ich habe die Sache im Kopf nachgerechnet. Die Claims am Bach messen je fünfhundert Fuß – es kommen also, sagen wir, zehn Stück auf die Meile. Und es sind noch tausend Wettläufer vor uns, und der ganze Bach ist keine hundert Meilen lang. Irgend jemand muß also verlieren, und ich habe eine Ahnung, als ob wir das wären.«

Bevor Kid antwortete, machte er eine große Kraftanstrengung und ließ Kurz ein halbes Dutzend Fuß zurück.

»Wenn du dir deine Puste ein bißchen sparen würdest, könnten wir schon ein paar von den tausend einholen!« schimpfte er.

»Wer? Ich? Wenn du ein bißchen aus dem Wege gehst, werde ich dir zeigen, was Schnelligkeit heißt.«

Kid lachte und legte sich wieder ins Geschirr. Die ganze Geschichte hatte natürlich ein anderes Aussehen bekommen. Durch den Kopf schoß ihm ein Ausdruck des sonderbaren deutschen Philosophen: »Die Umwertung der Werte« ... Eigentlich machte es ihm viel weniger Spaß, ein Vermögen zu gewinnen, als Kurz zu besiegen. Und alles in allem, überlegte er, kam es ja gar nicht auf den Gewinn an, sondern auf das Spiel selbst. Wille und Muskeln, Seele und Säfte mußten in diesem Wettstreit mit Kurz bis zum äußersten angespannt werden, obgleich Kurz ein Mann war, der nie ein Buch geöffnet hatte und ein große Oper nicht von einer Tanzmelodie, ein Epos nicht von einer Frostbeule unterscheiden konnte.

»Kurz, ich werde dir schon geben, was du brauchst! Ich habe seit dem Tage, an dem ich in Dyea ankam, jede einzige Zelle in meinem Körper neu aufgebaut. Meine Muskeln sind jetzt so zäh wie Peitschenschnüre und so bitter und böse wie der Biß einer Klapperschlange. Vor einigen Monaten hätte ich mich selbst angejauchzt, wenn ich etwas hätte schreiben können, aber damals konnte ich es einfach nicht. Ich mußte es erlebt haben, und jetzt, da ich es erlebe, habe ich gar keine Lust, es niederzuschreiben. Ich bin wirklich in jeder Beziehung hart und erprobt. Kein dreckiger Wicht von Gebirgler kann mir etwas bieten, ohne es hundertfach bezahlen zu müssen. Jetzt kannst du ja in Führung gehen, und wenn du genug hast, übernehme ich sie und werde dir eine halbe Stunde lang mehr als genug zu schaffen machen.«

»Donnerwetter!« grinste Kurz lustig. »Und dabei ist er noch nicht einmal trocken hinter den Ohren. Geh mir jetzt aus dem Wege und laß Papa seinem kleinen Jungen zeigen, wie man's macht.«

Dann lösten sie sich jede halbe Stunde in der Führung ab.

Sie sprachen nicht mehr viel. Die Anstrengung hielt sie warm, obgleich der Atem auf ihren Gesichtern von den Lippen bis zum Kinn zu Eis wurde. So stark war die Kälte, daß sie unaufhörlich ihre Nasen und Wangen mit den Handschuhen reiben mußten. Sobald sie nur für kurze Zeit damit aufhörten, wurde das Fleisch sofort unempfindlich und mußte in der allerenergischsten Weise gerieben werden, damit sie wieder das brennende Prickeln empfanden, das die Rückkehr des normalen Blutumlaufes kennzeichnete.

Oft glaubten sie bereits die Spitze der Prozession erreicht zu haben, aber immer wieder überholten sie neue Goldsucher, die vor ihnen aufgebrochen waren.

Hin und wieder versuchten Gruppen von Männern, sich hinter ihnen zu halten. Sie verloren aber immer wieder den Mut, wenn sie eine oder zwei Meilen gefolgt waren, und verschwanden in der Dunkelheit hinter den beiden.

»Wir sind ja den ganzen Winter unterwegs gewesen«, erklärte Kurz, »und da bilden all diese Esel, die von dem ewigen Herumlungern in ihren Hütten ganz schlapp geworden sind, sich ein, es mit uns aufnehmen zu können. Na, wenn sie von dem richtigen guten alten Sauerteig wären, würde die Sache schon anders aussehen. Denn wenn einer vom alten Sauerteig etwas kann und versteht, dann ist es das Laufen.«

Einmal strich Kid ein Zündholz an und sah nach, wie spät es war. Aber er wiederholte den Versuch nicht, denn der Frost biß seine Hände so niederträchtig, daß es eine halbe Stunde dauerte, bis sie wieder brauchbar waren.

»Es ist jetzt vier Uhr«, sagte er, als er sich den Handschuh wieder anzog, »und wir haben schon an dreihundert überholt.«

»Dreihundertachtunddreißig«, verbesserte Kurz. »Ich habe sie genau gezählt. Geh aus dem Weg, Fremder. Laß Leute an die Spitze, die laufen können.«

Diese Aufforderung richtete er an einen Mann, der nur noch dahintaumelte und ihnen deshalb den Weg versperrte. Dieser und noch einer waren die einzigen völlig ausgepumpten Männer, die sie trafen. Jetzt waren sie fast an der Spitze des Zuges. Sie hörten übrigens erst später von all den Greueln, die sich in dieser Nacht abgespielt hatten. Erschöpfte Männer hatten sich am Rande des Weges zur Ruhe gesetzt, um nie wieder aufzustehen. Sieben starben vor Kälte, während unzählige von den Überlebenden dieses Wettrennens sich nachher in den Hospitälern von Dawson Zehen, Füße und Finger abschneiden lassen mußten. Zufällig war die Nacht, in der das Wettrennen stattfand, die kälteste des ganzen Jahres. Vor Tagesanbruch zeigten die Alkoholthermometer in Dawson eine Temperatur von siebzig Grad Fahrenheit unter Null. Und die Männer, die an dem Rennen teilnahmen, waren mit wenigen Ausnahmen Leute, die erst kürzlich ins Land gekommen waren und deshalb gar nicht wußten, wie man sich in solcher Kälte verhalten sollte.

Den nächsten, der das Rennen aufgegeben hatte, fanden sie einige Minuten später, als ein Streifen des Nordlichts vom Horizont bis zum Zenit wie der Lichtstrahl eines Scheinwerfers aufblitzte. Der Mann saß auf einem Eisblock am Wege.

»Nur immer los, Schwester Mary«, begrüßte Kurz ihn heiter. »Lauf weiter. Wenn du da sitzenbleibst, bist du bald steif wie ein Kirchturm.«

Der Mann gab keine Antwort, und sie blieben stehen, um ihn zu untersuchen.

»Steif wie ein Schürhaken«, lautete Kurz' Urteil. »Wenn du ihn umstülpst, bricht er mitten durch.«

»Sieh mal nach, ob er noch atmet«, sagte Kid, während er mit entblößten Händen durch den Pelz und die wollene Jacke das Herz suchte.

Kurz schob seine rechte Ohrklappe hoch und legte das Ohr an die vereisten Lippen.

»Keine Spur«, berichtete er.

»Das Herz schlägt auch nicht mehr«, sagte Kid.

Er zog sich wieder die Handschuhe an und schlug die Hand einige Minuten mit der anderen energisch, ehe er sie wieder der Kälte aussetzte, um ein Streichholz anzuzünden. Es war ein alter Mann, und es bestand kein Zweifel, daß er schon tot war. In der Minute, in der ihn das Licht des Zündholzes beleuchtete, sahen sie einen langen grauen, bis zur Nase von Eis überkrusteten Bart. Die Wangen waren weiß wie Schnee, und die Augen, deren Wimpern voller Eisklumpen hingen, waren zugefroren. Dann erlosch das Streichholz.

»Komm«, sagte Kurz und rieb sich das Ohr. »Wir können dem alten Esel ja doch nicht mehr helfen. Und ich bin überzeugt, daß mein Ohr erfroren ist. Jetzt wird sich die verfluchte Haut abschälen, und es wird eine ganze Woche weh tun.«

Als einige Minuten später wieder ein Lichtstreifen sein zitterndes Feuer über den Himmel warf, erblickten sie zwei Gestalten vielleicht eine Viertelmeile vor sich auf dem Eise. Sonst war auf eine Meile im Umkreis nichts zu sehen, das sich regte.

»Das sind die Anführer der ganzen Kolonne«, sagte Kid, als es wieder dunkel wurde. »Los, daß wir sie kriegen!«

Als sie noch eine halbe Stunde gegangen waren, ohne sie einzuholen, begann Kurz zu laufen.

»Wenn wir sie auch erreichen, werden wir sie doch nie überholen«, erklärte er. »Donnerwetter, was für ein Tempo! Ich halte Dollars gegen Pfeffernüsse, daß das keine Chechaquos sind. Die sind vom richtigen alten Sauerteig . . . darauf kannst du dich in die Nase beißen.«

Als sie endlich die beiden erreichten, hatte Kid die Führung, und er freute sich aufrichtig, als er etwas langsamer gehen konnte, um Schritt mit ihnen zu halten. Er hatte gleich den Eindruck, daß die Person, die ihm am nächsten schritt, eine Frau war. Wie er zu dieser Überzeugung kam, konnte er freilich nicht sagen. Eingehüllt in Kopftuch und Pelzwerk, sah die Gestalt aus wie jede andere, aber es war etwas an ihr, das ihm bekannt vorkam, und er konnte dieses Gefühl nicht abschütteln. Er wartete den nächsten Lichtstreifen des Nordlichts ab, und bei diesem Schein sah er, wie klein die Füße waren. Aber er sah noch mehr – nämlich den Gang. Und er war sich gleich darüber klar, daß es der unverkennbare Gang war, von dem er einst festgestellt hatte, daß er ihn nie vergessen würde.

»Die marschiert aber gut«, vertraute Kurz ihm mit heiserem Flüstern an. »Ich wette, sie ist eine Indianerin.«

»Wie geht es Ihnen, Fräulein Gastell?« begrüßte Kid sie.

»Danke, und Ihnen?« antwortete sie und wandte schnell den Kopf, um ihn zu sehen. »Es ist leider noch zu dunkel, um richtig sehen zu können. Wer sind Sie?« – »Alaska-Kid.«

Sie lachte in die kalte Luft hinaus, und ihm schien, daß er noch nie in seinem Leben ein so herrliches Lachen gehört hätte.

»Und sind Sie schon verheiratet und haben all die Kinder bekommen, von denen Sie mir so Interessantes erzählten?« Bevor er antworten konnte, fuhr sie fort: »Wie viele Chechaquos sind noch hinter Ihnen her?«

63

»Einige tausend, glaube ich. Wir haben über dreihundert überholt. Und sie verlieren keine Zeit unterwegs.«

»Es ist die alte Geschichte«, sagte sie bitter. »Die Neuankömmlinge belegen die reichen Claims an den Bächen, und die Alten, die gedarbt und gelitten und das ganze Land zu dem gemacht haben, was es ist, bekommen nichts. Die Alten sind es, die diese Goldlager am Squaw-Bach gefunden haben . . . es ist mir unbegreiflich, wie es durchgesickert ist . . . und sie hatten den alten Leuten am Löwensee Bescheid gegeben. Aber der liegt zehn Meilen hinter Dawson, und wenn sie kommen, werden sie entdecken, daß der Bach bis zu den Wolken voller Pfähle ist . . . und alles von diesen Chechaquos. Es ist nicht recht, und es ist nicht schön, daß das Glück so verrückt handelt.«

»Es ist sehr traurig«, sagte Kid, »aber ich will mich hängen lassen, wenn ich ausrechnen kann, was dagegen zu machen ist. Wer zuerst kommt, mahlt zuerst.«

»Ich möchte gern etwas dagegen machen«, rief sie mit flammenden Augen. »Ich sähe am liebsten, wenn sie alle unterwegs erfrören oder ihnen sonst etwas Schreckliches geschähe, jedenfalls bis die Leute vom Löwensee da sind.«

»Sie meinen es offenbar sehr gut mit uns«, lachte Kid.

»So ist es nicht gemeint«, sagte sie schnell. »Aber von den Leuten vom Löwensee kenne ich jeden einzelnen, und ich weiß, daß es Männer sind. Sie haben in den guten alten Tagen in diesem Lande gehungert und haben wie die Titanen geschuftet, um etwas daraus zu machen. Ich habe selbst damals die schweren Tage mit ihnen am Koyokuk erlebt, als ich noch ein kleines Mädchen war. Und habe mit ihnen die Hungersnot am Birkenbach durchgemacht und die andere Hungersnot bei den ›Vierzig Meilen‹. Sie sind Helden, die eine Belohnung verdienen, und doch kommen Tausende von Grünschnäbeln hierher, die gar nicht das Recht auf die Felder haben, und sind den alten um viele Meilen voraus. Und jetzt müssen Sie mir meine lange Tirade verzeihen. Ich will lieber meine Lunge schonen, denn ich weiß ja nicht, ob nicht Sie oder die andern versuchen wollen, Papa und mich zu überholen.«

Für eine Stunde wurden keine Worte mehr zwischen Joy und Kid gewechselt, aber er bemerkte, daß sie und ihr Vater eine Zeitlang leise miteinander sprachen.

»Ich weiß jetzt, wer das ist«, erzählte Kurz Kid. »Es ist der alte Louis Gastell, einer von den Besten unter den ›Alten‹. Das Mädel muß sein Fohlen sein. Es ist so lange her, daß er ins Land kam, daß keiner sich mehr erinnert . . . und er brachte das Töchterchen als Wickelkind mit. Er und Beetles sind Kompagnons gewesen; sie hatten den ersten lausig kleinen Dampfer, der bis zum Koyokuk fuhr.«

»Wir wollen doch lieber nicht versuchen, sie zu überholen«, sagte Kid.

»Wir sind ja doch an der Spitze der ganzen Prozession; es sind nur noch vier vor uns.«

Kurz erklärte sich einverstanden, und es folgte wieder eine Stunde tiefen Schweigens, während sie unermüdlich weiterliefen. Gegen sieben wurde die Dunkelheit von einem letzten Aufflackern des Nordlichts erhellt, und sie sahen im Westen eine breite Öffnung in den schneebedeckten Bergen.

»Der Squaw-Bach!« rief Joy aus.

»Wir sind auch tüchtig gelaufen«, antwortete Kurz begeistert. »Meiner Berechnung nach hätten wir erst in einer halben Stunde da sein sollen. Ich muß meine Beine gründlich gebraucht haben.«

An dieser Stelle bog der Weg von Dyea, der an vielen Stellen vom Packeis versperrt wurde, scharf über den Yukon nach dem östlichen Ufer ab. Und hier mußten sie den festgetretenen, allgemein benutzten Weg verlassen, über das Packeis klettern und einer schmalen Fährte folgen, die nur wenig gebraucht war und nach dem Westufer hinüberführte.

Louis Gastell, der an der Spitze ging, strauchelte im Dunkeln auf dem glatten Eis. Er setzte sich und hielt seinen Fuß mit beiden Händen. Dann gelang es ihm, wieder auf die Beine zu kommen, aber er blieb zurück, und man sah deutlich, daß er hinkte. Nach einigen Minuten blieb er stehen.

»Es hat keinen Zweck«, sagte er zu seiner Tochter. »Ich habe mir den Fuß verstaucht. Du mußt vorausgehen und für mich und dich je einen Claim abstecken.«

»Können wir nichts dabei machen?« fragte Kid.

Louis Gastell schüttelte den Kopf.

»Sie kann ebensogut zwei Claims abstecken wie einen. Ich werde langsam ans Ufer kriechen, mir dort ein Feuer machen und einen Verband um den Fuß legen. Es wird schon wieder in Ordnung kommen. Nur los, Joy, nimm für uns die Claims oberhalb des Finderclaims. Es wird reicher nach oben.«

»Hier ist etwas Birkenrinde«, sagte Kid und teilte seinen Vorrat. »Wir werden uns Ihrer Tochter annehmen.«

Louis Gastell lachte barsch.

»Schönen Dank«, sagte er. »Aber sie kann selbst für sich sorgen. Folgen Sie ihr nur und achten Sie darauf, was sie tut . . .«

»Haben Sie etwas dagegen, daß ich die Führung übernehme?« fragte sie und begab sich an die Spitze. »Ich kenne dieses Land besser als Sie.«

»Übernehmen Sie nur die Führung«, antwortete Kid galant. »Ich bin auch ganz mit Ihnen einig. Es ist eine Schande, daß wir Chechaquos den Alten vom Löwensee zuvorkommen sollen.«

Sie schüttelte den Kopf.

»Wir können unsere Fährte nicht verlöschen. Sie werden uns nachlaufen wie die Schafe.«

Eine Viertelstunde später bog sie in einem scharfen Winkel nach Westen ab. Kid bemerkte, daß sie jetzt über Schnee liefen, den bisher keiner betreten hatte; aber weder er noch Kurz merkten, daß die undeutliche Fährte, der sie bisher gefolgt waren, weiter nach Süden führte. Wenn sie gesehen hätten, was Louis Gastell tat, nachdem sie ihn verlassen hatten, würde sich die Geschichte Klondikes anders gestaltet haben. Denn dann hätten sie festgestellt, daß dieser erfahrene Mann der alten Tage nicht länger sitzenblieb, sondern ihnen, wie ein Spürhund, mit der Nase auf der Fährte, nachging. Dann hätten sie auch gesehen, wie er den Weg, der sie nach Westen geführt hatte, deutlicher und breiter stampfte. Und endlich hätten sie auch bemerkt, daß er die alte undeutliche Fährte, die nach Süden ging, verwischte.

Eine Fährte führte den Bach hinauf, aber sie war so undeutlich, daß sie sie in der Dunkelheit immer wieder aus ihrer Sicht verloren. Nach einer Viertelstunde überließ Joy den Männern abwechselnd die Führung und das Bahnen des Weges durch den Schnee. Da sie aber nur langsam vorwärts kommen konnten, gelang es der ganzen Prozession von Läufern, sie einzuholen, und als es gegen neun Uhr hell wurde, sahen sie, soweit ihr Auge reichte, eine ununterbrochene Reihe von Männern. Joys dunkle Augen leuchteten bei diesem Anblick.

»Wie lange ist es her, seit wir den Bach hinaufzugehen begannen?« fragte sie.

»Zwei Stunden«, antwortete Kid.

»Und zwei Stunden zurück machen vier Stunden«, lachte sie. »Die Alten vom Löwensee sind gerettet.«

Ein leiser Verdacht schoß Kid durch den Kopf. Er blieb stehen und blickte sie an.

»Ich verstehe nicht«, sagte er.

»Natürlich nicht. Aber ich will es Ihnen erzählen. Hier ist der Norwegen-Bach. Der Squaw-Bach ist der nächste südlich von ihm.«

Kid war einen Augenblick sprachlos.

»Das haben Sie absichtlich getan?« fragte Kurz.

»Ich tat es, um den Alten eine Chance zu geben.« Sie lachte spöttisch.

Die beiden Männer grinsten sich zu und stimmten ihr schließlich bei.

»Ich würde Sie über mein Knie legen und Ihnen anständige Dresche geben, wenn die Frauen hierzulande nicht so selten wären«, versicherte Kurz.

»Ihr Vater hat sich also nicht den Fuß verstaucht, sondern nur gewartet, bis wir weg waren, um allein weiterzugehen?« fragte Kid.

Sie nickte.

»Und Sie waren sein Lockvogel?«

Wieder nickte sie. Und diesmal klang Kids Lachen frei und echt. Es war das unwillkürliche Lachen eines Mannes, der seine Niederlage freimütig einräumt.

»Warum sind Sie uns nicht böse?« fragte sie reumütig. »Oder warum verdreschen Sie mich nicht?«

»Weißt du, Kid . . . wir können ja ebensogut umkehren«, schlug Kurz vor. »Ich fange an, kalte Füße zu bekommen.«

Kid schüttelte den Kopf.

»Das würde eine Verspätung von vier Stunden bedeuten. Wir sind jetzt, glaube ich, den Bach acht Meilen hinaufgegangen, und soviel ich sehen kann, macht der Norwegen-Bach einen weiten Bogen nach Süden. Wir wollen ihm ein Stück folgen, dann irgendwo hinuntergehen und den Squaw-Bach oberhalb des Finderclaims erreichen.« Er sah Joy an. »Wollen Sie mit uns kommen? Ich sagte Ihrem Vater ja, daß wir uns um Sie kümmern würden.«

»Ich . . .«, sie zögerte. »Ich glaube, ich werde es tun, wenn Sie nichts dagegen haben.« Sie sah ihn fest und gerade an, und ihr Gesicht war weder herausfordernd noch spöttisch. »Sie sind schuld daran, Herr Kid, daß ich wirklich bereue, was ich getan habe. Aber einer mußte die Alten retten.«

»Ich habe den Eindruck, daß ein Wettrennen nach dem Golde seinen Hauptwert als sportliche Leistung hat.«

»Und ich habe den Eindruck, daß Sie beide sich glänzend damit abfinden«, fuhr sie fort. Dann fügte sie, mit einer Andeutung von einem Seufzer, hinzu: »Wie schade, daß Sie nicht zu den Alten gehören.«

Sie blieben noch zwei Stunden auf dem gefrorenen Flußbett des Norwegen-Baches. Dann bogen sie auf einen schmalen, unebenen Nebenfluß ein, der nach Süden führte. Gegen Mittag überschritten sie die Wasserscheide. Wenn sie zurückblickten, sahen sie die lange Reihe der Wettläufer sich allmählich auflösen.

Hie und da zeigten Rauchsäulen, daß man im Begriff war, ein Lager aufzuschlagen.

Sie selbst hatten noch Schweres durchzumachen. Sie wateten bis zum Leib durch den Schnee und mußten immer wieder nach wenigen Metern haltmachen, um sich auszuruhen. Kurz war der erste, der eine Rast vorschlug.

»Wir sind jetzt über zwölf Stunden unterwegs«, sagte er. »Weißt du, Kid, ich gestehe ohne weiteres, daß ich müde bin. Und das bist du auch, mein Freund. Ich bin so frei, zu behaupten, daß ich so zäh an der Fährte hänge wie ein hungriger Indianer, wenn ein großes Stück Bärenfleisch winkt. Aber das arme Mädchen hier kann sich nicht länger auf den Beinen halten, wenn sie nichts in den Magen kriegt. Hier ist eben die richtige Stelle, um ein Feuer zu machen. Was meint ihr dazu?«

Sie schlugen das einfache Lager so schnell, geschickt und methodisch auf, daß Joy, die sie mit eifersüchtigen Augen betrachtete, sich gestehen mußte, daß selbst die Alten es nicht besser hätten machen können.

Fichtenzweige, die sie auf dem Schnee ausbreiteten und worauf sie eine Decke legten, bildeten eine vorzügliche Unterlage, auf der sie sich ausruhen und ihre Tätigkeit als Köche ausüben konnten. Aber sie hielten sich vorsichtig vom Feuer fern, bis sie sich Nase und Kinn kräftig gerieben hatten.

Kid spie in die Luft, und das Knistern kam so prompt und kräftig, daß er den Kopf schüttelte.

»Ich gebe es auf«, sagte er. »Ich habe noch nie eine solche Kälte erlebt.«

»Einen Winter hatten wir am Koyokuk sechsundachtzig Grad Fahrenheit«, antwortete Joy. »Und jetzt sind es mindestens siebzig oder fünfundsiebzig, und ich weiß, daß ich mir leider die Backen erfroren habe. Sie brennen wie Feuer.«

Auf dem steilen Abhang der Wasserscheide lag kein Eis. Sie nahmen deshalb Schnee, der so fein, hart und kristallinisch wie Puderzucker war, und legten Hände voll davon in die Goldpfanne, bis sie Wasser genug hatten, um Kaffee zu kochen. Kid briet Speck und taute die Kekse auf. Kurz nahm sich der Heizung an und sorgte für das Feuer und Joy für das bescheidene Geschirr, das aus zwei Tellern, zwei Tassen, zwei Löffeln, einer Büchse mit gemischtem Pfeffer und Salz und einer andern mit Zucker bestand. Als sie dann aßen, benutzten Joy und Kid denselben Löffel. Sie aßen von demselben Teller und tranken aus derselben Tasse.

Es war schon fast zwei Uhr nachmittags, als sie den Rücken der Wasserscheide hinter sich hatten und einen Nebenfluß des Squaw-Baches hinabzugehen begannen. Früher im Winter hatte ein Elchjäger eine Fährte durch den Canjon hinterlassen – das heißt, er war beim Hin- und Zurückgehen immer wieder in seine eigenen Fußspuren getreten. Die Folge war, daß man mitten im Schnee eine Reihe von unregelmäßigen Klumpen sah, die durch später gefallenen Schnee halbwegs verdeckt waren. Wenn der Fuß nicht genau den festen Klumpen traf, sank er tief in den weichen losen Schnee, und man konnte das nur schwerlich vermeiden. Um so mehr, als der Elchjäger ein ziemlich langbeiniger Herr gewesen zu sein schien. Joy, die jetzt sehr eifrig war, daß die beiden Männer ein paar Claims erhalten sollten, fürchtete, daß sie mit Rücksicht auf sie langsamer gehen würden. Sie verlangte deshalb, die Führung zu behalten. Die Schnelligkeit und die ganze Art, wie sie die schwierige Wanderung durchführte, fanden den vorbehaltlosen Beifall Kurz'.

»Guck sie dir mal an«, rief er. »Piekfein ist sie! Das richtige rote Bärenfleisch! Sieh dir mal an, wie die Mokassins sausen. Da gibt's nichts mit
hohen Absätzen . . . sie gebraucht die Beinchen, wie sie der liebe Herrgott geschaffen hat. Sie ist das richtige Frauchen für einen Bärenjä-
ger.«
Sie warf ihm über die Schulter ein anerkennendes Lächeln zu, das auch
Kid umfaßte. Und Kid fühlte zwar die offene Kameradschaft dieses
Lächelns, hatte aber dabei doch die bittere Empfindung, daß es nicht
nur eine Schicksalsgenossin, sondern auch ein Weib war, das ihm einen
Teil dieses Lächelns schenkte.
Als sie das Ufer des Squaw-Baches erreichten und zurückblickten, sahen sie, wie der Zug der Wettläufer sich in unordentliche Reihen auf-
gelöst hatte, die im Begriff waren, sich über die Wasserscheide zu arbeiten.
Dann glitten sie den Hang hinab in das Flußbett. Der Bach, der bis zum
Grunde gefroren war, hatte eine Breite von zwanzig bis dreißig Fuß und
lief zwischen sechs bis acht Fuß hohen Wällen aus angeschwemmtem
Lehm. Kein Fußtritt hatte je den Schnee, der auf dem Eise lag, be-
schmutzt, und sie wußten deshalb, daß sie jetzt oberhalb des Finderclaims und der letzten Pfähle der Leute vom Löwensee waren.
»Achten Sie gut auf die Quellen«, warnte Joy, als Kid die Wanderung
den Bach entlang führte. »Bei unter siebzig Grad Fahrenheit sind Ihre
Füße verloren, wenn Sie durch das Eis brechen.«
Die Quellen, die den meisten Flüssen Klondikes eigentümlich sind, gefrieren nicht einmal bei der niedrigsten Temperatur. Das Wasser
kommt aus den Uferabhängen und bleibt in Pfützen stehen, die durch
das Oberflächeneis und durch Schneefälle gegen die schlimmste Kälte
geschützt werden. Es kommt deshalb vor, daß ein Mann, der durch tiefen Schnee watet, plötzlich durch eine Eisdecke von einem halben Zoll
bricht und bis zu den Knien im Wasser steht. Und wenn er sich dann
nicht gleich trockene Strümpfe anziehen kann, muß er binnen fünf
Minuten seine Unbesonnenheit mit dem Verlust der Füße büßen.
Obgleich es erst gegen drei Uhr nachmittags war, hatte die graue Dämmerung der Arktis schon eingesetzt. Sie sahen sich nach dem Pfahl um,
der ihnen das letzte abgezeichnete Claim kenntlich machen sollte. Joy,
eifrig und impulsiv, wie sie war, entdeckte ihn zuerst. Sie eilte zu Kid
und rief:
»Hier ist jemand gewesen! Sehen Sie nur den Schnee! Schauen Sie
schnell nach dem Zeichen . . . hier ist es. Sehen Sie die Fichte dort!«
Auf einmal versank sie bis zum Gürtel im Schnee. »O Gott, jetzt sitze
ich drin«, sagte sie traurig. Dann nahm sie sich zusammen und rief
schnell: »Kommen Sie mir nicht nahe . . . ich werde hier durchwa-
ten.«

Schritt für Schritt kämpfte sie sich vorwärts, bis sie wieder festen Boden unter den Füßen hatte, aber es war schwer gewesen, denn immer wieder brach sie durch die dünne Eisdecke, die unter dem trockenen Schnee lag.

Kid wartete es aber nicht ab. Er sprang ans Ufer und holte welke, eingetrocknete Zweige und Reisig, die bei den Frühlingsüberschwemmungen im Busch aufgesammelt worden und hierhergetrieben waren, wo sie jetzt nur auf das Streichholz warteten. Als sie zu ihm kam, stoben schon die ersten Funken und Flammen aus dem brennenden Reisighaufen.

»Setzen Sie sich«, befahl er.

Sie setzte sich gehorsam in den Schnee. Er nahm seinen Rucksack ab und breitete eine Decke vor ihren Füßen aus.

Von oben hörten sie die Stimmen der Wettläufer, die ihnen gefolgt waren.

»Lassen Sie Kurz abstecken«, schlug sie vor.

»Geh, Kurz«, sagte Kid, als er ihre Mokassins, die schon ganz steif waren, in Angriff nahm. »Steck tausend Fuß ab und setz zwei Pfähle hinein. Die Eckpfähle können wir ja später stecken.«

Kid schnitt die Schnürsenkel und das Leder der Mokassins durch. Sie waren schon so steif geworden, daß sie krachend barsten, als er sie zerhackte und zerschnitt. Die Siwashsocken und die dicken wollenen Strümpfe waren feste Hülsen aus Eis. Es war, als ob ihre Füße und Fesseln in Behältern aus Wellblech steckten.

»Wie steht es mit Ihren Füßen?« fragte er.

»Ziemlich unempfindlich. Ich kann die Zehen weder fühlen noch bewegen. Aber es wird schon wieder werden. Das Feuer brennt ja herrlich. Passen Sie auf, daß Ihre eigenen Hände nicht dabei erfrieren. Sie müssen schon unempfindlich geworden sein, danach zu urteilen, wie Sie jetzt herumfummeln.«

Er zog sich die Handschuhe wieder an, und fast eine Minute lang schlug er aus aller Kraft die Hände gegen seine Seiten. Als er das Blut prickeln spürte, zog er die Handschuhe wieder aus und zerrte und riß, schnitt und sägte mit dem Messer an den gefrorenen Bekleidungsgegenständen Joys herum. Endlich kam die weiße Haut des einen Fußes zum Vorschein, dann die des andern, um der eisigen Kälte von siebzig Grad Fahrenheit unter Null ausgesetzt zu werden.

Dann wurden beide Füße mit Schnee gerieben, und zwar mit rücksichtsloser Kraft, bis Joy sich schließlich krümmte und wand und ihre Zehen bewegte, während sie glücklich klagte, daß es wieder weh tat. Halb zog er sie, halb schob sie selbst sich näher an das Feuer heran. Dann legte er ihre Füße auf eine Decke, ganz nahe an die heilbringenden Flammen.

»Sie müssen noch eine Weile gut achtgeben«, sagte er.

Jetzt konnte sie auch ohne Gefahr ihre Fäustlinge auszuziehen und sich selbst die Füße reiben, und das tat sie mit der Klugheit der Erfahrung, indem sie Sorge trug, daß die Hitze des Feuers nur langsam wirken konnte. Während sie das tat, nahm Kid seine eigenen Hände in Arbeit. Der Schnee schmolz weder, noch wurde er weich. Die feinen Kristalle waren wie ebenso viele Sandkörner. Nur langsam begann das Stechen und Klopfen des Blutumlaufs in das erfrorene Fleisch zurückzukehren. Dann schürte Kid das Feuer, nahm Joy das leichte Bündel vom Rücken und holte eine ganz neue Garnitur Fußbekleidung heraus.

Kurz kehrte jetzt das Flußbett entlang zurück und kletterte den Uferhang herauf.

»Ich glaube sicher, daß ich gut tausend Fuß abgesteckt habe«, berichtete er. »Nummer siebenundzwanzig und achtundzwanzig, obgleich ich bei Nummer siebenundzwanzig nur den oberen Pfahl eingesteckt hatte, als ich schon den ersten von der ganzen Bande hinter uns traf. Er sagte mir direkt, daß ich Nummer achtundzwanzig nicht abstecken dürfe. Und ich erzählte ihm . . .«

»Ach ja, was sagten Sie ihm?« rief Joy eifrig.

»Ich erzählte ihm direkt, daß ich, wenn er nicht schleunigst fünfhundert Meter weiter hinaufginge, ich seine erfrorene Nase so lange bearbeiten würde, bis sie zu Vanilleeis mit Schokoladensoße geworden wäre. Da riß er aus, und ich habe zwei Claims von genau je fünfhundert Fuß abgezeichnet. Er steckte das nächste Claim ab, und ich denke, daß die übrige Rasselbande den ganzen Bach bis zu den Quellen und weiter auf der andern Seite abgesteckt hat. Unsere Claims sind jedenfalls gesichert. Es ist jetzt so dunkel, daß man nichts sehen kann, aber wir können die Eckpflöcke morgen stecken.«

Als sie am nächsten Morgen aufwachten, stellten sie fest, daß das Wetter während der Nacht völlig umgeschlagen war. Es war jetzt so milde, daß Kurz und Kid, während sie noch in ihren gemeinsamen Decken lagen, die Temperatur auf nur zwanzig Grad unter Null einschätzten. Die schlimmste Kälte schien überstanden. Auf ihren Decken lagen die glitzernden Eiskristalle sechs Zoll hoch.

»Guten Morgen . . . wie geht es mit Ihren Füßen?« begrüßte Kid Joy Gastell über das Feuer hinweg, als sie den Schnee abschüttelte und sich in ihrem Schlafsack aufrichtete.

Kurz machte ein neues Feuer an und holte Eis vom Bach. Kid bereitete das Frühstück. Als sie die Mahlzeit beendet hatten, war es hell geworden.

»Jetzt kannst du gehen und die Eckpflöcke stecken«, sagte Kurz. »Dort, wo ich vorhin Eis zum Kaffee holte, hab' ich Kies gesehen, und jetzt werde ich mal – nur so zum Spaß – etwas Wasser machen und eine Pfanne von dem Kies auswaschen.«

Kid entfernte sich mit der Axt in der Hand, um die Pfähle zu stecken. Er begann seinen Rundgang von dem Pfahl von Nummer siebenundzwanzig unterhalb des Flusses und ging dann im rechten Winkel durch das kleine Tal bis zu dessen Rand. Er tat es methodisch, fast automatisch, denn sein Gehirn beschäftigte sich mit Erinnerungen an den vorhergehenden Abend. Er hatte irgendwie das Gefühl, die Herrschaft über die feinen Linien und festen Muskeln dieser Füße und Fesseln errungen zu haben, die er mit Schnee gerieben hatte, und ihm schien, daß diese Herrschaft sich auf die ganze Frau erstreckte. Unklar und doch heftig quälte ihn das Gefühl, daß ihm dies alles gehörte. Es kam ihm vor, als brauchte er nur zu Joy Gastell zu gehen, ihre Hände zu nehmen und ihr zu sagen: »Komm.«

Als er in diesem Zustand herumging, machte er eine Entdeckung, die ihn die Herrschaft über die weißen Füße einer Frau gründlich vergessen ließ. Am Rande des Tales steckte er keinen Eckpfahl ab. Er kam überhaupt gar nicht bis zum Rand des Tales, sondern sah sich statt dessen einem andern Bach gegenüber. Er merkte sich dort eine Wiese, die schon abgesteckt war, und eine große, leicht zu erkennende Fichte. Dann ging er zu der Stelle am Bach zurück, wo die Pfähle standen. Er folgte dem Bachbett, umging die Ebene in einem hufeisenförmigen Bogen und stellte dabei fest, daß es sich nur um einen einzigen Bach, nicht um zwei Wasserläufe handelte. Dann watete er zweimal von einem Ende des Tales bis zum andern durch den tiefen Schnee – das erste Mal ging er von dem unteren Pfahl im Claim siebenundzwanzig aus, das zweite Mal vom oberen Pfahl in Nummer achtundzwanzig und entdeckte dabei, daß der obere Pfahl dieses Claims unterhalb des unteren im ersten Claim stand. In der grauen Dämmerung des gestrigen Abends, als es schon fast dunkel gewesen war, hatte Kurz beide Claims innerhalb des Hufeisens abgezeichnet.

Kid trottete nach dem kleinen Lager zurück. Kurz hatte soeben das Waschen des Kieses in seiner Pfanne beendet und konnte sich nicht länger halten, als er ihn sah:

»Jetzt haben wir's geschafft!« brüllte er und hielt die Pfanne hoch. »Schau nur her! Eine saubere Portion Gold! Zweihundert Dollar auf den Tisch des Hauses, wenn ich mich nicht irre. Gold hat der Bach also genug schon im Waschkies. Ich habe viele Goldminen in meinem Leben gesehen, aber solche Butter wie die hier hatte ich noch nie in der Pfanne.«

Kid warf einen gleichgültigen Blick auf das rohe Gold, goß sich dann eine Tasse Kaffee ein und setzte sich. Joy merkte, daß irgend etwas nicht stimmte, und sah ihn mit fragenden und besorgten Augen an.

Kurz war dagegen tief entrüstet, daß sein Kamerad so gleichgültig schien.

»Warum guckst du nicht her und kommst ganz aus dem Häuschen vor Freude?« fragte er empört. »Wir haben hier ein hübsches kleines Vermögen, wenn du nicht deine edle Nase über Pfannen mit zweihundert Dollar rümpfst.«

Kid nahm einen Schluck Kaffee, bevor er antwortete. »Sag mal, Kurz, warum haben unsere beiden Felder solche Ähnlichkeit mit dem Panamakanal?«

»Was meinst du damit?«

»Nun, die östliche Einfahrt zum Kanal liegt westlich von der westlichen . . . das ist alles.«

»Red schon weiter«, sagte Kurz. »Ich verstehe den Witz nicht.«

»Um es kurz zu sagen, du hast unsere beiden Felder in einem großen hufeisenförmigen Bogen abgezeichnet . . .«

Kurz setzte die Pfanne mit dem Gold in den Schnee und stand auf.

»Weiter . . .«, wiederholte er.

»Der obere Pfahl von achtundzwanzig steht zehn Fuß unterhalb dem von siebenundzwanzig.«

»Du meinst, daß wir nichts gekriegt haben, Kid?«

»Schlimmer noch: wir haben zehn Fuß weniger als gar nichts bekommen.«

Kurz lief wie der Blitz zum Ufer hinab. Fünf Minuten später war er schon wieder da. Auf Joys fragenden Blick hin nickte er. Ohne ein Wort zu sagen, ging er zu einem Baumstamm und setzte sich. Dann starrte er in den Schnee vor sich hin.

»Wir können ebensogut das Lager abbrechen und nach Dawson zurückwandern«, sagte Kid und begann die Decken zusammenzulegen.

»Es tut mir leid, Kid«, sagte Joy. »Ich bin ja an allem schuld.«

»Es ist alles gut«, sagte er. »So etwas kann alle Tage passieren, wissen Sie.«

»Es ist meine Schuld, nur meine Schuld«, wiederholte sie hartnäckig. »Aber Papa hat für mich ein Claim beim Finderclaim abgesteckt, wie Sie ja wissen . . . Ich überlasse Ihnen meines.«

Er schüttelte den Kopf.

»Kurz?« bat sie.

Kurz schüttelte den Kopf und begann zu lachen. Es war ein ungeheures Gelächter. Das Kichern und Prusten wurde allmählich zu einem Gebrüll, das aus übervollem Herzen kam. »Ich bin nicht etwa hysterisch geworden«, sagte er. »Zuweilen finde ich die ganze Welt so verdammt komisch, und jetzt eben geht es mir so.«

Sein Blick fiel zufällig auf die Pfanne mit dem Gold. Er ging hinüber und gab ihr feierlich einen Fußtritt, daß das ganze Gold in den Schnee flog.

»Es gehört ja nicht uns«, sagte er. »Es gehört dem Idioten, den ich heut nacht fünfhundert Fuß weiter hinaufjagte. Mich ärgert dabei nur, daß es genau vierhundertneunzig Fuß zuviel waren – zu seinen Gunsten! Komm jetzt, Kid! Wir gehen nach Dawson zurück. Und wenn du Lust hast, mich totzuschlagen, kannst du es tun . . . ich werde keine Hand rühren.«

Kurz träumt

»Komisch, daß du gar nicht spielst«, sagte Kurz eines Abends im »Elch« zu Kid. »Liegt es dir denn gar nicht im Blut?« – »Natürlich«, antwortete Kid. »Aber ich habe auch die Zahlen im Kopf. Ich will was Reelles für mein Geld haben.«

Der ganze große Schankraum um sie her hallte wider von dem Knattern und Rasseln und Rumpeln der zwölf Roulette, an denen pelzgekleidete Männer in Mokassins ihr Glück versuchten. Kid machte eine Handbewegung, die all diese Leute umfaßte.

»Schau sie dir an«, sagte er. »Die nüchternen Zahlen erzählen mir, daß sie heute nacht mehr verlieren als gewinnen werden. Und daß die meisten von ihnen in diesem Augenblick im Verlust sitzen.«

»Du bist sicher ein guter Rechner«, murmelte Kurz bewundernd. »Und meistens hast du ja auch recht. Aber es gibt auch so etwas wie Tatsachen! Und es ist eine Tatsache, daß es ganze Glückssträhnen geben kann. Es gibt Augenblicke, in denen jeder Idiot, der nur spielt, gewinnen muß. Das weiß ich, denn ich habe selbst Spiele genug mitgemacht und habe mehr als einmal erlebt, daß die Bank gesprengt wurde. Die einzige Methode, zu gewinnen, ist, ruhig abzuwarten, bis man eine Vorahnung bekommt, daß jetzt die Glückssträhne angesaust kommt, und sie dann bis zum letzten auszunutzen.«

»Das klingt ja sehr einfach«, sagte Kid kritisch. »So einfach, daß ich gar nicht begreifen kann, wie man überhaupt verlieren kann.«

»Der Fehler ist ja eben«, gab Kurz zu, »daß die meisten Leute ihre Vorahnungen mißverstehen. Es ist natürlich hin und wieder auch geschehen, daß ich mich in meinen Ahnungen geirrt habe. Man muß eben versuchen, es herauszukriegen.«

Kid schüttelte den Kopf.

»Das ist auch nur eine Art Berechnung, Kurz. Die meisten Männer irren sich aber in ihren Ahnungen.«

»Aber hast du denn nie so ein todsicheres Gefühl gehabt, daß du nur dein Geld hinzulegen brauchtest, um den Gewinn in die Tasche zu stecken?«

Kid lachte.

»Ich bin zu ängstlich, wenn ich an die vielen Prozent Chancen denke, die ich gegen mich habe. Aber ich will dir was sagen, Kurz: Ich werde jetzt einen Dollar auf die ›Hohe Karte‹ setzen und sehen, ob ich so viel gewinne, daß wir einen dafür trinken können.«

Kid wollte sich den Weg zum Pharaotisch bahnen, aber Kurz hielt ihn am Arm zurück.

»Laß mal, du. Ich habe eben eine von meinen Ahnungen. Setz lieber deinen Dollar an der Roulette.«

Sie gingen zum Roulettetisch neben der Bar.

»Warte, bis ich es dir sage«, riet Kurz.

»Welche Nummer?«

»Das mußt du selbst bestimmen. Aber warte, bis ich es dir sage.«

»Du willst doch nicht behaupten, daß ich gerade an diesem Tisch eine besondere Chance hätte?« wandte Kid ein.

»Eine ebenso gute wie am nächsten.«

»Aber jedenfalls keine so gute wie die Bank.«

»Wart ab und sieh«, erklärte Kurz eindringlich.

»Jetzt . . . jetzt los!«

Der Bankhalter hatte soeben die kleine elfenbeinerne Kugel auf ihre wirbelnde Fahrt über den glatten Rand des rollenden Rades mit den vielen Löchern hinausfliegen lassen. Kid, der am unteren Tischende stand, lehnte sich über einen der Spieler und warf seinen Dollar achtlos auf den Tisch. Er rollte über das glatte grüne Tuch und blieb dann säuberlich in der Mitte von »34« liegen.

Die Kugel hielt an, und der Bankhalter rief: »Vierunddreißig gewinnt.« Er strich das Geld vom Tisch und legte fünfunddreißig Dollar vor Kid hin. Als Kid das Geld in die Tasche steckte, klopfte Kurz ihm auf die Schulter.

»Na, da siehst du, was eine Ahnung bedeutet, Kid! Wie ich es wissen konnte? Das kann ich dir nicht erklären. Ich wußte einfach, daß du gewinnen würdest. Denn siehst du, wenn dein Dollar auf eine andere Zahl gefallen wäre, dann hätte die gewonnen. Wenn die Ahnung richtig ist, mußt du einfach gewinnen.«

»Aber wenn nun Doppelzero herausgekommen wäre, was dann?« fragte Kid, während sie sich zur Bar begaben.

»Dann wäre dein Dollar auf zwei Nullen liegengeblieben«, antwortete Kurz. »Das ist einfach unvermeidlich. Ahnung ist und bleibt Ahnung. Da kannst du sagen, was du willst . . . nichts zu machen. Aber komm jetzt wieder an den Tisch. Ich habe eine neue Ahnung bekommen, daß ich jetzt, nachdem ich dir gewinnen half, selbst ein paar Treffer kriege.«

»Spielst du denn nach einem bestimmten System?« fragte Kid zehn Minuten später, als sein Kamerad schon hundert Dollar verloren hatte.

Kurz schüttelte empört den Kopf, während er seine Spielmarken auf drei und auf siebzehn legte. Außerdem legte er eine Marke, die er noch übrig hatte, auf Grün.

»Die Hölle ist vollgepfropft mit Idioten, die nach Systemen gespielt haben«, bemerkte er noch, als der Bankhalter das Geld an sich raffte.

Kid, der zuerst nur zugesehen hatte, wurde allmählich ganz bezaubert. Er verfolgte mit dem größten Interesse jede Einzelheit des Spieles von der wirbelnden Kugel bis zur Ein- und Auszahlung der Einsätze. Er selbst spielte nicht mit, sondern begnügte sich mit dem Zusehen. Aber es interessierte ihn so, daß Kurz, der erklärte, jetzt genug vom Spiele bekommen zu haben, ihn kaum vom Tisch wegziehen konnte. Der Bankhalter gab Kurz den Goldsack wieder, den er als Sicherheit hinterlegt hatte, um mitspielen zu dürfen, und gleichzeitig bekam er einen Schein, worauf stand: Verloren Dollar 350,00.

Kurz ging mit dem Sack und dem Schein quer durch den Raum, um beides dem Mann zu geben, der dort hinter einer Goldwaage saß. Er wog für 350 Dollar Goldstaub ab und tat sie in den Goldbehälter des Hauses.

»Diese Ahnung war wohl auch eine von deinen Berechnungen«, spottete Kid.

»Ich mußte doch zu Ende spielen, nicht wahr? Nur um zu sehen, wie es zusammenhing«, gab Kurz zurück. »Und ich denke, ich mußte es auch durchführen, um dir zu beweisen, daß es so was wie Ahnungen gibt.«

»Macht nichts, Kurz«, lachte Kid. »Ich habe selbst eben so etwas wie eine Ahnung bekommen.«

Kurz' Augen strahlten, und er rief eifrig:

»Was denn, Kid? Dann nur gleich hinein und spiel!«

»Es ist nichts dergleichen, Kurz. Meine Ahnung sagt mir nur, daß ich eines schönen Tages ein System ausarbeiten werde, das den ganzen Tisch da drinnen sprengen wird.«

»System . . .«, seufzte Kurz. Dann betrachtete er seinen Partner mit tiefem Mitleid. »Kid, höre auf den guten Rat deines Stallbruders und laß alle Systeme schießen. Systeme gehen todsicher zum Teufel. Bei Systemen gibt es keine Ahnungen.«

»Deshalb liebe ich sie ja gerade«, antwortete Kid. »Ein System hat eine ordentliche Basis. Wenn du das richtige System findest, kannst du nie verlieren . . . und darin liegt der Unterschied zwischen Systemen und Ahnungen. Du weißt nie, wann die richtige Ahnung zum Teufel geht . . .«

»Aber ich weiß von unzähligen Systemen, die zum Teufel gegangen sind, und ich habe noch nie eins gesehen, das zum Gewinn geführt hat.«

Kurz schwieg einen Augenblick und seufzte tief. »Weißt du, Kid, wenn du anfängst, dich in Systeme zu verlieben, dann ist hier nicht der rechte Platz für dich. Dann ist es wirklich Zeit, daß wir wieder auf die Reise gehen.«

In den folgenden Wochen schienen die beiden Partner entgegengesetzte Ziele zu verfolgen. Kid wollte noch immer die meiste Zeit im »Elch« verbringen, wo er dem Roulettespiel zusah, während Kurz ebenso eifrig verlangte, daß sie auf die Reise gehen sollten. Als Kurz schließlich vorschlug, daß sie zweihundert Meilen weit den Yukon hinab auf die Goldsuche gehen sollten, setzte Kid sich auf die Hinterbeine.

»Siehst du, Kurz«, sagte er. »Ich will nicht gehen. Die Fahrt würde mindestens zehn Tage in Anspruch nehmen, und ich hoffe, mein System schon vorher in die Tat umzusetzen. Ich könnte beinahe schon jetzt damit anfangen und gewinnen. Aber warum in aller Welt willst du mich überhaupt in dieser Weise durch das Land schleppen?«

»Kid, ich muß mich ja ein bißchen deiner annehmen«, erwiderte Kurz. »Bei dir geht eine kleine Schraube los. Ich würde dich bis nach Jericho oder nach dem Nordpol schleppen, wenn ich dich nur von dem verdammten Tisch losreißen könnte.«

»Das mag ja alles ganz gut sein, Kurz, aber schließlich bin ich ja verhältnismäßig erwachsen und noch dazu ein guter Fleischesser. Das einzige, was du schleppen sollst, ist das Gold, das ich durch mein System gewinnen werde, und ich glaube, daß du ein Hundegespann brauchen wirst.« Kurz antwortete nur mit einem Stöhnen. »Und ich möchte auch nicht, daß du auf eigene Faust spielst«, fuhr Kid fort. »Wir werden den Gewinn teilen, aber ich brauche all unser Geld, um es durchzuführen. Das System ist ja noch nicht ausprobiert, und es ist sehr gut möglich, daß ich einige Verluste haben werde, ehe ich es richtig in Gang kriege.«

Nachdem Kid lange Stunden und Tage mit ständiger Beobachtung des Tisches verbracht hatte, kam schließlich der Abend, an dem er erklärte, daß er bereit sei. Düster und pessimistisch begleitete Kurz seinen Kompagnon nach dem »Elch«, mit einer Miene, als ginge er zu seinem eigenen Begräbnis. Kid kaufte einen Haufen Spielmarken und setzte sich neben den Bankhalter am Ende des Tisches. Immer wieder machte der Ball seinen sausenden Kreislauf durch das Rad, und die andern Spieler gewannen und verloren, aber Kid wagte noch keine einzige Marke zu setzen. Kurz wurde immer ungeduldiger.

»Nur los, Kamerad, nur immer los«, drängte er. »Mach bald Schluß mit dem Begräbnis. Was hast du denn? Kalte Füße gekriegt?«

Kid schüttelte den Kopf und wartete. Ein Dutzend Spiele wurde beendet, dann warf er plötzlich zehn Eindollarmarken auf »26«. Die Zahl gewann, und der Bankhalter zahlte Kid dreihundertfünfzig Dollar aus. Wieder ging ein Dutzend Spiele vorüber, als Kid endlich zum zweitenmal zehn Dollar, jetzt aber auf »32« setzte. Und wiederum erhielt er dreihundertfünfzig Dollar.

»Das nenne ich eine Ahnung«, flüsterte ihm Kurz laut und aufgeregt ins Ohr. »Nur festhalten, festhalten!«

»Keine Spur von Ahnung«, flüsterte Kid zurück. »Es gehört zum System. Ist es nicht prachtvoll?«

»Das kannst du mir nicht weismachen«, behauptete Kurz. »Ahnungen kommen einem oft auf die merkwürdigsten Arten. Vielleicht glaubst du, daß es ein System ist, aber das ist es nicht. Systeme taugen nie etwas. Das gibt es gar nicht! Es ist todsicher auch eine Ahnung, daß du so spielst . . .«

Kid änderte jetzt sein Spiel.

Er setzte etwas öfter, aber stets nur einzelne Marken, warf sie hierhin und dorthin und verlor mehr, als er gewann.

»Hör jetzt lieber auf«, riet ihm Kurz. »Steck ein, was du hast. Du hast dreimal ins Schwarze getroffen und immerhin einen Tausender gewonnen. Du kannst jetzt ruhig aufhören.«

In demselben Augenblick surrte die Kugel wieder durch das Rad, und Kid warf zehn Dollar auf »26«. Die Kugel fiel in das Loch der »26«, und der Bankhalter zahlte Kid dreihundertfünfzig Dollar aus.

»Wenn du also sowieso ganz hirnverbrannt bist und auch noch den großen Treffer deines Lebens bekommen hast, dann setz den Höchstbetrag«, sagte Kurz. »Schmeiß nächstes Mal fünfundzwanzig drauf.«

Eine Viertelstunde verging, in der Kid teils gewann, teils verlor, aber immer nur kleine Beträge auf verschiedenen Zahlen. Da setzte er, mit der Plötzlichkeit, die sein ganzes Spiel kennzeichnete, fünfundzwanzig Dollar auf Doppelzero, und der Bankhalter zahlte ihm achthundertfünfundsiebzig Dollar aus.

»Weck mich doch, Kid, ich träume ja!« stöhnte Kurz.

Kid lächelte, schlug in seinem Notizbuch nach und vertiefte sich in Berechnungen. Immer wieder zog er sein Notizbuch aus der Tasche, und hin und wieder schrieb er Zahlen auf. Es hatte sich eine ganze Menge von Leuten um den Tisch gesammelt, während die Spieler selbst versuchten, dieselben Zahlen zu belegen wie er. Da änderte er mit einem Schlage wieder seine Taktik. Zehnmal nacheinander setzte er zehn Dollar auf »18« und verlor. Jetzt hätte selbst der Kühnste ihn im Stich gelassen. Da wechselte er wieder die Nummer und gewann zum fünften Male dreihundertfünfzig Dollar. Im selben Augenblick kehrten die andern Spieler reumütig zu seinen Zahlen zurück, ließen ihn aber wieder allein, als er aufs neue eine Reihe von Verlusten zu verbuchen hatte.

»Laß das Ding jetzt, Kid, laß es«, warnte Kurz. »Selbst die beste Strähne von Ahnungen hat nur eine bestimmte Länge, und deine ist jetzt fertig. Du machst keinen Treffer mehr.«

»Ich werde nur noch einmal ins Schwarze treffen, ehe ich meinen Gewinn zusammenraffe«, antwortete Kid.

Einige Minuten warf er noch Spielmarken mit wechselndem Glück auf verschiedene Zahlen, dann setzte er plötzlich fünfundzwanzig Dollar auf Doppelzero.

»Jetzt werde ich Schluß machen«, sagte er zu dem Bankhalter, nachdem er gewonnen hatte.

»Oh, du brauchst es mir nicht zu zeigen«, sagte Kurz, als sie zusammen nach der Waage gingen. »Ich habe selbst nachgerechnet. Du mußt so etwa dreitausendsechshundert gewonnen haben. Stimmt es?«

»Dreitausendsechshundertdreißig«, antwortete Kid. »Und jetzt mußt du den Goldstaub nach Hause tragen. So haben wir es abgemacht.«

»Fordere das Glück nicht heraus«, flehte Kurz am nächsten Abend in der Hütte, als er bemerkte, daß Kid Vorbereitungen traf, wieder in den »Elch« zu gehen. »Du hast gestern eine gewaltig lange Strähne von Ahnungen gehabt, aber du hast sie auch bis zum letzten Tropfen ausgepreßt. Wenn du wieder anfängst, wirst du deinen ganzen Gewinn zusetzen.«

»Aber ich sage dir ja, daß es keine Ahnungen sind, Kurz. Es ist Berechnung. Ein System. Man kann überhaupt nicht verlieren.«

»Zur Hölle mit allen Systemen. So etwas wie ein System kann es gar nicht geben. Ich habe mal siebzehn solche Strähnen in ›Schwarz und Rot‹ gehabt. War es System? Quatsch! Es war blödes, blindes Schwein; aber ich hatte kalte Füße bekommen und wagte nicht, zu Ende zu spielen. Wenn ich durchgehalten und mich nicht nach der dritten Runde zurückgezogen hätte, würde ich mit dem ursprünglichen Einsatz von einem Viertel Dollar dreißigtausend Dollar gewonnen haben.«

»Das ist ja auch schnuppe, Kurz. Hier handelt es sich um ein richtiges System.«

»Na, das mußt du mir erst beweisen.«

»Werd' ich schon. Komm jetzt mit, ich zeig' es dir heute wieder.«

Als sie den Schankraum des »Elch« betraten, richteten sich alle Augen auf Kid, und die Spieler am Tisch machten ihm Platz, als er sich wie am vorhergehenden Tage neben den Bankhalter setzte. Sein Spiel war indessen heute ganz anders. Im Laufe von anderthalb Stunden setzte er im ganzen nur viermal, aber jedesmal fünfundzwanzig Dollar, und gewann stets. Er steckte dreitausendfünfhundert Dollar ein. Und Kurz trug wieder den Goldstaub nach Hause.

»Jetzt ist es aber Zeit, Schluß mit dem Spaß zu machen«, riet Kurz, als er auf dem Bettrand saß und sich die Mokassins auszog. »Du hast siebentausend Dollar gewonnen. Der Mann muß verrückt sein, der sein Schicksal noch weiter herausfordert.«

»Lieber Kurz, ein Mann würde ganz und himmelschreiend hirnverbrannt sein, wenn er nicht ein solches System, wie meins eins ist, ausnützt.«

»Hör mal, Kid. Du bist ein verdammt gescheiter Kerl. Du hast die Universität besucht. Du kannst in einer Minute mehr begreifen als ich in vierzigtausend Jahren. Aber trotzdem bist du mehr als verrückt, wenn du behauptest, daß dein Glück ein System sei. Ich bin viel in der Welt herumgekommen, und ich kann dir geradeheraus und vertraulich und mit absoluter Sicherheit erklären, daß es kein System gibt, das eine Bank sprengen kann.«

»Aber ich werde es dir beweisen. Es ist einfach eine Schatzkammer.«

»Nein, das ist es nicht, Kid. Es ist nur der Traum von einer Schatzkammer. Ich schlafe einfach. Plötzlich wache ich wieder auf und mache Feuer und Frühstück.«

»Gut, mein ungläubiger Freund, hier ist der Goldstaub. Greif zu!«

Und Kid warf seinem Partner den schweren Beutel mit dem Goldstaub aufs Knie. Er wog fünfunddreißig Pfund, und Kurz mußte zugeben, daß er es spürte, als der Beutel sein Bein traf.

»Hm, ich habe freilich einige verdammt lebendige Träume in meinem Leben gehabt. Im Traum ist alles möglich. Im wirklichen Leben sind Systeme nicht möglich. Nun, ich bin ja nie auf der Universität gewesen, aber trotzdem habe ich vollkommen recht, wenn ich diese Spielorgie als einen Traum betrachte.«

»Hamiltons ›Gesetz der Kargheit‹«, lachte Kid.

»Ich habe nie was von dem Herrn gehört, aber sein Mittel wird schon das richtige sein. Ich träume, Kid, und du schleichst in meinem Traum herum und quälst mich mit Systemen. Wenn du mich gern hast, wenn du mich wirklich im Ernst gern hast, dann brüllst du jetzt: ›Wach auf, Kurz‹ . . . und dann werde ich wach werden und das Frühstück machen.«

Als Kid am dritten Spielabend seinen Einsatz auf den Tisch legte, schob der Bankhalter ihm fünfzehn Dollar zurück.

»Mehr als zehn dürfen Sie nicht mehr setzen«, sagte er. »Die Höchstgrenze ist herabgesetzt worden.«

»Wollt Ihr nur Kleingeld haben?« spottete Kurz.

»Wir zwingen niemand, an diesem Tisch zu spielen, wenn er keine Lust hat«, antwortete der Bankhalter. »Und ich sage Ihnen offen und ehrlich, daß es uns lieber wäre, Ihr Partner würde nicht an unserm Tisch spielen.«

»Furcht vor seinem System, was?« neckte Kurz den Bankhalter, als er Kid dreihundertfünfzig Dollar auszahlte.

»Ich will nicht sagen, daß ich an Systeme glaube, das tue ich nicht. Es hat noch kein System gegeben, das die Bank einer Roulette oder eines Spiels von der Art gesprengt hätte. Aber ich habe auch manchmal seltsame Glückssträhnen gesehen. Und ich will diese Bank nicht sprengen lassen, solange ich es verhindern kann.«

»Kalte Füße?«

»Bankhalten ist ein Geschäft genau wie jedes andere, mein Freund. Wir sind keine Philanthropen.«

Abend für Abend gewann Kid. Seine Spieltaktik wechselte beständig. Die Sachverständigen drängten sich um den Tisch, und einer nach dem andern notierte sich seine Einsätze und Nummern und versuchte vergebens, hinter sein System zu kommen. Sie mußten gestehen, daß sie nicht imstande waren, den Schlüssel zu dem Geheimnis zu finden. Sie schworen, daß es nur Glück wäre . . . wenn auch freilich das ungeheuerlichste Glück, das sie je gesehen hätten.

Es war der Wechsel in Kids Methoden, der sie verwirrte. Zuweilen schlug er in seinem Notizbuch nach oder vertiefte sich in lange Berechnungen, und dann konnte eine ganze Stunde vergehen, ohne daß er einen einzigen Einsatz wagte. Dann wieder konnte er drei Spiele mit Höchsteinsätzen nacheinander gewinnen und im Laufe von fünf oder zehn Minuten tausend Dollar oder mehr einstecken. Und hin und wieder geschah es auch, daß seine Taktik einfach darin bestand, einzelne Spielmarken in verblüffender Verschwendung über den Tisch auszustreuen. Das konnte dann zehn Minuten bis eine halbe Stunde anhalten – und dann warf er plötzlich, wenn die Kugel nur noch wenige Runden übrig hatte, den Höchsteinsatz auf Reihe, Farbe und Zahl und gewann alle drei. Einmal geschah es sogar, daß er vierzig Spiele nacheinander zum Höchstsatz verlor, so daß er eine allgemeine Verwirrung in den Köpfen all derer anrichtete, die sich bemühten, sein System zu durchschauen.

Aber so scheinbar regellos er auch spielte, trug Kurz doch jeden Abend dreitausendfünfhundert Dollar nach Hause.

»Es ist kein System«, erklärte Kurz bei einer ihrer Diskussionen während des Ausziehens. »Ich passe auf wie ein Schießhund, aber es ist mir nicht möglich, die Sache herauszufinden. Du spielst nie dasselbe Spiel zweimal. Du steckst nur den Gewinn ein, wenn du Lust dazu hast. Und wenn du nicht willst, tust du es absichtlich nicht.«

»Vielleicht bist du jetzt der Lösung näher, als du denkst, Kurz. Manchmal muß ich eben auf Nummern setzen, die verlieren. Es gehört mit zum System.«

»System – geh zur Hölle damit! Ich habe mich mit jedem erfahrenen Spieler in der ganzen Stadt unterhalten. Und sie sind sich alle wie ein Mann einig, daß es so was wie ein System nicht gibt.«

»Und dabei tue ich doch nichts anderes, als es ihnen zu zeigen.«

»Schau mal her, Kid.« Kurz beugte sich über die Kerze, um sie auszublasen, zögerte aber einen Augenblick. »Ich bin wirklich ärgerlich. Vielleicht denkst du, das hier sei eine Kerze . . . aber das ist es nicht. Und ich bin auch nicht ich. Ich wandere irgendwo herum, liege, in meine Decken gehüllt, auf dem Rücken und träume mit offenem Munde alles, was hier geschieht. Du bist es gar nicht, der zu mir spricht, sowenig wie die Kerze hier eine richtige Kerze ist.«

»Da ist es aber doch komisch, daß ich genau dasselbe träume wie du«, behauptete Kid.

»Gar nichts ist komisch. Du bist ja ein Teil von meinem Traum . . . das ist die ganze Geschichte. Ich habe viele Männer im Schlaf reden hören. Und ich möchte dir etwas sagen, Kid: Ich beginne blöd und verrückt zu werden. Wenn dieser Traum noch lange andauert, werde ich mir zum Schluß die Adern aufbeißen und laut heulen.«

Am sechsten Spielabend wurde der Höchsteinsatz im »Elch« auf fünf Dollar herabgesetzt.

»Meinetwegen!« versicherte Kid dem Bankhalter. »Ich will heute abend wie immer dreitausendfünfhundert Dollar gewinnen, und Sie zwingen mich nur, etwas länger zu spielen. Ich muß nur auf doppelt so viele Gewinnnummern halten wie sonst . . . das ist alles.«

»Warum können Sie nicht ebensogut einen andern Tisch unsicher machen?« fragte der Bankhalter ärgerlich.

»Weil mir dieser besonders sympathisch ist!« Kid warf einen Blick auf den prasselnden Ofen, der nur einige Schritte von ihm entfernt stand. »Außerdem zieht es hier nicht. Es ist so schön warm und behaglich hier.«

Als Kurz am neunten Abend den Goldstaub nach Hause getragen hatte, bekam er einen Anfall.

»Ich bin fertig, Kid . . . durch und durch fertig«, begann er. »Ich weiß, wann ich genug bekommen habe. Ich träume tatsächlich nicht! Ich laufe vollständig wach und mit weit offenen Augen herum. Es gibt kein System, und doch hast du eins. Die ganze Rechenkunst kann sich zu Bett legen. Der Kalender kann sich begraben lassen, mit oder ohne Predigt. Die ganze Welt ist verrückt geworden. Es gibt nichts mehr, das

Regel und Einheitlichkeit heißt. Das große Einmaleins kann dahin gehen, wo der Pfeffer wächst. Zwei ist acht, und acht ist elf, und zweimal zwei ist achthundertsechsundvierzig, und . . . und noch ein halb dazu. – Eins ist das andere, und nichts ist alles, und zweimal alles ist Hautcreme, Milchfieber und ausgestopfte Kattunpferde. Du hast ein System gefunden! Mit deinen Zahlen schlägst du alle andern Zahlen. Was nicht ist, ist doch, und wenn es nicht ist, muß es sein. Die Sonne geht im Westen auf, der Mond ist eine Goldader, die Sterne sind aus Rindfleisch gemacht. Skorbut ist ein Segen Gottes, wer stirbt, spukt; die Berge schwimmen, Wasser ist Gas, und ich bin nicht ich, und du bist irgend jemand anders als du, und vielleicht sind wir überhaupt Zwillinge, wenn wir nicht Bratkartoffeln in spinatgrüner Sauce sind . . . Weck mich auf, lieber Freund . . . Weck mich, wer will! Wenn ich nur wach werde!«

Am nächsten Morgen kam Besuch in die Hütte. Kid kannte den Herrn – es war Harvey Moran, der Inhaber aller Spieltische im »Tivoli«. Es lag etwas wie eine Bitte in seiner tiefen, barschen Stimme, als er auf das Geschäftliche zu sprechen kam.

»Die Sache ist die, Kid«, begann er. »Sie haben uns alle aus dem Häuschen gebracht. Ich vertrete neun andere Spieltischbesitzer, also alle Konzessionsinhaber hier in der Stadt. Wir begreifen es einfach nicht. Wir wissen alle, daß es nie ein System gegeben hat, das etwas gegen die Roulette ausrichten konnte. Alle mathematischen Sachverständigen an den Universitäten haben dasselbe gesagt. Sie sagen, daß die Roulette an sich ein System sei, das einzige System, das es von dieser Art gibt, und deshalb könne es von keinem andern System geschlagen werden, denn das würde bedeuten, daß die Algebra zum Teufel gegangen wäre.«

Kurz nickte energisch mit dem Kopfe.

»Wenn ein System ein anderes System schlagen könnte, dann gäbe es gar nicht so was wie ein System«, fuhr der Roulettebesitzer fort. »Dann wäre alles möglich . . . eine Sache könnte gleichzeitig an zwei Stellen sein, oder zwei Sachen könnten an einer Stelle sein, die eigentlich nur für eine Platz hat.«

»Nun gut . . .«, antwortete Kid überlegen. »Sie haben ja mein Spiel gesehen . . . und wenn Sie denken, daß es nur eine Glückssträhne ist, dann verstehe ich nicht, warum Sie sich den Kopf darüber zerbrechen.«

»Das ist ja eben das Verfluchte. Wir können nicht anders, als über die Sache nachdenken. Es ist offenbar ein System, das Sie gefunden haben, und doch wissen wir, daß es kein System gibt. Jetzt habe ich Sie fünf

Abende lang beobachtet, und alles, was ich herausgekriegt habe, ist, daß Sie einige Nummern vorziehen und daß Sie immer gewinnen. Jetzt haben wir zehn Inhaber uns zusammengetan und wollen Ihnen in aller Freundschaft einen Vorschlag machen. Wir wollen eine Roulette in dem Hinterraum des ›Elch‹ aufstellen, und dann halten wir die Bank gegen Sie, und Sie sprengen unsere Bank. Es wird ganz privatim und vertraulich sein. Nur Sie, Kurz und wir. Was sagen Sie dazu?«

»Ich finde das reichlich umständlich«, antwortete Kid. »Sie können kommen und sehen, wie ich es mache. Ich werde heute abend im Schankraum des ›Elch‹ spielen. Sie können ja dort ebensogut beobachten wie anderswo.«

Als Kid am Abend seinen Platz am Tische einnahm, hörte der Bankhalter auf zu spielen.

»Das Spiel ist geschlossen«, sagte er. »Auftrag des Chefs.«

Die versammelten Spieltischbesitzer ließen sich aber nicht so abweisen. Im Laufe weniger Minuten hatten sie eine Bank auf die Beine gestellt. Jeder schoß tausend Dollar ein, und dann übernahmen sie den Tisch.

»Jetzt versuchen Sie mal die Bank zu sprengen«, sagte Harvey Moran herausfordernd, als der Bankhalter die Kugel auf ihre erste Rundfahrt sandte.

»Räumen Sie mir einen Höchsteinsatz von fünfundzwanzig Dollar ein!« schlug Kid vor.

»Selbstverständlich . . . nur los!«

Kid setzte sofort fünfundzwanzig Dollar auf Doppelzero und gewann. – Moran wischte sich den Schweiß von der Stirn. »Immer herein in die gute Stube«, sagte er. »Wir haben zehntausend in die Bank gesteckt.«

Nach anderthalb Stunden gehörten die zehntausend Dollar Kid.

»Die Bank ist gesprengt«, teilte der Bankhalter mit.

»Haben Sie jetzt genug davon?« fragte Kid.

Die Spieltischbesitzer sahen sich an. Sie hatten tatsächlich Respekt bekommen; sie, die wohlgenährten Schützlinge der Gesetze des »Zufalls«, waren endlich einmal klein geworden. Sie hatten einen Gegner gefunden, der entweder mit diesen Gesetzen in besserer Verbindung stand als sie oder höhere und bisher unbekannte Gesetze angerufen hatte.

»Wir geben es auf!« sagte Moran. »Bist du einverstanden, Burke?«

Der dicke Burke, dem die Spieltische in der Kneipe von M. u. G. gehörten, nickte.

»Das Unmögliche ist Tatsache geworden«, sagte er. »Dieser Kid hat ein richtiges System erfunden. Wenn wir ihn weitermachen lassen, plündert er uns alle aus. Wenn wir überhaupt unsere Tische in Betrieb halten wollen, sehe ich keinen anderen Ausweg, als daß wir die Höchstgrenze der Einsätze auf einen Dollar oder auf zehn Cent oder gar auf einen Cent herabsetzen. Bei den Sätzen kann er an einem Abend nicht viel gewinnen.«

Alle sahen Kid erwartungsvoll an. Er zuckte die Achseln.

»In diesem Falle würde ich eine ganze Bande von Leuten anstellen, um an Ihren Tischen zu spielen. Ich kann ihnen zehn Dollar für vier Stunden zahlen und noch gut dabei verdienen.«

»Dann müssen wir einfach unsere Läden zumachen«, antwortete der dicke Burke. »Wenn Sie nicht . . .« Er zögerte und ließ seine Augen über die Gesichter seiner Kollegen schweifen, um festzustellen, ob sie mit ihm einig wären. »Wenn Sie nicht bereit sein sollten, die Sache von einem rein geschäftlichen Standpunkt aus zu betrachten. Zu welchem Preis wollen Sie Ihr System verkaufen?«

»Für dreißigtausend«, antwortete Kid. »Das macht nur dreitausend Dollar für jeden.«

Sie besprachen seinen Vorschlag miteinander und nickten dann zustimmend.

»Und Sie werden uns Ihr System verraten?«

»Selbstverständlich.«

»Und Sie werden uns versprechen, in Dawson nicht mehr Roulette zu spielen?«

»Fällt mir gar nicht ein«, erklärte Kid bestimmt. »Aber ich will versprechen, nicht mehr nach diesem System zu spielen.«

»Gott bewahre«, rief Moran entsetzt. »Sie haben also noch andere Systeme erfunden?«

»Einen Augenblick«, rief Kurz. »Ich muß mit meinem Partner sprechen. Komm mal, Kid . . . gehen wir ein bißchen abseits.«

Kid folgte ihm in eine ruhige Ecke der Schankstube, während Hunderte von neugierigen Blicken ihn und Kurz betrachteten.

»Hör mal, Kid . . .«, flüsterte Kurz mit seiner heiseren Stimme. »Vielleicht ist es doch kein Traum. Und in dem Falle würdest du wahnsinnig sein, es so billig zu verkaufen. Du hast die Kerle jetzt da, wo du sie haben wolltest. Es stecken Millionen in der Sache. Aber quetsch sie bis aufs Blut, bis aufs Blut, Kid!«

»Aber wenn es doch nur ein Traum wäre«, fragte Kid freundlich.

»Dann mußt du um des Traumes und des heiligen Michaels willen eine tüchtige Menge Pinke aus den verfluchten Spieltischbesitzern herausquetschen. Was, zum Deibel, hilft dir alles Träumen, wenn du dich nicht zu dem richtigen, wirklichen, todsicheren, endgültigen Schluß durchträumen kannst?«

»Gott sei Dank ist es kein Traum, Kurz.«

»Dann verzeih ich's dir nie, wenn du die Sache für dreißigtausend abgibst.«

»Wenn ich sie für dreißigtausend verkaufen kann, wirst du mir um den

Hals fallen, wach werden und feststellen, daß du gar nicht geträumt hast. Es ist nämlich kein Traum, Kurz. In einigen Minuten wirst du entdecken, daß du die ganze Zeit wach gewesen bist. Ich will dir was sagen: Wenn ich es jetzt für dreißigtausend verkaufe, dann tue ich es, weil ich muß.«

Als Kid an den Tisch zurückgekehrt war, teilte er den Spieltischbesitzern mit, daß er an seinem Angebot festhielte. Sie wollten ihm Anweisungen über je dreitausend Dollar geben.

»Verlange gleich Goldstaub«, riet ihm Kurz.

»Ich möchte bemerken, daß ich den Betrag nur in Goldstaub nehme«, sagte Kid.

Der Besitzer des »Elch« bekam die Anweisungen, und Kurz nahm den Goldstaub in Empfang.

»Jetzt will ich gar nicht mehr aufwachen«, kicherte er, als er das Gewicht der einzelnen Beutel nachprüfte. »Alles in allem macht es ungefähr siebzigtausend Dollar. Es ist ein teurer Spaß geworden, jetzt die Augen aufzumachen, aus den Decken zu kriechen und das Frühstück zuzubereiten.«

»Worin besteht nun Ihr System?« fragte der dicke Burke. »Wir haben jetzt bezahlt, und wir wollen es auch haben.«

Kid führte sie an den Tisch zurück.

»Jetzt, meine Herren, müssen Sie ein bißchen Geduld haben. Es ist kein gewöhnliches System. Es kann vielleicht kaum ein gesetzmäßiges System genannt werden, aber sein großer Vorteil liegt darin, daß es Erfolg bringt. Ich hege freilich gewisse Zweifel, aber darauf kommt es ja nicht an. Sie werden selbst sehen. Herr Bankhalter, wollen Sie sich bereithalten! Warten Sie bitte, ich werde 26 nehmen. Denken Sie, daß ich darauf setze! Halten Sie sich bereit . . . Jetzt!«

Die Kugel wirbelte über das Rad.

»Sie haben wohl bemerkt, daß 9 gerade gegenüberliegt.«

Die Kugel blieb auf 26 liegen. Der dicke Burke fluchte kräftig in den Bart hinein. Alle warteten gespannt.

»Wenn Doppelzero gewinnen soll, muß 11 gegenüberliegen. Versuchen Sie es bitte selbst . . .«

»Aber das System?« fragte Moran ungeduldig. »Wir wissen schon, daß Sie die Nummern finden können, die gewinnen, und wir wissen selbst, was die Nummern bedeuten . . . aber wie machen Sie das?«

»Indem ich mir die Reihenfolge gemerkt habe. Durch einen Zufall bemerkte ich zweimal, wie die Kugel lief, wenn 9 gegenüberstand . . . beide Male gewann 26. Dann sah ich, daß es sich wiederholte. Weiter beobachtete ich andere Reihenfolgen und stellte sie allmählich fest. Wenn Doppelzero gegenüberliegt, gibt es 32, und 11 gibt Doppelzero. Es gelingt nicht immer, aber meistens. Sie werden bemerkt haben, daß ich ›meistens‹ sage. Wie ich vorhin schon sagte, hege ich einen gewissen Verdacht, aber ich will ja nichts behaupten . . .«

Plötzlich schien dem dicken Burke ein Licht aufzugehen, und er beugte sich über den Tisch, brachte das Rad zum Stillstand und untersuchte es eingehend. Die Köpfe der neun anderen Spieltischbesitzer beugten sich ebenfalls vor, und alle beteiligten sich eifrig an der Untersuchung. Dann richtete sich der dicke Burke wieder auf und warf einen schnellen Blick auf den Ofen, der ganz in der Nähe stand.

»Tod und Teufel!« sagte er. »Es war überhaupt kein System. Der Tisch steht nur zu nahe am Feuer, und das verfluchte Rad ist infolge der Wärme verbogen. Und wir sind gründlich hereingefallen! Kein Wunder, daß er immer diesen Tisch nahm! An den anderen Tischen wäre es ihm schwer geworden, die Bank zu sprengen!«

Harvey Moran atmete erleichtert auf und wischte sich den Schweiß von der Stirn.

»Na, Gott sei Dank«, sagte er. »Und eigentlich ist es nicht teuer bezahlt, wenn festgestellt ist, daß es kein System war.«

Sein Gesicht begann zu zucken, und dann brach er in ein schallendes Gelächter aus. Er schlug Kid freundlich auf die Schulter und sagte: »Kid, Donnerwetter, Sie haben uns einen Schrecken eingejagt! Und dabei haben wir uns schon beglückwünscht, daß Sie unsere Tische in Ruhe ließen! Hören Sie, ich habe einige Flaschen richtigen Schum gekriegt, denen werde ich den Hals abschlagen, wenn ihr mit mir ins Tivoli gehen wollt.«

Als sie später nach ihrer Hütte zurückgekehrt waren, zählte Kurz die gesamten Beutel mit Goldstaub nach und prüfte ihr Gewicht. Dann stellte er sie in Reihe und Glied auf den Tisch, setzte sich auf den Bettrand und begann sich die Mokassins auszuziehen. »Siebzigtausend«, rechnete er nach. »Und sie wiegen dreihundertfünfzig Pfund. Und alles nur dank einem verbogenen Rad und einem scharfen Blick! Kid, du frißt sie roh, du frißt sie bei lebendigem Leibe, du schwimmst unter Wasser! Du hast mir's nach allen Regeln der Kunst gegeben; aber doch weiß ich, daß es ein Traum ist. Es ist nur ein Traum, daß das Gute in Erfüllung geht. Ich hab' verdammt wenig Lust, wieder aufzuwachen. Ich hoffe sogar, daß ich nie aufgeweckt werde.«

»Nur Mut!« antwortete Kid. »Du wachst nicht auf. Es gibt eine ganze Menge Philosophen, die der Ansicht sind, daß wir Menschen alle Schlafwandler sind. Du befindest dich also in der besten Gesellschaft.«

Kurz stand auf, trat an den Tisch, wählte sich den schwersten Beutel aus und wiegte ihn in seinen Armen, als wäre er ein Wickelkind.

»Mag sein, daß ich ein Schlafwandler bin«, sagte er, »aber jedenfalls befinde ich mich – wie du sagst – in verflucht guter Gesellschaft.«

Der Mann am anderen Ufer

Kid hatte noch nicht die lächerliche Grundstücksgesellschaft Tra Li gegründet und weder das historische Geschäft in Eiern gemacht, das den
Swiftewater-Bill beinahe an den Bettelstab brachte, noch das Hunde-
wettrennen den Yukon hinab um einen Preis von einer runden Million
gewonnen, als er und Kurz sich eines Tages am oberen Klondike voneinander verabschiedeten. Kurz sollte den Klondike hinabfahren, um
in Dawson einige Mutungen auf Goldclaims anzumelden, die sie abgesteckt hatten. Kid fuhr mit seinem Hundegespann südwärts. Er wollte
den Überraschungssee und die mystischen »Zwei Hütten« finden. Er
hatte die Absicht, an den Quellen des Indianerflusses vorbei durch eine
bisher unbekannte Gegend und über die Berge nach dem Stewart zu
gehen. Das Gerücht erzählte, daß irgendwo dort herum in einem Rah-
men von zackigen Bergen und Gletschern der Überraschungssee läge,
dessen Grund, wie berichtet wurde, ganz mit Gold gepflastert war. Vor
langer Zeit sollten Jäger, Männer, deren Namen in den Wäldern längst
in Vergessenheit geraten waren, in die eisigen Gewässer des Sees hin-
eingesprungen und mit Goldklumpen in den Händen wiederaufge-
taucht sein. Zu verschiedenen Zeiten hatten kleine Scharen von den alten Pionieren den Versuch gemacht, die unwirtliche, undurchdringliche Gegend zu durchqueren und den goldenen Grund des Sees zu
untersuchen. Allen war das Wasser jedoch gefährlich kalt erschienen
– einzelne hatten zwar den kühnen Versuch gemacht, zu tauchen, sie
waren aber im Wasser vom Tode ereilt und leblos ans Land gezogen
worden. Andere waren der Erschöpfung erlegen. Und einer, der ebenfalls getaucht war, kam überhaupt nie wieder zum Vorschein. Die
Überlebenden hatten sich alle entschlossen, wieder zurückzukehren,
um den See trockenzulegen, aber keinem von ihnen war es gelungen.
Stets waren ihnen tödliche Unfälle zugestoßen. Ein Mann war in ein
Luftloch unterhalb Foty Miles gefallen. Ein zweiter wurde von seinen
Hunden getötet und gefressen. Ein dritter von einem stürzenden Baum
erschlagen. Solche Gerüchte umwoben den Überraschungssee mit
einem sagenhaften Schein von Zauber und Spuk. Keiner wußte jetzt
genau, wo er überhaupt lag. Und das Gold blieb in seiner Tiefe liegen,
da keiner sich getraute, ihn trockenzulegen.

Die Lage der ebenfalls von Legenden umwobenen »Zwei Hütten« ließ sich leichter feststellen. Wenn man vom Stewart fünf Tage lang den Mac Question hinaufreiste, kam man zu zwei alten Hütten. So alt waren sie, daß sie schon vor der Ankunft der ersten bekannten Goldjäger im Yukonland erbaut sein mußten. Umherstreifende Elchjäger, die auch Kid getroffen und gesprochen hatte, behaupteten, daß sie die beiden Hütten schon vor vielen Jahren gefunden, aber vergebens die Minen gesucht hätten, die diese Abenteurer einer vergangenen Zeit doch bearbeitet haben mußten.

»Mir wäre es am liebsten, wenn du mit mir gehen würdest«, klagte Kurz, als sie Abschied nahmen. »Weil sich dir der Indianerfluß aufs Gehirn geschlagen hat, brauchst du dich doch nicht gleich solchen Gefahren auszusetzen. Es steht nun mal fest, daß es eine verfluchte Gegend ist, wo du hin willst. Es ist kein Zweifel, daß es da vom Morgen bis zum Abend spukt, jedenfalls nach allem, was wir beide gehört haben.«

»Schon gut, Kurz. Ich will nun mal die Fahrt machen, und in sechs Wochen bin ich wieder in Dawson. Die Fährte am Yukon ist getreten, und die ersten hundert Meilen etwa den Stewart hinauf wohl auch. Alte Leute vom Henderson haben mir erzählt, daß einige Trupps mit Ausrüstungen letzten Herbst hinaufgereist sind, nachdem der Fluß zugefroren war. Wenn ich ihre Spur treffe, werde ich ihnen mit einer Schnelligkeit von dreißig bis vierzig Meilen täglich folgen können. Ich denke, daß ich in einem Monat zurück sein kann, wenn ich erst mal so weit bin.«

»Ja, wenn du erst so weit bist . . . aber die Frage, ob du so weit kommst, ist es ja eben, die mir so viel Sorge macht. Nun, es hilft ja nichts! Also auf Wiedersehen, Kid! Halt deine Augen gut offen und nimm dich in acht vor diesem Spuk. Und schäme dich nicht, umzukehren, auch wenn du nichts mitbringst.«

Eine Woche darauf befand sich Kid zwischen den unregelmäßigen Gebirgsketten südlich des Indianerflusses. Auf der Wasserscheide des Klondikes ließ er den Schlitten zurück und belud die Wolfshunde mit dem Proviant. Jedes der sechs großen Tiere trug fünfzig Pfund, und er selbst hatte ein ähnliches Bündel auf dem Rücken. Dann nahm er seinen Weg durch den weichen Schnee, den er mit seinen Schneeschuhen festtrat, und in einer langen Reihe folgten ihm die Hunde mit ihren schweren Lasten.

Er liebte dies einsame Leben, liebte den kalten arktischen Winter, die schweigsame Wildnis, die unendlichen Schneefelder, die keines Menschen Fuß je betreten hatte. Um ihn erhoben sich die eisbekleideten Bergesgipfel, die keine Namen trugen und auf keiner Karte verzeichnet waren. Nirgends sah er den Lagerrauch eines Jägers in der stillen Luft der Täler in den klaren Himmel steigen. Nur er allein bewegte sich durch die unendliche Stille, die über der weiten, sonst von keinem Menschenfuß betretenen Einöde brütete. Aber diese Einsamkeit bedrückte ihn nicht. Er liebte alles hier. Liebte die Arbeit des Tages, das Kläffen der Wolfshunde, das Lagern im langen Zwielicht, die zitternden Sterne am Himmel und die flammende Pracht des Nordlichts. Besonders liebte er sein Lager, wenn der Tag zu Ende ging. Es bot ihm dann ein Bild, das er sich stets zu malen sehnte und von dem er wußte, daß er es nie in seinem Leben vergessen würde: die festgetretene Stelle im Schnee, wo das Feuer brannte, sein Schlafplatz, der aus einigen über frisch abgeschlagene Fichtenzweige ausgebreiteten Hasenfellen bestand, der von einer Persenning gebildete Windschutz, die in der Weise ausgespannt war, daß sie die Hitze des Feuers auffing und zurückwarf, die von Ruß geschwärzte Kaffeekanne und der an einer langen Stange befestigte Kochtopf, die Mokassins, die auf kleinen Stöcken aufgehängt wurden, um am Feuer zu trocknen, die Schneeschuhe, die aufrecht in den Schnee gesteckt waren ... und um das Feuer herum lagen die Wolfshunde, die sich so nahe wie möglich an die Wärme drängten, sehnsüchtig und eifrig, die zottigen Pelze vom Reif bedeckt, die buschigen Ruten um die Füße gelegt, um sie gegen die Kälte zu schützen ... und rings um das Ganze, nur um ein kleines Stück vom Lichtschein zurückgedrängt, die Mauer der Dunkelheit, die ihn umgab.

In solchen Augenblicken erschienen ihm San Franzisko, »Die Woge« und O'Hara unendlich fern, in eine unbeschreiblich ferne Vergangenheit gebannt ... nur Schatten von Träumen, die nie Wirklichkeit wurden. Es wurde ihm schwer, zu glauben, daß er je ein anderes Leben als dieses wilde, freie geführt hatte, und noch schwerer fiel es ihm, sich mit der Tatsache auszusöhnen, daß er einst seine Zeit und Kraft in dem Bohèmeleben einer großen Stadt verschwendet hatte. Jetzt, da er allein war und niemand hatte, mit dem er sprechen konnte, dachte er über vieles nach, dachte tief und einfach. Er erschrak bei dem Gedanken an die Kräftevergeudung, die seine Jahre in der Stadt gekennzeichnet hatte, die billige Oberflächlichkeit aller philosophischen Schulen und Bücher, die zynische Gescheitheit der Ateliers und Redaktionen, die Heuchelei der Kaufleute in den Klubs. Sie wußten alle nicht, was Nahrung, Schlaf und Gesundheit in Wirklichkeit bedeuteten. Sie hatten keine Ahnung, was Hunger war, kannten nicht den gesunden Schmerz körperlicher Müdigkeit, nicht das Rauschen des starken wilden Blutes, das wie Wein den Körper durchglüht, wenn die schwere Arbeit des Tages vollbracht ist.

Und als er noch in der Stadt lebte, lag dieses schöne, weiße Land des herben Nordens immer schon da, ohne daß er etwas davon ahnte. Was ihm aber am rätselhaftesten erschien, war doch, daß er, der in so ungewöhnlichem Maße für dieses Leben befähigt war, damals nicht den leisesten Ruf gehört hatte, nicht von selbst fortgezogen war, um dieses Land aufzusuchen. Doch auch dieses Rätsel sollte er lösen, wenn die Zeit kam.

»Schau her, Gelbgesicht, jetzt hab' ich es!«

Der Hund, den er angerufen hatte, hob zuerst die eine, dann die andere Vorderpfote mit einer raschen und doch beherrschten Bewegung, rollte dann wieder seine buschige Rute über die Beine zusammen und grinste ihn über das Feuer an.

»Herbert Spencer war fast vierzig Jahre alt, bevor er erkannte, was seine größte Fähigkeit und seine tiefste Sehnsucht war. Ich bin nicht so langsam gewesen. Ich brauchte nicht zu warten, bis ich dreißig wurde, um so weit zu kommen. Denn hier liegt das Gebiet, wo ich mein Höchstes leisten kann und wo meine tiefste Sehnsucht gestillt wird. Und fast wünsche ich, liebes Gelbgesicht, daß ich als ein Wolfsjunges geboren und all meine Tage ein Bruder von dir und den Deinen gewesen wäre.«

Tag auf Tag wanderte er durch ein Chaos von Canjons und Wasserscheiden, die kein klares topographisches Bild boten. Es sah aus, als hätte ein weltenschaffender Spaßmacher sie hier in übermütiger Laune hingeschleudert. Vergebens suchte er einen Bach oder Nebenfluß, der südwärts nach dem Mac Question oder dem Stewart führte. Dann kam ein Gebirgssturm, der den Schnee durch diese wirre Anhäufung von hohen und niedrigen Wasserscheiden stieben ließ. Oberhalb der Baumgrenze kämpfte er zwei Tage ohne Feuer und ohne sehen zu können, in vergeblichem Suchen nach tieferen Regionen. Am zweiten Tage gelangte er an den Rand eines mächtigen schroffen Abhangs.

Das Schneegestöber war indessen so dicht, daß er nicht sehen konnte, wie tief der Hang abfiel, und deshalb wagte er nicht hinabzuklettern. Er wickelte sich in seine Pelzdecken und sammelte die Hunde mitten in einer großen Schneewehe dicht um sich, gönnte sich aber keinen Schlaf. Gegen Morgen flaute der Sturm ab, und er kroch aus den Decken, um sich zu orientieren. Eine Viertelmeile weiter abwärts lag unzweifelhaft ein eis- und schneebedeckter See, der von zackigen Bergen umgeben war. Ohne es zu wissen, hatte er den Überraschungssee gefunden.

»Der Name ist wirklich sehr zutreffend«, sagte er, als er eine Stunde später am Rande des Sees stand. Eine Gruppe alter Fichten bildete den einzigen Pflanzenwuchs. Auf dem Wege dorthin stolperte er über drei Gräber. Sie waren vom Schnee bedeckt, aber durch Pfähle kenntlich, die jemand mit der Hand zugehauen und mit unleserlichen Inschriften versehen hatte. Am Rande des kleinen Haines lag eine winzige, verfallene Hütte. Er öffnete die Tür und trat ein. In einer Ecke lag etwas, das einst eine Schlafstelle aus Fichtenzweigen gewesen, ein Skelett . . . es war noch in Pelzwerk eingehüllt, von dem nur halb vermoderte Reste übrig waren. Das ist offenbar der letzte Besucher des Überraschungssees gewesen, dachte Kid, als er einen Goldklumpen vom Boden aufhob, der doppelt so groß wie seine geballte Faust war. Neben dem Goldklumpen stand eine Blechbüchse, die mit rohen Goldklumpen von Walnußgröße gefüllt war . . . es war leicht zu sehen, daß sie noch nicht ausgewaschen waren.

Jetzt erschien ihm alles wahr, was er gehört hatte, und er hegte keinen Zweifel, daß das Gold aus der Tiefe des Sees stammte. Da die Eisdecke so dick war, daß das Wasser nicht ohne besondere Vorkehrungen zu erreichen war, konnte er nichts weiter tun. Gegen Mittag warf er deshalb vom Rande des Abhangs einen letzten Blick auf den geheimnisvollen See, den er gefunden hatte.

»Alles sehr schön, mein lieber See«, sagte er. »Du hast ganz recht, wenn du dich hier verbirgst. Aber ich werde wiederkommen und dich trockenlegen . . . wenn die Gespenster mich nicht erwischen! Ich weiß freilich nicht, wie ich mich hierhergefunden habe, aber meine Fährte wird mir schon zeigen, wie ich dich wiederfinden soll.«

Als er vier Tage später ein kleines Tal erreicht hatte, machte er neben dem eisbedeckten Fluß und im Schutz einiger wohlmeinender Fichten Feuer. Irgendwo in der weißen Einöde, die er hinter sich gelassen, lag also der Überraschungssee . . . irgendwo, aber wo, das wußte er nicht mehr. Mehr als hundert Stunden hatte er sich herumgetrieben und sich durch dichtes Schneegestöber hindurchgekämpft, und nun konnte er seine Fährte nicht wiederfinden. Er hatte deshalb keine Ahnung, in welcher Richtung der See hinter ihm lag. Er konnte auch nicht mit Sicherheit sagen, ob Tage oder Wochen vergangen waren. Er hatte mit den Hunden zusammen geschlafen, sich über eine schon vergessene Zahl von kleineren Wasserscheiden gekämpft, war durch unheimliche, gewundene Canjons gezogen, die blind endeten, und hatte zweimal vergebens versucht, ein Feuer zu machen und gefrorenes Elchfleisch aufzutauen. Und jetzt war er also hier, hatte gut gegessen und sich ein angenehmes Lager bereitet. Der Sturm war vorbei. Es war klar und kalt geworden. Die Landschaft hatte wieder ihr normales Gepräge angenommen. Der Bach, an dem er lagerte, sah natürlich aus und lief auch, wie er sollte, nach Süden. Der Überraschungssee war ihm aber ebenso verlorengegangen wie alle andern, die ihn in vergangenen Tagen gesucht hatten. Als er den Bach einen halben Tag weiter hinabgezogen war, gelangte er in das Tal eines größeren Flusses, der seiner Ansicht nach die Mac Question sein mußte. Hier erlegte er einen Elch, und jetzt mußten die Wolfshunde wieder Packen mit Lebensmitteln im Gewicht von je fünfzig Pfund tragen. Als er den Mac Question hinabzog, fand er eine Schlittenfährte. Das letzte Schneegestöber hatte sie verdeckt, aber darunter war sie von denen, die hier gegangen waren, festgetreten. Er zog daraus den Schluß, daß zwei Lager hier am Flusse zu finden sein mußten und daß diese Schlittenspur den Verbindungsweg zwischen ihnen darstellte. Es war klar, daß jemand die »Zwei Hütten« gefunden hatte, und zwar waren es Leute vom unteren Lager. Er ging deshalb weiter in der Richtung des Flusses. Als er in dieser Nacht lagerte, war es vierzig Grad Fahrenheit unter Null. Bevor er einschlief, überlegte er sich, was es wohl für Männer sein könnten, die die »Zwei Hütten« wieder entdeckt hatten, und ob er sie am nächsten Tage ausfindig machen würde. Beim ersten Tagesgrauen war er deshalb wieder auf den Beinen, und ohne Schwierigkeit folgte er der halb verwischten Fährte. Mit den großen Schneeschuhen trat er den losen Schnee fest, so daß die Hunde nicht nötig hatten, hindurchzuwaten.

Und dann stürzte sich – an einer Biegung des Flusses – das Unerwartete auf ihn. Ihm schien, als ob er es gleichzeitig hörte und empfand. Der Knall des Stutzens kam von rechts, und die Kugel, die die Schulter seines Drillichüberzuges und seine wollene Jacke durchschlug, versetzte ihm einen so kräftigen Stoß, daß er sich um seine Achse drehte. Er schwankte, da seine Schneeschuhe sich ineinander verwirrt hatten, fand aber das Gleichgewicht wieder. Da hörte er einen zweiten Knall. Diesmal ging die Kugel indessen vorbei. Er wartete keinen weiteren Schuß ab, sondern lief, so schnell er konnte, durch den Schnee den schirmenden Bäumen zu, die hundert Fuß entfernt am Hange standen. Immer und immer wieder knallte die Büchse, und mit Unbehagen stellte er fest, daß ihm etwas Warmes und Feuchtes über den Rücken lief.

Er kletterte den Hang hinauf, die Hunde aufgeregt hinter ihm her, und schlüpfte zwischen Bäume und Büsche. Dann band er die Schneeschuhe los, warf sich der Länge nach hin und spähte vorsichtig hinaus. Es war nichts zu sehen. Wer es auch gewesen sein mochte, der ihn angeschossen hatte, jedenfalls lag der Betreffende in Deckung hinter den Bäumen am andern Ufer.

»Wenn nicht bald etwas geschieht, muß ich mich fortschleichen oder ein Feuer machen, sonst erfrieren mir die Füße«, murmelte er vor sich hin, als eine halbe Stunde vergangen war. »Gelbgesicht, was würdest du tun, wenn du hier in der Kälte lägest und merktest, daß der Blutumlauf immer schwächer würde, während ein Mann versuchte, dich niederzuknallen?«

Er kroch einige Meter zurück, trat den Schnee fest und führte einen Indianertanz auf, bis er merkte, daß das Blut in seine Füße zurückkehrte, und auf diese Weise hielt er es noch eine halbe Stunde aus. Da hörte er unten vom Fluß das unverkennbare Schellengeläut eines Hundegespanns. Als er hinausspähte, sah er einen Schlitten um die Flußbiegung schwenken. Nur ein Mann stand darin, der die Steuerstange führte und gleichzeitig die Hunde antrieb. Das plötzliche Erscheinen eines Menschen machte einen tiefen Eindruck auf Kid, der so lange niemand gesehen hatte. Sein nächster Gedanke galt aber dem vermutlichen Mörder, der sich irgendwo am anderen Ufer versteckt hielt. Ohne sich selbst auszusetzen, stieß er einen warnenden Pfiff aus. Der Mann hörte nichts und kam mit rasender Schnelligkeit näher. Wieder pfiff Kid, und diesmal lauter. Der Mann rief seinen Hunden etwas zu und machte halt. Er drehte sich nach der Richtung, wo Kid stand, aber im selben Augenblick knallte ein Schuß. Fast in derselben Sekunde schoß Kid in den Wald hinein, woher der Knall kam. Der Mann am Flusse war indessen schon vom ersten Schuß getroffen worden. Der Schlag der Kugel hatte ihn ins Wanken gebracht. Er taumelte mühselig zum Schlitten. Obgleich nahe am Zusammenbrechen, gelang es ihm, ein Gewehr aus dem Schlitten zu nehmen, wo es unter der Last verborgen lag. Als er sich aber bemühte, es an die Schulter zu bringen, vermochte er sich nicht mehr länger aufrecht zu halten und setzte sich langsam auf den Schlitten. Er konnte nicht mehr genau zielen, und der Schuß ging deshalb in die Luft. Plötzlich fiel er rücklings über das Gepäck am Schlitten nieder, so daß Kid nur die Beine und den Unterkörper sah.

Von unten her hörte Kid jetzt das Geläut von mehreren Hundeschellen. Der Mann rührte sich indessen nicht. Drei Schlitten schwenkten um die Biegung des Flusses, von einem halben Dutzend Männern gefolgt. Kid rief ihnen eine Warnung zu, aber sie hatten schon gemerkt, was mit dem ersten Schlitten geschehen war, und eilten deshalb zu ihm hin. Es fiel kein Schuß mehr von dem andern Ufer, und Kid befahl deshalb seinen Hunden, ihm zu folgen, und trat aus seinem Versteck hervor. Er hörte laute Rufe von den Männern, und zwei von ihnen rissen sich die Fäustlinge von den Händen und warfen ihre Gewehre an die Schulter.

»Komm nur her, du blutbefleckter Mörder!« rief einer von ihnen, ein Mann mit einem schwarzen Bart. »Schmeiß deinen Schießprügel in den Schnee.« Kid zögerte einen Augenblick, dann warf er sein Gewehr fort und ging zu ihnen hin. »Untersuch ihn mal, Louis, und nimm ihm die Waffen weg!« befahl der Schwarzbärtige.

Louis, nach Kids Auffassung ein französisch-kanadischer Schlittenfahrer, gehorchte.

Seine Untersuchung brachte lediglich Kids Jagdmesser zum Vorschein, das der Schwarzbärtige zu sich steckte.

»Na, was hast du zu deiner Verteidigung zu sagen, Fremder, bevor ich dich totschieße?« fragte er.

»Daß du dich irrst, wenn du glaubst, daß ich den Mann getötet habe«, antwortete Kid.

Einer der Schlittenfahrer stieß plötzlich einen lauten Ruf aus. Er war die Fährte entlanggegangen und hatte Kids Fußspuren gefunden, wo dieser die Fährte verlassen hatte, um auf dem Hang Deckung zu suchen.

»Warum hast du Joe Kinade getötet?« fragte der Schwarzbärtige.

»Ich sage dir ja, daß ich es nicht getan habe«, begann Kid.

»Was soll dieses Gerede? Wir haben dich auf frischer Tat ertappt. Da drüben ist die Stelle, wo du die Fährte verließest, als du ihn kommen hörtest. Du lagst oben im Busch und hast ihn ermordet, dein Schuß fiel aus ganz kurzer Entfernung. Du konntest überhaupt nicht vorbeischießen. Pierre, hol mal den Schießprügel her, den er fortgeworfen hat.«

»Laßt mich doch erzählen, wie es zuging«, wandte Kid ein.

»Halt das Maul!« schnauzte ihn der Mann an. »Ich denke, dein Gewehr wird die Geschichte schon verraten.«

Sie untersuchten Kids Gewehr, nahmen die Patronen heraus und zählten sie. Dann untersuchten sie die Mündung und den Verschluß.

»Nur ein Schuß«, entschied der Schwarzbärtige.

Pierre roch an dem Verschluß, während seine Nasenflügel wie bei einem Hirsch zitterten und sich blähten.

»Erst vor ganz kurzem geschossen«, erklärte er.

»Die Kugel ging am Rücken hinein«, sagte Kid. »Er wandte mir das Gesicht zu, als er erschossen wurde. Ihr seht also, daß der Schuß vom andern Ufer gekommen ist.«

Der Schwarzbart überdachte einen Augenblick diesen Einwand. Dann schüttelte er den Kopf.

»Unsinn, damit kommst du nicht durch. Dreh ihn mal mit dem Gesicht gegen das andere Ufer. Siehst du, so hat er gestanden, als du ihn erschossen hast. Einige von euch könnten ja die Fährte untersuchen, ob ihr einige Spuren nach dem andern Ufer finden könnt.«

Sie berichteten gleich darauf, daß der Schnee auf dieser Seite noch völlig unbetreten war. Nicht einmal ein Polarhase hatte sie durchquert. Der Schwarzbärtige beugte sich über den Toten, und als er sich wieder aufrichtete, hielt er einen kleinen rauhen wollenen Lappen in der Hand. Er untersuchte ihn und fand darin versteckt die Kugel, die durch den Körper gegangen war. Ihre Spitze war flachgedrückt, so daß sie fast die Größe eines Halbdollarstückes hatte, während das stumpfe Ende, das in einer stählernen Hülse steckte, unbeschädigt war. Er verglich sie mit einer Patrone aus Kids Gürtel.

»Der Beweis hier genügt, um selbst einen Blinden zu überzeugen,

Fremder. Die Kugel hat eine weiche Spitze und eine stählerne Hülse . . . und deine Kugeln sind von derselben Art. Die Kugel hier ist dreißig dreißig . . . deine auch. Die hier stammt von der J. u. T. Waffenfabrik, genau wie deine. Aber jetzt kommst du mit, dann werden wir den Hang hinaufklettern und an Ort und Stelle sehen, wie es vor sich ging.«

»Ich wurde ja selbst aus dem Hinterhalt getroffen«, sagte Kid. »Hier können Sie das Loch in meiner Parka sehen.«

Während der Schwarzbärtige es untersuchte, öffnete einer der Schlittenfahrer das Gewehr des Toten. Allen war klar, daß er nur einen Schuß abgegeben hatte. Die leere Patronenhülse steckte noch in der Kammer.

»Ein Jammer, daß der arme Joe dir nicht den Garaus gemacht hat«, erklärte der Schwarzbärtige bitter. »Aber es war immerhin ein ganz feiner Schuß, wenn man das Loch in Betracht zieht, das er selbst bekommen hatte. Also komm mit, du . . .«

»Untersucht doch erst das andere Ufer«, schlug Kid vor.

»Jetzt hältst du deine Schnauze und kommst mit. Dann mögen die Tatsachen selbst reden.«

Sie verließen die Fährte an der Stelle, wo Kid sie verlassen hatte, und folgten seinen Spuren den Hang hinauf und unter die Bäume.

»Hier er tanzen, um Füße warm halten«, zeigte Louis . . . »Hier er auf dem Bauche kriechen. Hier Ellbogen stützen beim Schießen.«

»Und bei Gott im Himmel, da liegt sogar die leere Hülse, die er gebraucht hat«, stellte der Schwarzbärtige fest. »Jungens, hier ist nur eins zu tun.«

»Erst müßt ihr mich doch fragen, warum ich geschossen habe«, unterbrach ihn Kid.

»Und ich haue dir eins in die Visage, daß dir die Zähne zum Hintern hinausfliegen, wenn du die Fresse nicht hältst. Du hast nur die Fragen zu beantworten, die wir stellen. Also, Jungens, wir sind anständige Leute und gehorchen dem Gesetz, und wir werden diese Sache korrekt behandeln. Wie weit, denkst du, sind wir heute gefahren, Pierre?«

»Zwanzig Meilen, denke ich.«

»Gut, dann errichten wir hier ein Depot von den Ausrüstungen, die wir mitgebracht haben, und schaffen den Kerl da und den armen Joe nach den ›Zwei Hütten‹ zurück. Ich glaube, wir haben genug gesehen, um zu beweisen, daß er aufgehängt zu werden verdient.«

Drei Stunden nach Eintritt der Dunkelheit erreichten der Tote, Kid und seine Wächter die »Zwei Hütten«. Bei dem unsicheren Schein der Sterne konnte Kid ein Dutzend neugebauter Hütten erkennen, die sich um eine größere, ältere Hütte auf einer Ebene am Flußufer scharten. Er wurde in die alte Hütte geworfen und sah, daß sie von einem riesigen jungen Mann, dessen Frau und einem blinden Greis bewohnt war. Die Frau, die der Mann Luzy nannte, war selbst groß und stark; war von dem üblichen Typ, den man in den Grenzbezirken trifft. Der Alte war – wie Kid später erfuhr – in seinen jungen Jahren Trapper am Stewart gewesen und erst im vergangenen Winter völlig erblindet. Er erfuhr ferner, daß das Lager bei den »Zwei Hütten« von einem halben Dutzend Männer errichtet worden war, die letzten Herbst in ebenso vielen mit Proviant belasteten Wrickbooten angekommen waren. Sie hatten den blinden Trapper hier vorgefunden und ihre Hütten um die seine herum gebaut. Später Eingetroffene, die mit Hundegespannen über das Eis gezogen waren, hatten die Bevölkerung verdreifacht. Es gab große Vorräte von Fleisch im Lager, und sie hatten Kies gefunden, den sie jetzt auswuschen, wenn er auch freilich nicht viel Gold enthielt.

Im Laufe von fünf Minuten hatten sich sämtliche Männer der »Zwei Hütten« im Raum versammelt. Kid, der an Händen und Füßen mit Riemen aus Elchhaut gebunden war, lag in einer Ecke, wo ihn keiner beachtete, und sah zu. Er zählte im ganzen achtunddreißig Mann, eine wilde, ungehobelte Bande, Leute von der Grenze der Staaten oder Schlittenfahrer aus dem oberen Kanada. Die Leute, die ihn gefangengenommen hatten, gaben immer wieder die Geschichte zum besten, und jeder von ihnen bildete dabei den Mittelpunkt einer aufgeregten, empörten Gruppe.

Man hörte murmeln, daß man ihn einfach lynchen sollte . . . warum, zum Teufel, warten? Und einmal wurde ein großer aufgeregter Irländer nur mit Gewalt daran gehindert, sich auf den wehrlosen Gefangenen zu stürzen, um ihn zu prügeln. Während Kid die Leute zählte, bemerkte er plötzlich ein ihm bekanntes Gesicht. Es war Breck, der Mann, dessen Boot Kid durch die Wasserfälle geführt hatte. Er wunderte sich, daß Breck nicht zu ihm kam und ihn ansprach, ließ sich selbst aber nicht merken, daß er ihn erkannt hatte.

Als Breck sich dann später umdrehte und ihm heimlich ein Zeichen gab, verstand Kid sein Benehmen.

Der Schwarzbärtige, den die anderen Eli Harding nannten, beendete den Streit, ob man Kid sofort lynchen sollte oder nicht.

»Hört jetzt auf mit dem Unsinn!« brüllte Harding. »Macht keinen Quatsch! Der Mann gehört mir. Ich habe ihn gefangen und hierhergebracht. Glaubt ihr denn, daß ich ihn den langen Weg nur geschleppt habe, um ihn lynchen zu lassen? Keine Rede davon. Das hätten wir ja auch dort machen können. Ich habe ihn mitgebracht, damit wir ein unparteiisches Urteil fällen, und, bei Gott im Himmel, er soll es auch haben. Er ist gut gebunden, so daß er sich nicht dünnmachen kann.

Schmeißt ihn bis morgen früh auf ein Bett . . . dann werden wir Gericht über ihn halten, wie es sich gehört.«

Kid wachte auf, wie er mit gegen die Wand gekehrtem Gesicht auf seinem Bett lag. Ein eisiger Zugwind bohrte sich scharf wie ein Messer von vorn in seine Schulter. Als er hier angebunden wurde, hatte er den Zug nicht gespürt. Da die Luft aber jetzt von draußen mit einem Druck von dreißig Grad Fahrenheit unter Null in die heiße Atmosphäre der Hütte wehte, wurde ihm klar, daß irgend jemand von außen das Moos zwischen den Brettern der Wand ausgezupft hatte. Er schob sich so nahe, wie seine Fesseln es ihm erlaubten, heran und reckte dann den Hals so weit, daß seine Lippen genau die Stelle erreichten, wo der Riß sein mußte. »Wer ist da?« flüsterte er.

»Breck«, lautete die Antwort. »Passen Sie auf, daß man Sie nicht hört. Ich werde Ihnen ein Messer hineinstecken.«

»Hilft mir nichts«, sagte Kid. »Ich könnte es doch nicht gebrauchen. Die Hände sind mir auf dem Rücken gefesselt und dazu noch an das Bettgestell festgebunden. Außerdem könnten Sie das Messer gar nicht durch das Loch schieben. Aber es muß etwas geschehen. Die Kerle hier haben zweifellos die Absicht, mich aufzuhängen, und ich habe den Mann, wie Sie sich denken können, gar nicht getötet.«

»Das brauchen Sie mir nicht zu sagen, Kid. Und wenn Sie es getan hätten, würden Sie Ihre Gründe gehabt haben. Aber darum handelt es sich ja gar nicht. Sie sind eine verfluchte Rasselbande, die Bengels hier . . . Sie haben sie ja selbst gesehen. Sie sind ganz von der übrigen Welt abgeschnitten und schustern sich ihre eigenen Gesetze zurecht . . . nach Art von Goldgräbern, verstehen Sie. Sie haben neulich zwei Männer erwischt . . . Proviantdiebe. Den einen jagten sie zum Lager hinaus, ohne ihm eine Unze Lebensmittel oder nur ein einziges Streichholz mitzugeben. Er kam ungefähr vierzig Meilen weit, dann lebte er noch ein paar Tage, ehe er erfror. Vor zwei Wochen haben sie den zweiten Mann hinausgeworfen. Sie ließen ihm die Wahl: keine Lebensmittel oder zehn Peitschenhiebe für jede Tagesration. Er hielt vierzig Hiebe aus, ehe er ohnmächtig wurde. Und jetzt haben diese Leute Sie gefangen, und alle ohne Ausnahme sind überzeugt, daß Sie Kinade ermordet haben.«

»Der Mann, der Kinade tötete, hat auf mich geschossen. Seine Kugel machte mir eine Fleischwunde an der einen Schulter. Sorgen Sie nur dafür, daß das Gericht verschoben wird, bis einer dort oben gewesen ist und das Ufer, wo der Mörder sich versteckt hatte, untersucht hat.«

»Hilft nichts. Sie stützen sich auf die Aussage Hardings und der fünf Franzosen, die mit ihm waren. Außerdem haben sie noch keinen aufgehängt, und den Spaß möchten sie doch auch erleben. Sie sehen also, daß die Geschichte verdammt dreckig steht. Sie haben keine ordentlichen Goldfunde gemacht und haben es schon satt, nach dem Überraschungssee zu suchen. Die erste Hälfte des Winters gingen sie noch auf die Goldsuche; aber jetzt haben sie schon Schluß damit gemacht. Der Skorbut meldet sich auch schon bei ihnen. Sie brauchen also irgendeine Sensation, um sich aufzupulvern.«

»Und da soll ich ihnen das Vergnügen machen«, fügte Kid hinzu. »Sagen Sie mal, Breck, wie sind Sie denn überhaupt darauf gekommen, mit so einer gottverlassenen Bande Gold zu suchen?«

»Als ich meine Claims am Squaw-Bach richtig in Schuß gebracht und einige Leute dort zum Arbeiten eingestellt hatte, kam ich, auf der Suche nach den ›Zwei Hütten‹, den Stewart herauf. Die Leute waren mir indessen zuvorgekommen, und deshalb ging ich den Fluß weiter hinauf. Gestern kam ich zurück, weil ich keinen Proviant mehr hatte.«

»Haben Sie etwas gefunden?«

»Nicht viel. Aber ich denke, daß ich die Geschichte mit einer hydraulischen Einrichtung machen kann, die ich aufbauen werde, wenn das Land erst zugänglich gemacht ist. Oder ich werde einen Goldkratzer aufstellen.«

»Hören Sie«, unterbrach ihn Kid. »Warten Sie noch einen Augenblick. Ich muß nur etwas überlegen.«

Er lauschte sorgfältig auf das Schnarchen der schlafenden Männer, während er den Gedanken erwog, der ihm durch den Kopf geschossen war.

»Sagen Sie mal, Breck, haben die Leute hier schon meine Bündel mit Lebensmitteln geöffnet, die die Hunde trugen?«

»Nur ein paar davon. Ich war die ganze Zeit dabei. Sie haben sie in Hardings Depot gelegt.«

»Haben Sie etwas gefunden?«

»Ja, Fleisch!«

»Gut . . . Sie müssen sehen, daß Sie den braunen Leinensack finden, der mit Elchfell geflickt ist. Da werden Sie einige Pfund Rohgold finden. Sie haben hierzulande noch nie solches Gold gesehen . . . und auch kein anderer. Und nun hören Sie, was Sie weiter zu tun haben.«

Eine Viertelstunde später entfernte sich Breck, nachdem er genau instruiert worden war. Er klagte auch schon, daß seine Füße zu erfrieren begännen. Kids Nase und eine Wange begannen auch zu erfrieren, weil er sie so nahe an die Ritze gehalten hatte; er mußte sie eine halbe Stunde gegen die Decke reiben, bevor das Gefühl, daß das Blut zurückkehrte, ihm die Sicherheit gab, daß seine Haut wieder einmal gerettet war.

»Natürlich bin ich ganz sicher, daß es so ist. Es ist gar kein Zweifel, daß er Kinade getötet hat. Wir haben ja die ganze Geschichte gestern abend gehört! Wozu alles jetzt wiederholen? Ich stimme für schuldig!«

So begann die Gerichtsverhandlung gegen Kid. Der gesprochen hatte, war ein schlottriger, harter Mann aus Colorado. Er war offenbar ärgerlich und unwillig, als Harding seinen Vorschlag ablehnte, weil er seinerseits wünschte, daß die Verhandlung in ordentlicher und anständiger Weise vor sich gehen sollte. Harding ernannte darauf einen von ihnen, Shunk Wilson, zum Richter und Leiter der Verhandlung. Die übrige Bevölkerung der »Zwei Hütten« bildete die Geschworenen. Jedoch wurde, nachdem man über die Sache hin und her geredet hatte, entschieden, daß die Frau, Luzy, nicht berechtigt sein sollte, in der Frage über Kids Schuld oder Unschuld zu stimmen.

Während dies vor sich ging, hörte Kid, der auf seinem Lager in der einen Ecke lag, einer Unterredung zu, die Breck flüsternd mit einem Goldgräber führte.

»Können Sie mir nicht fünfzig Pfund Mehl verkaufen?«

»Sie haben nicht Gold genug, um den Preis zu bezahlen, den ich von Ihnen verlange«, lautete die Antwort.

»Ich zahle zweihundert.«

Der Mann schüttelte den Kopf.

»Dreihundert . . . dreihundertfünfzig . . .«

Als sie bei vierhundert angelangt waren, nickte der Mann und sagte:

»Kommen Sie mit in meine Hütte! Dort können Sie den Goldstaub abwiegen.«

Die beiden schlichen sich zur Tür und glitten leise hinaus. Einige Minuten darauf kam Breck allein wieder.

Harding wollte gerade seine Aussage machen, als Kid sah, daß die Tür sich vorzeitig öffnete und in der schmalen Spalte das Gesicht des Mannes erschien, der das Mehl an Breck verkauft hatte. Er schnitt Gesichter und gab einem im Raum, der nahe am Ofen saß, allerlei merkwürdige Zeichen. Dann stand dieser auf und schob sich zur Tür hin.

»Wo gehst du hin, Sam?« fragte Shunk Wilson.

»Ich bin gleich wieder da«, erklärte Sam. »Ich muß nur für einen Augenblick hinaus.«

Kid bekam Erlaubnis, die Zeugen auszufragen, und er befand sich gerade mitten in einem Kreuzverhör Hardings, als man von draußen das Heulen von Schlittenhunden und das Knirschen von Kufen hörte. Einer, der an der Tür saß, sah hinaus.

»Es sind Sam und sein Partner, die mit ihrem Hundegespann nach dem Stewart fahren, was das Zeug nur halten kann«, berichtete der Mann. Eine halbe Minute lang sprach keiner, aber die Männer sahen sich verständnisinnig an. Sie begannen alle nervös und unruhig zu werden. Kid benutzte die Gelegenheit, um einen verstohlenen Blick auf Breck zu werfen, der sich flüsternd mit Luzy und ihrem Mann unterhielt.

»Mach weiter, du«, sagte Shunk Wilson kurz zu Kid. »Und so schnell wie möglich. Wir wissen schon, was du beweisen willst . . . daß das andere Ufer nicht untersucht wurde. Der Zeuge gibt das auch zu, und wir auch. Aber es war auch nicht nötig. Es führten keine Fußspuren nach dem Hang dort. Der Schnee war ganz unberührt.«

»Und es war doch ein Mann auf der andern Seite«, behauptete Kid unerschütterlich.

»An dem Strohhalm kannst du nicht lange hängenbleiben, junger Freund. Wir sind nicht so viele hier am Mac Question, und wir wissen Bescheid, wo jeder von uns sich aufhält.«

»Wer war denn der Mann, den ihr vor zwei Wochen aus dem Lager gejagt habt?« fragte Kid.

»Alonzo Miramar. Ein Mexikaner. Aber was hat der verfluchte Dieb damit zu tun?«

»Nichts, außer daß Sie ihn nicht in Betracht gezogen haben, Herr Richter.«

»Er ging den Fluß hinab, nicht hinauf . . .«

»Wie könnt ihr wissen, wo er hinging?«

»Ich sah ihn verschwinden.«

»Und das ist alles, was ihr von ihm wißt?«

»Nein, das ist es nicht, junger Mann. Ich weiß, wir alle wissen, daß er nur für vier Tage Nahrungsmittel und kein Gewehr hatte, um sich Fleisch zu verschaffen. Wenn er nicht die Kolonie am Yukon erreicht hat, muß er längst vorher verreckt sein.«

»Ich vermute, daß Sie alle Gewehre, die es in dieser Gegend gibt, kennen«, erklärte Kid mit großem Nachdruck.

Jetzt wurde Shunk Wilson ärgerlich.

»Nach deinen Fragen zu urteilen, scheinst du dir einzubilden, daß ich der Gefangene bin und nicht du. Laßt jetzt den nächsten Zeugen hervortreten. Wo ist Franzosen-Louis?«

Während Franzosen-Louis nach vorne ging, öffnete Luzy die Tür.

»Wo gehst du hin?« rief Shunk Wilson ihr zu.

»Ich brauche hier wohl nicht sitzenzubleiben«, antwortete sie höhnisch. »Am allerwenigsten, wenn ich doch kein Stimmrecht habe.«

Einige Minuten später ging ihr Mann ihr nach. Der Richter bemerkte es erst, als er die Tür hinter sich zuwarf.

»Wer war denn das?« unterbrach er Pierre, der mitten in seiner Aussage war.

»Bill Peabody«, antwortete einer. »Er sagte, er wolle seine Frau was fragen und dann gleich wiederkommen.«

Aber statt Bills kam Luzy wieder herein. Sie zog ihren Pelz aus und setzte sich wieder wie vorher an den Ofen.

»Ich glaube nicht, daß wir noch nötig haben, die übrigen Zeugen zu vernehmen«, sagte Shunk Wilson, als Pierre seine Aussage beendet hatte. »Wir wissen ja, daß sie nur die Tatsachen bestätigen können, die wir bereits gehört haben. Du, Sörensen, geh mal und hol den Peabody wieder herein! Wir werden jetzt abstimmen, ob der Kerl schuldig ist oder nicht. Und dann kannst du, Fremder, ja inzwischen aufstehen und erzählen, wie es deiner Meinung nach zugegangen ist. Um keine Zeit zu verlieren, werden wir dann die beiden Gewehre, die Munition und die zwei Kugeln, womit geschossen wurde, herumgehen lassen.«

Mitten in seiner Darstellung, wie er nach diesem Teile des Landes gekommen sei, und als er eben beschreiben wollte, wie er selbst plötzlich angeschossen wurde und den Hang hinauffloh, wurde Kid von dem entrüsteten Shunk Wilson unterbrochen.

»Junger Mann, was, zum Teufel, erzählst du uns da für Räubergeschichten? Wir verschwenden damit ja bloß die kostbare Zeit. Natürlich hast du das Recht, uns etwas vorzuschwindeln, um deinen Hals zu retten, aber wir haben keine Lust, uns solchen Quatsch vorbeten zu lassen. Das Gewehr, die Munition und die Kugeln, die Joe Kinade getötet haben, alles spricht gegen dich . . . na, was ist denn nun wieder los? Mach mal einer die Tür auf!«

Die eisige Luft wehte herein und verdichtete sich in dem heißen Raum. Und durch die offene Tür hörte man gleichzeitig das Heulen von Hundegespannen, das immer schwächer wurde, je weiter sie sich entfernten.

»Es sind Sörensen und Peabody«, rief einer. »Sie hauen mit den Peitschen auf die Hunde los und fahren den Fluß hinab.«

»Da soll doch der leibhaftige Satan . . .« Shunk Wilson schwieg mit offenem Munde und starrte Luzy an.

»Vielleicht können Sie uns eine Erklärung geben, Frau Peabody?«

Sie schüttelte den Kopf und preßte die Lippen zusammen. Shunks zorniger und mißtrauischer Blick schweifte weiter und blieb auf Breck haften.

»Und ich denke mir, daß der Fremde da, mit dem Sie so lange geflüstert haben, die Sache erklären könnte, wenn er Lust hätte.«

Breck merkte mit Unbehagen, daß alle Blicke sich auf ihn richteten.

»Sam hat auch lange mit ihm gequatscht, ehe er vorhin abhaute«, sagte einer.

»Sehen Sie mal, Herr Breck«, fuhr Shunk Wilson fort. »Sie haben die Verhandlung hier unterbrochen, und Sie müssen uns erklären, warum Sie das getan haben. Was haben Sie da vorhin geflüstert?«

Breck räusperte sich ängstlich und antwortete:

»Ich wollte etwas Proviant von ihm kaufen.«
»Und womit wollten Sie bezahlen?«
»Mit Goldstaub natürlich.«
»Wo haben Sie den denn her?«
Breck antwortete nicht.
»Er hat sich immer am Stewart herumgeschlichen und geschnüffelt«,
gab einer ungefragt zum besten.
»Ich stieß vor einer Woche, als ich auf der Jagd war, auf sein Lager.
Und ich kann euch sagen, daß er verdammt geheimnisvoll tat.«
»Der Staub stammt ja gar nicht dorther«, sagte Breck. »Ich habe es mit
einer einfachen Hydraulik geschafft.«
»Bringen Sie mal Ihren Beutel und lassen Sie sehen, wie er aussieht,
Ihr Goldstaub«, befahl Wilson.
»Ich sage Ihnen ja, daß er gar nicht von dort ist . . .«
»Wir wollen ihn trotzdem sehen, verstehen Sie?«
Breck tat, als hätte er sich am liebsten geweigert, aber er sah überall
nur drohende Gesichter. Widerstrebend begann er in seiner Tasche zu
suchen. Als er eine Büchse herausholen wollte, stieß sie gegen etwas
in der Tasche, das ein harter Gegenstand zu sein schien.
»Nehmen Sie alles heraus«, donnerte Wilson.
Und da kam der große Goldklumpen zum Vorschein, ein erstklassiges
Ding, gelb wie kein anderes Gold, das die Zuschauer je gesehen hatten.
Wilson schnappte nach Luft. Ein halbes Dutzend, das einen schnellen
Blick darauf geworfen hatte, stürzte zur Tür. Sie erreichten sie gleich-
zeitig, und fluchend und keifend schoben und stießen sie einander hin-
durch. Der Richter entleerte den Inhalt der Büchse auf den Tisch, aber
bei dem Anblick des ungewaschenen Goldklumpens stürzte wieder ein
halbes Dutzend zur Tür.
»Wo wollt ihr hin?« fragte Harding, als selbst der Richter Shunk Wilson sich anschickte, den andern zu folgen.
»Mir meine Hunde holen natürlich.«
»Wollt ihr ihn denn nicht aufhängen?«
»Das würde jetzt zuviel Zeit nehmen. Er bleibt ja, bis wir wiederkommen . . . ich gehe davon aus, daß die Verhandlung für heute geschlossen ist. Jetzt haben wir keine Zeit, hier sitzenzubleiben.«
Harding zögerte noch einen Augenblick. Er warf Kid einen grimmigen
Blick zu, sah, wie Pierre Louis von der Tür aus Zeichen machte. Dann
warf er noch einen letzten Blick auf den Goldklumpen und faßte einen
raschen Entschluß. »Versuch nicht wegzulaufen!« rief er Kid über die
Schulter zu. »Außerdem werde ich mir gestatten, mir deine Hunde zu
leihen.«
»Was ist denn los . . . wieder so ein verdammter Wettlauf nach dem
Golde?« fragte der blinde Trapper in einem komisch-keifenden Falsett,

als das Gebrüll der Männer und das Geheul der Hunde vor den Schlitten durch die Stille des Raumes hallten.

»Ja, natürlich«, antwortete Luzy. »Ich habe auch nie solch Gold gesehen. Fühl es mal an, Alter!«

Sie legte ihm den Goldklumpen in die Hand. Er interessierte sich aber nur wenig dafür.

»Das war hier einst ein schönes Pelzland«, klagte er, »bevor diese verflixten Goldsucher kamen und das Wild vertrieben.« Die Tür öffnete sich, und Breck trat ein.

»Schön«, sagte er. »Jetzt sind wir vier allein im ganzen Lager. Es sind vierzig Meilen bis zum Stewart, wenn man den Richtweg einschlägt, wie ich es getan habe. Selbst der schnellste Fahrer braucht mindestens fünf oder sechs Tage. Jetzt wird es aber Zeit, daß Sie wegkommen, Kid.«

Breck zerschnitt mit seinem Jagdmesser die ledernen Fesseln des andern und warf der Frau einen vielsagenden Blick zu. »Ich hoffe, daß Sie uns keine Schwierigkeiten machen werden«, sagte er mit eindringlicher Höflichkeit.

»Wenn ihr schießen wollt«, rief der Alte, »dann bitte, bringen Sie mich zuerst aus der Hütte.«

»Nur los . . . nehmt keine Rücksicht auf mich«, antwortete Luzy. »Wenn ich nicht gut genug bin, um einen Mann an den Galgen zu bringen, bin ich auch nicht gut genug, ihn festzuhalten.«

Kid stand auf und rieb sich die Gelenke, deren Blutumlauf die Fesseln unterbunden hatten.

»Ich habe ein Bündel für Sie fertig gemacht«, sagte Breck. »Für zehn Tage Proviant, Decken, Streichhölzer, Tabak, eine Axt und einen Stutzen.«

»Nehmen Sie«, ermunterte Luzy Kid. »Bringen Sie sich in Sicherheit, Fremder. Und machen Sie es so schnell, wie es Ihnen der liebe Herrgott erlaubt.«

»Ich möchte aber immerhin erst was Ordentliches zu essen haben, ehe ich verdufte«, sagte Kid. »Und wenn ich dann abhaue, werde ich den Mac Question hinauf- und hinabgehen. Ich möchte, daß Sie mit mir kommen, Breck. Wir wollen das andere Ufer nach dem Kerl untersuchen, der sich dort verborgen hält.«

»Wenn Sie auf meinen Rat hören wollen, Kid, so gehen Sie den Stewart und den Yukon hinab«, wandte Breck ein. »Wenn diese Rasselbande von meiner sogenannten Hydraulik zurückkommt, werden sie alle wütend sein.«

Kid lachte und schüttelte den Kopf.

»Ich will mich nicht aus dem Lande drücken. Ich habe hier jetzt Interessen wahrzunehmen. Ich will hierbleiben und mich rechtfertigen, Breck.

Mir kann es ja schnuppe sein, ob Sie mir glauben oder nicht, aber ich habe tatsächlich den Überraschungssee gefunden. Von dort stammt ja auch das Gold. Außerdem haben die Burschen ja auch meine Hunde genommen, und ich werde hier warten, bis ich sie zurückbekomme. Außerdem weiß ich, was ich will. Es lag ein Mann am andern Ufer verborgen. Er hat fast sein ganzes Magazin auf mich verschossen.«

Als Kid eine halbe Stunde später mit einer großen Schüssel Elchbraten vor sich am Tisch saß und gerade eine mächtige Tasse Kaffee an die Lippen führte, sprang er plötzlich auf.

Er war der erste, der das Geräusch hörte. Luzy öffnete schnell die Tür.

»Tag, Spike, Tag, Methody«, begrüßte sie zwei Männer, die sich, mit Reif bedeckt, um ein schweres Bündel bemühten, das auf ihrem Schlitten lag.

»Wir kommen eben vom oberen Lager«, sagte der eine, als sie in die Hütte getreten waren. Sie behandelten das Bündel, das sie mit in den Raum trugen, mit großer Sorgfalt und Vorsicht. »Und das hier haben wir unterwegs gefunden. Ich denke, es ist schon aus mit ihm.«

»Legt ihn auf das Bett, dort«, sagte Luzy.

Sie beugte sich über das Bündel, entfernte das Pelzwerk und enthüllte ein Gesicht, das hauptsächlich aus großen, starrenden Augen und aus Haut bestand, die durch die Kälte schwarz und wund geworden war und sich straff über die Knochen spannte.

»Das ist ja Alonzo«, rief sie. »Du armer, verhungerter Teufel!«

»Das ist der Mann vom andern Ufer!« sagte Kid leise zu Breck.

»Wir fanden ihn, als er gerade ein Depot plündern wollte, das Harding wohl angelegt hat«, erklärte der eine von den beiden Männern. »Er saß da und fraß rohes Mehl und gefrorenen Speck, und als wir ihn erwischten, schrie er und heulte wie ein Habicht. Schaut ihn euch nur an: er ist ganz verhungert und größtenteils erfroren dazu. Er kann jede Minute verrecken!«

Eine halbe Stunde später legten sie das Pelzwerk über das Gesicht der erstarrten Gestalt im Bett. Dann wandte Kid sich an Luzy und sagte:

»Wenn Sie nichts dagegen haben, Frau Peabody, möchte ich gern noch so ein Beefsteak haben. Aber, bitte, schneiden Sie es nicht zu dünn und braten Sie es vor allem nicht zu sehr durch.«

Wie Cultus George
gehängt werden sollte

Der Weg stieg schroff auf durch tiefen, lockeren Schnee, in dem bisher weder Schlittenspuren noch Mokassinfährten zu sehen waren. Kid, der den Zug führte, zertrat die zarten, glitzernden Kristalle unter seinen breiten, kurzen Schneeschuhen. Es gehörten gute Muskeln und Lungen dazu, um den Schnee festzutreten, aber Kid stürzte sich mit aller Kraft in diese Arbeit. Auf dem Weg, den er auf diese Weise schuf, folgten ihm die sechs Hunde in einer langen Reihe . . . ihr Atem, der wie Dampfstrahlen aus den Nüstern quoll, zeigte, wie schwer sie arbeiteten und wie eisig die Luft war. Zwischen dem Deichselhund und dem Schlitten schuftete Kurz, der seine Kräfte teils zum Steuern, teils zum Ziehen verwandte, denn ziehen mußte er so gut wie einer der Hunde. Jede halbe Stunde lösten Kid und er sich ab, denn das Feststampfen des Schnees war doch noch schwerer als die Arbeit an der Lenkstange.
Alle – Männer und Hunde – waren gut ausgeruht und glänzend in Form. Das Ganze war ja auch nichts als ein schweres Stück Alltagsarbeit, die eben gemacht werden mußte – diese Fahrt über eine Wasserscheide mitten im Winter. Auf dieser schweren Strecke waren zehn Meilen eine sehr anständige Leistung. Sie blieben dabei in Übung, waren aber doch abends, wenn sie in ihre Schlafpelze krochen, sehr müde. Es war schon sechs Tage her, daß sie das lustige Lager von Mucluc am Ufer des Yukon verlassen hatten. Sie hatten nur zwei Tage gebraucht, um mit ihren hochbepackten Schlitten den bereits festgetretenen Weg von fünfzig Meilen den Moose-Bach hinauf zurückzulegen. Dann hatte der Kampf mit dem vier Fuß dicken, jungfräulichen Schnee begonnen, der in Wirklichkeit gar kein Schnee war, sondern aus Eiskristallen bestand. Dieser Schnee war so locker, daß er, wenn man ihn mit den Füßen berührte, wie Kristallzucker hochspritzte. In drei Tagen hatten sie mit unendlicher Mühe die dreißig Meilen den Minnow-Fluß hinauf geschafft und eine Reihe von niedrigen Wasserscheiden, all die verschiedenen kleinen Flüsse, die südwärts in den Siwash fließen, überschritten. Jetzt hatten sie die großen Wasserscheiden hinter den »Bald Buttes« vor sich, von wo aus der Weg den Porcupine-Bach hinab nach dem mittleren Lauf des Milchflusses führte. Wenn man dem Milchfluß weiter aufwärts folgte, sollte man, einem allgemein verbreiteten

Gerücht zufolge, Kupferablagerungen finden. Und diesem Ziele strebten sie zu . . . einem Hügel aus reinem Kupfer, der eine halbe Meile rechtsab lag, und dann von der Stelle aus, wo der Milchfluß in einer tiefen Schlucht entsprang, durch einen ausgedehnten, stark bewaldeten Talgrund, den ersten Bach hinauf. Sie würden den Hügel schon erkennen, wenn sie ihn nur fanden. Der einäugige McCarthy hatte ihn bis in die kleinsten Einzelheiten beschrieben. Es war unmöglich, sich zu irren . . . vorausgesetzt, daß McCarthy nicht gelogen hatte.

Kid ging an der Spitze. Die vereinzelten kleinen Fichten begannen noch seltener und kleiner zu werden, als er einen abgestorbenen und eingetrockneten Baum sah, der mitten auf dem Wege stand. Sie brauchten sich kein Wort zuzurufen. Der Blick, den Kid Kurz zuwarf, wurde mit einem laut gebrüllten »Brrr . . .« beantwortet. Die Hunde blieben im Geschirr stehen, bis sie sahen, daß Kurz sie losband und Kid den abgestorbenen Baumstamm mit der Axt umzuschlagen begann. Dann warfen sich die Tiere in den tiefen Schnee, rollten sich wie Kugeln zusammen und legten den buschigen Schwanz über die wulstigen Füße und die reifbedeckte Schnauze.

Die Männer arbeiteten mit der Schnelligkeit, die nur lange Übung verleiht. In Goldpfanne, Kaffeetopf und Kochtöpfen schmolzen die Schneehaufen schnell zu Wasser. Kid holte eine Portion Bohnen vom Schlitten, die im voraus mit einer verschwenderischen Menge in Würfel geschnittenen, teils geräucherten, teils grüngesalzenen Specks zusammen gekocht waren. Sie wurden in gefrorenem Zustand transportiert, so daß sie leicht zu verstauen und sofort gebrauchsfertig waren. Er schlug große Brocken mit der Axt ab, als ob es Brennholz wäre, und tat sie zum Auftauen in den Kochtopf. Kuchen aus gefrorenem Sauerteig wurden in derselben Weise aufgetaut.

Zwanzig Minuten, nachdem sie haltgemacht hatten, war die Mahlzeit fertig.

»Ungefähr vierzig Grad Fahrenheit unter Null!« murmelte Kurz zwischen zwei mächtigen Happen Bohnen. »Ich hoffe, daß es nicht kälter wird . . . und auch nicht wärmer. Es ist gerade richtig so für eine Schlittenfahrt.«

Kid antwortete nicht.

Während er, den Mund voller Bohnen, dasaß und aus aller Kraft kaute, hatte er zufällig einen Blick auf den Leithund geworfen, der ein halbes Dutzend Fuß von ihm entfernt lag. Dieser graue, reifbedeckte Wolf starrte ihn mit der unbeschreiblichen Trauer und dem Ernst an, die man so oft in den Augen der Nordlandhunde glimmen und glühen sieht. Kid kannte diesen Ausdruck so gut wie nur einer, aber immer wieder mußte er über die unfaßbaren Rätsel in diesen Augen staunen. Als wollte er ihren merkwürdig suggestiven Einfluß abschütteln, setzte er seinen Teller und seine Kaffeetasse hin und machte sich daran, den Sack mit den getrockneten Fischen zu öffnen.

»Aber Kid!« protestierte Kurz. »Was tust du denn?«

»Ich will einmal gegen alle Gesetze, Erfahrungen und Gewohnheiten des Schlittenlebens verstoßen«, antwortete Kid. »Ich will die Hunde mitten am Tage füttern . . . nur dies eine Mal. Sie haben furchtbar geschuftet, und es ist noch die letzte Strecke bis zum Kamm der Wasserscheide zu bewältigen. Außerdem hat der gute Bright mir mit seinen Augen etwas erzählt . . . Dinge, die Worte nie ausdrücken können.«

Kurz lachte ironisch. »Na, dann verwöhne sie nur ruhig. Es wird wohl nicht lange dauern, und du manikürst ihnen die Nägel. Ich möchte dir Coldcream und elektrische Massage empfehlen . . . hat sich glänzend bewährt für Schlittenhunde. Ein türkisches Bad ab und zu ist auch ganz gesund für sie.«

»Ich hab' es noch nie getan«, verteidigte sich Kid. »Und ich werde es auch nie wieder tun. Aber dies eine Mal muß ich. Es ist so etwas wie eine Eingebung.«

»Ach so . . . na, wenn es eine Vorahnung ist, dann kannst du es ruhig tun.« Sein Ton zeigte, wie schnell er besänftigt war. »Man muß Rücksicht auf Vorahnungen seines Kameraden nehmen.«

»Es ist keine Vorahnung mit im Spiel, Kurz. Der gute Bright hat meine Phantasie nur ein bißchen angeregt. Er erzählte mir mit seinen Augen in einer einzigen Minute mehr, als ich in tausend Jahren in allen Büchern lesen könnte. Seine Blicke waren voll vom Geheimnis allen Lebens! Es war, als ob sie sich in Schmerzen krümmten und wanden. Das Schlimme ist, daß ich sie beinahe ergründet hätte und es dann doch nicht tat. Ich bin also nicht weiser geworden, als ich war, aber es fehlt nicht viel. Ich kann es dir nicht erzählen, aber die Augen des Hundes strömten buchstäblich von Andeutungen über, was das Leben eigentlich ist . . . Entwicklung und Sternenstaub . . . und sie erzählten vom Saft des Weltalls und allem andern . . . kurz, von allem Möglichen und Unmöglichen.«

»Und wenn man das alles in die Alltagssprache übersetzt, bedeutet es, daß du abergläubisch bist«, behauptete Kurz.

Kid warf jedem Hund einen getrockneten Lachs vor, dann schüttelte er den Kopf.

»Aber ich sage, Kid«, erklärte Kurz. »Es ist todsicher eine Vorahnung. Irgend etwas wird uns zustoßen, ehe der Tag zu Ende ist. Du wirst schon sehen. Es steckt etwas hinter dieser Geschichte mit den getrockneten Lachsen.«

»Das mußt du mir erst beweisen«, sagte Kid.

»Brauche ich nicht. Der heutige Tag wird schon selbst die Sache in die Hand nehmen und es dir beweisen. Aber hör mal, was ich dir sagen will.

Ich habe jetzt selbst das Gefühl, daß etwas hinter deiner Ahnung steckt. Ich setze elf Unzen gegen drei Zahnstocher, daß ich recht habe. Und wenn ich so ein Gefühl habe, schäme ich mich auch nicht, es einzugestehen.«

»Du kannst die Zahnstocher setzen, dann setze ich die elf Unzen«, gab Kid zurück.

»Keine Rede davon. Das wäre der reine Raub. Ich gewinne. Ich weiß schon, wenn ich eine Ahnung kriege. Ehe der Tag zu Ende ist, wird etwas geschehen . . . und dann werden wir wissen, was hinter den Lachsen steckte.«

»Verdammter Quatsch!« sagte Kid, um die Diskussion abzuschließen.

»Verdammt wird es schon werden«, antwortete Kurz.

»Und ich halte drei weitere Zahnstocher gegen dich, daß es ganz niederträchtig verdammt sein wird.«

»Gemacht«, sagte Kid.

»Ich gewinne«, jauchzte Kurz. »Aber es müssen Zahnstocher aus Kükenfedern sein.«

Eine Stunde später hatten sie die Wasserscheide überschritten, tauchten hinter den »Bald Buttes« in einen scharfwinkeligen Canjon und schlugen dann den Weg über den schroffen, kahlen Hang ein, der zum Porcupine hinabführte. Kurz, der an der Spitze war, blieb plötzlich stehen, und Kid ließ die Hunde sich hinlegen. Unterhalb der Stelle, wo sie sich befanden, sahen sie eine Reihe menschlicher Wesen den Hang heraufziehen, eine Reihe, die, wenn auch mit großen Zwischenräumen, fast eine Viertelmeile lang war.

»Die bewegen sich ja wie ein Leichenbegängnis«, bemerkte Kurz.

»Sie haben keine Hunde«, sagte Kid.

»Nein, die Schlitten werden von Männern gezogen.«

»Hast du gesehen, wie der Mann umfiel? Da ist etwas los, Kurz, und es müssen mindestens zweihundert sein.«

»Schau mal, wie sie taumeln, wie besoffen . . . da ist schon wieder einer gefallen.«

»Es ist ein ganzer Stamm. Kinder sind ja auch dabei.«

»Kid, ich gewinne«, verkündete Kurz. »Ahnung ist Ahnung, und es ist nichts dagegen zu machen. Da kommen sie! Schau sie dir an! Sie kommen an wie eine Kompanie Leichen.«

Die Indianer, die jetzt die beiden Männer gesichtet hatten, brachen in ein Jubelgeschrei aus und beschleunigten ihren Gang.

»Sie sind ziemlich wacklig auf den Beinen«, meinte Kurz.

»Sie fallen haufen- und rudelweise um.«

»Sieh dir mal das Gesicht des Vordersten an«, sagte Kid. »Es ist

Hunger . . . das ist es, was mit ihnen los ist. Sie haben ihre Hunde aufgegessen.«

»Was wollen wir tun? Weglaufen?«

»Und Schlitten und Hunde zurücklassen?« fragte Kid vorwurfsvoll.

»Sie werden uns auffressen, wenn wir es nicht tun. Sie sehen hungrig genug aus. Hallo, alter Freund, was ist mit dir los? Schau den Hund nicht so an . . . den kriegst du doch nicht in deinen Kochtopf . . . verstehst du?«

Die ersten waren schon angelangt und scharten sich jetzt um die beiden, während sie klagten und wimmerten, aber in einer Sprache, die weder Kid noch Kurz verstand.

Kid fand diesen Auftritt ebenso lächerlich wie schreckenerregend. Es war kein Zweifel, daß sie Hunger litten. Ihre Gesichter mit den eingefallenen Wangen und der Haut, die sich straff über die Knochen spannte, schienen Totenköpfen anzugehören. Immer mehr kamen heran und umdrängten Kid und Kurz, bis sie von der wahnsinnigen Schar völlig umzingelt waren.

»Geht weg da . . . weg, zum Teufel!« schrie Kurz jetzt wieder auf englisch, nachdem er vergebliche Versuche mit seinen indianischen Brokken gemacht hatte.

Männer, Frauen und Kinder wankten und taumelten auf ihren zitternden Beinen, und sie wurden immer aufdringlicher. Ihre Augen füllten sich mit Tränen der Schwäche und brannten von dem Feuer der Gier. Stöhnend wankte eine Frau an Kurz vorbei und fiel mit ausgebreiteten Armen über den Schlitten. Ein alter Mann folgte ihrem Beispiel und begann mit zitternden Händen, stöhnend und ächzend die Riemen zu lösen, um an die Proviantsäcke heranzukommen. Ein junger Mann, mit einem gezückten Messer in der Hand, versuchte sich heranzudrängen, wurde aber von Kid zurückgeworfen. Jetzt aber drang die ganze Bande auf sie ein, und der Kampf begann.

Anfangs stießen, schoben und schleuderten Kid und Kurz die Angreifer nur zurück. Dann aber waren sie genötigt, Peitschenstiele und die bloßen Fäuste gegen die ausgehungerte Schar zu gebrauchen. Und den Hintergrund dazu bildete der Kreis wimmernder und jammernder Frauen und Kinder. Hie und da gelang es den Angreifern, die Gepäckriemen zu durchschneiden. Männer krochen auf dem Bauch heran, ohne sich um den Regen von Schlägen und Hieben zu kümmern, der auf ihre Rücken herniederprasselte, verblendet von der Hoffnung, die Lebensmittel zu erreichen. Kid und Kurz mußten sie buchstäblich am Kragen packen und gewaltsam zurückschleudern. Und so groß war die Schwäche dieser Armen, daß sie beim leichtesten Stoß umfielen. Sie machten auch keinen Versuch, den beiden Männern, die ihre Schlitten verteidigten, etwas Böses anzutun. Ausschließlich die Schwäche der Indianer war schuld daran, daß Kurz und Kid nicht überrannt wurden. Im Laufe von fünf Minuten war die Mauer aufrechtstehender, kämpfender Indianer in einen Haufen Gefallener verwandelt, die wimmernd und ächzend im Schnee lagen, während sie schrien und greinten und mit tränenden Augen den Proviant anstarrten, der für sie das Leben bedeutete und den sie so leidenschaftlich begehrten, daß der Geifer vor ihrem Munde stand. Und hinter diesem Haufen erhob sich das klagende Geschrei der Frauen und Kinder.

»Haltet doch den Mund! Hört doch auf!« brüllte Kurz, der sich vergebens die Finger in die Ohren steckte, während er vor Anstrengung laut stöhnte. »Ah, das wolltest du . . . so, das wolltest du . . .«, rief er, sprang vorwärts und schlug einem Mann, der auf dem Bauch durch den Schnee gekrochen war und den Versuch machte, dem Leithund die Kehle durchzuschneiden, mit einem Fußtritt das Messer aus der Hand.

»Furchtbar«, murmelte Kid.

»Mir ist auch ganz heiß geworden«, antwortete Kurz, als er zurückkam, nachdem er Bright das Leben gerettet hatte. »Was wollen wir nun mit diesem ganzen Lazarett hier anstellen?«

Kid schüttelte den Kopf, aber im selben Augenblick wurde das Problem gelöst. Ein Indianer kam herangekrochen. Sein eines Auge war auf Kid und nicht auf den Schlitten gerichtet . . . und Kid konnte in ihm lesen, wie der gesunde Verstand um die Herrschaft kämpfte. Kurz erinnerte sich, daß er dem Mann einen Faustschlag auf das andere Auge gegeben hatte, das auch schon geschwollen und vorläufig geschlossen war. Der Indianer erhob sich auf den Ellbogen und sprach:

»Mich, MacCarluk! Mich gut Siwash. Mich kennen weißen Mann serr gutt. Mich sehr hungrig. Alle Leute hier serr hungrig. Aber Leute nich kennen weißen Mann. Mich kennen. Mich essen Proviant. Alle Leute essen Proviant. Wir kaufen Proviant. Wir villes Gold. Sommer kein Lachs Milch Fluß. Winter kein Elch kommen. Kein Proviant. Mich sprechen alle Leute. Mich sagen ville weiße Leute Yukon kommen. Weißen Mann villen Proviant. Weißen Mann lieben Gold. Lieben serr. Wir bringen ihm Gold, gehen Yukon, weißen Mann geben Proviant. Serr villes Gold. Mich wissen, weißen Mann lieben Gold.«

Mit seinen abgezehrten Fingern tastete er an einer Tasche, die er am Gürtel trug, herum.

»Ihr machen zuviel Lärm«, unterbrach Kurz ihn ärgerlich. »Du sagen Squaws, sie sagen Papusse, sie halten jetzt Mund.«

Carluk drehte sich um und sprach auf die klagenden Weiber ein. Andere Männer, die auf seine Worte gelauscht hatten, erhoben ihre Stimmen gebieterisch, und allmählich verstummten die Frauen und

112

brachten auch die Kinder zum Schweigen. Carluk löste die Schnur seines Tabakbeutels und hielt die Finger mehrmals in die Höhe.

»So ville sein Volk tot«, sagte er.

Und Kid, der nachgezählt hatte, stellte fest, daß fünfundsiebzig Mitglieder des Stammes verhungert waren.

»Mich kaufen Proviant«, sagte Carluk, als er endlich den Beutel geöffnet hatte, und zog einen großen Klumpen schweren Metalls hervor. Andere folgten seinem Beispiel, und auf allen Seiten tauchten ähnliche Klumpen auf. Kurz starrte sie an.

»Herr Gott!« rief er. »Kupfer! Rohes, rotes Kupfer . . . und sie glauben, es sei Gold.« – »Ihn Gold sein«, versicherte Carluk vertrauensvoll. Mit seiner schnellen Auffassungsgabe hatte er sofort den Sinn des Ausrufes verstanden.

»Und die armen Teufel haben ihr ganzes Vertrauen darauf gesetzt«, murmelte Kid. »Schau es dir an. Der Klumpen da wiegt mindestens vierzig Pfund. Sie haben viele hundert Pfund davon, und sie haben es hierhergeschleppt, obgleich sie kaum Kraft genug hatten, sich selbst zu schleppen . . . Sieh mal, Kurz . . . wir müssen ihnen etwas zu essen geben.«

»So, so . . . das klingt ja verflucht einfach! Aber wie steht es mit deinen geliebten Zahlen? Wir haben zusammen Proviant für einen Monat . . . also dreißigmal sechs Mahlzeiten, im ganzen hundertundachtzig Mahlzeiten. Hier sind zweihundert Indianer, die alle einen erstklassigen ausgewachsenen Appetit haben. Wir können ihnen also nicht einmal eine einzige Mahlzeit geben.«

»Dann haben wir das Hundefutter!« antwortete Kid. »Einige hundert Pfund getrockneten Lachs werden schon ein bißchen helfen. Wir müssen es jedenfalls tun. Sie haben ihre ganze Hoffnung auf den weißen Mann gesetzt, weißt du.«

»Selbstverständlich können wir sie nicht im Stich lassen«, stimmte Kurz ihm bei, »und daher haben wir jetzt zwei verdammt eklige Dinge zu tun, eines genau so eklig wie das andere. Einer von uns muß ein Wettrennen nach Mucluc machen und dort versuchen, eine Hilfsexpedition auf die Beine zu bringen. Der andere muß hierbleiben, das Lazarett in Betrieb bringen und sich höchstwahrscheinlich auch noch fressen lassen. Aber vergiß allergütigst nicht, daß wir sechs Tage gebraucht haben, um hierherzugelangen . . . und wenn man auch ohne großes Gepäck reist und dazu noch besonderes Glück hat, so kann man doch den Rückweg bestenfalls in drei Tagen machen.«

Einen Augenblick ließ Kid sich die vielen Meilen, die sie zurückgelegt hatten, durch den Kopf gehen, indem er sie an seinen Kräften maß, um auszurechnen, wie lange er wohl dazu brauchen würde. Dann sagte er: »Ich kann morgen abend dort sein.«

»Schön!« bestätigte Kurz zufrieden. »Dann werde ich hierbleiben und mich auffressen lassen.«

»Aber ich muß einen Fisch für jeden Hund mitnehmen«, erklärte Kid. »Und eine Mahlzeit für mich selbst.« – »Die wirst du auch dringend brauchen, wenn du morgen abend in Mucluc sein willst.«

Durch Vermittlung Carluks legte Kid jetzt das Programm fest.

»Machen Feuer, lange Feuer, viele Feuer . . .«, schloß er seine Ansprache. »Sehr viele weiße Mann leben Mucluc. Weiße Mann sehr gut. Weiße Mann sehr viel Futter. Fünf Tage mich zurückkommen viel Proviant. Dieser Mann Kurz sehr gut Freund von mir. Er bleiben hier. Ein großer Häuptling . . . verstanden?«

Carluk nickte und übersetzte.

»Aller Proviant hierbleiben. Kurz auch Proviant geben. Er Häuptling . . . verstanden?«

Wieder übersetzte Carluk. Durch Nicken und rauhe Gaumenlaute gaben die andern Indianer ihre Zustimmung zu erkennen.

Kid blieb noch und half, bis alle Vorbereitungen in Schwung gekommen waren. Diejenigen, welche noch imstande waren, sich zu bewegen, krochen oder wankten herum, um Brennholz zu sammeln. Lange Feuer wurden nach Indianerart so gemacht, daß alle an ihnen Platz fanden. Kurz hatte sich ein Dutzend Leute zu Hilfe genommen, die alle mit einem kurzen Knüppel bewaffnet waren, womit sie allzu hungrige Finger am Stehlen hinderten. Er stürzte sich mit Feuereifer auf seine Tätigkeit als Koch. Die Frauen übernahmen es, in allen verfügbaren Töpfen Schnee zu tauen. Zunächst wurde ein kleines Stück Räucherspeck unter sämtliche Indianer verteilt, und dann bekamen sie je einen Teelöffel Zucker, um den allerschlimmsten Hunger zu stillen. Bald kochten viele Töpfe mit Bohnen über einem kreisförmigen Feuer, in dessen Mitte Kurz sich befand. Mit entrüsteten Blicken achtete er darauf, daß keiner mogelte – wie er sagte –, während er die dünnsten Eierkuchen buk, die er je in seinem Leben zubereitet hatte.

»Mich jetzt großer Kochmeister«, sagte er zum Abschied zu Kid. »Und du machst, daß du die Beine rührst. Lauf den ganzen Weg hin und komm im Galopp zurück. Ich rechne, daß du heute und morgen brauchst, um hinzukommen, und mindestens drei Tage für den Rückweg. Morgen werden sie den letzten Fisch verschlingen, und dann gibt's keinen Krümel, bevor du in drei Tagen zurück bist. Du mußt die Beine rühren, Kid, sie ganz verdammt schnell rühren.«

Der Schlitten war leicht, da er ja nur mit den sechs Lachsen, einigen Pfunden gefrorener Bohnen und Speck und einem Schlafsack beladen war. Aber dennoch konnte Kid keine große Schnelligkeit erzielen. Statt auf dem Schlitten zu liegen und die Hunde anzutreiben, mußte er neben der Lenkstange durch den Schnee trotten. Außerdem hatten sie alle schon eine ganze Tagesarbeit hinter sich, und sowohl er als auch die Hunde waren müde. Die lange arktische Dämmerung war bereits angebrochen, als er die Wasserscheide überschritt und die »Bald Buttes« hinter sich ließ.

Den Hang hinab ging es schneller, und er konnte öfters, jedenfalls für kurze Zeit, auf den Schlitten springen und die Hunde zu einer Schnelligkeit von sechs Meilen antreiben. Aber die Dunkelheit brach herein, und er verirrte sich in dem weiten Tal eines unbekannten Baches. Hier lief der Strom in mächtigen hufeisenförmigen Kurven über den Felsgrund, und um keine Zeit zu verlieren, durchquerte Kid das Gelände, statt sich an den Bach zu halten. Als es ganz dunkel wurde, mußte er nach dem Bach zurückkehren, um die Fährte zu suchen. Nachdem er eine ganze Stunde mit vergeblichem Suchen verloren hatte, hielt es er für klüger, jetzt nicht weiterzusuchen, und machte Feuer, gab jedem Hund einen halben Fisch und verzehrte selbst die Hälfte seiner Ration. Als er in seinen Schlafsack gekrochen war, gelang es ihm, vor dem Einschlafen das Problem zu lösen. Die letzte Niederung, die er durchquert hatte, lag dort, wo der Bach sich in mehrere Arme teilte. Er hatte sich folglich um eine Meile von der Fährte entfernt. Er befand sich jetzt am Hauptstrom unterhalb der Stelle, wo seine und Kurz' Fährte das Tal durchquerte, um sich über ein kleines Bächlein und die niedrige Wasserscheide auf der andern Seite zu schlängeln.

Beim ersten leisen Morgendämmern machte er sich, ohne gefrühstückt zu haben, wieder auf den Weg und watete den Bach eine Meile aufwärts, um die verlassene Fährte wiederzufinden. Ohne daß er oder die Hunde etwas zu essen bekamen, fuhr er dann wieder los. Es wurde kein Halt unterwegs gemacht – acht Stunden lang überquerten er und seine Tiere die ganze Reihe von kleinen Bächen und niedrigen Wasserscheiden und setzten unverdrossen den Weg am Minnow-Bach entlang fort. Es war gegen vier Uhr nachmittags geworden, und fast undurchdringliche Finsternis umgab ihn schon, als er den hartgetretenen Weg nach dem Moose-Bach erreichte. Fünfzig Meilen mußte er diesem noch folgen, ehe die Tagesarbeit beendet war. Er hielt die Tiere an, machte Feuer, gab den Hunden den Rest der Fische, taute seine letzten Bohnen auf und verzehrte sie. Dann sprang er auf den Schlitten, schrie sein »Hü«, und die Hunde warfen sich energisch in die Sielen.

»Hü . . . schnell, schnell, meine Hunde!« rief er. »Hü . . . hott . . . schnell, dann bekommt ihr zu fressen . . In Mucluc ist Futter genug für euch . . . Los, ihr Wölfe! Los . . . Hü . . .!«

Im Wirtshaus »Annie Mine« zeigte die Uhr schon dreiviertel eins. Im Schankraum waren noch viele Gäste. In dem großen Saal glühten die dickbauchigen Öfen, und da die Ventilation viel zu wünschen übrigließ, herrschte eine ungesunde Hitze.

Das harte Klappern des Spielgeldes und das Lärmen der Spieler am Würfeltisch schufen einen eintönigen Hintergrund zu dem ebenso eintönigen Gemurmel der vielen Männer, die rings in dem großen Raum saßen oder standen und sich in größeren oder kleineren Gruppen unterhielten. Die Männer an den Goldwaagen hatten vollauf zu tun, denn Goldstaub war das übliche Zahlungsmittel, und jedes Getränk an der Bar mußte den Männern an den Waagen in Staub bezahlt werden.

Die Wände des Schankraumes bestanden aus Balken, die noch die Rinde trugen, und die Zwischenräume waren mit arktischem Moos ausgefüllt, das deutlich zu sehen war. Zu der offenen Tür des Tanzsaals klangen die heiteren Töne eines Klaviers und einer Geige heraus. Das chinesische Lottospiel war gerade zu Ende, und der glückliche Gewinner, dem der Gewinn schon an der Waage ausgezahlt war, wollte ihn mit einigen Zechgenossen vertrinken. An den Pharao- und Roulettetischen war jeder Platz besetzt, und hier herrschte eifriges Schweigen. Ebenso war es an den Tischen, wo die Kartenspieler saßen, um die sich eine Schar von Kiebitzen gesammelt hatte. An einem Tisch wurde mit großem Ernst und vieler Feierlichkeit Sechsundsechzig gespielt. Nur von dem Tisch, wo gewürfelt wurde, hörte man Lärm und Rufen, wenn der Spieler die Würfel mit flottem Schwung auf das grüne Tuch warf, wo sie ihrem sehnsüchtig begehrten, aber immer unerreichten Ziel entgegenstrebten. Dabei rief er unaufhörlich mit lauter Stimme: »Oh, Freundchen ... gib doch vier ... gib mir einen ordentlichen Treffer ... Donnerwetter: Sechs, bring mir doch 'nen richtigen Treffer, mein kleines Freundchen!«

Cultus George, ein großer, kräftiger Indianer aus Circle City, hielt sich abseits und lehnte sich mürrisch an die Balkenwand. Er war ein zivilisierter Indianer, falls man einen Indianer zivilisiert nennen kann, weil er wie die weißen Männer lebt. Er fühlte sich sichtlich beleidigt, obgleich dies Beleidigtsein sich über lange Zeit erstreckte. Jahrelang hatte er ja dieselbe Arbeit geleistet wie die Weißen und hatte sie auch an der Seite der Weißen getan, oft genug besser als die Weißen. Er trug auch die gleichen Hosen wie sie, die gleichen schweren Wollhemden. Er besaß eine Uhr wie sie, trug das Haar gescheitelt wie sie und aß dasselbe wie sie ... Räucherspeck, Bohnen und Mehl, und doch war ihm der Zutritt zu ihren Hauptvergnügungen, ihrer begehrtesten Belohnung nach der Arbeit, verboten: er durfte keinen Whisky trinken. Cultus George verdiente viel Geld. Er hatte Goldfelder gefunden und Goldfelder gekauft und verkauft. Im Augenblick war er Fuhrherr und besorgte mit seinen Hundegespannen weite Frachttransporte. Er erhielt zwei Schilling das Pfund für eine Winterfahrt von den »Sechzig Meilen« bis Mucluc, für den Transport von Räucherspeck sogar drei Schilling, wie es Sitte war. Seine Tasche strotzte von Goldstaub . . . und doch hätte kein Mann an der Bar ihm etwas zu trinken gegeben. Der Whisky, dies herrlichste Geschenk der Zivilisation, das die schnellste und gründlichste Befriedigung schuf, existierte für ihn nicht. Nur auf geheimnisvollen, verborgenen und sehr kostspieligen Wegen konnte er sich hin und wieder ein Glas verschaffen. Und er empfand diesen Unterschied immer noch ebenso tief wie am ersten Tage. Heut abend war er ganz besonders durstig, und deshalb haßte er die weißen Männer, mit denen er sonst so emsig wetteiferte, noch bitterer als sonst. Der weiße Mann erlaubte ihm allergnädigst, sein Geld am Spieltisch zu verlieren, aber weder für Geld noch für Freundschaft konnte er einen Trunk an ihrer Bar erlangen. Deshalb war er sehr schüchtern und dachte sehr logisch, und seine Logik war besonders bissig.

Der Tanz in dem anliegenden Raum schloß mit einem wilden Finale, das jedoch die drei Säufer, die unter dem Klavier lagen und schnarchten, nicht störte.

»Alle Paare an die Bar!« rief der Vortänzer, als die Musik eine Pause machte. Und dann marschierten sämtliche Paare durch die Türöffnung in den Schankraum – die Männer in Mokassins und Pelzen, die Damen in weichen, zarten Kleidern, in seidenen Strümpfen und Tanzschuhen. Eben in diesem Augenblick wurde die doppelte Haustür aufgerissen, und Alaska-Kid wankte erschöpft herein.

»Was ist denn los, Kid?« fragte Matson, der Inhaber der »Annie Mine«.

Nur mit Mühe gelang es Kid, seinen Mund von den Eisklumpen zu befreien, die in seinem Barte hingen.

»Ich habe meine Hunde draußen . . . sie sind zum Sterben erschöpft«, sagte er heiser. »Einer von euch muß hinausgehen und sich ihrer annehmen . . . . dann erzähle ich euch, was los ist.«

In abgebrochenen Sätzen berichtete er, was geschehen war.

Selbst der Würfelspieler hatte sein Geld auf dem Tisch liegengelassen und war – obgleich er noch immer nicht seinen großen Treffer gemacht hatte – zu Kid getreten.

Er war der erste, der jetzt sprach:

»Da müssen wir was tun! Das ist klar . . . aber was? Du hast Zeit gehabt, dir die Sache zu überlegen . . . was meinst du?«

»Ja«, sagte Kid. »Jetzt sollt ihr hören, was ich mir ausgedacht habe. Wir müssen so bald wie möglich einige leichte Schlitten abgehen lassen. Sagen wir hundert Pfund Proviant auf jedem. Die Ausrüstung des Führers und das Hundefutter erhöhen das Gewicht um weitere fünfzig

Pfund. Aber sie werden eine gehörige Schnelligkeit erzielen können. Sagen wir, daß wir fünf solcher Schlitten abschicken . . . aber sofort . . . die schnellsten Gespanne, die besten Hundefahrer und Fährtensucher. Auf der weichen Bahn können die Schlitten spielend vorwärts kommen. Sie müssen aber gleich abfahren . . . Bestenfalls vergehen doch drei Tage, bis die Schlitten hingelangen, und so lange haben die Indianer nichts zu essen. Und sobald die leichteren Schlitten abgeschickt sind, werden wir mit schwerbeladenen nachkommen. Ihr könnt es ja selbst ausrechnen. Zwei Pfund für den Tag ist das allerwenigste, womit wir die Indianer halbwegs anständig auf den Beinen halten können. Das macht vierhundert Pfund täglich, und da sie Kinder und alte Leute mitführen, brauchen wir mindestens fünf Tage, um sie nach Mucluc zu bringen. Was wollt ihr also machen?«

»Eine Sammlung veranstalten, um den Proviant zu kaufen«, sagte der Würfelspieler.

»Den Proviant nehme ich auf mich«, sagte Kid ungeduldig.

»Gibt's hier nicht!« unterbrach ihn der andere. »Du hast hier nichts auszugeben . . . Wir machen alle mit. Einer von uns holt eine Waschschüssel. Die ganze Geschichte wird nur ein paar Minuten dauern. Und hier ist der Anfang.«

Er zog einen schweren Goldbeutel aus der Tasche, öffnete ihn und ließ einen Strom von grobem Goldstaub und Klumpen in die Waschschüssel rinnen, die inzwischen herbeigeschafft worden war. Ein Mann neben ihm riß seine Hand mit einem kräftigen Ruck beiseite und fluchte mächtig, während er die Öffnung des Sackes nach oben drehte, um den Goldstrom zurückzuhalten. Sechs oder sieben Unzen waren jedoch loser Schätzung nach in die Schüssel gefallen.

»Sei nicht solch ein Protz!« schrie der zweite. »Du bist nicht der einzige, der hier Gold hat. Ich bin auch noch da.«

»Nanu«, knurrte der Würfelspieler. »Du glaubst wohl, daß es ein Wettrennen ist, so verdammt eifrig bist du.«

Die Männer drängten und stießen sich, um ihren Anteil geben zu können, und als sie alle ihr Vergnügen gehabt hatten, hob Kid die gefüllte Schüssel hoch und lachte zufrieden.

»Das genügt, um den ganzen Stamm den ganzen Winter durchzufüttern«, sagte er. »Und wie steht es jetzt mit den Hunden? Zunächst fünf leichte Gespanne, die den Teufel im Leibe haben.«

Ein ganzes Dutzend Gespanne wurde zur Verfügung gestellt, und das gesamte Lager, das sich zu einem Komitee aufgeworfen hatte, debattierte und diskutierte, nahm an und verwarf.

Sobald ein Gespann gewählt war, eilte der Besitzer, von fünf bis sechs Gehilfen begleitet, hinaus, um sofort anzuschirren und sich bereitzumachen.

Ein Gespann wurde zurückgewiesen, weil es erst am selben Nachmittag müde heimgekommen war. Ein Hundebesitzer stellte sein Gespann zur Verfügung, zeigte aber einen verbundenen Fuß, der es ihm unmöglich machte, es selbst zu lenken. Dieses Gespann übernahm Kid, ohne sich an die Einwände der andern zu kehren, die behaupteten, daß er zu erschöpft sei.

Der lange Bill Haskell erklärte, daß der Dicke Olsen nicht in Frage käme, obgleich sein Gespann glänzend wäre, denn er hätte das Gewicht eines ausgewachsenen Elefanten. Der Dicke Olsen empfand seine zweihundertvierzig Pfund als eine tiefe Beleidigung. Tränen des Zorns füllten seine Augen, und seinen unendlichen Wortschwall konnte man erst beschwichtigen, als man versprach, ihm einen Platz in der schweren Division zu geben. Der Würfelspieler ergriff eifrig die Gelegenheit, um das Gespann des Dicken Olsen zu übernehmen.

Endlich waren fünf Gespanne gewählt und wurden angeschirrt, während man die Schlitten belud. Das Komitee hatte indessen nur vier Hundefahrer als tüchtig genug für die fliegende Division angesehen.

»Da haben wir ja Cultus George«, rief einer. »Er ist der richtige Meilenfresser, außerdem ganz ausgeruht und glänzend in Form.«

Aller Augen richteten sich auf den Indianer, dessen Gesicht aber unbeweglich blieb. Er sprach auch kein Wort.

»Willst du ein Gespann übernehmen?« fragte Kid.

Der große Indianer gab noch immer keine Antwort. Wie ein elektrischer Schlag durchfuhr alle das Gefühl, daß jetzt irgend etwas Unerwartetes geschehen würde. Alle verließen schnell ihre Plätze und bildeten einen Kreis um Kid und Cultus George, die Angesicht zu Angesicht dastanden. Kid fühlte, daß er einstimmig zum Vertreter seiner Kameraden gewählt worden und ihrer Zustimmung sicher war, was jetzt auch geschehen würde. Er war zudem tief empört. Er begriff überhaupt nicht, daß ein anständiger Mensch, der noch dazu den Eifer der Freiwilligen gesehen hatte, sich in einem solchen Falle zurückhalten konnte. Im übrigen hatte Kid auch, während sich das folgende abspielte, gar keine Ahnung von dem tatsächlichen Standpunkt Cultus Georges . . . es fiel ihm nicht ein, daß der Indianer andere Gründe als rein geschäftliche und selbstische für seine Zurückhaltung haben könnte.

»Selbstverständlich werden Sie ein Gespann übernehmen«, sagte Kid.

»Für wieviel?« fragte Cultus George.

Unwillkürlich entrang sich allen Kehlen ein drohendes Knurren. Alle Lippen schürzten sich verächtlich. »Wartet einen Augenblick, Kameraden«, rief Kid. »Vielleicht hat er uns nicht richtig verstanden. Laßt mich ihm die Sache erklären. Hör mal, George, siehst du nicht, daß hier niemand etwas bekommt? Sie tragen alle ihr Scherflein bei, um zweihundert Indianer vom Hungertod zu retten.«

»Wieviel?« wiederholte Cultus George.

»Wartet, Kameraden . . . Hör, George. Wir wollen nicht, daß du einen Fehler machst. Die Leute, die jetzt verhungern, gehören deinem eigenen Volke an. Es ist freilich ein anderer Stamm, aber es sind doch Indianer. Nun hast du gesehen, was die weißen Männer hier alle ohne Ausnahme tun . . . sie geben ihren Goldstaub, sie geben ihre Hunde, ihre Schlitten, streiten sich sogar, wer die Fahrt mitmachen soll. Nur der beste Fahrer kann die Führung übernehmen. Sieh dir mal den Dicken Olsen da an! Er war bereit, sich zu schlagen, nur weil sie ihn nicht gehen lassen wollten. Du müßtest mächtig stolz sein, daß die Männer dich für den besten Hundetreiber halten. Es geht hier nicht um wieviel, sondern um wie schnell.«

»Wieviel?« wiederholte Cultus George.

»Schlagt ihn tot!« – »Haut ihm den Schädel ein!« – »Teert und federt ihn!« lauteten einige von den Rufen, die man aus dem jetzt entstehenden wilden Getümmel zu hören bekam. Der Geist der Menschenliebe und der guten Kameradschaft war mit einem Schlage einer brutalen Roheit gewichen.

Im Zentrum des Sturms stand Cultus George vollständig unberührt und ruhig, während Kid die Zudringlichsten zurückschob und rief:

»Seid doch ruhig! Wer von uns soll die Sache hier machen?« Der Lärm verstummte. »Bringt mir ein Seil«, fügte er dann ruhig hinzu.

Cultus George zuckte die Achseln. Sein Gesicht verzerrte sich zu einem ungläubigen und mürrischen Grinsen. Er kannte die weißen Männer. Er hatte zu oft schwere Fahrten mit ihnen gemacht und Mehl und Speck und Bohnen mit ihnen gegessen, um sie nicht gründlich zu kennen. Er wußte, daß es eine Rasse war, die dem Gesetz gehorchte. Er wußte das voll und ganz. Sie bestraften stets den Mann, der sich gegen das Gesetz verging. Er aber hatte kein einziges Gesetz übertreten. Er kannte die Gesetze der Weißen. Er hatte selbst nach diesen Gesetzen gelebt. Er hatte weder gemordet noch gestohlen, noch falsches Zeugnis abgelegt. Es gab keine Bestimmung in den Gesetzen des weißen Mannes, die ihm verbot, Bezahlung zu nehmen oder den Preis so hoch zu schrauben, wie es ihm beliebte. Sie verlangten alle ihren Preis und schraubten ihn so hoch, wie sie Lust hatten. Er tat auch jetzt nichts anderes, also nur das, was sie ihn selbst gelehrt hatten. Außerdem – wenn er nicht gut genug war, um mit ihnen zu trinken, so war er auch nicht gut genug, um den Philanthropen mit ihnen zu spielen oder sich sonst irgendwie an ihren verrückten Unternehmen zu beteiligen.

Als das Seil herbeigeschafft war, legten der Lange Bill Haskell, der Dicke Olsen und der Würfelspieler sehr ungeschickt, aber mit dem

Eifer der Entrüstung eine Schlinge um den Hals des Indianers und warfen das Ende des Seils über einen Dachbalken.

Cultus George leistete keinen Widerstand. Er wußte, was es war – nur Bluff. Die Weißen waren überhaupt tüchtig im Bluffen. War nicht Poker ihr Lieblingsspiel? Betrieben sie nicht all ihre Geschäfte, kauften und verkauften und machten Preistreibereien mit Bluff und Schwindel? Ein halbes Dutzend Männer ergriffen das Seil und hielten sich bereit, den Indianer in die Höhe zu ziehen.

»Wartet noch!« befahl Kid. »Bindet ihm die Hände. Wir wollen nicht, daß er da oben herumklettert.«

Noch mehr Theater, dachte Cultus George und ließ sich die Hände ohne Widerstand auf den Rücken binden.

»Jetzt geb' ich dir die letzte Chance, George«, sagte Kid.

»Willst du eines von den Gespannen übernehmen?«

»Wieviel?« fragte Cultus George.

Kid gab den Kameraden das Zeichen – befremdet von seinem eigenen Tun und gleichzeitig empört über die unglaubliche Selbstsucht des Indianers. Und Cultus George war nicht weniger erstaunt, als er fühlte, wie die Schlinge sich mit einem Ruck um seinen Hals zusammenzog und er selber plötzlich vom Boden gehoben wurde. Im selben Augenblick brach sein Eigensinn zusammen. Auf seinem Gesicht malten sich in schneller Folge Überraschung, Angst und Schmerz.

Kid wartete unruhig, was geschehen würde. Da er selbst noch nie aufgehängt worden war, fühlte er sich auf diesem Gebiete als Neuling. Der Körper des Indianers zuckte krampfhaft, die gefesselten Hände bemühten sich, die Bande zu sprengen, und aus der Kehle kam ein unheimliches Röcheln. Kid hob die Hand.

Die Männer waren ärgerlich, daß die Strafe nur so kurz dauerte, ließen aber den Indianer wieder herunter. Seine Augen quollen aus ihren Höhlen, er konnte kaum auf den Beinen stehen, schwankte hin und her, während er mit den gefesselten Händen in die Luft griff.

Kid erriet, was er wollte. Rücksichtsvoll steckte er die Finger zwischen das Seil und den Hals und lockerte die Schlinge mit einem harten Ruck. Jetzt erst konnte Cultus George, tief aufatmend, seine Lungen mit Luft füllen.

»Du übernimmst also ein Gespann?« fragte Kid.

Cultus George antwortete nicht gleich. Im Augenblick dachte er nur daran, Luft zu schöpfen.

»O ja, du hast ganz recht«, erklärte Kid, um die Pause auszufüllen. Ihm war selbst die Rolle, die er hier spielen mußte, zuwider. »Wir Weißen sind richtige Bestien. Wir würden unsere Seele für Gold verkaufen und so weiter, aber es kann geschehen, daß wir das mal vergessen, uns davon losreißen und etwas tun, ohne nur einen Augenblick daran zu denken, wieviel wir damit verdienen können. Und wenn wir das tun, Cultus George, dann mußt du aufpassen. Was wir jetzt wissen wollen, ist: Willst du ein Gespann übernehmen?«

Cultus George überlegte hin und her. Er war kein Feigling. Vielleicht würden sie ihren Bluff nicht weitertreiben, und dann war er ein Esel, wenn er jetzt nachgab. Und während er überlegte, litt Kid alle Höllenqualen der Angst, daß dieser starrköpfige Indianer darauf bestehen würde, gehängt zu werden.

»Wieviel?« wiederholte Cultus George.

Kid wollte schon ein Zeichen geben, ihn wieder hochzuziehen.

»Mich lieber gehen«, sagte Cultus George sehr schnell, bevor das Seil wieder angezogen wurde.

»Und als die Hilfsexpedition ankam«, erzählte Kurz in der »Annie Mine«, »war dieses Indianerbiest von Cultus George der erste; er hatte sogar Kid um drei Stunden geschlagen, und ihr dürft nicht vergessen, daß Kid immerhin der zweite war. Na . . . es war aber auch Zeit, als ich Cultus George seine Hunde oben vom Kamm der Wasserscheide antreiben hörte, denn diese verfluchten Siwashs hatten schon meine Mokassins, meine Handschuhe, die Lederriemen und meine Messerscheide aufgefressen, und einige von ihnen begannen hungrige Blicke auf meine Person zu werfen – ich war ja besser gefüttert als sie, versteht ihr.

Und Kid? Er war mehr als halbtot. Er fummelte ein bißchen herum und half, das Essen für die zweihundert hungrigen Siwashs zu bereiten . . . aber dann schlief er ein, als er gerade auf dem Hintern saß und sich einbildete, daß er einen Eimer mit Schnee füllte, um ihn aufzutauen. Ich schleppte ihn dann auf mein Bett, und der Teufel soll mich holen, wenn ich ihn nicht hineinlegen mußte, so hin war er . . . Ja, selbstverständlich habe ich meine Zahnstocher gewonnen. Die Hunde hatten wahrhaftig die sechs Lachse nötig, die Kid ihnen mitten am Tage gab.«

Ein Wettlauf um eine Million

»He! Jetzt schnell in die herrlichen Lumpen!« Kurz betrachtete seinen Partner mit gespieltem Neid. Kid, der sich vergebens bemühte, die Druckfalten aus den Hosen, die er soeben angezogen hatte, zu entfernen, wurde ärgerlich.

»Für einen getragenen Anzug sitzt er gar nicht so schlecht!« fuhr Kurz fort. »Wieviel hat er eigentlich gekostet?«

»Hundertfünfzig der ganze Anzug«, antwortete Kid. »Der Mann hatte fast genau meine Größe. Ich fand, daß es ein sehr vernünftiger Preis war. Warum meckerst du denn eigentlich?«

»Wer? Ich? Ach, gar nichts! Mir fiel nur ein, daß es wirklich einen großen Fortschritt für einen Bärenfleischliebhaber bedeutet, der im Packeis nach Dawson kam und damals nur eine Garnitur Unterzeug, ein Paar Mokassins und ein paar Überziehhosen sein eigen nannte, die ebenso durchlöchert waren wie das Wrack des Hesperus . . . und der nichts zu fressen hatte. Siehst ja verflucht vornehm aus, Kompagnon! Verdammt vornehm . . . Sag mal . . .«

»Was willst du denn?« fragte Kid mürrisch.

»Wie heißt sie denn eigentlich?«

»Sie? Was heißt hier ›sie‹? Es gibt gar keine ›sie‹. Ich bin zum Mittagessen bei Oberst Bowie eingeladen, wenn du es unbedingt wissen willst. Ich will dir sagen, was mit dir los ist, Kurz: Du bist einfach neidisch, weil ich in so vornehmer Gesellschaft verkehre und du nicht auch eingeladen bist.«

»Kommst du nicht ein bißchen spät?«

»Wie meinst du das?«

»Zum Mittagessen, meine ich. Sie werden die Suppe schon gegessen haben, ehe du kommst.«

Kid wollte gerade mit raffiniertem Sarkasmus berichten, wie es auf vornehmen Gesellschaften zugeht, als er merkte, daß der andere ihn zum besten hielt. Er vollendete daher seine Toilette so schnell wie möglich. Mit Fingern, die ihre frühere Gewandtheit verloren hatten, band er seine Krawatte zu einer großen Schleife unter den weichen Kragen.

»Schade, daß ich all meine steifen Kragen zur Wäsche gegeben habe«, murmelte Kurz mit aufrichtigem Mitgefühl. »Ich hätte dir sonst gern einen gepumpt.«

Kid bemühte sich gerade, ein Paar richtige Schuhe anzuziehen. Die plumpen wollenen Socken waren indessen zu dick, so daß sie nicht in die Schuhe hineingingen. Er warf Kurz einen flehenden Blick zu. Der aber schüttelte den Kopf.

»Nichts zu machen! Selbst wenn ich ein Paar dünne hätte, würde ich sie dir doch nicht pumpen. Kehre lieber reumütig zu deinen Mokassins zurück, Kompagnon! Deine Zehen werden in so einem Paar enger Hinterflossenüberzüge todsicher erfrieren.«

»Ich habe fünfzehn Dollar dafür gegeben, getragen natürlich«, klagte Kid.

»Ich glaube, daß kein einziger da sein wird, der nicht Mokassins trägt.«

»Aber es kommen ja auch Damen, Kurz. Ich muß mit richtigen Damen bei Tisch sitzen . . . mit Frau Bowie und mehreren anderen, wie mir der Oberst erzählte.«

»Na – und? Mokassins werden ihnen den Appetit nicht verderben«, erklärte Kurz. »Ich möchte wissen, was der Oberst mit dir vorhat.«

»Ich habe keine Ahnung . . . wenn er nicht vielleicht gehört hat, daß ich den Überraschungssee gefunden habe. Es wird ja ein Vermögen kosten, ihn trockenzulegen, und die Guggenheims wollen gern Geld anlegen.«

»So was wird es vermutlich sein. Na, aber halt du dich nur ruhig an die Mokassins! Du gütiger Himmel, der Rock ist da reichlich zerknittert, und zu eng ist er auch noch dazu. Darfst eben nicht zuviel futtern, Kamerad . . . wenn du es tust, wirst du einfach platzen! Und wenn die Frauenzimmer ihre Taschentücher auf den Boden fallen lassen, müssen sie hübsch liegenbleiben, heb sie um Gottes willen nicht auf! Was du auch sonst tust, das darfst du auf keinen Fall.«

Wie es sich für einen hochbezahlten Sachverständigen und den Vertreter der angesehenen Firma Guggenheim gehört, bewohnte Oberst Bowie eines der vornehmsten Häuser Dawsons.

Es war freilich, wie alle die andern, aus vierkantigen, grob behauenen Balken erbaut, hatte aber zwei Stockwerke und war von so extravaganter Größe, daß es mit einem großen Wohnzimmer prahlen konnte, das tatsächlich nur als Wohnzimmer diente. Große Bärenfelle lagen auf dem rauhen Bretterboden, und an den Wänden hingen Geweihe von Elchen und Renntieren. Hier gab es sogar einen offenen Kamin und einen mächtigen Ofen, in dem ein herrliches Feuer prasselte. Hier traf Kid die gesellschaftliche Auslese Dawsons – Männer wie Warburton

Jones, Forschungsreisender und Schriftsteller, Hauptmann Consadine von der berittenen Polizei, Haskell, Goldkommissar des Nordwest-Territoriums, und Baron von Schroeder, der ein Günstling des deutschen Kaisers war und einen internationalen Ruf als Duellant genoß.

Und hier traf Kid auch Joy Gastell, die ihn in einem richtigen Gesellschaftskleid bezauberte – bisher hatte er sie ja nur unterwegs in Pelz und Mokassins gesehen.

Beim Essen war sie seine Tischdame.

»Ich fühle mich wie ein Fisch, der aus seinem Element herausgezogen ist«, gestand er. »Die Gäste hier sind alle wirklich bedeutende Persönlichkeiten, nicht wahr? Außerdem hätte ich mir nie träumen lassen, daß es eine solche orientalische Üppigkeit in Klondike gäbe. Sehen Sie sich mal Herrn von Schroeder an! Er hat tatsächlich einen richtigen Frack an, und Consadine trägt sogar ein gestärktes Hemd. Ich habe indessen festgestellt, daß er auch Mokassins trägt. Was sagen Sie zu meiner Ausstattung?«

Um Joys Beifall zu erlangen, bewegte er die Schultern hin und her wie ein Vogel, der sich die Federn putzt.

»Es sieht aus, als seien Sie dicker geworden, seit Sie hierhergekommen sind«, lachte sie.

»Stimmt nicht! Raten Sie noch einmal . . .«

»Dann gehört der Anzug einem anderen.«

»Diesmal haben Sie es getroffen! Ich habe den Anzug zu einem sehr anständigen Preis von einem Angestellten der A.-C.-Gesellschaft gekauft.«

»Es ist wirklich schade, daß Kontoristen immer so schmale Schultern haben«, sagte sie mitfühlend. »Aber Sie haben gar nicht gesagt, wie Ihnen meine Ausstattung gefällt.«

»Das kann ich einfach nicht«, erklärte er. »Ich habe die Sprache verloren. Ich lebe schon zu lange auf den ewigen Fahrten! So etwas wie das hier wirkt völlig betäubend auf mich. Ich hatte tatsächlich vergessen, daß Frauen überhaupt Arme und Schultern haben. Morgen früh werde ich wach werden und, genau wie mein Freund Kurz, glauben, daß alles nur ein Traum gewesen ist. Letztes Mal, als ich Sie am Squaw-Bach sah . . .«

»Da benahm ich mich ganz wie eine indianische Squaw«, unterbrach sie ihn.

»Das wollte ich nicht sagen. Ich erinnerte mich nur, daß ich am Squaw-Bach die Entdeckung machte, daß Sie Füße besitzen.«

»Und ich werde Ihnen nie vergessen, daß Sie sie gerettet haben«, sagte sie. »Ich habe seither immer gewünscht, Sie wiederzusehen, um Ihnen meinen Dank abzustatten.« Er zuckte abwehrend die Achseln. »Und deshalb sind Sie heute auch hier eingeladen.«

»Sie haben also den Oberst veranlaßt, mich einzuladen?«

»Nein, aber seine Frau. Und ich habe sie auch gebeten, Sie mir als Tischherrn zu geben. Und jetzt habe ich also endlich die Gelegenheit, Ihnen etwas anzuvertrauen. Jetzt ist die Unterhaltung ja schon allgemein, so daß man nicht hört, was ich Ihnen sage. Passen Sie gut auf und unterbrechen Sie mich nicht. Sie kennen ja den Mono-Bach?«

»Natürlich.«

»Es hat sich gezeigt, daß er sehr viel Gold führt . . . unerhört reich ist er. Man berechnet, daß jeder Claim eine Million oder mehr wert ist. Er ist erst ganz vor kurzem entdeckt.«

»Ich erinnere mich, wie wild die Leute damals waren.«

»Das ganze Gebiet wurde auch bis zum Horizont abgesteckt und abgepfählt und die Nebenflüsse ebenfalls. Aber eben in diesen Tagen ist ein Claim frei geworden, nämlich Nummer drei am Hauptstrom unterhalb des Finderclaims. Die Entfernung bis zum Mono-Bach ist so groß, daß der Kommissar sechzig Tage nach der Markierung als Frist für Eintragung der Mutungen festgesetzt hat. Jetzt sind auch alle Mutungen eingetragen, mit Ausnahme von Claim 3. Es war Cyrus Johnson, der es abgesteckt hatte. Und das war auch alles, was er getan hat. Seitdem ist er nämlich spurlos verschwunden. Kein Mensch hier weiß, ob er gestorben oder ob er den Fluß hinauf- oder hinabgegangen ist. Jedenfalls wird in sechs Tagen die letzte Frist zum Einregistrieren verstrichen sein. Dann wird es bekommen, wer es abgesteckt hat, als erster Dawson erreicht und es dort einregistrieren läßt.«

»Eine Million Dollar«, murmelte Kid.

»Gilchrist, der den zweiten Claim oberhalb des Finderclaims bekommen hat, hat mit einer einzigen Pfanne aus dem Flußbett sechshundert Dollar erzielt. Er hat ein Loch in den Boden gebrannt. Und das Feld unterhalb soll noch reicher sein. Das weiß ich.«

»Aber warum weiß das sonst keiner?« fragte Kid skeptisch.

»Sie fangen auch schon an, davon zu reden. Lange wurde es geheimgehalten, und erst jetzt ist es durchgesickert. In den nächsten vierundzwanzig Stunden werden gute Hundegespanne zu erschwingen sein. Jetzt müssen Sie so diskret wie möglich verschwinden, sobald wir vom Tisch aufstehen. Ich habe schon alles vorbereitet. Ein Indianer kommt mit einem Brief für Sie, den Sie lesen, und dann tun Sie, als ob es etwas furchtbar Wichtiges wäre, entschuldigen sich und gehen.«

»Ich verstehe nicht ganz . . .«

»Dummkopf«, sagte sie leise. »Sie werden heute nacht schon unterwegs sein, um sich ein paar Hundegespanne zu verschaffen. Ich weiß zwei, die zu haben sind. Da ist Hansons Gespann, sieben große Hunde von der Hudsonbucht . . . er verlangt vierhundert Dollar für das Stück. Das ist heute der höchste Preis, morgen wird er aber schon höher sein.

Und Sitka Charley hat acht Malemutes, für die er dreitausendfünfhundert Dollar verlangt. Morgen wird er jeden auslachen, der ihm fünftausend bietet. Und dann haben Sie Ihr eigenes Gespann und müssen sich noch einige dazu verschaffen. Es wird Ihre Sache sein, sie noch heute nacht zu bekommen. Nehmen Sie nur die besten! Es sind ebensosehr die Hunde wie die Männer, die das Rennen gewinnen werden. Es sind hundertundzehn Meilen, und Sie müssen so oft wie überhaupt möglich die Hunde wechseln.«

»Ich sehe ja, Sie möchten gern, daß ich einen Versuch mache«, sagte Kid langsam.

»Wenn Sie nicht Geld genug für die Hunde haben, werde . . .«

»Ich kann die Hunde schon kaufen . . . aber glauben Sie nicht, daß das Spiel ein bißchen zu hoch für mich ist?«

»Nach dem, was Sie an der Roulette im ›Elch‹ geleistet haben«, erwiderte sie, »glaube ich nicht, daß Sie das zu fürchten brauchen. Es ist natürlich eine rein sportliche Leistung, auf die es ankommt, wenn Sie es so nehmen. Ein Wettlauf um eine Million und mit einigen von den besten Hundefahrern und Läufern in diesem Lande als Gegner. Sie sind freilich in diesem Augenblick noch nicht darauf vorbereitet, aber morgen um diese Zeit werden Sie es schon sein. Dann werden die Hunde so teuer sein, daß nur die reichsten Männer sich den Preis leisten können. Der Große Olaf ist in der Stadt . . . er kam vorigen Monat aus Circle hierher. Er ist einer der gewiegtesten Hundefahrer im ganzen Land, und wenn er mitgeht, wird er der gefährlichste Gegner für Sie sein. Arizona-Bill wird auch ein schlimmer Konkurrent sein. Er ist jahrelang professioneller Schlittenfahrer und Postführer gewesen. Wenn er auch mitgeht, wird das Hauptinteresse sich auf ihn und den Großen Olaf richten.«

»Und da wollen Sie, daß ich sozusagen als Außenseiter mitlaufe?«

»Vollkommen richtig! Und das wird auch seine Vorteile haben. Von Ihnen wird man nicht erwarten, daß Sie das Rennen gewinnen. Sie wissen ja selbst, daß Sie noch immer als Chechaquo betrachtet werden! Sie sind noch keine vier Jahre hier. Niemand wird Notiz von Ihnen nehmen, ehe Sie die Führung der letzten Strecke auf dem Heimweg übernommen haben.«

»Und auf dieser letzten Strecke soll der Außenseiter also zeigen, daß er in guter Form ist.«

Sie nickte und sprach dann ernst weiter:

»Vergessen Sie nicht, daß ich mir nie verzeihen kann, Sie am Squaw-Bach hinters Licht geführt zu haben, und daß ich das erst tun kann, wenn Sie den Claim am Mono-Bach gewinnen. Und wenn es jemand gibt, der das Rennen gegen die alten Leute gewinnen kann, dann sind Sie es.«

Es war die Art, wie sie es sagte . . . er fühlte einen warmen Strom seinen Körper durchfluten und ihm Kopf und Herz heiß machen. Dann warf er einen schnellen, prüfenden Blick auf ihr Gesicht – ohne es zu wollen, und doch voller Ernst. Und im selben Augenblick, in dem er ihren Augen begegnete, die ihn fest ansahen, ehe sie sich wieder senkten, glaubte er etwas in ihnen zu lesen, das ihm unendlich wertvoller war als der Claim, den Cyrus Johnson zu registrieren vergessen hatte.

»Ich werde es tun«, sagte er. »Und ich werde gewinnen.«

Das frohe Aufleuchten ihrer Augen schien ihm einen köstlicheren Preis zu versprechen als alles Gold des Mono-Baches. Er bemerkte eine Bewegung ihrer Hand, die ihm am nächsten lag. Vom Tischtuch verborgen, streckte er ihr unwillkürlich die seine entgegen und empfand selig den leisen und warmen Druck von den Fingern einer Frau. Und wieder durchspülte eine Woge von Wärme seinen Körper.

»Was wird Kurz sagen?« war der nächste Gedanke, der heiter und neckisch durch sein Gehirn blitzte, als er seine Hand vorsichtig wieder zurückzog. Fast eifersüchtig sah er die Gesichter v. Schroeders und Jones an und sann erstaunt darüber nach, ob sie denn nicht entdeckt hatten, welch herrliche, seltene Frau hier neben ihm saß.

Ihre Stimme riß ihn aus seinen Träumen, und er mußte feststellen, daß sie schon einige Minuten sprach, ohne daß er zugehört hatte.

»Sie sehen also, Arizona-Bill ist ein weißer Indianer«, erzählte sie. »Und der Große Olaf ist . . . nun, er ist ein Mann, der mit einem Bären ringen kann, ein König der Schneefelder, ein mächtiger Herrscher der wilden Einöden. Er kann laufen und durchhalten, wie nur die Indianer es können, und er hat nie ein anderes Leben kennengelernt als das im Eis und in der Wildnis.«

»Von wem sprechen Sie?« fragte Hauptmann Consadine über den Tisch hinweg.

»Vom Großen Olaf«, antwortete sie. »Ich erzählte Herrn Bellew eben, daß er ein so glänzender Läufer ist.«

»Da haben Sie wirklich recht«, bestätigte Hauptmann Consadine mit seiner mächtigen Stimme. »Der Große Olaf ist der beste Läufer in ganz Yukon. Ich würde gegen den Teufel selbst auf ihn setzen, wenn es sich um Fahrten durch Eis und Schnee handelte. Er war es ja, der 1895 die Regierungsdepeschen herbrachte, nachdem zwei Kuriere am Chilcoot erfroren und der dritte im offenen Wasser bei den ›Dreißig Meilen‹ ertrunken war.«

Auf der Fahrt nach dem Mono-Bach hatte Kid sich nicht übereilt, weil er fürchtete, seine Hunde abzuhetzen, bevor das entscheidende Rennen begann. Er hatte außerdem die Gelegenheit benutzt, um jede Meile des

Weges kennenzulernen und die Stellen auszuwählen, wo er die Hunde wechseln wollte. So viele Männer wollten an dem Rennen teilnehmen, daß die ganze Strecke von hundertundzehn Meilen fast wie ein einziges zusammenhängendes Dorf aussah. Überall am Wege waren Relaisstationen eingerichtet. Herr v. Schroeder, der sich ausschließlich des Spaßes halber an dem Rennen beteiligte, hatte nicht weniger als elf Hundegespanne . . . also ein Gespann auf je zehn Meilen. Arizona-Bill mußte sich mit acht Gespannen begnügen, der Große Olaf mit sieben und Kid mit ebenso vielen. Außer ihnen waren mehr als drei Dutzend Männer beteiligt. Selbst hier im Goldenen Norden betrug der Preis eines Hundewettrennens nicht jeden Tag eine ganze Million. Das Land war völlig reingefegt von Hunden. Kein Tier von irgendwie vernünftiger Schnelligkeit und Ausdauer war dem feinzähnigen Kamm entgangen, der die Bäche und Goldlager gestriegelt hatte. Die Preise für Gespanne waren auf das Doppelte und Vierfache gestiegen, solange diese wahnsinnige Spekulation anhielt.

Der dritte Claim unterhalb des Finderclaims lag zehn Meilen von der Mündung flußaufwärts. Die übrigen hundert Meilen mußte man auf dem zugefrorenen Yukon zurücklegen. Auf Claim 3 waren nicht weniger als fünfzig Zelte und dreihundert Hunde untergebracht. Die alten Pfähle, die Cyrus Johnson vor sechzig Tagen eingerammt hatte, standen noch, und alle Teilnehmer hatten ein Mal über das andere die Grenzen des Claims überschritten, denn dem Rennen der Hunde ging ein Wettlauf der Männer selbst voraus. Jeder Interessent mußte selbst das Claim für sich abzeichnen, und das bedeutete, daß er zwei Mittelpfähle und vier Eckpflöcke einrammen und den Bach zweimal überqueren mußte, ehe er mit seinen Hunden nach Dawson fahren konnte.

Außerdem war es so geregelt, daß keiner dem andern zuvorkommen konnte. Erst wenn es Freitag nacht zwölf schlug, wurde das Claim für den Neuerwerb geöffnet, es war also erst nach Mitternacht erlaubt, Pfähle einzurammen.

So hatte der Goldkommissar von Dawson die Sache organisiert, und Hauptmann Consadine hatte eine Schwadron der berittenen Polizei hinausgeschickt, um dafür zu sorgen, daß man sich nach dieser Bestimmung richtete.

Es hatten auch eifrige Diskussionen stattgefunden, ob man sich nach der Zeitangabe der Polizei oder nach der Sonnenzeit zu richten hätte, aber Hauptmann Consadine hatte die Entscheidung getroffen, daß die polizeilichen Zeitangaben maßgebend seien, und, um jedem Streit vorzubeugen, hatte er ferner angeordnet, daß man sich nach der Uhr des Leutnants Pollock zu richten hätte.

Der Weg führte durch das ebene Flußbett, und da dieses nur zwei Fuß breit war, glich es eher einer engen Rinne, die auf beiden Seiten von dem Schnee dreier Monate wie von einer hohen Wand eingerahmt wurde. Kein Wunder, daß alle sich mit dem Problem beschäftigten, wie mindestens vierzig Schlitten und dreihundert Hunde auf einer so engen Bahn starten sollten.

»Pfui Deibel«, sagte Kurz. »Das wird das saumäßigste Holterdipolter, das es je gegeben hat. Ich sehe keinen anderen Ausweg, Kid, als brutale Kraft anzuwenden und sich mit Fäusten und Ellbogen durchzuschlagen. Selbst wenn der ganze Bach schneefrei wäre, böte er doch kaum Platz für zwölf Gespanne. Mein Riecher sagt mir, daß es eine mordsmäßige Keilerei geben wird, ehe das Rennen losgeht. Und wenn es dazu kommt, mußt du es mir überlassen, die Keile auszuteilen.«

Kid zuckte die Achseln und lachte vielsagend.

»Um Gottes willen, halt die Finger davon«, rief sein Partner erschrokken. »Was auch geschieht, du darfst dich nicht hineinmischen. Du kannst die Hunde nicht hundert Meilen mit zerschundenen Knöcheln fahren . . . und das wird es bedeuten, wenn du dich an der Keilerei beteiligst.«

Kid nickte.

»Du hast recht, Kurz. Ich will unsere Chance nicht dadurch verderben.«

»Und vergiß nicht«, fügte Kurz hinzu, »daß ich die ersten zehn Meilen schaffen muß, während du es dir so bequem wie nur möglich machst. Ich werde dich schon bis zum Yukon durchschleppen. Dann mußt du mit den Hunden den Rest schaffen . . . Sag mal, was, glaubst du, hat der Schroeder vor? Er hat sein erstes Gespann eine Viertelmeile flußaufwärts aufgestellt und will es an einer grünen Laterne erkennen. Aber wir werden ihm die Kunst schon ablauschen! Wir werden uns ein rotes Licht anschaffen.«

Der Tag war klar und kalt gewesen, aber gegen Abend hatte eine Decke von Wolken den Himmel verhüllt. Als die Nacht kam, wurde es warm und dunkel, und eine Andeutung von Schnee lag in der Luft. Das Thermometer zeigte fünfzehn Grad unter Null – und in Klondike betrachtet man eine Wintertemperatur von nur fünfzehn Grad Kälte als mild. Wenige Minuten vor Mitternacht verließ Kid Kurz, der mit den Hunden etwa fünfhundert Meter flußabwärts stehenblieb, und schloß sich den vielen Bewerbern um Claim 3 an. Es waren im ganzen fünfundvierzig, die an dem Wettrennen um die Million teilnehmen wollten, welche Cyrus Johnson hinterlassen hatte, als er sich in sein eisiges Grab legte. Alle hatten sechs Pflöcke und einen schweren hölzernen Hammer bei sich und trugen eine kittelartige Parka aus schwerem Drillich. Leutnant Pollock stand in seinem dicken Bärenpelz da und sah beim

Schein einer Laterne auf die Uhr. Es fehlte noch eine Minute an zwölf.

»Achtung!« rief er und hob den Revolver in seiner Rechten, während er den Sekundenzeiger der Uhr beobachtete, der seine letzte Runde vor Mitternacht machte.

Die fünfundvierzig Kapuzen der Parkas wurden zurückgeschlagen. Fünfundvierzig Händepaare zogen die Fäustlinge aus. Fünfundvierzig Fußpaare drückten sich fest und energisch in den hartgetretenen Schnee. Und fünfundvierzig Pflöcke wurden in den Schnee gesteckt, während ebenso viele Hämmer sich hoben.

Der Schuß knallte. Die Hammerschläge erdröhnten – Cyrus Johnsons Anrecht auf die Million war erloschen. Um völlige Verwirrung zu vermeiden, hatte Leutnant Pollock bestimmt, daß zuerst der untere Mittelpflock, dann der südöstliche und in derselben Reihenfolge die andern, der obere Mittelpflock aber unterwegs gerammt werden sollte.

Kid schlug seinen ersten Pflock und lief als einer der ersten weiter. An den Ecken brannten Feuer, und an jedem Feuer stand ein Polizist, der die Namen der Läufer in eine Liste eintrug, die er in der Hand hielt. Jeder mußte ihm seinen Namen nennen und sein Gesicht zeigen. Es sollte nach Möglichkeit verhindert werden, daß jemand einen andern an seiner Statt die Pfähle einrammen ließ, während er selbst schon nach der Stadt unterwegs war.

An der ersten Ecke schlug v. Schroeder seinen Pflock neben den Kids ein. Sie gebrauchten gleichzeitig ihre Hämmer. Während sie noch hämmerten, kamen andre hinzu, und zwar so ungestüm, daß einer dem andern im Wege stand und ein verworrenes Hin- und Hergestoße veranlaßte. Während Kid sich den Weg durch die Menge bahnte, um dem Polizisten seinen Namen zu nennen, sah er, wie der Baron mit einigen von den andern Läufern zusammenstieß, den Halt verlor und in den Schnee fiel. Kid wartete indessen nicht ab, daß er wieder auf die Beine kam. Andere waren ihm schon zuvorgekommen. Im Schein des erlöschenden Lichtes sah er den mächtigen Rücken des Großen Olaf, und an der südwestlichen Ecke rammte er seinen Pflock neben dem Olafs ein. Es war durchaus keine leichte Aufgabe, dieses Hindernisrennen. Die Grenzen des Claims hatten eine Gesamtlänge von fast einer Meile, und der größte Teil des Rennens ging über eine unebene, verschneite Fläche, die voll von großen Knorren war. Um Kid herum stolperten und strauchelten die Männer, und mehrmals fiel er selbst kopfüber hin und kroch auf allen vieren herum. Einmal stürzte der Große Olaf unmittelbar vor ihm und riß ihn im Fall mit, so daß sie aufeinander zu liegen kamen.

Der oberste Mittelpfahl wurde unmittelbar am Rande des Uferhangs eingerammt, und dann wälzten sich die Läufer den Hang hinab, über das gefrorene Flußbett und das andere Ufer hinauf. Als Kid hier herumkroch, packte ihn eine Hand am Fußgelenk und zog ihn zurück. Im flackernden Schein des fernen Feuers konnte er das Gesicht des Mannes nicht sehen, der ihm diesen Streich gespielt hatte. Aber Arizona-Bill, dem dasselbe geschehen war, stand auf und versetzte dem Angreifer einen Faustschlag ins Gesicht. Kid sah und hörte das, während er sich noch bemühte, auf die Beine zu kommen, aber im selben Augenblick bekam er selbst einen Faustschlag, so daß er halb bewußtlos in den Schnee taumelte. Er kam jedoch wieder hoch und merkte sich den Mann, der es getan hatte.

Er hob schon die Faust, um ihm eins auszuwischen, als er sich der Warnung Kurz' erinnerte und sich beherrschte.

Im nächsten Augenblick wurde er aber unterhalb des Knies von einem Körper getroffen, der gegen ihn fiel, und stürzte wieder zu Boden.

Das gab ihm einen Vorgeschmack von dem, was geschehen sollte, wenn die Männer ihre Schlitten erreichten. Immer wieder strömten Leute vom andern Ufer herbei und stürzten sich ins Getümmel. Haufenweise kletterten sie den Hang herauf, und haufenweise wurden sie von ihren ungeduldigen Nebenbuhlern zurückgezerrt. Es fielen viele Schläge, unzählige Flüche entstiegen dem Klumpen keuchender Männer, die noch so viel Luft hatten, daß sie etwas entbehren konnten, während Kid, der seltsamerweise das Gefühl hatte, als schwebte Joys Gesicht immer vor seinen Augen, von ganzem Herzen hoffte, daß die Hämmer nicht als Kampfwaffen benutzt werden würden. Ein Mal über das andere wurde er umgestoßen, mit Füßen getreten, oft mußte er im tiefen Schnee nach den Pflöcken suchen, aber schließlich gelang es ihm, aus dem Knäuel herauszukommen, so daß er den Hang etwas weiter abwärts erklettern konnte. Freilich taten viele andere dasselbe, und es war ihm nicht möglich, zu verhindern, daß ihn viele bei dem Rennen um die nordwestliche Ecke überholten.

Als er die Hälfte des Weges nach der vierten Ecke hinter sich hatte, stellte ihm jemand ein Bein; er flog weit hin und verlor seinen letzten Pflock. Mindestens fünf Minuten suchte er im Dunkeln, bis er ihn wiedergefunden hatte, und während dieser ganzen Zeit hasteten die keuchenden Männer an ihm vorbei. Aber von der letzten Ecke bis zum Bach begann er mehrere zu überholen, denen das Rennen über eine Meile doch zuviel gewesen war. Unten auf dem Bach selbst herrschte das wildeste Tohuwabohu. Ein Dutzend Schlitten war ineinandergefahren und umgekippt, und fast hundert Hunde befanden sich in einer wilden Keilerei. Dazwischen bemühten sich Männer, die ineinander verstrickten Tiere wieder aus dem verworrenen Haufen zu ziehen, und schlugen mit ihren Hämmern auf sie los. Kid sah es nur flüchtig, im Vorbeilaufen, aber er fragte sich, ob Doré je ein Bild von einer ähnlichen grotesken

Unheimlichkeit gezeichnet hätte. Er sprang von der überfüllten Verkehrsstraße den Abhang ein Stück hinunter und erreichte die festgetretene Schlittenbahn, wo er schneller laufen konnte. Hier war der Schnee neben dem Wege an zahlreichen Stellen festgestampft, so daß eine ganze Reihe von Lagerplätzen gebildet war, wo Schlitten und Männer standen und auf die Wettläufer warteten, die noch nicht abgefahren waren. Hinter sich hörte Kid das Heulen und Stampfen laufender Hunde und hatte eben noch Zeit, in den tiefen Schnee neben dem Wege zu springen, als der Schlitten schon vorbeihuschte; er konnte den Mann sehen, der, auf den Knien liegend, die Hunde wie ein Rasender anfeuerte. Aber kaum war der Schlitten vorbei, als er mitten in einem wilden Kampfgetümmel steckenblieb. Die aufgeregten Hunde eines anderen Schlittens, die neben dem Wege warteten und eifersüchtig auf die Tiere waren, die vorbeiliefen, hatten sich losgerissen und waren auf sie losgesprungen.

Kid bog um sie herum und schlüpfte glücklich vorbei. Er konnte die grüne Laterne v. Schroeders und daneben das rote Licht sehen, das sein eigenes Gespann kenntlich machte. Zwei Männer überwachten das Gespann Schroeders und streckten große Knüppel abwehrend vor sich aus.

»Hierher, Kid, hierher!« hörte er Kurz ängstlich rufen.

»Ich komme schon«, keuchte er zurück.

Bei dem roten Schein sah er, daß der Schnee aufgewühlt und voller Fußstapfen war, und aus der Art, wie sein Freund keuchte, konnte er schließen, daß es einen schweren Kampf gegeben hatte.

Er taumelte zum Schlitten, und im selben Augenblick, da er sich hinwarf, knallte Kurz mit der Peitsche und rief:

»Hü, ihr Deubel, hü!«

Die Hunde sprangen in die Sielen, und mit einem Ruck glitt der Schlitten fort. Es waren große Tiere – Hansons Preisgespann von der Hudsonbai – und Kid hatte sie für die erste Strecke, die zehn Meilen des Mono-Bachs, dann den sehr ungangbaren Richtweg über die Ebene an der Mündung und endlich die ersten zehn Meilen am Yukon gewählt.

»Wie viele sind uns voraus?« fragte er.

»Schnauze halten und Puste sparen«, antwortete Kurz. »Hü, ihr Bestien, hü, zum Teufel, hü!«

Er lief hinter dem Schlitten her, durch ein kurzes Seil daran festgebunden. Kid konnte weder ihn noch den Schlitten, auf dem er lag, sehen. Die Feuer verschwanden schon weit hinter ihnen, und sie sausten, so schnell die Hunde laufen konnten, durch eine Mauer von schwarzer Dunkelheit dahin. Diese Finsternis war fast klebrig; sie war zu einer festen Materie geworden.

In einer scharfen Kurve merkte Kid, wie der Schlitten nach der Seite kippte und nur auf einer Kufe lief; von vorne hörte er das Fauchen von Tieren und die Flüche streitender Männer. Später wurde diese Episode die »Barnes-Slocum-Kollision« genannt. Es waren nämlich die Gespanne dieser beiden, die zuerst ineinanderfuhren, und in sie sausten dann Kids sieben große Kampfhunde in voller Fahrt hinein. Sie waren kaum etwas anderes als halbgezähmte Wölfe, und die Aufregung der Nacht am Klondike hatte schon in allen Tieren die Kampflust erweckt. Die Klondike-Hunde werden ohne Zügel gefahren, können also nur durch Zurufe angehalten werden. Es war daher ganz unmöglich, dem wilden Kampfgetümmel in der Enge des Bachbettes ein Ende zu machen. Hinter ihnen kamen Schlitten auf Schlitten und sausten in das Chaos hinein. Männer, die ihre Gespanne schon aus dem Knäuel befreit hatten, wurden von neuen Lawinen ankommender Schlitten überrannt.

Und dabei waren all diese Hunde wohlgenährt, gut ausgeruht und kampflustig.

»Hier gibt es nur eins: Losschlagen, sich hinaushauen und durchstoßen«, heulte Kurz seinem Kameraden ins Ohr. »Und paß gut auf deine Hände auf. Das Dreschen überlaß mir.«

Kid wußte später nie genau, was eigentlich in der nächsten halben Stunde geschah. Aber schließlich tauchte er doch aus dem Knäuel auf, völlig erschöpft nach Luft schnappend. Das Kinn schmerzte von einem Fausthieb, die eine Schulter war von einem Hammerschlag zerquetscht, das Blut lief in einem warmen Strom über sein Bein, das von den Fängen eines Hundes verwundet worden war. Beide Ärmel seiner Parka waren zerfetzt. Wie im Traume half er Kurz die Hunde wieder anzuschirren, während die Schlacht hinter ihnen weitertobte. Einen sterbenden Hund schnitten sie aus den Strängen und bemühten sich eifrig in der Dunkelheit, das zerrissene Geschirr wieder instand zu setzen.

»Jetzt legst du dich hin und sorgst dafür, daß du wieder Luft kriegst«, befahl Kurz.

Und dann sausten die Hunde wieder durch die dunkle Nacht. Ihre Kräfte waren noch frisch und unverbraucht, und so liefen sie schnell den Mono-Bach hinab und schlugen die Richtung nach dem Yukon ein. Hier, wo sie wieder die ausgefahrene Schlittenbahn erreichten, hatte irgend jemand ein Feuer angezündet, und hier verabschiedete sich auch Kurz von Kid. Und hier, beim Schein des flackernden Feuers, hatte Kid wieder ein unvergeßliches Bild aus dem Lande des Nordens, als der Schlitten hinter den weiterstürmenden Hunden dahinglitt. Es war das Bild seines Kameraden, der wankend dastand, bis er in den Schnee sank.

Und selbst als er erschöpft im Schnee lag, ein Auge geschwollen und von gewaltigen Faustschlägen geschlossen, die Knöchel blutig und zerschlagen, den einen Arm von den Fängen der kampfwilden Hunde zerrissen, so daß ein Strom von Blut sich über ihn ergoß – selbst da noch spornte er seinen Freund durch Zurufe an.

»Wie viele sind noch vor mir?« fragte Kid, als er auf der ersten Station die ermüdeten Hudsonbucht-Hunde sich hinlegen ließ und auf den wartenden Schlitten sprang.

»Ich habe elf gezählt!« rief der Mann ihm nach, denn Kid war mit seinen eilenden Hunden schon weit weg. Sie sollten ihn fünfzig Meilen weit über die nächste Wegstrecke bringen, bis er die Mündung des Weißen Flusses erreichte. Es waren nicht weniger als neun Hunde, aber es war trotzdem sein schlechtestes Gespann. Die fünfundzwanzig Meilen vom Weißen Fluß bis zu den »Sechzig Meilen« hatte er in zwei Strecken eingeteilt, weil dort viel Packeis lag. Für diese Strecken hatte er seine beiden kräftigsten Gespanne bereitgestellt.

Er lag ausgestreckt, das Gesicht nach unten, auf dem Schlitten und hielt sich mit beiden Händen fest. Sobald die Hunde in der höchsten Schnelligkeit nachließen, erhob er sich auf die Knie, wobei er sich vorsichtig mit der einen Hand festhielt, und trieb sie mit Worten und Peitschenschlägen an. Obgleich es ein minderwertiges Gespann war, hatte er doch, bevor er den Weißen Fluß erreichte, zwei Schlitten überholt. Hier hatte bei dem Zufrieren des Flusses das Packeis eine Schranke gebildet, so daß das Wasser auf einer Strecke von mehr als einer halben Meile unterhalb der Barriere zu einer ganz glatten Fläche hatte gefrieren können. Das ermöglichte den Wettfahrern, die Schlitten im Fahren zu wechseln, und auf dem Wege unterhalb des Packeises stand deshalb ein Ersatzschlitten neben dem andern.

Als Kid über das Packeis auf die glatte Eisebene hinausfuhr, rief er immer wieder laut: »Billy . . . Billy . . .«

Billy hörte seinen Ruf und gab Antwort. Im Schein der vielen Feuer, die auf dem Eise brannten, sah Kid einen Schlitten von der Seite her gerade auf sich zukommen. Die Hunde waren ausgeruht und überholten ihn. Als die beiden Schlitten nebeneinanderliefen, sprang er auf den neuen hinüber, während Billy sich sofort fallen ließ.

»Wo ist der Große Olaf?« rief Kid.

»An der Spitze«, gab Billys Stimme zur Antwort.

Und schon lagen die vielen Feuer hinter ihm, und Kid sauste weiter durch die schwere Dunkelheit.

Im Packeis dieser Strecke, als der Weg ihn durch ein Chaos von hochkant stehenden Eisschollen führte, ließ sich Kid vom Schlitten gleiten, spannte sich selbst vor und lief neben den Hunden her. Dennoch überholte er drei Schlitten. Sie hatten Unfälle gehabt, und er hörte die Männer laut fluchen, während sie die Hunde aus dem Geschirr schnitten, um es reparieren zu können.

Als er über das Packeis der nächsten Strecke nach den »Sechzig Meilen« fuhr, überholte er wieder zwei Schlitten. Aber es sollte ihm selber auch nicht besser ergehen, denn einer seiner Hunde verrenkte sich die Schulter, so daß Kid nicht weiterfahren konnte und das Gespann anhielt. Die andern Hunde waren erbost und griffen ihren Genossen mit den Fängen an, so daß Kid genötigt war, sie mit dem dicken Ende seiner Peitsche zurückzutreiben.

Als er das verletzte Tier vom Strang schnitt, hörte er das Heulen andrer Hunde hinter sich und die Stimme eines Mannes, die ihm bekannt vorkam. Es war Herr von Schroeder. Kid stieß einen warnenden Ruf aus, um einen Zusammenstoß zu vermeiden. Der Baron rief seinen Hunden etwas zu, legte die Steuerstange um, und es gelang ihm, in einem Abstand von wenigen Fuß vorbeizuschlüpfen. Aber so undurchdringlich war die Dunkelheit, daß Kid ihn wohl vorbeifahren hörte, aber nicht sah.

Auf der ebenen Eisfläche bei der Handelsstation von »Sechzig Meilen« überholte Kid noch zwei Schlitten. Alle drei hatten hier die Gespanne gewechselt, und fünf Minuten lang fuhren sie Seite an Seite; die Männer auf den Knien liegend, während sie die Hunde durch Rufe und Peitschenhiebe antrieben. Kid hatte sich diese Strecke besonders genau eingeprägt und bemerkte jetzt den hohen Fichtenbaum, der in dem schwachen Schein der vielen Feuer nur undeutlich zu erkennen war. Hinter dem Baum, wo es wieder ganz dunkel wurde, hörte die glatte Fläche plötzlich auf. Kid wußte auch, daß der Weg sich dort verengte, so daß nur für einen Schlitten Platz war. Er beugte sich vor, ergriff den Strang und zog den Schlitten an den letzten Hund heran.

Er ergriff das Tier an dem einen Hinterbein und warf es um. Unter wütendem Bellen versuchte es ihn zu beißen, aber die andern Hunde zogen es weiter. Es hatte doch mit Erfolg als Bremse gewirkt, und die beiden andern Schlitten, die noch immer nebeneinanderliefen, sausten vor ihm in die schmale Passage hinein. Kid hörte das Krachen und das Getümmel, als sie zusammenstießen. Schnell gab er den Deichselhund wieder frei, sprang an die Steuerstange und ließ das Gespann rechts in den weichen Schnee einschwenken, wo die Hunde bis an den Hals versanken. Es war eine anstrengende Arbeit, aber er kam an den festgefahrenen Schlitten vorbei und erreichte weiter vorne wieder den festgetretenen Weg.

Von den »Sechzig Meilen« ab hatte Kid sein zweitschlechtestes Gespann. Obgleich es sonst an sich eine gute Strecke war, hatte er sich doch entschlossen, es nur fünfzehn Meilen weit zu benutzen. Zwei weitere Gespanne sollten ihn dann nach Dawson und dem Büro des Goldkommissars bringen, und für diese Strecke hatte Kid die beiden besten Gespanne bestimmt. Sitka Charley selbst wartete auf ihn mit seinen acht Malemutes, die Kid die nächsten zwanzig Meilen fahren sollten. Das Schlußrennen wollte er dann mit seinen eigenen Hunden machen, die ihn fünfzehn Meilen fahren mußten ... es war dasselbe Gespann, das er den ganzen Winter gebraucht hatte und das mit ihm auf der Suche nach dem Überraschungssee gewesen war.

Die beiden Männer, die er bei den »Sechzig Meilen« nach dem Zusammenstoß hinter sich ließ, überholten ihn nicht wieder, anderseits aber gelang es auch seinem Gespann nicht, einen der drei Schlitten einzuholen, die noch immer an der Spitze waren. Wenn es seinen Tieren auch an Kraft und Schnelligkeit fehlte, so waren sie doch willig, und er brauchte sie nicht anzutreiben, damit sie ihr Bestes hergaben. Kid hatte nichts zu tun, als ruhig, das Gesicht nach unten, auf dem Schlitten zu liegen und sich mit beiden Händen anzuklammern. Ein Mal über das andere tauchte er aus der Dunkelheit im Lichtkreis eines flackernden Feuers auf, sah im Vorbeifahren pelzgekleidete Männer, die bei wartenden Hundegespannen standen, und tauchte dann wieder in der Finsternis unter. Meile auf Meile sauste er dahin, ohne etwas andres zu hören als das Knirschen und Kreischen der Kufen über den Schnee. Fast automatisch hielt er sich fest, während der Schlitten vorwärts sauste, in die Luft geschleudert wurde oder bei den Wegbiegungen halb umkippte. Immer wieder tauchten unterwegs drei Gesichter in seinem Bewußtsein auf: das Joy Gastells, lachend und kühn, das seines Freundes Kurz, zerschlagen und blutig nach der Schlacht am Mono-Bach, und das John Bellews, gefurcht und abgehärtet, wie in Eisen gegossen, unerbittlich in seiner Strenge. Und hin und wieder fühlte Kid das Bedürfnis, in laute Rufe auszubrechen, eine wilde Jubelhymne anzustimmen, wenn er sich der Redaktion der »Woge« erinnerte oder an die lange Erzählung aus San Franzisko, die er nie zu Ende gebracht hatte, oder wenn er an all die andern Nichtigkeiten jener tatenlosen Tage dachte.

Als er seine erschöpften Hunde gegen die acht Malemutes auswechselte, brach der graue Morgen an. Sie waren leichter als die Hudsonbai-Hunde und waren auch entsprechend schneller. Sie besaßen die geschmeidige Unermüdlichkeit echter Wölfe. Sitkar Charley rief ihm die Reihenfolge nach, in der die Schlitten vor ihm fuhren. Der Große Olaf führte, Arizona-Bill war der zweite, Baron von Schroeder der dritte. Sie waren die drei besten Schlittenfahrer im Lande. Tatsächlich hatten die Leute schon, ehe Kid Dawson verließ, in derselben Reihenfolge auf die drei gesetzt. Während sie selbst ihr Rennen um eine Million machten, betrug der Einsatz, den andre auf sie setzten, schon fast eine halbe Million. Kein einziger hatte auf Kid gesetzt, wurde er doch trotz seinen verschiedenen Fahrten, die ihm einen gewissen Ruf verschafft hatten, noch immer als ein Chechaquo betrachtet, der noch viel zu lernen hatte.

Als es heller wurde, sah Kid vor sich einen Schlitten, und nach einer halben Stunde war sein Führerhund schon unmittelbar dahinter. Erst als der Mann den Kopf wandte, um ihm einen Gruß zuzurufen, sah Kid, daß es Arizona-Bill war. Herr von Schroeder hatte ihn offenbar überholt. Der festgetretene Pfad durch den weichen Schnee war zu schmal, und eine zweite halbe Stunde war Kid deshalb genötigt, hinter ihm zu bleiben. Dann fuhren sie über Packeis und schwenkten auf eine glatte Ebene ein, wo mehrere Relaisstationen errichtet waren und man den Schnee überall in weitem Umkreis festgetreten hatte. Kid trieb seine Tiere an; er lag auf den Knien und knallte unter lauten Zurufen mit der Peitsche. Er bemerkte, daß der rechte Arm Arizona-Bills unbeweglich herabhing und daß er gezwungen war, die Peitsche mit der Linken zu schwingen. So unbequem es auch war, konnte er sich nicht am Schlitten festhalten und mußte deshalb hin und wieder die Peitsche hinlegen und sich mit der linken Hand festhalten, um nicht vom Schlitten zu fallen. Kid erinnerte sich des Kampfes im Flußbett beim Claim 3 und verstand, was los war. Der Rat, den Kurz ihm gegeben hatte, war wirklich sehr klug gewesen.

»Was ist geschehen?« fragte er, als er den andern einholte.

»Weiß nicht!« antwortete Arizona-Bill. »Ich glaube, ich habe mir bei einer Keilerei die Schulter verrenkt.« Nur mit größter Mühe gelang es Kid, ihn zu überholen, als aber die letzte Relaisstation in Sicht kam, war Arizona-Bill immerhin um eine halbe Meile hinter ihm. Vor sich konnte Kid den Großen Olaf und Herrn von Schroeder nebeneinander sehen. Wieder hob Kid sich auf die Knie und hetzte seine erschöpften Hunde zu einer letzten verzweifelten Anstrengung, wie es nur einem Manne möglich ist, der mit dem sicheren Instinkt des Hundefahrers geboren ist. Er kam unmittelbar an den Schlitten von Schroeders heran, und in dieser Reihenfolge sausten die drei Schlitten über die glatte Fläche unterhalb einer Ansammlung von Packeis, wo viele Männer mit wartenden Gespannen standen. Die Entfernung bis Dawson betrug jetzt nur noch fünfzehn Meilen.

Herr von Schroeder, der jede zehnte Meile das Gespann wechselte, hatte das auch fünf Meilen vorher getan und sollte erst nach weiteren fünf Meilen ein neues Gespann übernehmen. Er fuhr also mit voller Geschwindigkeit weiter. Der Große Olaf und Kid wechselten im Fahren die Schlitten, und ihre frischen Gespanne holten gleich wieder den Vorsprung, den der Baron inzwischen erobert hatte, auf. Es gelang dem Großen Olaf, vorbeizukommen, und Kid folgte ihm auf der engen Bahn.

»Gut, aber nicht gut genug«, zitierte Kid in Gedanken Herbert Spencer.

Herrn von Schroeder, der jetzt hinter ihm war, brauchte er nicht mehr zu fürchten, aber vor sich hatte er den besten Hundefahrer des ganzen Landes. Ihn zu überholen, schien fast unmöglich. Immer und immer wieder, ein Mal über das andere, brachte Kid seinen Leithund direkt an den Schlitten des anderen heran, aber jedesmal machte auch der Große Olaf eine letzte Kraftanstrengung, und es gelang ihm immer wieder, den Abstand zu vergrößern. Kid mußte sich darauf beschränken, sich dicht hinter ihm zu halten, und er tat es mit grimmiger Energie. Das Rennen war nicht verloren, solange keiner gewonnen hatte, und auf einer Strecke von fünfzehn Meilen konnte noch allerlei geschehen.

Drei Meilen vor Dawson geschah auch wirklich etwas Unerwartetes. Zu Kids großer Überraschung hob der Große Olaf sich auf die Knie und begann mit Flüchen und Peitschenhieben die letzte Unze Kraft aus seinen Hunden herauszupressen. Es war eine Anspannung, die eigentlich den letzten hundert Metern und nicht dem Beginn des Drei-Meilen-Schlußrennens hätte vorbehalten bleiben müssen. Obgleich es der reine Hundemord war, mußte Kid doch seinem Beispiel folgen. Sein eigenes Gespann war prachtvoll. Keine Hunde am Yukon hatten je schwerere Arbeit geleistet, aber keine waren auch besser in Form. Außerdem hatte Kid viel mit ihnen zusammen erlebt, hatte mit ihnen gegessen und geschlafen und kannte jeden einzelnen durch und durch, kannte ihre Eigenarten und wußte, wie man die Intelligenz der Tiere aufpeitschen und den äußersten Grad von Willigkeit aus ihnen herausholen konnte.

Wieder krochen sie über Packeis, und wieder kamen sie auf die glatte Ebene. Der Große Olaf war nur um fünfzig Fuß voraus.

Da schoß ein Schlitten heran und sauste ihnen entgegen, und mit einem Schlage verstand Kid die furchtbare Anspannung des Großen Olaf. Er hatte nur versucht, einen Vorsprung zu gewinnen, um das Gespann wechseln zu können.

Dieses frische Gespann, das hier wartete, um ihn die letzte Strecke des Heimweges zu fahren, war eine besondere Überraschung, die er sich vorbehalten hatte. Selbst die Männer, die ihr Geld auf ihn gesetzt hatten, hatten nichts davon gewußt.

Kid kämpfte wie ein Verzweifelter, um vorbeizukommen, ehe der andere den Schlitten gewechselt hatte. Er hetzte seine Hunde vorwärts, bis er die fünfzig Meter, die zwischen den beiden lagen, überwunden hatte. Durch Zurufe und Peitschenhiebe gelang es ihm, den andern einzuholen, so daß sein Leithund Seite an Seite mit dem letzten Hund des Großen Olaf lief. Auf der anderen Seite lief der Relaisschlitten. So schnell fuhren sie alle drei, daß der Große Olaf den Sprung auf den Relaisschlitten nicht wagen durfte. Wenn er zu kurz sprang und stürzte, übernahm Kid die Führung, und das Rennen war verloren.

Der Große Olaf versuchte einen Vorsprung zu erreichen, er trieb die Hunde prachtvoll an, aber Kids Leithund hielt sich noch immer neben dem Deichselhund des anderen. Eine halbe Meile liefen die drei Schlitten Seite an Seite. Sie näherten sich dem Ende der glatten und dem Anfang einer ganz schmalen Strecke, als der Große Olaf es wagte. Während die Schlitten noch nebeneinander herrasten, sprang er, und im selben Augenblick hatte er sich schon auf die Knie geworfen und trieb das frische Gespann mit Peitsche und Stimme an.

Der glatte Weg verengte sich und wurde zu einem schmalen Pfad, aber er hetzte die Hunde vorwärts und erreichte den Pfad mit einem Vorsprung von einem knappen Meter.

Aber ein Mann ist erst besiegt, wenn er ganz vernichtet ist, sagte sich Kid und trieb seine Tiere an, so sehr ihn auch der andere – wenn auch vergeblich – abzuhängen versuchte. Keins von den andern Gespannen, die Kid heute gefahren, hätte eine so tödliche Hetze ertragen, kein anderes sich mit frischen Hunden auf der Höhe halten können, kein einziges außer diesem! Aber das Rennen galt jetzt Tod und Leben, und als sie um den Hügel bei Klondike City schwenkten, spürte Kid, daß seine Tiere nachzulassen begannen. Es war freilich fast unmerkbar, daß sie zurückblieben, und nur Fuß um Fuß gelang es dem Großen Olaf, die Führung zu erlangen, bis er sich schließlich einen Vorsprung von einigen Metern erobert hatte.

Die ganze Bevölkerung von Klondike City, die sich auf dem Eise versammelt hatte, brach in begeisterte Hochrufe aus. Hier fließt der Klondike in den Yukon, und eine halbe Meile weiter, am Nordufer, lag Dawson. Die Menge brach in einen wahnsinnigen Sturm von Hochrufen aus, und Kid sah einen Schlitten, der zu ihm heransauste.

Er erkannte sofort die prachtvollen Tiere, die den Schlitten zogen. Es war Joy Gastells Gespann, und sie führte es selbst. Sie hatte die Kapuze ihrer Parka aus Eichhörnchenpelz zurückgeschlagen, so daß man das kameenhafte Oval ihres Gesichtes sehen konnte, das sich von dem Hintergrund des schweren, dunklen Haares abhob. Die Handschuhe hatte sie ausgezogen und klammerte sich mit den bloßen Händen an Peitsche und Schlitten.

»Spring«, rief sie, als ihr Leithund Kids Gespann anknurrte. Kid sprang auf den Schlitten hinter sie. Der schwankte gewaltig unter dem

Gewicht seines Körpers, aber Joy hielt sich auf den Knien und schwang die Peitsche.

»Hü . . . Hü . . . vorwärts! . . .«, schrie sie, und die Hunde heulten und bellten vor Eifer und Anstrengung, den Schlitten des Großen Olaf einzuholen.

Und als dann der Leithund wirklich den Schlitten Olafs erreichte und sich Fuß um Fuß vorwärts arbeitete, bis die Gespanne Seite an Seite liefen, wurde die Bevölkerung von Dawson wahnsinnig vor Begeisterung.

Es war wirklich eine ungeheure Menge von Zuschauern, denn die Männer von allen Bächen und allen Minen hatten ihr Gerät liegengelassen, um hierherzukommen und selbst den Ausgang des Rennens zu sehen. Und ein totes Rennen über eine Strecke von hundertundzehn Meilen war Grund genug, um vor Begeisterung verrückt zu werden.

»Sobald wir die Führung haben, springe ich ab«, schrie Joy Kid über die Schulter zu.

Kid versuchte zu protestieren.

»Und achten Sie gut auf die scharfe Kurve halbwegs auf dem Hang«, warnte sie ihn.

In einem Abstand von sechs Fuß liefen die beiden Schlitten jetzt nebeneinander her, aber nur eine knappe Minute hielt der Große Olaf durch Peitsche und Stimme die Stellung, dann begannen ihn die Hunde Joys Zoll um Zoll zu überholen.

»Halten Sie sich bereit«, rief Joy Kid zu. »In einer Minute springe ich ab. Nehmen Sie die Peitsche.«

Als er die Hand frei machte, um die Peitsche zu ergreifen, hörten sie einen warnenden Ruf vom Großen Olaf, aber es war schon zu spät. Der Leithund Olafs hatte sich empört, weil er überholt wurde, und war zum Angriff übergegangen. Seine Fänge bohrten sich Joys Leithund in die Seite. Die beiden rivalisierenden Gespanne stürzten aufeinander. Die Schlitten liefen in den Knäuel der kämpfenden Tiere hinein und überschlugen sich. Kid kämpfte sich auf die Beine und versuchte Joy beim Aufstehen zu helfen. Aber sie schob ihn fort und rief ihm zu:

»Gehen Sie doch!«

Der Große Olaf, der noch immer entschlossen war, das Rennen zu gewinnen, hatte schon zu Fuß einen Vorsprung von fünfzehn Meter gewonnen. Kid gehorchte Joy, und als die beiden Männer den Fuß des Hanges bei Dawson erreichten, war er dem anderen schon auf den Fersen.

Aber auf dem Wege den Hang hinauf raffte Olaf sich mächtig zusammen, schob seinen riesigen Körper vorwärts und gewann einen neuen Vorsprung von fast vier Meter.

Das Büro des Goldkommissars lag in der Hauptstraße fünf Häuserblocks weiter. Die Straße war so voll von Menschen wie bei einer Parade. Es fiel Kid diesmal nicht so leicht, seinen großen Gegner zu erreichen, und als es ihm endlich gelang, konnte er nicht an ihm vorbeikommen. Seite an Seite liefen sie durch die schmale Rinne zwischen den festen Mauern pelzgekleideter Männer, die »hoch« schrien. Bald gewann der eine, bald der andere durch übermenschliche Anstrengung einen Vorsprung von vielleicht einem Zoll, aber nur, um ihn sofort wieder zu verlieren.

Hatte das Rennen den Hunden fast das Leben gekostet, so wurde es den beiden selbst nicht leichter. Aber sie liefen um den Preis einer Million und um großen Ruhm im ganzen Yukon-Land. Der einzige Eindruck von außen, dessen Kid sich von dieser letzten wahnsinnigen Strecke erinnerte, war das Erstaunen, daß es so viele Menschen in Klondike gab. Er hatte sie ja noch nie alle an einem Ort beisammen gesehen.

Er merkte, daß er gegen seinen Willen zurückblieb, und der Große Olaf kam tatsächlich fast um einen ganzen Schritt vor. Kid hatte das Gefühl, daß sein Herz bersten wollte, während er jede Empfindung in den Beinen verlor. Er wußte wohl, daß sie sich unter ihm bewegten, aber er ahnte nicht, wie er sie dazu brachte, sich zu bewegen, oder wie es ihm gelang, seinen Willen stärker auf sie wirken zu lassen, oder wie er sie zwang, ihn bis an die Seite des riesigen Nebenbuhlers zu bringen.

Vor ihnen tauchte die offene Türe des Kommissariatsbüros auf.

Beide machten eine letzte vergebliche Anstrengung, aber keinem gelang es, sich von dem anderen zu lösen, und Seite an Seite erreichten sie die Tür, stießen mit großer Gewalt gegeneinander und fielen dann beide kopfüber in das Büro hinein.

Sie setzten sich beide auf, wo sie hingefallen waren, beide zu müde, um aufzustehen. Der Schweiß strömte dem Großen Olaf über das Gesicht, er atmete schwer, rang röchelnd nach Atem, griff in die Luft und versuchte zu sprechen. Dann streckte er in unverkennbarer Absicht die Hand aus, und Kid reichte ihm die seine. Sie schüttelten sie sich kräftig.

»Es ist ein totes Rennen«, hörte Kid den Kommissar sagen, aber es war wie im Traum, und die Stimme erschien ihm unwirklich und aus weiter Ferne zu kommen. »Ich kann nur sagen, daß Sie beide gewonnen haben. Sie müssen das Claim miteinander teilen. Sie sind Kompagnons.«

Die beiden Männer hoben die Arme und ließen sie wieder sinken, um ihr Einverständnis kundzugeben. Der Große Olaf nickte nachdrücklich mit dem Kopfe und gab allerlei seltsame Laute von sich, aber schließlich gelang es ihm, herauszustoßen, was er sagen wollte.

»Sie verfluchter Chechaquo«, sagte er, aber in seinem Tonfall lag Bewunderung. »Ich weiß nicht, wie Sie es geschafft haben, aber geschafft haben Sie's.«

Vor dem Büro lärmte und brüllte die dichtgedrängte Menge, und der Raum selbst war von begeisterten Männern überfüllt. Kid und Olaf versuchten aufzustehen und halfen einander, auf die Beine zu kommen. Kid merkte, daß seine Beine ganz kraftlos waren und daß er dastand und hin und her schwankte. Dann taumelte Olaf zu ihm hin und sagte:

»Es tut mir leid, daß meine Hunde Ihre überfielen.«

»Es war nichts dabei zu machen«, gab Kid stöhnend zurück.

»Ich hörte, wie Sie uns warnten . . .«

»Aber wissen Sie«, sagte Olaf mit leuchtenden Augen. »Das Mädel da . . . das war ein verdammt feines Mädel . . .«

»Ein ganz verdammt feines Mädel«, stimmte Kid ihm zu.

Kid & Co.

Ein Mißgriff der Schöpfung

»Brrr!« brüllte Kid den Hunden zu und warf sich mit seinem ganzen Gewicht gegen die Lenkstange, um den Schlitten zum Stehen zu bringen. Kid, genannt Alaska-Kid, der ehemalige Journalist, der in Alaska zum Manne herangereift war, zu einem der kühnsten Männer des wilden Nordens.

»Was willst du denn?« klagte Kurz, sein ständiger Gefährte. »Hier ist doch kein Wasser unter dem Schnee.«

»Nein, aber sieh dir mal die Fährte an, die hier nach rechts abschwenkt«, antwortete Kid. »Ich hätte nicht geglaubt, daß jemand hier in der Gegend überwinterte.«

Im selben Augenblick, als sie anhielten, legten sich die Hunde in den Schnee und begannen die kleinen Eisstücke, die zwischen ihren Zehen saßen, abzuknabbern. Noch vor fünf Minuten war dieses Eis Wasser gewesen. Die Tiere waren durch eine dünne, von Schnee bedeckte Eisschicht eingebrochen, und unter dem Eis verbarg sich die Quelle, die am Hang entsprang und auf der drei Fuß dicken Winterkruste des Nordbeskaflusses kleine Pfützen bildete.

»Das ist das erste Mal, daß ich von Menschen hier in Nordbeska höre«, sagte Kurz und starrte die fast gänzlich verwischte Fährte an, die, von zwei Fuß tiefem Schnee verdeckt, das Flußbett in einem rechten Winkel verließ und nach der Mündung eines Baches führte, der von links geflossen kam.

»Vielleicht sind es Jäger gewesen«, meinte er. »Jäger, die längst wieder abgezogen sind.«

Kid fegte den lockeren Neuschnee mit den in Fäustlingen steckenden Händen beiseite, blieb einen Augenblick stehen, um sich die Fährte anzusehen, fegte wieder, sah abermals nach.

»Nein«, entschied er dann.

»Die Spuren laufen nach beiden Richtungen, aber die jüngere geht den Bach hinauf. Wer es auch sein mag, so muß er jedenfalls noch da sein. Es ist mehrere Wochen her, daß jemand hier ging. Aber was hält ihn noch dort? Das möchte ich wissen.«

»Und was ich wissen möchte, ist, wo wir heute nacht lagern werden«, sagte Kurz und betrachtete den Horizont im Südwesten mit mißtrauischen Blicken. Die Dunkelheit der kommenden Nacht begann bereits das Zwielicht des Nachmittags zu verdrängen.

»Wir können ja der Fährte den Bach hinauf folgen«, schlug Kid vor. »Wir haben trockenes Holz genug hier. Wir können lagern, wann es uns beliebt.«

»Ja, natürlich können wir lagern, wann es uns beliebt. Aber wenn wir nicht hungern wollen, müssen wir marschieren, und es handelt sich auch darum, die rechte Richtung einzuschlagen.«

»Bachaufwärts werden wir schon etwas finden«, erklärte Kid.

»Aber schau dir doch den Proviant an! Schau dir die Hunde an!« rief Kurz. »Schau . . . na, meinetwegen los . . . du sollst deinen Willen haben.«

»Es wird die Reise nicht um einen Tag verlängern«, meinte Kid, »wahrscheinlich nicht einmal um eine Meile.«

»Es ist vorgekommen, daß Männer um weniger als eine Meile verreckt sind«, antwortete Kurz und schüttelte mit finsterer Miene den Kopf. »Aber nur los jetzt! Auf, ihr armen wundfüßigen Viecher. Auf jetzt . . . Los, Bright . . . Hüh!«

Der Leithund gehorchte, und das ganze Gespann schleppte sich müde weiter durch den lockeren Schnee. »Brrr . . . halt!« schrie Kurz. »Hier müssen wir uns die Fährte selbst stampfen.«

Kid holte seine Schneeschuhe unter der Schlittenpersenning hervor, band sie an seine in Mokassins steckenden Füße und ging voraus, um die lockere Oberfläche für die Hunde festzutreten.

Es war eine mühselige Arbeit. Hunde und Männer hatten seit Tagen nur kleine Rationen erhalten, und die Kraft, die sie noch in Reserve hatten, war sehr begrenzt und armselig. Sie folgten dem Bachbett, welches aber so steil abfiel, daß der jähe, unzugängliche Hang ihnen viel Mühe machte. Die hohen Felswände zu beiden Seiten verengten sich schnell immer mehr zu einer Schlucht, in der es, da die hohen Berge die lang anhaltende Dämmerung nicht hereinließen, fast ganz dunkel war.

»Das ist ja die reine Falle«, sagte Kurz. »Verdammt eklig ist es überhaupt hier. Es ist ein Loch im Boden. Hier wird das Pech nur so herausquellen.«

Kid antwortete nicht. Und die nächste halbe Stunde zogen sie wortlos weiter. Dann brach Kurz wieder das Schweigen.

»Das Unheil marschiert schon«, murrte er. »Es ist schon an der Arbeit . . . und ich will es dir erzählen, wenn du es hören magst.«

»Nur los«, sagte Kid.

»Gut, meine Ahnung sagt mir ganz offen und einfach, daß wir nie und nimmer aus diesem verdammten Dreckloch herauskommen, jedenfalls erst nach vielen, vielen Tagen. Wir werden verflucht viel Pech haben und sehr lange Zeit und noch einige Tage dazu hierbleiben müssen . . .«

»Sagt deine Ahnung nichts von Proviant?« fragte Kid unfreundlich. »Denn wir haben ja nicht Proviant für Tage und Tage und noch einige Zeit dazu.«

»Nee . . . kein Wort von Proviant. Ich glaube ja noch, daß wir die Sache deichseln werden, aber ich will dir was sagen, Kid, offen und ehrlich, ich esse jeden Hund hier im Gespann, aber Bright nicht. Bei Bright mache ich halt.«

»Hör jetzt auf«, schalt Kid. »Meine Ahnung ist auch an der Arbeit, und zwar ganz gewaltig. Sie sagt mir, daß es kein Essen aus Hundefleisch geben wird und daß wir uns fett und dick fressen werden, mag es nun an Elch- oder Rentierfleisch oder Kaviar sein.«

Kurz gab seinen Widerwillen nur durch ein verächtliches Grunzen kund, und wieder verging eine Viertelstunde in tiefem Schweigen.

»Jetzt beginnt dein Unheil schon«, sagte Kid und machte halt. Dann starrte er auf einen Gegenstand, der neben der alten Fährte lag.

Kurz verließ die Lenkstange und trat zu ihm. Gemeinsam starrten sie auf den Körper eines Mannes, der im tiefen Schnee lag.

»Er ist gut genährt«, sagte Kid.

»Sieh dir mal seine Lippen an«, sagte Kurz.

»Steif wie ein Besenstiel«, erklärte Kid, als er den einen Arm der Leiche hob. So steif war der Arm, daß der ganze Körper der Bewegung folgte.

»Wenn du ihn aufhebst und wieder fallen läßt, zerbricht er in Stücke«, sagte Kurz.

Der Mann lag auf der Seite und war völlig gefroren. Aus dem Umstand, daß er nicht mit Schnee bedeckt war, schlossen sie, daß er erst ganz kurze Zeit hier lag.

»Vor drei Tagen hat es ja mächtig geschneit«, erinnerte sich Kurz.

Kid nickte, dann beugte er sich über die Leiche, drehte sie halb um, so daß sie das Gesicht sahen, und zeigte auf eine Schußwunde in der einen Schläfe. Er untersuchte den Boden zu beiden Seiten und zeigte nickend auf einen Revolver, der im Schnee lag.

Einige hundert Meter weiter fanden sie eine zweite Leiche, die mit dem Gesicht nach unten im Schnee lag. »Zweierlei ist klar«, sagte Kid. »Sie sind gut genährt. Es handelt sich also nicht um Hungersnot. Aber sie haben auch nicht viel Gold gefunden, sonst hätten sie nicht Selbstmord begangen.«

»Wenn sie das getan haben«, wandte Kurz ein.

»Das haben sie ganz sicher. Es sind ja keine Spuren außer ihren eigenen vorhanden, und sie sind beide vom Pulver verbrannt.«

Kid zog die Leiche beiseite und grub mit der Spitze seines Mokassins einen Revolver aus dem Schnee, wo er unter der Leiche gelegen hatte.

»Damit hat er es getan. Ich sagte dir ja, daß wir etwas finden würden.«

»Es sieht sogar aus, als ob wir kaum erst beim Anfang wären. Aber warum haben die beiden dicken Kerle sich wohl erschossen?«

»Wenn wir das erst entdecken, dann wissen wir auch, wie es mit dem Unheil zusammenhängt, das du uns prophezeit hast«, antwortete Kid. »Komm. Wir müssen weiter . . . es ist schon verflucht dunkel.«

Es war wirklich schon sehr dunkel, als Kid mit seinen Schneeschuhen über eine dritte Leiche stolperte. Dann fiel er quer über einen Schlitten, neben dem eine vierte lag. Und als er den Schnee, den er im Fallen in den Kragen bekommen, entfernt und ein Streichholz angezündet hatte, sahen er und Kurz noch eine Leiche, die, in Decken gehüllt, neben einem halbfertigen Grab lag. Ehe das Streichholz erlosch, hatten sie noch ein halbes Dutzend Gräber daneben entdeckt.

»Pfui Teufel«, erklärte Kurz schaudernd. »Ein Selbstmörderlager. Alle dick und gut genährt. Ich vermute, daß die ganze Gesellschaft tot ist.«

»Nein . . . sieh dort!« Kid starrte auf einen schwachen Lichtschimmer in der Ferne. »Und dort ist noch ein Licht . . . und dort ein drittes . . . Komm . . . schnell!«

Sie fanden keine weiteren Leichen, und wenige Minuten später hatten sie auf einem festgetretenen Weg das Lager erreicht.

»Das ist ja eine Stadt!« flüsterte Kurz. »Es müssen mindestens zwanzig Hütten sein. Und nicht ein einziger Hund. Ist das nicht seltsam?«

»Und damit ist auch die ganze Geschichte erklärt. Es ist die Expedition Laura Sibleys«, flüsterte Kid sehr erregt zurück. »Erinnerst du dich noch? Die Leute kamen letzten Herbst mit der Port Townsend Nummer Sechs den Yukon herauf. Sie fuhren an Dawson vorbei, ohne anzuhalten. Der Dampfer muß sie an der Mündung des Baches an Land gesetzt haben.«

»Ich weiß schon . . . es waren Mormonen.«

»Nein, Vegetarier«, sagte Kid und grinste in der Dunkelheit. »Sie wollten kein Fleisch essen und die Hunde nicht arbeiten lassen.«

»Ist ja alles Jacke wie Hose . . . der Allweise hatte ihnen selbst den Weg zum Gold gezeigt. Und Laura Sibley wollte sie spornstreichs dorthin führen, wo sie alle Millionäre werden sollten.«

»Ja, sie war ihre Seherin . . . hatte Visionen und ähnliches. Ich dachte, sie wären den Nordenskjöld hinaufgezogen.«

»Pst . . . hör mal . . .«

Kurz tippte Kid warnend gegen die Brust, und beide lauschten auf ein tiefes, langgezogenes Stöhnen, das aus einer der Hütten kam. Bevor es verstummte, kam ein neues aus einer andern Hütte und dann wieder aus einer andern . . . es war wie das furchtbare Stöhnen einer leidenden Menschheit . . . es wirkte unheimlich wie ein Alpdruck.

»Pfui Deibel!« Kurz erschauerte. »Mir wird ganz übel davon. Wir wollen hingehen und sehen, was los ist.«

Kid klopfte an die Tür einer Hütte, in der Licht brannte. Und als von drinnen »Herein!« gerufen wurde – offenbar von der Stimme, die vorher gestöhnt hatte –, traten beide ein.

Es war eine ganz einfache Hütte aus rohen Balken, die Wände mit Moos gedichtet, der lehmige Boden mit Hobelspänen und Sägemehl bestreut. Das Licht rührte von einer Öllampe her, und in seinem Schein konnten sie fünf Betten sehen. In dreien davon lagen Männer, die sofort zu stöhnen aufhörten, um die Neuankömmlinge anzustarren.

»Was ist los?« fragte Kid einen Mann, dessen breite Schultern und mächtige Muskeln die Bettdecke nicht zu verbergen vermochte. Seine Augen waren jedoch von Schmerz verdunkelt und seine Wangen ausgehöhlt. »Pocken? Oder was sonst?«

Statt zu antworten zeigte der Mann auf seinen Mund und öffnete mit großer Mühe die schwarzen und geschwollenen Lippen. Kid erschauerte, als er ihn ansah. »Skorbut«, flüsterte er Kurz zu. Und der Mann nickte, um die Richtigkeit der Feststellung zu bestätigen.

»Lebensmittel genug?« fragte Kurz.

»Jawohl«, antwortete der Mann. »Aber ihr müßt euch selber helfen. Es ist massenhaft da. Die nächste Hütte auf der andern Seite steht leer. Das Depot liegt daneben. Geht nur hin.«

In allen Hütten, die sie in dieser Nacht besuchten, fanden sie dasselbe Bild. Das ganze Lager war vom Skorbut ergriffen. Es waren auch ein Dutzend Frauen da, aber die bekamen sie nicht gleich zu sehen. Ursprünglich waren es im ganzen dreiundneunzig Männer und Frauen gewesen, aber zehn waren gestorben und zwei kürzlich verschwunden.

Kid erzählte, wie sie die beiden gefunden hatten, und drückte sein Erstaunen darüber aus, daß es keinem eingefallen war, die Fährte eine so kurze Strecke zu verfolgen und selbst Untersuchungen anzustellen. Was aber ihm und Kurz besonders auffiel, war die völlige Hilflosigkeit dieser Leute. Ihre Hütten waren unordentlich und unsauber. Die Teller standen ungewaschen auf den roh gezimmerten Tischen. Sie halfen sich auch nicht gegenseitig. Die Sorgen einer Hütte waren nur ihre Sorgen allein, ja, die Leute hatten sogar schon aufgehört, ihre Toten zu begraben.

»Es ist wirklich ganz unheimlich«, sagte Kid zu Kurz. »Ich habe viele Gauner und Taugenichtse in meinem Leben getroffen, aber noch nie so viele auf einmal. Du hörst ja selbst, was sie sagen. Sie haben die ganze Zeit keine Hand zur Arbeit gerührt. Ich wette, sie haben sich nicht einmal die Gesichter gewaschen. Kein Wunder, daß sie Skorbut bekommen haben.«

»Aber Vegetarier sollten doch eigentlich gar nicht Skorbut bekommen können«, wandte Kurz ein. »Man glaubt ja immer, daß nur Leute, die Salzfleisch essen, Skorbut bekommen. Und die Leute hier essen ja gar kein Fleisch, weder frisches noch gepökeltes, weder rohes noch gekochtes oder sonst irgendwie zubereitetes.«

Kid schüttelte den Kopf. »Ich weiß schon. Und mit vegetarischer Kost heilt man Skorbut, was keine Medizin vermag. Pflanzen, namentlich Kartoffeln, sind die einzigen Gegenmittel. Aber vergiß eines nicht, Kurz: Wir haben es hier nicht mit einer Theorie, sondern mit der Wirklichkeit zu tun. Es ist eine Tatsache, daß diese Grasfresser alle Skorbut bekommen haben.«

»Es ist vielleicht ansteckend.«

»Nein, so viel wissen die Ärzte jedenfalls. Skorbut ist keine ansteckende Krankheit. Man wird nicht angesteckt. Er entsteht im Organismus selbst. Soviel ich weiß, ist die Ursache das Fehlen irgendeines Stoffes im Blut. Es kommt nicht davon, daß sie etwas gekriegt haben, sondern daß ihnen etwas fehlt. Ein Mensch bekommt Skorbut, wenn ihm gewisse Chemikalien in seinem Blut fehlen, und diese Chemikalien zieht man nicht aus Pulvern und Flaschen, sondern nur aus Pflanzen.«

»Und diese Leute haben nichts als Gras gefressen«, stöhnte Kurz. »Und sie sind bis über die Ohren damit vollgestopft. Das beweist, daß du auf einem falschen Gleis bist, Kid. Du hast wieder mal so eine Theorie, aber die Tatsachen schlagen deiner Theorie den Boden aus. Skorbut steckt an, und deshalb sind sie alle angegriffen, und das sogar ganz niederträchtig! Und wir beide werden auch krank werden, wenn wir in dieser Gegend bleiben. Pfui Deibel, ich kann schon merken, wie der Dreck mir durch den ganzen Körper dringt.«

Kid lachte spöttisch und klopfte an die Tür einer Hütte.

»Ich denke, daß wir hier ganz dieselbe Lage vorfinden werden«, sagte er. »Komm, wir müssen sehen, wie die Geschichte zusammenhängt.«

»Was wünschen Sie?« rief eine scharfe Frauenstimme.

»Wir möchten sehen, wie es mit Ihnen steht«, antwortete Kid.

»Wer sind Sie?«

»Zwei Ärzte aus Dawson«, rief Kid, ohne zu überlegen.

Sein Leichtsinn bewog Kurz, ihm mit dem Ellbogen einen Rippenstoß zu geben.

»Ich will keinen Arzt sehen«, sagte die Frau. Ihre Stimme klang abgerissen und heiser vor Schmerz und Ärger. »Gehen Sie! Gute Nacht. Wir glauben nicht an Doktoren.«

Kid drückte die Türklinke nieder und öffnete die Tür. Drinnen drehte er die kleingeschraubte Öllampe hoch, so daß sie sehen konnten. Die vier Frauen in den vier Betten hörten mit Stöhnen und Seufzen auf, um die Eindringlinge anzustarren. Zwei von ihnen waren junge Geschöpfe mit ausgemergelten Gesichtern, die dritte war eine ältere, sehr kräftige Frau, und die vierte, die Kid an der Stimme wiedererkannte, war das magerste und gebrechlichste Exemplar der menschlichen Rasse, das er je gesehen. Er erfuhr bald, daß es Laura Sibley selbst war . . . die Seherin und berufsmäßige Wahrsagerin, die die Expedition in Los Angeles auf die Beine gebracht und nach dem Todeslager in Nordbeska geführt hatte. Die Unterredung, die jetzt stattfand, war recht ungemütlich. Laura Sibley glaubte nicht an Ärzte. Zu ihrer Entschuldigung muß gesagt werden, daß sie auch schon fast aufgehört hatte, an sich selbst zu glauben.

»Warum haben Sie nicht nach Hilfe geschickt?« fragte Kid, als sie erschöpft und atemlos einen Augenblick schwieg. »Unten am Stewart ist doch ein Lager, und Dawson selbst können Sie im Laufe von achtzehn Tagen erreichen.«

»Warum ist Amos Wentworth denn nicht hingegangen?« fragte sie in einem an Hysterie grenzenden Wutanfall.

»Ich habe nicht die Ehre, den Herrn zu kennen«, gab Kid zur Antwort. »Was macht er denn?«

»Nichts, gar nichts . . . aber er ist der einzige, der keinen Skorbut hat. Und warum hat er ihn nicht bekommen? Das will ich Ihnen erzählen . . . nein . . . ich will es lieber nicht . . .« Die dünnen Lippen, die so ausgezehrt waren, daß sie fast durchsichtig erschienen, preßten sich so fest zusammen, daß Kid sich einbildete, die Zähne nebst ihren Wurzeln sehen zu können. »Und was hätte es auch genützt? Was weiß ich? Ich bin nicht so blöd! Unsere Depots sind voll von Fruchtsäften und eingekochten Gemüsen. Wir sind besser gegen den Skorbut geschützt als alle anderen Lager in ganz Alaska. Es gibt keine Sorte von Gemüsen, Obst und Nüssen, die wir nicht in Mengen hätten . . . und wie!«

»Da hat sie dir eins ausgewischt, Kid«, rief Kurz eifrig. »Hier geht es aber um eine Tatsache und nicht um Theorien. Du sagst, Gemüse heilt! Hier ist Gemüse genug . . . aber wo bleibt die Heilung?«

»Es gibt anscheinend keine Erklärung, das räume ich ja ein«, gestand Kid. »Aber dennoch gibt es kein Lager in ganz Alaska wie dieses. Ich habe früher schon Skorbut gesehen . . . vereinzelte Fälle hie und da. Aber ich habe nie ein ganzes Lager angegriffen gesehen und auch nie so furchtbare Fälle wie hier. Damit kommen wir jedoch nicht weiter, Kurz! Wir müssen jedenfalls für die Leute tun, was wir können, aber zuerst wollen wir uns selber einrichten und für unsere Hunde sorgen. Wir werden Sie morgen wieder besuchen . . . Frau Sibley.«

»Fräulein Sibley«, fauchte sie. »Und nun hören Sie, junger Mann, was ich Ihnen sage! Wenn Sie hier herumlungern, den Idioten spielen und uns so eine Doktormixtur geben wollen, dann werde ich Sie mit Kugeln durchlöchern, daß Sie wie ein Sieb aussehen.«

»Sie ist wirklich reizend, die göttliche Seherin«, lachte Kid, als er und Kurz durch die Dunkelheit nach der leeren Hütte tappten, die sie zuerst betreten hatten. Sie konnten hier feststellen, daß sie bis vor kurzem von zwei Männern bewohnt gewesen war. Vermutlich waren es die beiden Selbstmörder gewesen, deren Leichen sie gefunden hatten. Sie untersuchten das Depot und fanden, daß es mit ungeahnten Mengen von Lebensmitteln versehen war, die alle eingemacht, pulverisiert, gedämpft, kondensiert oder gedörrt waren. »Wie, in aller Teufel Namen, haben die Leute sich den Skorbut geholt?« fragte Kurz und zeigte auf die kleinen Pakete mit pulverisierten Eiern und italienischen Champignons.

»Sieh dir mal das an . . . und das da!« Er zog Büchsen mit Tomaten und Mais und Gläser mit gefüllten Oliven hervor. »Und dabei hat selbst die göttliche Lenkerin Skorbut bekommen. Was sagst du dazu?«

»Lenkerin . . . wie kommst du darauf?« fragte Kid.

»Na, ganz einfach«, antwortete Kurz. »Hat sie nicht ihre Schafe nach diesem verdammten Loch gelenkt?«

Am nächsten Morgen, als es hell geworden war, sah Kid einen Mann, der ein mächtiges Bündel Brennholz trug. Es war ein kleiner Kerl, aber er war sauber gekleidet und sah recht keck aus. Trotz der schweren Bürde bewegte er sich rasch und leicht. Kid fühlte unwillkürlich einen gewissen Unwillen gegen ihn.

»Was ist mit Ihnen los?« fragte er.

»Gar nichts«, antwortete der Kleine.

»Das dachte ich mir schon«, erklärte Kid. »Eben deshalb habe ich gefragt. Dann sind Sie also Amos Wentworth. Aber sagen Sie mir, warum in aller Welt haben Sie keinen Skorbut gekriegt wie alle andern?«

»Weil ich mir tüchtig Bewegung gemacht habe«, lautete die rasche Antwort. »Die andern hätten ihn auch nicht zu kriegen brauchen, wenn sie sich nur ein bißchen Bewegung gemacht und gearbeitet hätten. Warum haben sie das nicht getan? Sie haben nur gemurrt, gemeckert und geschimpft, weil es kalt und die Nächte zu lang und das Leben zu schwer war, haben über ihre Schmerzen und Leiden und über alles mögliche geklagt. Sie haben tagsüber in ihren Betten gepennt, bis sie so aufgedunsen waren, daß sie sie überhaupt nicht mehr verlassen konnten. Das ist die ganze Geschichte. Sehen Sie mich an! Ich habe geschuftet. Kommen Sie nur mit in meine Hütte.«

Kid folgte ihm.

»Schauen Sie sich nur ruhig um! Alles blitzblank, nicht? Was sagen

Sie nun? Alles piekfein und sauber! Ich würde auch die Späne und das Sägemehl nicht auf dem Boden liegenlassen, wenn es nicht warm hielte . . . aber es sind saubere Späne und sauberes Sägemehl, kann ich Ihnen sagen. Schauen Sie sich mal den Fußboden in den andern Hütten an, Verehrtester! Sauställe, sag' ich Ihnen. Ich pflege auch nicht von ungewaschenen Tellern zu futtern. Nee, besten Dank, Verehrtester. Aber es heißt arbeiten, und gearbeitet hab' ich wie ein Vieh, und deshalb hab' ich auch keinen Skorbut gekriegt! Darauf können Sie sich verlassen, Verehrtester!«

»Da haben Sie offenbar den Nagel auf den Kopf getroffen«, gab Kid zu. »Aber ich sehe, daß Sie hier nur ein Bett haben . . . Warum sind Sie so ungesellig?«

»Weil es mir lieber so ist! Es ist leichter, nach einem sauberzumachen als nach zweien. Die stinkfaulen Pennbrüder! Kein Wunder, daß sie Skorbut gekriegt haben.«

Das klang ja alles sehr überzeugend, aber Kid konnte sich dennoch nicht von einem Gefühl des Unbehagens dem Mann gegenüber befreien.

»Was hat Laura Sibley eigentlich gegen Sie?« fragte er plötzlich.

Amos Wentworth warf ihm einen raschen Blick zu. »Die ist ja verrückt«, antwortete er. »Im übrigen sind ja alle verrückt . . . aber der Himmel bewahre mich vor Leuten, deren Verrücktheit darin besteht, daß sie die Teller, von denen sie gefressen haben, nicht abwaschen wollen, und von der Sorte sind all die Trottel hier.«

Wenige Minuten später sprach Kid mit Laura Sibley. Auf zwei Stöcke gestützt, humpelte sie im Lager herum und war vor Wentworth' Hütte stehengeblieben.

»Was haben Sie eigentlich gegen Wentworth?« fragte er ganz unvermittelt, als er sich mit ihr unterhielt. Die Frage kam so unerwartet, daß sie nicht darauf vorbereitet sein konnte.

Ihre grünen Augen blitzten erbost auf, ihr ausgemergeltes Gesicht verzerrte sich vor Wut, und ihre wunden Lippen konnten nur mit Mühe einen unbeherrschten, unbesonnenen Ausbruch zurückhalten. Aber sie gab nur ein hörbares Stöhnen und einige unverständliche Laute von sich. Dann gelang es ihr, sich durch eine furchtbare Willensanspannung zu beherrschen.

»Weil er gesund geblieben ist«, ächzte sie. »Nur weil er keinen Skorbut gekriegt hat! Weil er keinem von uns die geringste Hilfe leisten will! Weil er uns verrecken läßt, ohne einen Finger zu rühren, um uns Wasser oder Brennholz zu bringen! So ein Biest ist er. Das ist alles. Aber er soll sich in acht nehmen.«

Stöhnend und ächzend humpelte sie weiter. Als Kid aber fünf Minuten später aus seiner Hütte trat, um die Hunde zu füttern, sah er, wie sie sich in die Hütte von Amos Wentworth schlich.

»Hier stimmt etwas nicht, Kurz, das ist todsicher«, sagte er und schüttelte düster den Kopf, als sein Kamerad zur Tür herauskam, um einen Eimer mit Abwaschwasser auszugießen.

»Zweifle gar nicht daran«, antwortete Kurz gut gelaunt. »Und wir beide werden den Dreck auch noch kriegen – du wirst schon sehen.«

»Ich meine gar nicht den Skorbut.«

»Ach so, du meinst die göttliche Lenkerin. Die würde selbst einen Toten ausziehen, wenn sie was davon hätte! Sie ist das gierigste Frauenzimmer, das ich je gesehen habe.«

»Es ist nur die Bewegung, Kurz, die uns beide gesund hält. Und dadurch ist auch Wentworth gesund geblieben. Du siehst ja, wie es den andern ergangen ist, weil sie nicht für Bewegung gesorgt haben. Jetzt müssen wir also den Patienten hier Bewegung verordnen. Ich ernenne dich hiermit zur Oberschwester.«

»Was sagst du? Ausgerechnet mich?« rief Kurz entgeistert. »Ich lege das Amt nieder.«

»Nein, das tust du nicht. Ich werde dir schon behilflich sein, denn es wird ja wahrscheinlich keine Sinekure werden. Wir wollen sie schon springen lassen. Zuallererst müssen sie ihre Toten begraben. Die kräftigsten stecken wir in die Begräbnisschicht. Die zweitstärksten kommen in die Holzfällerschicht . . . Sie sind in ihren Betten geblieben, um Brennholz zu sparen . . . und so geht's weiter. Dann kommt der Fichtentee. Den darfst du um Gottes willen nicht vergessen. Die Leute hier haben nie davon gehört.«

»Da werden wir ja genug zu tun haben«, grinste Kurz. »Aber ich glaube, daß wir selbst doch vorher ein paar Kugeln in den Bauch kriegen werden.«

»Du könntest recht haben . . . zuerst wollen wir uns also damit beschäftigen«, sagte Kid. »Nur los.«

Im Laufe der nächsten Stunde machten sie die Runde durch sämtliche zwanzig Häuser. Die gesamte Munition, alle Stutzen, Schrotbüchsen und Revolver wurden beschlagnahmt.

»Hört mal, ihr Invaliden«, rief Kurz den Kranken zu, »her mit den Schießprügeln! Wir brauchen sie.«

»Wer sagt denn das?« wurde gleich in der ersten Hütte gefragt.

»Zwei Ärzte aus Dawson«, gab Kurz zur Antwort. »Und was die sagen, wird getan. Nur her damit! Her mit eurer Munition!«

»Was wollt ihr denn damit?«

»Einen kleinen Feldzug gegen Büchsenfleisch unternehmen, das den Canjon heraufmarschiert . . . Und ich rate euch, gut aufzupassen, denn es steht eine Überschwemmung von Fichtentee bevor. Also los.«

Und das war nur der Anfang des ersten Tages. Mit Hilfe von Überredungskunst und Kommandieren, und hin und wieder auch mit Gewalt, gelang es ihnen, die Männer aus den Betten zu jagen und sie so weit zu bringen, daß sie sich anzogen. Kid suchte sich die leichtesten Fälle für die Beerdigungsschicht heraus. Eine zweite Schicht erhielt den Befehl, Holzscheite herbeizuschaffen, mit denen die Gräber durch den Schnee bis zur gefrorenen Erde gebrannt wurden. Eine dritte Schicht mußte Brennholz schlagen und es unparteiisch in den Hütten verteilen. Wer zu schwach war, um ins Freie zu gehen, mußte die Hütten säubern, Fußböden schrubben und Kleider waschen. Eine besondere Schicht mußte Fichtenzweige in Mengen sammeln; sämtliche Öfen wurden geheizt, damit man genügend Fichtentee zubereiten konnte.
Aber was Kurz und Kid auch taten, die Lage blieb doch äußerst ernst und unbehaglich. Mindestens dreißig schlimme und offenbar unheilbare Kranke mußten sie in den Betten liegenlassen, nachdem sie mit Grauen und Ekel ihren Zustand geprüft hatten. In Laura Sibleys Hütte starb eine der Frauen. Aber strenge Maßnahmen waren ja unter den gegebenen Verhältnissen unvermeidlich.
»Es geht mir gegen den Strich, kranke Leute zu verhauen«, erklärte Kurz und ballte drohend die Fäuste. »Aber ich würde ihnen den Kopf abschlagen, wenn ich sie dadurch heilen könnte. Und was euch Taugenichtsen not tut, ist Dresche! Also los! Heraus aus den Decken und etwas willig, oder ich mache eure schönen Gesichter zu Apfelmus.«
Alle Arbeitsschichten stöhnten, seufzten und schluchzten. Und die Tränen strömten ihnen aus den Augen und gefroren noch während der Arbeit auf den Wangen zu Eiszapfen.
Als die Arbeiter dann gegen Mittag in die Hütten zurückkehrten, fanden sie anständig zubereitetes Essen, das die schwächeren Leute inzwischen unter Kids und Kurz' Fuchtel und Anleitung gekocht hatten, auf den Tischen vor.
»Und jetzt genug für heute«, sagte Kid gegen drei Uhr nachmittags. »Jetzt ist Schluß! Geht zu Bett! Ihr fühlt euch natürlich sehr schlecht, aber morgen wird es schon bessergehen. Selbstverständlich ist es kein Spaß, wieder gesund zu werden, aber ich werde euch schon zurechtkriegen.«
»Zu spät«, erklärte Wentworth mit einem leisen Lächeln, als er Kids Bemühungen betrachtete. »Sie hätten schon letzten Herbst auf diese Weise anfangen müssen.«
»Kommen Sie mal mit«, antwortete Kid. »Nehmen Sie die beiden Eimer hier. Ihnen fehlt ja nichts.«
Dann gingen die drei Männer von Hütte zu Hütte und flößten jedem einen ganzen Liter Fichtentee ein. So ganz leicht ging das freilich nicht.

»Ihr könnt sicher sein, daß wir nicht spaßen«, erklärte Kid dem ersten
Widerspenstigen, der in seinem Bett auf dem Rücken liegenblieb und
mit zusammengebissenen Zähnen ächzte. »Pack an, Kurz!« Kurz faßte
den Patienten an der Nase und gab ihm mit der andern Hand einen Stoß
in das Zwerchfell, daß er den Mund öffnen mußte. »So, und jetzt hinunter damit.«
Und hinunter kam der Fichtentee, wenn der Patient auch die unvermeidlichen prustenden und röchelnden Laute von sich gab.
»Nächstes Mal wird es schon bessergehen«, tröstete Kurz das Opfer,
während er den Mann im Nebenbett an der Nase packte.
»Ich für mein Teil würde ja lieber Rizinus nehmen«, gestand Kurz vertraulich, bevor er die eigene Portion hinunterwürgte. »Lieber Gott!«
war alles, was er laut sagen konnte, als er den bitteren Trank eingenommen hatte. »Klein wie ein Mäuschen, aber stark wie ein Elefant . . .
das hat's in sich.«
»Wir werden diese Fichtenteerunde viermal täglich machen, und jedesmal müssen achtzig Personen betreut werden«, teilte Kid Laura Sibley
mit. »Wir haben also keine Zeit, Allotria zu treiben . . . Wollen Sie den
Tee schlucken oder soll ich Sie an die Nase fassen?« Er hob Daumen
und Zeigefinger in sehr beredter Weise. »Er ist ja aus Fichtennadeln
hergestellt, der Tee, so daß Sie sich keine Gewissensbisse zu machen
brauchen.«
»Gewissensbisse!« prustete Kurz. »Bei Gott im Himmel, nein . . . es
ist eine himmlische Medizin.«
Laura Sibley zögerte immer noch. Sie verschluckte jedoch, was sie sagen wollte.
»Na? Wird's?« fragte Kid barsch.
»Ich werde . . . werde es ja schon nehmen«, sagte sie zitternd. »Aber
machen Sie schnell.«
Als es Abend wurde, krochen Kid und Kurz ins Bett, müder, als sie
selbst nach den längsten Schlittenfahrten und Wanderungen je gewesen.
»Es macht mich ganz krank«, gestand Kid. »Es ist furchtbar, wie sie dabei leiden. Aber Bewegung ist wirklich das einzige Mittel, das ich weiß,
und wir müssen es natürlich gründlich versuchen. Ich möchte nur, wir
hätten einen einzigen Sack Kartoffeln.«
»Sparkins kann nicht mehr Teller abwaschen«, sagte Kurz. »Er hat solche Schmerzen, daß er schwitzt. Ich mußte ihn wieder ins Bett bringen,
so hilflos war der arme Kerl.«
»Wenn wir nur rohe Kartoffeln hätten«, spann Kid seinen Gedanken
weiter. »Das Entscheidende, das Wesentliche fehlt in dem eingemach-
ten Fraß. Das, was Leben schafft, ist einfach herausgekocht.«
»Und wenn der junge Bengel, der Jones aus der Hütte von Brownlow,

158

nicht abkratzt, ehe es Morgen wird, kannst du mich einen Affen schimpfen.«
»Um Gottes willen, sei doch nicht solch Schwarzseher!« rügte Kid.
»Wir werden ihn wohl begraben dürfen, nicht wahr?« fauchte Kurz entrüstet. »Ich sage dir, dem jungen Burschen geht es verdammt drekkig.«
»Halt's Maul«, rief Kid.
Nachdem Kurz noch ein paarmal entrüstet gegrunzt hatte, schlief er unter lautem Schnarchen ein.

Am nächsten Morgen zeigte es sich, daß nicht nur Jones tatsächlich im Laufe der Nacht gestorben war, sondern auch einer der Kräftigeren, der in der Brennholzschicht gearbeitet hatte. Er hatte sich aufgehängt. Und jetzt begann eine Reihe von Tagen, die ein wahrer Alpdruck waren. Eine ganze Woche gelang es Kid noch, seine Bestimmungen in bezug auf Fichtentee und Bewegung durchzuführen, obgleich er sich sehr hart machen mußte, um es erzwingen zu können. Er war aber doch genötigt, bald einen, bald mehrere der Kranken von der Arbeit zu befreien. Allmählich sah er ein, daß Bewegung ungefähr das schlimmste Mittel war, das man einem Skorbutkranken empfehlen konnte. Die Beerdigungsschicht, die täglich kleiner wurde, hatte unaufhörlich Arbeit genug und mußte jetzt immer ein halbes Dutzend Gräber in Bereitschaft halten, die auf ihre Opfer warteten.
»Sie hätten auch keinen schlechteren Platz für das Lager wählen können als diesen«, sagte Kid zu Laura Sibley. »Sehen Sie sich nur um . . . er liegt tief unten in einer engen Schlucht, die von Osten nach Westen geht. Die Mittagssonne steigt nie über den Rand der Schlucht empor. Es muß ja Monate her sein, daß Sie überhaupt die Sonne gesehen haben.«
»Aber wie konnte ich das wissen?«
Er zuckte die Achseln. »Ich weiß eigentlich nicht, warum Sie es nicht hätten wissen sollen, wenn Sie imstande waren, hundert Verrückte nach einer Goldmine zu führen.«
Sie warf ihm einen bösen Blick zu und humpelte weiter. Als er einige Minuten später von einem Spaziergang nach der Stelle zurückkehrte, wo eine Schicht ächzender Patienten Fichtenzweige sammelte, sah er die Seherin in die Hütte Amos Wentworth' treten und folgte ihr. Noch vor der Tür hörte er ihre Stimme wimmern und betteln.
»Nur für mich«, bat sie, als Kid eintrat. »Ich werde es keiner Seele verraten.«
Beide starrten den Ankömmling eigentümlich schuldbewußt an, und Kid hatte den Eindruck, daß er dicht vor einer Entdeckung stand, wenn

er auch nicht wußte, um was es ging, und er fluchte sich, daß er nicht an der Tür gehorcht hatte.

»Heraus damit!« befahl er barsch. »Was ist los?«

»Was soll los sein?« fragte Amos Wentworth mürrisch.

Kid konnte aus guten Gründen keine nähere Erklärung geben, was los sein sollte.

Die Lage wurde immer unheimlicher. In der Tiefe der dunklen Schlucht, wo nie die Sonne hereinschien, stieg die Sterbeliste von Tag zu Tag. Und täglich untersuchten Kid und Kurz gegenseitig ihren Mund, aus Furcht, daß der Gaumen und die Schleimhäute anfangen sollten, weiß zu werden . . . das erste sichere Zeichen, daß sie von der Krankheit befallen wären.

»Jetzt hab' ich genug«, erklärte Kurz eines Abends. »Ich hab' mir die Sache genau überlegt. Ich hab' genug davon. Ich mache gern mit, wenn es gilt, Sklaven an die Arbeit zu treiben, aber Krüppel anzutreiben ist mehr, als mein Magen verträgt. Es wird immer schlimmer mit ihnen! Es sind im ganzen kaum noch zwanzig Mann, die ich an die Arbeit treiben kann. Ich sagte heute abend zu Jackson, daß er ruhig wieder ins Bett kriechen sollte. Er stand am Rande des Selbstmords. Ich konnte es ihm direkt ansehen. Bewegung tut nicht gut.«

»Das hab' ich auch eingesehen«, antwortete Kid.

»Wir werden sie alle von der Arbeit befreien mit Ausnahme von einem Dutzend, die uns helfen müssen. Sie können sich ja ablösen. Und dann wollen wir mit dem Fichtentee aufhören. Der hilft auch nichts.«

»Ich bin fast derselben Ansicht«, seufzte Kid. »Aber er schadet ihnen jedenfalls nichts.« –

»Wieder ein Selbstmord«, berichtete Kurz am nächsten Morgen. »Philipps hat Schluß gemacht. Ich hab' es schon seit Tagen kommen sehen.«

»Ja, wir haben das Schicksal jetzt gegen uns«, klagte Kid. »Was würdest du vorschlagen, Kurz?«

»Wer? Ich? Ich gebe mich nicht mit Vorschlägen ab. Die Sache muß eben ihren schiefen Gang weitergehen.«

»Aber das würde bedeuten, daß alle sterben«, protestierte Kid.

»Mit Ausnahme von Wentworth«, knurrte Kurz ärgerlich, denn er teilte schon längst den Unwillen seines Partners gegen diesen Menschen.

Kid war ganz verblüfft über den immer noch guten Zustand Wentworth', der unter den gegebenen Verhältnissen das reine Wunder schien. Warum in aller Welt war er der einzige, der keinen Skorbut bekam? Und warum haßte Laura Sibley ihn . . . während sie doch gleichzeitig winselte und bettelte und ihn anflehte, um irgend etwas Geheimnisvolles von ihm zu bekommen? Was war dieses Geheimnisvolle, das sie von ihm erhalten und das er ihr nicht geben wollte? Kid hatte sich daran gewöhnt, hin und wieder einen Besuch in der Hütte Wentworth' abzustatten, wenn der seine Mahlzeiten einnahm. Aber das einzige Verdächtige, das er feststellen konnte, war lediglich Wentworth' Mißtrauen gegen ihn. Bei der nächsten Gelegenheit versuchte er, Laura Sibley auszufragen.

»Rohe Kartoffeln würden ja die ganze Gesellschaft kurieren«, bemerkte er zu der Seherin. »Das weiß ich. Ich habe schon früher gesehen, wie gut sie tun.«

In ihren Augen blitzte Zustimmung auf, wurde aber sofort von Haß und Bitterkeit verdrängt. Er merkte, daß er auf die richtige Spur gekommen war.

»Warum haben Sie keine rohen Kartoffeln auf dem Dampfer mitgebracht?«

»Das taten wir ja auch. Als wir aber den Fluß heraufkamen, verkauften wir sie in Bausch und Bogen in Fort Yukon. Wir hatten ja reichlich Eingemachtes und wußten, daß es sich besser hielt.«

Kid stöhnte. »Und Sie haben wirklich alle verkauft?« fragte er.

»Ja. Wie konnten wir denn wissen . . .«

»Nein . . . aber blieben nicht vielleicht ein paar Säcke übrig? . . . So ganz zufällig, wissen Sie . . . irgendwo auf dem Dampfer versteckt?«

Es kam ihm vor, als zögerte sie ein bißchen, ehe sie den Kopf schüttelte.

»Aber wäre das nicht doch möglich?« beharrte er.

»Wie soll ich das wissen?« fauchte sie wütend. »Ich hatte nicht das Amt eines Proviantverwalters.«

»Das hatte wohl Amos Wentworth . . .« Plötzlich fiel ihm die Möglichkeit ein. ». . . Gut, sehr gut . . . aber was meinen Sie denn rein persönlich über diese Sache? Ganz unter uns. Glauben Sie, daß Wentworth irgendwo rohe Kartoffeln versteckt hält?«

»Nein . . . sicher nicht . . . warum sollte er?«

»Warum sollte er nicht?«

Aber sie zuckte nur die Achseln.

»Wentworth ist ein Sauvieh«, gab Kurz seine Meinung von der Sache kund, als Kid ihm seinen Verdacht mitgeteilt hatte.

»Und das ist Laura Sibley auch«, fügte Kid hinzu. »Sie glaubt, daß er Kartoffeln hat, hält es aber geheim, weil sie hofft, daß er mit ihr teilen werde.«

»Und er will nicht?« Kurz fluchte der Schwäche des menschlichen Charakters mit ausgesuchten Verwünschungen, bis er kaum noch japsen konnte.

Als es Nacht geworden war und das ganze Lager schnarchte und ächzte oder stöhnte, ohne schlafen zu können, suchte Kid die bereits dunkle Hütte Wentworth' auf.

»Hören Sie mal, Wentworth«, sagte er. »Ich habe in diesem Beutel genau tausend Dollar in Goldstaub. Ich gelte als ein reicher Mann hier im Lande und kann es mir leisten. Ich fürchte, daß ich auch angesteckt worden bin . . . Geben Sie mir eine rohe Kartoffel, und der Staub gehört Ihnen. Hier . . . nehmen Sie.« Es schauderte Kid, als Amos Wentworth wirklich die Hand ausstreckte und das Gold nahm. Kid hörte ihn in seinem Bett herumwühlen und dann merkte er, wie ihm . . . nicht das Gold, sondern eine richtige Kartoffel in die Hand gedrückt wurde.

Kid wartete den nächsten Morgen nicht ab. Er und Kurz fürchteten, daß die zwei am meisten angegriffenen ihrer Patienten jeden Augenblick sterben würden, und sie suchten deshalb deren Hütten auf. Sie zerrieben die Kartoffel im Werte von tausend Dollar mit der Schale und dem Schmutz, der daran klebte, in einer Tasse und träufelten von dieser breiigen Masse jede Stunde ein wenig in die furchtbaren Löcher, die einst Münder gewesen waren. Die ganze Nacht hindurch lösten sie einander ab, so daß sie den Patienten in regelmäßigen Zwischenräumen den Kartoffelsaft einflößen konnten.

Als der nächste Tag zu Ende ging, schien ihnen die Besserung im Zustande der Patienten fast wunderbar. Sie waren schon nicht mehr die Kränksten. Und als die Kartoffel nach achtundvierzig Stunden verbraucht war, waren die beiden Patienten außer Gefahr, wenn auch noch längst nicht geheilt.

»Ich will Ihnen sagen, was ich jetzt tun möchte«, sagte Kid zu Wentworth. »Ich besitze viele Grundstücke hier im Lande, und mein Kredit ist so gut wie nur einer. Ich gebe Ihnen fünfhundert Dollar für jede Kartoffel bis zum Gesamtbetrag von fünfzigtausend Dollar. Also für insgesamt hundert Kartoffeln.«

»War das aller Staub, den Sie hatten?« fragte Wentworth.

»Kurz und ich haben alles zusammengescharrt, was wir bei uns hatten. Aber, offen gesagt, er und ich sind zusammen mehrere Millionen schwer.«

»Ich habe keine Kartoffeln mehr«, sagte Wentworth schließlich. »Es ist wirklich schade. Die Kartoffel, die ich Ihnen gab, war die einzige . . . Ich habe sie den ganzen Winter über aufbewahrt, aus Angst, daß ich Skorbut kriegen würde. Ich habe sie nur abgegeben, um mir eine Fahrkarte kaufen und das Land verlassen zu können.«

Obgleich die beiden Patienten keinen Kartoffelsaft mehr bekamen, hielt die Besserung noch am dritten Tage an. Die Fälle aber, die nicht behandelt worden waren, wurden unterdessen immer schlimmer. Am vierten Morgen wurden vier gräßlich aussehende Leichen begraben. Kurz machte alles geduldig mit, aber dann wandte er sich zu Kid und sagte:

»Du hast jetzt deine Methode versucht. Jetzt bin ich an der Reihe.«

Er ging direkt in die Hütte Wentworth'. Er hat aber später nie – nicht einmal Kid – berichtet, was dort vor sich ging. Er kam jedoch mit zerschlagenen, wunden Knöcheln wieder zum Vorschein, und das Gesicht Wentworth' wies nicht nur alle Anzeichen einer ziemlich unfreundlichen Behandlung auf, er trug auch längere Zeit den Kopf schief und hatte einen steifen Hals. Diese eigentümliche Haltung war zum Teil verständlich, wenn man die vier blauen und schwarzen Flecke auf der einen und einen blauschwarzen Fleck auf der andern Seite seiner Kehle bemerkte. Es waren ganz deutliche Spuren von Fingern.

Hierauf begaben Kid und Kurz sich nach der Hütte Wentworth'. Ihn selbst warfen sie in den Schnee hinaus, während sie alles in seiner Hütte auf den Kopf stellten. Laura Sibley half ihnen mit dem Eifer einer Verrückten beim Suchen.

»Du kriegst nicht so viel, wie auf meiner Hand liegen kann, altes Mädchen, und wenn wir eine ganze Tonne finden«, versicherte Kurz ihr.

Aber sie sollte ebenso enttäuscht werden wie Kid und Kurz. Sie fanden nicht das geringste, obgleich sie sogar den Boden aufbrachen.

»Ich bin dafür, ihn über einem langsamen Feuer zu rösten, bis er nachgibt«, schlug Kurz vor.

Kid schüttelte abweisend den Kopf.

»Er ist doch ein Mörder«, erklärte Kurz. »Er tötet ja all die armen Trottel ebenso, wie wenn er ihnen mit einer Keule den Kopf zerschlüge.«

Und wieder verging ein Tag, an dem sie alle Bewegungen Wentworth' überwachten. Mehrmals näherten sie sich wie zufällig seiner Hütte, wenn er mit seinem Eimer ausging, um Wasser aus dem Bach zu holen, und jedesmal eilte er zurück, ehe er Wasser geschöpft hatte.

»Die Kartoffeln sind offenbar in seiner Hütte versteckt«, sagte Kurz. »So sicher, wie Gott das Mistzeugs geschaffen hat. Aber wo, zum Teufel, hat er sie denn? Wir haben doch wirklich alles auf den Kopf gestellt.« Er stand auf und zog sich die Fäustlinge an. »Ich werde sie finden, und wenn ich die Hütte abreißen sollte.«

Er sah Kid an, der mit einem abwesenden, nach innen gewandten Ausdruck dasaß und gar nicht zugehört hatte.

»Was ist denn mit dir los?« fragte Kurz empört. »Du wirst mir doch nicht erzählen wollen, daß du Skorbut gekriegt hast?«

»Ich versuche mich an etwas zu erinnern.«

»An was denn?«

»Das weiß ich eben nicht. Das ist ja das Verfluchte. Es war etwas sehr Gutes, wenn ich mich nur entsinnen könnte.«

»Nun hör aber mal, Kid! Du vertrottelst doch wohl hier nicht allmählich?« sagte Kurz eindringlich. »Denk auch ein bißchen an mich! Laß deinen Gehirnapparat etwas schneller arbeiten. Komm und hilf mir die Hütte abreißen. Ich würde sie anzünden, wenn wir nicht riskierten, die Kartoffeln dabei mitzubraten.«

»Ich hab's«, rief Kid und sprang auf. »Das war es eben, an das ich mich zu erinnern suchte. Wo steht die Petroleumkanne? Ich bin dabei, Kurz. Die Kartoffeln kriegen wir schon.«

»Was ist es denn?«

»Warte nur ab, mein Junge, dann wirst du schon sehen«, neckte ihn Kid.

Kurz darauf schlichen die beiden Männer – im blaßgrünen Schein des Nordlichts – nach der Hütte von Amos Wentworth. Lautlos und vorsichtig gossen sie Petroleum über die Balken und besonders sorgfältig über Tür und Fensterrahmen. Dann strichen sie ein Zündholz an, blieben stehen und sahen zu, wie das brennende Öl sich ausbreitete.

Sie sahen, wie Wentworth aus der Hütte stürzte, mit wildem Schrecken die Feuersbrunst anstarrte und dann wieder hineinstürmte. Kaum eine Minute war vergangen, als er wiederkam . . . diesmal aber ganz langsam und tief gebückt unter der Last, die er auf seinem Rücken trug. Es war ganz unverkennbar ein schwerer Sack. Kid und Kurz sprangen wie ein paar hungrige Wölfe auf ihn los. Sie trafen ihn gleichzeitig von links und rechts. Er brach zusammen unter dem Gewicht des Sacks, den Kid kräftig drückte, um den Inhalt mit Sicherheit festzustellen. Da merkte Kid, wie Wentworth' Arme seine Knie umfaßten, während der Mann ihm ein leichenfahles Gesicht zuwandte.

»Geben Sie mir ein Dutzend, nur ein Dutzend . . . ein halbes Dutzend nur, dann überlasse ich Ihnen den Rest«, heulte er. Er bleckte die Zähne und wollte, halb verrückt vor Wut, Kid in die Beine beißen. Aber dann änderte er seinen Entschluß und begann zu betteln: »Nur ein halbes Dutzend«, wimmerte er. »Ich wollte sie Ihnen ja sowieso morgen geben. Ja, ja, morgen früh . . . sie sind das Leben . . . sie sind das Leben! Nur ein halbes Dutzend!«

»Wo ist der andere Sack?« bluffte ihn Kid.

»Den habe ich aufgegessen«, lautete die zweifellos aufrichtige Antwort. »Nur dieser Sack ist übriggeblieben. Geben Sie mir doch ein paar . . . Sie können den ganzen Rest behalten.«

»Du hast sie aufgegessen?« brüllte Kurz. »Einen ganzen Sack voll! Und die armen Schlucker da drüben sterben, weil sie keine haben! Da hast

du . . . und hier . . . und hier . . . und da . . . Du verfluchtes Dreck-
schwein . . . du Lausebengel!«
Der erste Hieb riß Wentworth von Kids Beinen fort, die er noch immer
umklammert hielt. Der nächste schlug ihn in den Schnee. Aber Kurz
hieb immer wieder auf ihn los.
»Nimm deine Zehen in acht«, war das einzige, was Kid sagte.
»Ich brauche ja auch nur die Absätze«, antwortete Kurz. »Hol' mich
der Teufel . . . ich schlage ihm den Kopf in den Bauch hinein, daß er
zwischen den eigenen Rippen herausguckt und glaubt, er sitze hinter
schwedischen Gardinen. Ich schlage ihn zu Spinat . . . Da . . . und
da . . . Nur schade, daß ich Mokassins und keine Stiefel anhabe. Du
stinkiges Mistschwein!«
Diese Nacht wurde im Lager wenig geschlafen. Stunde um Stunde
machten Kid und Kurz die Runde und gossen den lebenserneuernden
Kartoffelsaft in die kranken Schlünde der Bevölkerung. Jedesmal wurde
nur ein viertel Löffel voll gegeben. Und den ganzen folgenden Tag setzten sie diese Arbeit fort, doch wechselten sie jetzt miteinander ab, um
auch selbst etwas Schlaf zu bekommen.
Todesfälle gab es nicht mehr. Selbst die am schwersten Angegriffenen
begannen sich zu erholen, und zwar kam die Besserung so plötzlich,
daß man staunen mußte. Am dritten Tage waren Männer, die viele
Wochen lang nicht das Bett verlassen hatten, imstande, aufzustehen
und herumzugehen, wenn auch nur auf Krücken. Und an diesem Tag
war die Sonne, die schon seit zwei Monaten auf dem Anmarsch war,
so liebenswürdig, zum ersten Male einen freundlichen Blick über den
Rand der Schlucht zu werfen.
»Nicht so viel Kartoffeln, wie auf meiner bloßen Hand«, sagte Kurz zu
dem wimmernden und flehenden Wentworth. »Sie haben ja gar keinen
Skorbut. Sie haben einen ganzen Sack voll aufgefressen und sind also
gegen Skorbut für die ersten zwanzig Jahre gefeit. Jetzt, nachdem ich
Sie kennengelernt habe, verstehe ich erst den lieben Gott. Ich konnte
nie begreifen, warum er den Teufel am Leben ließ. Jetzt weiß ich aber,
warum. Er ließ ihn am Leben, genau wie ich Sie am Leben lasse. Aber
es ist eigentlich ein Mordsskandal.«
»Nur einen freundschaftlichen Rat«, flüsterte Kid Wentworth zu. »Die
Leute werden jetzt schnell gesund sein. Und Kurz und ich können nur
noch eine Woche hierbleiben – dann gibt es keinen mehr, der Sie be-
schützen kann, wenn die Leute sich für Sie interessieren sollten. Dort
geht der Weg! Nach Dawson sind es nur achtzehn Tage . . .«
»Ja, machen Sie sich lieber dünne«, stimmte Kurz ihm bei, »sonst be-
fürchte ich, daß das, was ich Ihnen so freundlich gegeben habe, nur ein
bescheidener Vorgeschmack von dem sein wird, was Ihnen die anderen
Herren hier zuteilen werden.«

»Meine Herren, ich bitte Sie, schenken Sie mir doch Gehör«, heulte Wentworth. »Ich bin ja ganz fremd in diesem schrecklichen Land. Ich weiß nicht einmal den Weg! Ich kenne die Sitten hier nicht! Lassen Sie mich mit Ihnen gehen! Ich gebe Ihnen tausend Dollar, wenn Sie mich mit Ihnen reisen lassen.«

»Glaub' ich ja gern«, grinste Kid boshaft. »Aber meinetwegen, wenn Kurz nichts dagegen hat.«

»Wer? Ich?« Kurz erstarrte wie in einer ungeheuren Anspannung. »Ich? Ich bin ein Herr Garnichts. Ich bin nur ein Wurm, eine Made, ein bescheidener Bruder der kleinsten Kröte, das jüngste Kind von einem Brummer . . . ich fürchte freilich weder, was kreucht, noch, was fleucht . . . und bin auch sonst nicht sehr schüchtern. Aber mit einer solchen Mißgeburt reisen . . . geh weg, Mann . . . daß ich nicht kotze!«

Und Amos Wentworth mußte allein abreisen. Und allein mußte er seinen Schlitten ziehen, der mit genügend Proviant für die Fahrt nach Dawson beladen war. Eine Meile von dem Lager entfernt wurde er von Kurz eingeholt.

»Du . . . komm mal her«, lautete Kurz' Gruß . . . »Komm mal her . . . ein bißchen fix! Her mit der Pinke!«

»Ich verstehe nicht, was Sie meinen«, erklärte Wentworth zitternd, denn er hatte die beiden Portionen Prügel noch nicht vergessen, die Kurz ihm gegeben hatte.

»Ich meine die tausend Dollar, verstanden, mein Herr? . . . Die tausend Dollar, die Kid Ihnen als Bezahlung für die lausige kleine Kartoffel gegeben hat. Das war Wucher . . . heraus damit!«

Wentworth warf ihm den Sack mit dem Goldstaub zu.

»Hoffentlich wirst du von einem Stinktier gebissen, du Schwein . . . und kriegst echte Tollwut!« so lautete Kurz' letzter Abschiedsgruß an Amos Wentworth.

Die Geschichte eines kleinen Mannes

»Wenn du nur nicht so verdammt eigensinnig wärst«, murrte Kurz.
»Mir flößt der verdammte Gletscher da eine Hundeangst ein. Kein vernünftiger Mensch würde ganz allein mit so einem Biest anbinden.«
Kid lachte heiter und ließ den Blick über die blinkende Oberfläche des kleinen Gletschers schweifen, der den Eingang zu dem engen Tal versperrte. »Jetzt haben wir schon August, und in den zwei letzten Monaten sind die Tage immer kürzer geworden«, sagte er, um Kurz die Situation klarzumachen. »Du verstehst dich auf Quarz, und ich habe keine Ahnung davon. Aber ich kann den Proviant hierherschaffen, während du die Mutterader suchst. Also auf Wiedersehen solange. Morgen abend bin ich wieder da.«
Er drehte sich um und schickte sich zum Gehen an.
»Aber ich habe das Gefühl, daß etwas geschehen wird«, rief Kurz ihm nach.
Kid antwortete nur mit einem übermütigen Lachen und setzte seinen Weg durch das kleine Tal fort. Ab und zu wischte er sich den Schweiß von der Stirn. Im Gehen zertraten seine Stiefel die reifen Berghimbeeren und die zarten Farnkräuter neben den kleinen eisbedeckten Pfützen, die die Sonnenstrahlen noch nicht erreicht hatten.
Zeitig im Frühjahr waren Kurz und er den Stewart hinaufgezogen und hatten sich in das seltsame Chaos begeben, das diese Gegend kennzeichnete, wo auch der Überraschungssee lag. Und sie hatten den ganzen Frühling und den halben Sommer mit vergeblichen Wanderungen vergeudet. Bis sie endlich – als sie schon drauf und dran waren umzukehren – zum erstenmal die tückische Wasserfläche erblickten, die in ihrer Tiefe so viel Gold barg und die eine ganze Generation von Goldsuchern verlockt und ins Unglück geführt hatte.
Sie ließen sich in der Hütte, die Kid bei seinem ersten Besuch gefunden hatte, häuslich nieder und entdeckten bald dreierlei.
Erstens, daß große Goldklumpen den Boden des Sees bedeckten, zweitens, daß man an den seichteren Stellen nach dem Golde tauchen konnte, daß aber die niedrige Temperatur des Wassers jeden Menschen töten mußte, und drittens, daß das Trockenlegen des Sees eine viel zu große Arbeit war, als daß zwei Männer sie im Laufe der kürzeren Hälfte

eines an sich kurzen Sommers hätten ausführen können. Sie ließen sich dadurch aber nicht von ihrem Plan abschrecken. Und aus der Größe der Goldkörner zogen sie den Schluß, daß es nicht von weither kommen konnte. Sie begannen deshalb die Mutterader zu suchen. Sie überquerten den großen Gletscher, der düster und drohend am südlichen Rande des Sees lag, und widmeten ihre Kräfte zunächst einer genauen Untersuchung des verworrenen Labyrinths von kleinen Tälern und Canjons, die in einer sehr wenig gebirgsmäßigen Weise nach dem See führten oder einst geführt hatten.

Das Tal, in das Kid jetzt hinabstieg, erweiterte sich allmählich nach Art jedes normalen Tales. Aber sein unteres Ende wurde ganz unerwartet von hohen und schroffen Wänden eingeengt, um plötzlich von einer Querwand ganz versperrt zu werden. Am Fuße dieser Wand verschwand das Bächlein in einem Tohuwabohu von Felsen und fand offenbar seinen Ablauf irgendwo unter der Oberfläche. Als Kid die Felswand erklommen hatte, sah er vom Gipfel aus den See tief unter sich liegen. Im Gegensatz zu andern Bergseen, die er gesehen hatte, war dieser nicht blau, sondern von intensiver pfauengrüner Farbe, und er schloß daraus, daß er sehr seicht sein mußte; diese Seichtheit ermöglichte es eben, ihn trockenzulegen. Zu allen Seiten war der See von einem Gewirr von Bergen umgeben, deren eisglitzernde Zinnen und Gipfel groteske Gestalten und Gruppen bildeten. Es war alles chaotisch und planlos anzusehen . . . fast wie der böse Traum eines Doré. So phantastisch und unwirklich erschien ihm das ganze Bild, daß es auf Kid eher den Eindruck machte, ein landschaftlicher Witz des Schöpfers als ein vernünftiger Teil der Erdoberfläche zu sein. In den Canjons sah er viele Gletscher . . . die meisten waren freilich ziemlich klein, aber während er noch dastand, kalbte vor seinen Augen ein größerer am nördlichen Ufer des Sees unter Getöse und Schaumspritzern. Am gegenüberliegenden Ufer des Sees – scheinbar nur eine halbe Meile, in Wirklichkeit aber, wie er wußte, mehr als fünf Meilen entfernt – konnte er den kleinen Fichtenhain und die Hütte sehen. Er spähte noch einmal, um seiner Sache sicher zu sein, hinüber und sah ganz deutlich Rauch aus dem Schornstein aufsteigen. Er überlegte sich, daß irgend jemand offenbar ganz unerwartet den See gefunden haben mußte. Dann wandte er sich ab, um die südliche Wand zu erklettern.

Von deren Gipfel gelangte er in ein kleines Tal, das von bunten Blumen und dem schläfrigen Summen der Bienen erfüllt war. Dieses Tälchen benahm sich ganz wie andere Täler, jedenfalls insofern, als es in traditioneller Weise nach dem See führte. Aber doch stimmte seine Länge nicht, denn es war kaum hundert Schritt lang. Es begann an einer Felswand, die mindestens tausend Fuß hoch war und von der ein Bach sich wie ein Nebelschleier ins Tal stürzte.

Und wieder sah er hier Rauch. Diesmal stieg er jedoch irgendwo hinter einem vorspringenden Felsblock träge durch den warmen Sonnenschein. Als Kid um den Felsen bog, hörte er das metallische Geräusch von Hammerschlägen und ein heiteres Pfeifen, das den Takt markierte. Dann sah er einen kleinen Mann, der einen Schuh mit der Sohle nach oben zwischen den Knien hielt und große Bergsteigernägel hineinschlug.

»Donnerwetter«, lautete der Gruß des Fremden, und sofort schloß Kid den kleinen Mann in sein Herz. »Sie kommen gerade rechtzeitig, um einen Happen mitzuessen. Hier ist Kaffee genug im Topf, ein paar kalte Pfannkuchen und ein bißchen Pemmikan.«

»Ich wäre ein Esel, wenn ich ein so freundliches Angebot ablehnen würde«, erklärte Kid und nahm Platz. »Bei den letzten Mahlzeiten habe ich ein bißchen sparen müssen. Aber sonst haben wir Lebensmittel genug in der Hütte drüben.«

»Auf der andern Seite des Sees? Da wollte ich ja eben hin.«

»Es sieht aus, als sei der Überraschungssee plötzlich volkstümlich geworden«, klagte Kid, während er die Kaffeekanne leerte.

»Der Überraschungssee? . . . Na hören Sie mal, Sie machen doch Spaß, nicht wahr?« sagte der Mann, und auf seinem Gesicht malte sich Erstaunen.

Kid lachte. »Ja, so wirkt der See auf alle. Sehen Sie die Felsterrasse drüben? Von dort habe ich den See zum erstenmal gesehen. Ganz unverhofft. Auf einmal sah ich den ganzen See vor mir liegen. Und ich hatte es damals schon aufgegeben, ihn überhaupt je zu finden.«

»So ging es mir auch«, stimmte der andere ihm bei. »Ich wollte gerade umkehren und hatte gedacht, heute abend den Stewart zu erreichen, als ich plötzlich den See entdeckte. Aber wenn das da der Überraschungssee ist, wo zum Teufel ist dann der Stewart? Und wo bin ich die ganze Zeit gewesen? Und wie sind Sie hierhergekommen? Und wie heißen Sie eigentlich?«

»Bellew . . . Kid Bellew.«

»Oh, dann kenne ich Sie ja.« Die Augen und das ganze Gesicht des kleinen Mannes leuchteten vor heller Freude, und er reichte Kid eifrig die Hand. »Ich habe schon allerlei von Ihnen gehört.«

»Sie lesen vermutlich die Polizeinachrichten?« fragte Kid bescheiden.

»Nee, doch nicht«, lachte der Mann und schüttelte den Kopf. »Nur die Tagesgeschichte von Klondike. Ich hätte Sie ja gleich erkannt, wenn Sie glattrasiert gewesen wären. Ich war mit dabei und habe Sie gesehen, als Sie das ganze Spielergesindel mit der Roulette im ›Elch‹ zum besten hielten. Ich heiße Carson – Andy Carson. Und ich kann gar nicht sagen, wie ich mich freue, daß ich Sie getroffen habe.«

Er war ein schlanker Mann, hatte aber Muskeln wie Stahl, lebhafte blaue Augen und eine anziehende, kameradschaftliche Art.

»Und das hier ist also wirklich der Überraschungssee?« murmelte er ungläubig.

»Ganz gewiß.«

»Und sein Boden ist mit Gold gepflastert?«

»Vollkommen richtig. Hier sehen Sie ein paar von den Pflastersteinen.« Kid steckte die Hand in die Hosentasche und zog ein halbes Dutzend Goldklumpen heraus. »So sehen die Dinger aus. Sie brauchen also nur zu tauchen – einfach ins Blinde – und können eine ganze Handvoll sammeln. Dann müssen Sie freilich nachher eine halbe Meile laufen, um den Blutumlauf wieder in Ordnung zu bringen.«

»Hol' mich der Teufel, da sind Sie mir also zuvorgekommen«, fluchte Carson launig, aber er war ganz offensichtlich sehr enttäuscht. »Und ich bildete mir schon ein, daß ich die ganze Goldmühle für mich allein haben sollte. Na, ich habe ja jedenfalls das Vergnügen gehabt, den Weg hierher zu finden.«

»Das Vergnügen?« rief Kid. »Wenn es uns gelingt, alles Gold, das dort in der Tiefe liegt, in die Finger zu kriegen, wird Rockefeller ein Waisenknabe gegen uns sein.«

»Es gehört ja alles Ihnen«, wandte Carson ein.

»Quatsch, lieber Freund. Sie müssen sich mal klarmachen, daß noch nie, solange es Goldminen gibt, ein solches Goldlager gefunden ist wie dieses. Wir brauchen Sie und mich und meinen Partner und alle Freunde, die wir finden können, um das Gold in die Finger zu kriegen. Bonanza und Eldorado zusammen sind nicht so viel wert wie ein halber Morgen da unten, selbst wenn man sie beide in einen Topf schmeißt. Die Frage ist nur, wie man den See trockenlegt. Das wird Millionen kosten. Und ich habe eine Befürchtung. Es ist nämlich so viel Gold darin, daß es, wenn wir es nicht zurückhalten, einfach im Wert fallen wird.«

»Und Sie sagen, daß ich . . .« Carson verstummte, sprachlos und verblüfft.

»Und wir sind froh, daß Sie mitmachen. Wir werden ein oder zwei Jahre und alles Geld, das wir haben, brauchen, um den See trockenzulegen. Aber es ist zu machen! Ich habe den Boden genau untersucht. Aber wir werden jeden Mann im Lande brauchen, der für guten Lohn arbeiten will. Wir brauchen ein ganzes Heer, und jetzt im Anfang vor allem anständige Menschen, die mitmachen wollen. Wollen Sie mit dabeisein?«

»Ob ich will? Sehe ich nicht so aus? Ich fühle mich schon dermaßen als Millionär, daß ich Angst habe, den großen Gletscher dort zu überschreiten. Jetzt kann ich es mir nicht mehr leisten, das Genick zu brechen. Ich möchte gern noch einige von den großen Nägeln da haben. Ich schlug mir gerade die letzten ein, als Sie kamen. Wie sind Ihre denn? Lassen Sie mal sehen?«

Kid hob den einen Fuß.

»Glattgescheuert wie 'ne Schlittschuhbahn!« rief Carson. »Die müssen Sie gründlich gebraucht haben. Warten Sie einen Augenblick, dann ziehe ich einige von meinen heraus und gebe sie Ihnen.«

Aber Kid wollte nichts davon wissen. »Außerdem«, fügte er hinzu, »habe ich ungefähr zwölf Meter Seil da, wenn wir ans Eis kommen. Mein Partner und ich haben es gebraucht, als wir hinübergingen. Es ist ganz einfach.«

Es war ein mühseliges und warmes Klettern. Die Sonne blendete sie auf der flimmernden Eisfläche, der Schweiß strömte aus allen Poren, und sie stöhnten vor Anstrengung. Es waren Stellen da, die von unzähligen Rissen und Spalten durchquert wurden, wo sie nach einer gefährlichen und mühseligen Arbeit von einer Stunde kaum mehr als hundert Meter weitergekommen waren. Als sie um zwei Uhr nachmittags eine kleine Wasserpfütze, die sich im Eis gesammelt hatte, erreichten, machte Kid halt.

»Wollen wir nicht ein bißchen Pemmikan futtern?« sagte er. »Ich bin etwas knapp mit Proviant, und ich merke, daß mir die Knie zittern. Außerdem haben wir schon das Schlimmste hinter uns. Wir haben nur noch dreihundert Meter bis zu den Felsen drüben, und es ist kein schlimmer Weg, mit Ausnahme von einigen unangenehmen Spalten und einer besonders bösen, die uns zu dem Vorsprung führt ... es kommt freilich eine etwas schwächliche Eisbrücke, aber Kurz und ich sind damals doch hinübergegangen.«

Während die beiden Männer aßen, lernten sie einander besser kennen, und Andy Carson machte keine Mördergrube aus seinem Herzen, sondern erzählte seine ganze Lebensgeschichte.

»Ich wußte ja, daß ich den Überraschungssee finden würde«, sagte er zwischen zwei Bissen. »Und ich mußte es auch. Denn ich kam zu spät bei den Franzosenbänken, beim großen Skookum und bei Monte Christo ... und da hieß es eben Überraschungssee oder sich aufhängen. Und da bin ich also jetzt. Meine Frau wußte auch, daß ich es schaffen würde. Ich habe schon Vertrauen genug, aber es ist gar nichts gegen das ihrige. Sie ist überhaupt prima, primissima ... Edelware ... geht keiner Arbeit aus dem Wege, reines Gold vom Scheitel bis zur Sohle, ein Prachtstück, kennt weder das Wort ›niemals‹ noch ›kann nicht‹ oder so was. Eine Kampfnatur durch und durch. Die einzige Frau für mich, waschecht und alles, was dazu gehört. Sehen Sie nur mal ...«

Er öffnete seine Uhr, und auf der Innenseite des Deckels sah Kid eine kleine, dort eingeklebte Fotografie. Sie zeigte eine blondhaarige Frau, und zu jeder Seite das lachende Gesicht eines Kindes.

»Jungens?« fragte er.

»Junge und Mädel«, antwortete Carson stolz. »Er ist anderthalb Jahre älter.« Er seufzte. »Sie hätten ja älter sein können, aber wir mußten eben so lange warten. Sehen Sie, meine Frau war krank. Die Lunge . . . aber sie hat den Kampf mit der Krankheit aufgenommen. Was zum Kuckuck verstanden wir davon? Ich war im Büro – bei der Eisenbahn, Chikago –, als wir heirateten. Ihre Verwandten waren alle tuberkulös. Damals hatten die Ärzte ja nicht viel Schimmer. Sie sagten, daß es erblich wäre! Die ganze Familie hatte Tuberkulose. Einer bekam es vom andern, nur dachten sie nie daran. Bildeten sich alle ein, damit geboren zu sein. Schicksal! Sie und ich lebten die ersten Jahre mit den andern zusammen. Ich hatte keine Angst. In meiner Familie gab es keine Tuberkulose. Aber ich kriegte sie. Das gab mir zu denken. Es war also ansteckend. Ich kriegte sie, weil ich die Ausdünstung der andern einatmete. – Wir besprachen die Sache. Sie und ich. Dann schickte ich den alten Hausarzt zum Teufel und fragte einen modernen Spezialisten um Rat. Der erzählte mir, was ich mir selbst ausgeknobelt hatte. Und sagte auch, daß Arizona die richtige Gegend für uns wäre. Da brachen wir unsere Zelte ab und reisten hin. Keine Moneten. Nicht einen Cent. Ich fand eine Stellung als Schafhirt und ließ die Frau in der Stadt, einer richtigen Lungenstadt, so voll von Lungenkranken, daß man kaum spucken konnte.

Na, ich lebte und schlief ja im Freien und begann mich bald zu erholen. Ich war immer monatelang draußen. Und jedesmal, wenn ich zurückkam, ging es ihr schlechter. Sie konnte einfach nicht gesund werden. Aber wir hatten was gelernt. Ich nahm sie weg aus der verfluchten Stadt. Sie ging einfach mit mir Schafe hüten. Vier Jahre, Sommer und Winter, in Hitze und Kälte, im Regen, Schnee und Frost und allem Dreckwetter schliefen wir im Freien. Nie unter Dach. Und wir wechselten immer wieder unsern Lagerplatz. Sie hätten nur den Unterschied sehen sollen . . . braun wie Kaffeebohnen, mager wie Indianer, zäh wie frischgegerbtes Leder. Als wir uns einbildeten, geheilt zu sein, gingen wir nach San Franzisko zurück. Aber wir waren zu voreilig gewesen. Schon im zweiten Monat hatten wir leichte Blutstürze. Sofort flüchteten wir wieder nach Arizona und zu unseren Schafherden. Blieben noch zwei Jahre dort. Dann waren wir in Ordnung. Vollkommen geheilt. Ihre ganze Familie ist ausgestorben. Wollten nicht hören, was wir ihnen sagten. Wir hielten uns aber von allen Städten fern. Zogen die Küste des Pazifiks hinunter. Das südliche Oregon gefiel uns besonders gut. Wir ließen uns im Rogue-River-Tal nieder. Äpfel! Hat eine große

Zukunft. Ich bekam meinen Grund und Boden – natürlich in Pacht – für vierzig Dollar den Morgen. In zehn Jahren wird er fünfhundert wert sein.

Aber wir haben ja auch anständig geschuftet. Kostet auch viel Geld, so was. Und anfangs hatten wir keinen Cent, verstehn Sie, und mußten das Haus bauen, die Scheune, Pferde, Pflüge und alles andere anschaffen. Sie hielt zwei Jahre lang Schule. Dann kam der Junge! Sie sollten nur die Bäume sehen, die wir gepflanzt haben . . . hundert Morgen voll! Fast alle tragen jetzt. Aber damals machte es ja nur Kosten . . . und dazu waren auch immer noch die Hypothekenzinsen zu bezahlen. Deshalb bin ich ja hier. Sie macht die Sachen dort unten, und ich sitze hier . . . ein erstklassiger, verfluchter Millionär . . . wenn man nach den Aussichten gehen darf.«

Er warf einen glücklichen Blick über das Eis, das im Sonnenschein flimmerte, nach dem grünen See in der Ferne. Dann sah er auch die Fotografie an und murmelte:

»Sie ist ein Prachtstück von einer kleinen Frau, das ist sie. Donnerwetter, wie sie geschuftet hat! Sie wollte einfach nicht sterben, obgleich sie nur noch Haut und Knochen war, die um ein kleines Häufchen brennenden Feuers gewickelt waren, als wir mit den Schafen losgingen. Oh, sie ist immer noch dünn, sie wird auch nie dick werden. Aber es ist die süßeste Dünnheit, die ich je gesehen habe, und wenn ich zurückkomme und die Bäume tragen und die Kleinen gehen in die Schule, dann werden wir beide, meine Frau und ich, nach Paris fahren. Ich habe freilich nicht viel Vertrauen zu der verdammten Stadt, aber sie hat sich ihr ganzes Leben danach gesehnt.«

»Nun, und hier liegt ja das Gold, das Sie nach Paris bringen wird«, versicherte ihm Kid. »Wir brauchen nur die Hand danach auszustrekken.«

Carson nickte mit leuchtenden Augen. »Ich sage ja, unsere Farm ist der hübscheste Obstgarten Gottes an der ganzen Pazifikküste. Und ein herrliches Klima dazu! Unsere Lungen werden nicht mehr zum Teufel gehen. Leute, die Tuberkulose gehabt haben, müssen sonst vorsichtig sein, wissen Sie! Wenn Sie sich mal irgendwo ansässig machen wollen, dann werfen Sie zuerst einen Blick in unser Tal, ehe Sie sich entscheiden. Das müssen Sie tun! Unbedingt! Und fischen kann man dort. Donnerwetter! Haben Sie je einen Lachs von fünfunddreißig Pfund mit einer Angelrute von sechs Unzen gefangen?«

»Ich bin um vierzig Pfund leichter als Sie«, sagte Carson. »Lassen Sie mich vorangehen.«

Sie standen am Rande der großen Spalte. Sie war wirklich ungeheuer groß und alt, mindestens hundert Fuß breit und hatte schräge, vom Alter verwitterte Hänge statt scharfer Ränder. An der Stelle, wo Kid und Carson standen, wurde sie von einem riesigen Haufen festgeballten Schnees überbrückt, der halb zu Eis geworden war. Sie konnten nicht einmal sehen, wo dieser Schneehaufen aufhörte oder wie tief er in den Spalt hinabreichte, und noch weniger, wie tief dieser Spalt selbst war. Die Brücke begann indessen schon zu schmelzen und zu zerbröckeln und drohte jeden Augenblick zusammenzubrechen. Man konnte sehen, daß Teile davon erst kürzlich abgebröckelt waren. Und selbst in dem Augenblick, als die beiden diese Brücke untersuchten, brach ein Stück im Gewicht von einer halben Tonne ab und stürzte in die Tiefe.

»Sieht scheußlich unsicher aus«, gab Carson zu, während er bedenklich den Kopf schüttelte. »Und sie sieht viel schlimmer aus als damals, als ich noch kein Millionär war.«

»Aber wir müssen losgehen«, sagte Kid. »Wir sind schon zu weit, um umkehren zu können. Und die ganze Nacht hier oben auf dem Eis lagern können wir auch nicht. Es gibt keinen andern Weg. Kurz und ich haben eine ganze Meile zu beiden Seiten geforscht. Aber die Brücke war damals, als wir sie überschritten, freilich in besserem Zustande.«

»Sie kann nur einen tragen. Lassen Sie mich zuerst hinübergehen.« Carson nahm Kid den Schlag des Seiles aus der Hand. »Sie müssen loslassen. Ich nehme das Seil und die Hacke. Geben Sie mir die Hand, so daß ich leichter hinuntersteigen kann.«

Langsam und vorsichtig kletterte er einige Fuß bis zur Brücke hinunter, auf der er dann einen Augenblick stehenblieb, um die letzten Vorbereitungen für den gefährlichen Übergang zu treffen. Auf dem Rücken trug er seine Ausrüstung. Das Seil legte er sich um den Hals, so daß es auf seinen Schultern ruhte. Das eine Ende war indessen um seinen Körper festgebunden.

»Ich würde einen ansehnlichen Teil meiner künftigen Million für eine Bande tüchtiger Brückenarbeiter geben«, sagte er, aber sein heiteres, launiges Lächeln strafte seine Worte Lügen. Dann fügte er hinzu: »Alles in Ordnung! Ich bin die reine Katze.«

Die Hacke und die lange Stange, die er als Alpenstock benutzte, hielt er des Gleichgewichts wegen waagerecht vor sich wie ein Seiltänzer. Er setzte erst den einen Fuß prüfend vor, zog ihn wieder zurück und nahm sich mit sichtlicher Anstrengung zusammen. »Ich möchte lieber eine arme Laus sein«, sagte er lächelnd; »wenn ich diesmal kein Millionär werde, versuche ich es nie wieder. Es ist doch zu unbequem.«

»Wird schon gehen«, ermunterte ihn Kid. »Ich bin ja schon einmal hinübergekommen. Lassen Sie mich lieber zuerst versuchen.«

»Ausgerechnet Sie mit Ihren vierzig Pfund Mehrgewicht«, gab der kleine Mann eifrig zurück. »In einer Minute bin ich bereit. Ich bin es schon.«

Diesmal hatte er seine Nerven sofort in der Gewalt. »Gut, hier geht es um den Rogue River und die Äpfel«, sagte er, als er den Fuß vorsetzte. Diesmal aber ließ er ihn leicht und vorsichtig stehen, während er den andern langsam und sachte hob und an ihm vorbeischob. Mit großer Umsicht und Sorgfalt setzte er dann den Weg über die zerbrechliche Brücke fort, bis er zwei Drittel des Weges zurückgelegt hatte. Dann machte er halt, um eine Vertiefung zu untersuchen, die er überschreiten mußte. Er bemerkte aber darin einen ganz frischen Riß und blieb zögernd stehen. Kid, der ihn die ganze Zeit beobachtete, sah, daß er erst zur Seite und dann in die Tiefe hinunterblickte und darauf leise hin und her zu schwanken begann.

»Nicht nach unten blicken«, befahl Kid barsch. »Weitergehen . . . sofort!«

Der kleine Mann gehorchte und schwankte nicht mehr unterwegs. Der von der Sonne zernagte Abhang auf der anderen Seite der Kluft war schlüpfrig, aber nicht steil, und es gelang ihm, ein schmales Felsstück zu erreichen, das aus der Wand vorsprang. Dort wandte er sich mit dem Gesicht gegen Kid und setzte sich.

»Jetzt ist die Reihe an Ihnen!« rief er ihm zu. »Aber bleiben Sie nicht stehen und sehen Sie auch nicht nach unten. Und jetzt los! Der ganze Mist hier taugt schon nichts mehr.«

Kid begann mit waagerecht gehaltenem Stock den Übergang. Es war klar, daß die Brücke schon in ihren letzten Zügen lag. Er vernahm ein Knistern unter seinen Füßen. Die ganze Schneemasse schien sich zu bewegen. Das Knistern wurde immer stärker. Dann hörte er einen einzelnen scharfen Knack. Er erkannte, daß irgend etwas Schlimmes hinter ihm geschah. Hätte er es sonst nicht gespürt, so würde schon der gespannte und erregte Ausdruck in Carsons Gesicht es ihm enthüllt haben. Aus der Tiefe hörte er das leise und schwache Plätschern eines rieselnden Baches, und ganz unwillkürlich und unfreiwillig warf er einen schnellen Blick in den schimmernden Abgrund. Dann nahm er sich zusammen und starrte wieder geradeaus. Als er die zwei Drittel zurückgelegt hatte, war er bei der Vertiefung angelangt. Die scharfen Ränder des Risses, die von der Sonne noch kaum berührt waren, zeigten deutlich, wie frisch er war. Kid hob bereits den einen Fuß, um den Riß zu überqueren, als dieser langsam breiter zu werden begann, während Kid gleichzeitig eine Reihe von scharfen, schnappenden Geräuschen vernahm. Er wollte sich beeilen, weiterzukommen, und machte deshalb den Schritt länger als beabsichtigt. Aber dadurch glitt sein Schuh, dessen Nägel abgeschliffen waren, auf der anderen Seite des Risses aus. Er fiel auf sein Gesicht und rutschte sofort in den Spalt der

Brücke hinab. Seine Beine schwebten frei in der Luft, aber es war ihm gelungen, im Fallen den Stock quer über die Lücke zu legen, und er konnte jetzt seine Brust dagegenstemmen . . . Zuerst wurde ihm ganz übel, weil sein Herz mit unheimlicher Schnelligkeit klopfte. Sein erster Gedanke war indessen nur Staunen, daß er nicht tiefer gefallen war. Hinter sich vernahm er Krachen und Knistern und ein Schütteln, das seinen Stock zittern ließ. Und tief, tief unter sich, aus dem Herzen des Gletschers, drang das leise und hohle Dröhnen der Schneemassen zu ihm herauf, die sich losgerissen hatten und auf den Boden des Abgrundes schlugen. Dennoch hielt die Brücke immer noch, obgleich sie an der anderen Seite fast völlig vom Felsen losgerissen war und in der Mitte den großen Riß hatte, während der Teil, den er bereits zurückgelegt hatte, in einem Winkel von zwanzig Grad abwärts hing. Er konnte sehen, daß Carson, der auf seinem Vorsprung saß, die Füße fest gegen die allmählich schmelzende Oberfläche stemmte, schnell das Seil von der Schulter nahm und es abzuwickeln begann.

»Warten Sie!« rief er. »Rühren Sie sich nicht, sonst stürzt die ganze Geschichte mit Ihnen hinunter.«

Mit einem schnellen Blick berechnete Carson den Abstand, löste das Tuch, das er um den Hals trug, und knüpfte es an das Seil, das er durch ein zweites Tuch, das er in seiner Tasche hatte, noch weiter verlängerte. Das Seil selbst war aus Schlittentauen und kurzen, zusammengeflochtenen Ledersträngen geknüpft und sowohl leicht als auch stark. Carson warf es sehr gewandt und hatte gleich Erfolg, so daß es Kid gelang, es zu ergreifen. Er hatte offenbar die Absicht, mit dem Seil in der Hand aus dem Spalt zu kriechen. Aber Carson, der inzwischen das andere Ende des Seils um seinen Körper gebunden hatte, hinderte ihn daran.

»Binden Sie es sich auch um«, befahl er.

»Wenn ich dann hinunterstürze, ziehe ich Sie mit«, wandte Kid ein. Der kleine Mann erlaubte keinen Widerspruch.

»Halten Sie den Mund«, kommandierte er. »Der Klang Ihrer Stimme genügt vollkommen, um das Ding da zum Einsturz zu bringen.«

»Wenn ich aber wirklich zu gleiten beginne . . .«, begann Kid.

»Halten Sie jetzt gefälligst die Schnauze . . . Sie werden überhaupt nicht zu fallen beginnen, verstanden? Nun tun Sie, wie ich gesagt habe . . . so . . . so ist's richtig . . . unter die Achsel. Binden Sie es gehörig fest . . . Jetzt . . . Los! Aber vorsichtig! Ich werde das Seil schon einholen! Kommen Sie jetzt . . . So, richtig! Vorsicht . . . Vorsicht . . .«

Kid war vielleicht zehn Schritt weit gekommen, als die Brücke völlig zusammenzubrechen begann. Lautlos und stoßweise zerbröckelte sie und stellte sich dabei immer schräger.

»Schnell«, rief Carson und holte mit beiden Händen das Seil ein, das sich durch Kids Bewegung gelockert hatte.

Als es dann krachte, krampften sich Kids Finger in die harte Wand, während sein Körper von der zerbröckelnden Brücke nach unten gezogen wurde. Carson saß, die Beine gespreizt und gegen den Boden gestemmt, da und holte das Seil aus allen Kräften ein. Durch diese Bemühungen wurde Kid wohl an die Wand heran-, gleichzeitig aber Carson aus der Höhlung, in der er saß, herausgezerrt. Er schnellte wie eine Katze herum, krallte sich mit wilder Energie am Eise fest, glitt aber doch hinab. Unter ihm – mit vierzig Fuß Seil zwischen ihnen – kämpfte Kid ebenso verzweifelt, um sich festzuhalten. Aber ehe das Dröhnen aus der Tiefe ihnen meldete, daß die Brücke den Boden des Abgrunds erreicht hatte, waren beide hängengeblieben. Carson fand zuerst eine Stelle, und das bißchen Gewicht, das er jetzt in seinen Zug am Seil noch legen konnte, genügte, um seinen eigenen Sturz aufzuhalten.

Beide blieben in kleinen Vertiefungen stecken, aber die von Kid waren so schmal, daß er ohne Hilfe von oben doch tiefer gestürzt wäre, obgleich er sich aus allen Kräften an die Wand drückte und festkrallte. Er hing über einem Vorsprung an der Felswand und konnte deshalb nicht hinabsehen. Einige Minuten vergingen, während deren beide sich bemühten, sich Klarheit über ihre Lage zu verschaffen. Auch machten sie verblüffende Fortschritte in der Kunst, sich an dem nassen und glitschigen Eise festzukrallen. Der kleine Mann war der erste, der zu sprechen begann. »Kreuzdonnerwetter«, sagte er. Und fügte dann eine Minute später hinzu: »Wenn Sie sich einen Augenblick festhalten und das Seil ein bißchen lockern, werde ich mich umdrehen können. Versuchen Sie es mal.«

Kid machte einen Versuch, stützte sich aber dann wieder auf das Seil. »Es geht«, meinte er. »Sagen Sie mir, wann Sie bereit sind. Aber schnell.«

»Ungefähr drei Fuß unter mir ist eine Stelle, wo meine Hacken Halt finden können«, sagte Carson.

»Ich brauche nur einen Augenblick dazu. Sind Sie bereit?«

»Nur los.«

Es war eine schwere Arbeit, die paar Meter hinabzukriechen und sich dann umzudrehen und hinzusetzen. Aber es war noch schwerer für Kid, sich eng an die Eiswand zu pressen und in einer Lage zu verharren, die von Minute zu Minute immer höhere Anforderungen an seine Muskeln stellte. Er merkte schon, wie er ganz leise, fast unmerklich, hinabzurutschen begann, als das Seil sich endlich wieder straffte. Da sah er auch schon das Gesicht Carsons über sich. Kid bemerkte, daß die sonnengebräunte Haut Carsons ganz fahl war, weil ihm das Blut aus dem Gesicht gewichen war, und er dachte, wie er selbst wohl aussehen mochte. Als er dann aber sah, wie Carson mit zitternden Fingern nach seinem Messer tastete, sagte er sich, daß er Schluß machen müßte. Der Mann war offenbar außer sich vor Angst und wollte das Seil durchschneiden.

»Kü ... kü ... kümmern Sie si ... si ... sich nur nicht um mi ... mi ... mich ...«, stotterte der kleine Mann. »Mir i ... i ... ist ga ... gar nicht ba ... bange. Es sind nu ... nur meine Ne ... nerven ... hol ... hol ... sie der T ... teufel ... In einer Mi ... mi ... nu ... nute geht es wie ... wie ... wieder.«

Und Kid beobachtete ihn, wie er dalag: ganz zusammengekauert, die Schultern zwischen den Knien, zitternd und linkisch. Mit der einen Hand straffte er das Seil ein bißchen, mit der andern, die das Messer hielt, schlug und hieb er Löcher für seine Absätze in das Eis.

Kid wurde es ganz warm ums Herz. »Hören Sie mal, Carson. Sie können mich nie da hinaufziehen, und es hat keinen Zweck, daß wir beide zum Teufel gehen. Machen Sie Schluß und schneiden Sie das Seil durch ...«

»Halten Sie doch die Schnauze«, lautete die empörte Antwort. »Wem gehört der Laden hier?«

Und Kid merkte, daß der Zorn ein gutes Heilmittel für die Nerven des andern war. Für seine eigenen Nerven war es eine schlimme Belastung, eng an das Eis gedrückt dazuliegen, ohne etwas anderes tun zu können, als sich festzukrallen. Ein Stöhnen und ein schneller Ruf: »Halten Sie sich fest!« warnten ihn. Das Gesicht gegen die Eiswand gedrückt, machte er eine äußerste Anspannung, um sich festzuhalten, merkte, daß das Seil sich lockerte, und erkannte, daß Carson im Begriff war, zu ihm herunterzugleiten. Er wagte erst aufzublicken, als er merkte, daß das Seil sich wieder straffte, und wußte, daß der andere einen neuen Halt gefunden hatte.

»Pfui Deibel ... Das war aber auf der Kippe«, stotterte Carson. »Ich bin mehr als einen Meter weit gerutscht. Nun müssen Sie ein bißchen warten. Ich muß mir einen neuen Halt hauen. Wenn dies verfluchte Eis nicht so verdammt brüchig wäre, würden wir besser dran sein.«

Und während der kleine Mann mit der einen Hand das Seil so straff hielt, wie es für Kid dringend notwendig war, zerhieb und zerriß er das Eis mit dem Messer, das er in der andern hielt. So vergingen zehn Minuten.

»Jetzt werde ich Ihnen sagen, was wir zu tun haben«, rief Carson zu Kid hinunter. »Ich habe Löcher für Ihre Hände und Füße neben mir gehauen. Jetzt werde ich das Seil ganz langsam und vorsichtig einholen, und dann kommen Sie herauf. Aber halten Sie sich gut fest, und machen Sie nicht zu schnell! Ich will Ihnen vorher noch was sagen. Ich halte Sie am Seil fest, und Sie werfen unterdessen das ganze Gepäck weg. Verstanden?«

Kid nickte und löste mit unendlicher Vorsicht seinen Rucksackriemen. Dann schüttelte er kräftig die Schultern, so daß der Rucksack abfiel. Carson sah, wie das Gepäck über den Vorsprung kollerte und in der Tiefe verschwand.

»Jetzt werfe ich meinen weg«, rief er hinab. »Inzwischen müssen Sie sich nur ruhig verhalten.«

Fünf Minuten darauf begann für Kid der Kampf, um nach oben zu gelangen. Erst wischte er sich die Hände an der Innenseite seiner Ärmel ab, dann begann er vorsichtig hinaufzuklettern ... kroch auf dem Bauche, klammerte, krallte und krampfte sich an die Wand ... unterstützt und festgehalten von dem Zug Carsons am Seil. Allein wäre er nicht einen Zoll vorwärts gekommen. Trotz seiner stärkeren Muskeln konnte er nicht wie Carson klettern, weil sein Mehrgewicht von vierzig Pfund ihn behinderte. Als er ein Drittel des Weges hinter sich hatte und die Wand steiler und das Eis weniger brüchig wurde, fühlte er, daß der Zug am Seil nachließ. Immer langsamer ging es vorwärts. Hier war es aber ausgeschlossen, stehenzubleiben und zu warten. Und selbst mit der größten Anstrengung war es ihm nicht möglich, weiterzukommen. Er merkte auch schon, wie er wieder hinabzugleiten begann.

»Ich rutsche«, rief er nach oben.

»Ich auch«, lautete die Antwort, die Carson mit Mühe durch die Zähne hervorstieß.

»Dann lassen Sie das Seil fahren.«

Kid merkte, daß das Seil sich eine Sekunde in einer vergeblichen Anspannung straffte ... dann rutschte er schneller nach unten, und während er zu seinem früheren Standpunkt, ja über den Vorsprung hinabglitt, sah er gerade noch, wie Carson dort auf den Rücken gefallen war und wie ein Wahnsinniger mit Armen und Beinen zappelte, um nicht weiter hinabgezogen zu werden. Zu Kids Staunen stürzte er selbst, als er den Vorsprung passiert hatte, nicht jäh in die Tiefe. Das Seil hielt ihn etwas zurück, als er einen noch schrofferen Abhang hinunterrutschte, der jedoch gleich wieder sanfter wurde, und schließlich blieb er in einer neuen Vertiefung am Rande eines neuen Vorsprungs liegen. Carson konnte er jetzt gar nicht mehr sehen, denn der lag ihm verborgen an der Stelle, die Kid vorher eingenommen hatte.

»Pfui Deibel«, hörte er Carson mit klappernden Zähnen stottern.

Einen Augenblick herrschte Stille. Dann merkte Kid, daß das Seil angezogen wurde.

»Was machen Sie denn?« rief er hinauf.

»Ich haue neue Löcher für Hände und Füße«, lautete die zitternde Antwort. »Sie müssen eben so lange warten. Ich werde Sie im Handumdrehen heraufziehen. Kehren Sie sich nicht daran, wie ich spreche! Ich bin eben ein bißchen aufgeregt! Sonst bin ich aber ganz auf der Höhe. Warten Sie nur, dann werden Sie sehen!«

»Sie halten mich ja nur durch Ihre Kraft«, wandte Kid ein. »Früher oder später, wenn das Eis schmilzt, rutschen Sie mir nach. Das einzige, was Sie zu tun haben, ist, das Seil durchzuschneiden. Tun Sie, wie ich Ihnen sage! Es hat doch keinen Zweck, daß wir beide zum Teufel gehen. Sie sind der größte kleine Mann in der ganzen Welt, und Sie haben Ihr Bestes getan. Schneiden Sie mich jetzt los.«

»Nun halten Sie doch endlich einmal Ihre werte Schnauze. Ich haue jetzt hier Löcher, und diesmal so tief, daß ich ein ganzes Pferdegespann heraufziehen könnte.«

»Sie haben mich schon lange genug festgehalten«, erklärte Kid eindringlich. »Lassen Sie mich fahren.«

»Wie oft habe ich Sie gehalten?« fragte der kleine Mann wütend.

»Mehrmals . . . und jedesmal war einmal zuviel . . . Sie rutschen ja selbst immer weiter herunter.«

»Und dabei lerne ich immer mehr, wie die Sache zu deichseln ist. Ich werde Sie festhalten, bis wir aus diesem Schlamassel heraus sind. Verstehen Sie? Als Gott mich zu einem Leichtgewichtler machte, wußte er schon, denke ich mir, was er tat. Also . . . Maul halten und still sein! Ich habe hier zu tun . . .«

Wieder vergingen einige Minuten in Schweigen. Kid konnte den metallischen Klang des Messers hören, mit dem der Kleine auf das Eis losschlug, und hin und wieder glitten kleine Eisstückchen über den Vorsprung zu ihm herab. Da er durstig war, fing er, sich mit Händen und Füßen festkrallend, einige dieser Stückchen mit den Lippen und ließ sie im Munde zergehen, um sich auf diese Weise zu erfrischen.

Er hörte Carson schwer atmen, vernahm ein klagendes Stöhnen der Verzweiflung und merkte, daß das Seil wieder nachließ, so daß er sich aus allen Kräften festhalten mußte. Das Seil straffte sich jedoch gleich wieder. Mit großer Anstrengung gelang es ihm, einen Blick den Steilhang hinaufzuwerfen. Er spähte einige Sekunden vergeblich empor . . . dann sah er, wie das Messer mit der Spitze nach unten über den Rand des Vorsprungs zu ihm herunterglitt. Er preßte seine Wange dagegen, zuckte zusammen, als er fühlte, wie die Schneide seine Haut zerschnitt, drückte wieder stärker und merkte dann, daß das Messer liegenblieb.

»Ich bin doch ein Esel«, klang es bedauernd von oben.

»Nur ruhig, ich habe es«, antwortete Kid.

»Schön . . . aber warten Sie ein bißchen. Ich habe eine Menge Bindfaden in der Tasche. Ich lasse ihn zu Ihnen hinab, und dann schicken Sie mir das Messer wieder herauf.«

Kid antwortete nicht. Ihm schoß plötzlich ein Einfall durch den Kopf.

»Hallo, Sie da . . . jetzt kommt der Bindfaden! Sagen Sie mir, ob Sie ihn bekommen haben.«

Ein kleines Taschenmesser, das am Ende des Bindfadens festgebunden war, glitt über das Eis herab. Kid fing es auf. Durch eine rasche Bewegung mit den Zähnen und der einen Hand gelang es ihm, die große Klinge zu öffnen; er überzeugte sich, daß sie scharf war. Dann band er das Messer an den Bindfaden.

»Hinaufziehen!« rief er.

Mit gespannten Blicken beobachtete er, wie das Messer nach oben gezogen wurde. Aber er sah noch mehr . . . er sah einen kleinen Mann, der voll tödlicher Angst und dennoch unerschrocken, zitternd und mit klappernden Zähnen, krank vor Schwindel, Übelkeit und Furcht heldenmütig überwand. Seit Kid Kurz getroffen, hatte er noch keinem so schnell aufrichtige und warme Freundschaft entgegengebracht wie diesem Manne.

»Glänzend«, erklang die Stimme von oben über dem Vorsprung zu ihm hinab. »Jetzt werden wir im Handumdrehen aus diesem Eisloch heraus sein.«

Die erschütternde Anstrengung, Mut und Hoffnung aufrechtzuerhalten, die aus Carsons Stimme herausklang, war für Kid entscheidend.

»Hören Sie, Carson«, sagte er ruhig, während er sich vergeblich bemühte, das Bild Joy Gastells aus seinem Gehirn zu bannen. »Ich habe Ihnen das Messer hinaufgeschickt, damit Sie sich aus dieser Lage befreien. Ich werde jetzt mit dem Taschenmesser das Seil durchschneiden. Es genügt, wenn einer von uns beiden zum Teufel geht. Verstanden?«

»Beide oder keiner«, kam die barsche, aber zitternde Antwort zurück.

»Wenn Sie noch eine Minute ausharren . . .«

»Ich habe schon zu lange ausgeharrt. Ich bin nicht verheiratet. Ich habe keine anbetungswürdig dünne Frau, keine Kinder und keine Apfelbäume, die auf mich warten. Jetzt müssen Sie sehen, daß Sie wenigstens aus dem Dreck herauskommen . . . und das bald . . .«

»Warten Sie doch . . . um Gottes willen, warten Sie . . .«, schrie Carson zu ihm herab. »Das dürfen Sie nicht! Geben Sie mir doch eine Möglichkeit, Sie zu retten. Nur ruhig, alter Freund! Wir werden es schon kriegen! Sie werden sehen! Ich haue jetzt Löcher, die groß genug sind, um ein ganzes Haus mit Scheune heraufzuholen.«

Kid antwortete nicht. Ruhig und sicher, wie gebannt von dem, was er im Geiste sah, sägte er weiter mit dem Messer, bis der eine von den drei Strängen, die das Seil bildeten, durchschnitten war.

»Was tun Sie«, rief Carson verzweifelt. »Wenn Sie es durchschneiden, verzeihe ich es Ihnen nie . . . Niemals . . . Ich sage Ihnen ja: entweder kommen wir beide aus dem Dreck hinaus oder keiner von uns . . . Wir werden die Sache schon deichseln . . . Nur warten! Um Gottes willen . . .«

Und Kid, der den durchschnittenen Strang, der kaum fünf Zoll vor seinen Augen baumelte, anstarrte, empfand eine so jämmerliche Furcht wie noch nie in seinem Leben. Er wollte nicht sterben . . . er prallte zurück, als er in den schimmernden Abgrund unter sich blickte, und die sinnlose Angst ließ sein Gehirn die törichtesten Vorwände hervorsuchen, um die Sache in die Länge zu ziehen . . .

»Gut«, rief er hinauf. »Ich werde noch warten. Tun Sie, was Sie können. Aber ich sage Ihnen, Carson, sobald wir wieder zu gleiten beginnen, schneide ich das Seil durch.«

»Pst . . . Nicht daran denken . . . Wenn wir uns wieder bewegen, geht es nach oben! Ich klebe wie eine Klette . . . ich würde hier hängenbleiben, und wenn es doppelt so steil wäre . . . Ich habe schon ein reines Riesenloch für den einen Absatz fertig . . . und jetzt werden Sie still sein und mich arbeiten lassen.«

Nur langsam vergingen die Minuten. Kid konzentrierte all seine Gedanken auf einen dumpfen Schmerz, den ihm ein Niednagel an dem einen Finger verursachte. Er hatte ihn am selben Morgen abschneiden wollen – er schmerzte schon damals, überlegte er. Und er faßte den Entschluß, ihn abzuschneiden, wenn er nur erst aus dieser verdammten Klemme herausgekommen war. Als er aber den Finger und den Niednagel in solcher Nähe betrachtete, kam ihm ein ganz neuer Gedanke. Gleich – bestenfalls in wenigen Minuten – waren dieser Niednagel, dieser Finger, der mit so kunstfertigen und geschmeidigen Gelenken versehen war, vielleicht Teile einer zerschmetterten Leiche in der Tiefe der Schlucht. Als er sich seiner Angst bewußt wurde, fühlte er Haß gegen sich selbst. Liebhaber von Bärenfleisch mußten aus anderem Holz geschnitzt sein! In der Wut über seine eigene Furcht begann er wieder mit dem Messer auf das Seil loszusägen . . . Da hörte er wieder Carson stöhnen und seufzen. Eine plötzliche Lockerung des Seils warnte ihn. Er begann zu gleiten. Die Bewegung war zuerst sehr langsam. Das Seil wurde treu und brav wieder angezogen – aber er glitt dennoch immer weiter. Carson konnte ihn nicht mehr halten, sondern wurde mit hinabgezogen! Er fühlte sich mit der Fußspitze vor und merkte den leeren Raum unter sich; jetzt, wußte er, mußte er senkrecht nach unten stürzen. Und er war sich gleichzeitig darüber klar, daß sein Körper im Fall sofort Carson mitreißen würde.

Dann wurde ihm auf einmal klar, was Recht und Unrecht war. In blinder Verzweiflung setzte er wieder das Messer an das Seil, sah, wie die zerschnittenen Stränge auseinanderplatzten. Fühlte dann, wie er immer schneller glitt und schließlich in die Tiefe stürzte . . .

Was dann geschah, wußte er nicht. Er war nicht bewußtlos, aber alles geschah so schnell und kam so unerwartet. Statt im Todessturz zu zerschmettern, schlugen seine Füße fast augenblicklich gegen Wasser, und er setzte sich mitten in eine Pfütze, die ihn mit kalten Spritzern durchnäßte.

»Oh, warum haben Sie das getan?« hörte er eine klagende Stimme von oben rufen.

»Hören Sie«, rief er hinauf. »Ich bin vollkommen heil. Sitze hier bis zum Hals im Wasser. Und unsere beiden Rucksäcke sind auch da. Ich setze mich darauf. Es ist Platz für ein halbes Dutzend hier. Wenn Sie heruntergleiten, halten Sie sich nur dicht an die Wand, und Sie werden heil landen wie ich. Aber sonst machen Sie, daß Sie schnell hinaufklettern und wegkommen. Gehen Sie nach der Hütte. Es muß jemand drinnen sein. Ich habe den Rauch ja gesehen. Verlangen Sie dort ein Seil oder etwas, das ein Seil vorstellen kann . . . dann kommen Sie wieder und holen mich hinauf.«

»Ist es wirklich wahr?« rief Carson zweifelnd.

»So wahr ich hier sitze und hoffe, daß ich einst sterben werde. Machen Sie jetzt, daß Sie wegkommen . . . sonst erkälte ich mich und hole mir den Tod.«

Kid hielt sich warm, indem er mit seinen Füßen einen Kanal durch die Eisdecke hämmerte. Er hatte eben das letzte Wasser durch die Rinne abgeleitet, als ein Ruf ihm anzeigte, daß Carson den oberen Rand der Kluft erreicht hatte.

Darauf verwendete Kid die Zeit in aller Ruhe dazu, seine Kleider zu trocknen. Die späte Nachmittagssonne schien warm auf ihn herab, während er seine Kleider wrang und sie rings um sich ausbreitete. Seine Streichholzschachtel war wasserdicht, und es gelang ihm, genügend Tabak und Reispapier zu trocknen, um sich Zigaretten drehen zu können.

Als er zwei Stunden später auf den beiden Rucksäcken saß und rauchte, hörte er von oben eine Stimme, in der er sich nicht irren konnte.

»Aber Kid, Kid!«

»Tag, Fräulein Gastell!« rief er zurück. »Wo in aller Welt kommen Sie denn her?«

»Haben Sie sich verletzt?«

»Keine Spur!«

»Papa wirft Ihnen jetzt das Seil hinunter . . . Können Sie es sehen?«

»Jawohl . . . und ich hab' es auch schon gefangen«, antwortete er. »Sie müssen nur so freundlich sein, ein paar Minuten zu warten!«

»Was ist denn los?« fragte sie ängstlich nach einigen Minuten. »Oh, ich weiß, Sie haben sich doch verletzt.«

»Nein, durchaus nicht . . . ich muß mich nur anziehen . . .«

»Anziehen?«

»Ja . . . ich hab' ein bißchen gebadet . . . So, sind Sie bereit? Also, ziehen Sie!«

Er ließ zuerst die beiden Rucksäcke hinaufziehen und mußte dafür eine kleine Rüge von Fräulein Gastell einstecken . . . dann erst folgte er selber.

Joy Gastell sah ihn mit leuchtenden Augen an, während ihr Vater und Carson sich bemühten, das Seil aufzuwickeln. »Es war prachtvoll, daß Sie das Seil durchschnitten«, erklärte sie. »Es war . . . es war einfach herrlich . . .«

Kid lehnte die Bewunderung mit einer Handbewegung ab.

»Ich habe schon die ganze Geschichte gehört . . .«, erklärte sie. »Carson erzählte sie mir. Sie haben sich geopfert, um ihn zu retten.«

»Keine Rede davon«, log Kid. »Ich hatte ja schon längst das kleine Schwimmbecken unter mir gesehen.«

Eier

An einem klaren Wintermorgen gab Lucille Arral in dem großen Laden
der A. C. Company Kid über den Ladentisch hinweg einen geheimnisvollen Wink. Der Verkäufer war auf einer Forschungsreise in das
Innere der Lagerräume verschwunden, und trotz dem dickbäuchigen,
rotglühenden Ofen hatte Lucille sich wieder ihre Handschuhe angezogen.
Kid gehorchte bereitwillig. In Dawson gab es keinen Mann, dem eine
Auszeichnung Lucilles nicht geschmeichelt hätte. Sie war nämlich die
sehr beliebte und fesche Soubrette der kleinen Sängertruppe, die all-
abendlich in der Palast-Oper auftrat.
»Es ist schrecklich langweilig hier«, klagte sie mit einer bezaubernden
Ausgelassenheit, sobald sie Kid die Hand gegeben hatte. »Eine ganze
Woche lang ist gar nichts Interessantes vorgefallen. Und der Masken-
ball, den Stiff Mitchell arrangieren wollte, ist verschoben worden. Es
wird gar kein Goldstaub umgesetzt! Nicht einmal das Opernhaus ist
abends voll. Und es ist länger als zwei Wochen her, daß wir die letzte
Post bekamen. Die ganze Stadt ist in ihre Höhle gekrochen und schläft
den Winterschlaf . . . Wir müssen etwas anstellen . . . es muß Leben
in die Bude kommen, und das können wir beide schon schaffen. Wenn
jemand die Stadt auf den Kopf stellen kann, dann sind wir beide es. Ich
habe übrigens mit Wild Water gebrochen, wissen Sie.«
Kid sah sogleich zwei Bilder vor sich. Das eine stellte Joy Gastell dar.
Das andere zeigte ihn selbst im Schein des kalten nördlichen Mondes
auf einem öden Schneefeld liegend, und es war der obenerwähnte
Herr Wild Water, der ihn mit gutgezielten und schnellen Schüssen
niedergeknallt hatte. Kids Neigung, die Stadt mit Lucille Arrals Hilfe
auf den Kopf zu stellen, war demgemäß so gering, daß sie es bemerken
mußte.
»Ich meine gar nicht das, was ich Ihrer Meinung nach jetzt meinen
sollte . . . danke schön«, sagte sie, schnippisch lachend, aber doch ein
bißchen gekränkt. »Wenn ich mich Ihnen einmal an den Hals werfe,
so müssen Sie Ihre Augen wirklich besser aufmachen . . . sonst wissen
Sie gar nicht, wie ich aussehe.«
»Andere Männer wären einfach am Herzschlag tot umgefallen, wenn

ihnen ein so unerhörtes Glück in den Schoß gefallen wäre«, murmelte er und versuchte vergeblich seine Erleichterung zu verbergen.

»Sie Lügner«, antwortete sie gut gelaunt. »Sie wären wohl eher aus Angst gestorben. Aber ich will Ihnen etwas erzählen, Herr Alaska-Kid: nichts liegt mir ferner, als mit Ihnen zu flirten, und wenn Sie es wagen sollten, mir den Hof zu machen, so wird Herr Wild Water sich Ihrer schon annehmen. Sie kennen ihn ja. Außerdem . . . außerdem habe ich nicht ganz mit ihm gebrochen.«

»Na . . . nur weiter mit Ihren Rätseln«, neckte er sie. »Vielleicht kriege ich doch noch heraus, was Sie eigentlich wollen, wenn Sie mir nur ein bißchen Zeit lassen . . . ich hab' so eine lange Leitung.«

»Da gibt es gar nichts herauszukriegen, Kid. Ich will es Ihnen ganz offen erklären. Wild Water glaubt, ich hätte mit ihm gebrochen . . . verstehen Sie?«

»Ja, aber haben Sie es oder haben Sie es nicht?«

»Ich habe es nicht, daß Sie's wissen! Aber das bleibt unter uns beiden . . . auf Ehre! Ich habe nur ein bißchen Krach mit ihm gemacht, so als ob ich mit ihm brechen wollte . . . und er hat es auch verdient, glauben Sie mir . . . wirklich!«

»Und wo bleibt mein Stichwort?« fragte Kid.

»Wie? Na ja, Sie werden eine Menge Geld verdienen, und wir machen Wild Water ein bißchen lächerlich und stellen dabei ganz Dawson auf den Kopf . . . und, was das Allerbeste ist . . . Wild Water wird eine gesunde kleine Lehre erhalten. Er hat es wirklich nötig . . . aber wirklich, sage ich Ihnen. Er ist . . . na, ich weiß nicht, wie ich es ausdrücken soll . . . er ist eben ein bißchen zu wild, der liebe Junge! Er macht sich so furchtbar wichtig . . . und nur, weil er so 'n großer Lümmel ist und weil er so viel Claims hat, daß er sie nicht mehr zählen kann . . .«

»Und weil er mit dem süßesten kleinen Weibsstück in ganz Alaska verlobt ist«, fügte Kid schnell hinzu.

»Ja, deshalb auch, ich danke schön . . . aber deshalb braucht er doch wirklich keinen Koller zu kriegen! Gestern abend hat er wieder mal solch einen Anfall gehabt . . . hat den ganzen Fußboden bei M. & M. mit Goldstaub überstreut . . . es waren mindestens tausend Dollar. Öffnete einfach seinen Goldsack und streute den Staub vor die Füße der Tanzenden . . . Sie haben es natürlich schon gehört.«

»Ja, natürlich, heute morgen schon . . . ich hätte nichts dagegen gehabt, Reinemachefrau zu sein. Aber ich verstehe noch immer nicht, was ich machen soll.«

»Jetzt hören Sie zu! Er war zu verrückt, und da habe ich unsere Verlobung aufgehoben, und jetzt läuft er herum, macht Theater und spielt den Mann mit dem gebrochenen Herzen . . . und jetzt kommen wir zu dem springenden Punkt. Ich esse leidenschaftlich gern Eier.«

»Aber großer Gott!« schrie Kid verzweifelt. »Was in aller Welt haben die Eier mit mir zu tun?«

»Warten Sie doch ab.«

»Ja, aber sagen Sie mir doch, was Eier und Ihr Appetit mit dieser Sache zu tun haben?« fragte er.

»Sehr viel sogar, wenn Sie nur Geduld hätten.«

»Ach, Geduld, holde Himmelsgabe.«

»Also hören Sie bitte jetzt um Himmels willen zu! Ich liebe Eier über alles. Aber es gibt nur eine begrenzte Menge von Eiern hier in Dawson.«

»Vollkommen richtig. Das weiß ich auch. Die meisten hat Slavovitschs Restaurant. Schinken und ein Ei, drei Dollar! Schinken und zwei Eier – fünf Dollar. Das heißt also zwei Dollar das Ei, im Kleinhandel . . . und es sind nur Protzen und natürlich Menschen wie die schöne kleine Lucille Arral oder wie Wild Water, die sich Eier leisten können.«

»Er liebt Eier auch«, erklärte sie weiter. »Aber darauf kommt es jetzt nicht an. Ich liebe sie! Ich pflege jeden Morgen um elf bei Slavovitsch zu frühstücken. Und ich esse immer zwei Eier.« Sie hielt inne, um Eindruck auf ihn zu machen. »Denken wir uns nun . . . denken wir uns nun, daß jetzt irgend jemand in Eiern spekulieren würde.«

Sie wartete die Wirkung ihrer Worte ab und kassierte vergnügt die bewundernden Blicke ein, die Kid ihr sandte. Er mußte auch in seinem Herzen gestehen, daß Wild Water wirklich einen guten Geschmack gezeigt hatte, als er sie zu seiner Auserwählten machte. »Sie hören ja gar nicht zu«, rief sie.

»Aber ja«, sagte er. »Nur weiter. Ich gebe das Rätselraten auf. Was soll ich denn antworten?«

»Gott, haben Sie eine lange Leitung! Sie kennen doch Wild Water. Wenn er sieht, daß ich Eier haben möchte . . . und ich lese ja in ihm wie in einem offenen Buch . . . und ich weiß auch, wie ich ihm zeigen soll, daß ich Lust auf Eier habe . . . na, was glauben Sie, daß er dann tun wird?«

»Geben Sie lieber selbst die Antwort. Also weiter.«

»Nun . . . er wird sofort zu dem Mann hinstürzen, der das Eiergeschäft gemacht hat. Er wird den ganzen Vorrat aufkaufen, einerlei, was es kostet. Also stellen Sie sich vor: Ich komme gegen elf in das Restaurant von Slavovitsch. Wild Water wird am Nebentisch sitzen. Er wird schon dafür sorgen, daß er da ist, wenn ich komme. ›Zwei Spiegeleier, bitte‹, werde ich dem Kellner sagen. ›Tut mir leid, Fräulein Arral‹, wird der Kellner antworten. ›Tut mir sehr leid, aber wir haben keine Eier mehr.‹ Dann sagt Wild Water mit seiner gewaltigen Brummbärstimme: ›Ober, sechs Eier, weich gekocht.‹ Und der Ober antwortet: ›Jawohl, Herr . . .‹, und er bringt wirklich die Eier. Nächstes Bild: Wild Water wirft mir einen Blick zu, und ich sehe wie ein ganz außergewöhnlich entrüsteter Eiszapfen aus und rufe den Kellner: ›Tut mir wirklich sehr leid, Fräulein Arral‹, sagt er, ›aber die Eier da sind Privateigentum des Herrn Wild Water. Verstehen Sie, gnädiges Fräulein, er ist ihr Besitzer.‹ Neues Bild: Wild Water tut sein Bestes, um den Gleichmütigen zu markieren, während er triumphierend seine sechs Eier verzehrt.

Neues Bild: Herr Slavovitsch bringt mir in höchst eigener Person zwei Spiegeleier und sagt: ›Mit einem ergebenen Gruß von Herrn Wild Water, Fräulein.‹ Was kann ich dann tun? Natürlich nur Wild Water freundlich anlächeln, und dann sprechen wir uns selbstverständlich aus, und er wird es billig finden, selbst wenn er zehn Dollar für das Stück bezahlt hat, und zwar für alle vorhandenen Eier.«

»Nur weiter, immer weiter«, rief Kid. »Was habe ich denn mit der Geschichte zu tun?«

»Gott, sind Sie blöd! Sie machen doch eben die Spekulation in den Eiern. Und Sie müssen gleich anfangen, noch heute. Sie können sämtliche Eier in Dawson für drei Dollar das Stück kaufen und sie an Wild Water mit so viel Gewinn verkaufen, wie Sie wollen. Und nachher lassen wir dann durchsickern, wie alles zugegangen ist. Dann wird man Wild Water tüchtig auslachen! Vielleicht wird er dann vernünftiger werden . . . Und wir beide werden die Ehre davon haben. Außerdem verdienen Sie eine Stange Gold dabei, und Dawson wird durch ein ordentliches Gelächter aus seinem Winterschlaf geweckt. Aber wenn Sie meinen, daß die Sache zu gefährlich ist, dann gebe ich Ihnen natürlich das Geld dazu.«

Das war doch zu starker Tabak für Kid. Da er nur ein sterblicher Mann des Westens mit den gewöhnlichen verschrobenen Vorstellungen von Geld und Frauen war, lehnte er mit tiefer Entrüstung ihr Angebot ab, ihm Goldstaub zur Verfügung zu stellen.

»Holla, Kurz!« brüllte Kid durch die Hauptstraße seinem Partner zu. Dort kam nämlich Kurz mit seinem langsamen, schlotternden Gang. In der einen Hand hielt er eine nicht eingepackte Flasche so, daß alle sie sehen konnten; der Inhalt schien gefroren zu sein.

Kid überschritt den Fahrdamm. »Wo warst du denn den ganzen Tag?« fragte er.

»Beim Doktor«, antwortete Kurz und hielt die Flasche hoch. »Sally ist nicht ganz in Ordnung. Als ich sie heute nacht fütterte, sah ich, daß sie die Haare im Gesicht und an den Flanken zu verlieren beginnt. Der Doktor sagt . . .«

»Laß das jetzt«, unterbrach Kid ihn ungeduldig. »Was ich wollte . . .«

»Was ist denn mit dir los?« fragte Kurz entrüstet und erstaunt. »Bei dem verflixten Wetter wird Sally eines schönen Tages ganz nackt herumspazieren müssen.«

»Laß Sally doch warten. Hör mal zu.«

»Ich sage dir ja, daß sie nicht warten kann. Es ist die reine Tierquälerei. Sie erfriert ja. Warum bist du denn plötzlich so verrückt?«

»Das werde ich dir schon erzählen. Aber du mußt mir einen Gefallen tun, Kurz.«

»Selbstverständlich«, sagte Kurz heiter. Er war sofort versöhnt und dienstbereit. »Was gibt's denn? Schieß nur los! Ich stehe ganz zu deiner Verfügung.«

»Ich möchte, daß du Eier für mich kaufst.«

»Schön . . . und Kölnisch Wasser und Talkumpuder, wenn du willst! Und die arme Sally verliert unterdessen ihre Haare, daß es ein Skandal ist. Weißt du, Kid, wenn du ein so üppiges Leben führen willst, kannst du wirklich selbst deine Eier kaufen . . .«

»Ich kaufe auch, aber du mußt mir behilflich sein. Halt jetzt die Schnauze, Kurz. Jetzt bin ich dran! Du gehst sofort zu Slavovitsch. Zahle bis zu drei Dollar das Stück, aber nimm alle, die er hat . . .«

»Drei Dollar«, stöhnte Kurz. »Und ich habe noch gestern sagen hören, daß er nicht weniger als siebenhundert auf Lager hat. Zweitausendeinhundert Dollar für Eier! Ich will dir einen guten Rat geben, Kid. Lauf du lieber umgehend zum Doktor! Er wird dir schon sagen, was los ist. Und er nimmt höchstens eine Unze für die erste Untersuchung. Auf Wiedersehen nachher! Ich muß die Flasche nach Hause bringen.«

Aber Kid hielt seinen Partner an der Schulter fest.

»Kid, du weißt ja, daß ich alles für dich täte«, protestierte Kurz ernst. »Wenn du einen Schnupfen hättest und gleichzeitig mit gebrochenen Armen zu Bett lägest, würde ich Tag und Nacht neben dir sitzen und dir die Nase putzen. Aber ich will in alle Ewigkeit verflucht sein, wenn ich zweitausendeinhundert Dollar für Eier wegschmeiße.«

»Erstens sind es gar nicht deine Dollars, sondern meine, Kurz. Ich habe etwas vor. Ich will einfach sämtliche gesegneten Eier aufkaufen, die es in Dawson, in Klondike und am ganzen Yukon gibt. Du mußt mir dabei behilflich sein! Ich habe keine Zeit, dir zu erzählen, wie es mit dem Geschäft eigentlich zusammenhängt. Das tue ich hinterher, und du kannst halbpart machen, wenn du Lust hast. Aber jetzt gilt es, die Eier schnellstens zu bekommen. Also mach, daß du zu Slavovitsch kommst, und kauf alle, die er hat.«

»Aber was soll ich ihm denn sagen? Er weiß doch, daß ich sie nicht alle fressen kann.«

»Gar nichts sollst du ihm sagen. Geld spricht für sich. Er verkauft sie gekocht für zwei Dollar. Biete ihm bis zu drei für die ungekochten Eier. Wenn er neugierig werden sollte, kannst du ihm ja erzählen, daß du

eine Hühnerfarm einrichten willst. Was ich haben muß, sind Eier. Also mach schnell! Und vergiß nicht, daß die kleine Frau auf der andern Seite der Sägemühle – die die Mokassins macht – auch welche hat.«
»Gut, wenn du durchaus willst, Kid. Aber Slavovitsch scheint ja derjenige zu sein, an den wir uns hauptsächlich heranmachen müssen.«
»Also beeil dich jetzt! Und heut abend werde ich dir die ganze Geschichte erzählen . . .«
Aber Kurz schwenkte die Flasche. »Erst muß ich Sally kurieren. Solange können die Eier schon noch warten. Wenn sie bis jetzt nicht aufgefressen sind, werden sie es auch nicht, weil ich mich um einen armen kranken Hund kümmere, der mehr als einmal dein und mein Leben gerettet hat.«

Nie ging eine Spekulation schneller vor sich. Ehe drei Tage vergangen waren, hatten Kid und Kurz sämtliche Eier, die es in Dawson gab – ein paar Dutzend ausgenommen –, in der Hand. Kid war beim Einkauf der Großzügigste gewesen. Ohne zu erröten, gestand er, daß er einem alten Mann in Klondike City fünf Dollar das Stück für seine zweiundsiebzig Eier gegeben hatte. Kurz hatte die meisten gekauft und einen richtigen Kuhhandel dabei getrieben. Der Frau mit den Mokassins hatte er nur zwei Dollar das Ei gegeben, und er war ganz stolz, daß er Slavovitsch an die Wand gedrückt und seine siebenhundertundfünfzig Eier zu einem Durchschnittspreis von nur zweieinhalb Dollar bekommen hatte. Dagegen ärgerte er sich aufrichtig, daß das kleine Restaurant auf der andern Seite der Straße einen Preis von eindreiviertel Dollar das Stück für hundertdreißig schäbige Eier verlangt hatte.
Die wenigen Dutzend, die noch übrig waren, befanden sich in den Händen von nur zwei Personen. Die eine, mit der Kurz verhandelte, war eine Indianerin, die in einer Hütte auf dem Hügel hinter dem Krankenhaus wohnte.
»Ich werde sie schon kleinkriegen«, erklärte Kurz am nächsten Morgen. »Du wäschst die Teller ab, Kid. Ich bin im Handumdrehen wieder da, wenn ich mir nicht die Zunge verrenken muß, um sie zu überreden. Laß mich mit Männern Geschäfte machen, wenn es sein soll, aber diese verdammten Frauenzimmer . . . es ist einfach traurig, wie sie einen mit ihrem Quatsch aufhalten.«
Als Kid nachmittags zurückkehrte, fand er Kurz auf dem Boden sitzen, eifrig beschäftigt, Sallys Rute mit Öl einzureiben. Sein Gesicht war so ausdruckslos, daß es direkt verdächtig war.
»Na, wie ist es dir ergangen?« fragte Kurz gleichgültig.
»Nichts zu machen«, sagte Kid. »Hoffentlich hattest du Erfolg bei deiner Indianerin?«

Kurz wies triumphierend mit dem Kopf auf einen Eimer voller Eier, der auf dem Tisch stand. »Sieben Dollar das Stück«, gestand er, nachdem er noch einige Minuten schweigend die Rute des Hundes eingerieben hatte.

»Ich habe schließlich sogar zehn Dollar geboten«, erzählte Kid, »und dann sagte der Kerl mir, daß er die Eier schon verkauft hätte. Die Sache sieht also dreckig aus, Kurz. Es ist offenbar noch jemand auf dem Markt. Diese achtundzwanzig Eier können uns die ganze Suppe versalzen. Du weißt ja, daß der Erfolg lediglich davon abhängt, daß wir auch das letzte Ei haben.«

Er schwieg plötzlich, um seinen Partner anzustarren. Dessen Ausdruck hatte sich unverkennbar verändert . . . er war sichtbar aufgeregt, verbarg es aber hinter einer Maske scheinbarer Beherrschung . . . Dann machte Kurz die Salbenbüchse zu, wischte sich die Hände ruhig und bedächtig an Sallys dichtem Pelz ab, stand auf, ging in die andere Ecke, sah sich das Thermometer an und kam dann wieder zurück. Er sprach mit einer leisen, trockenen und übertrieben höflichen Stimme.

»Würdest du vielleicht die Güte haben zu wiederholen, wieviel Eier es waren, die der Mann dir nicht verkaufen wollte«, fragte er.

»Achtundzwanzig . . .«

»Hm«, sagte Kurz bei sich und nickte gleichgültig zur Bestätigung mit dem Kopfe. Dann starrte er mit steigender Erbitterung auf den Ofen. »Du, Kid, wir müssen uns bald einen neuen Ofen bauen . . . er ist falsch gebaut, der Ofen, unser Brot verbrennt immer.«

»Laß den Ofen«, rief Kid herrisch, »und sage mir, was los ist.«

»Los! Du willst wissen, was los ist? Bitte, dann hab' nur die Güte, deine außergewöhnlich schönen Augen auf den Eimer zu richten, der auf dem Tisch da steht. Hast du ihn gesehen?«

Kid nickte.

»Gut, dann will ich dir etwas sagen: nur eine einzige Sache . . . In dem Eimer sind ganz genau, weder mehr noch weniger, achtundzwanzig Eier! Und sie kosten, jedes verfluchte Ei, genau die enorme Summe von sieben herrlichen, großen, runden Dollar. Wenn du irgendwelche weiteren Auskünfte dringend brauchst, stehe ich dir ausschließlich zur Verfügung.«

»Nur weiter«, sagte Kid.

»Nun meinetwegen . . . der Trottel, mit dem du gehandelt hast, war ein großer plumper Indianer . . . nicht wahr?«

Kid nickte und nickte auch zu allen folgenden Fragen. »Er hat nur eine Backe; die andere ist ihm fast ganz von einem Grisly abgerissen . . . Nicht wahr? Er ist Hundehändler . . . stimmt's? Er heißt ›Narbengesicht‹, richtig? Da ist es also, nicht wahr? Verstehst du?«

»Du meinst also, daß wir beide . . .«

»Gegeneinander geboten haben. Uns überboten, ja. Daran ist nicht zu tippen. Die Indianerin ist seine Frau, und sie wohnen beide hinter dem Krankenhaus. Ich hätte die Eier für zwei Dollar das Stück haben können, wenn du nicht dazwischengekommen wärest.«

»Und ebenso wäre es gewesen«, lachte Kid, »wenn du dich nicht in die Sache gemischt hättest. Aber das ist an sich ganz schnuppe. Wir wissen jetzt, daß wir die Eier haben. Darauf kommt es ja schließlich an.«

Kurz verbrachte die nächste Stunde damit, mit einem Bleistiftstummel etwas auf den Rand einer drei Jahre alten Zeitung zu kritzeln. Und je unbestimmter und geheimnisvoller seine Figuren wurden, desto gemütlicher wurde er selbst.

»Hier steht's . . .«, sagte er, ». . . schwarz auf weiß. Schön, nicht wahr? Donnerwetter ja. Laß dir mal die Gesamtsumme sagen. Du und ich besitzen in diesem seligen Augenblick nicht weniger als neunhundertdreiundsiebzig Eier. Sie kosten uns genau zweitausendsiebenhundertundsechzig Dollar, wenn ich den Goldstaub zum Kurs von sechzehn Dollar die Unze nehme und die Zeit nicht berechne. Und jetzt hör mal! Wenn es uns gelingt, Wild Water die Eier zu einem Stückpreis von zehn Dollar aufzuschwatzen, dann haben wir, rein netto gerechnet, alles in allem, sechstausendneunhundertundsiebzig Dollar verdient. Siehst du, das ist eine Buchführung, die sich gewaschen hat! Das kannst du jedem erzählen. Und ich mache halbpart mit dir. Es ist eine feine Sache, Kid.«

Gegen elf Uhr am selben Abend wurde Kid von Kurz aus tiefem Schlaf geweckt. Seine Pelzparka war mit frischem Reif bedeckt, und Kid fühlte an seinem Kinn, wie eiskalt seine Hände waren.

»Was ist denn jetzt los?« murrte Kid. »Hat Sally die letzten Haare verloren?«

»Unsinn! Aber ich muß dir ein paar gute Neuigkeiten mitteilen. Ich habe mit Slavovitsch gesprochen. Oder richtiger, Slavovitsch hat mit mir gesprochen, denn er war es, der anfing. Er sagte zu mir: ›Sie, Kurz, ich möchte mal wegen dieser Eiergeschichte mit Ihnen sprechen. Ich habe bisher mit keinem davon gesprochen. Niemand weiß, daß ich sie Ihnen verkauft habe. Aber wenn Sie eine Spekulation damit machen wollen, so kann ich Ihnen einen guten Tip geben.‹ Und das hat er auch getan, Kid. Nun, was glaubst du, was es für ein Tip war?«

»Nur weiter. Erzähle!«

»Schön . . . vielleicht klingt es unwahrscheinlich. Aber der Tip war Herr Wild Water Charley! Er will Eier kaufen. Er kam bei Slavovitsch vorbei und bot ihm fünf Dollar das Stück, und ehe er ging, war er schon bei acht Dollar angelangt. Und der gute Slavovitsch hat ja keine Eier mehr. Das letzte, was Wild Water sagte, war, daß er dem Slavovitsch den Kopf abhauen würde, wenn er je hörte, daß Slavovitsch seine Eier irgendwo versteckt hätte. Slavovitsch mußte ihm erzählen, daß er die Eier verkauft hatte, daß aber der Käufer nicht bekannt zu werden wünschte.«

Und Kurz fügte hinzu: »Slavovitsch bat, Wild Water erzählen zu dürfen, wer die Eier bekommen hat. ›Kurz‹, sagte er, ›Wild Water wird sofort zu Ihnen laufen. Sie können ihm die Dinger für acht Dollar das Stück verkaufen.‹ – ›Acht Dollar‹, sagte ich. ›Sie alte Großmama . . . er wird zehn geben müssen, ehe ich mit ihm zu tun haben will.‹ Jedenfalls würde ich mir die Sache überlegen und ihm morgen früh Bescheid geben, sagte ich zu Slavovitsch. Natürlich werden wir ihm erlauben, Wild Water Bescheid zu sagen. Nicht wahr?«

»Selbstverständlich, Kurz. Gleich morgen früh werden wir Slavovitsch Bescheid geben. Laß ihn ruhig Wild Water erzählen, daß alle Eier dir und mir gehören.«

Fünf Minuten später wurde Kid wieder von Kurz geweckt.

»Du . . . Kid . . . Kid, zum Teufel . . .«

»Ja?«

»Nicht einen Cent unter zehn Dollar, nicht?«

»Ganz einverstanden«, antwortete Kid schläfrig.

Am nächsten Morgen traf Kid zufällig wieder Lucille Arral am Ladentisch.

»Jetzt läuft die Sache«, rief er begeistert. »Sie läuft, wie sie soll. Wild Water war schon bei Slavovitsch und hat versucht, Eier von ihm zu kaufen oder aus ihm herauszuquetschen . . . und in diesem heiligen Augenblick wird Slavovitsch ihm schon erzählt haben, daß Kurz und ich in Eiern spekulieren.«

Die Augen der hübschen Lucille Arral blitzten vor Freude.

»Ich gehe jetzt frühstücken«, rief sie. »Und ich werde Eier beim Kellner bestellen, und wenn es keine gibt, werde ich klagen und jammern, daß es ein steinernes Herz erweichen würde. Und Sie wissen ja, daß Wild Waters Herz gar nicht aus Stein ist. Er wird die Eier kaufen, und wenn es ihn seine sämtlichen Minen kosten sollte. Und Sie halten jetzt den Rücken steif! Ich bin nicht zufrieden, wenn Sie weniger als zehn Dollar das Stück bekommen; und wenn Sie wirklich billiger verkaufen, verzeihe ich es Ihnen nie.«

Als es Mittag wurde und beide zu Hause in ihrer Hütte saßen, stellte Kurz einen Topf Bohnen, die Kaffeekanne, eine Pfanne mit frisch gebackenem Brot, eine Dose mit Butter und eine Büchse eingemachte Sahne auf den Tisch. Dann kam noch eine Schüssel mit dampfendem Elchbraten und Räucherspeck und eine Schüssel mit Kompott aus getrockneten Pfirsichen hinzu. Als alles bereitstand, rief Kurz zu Tisch:

»Komm, Kid. Das Essen ist fertig! Aber sieh zuerst mal nach Sally.«

Kid legte das Hundegeschirr, an dem er gerade genäht hatte, beiseite, öffnete die Tür und sah, daß Sally und Bright mit großem Eifer und Gekeif dabei waren, eine Bande von Schlittenhunden, die auf Plünderung ausgegangen war, aus der Nachbarhütte zu verjagen. Er sah aber noch etwas, das ihn veranlaßte, die Tür schnell wieder zuzuwerfen und zum Ofen zu stürzen. Die Bratpfanne, die noch ganz heiß von dem Elchfleisch mit Speck war, stellte er wieder auf das vorderste Herdloch. Dann legte er einen tüchtigen Klumpen Butter darauf, nahm ein Ei, zerschlug es und warf es in die Pfanne, wo es in der heißen Butter zischte. Als er die Hand nach einem zweiten Ei ausstreckte, stellte Kurz sich neben ihn und hielt empört seinen Arm fest.

»Aber großer Gott, was tust du denn?« fragte er.

»Mache Spiegeleier«, erklärte ihm Kid, während er das zweite Ei zerschlug und sich von Kurz' Hand befreite, die ihn zurückhalten wollte. »Kannst du denn nicht mehr sehen?«

»Ist dir vielleicht nicht ganz wohl?« fragte Kurz seinerseits entrüstet, als Kid ein drittes Ei zerschlug und sich durch einen kräftigen Stoß vor die Brust von Kurz' Griff befreite. »Da hast du schon für dreißig Dollar Eier verschwendet.«

»Und ich werde für sechzig Dollar Eier braten«, lautete Kids Antwort, während er das vierte in die Pfanne warf. »Geh weg, Kurz. Wild Water ist unterwegs hierher; in fünf Minuten kann er schon hier sein.«

Kurz stieß einen tiefen Seufzer der Verständnis und Erleichterung aus und setzte sich an den Tisch. Fast im selben Augenblick wurde, wie erwartet, an die Tür geklopft. Kid setzte sich auch schnell an den Tisch, und jeder von ihnen hatte einen Teller mit drei heißen Spiegeleiern vor sich.

»Herein!« rief Kid.

Wild Water Charley – ein gutgewachsener junger Riese, der kaum um einen Zoll weniger als sechs Fuß maß und gut hundertneunzig Pfund wog – trat ein und gab ihnen die Hand.

»Nehmen Sie Platz, Herr Wild Water«, lud Kurz ihn ein. »Kid, mach doch ein paar Spiegeleier für ihn. Ich bin überzeugt, daß er schon als kleiner Junge gern Eier gegessen hat.«

Kid tat noch drei Eier in die Pfanne und setzte einige Minuten später die fertigen Spiegeleier dem Gast vor, der sie mit einem so seltsamen und gespannten Ausdruck anstarrte, daß Kurz später gestand, er hätte Angst gehabt, Wild Water würde die Eier gleich in die Tasche stecken und mitnehmen.

»Sehen Sie, die großen Leute in den Staaten haben es nicht viel besser als wir, was das Essen betrifft«, protzte Kurz. »Hier sitzen Sie und Kid und ich und essen Eier im Wert von neunzig Dollar, ohne mit der Wimper zu zucken.«

Wild Water starrte immer noch die Eier an, die mit verblüffender Schnelligkeit verschwanden. Er sah aus, als wäre er zu Stein geworden.

»Greifen Sie nur zu und essen Sie«, sagte Kid aufmunternd.

»Sie sind . . . sind aber doch keine zehn Dollar wert«, sagte Wild Water langsam.

Kurz nahm die Herausforderung an. »Jede Sache hat den Wert, den man dafür bekommen kann . . . nicht wahr?« sagte er.

»Ja . . . aber . . .«

»Gar kein Aber. Ich sage Ihnen ja nur, was wir dafür bekommen können. Zehn das Stück. Wir sind ein Eiertrust, Kid und ich, vergessen Sie das nicht.« Er stippte mit einer Brotkruste die Butter vom Teller. »Ich glaube, ich könnte noch ein paar essen«, seufzte er. Dann machte er sich an die Bohnen.

»Sie sollten aber nicht auf diese Weise Eier essen«, wandte Wild Water ein. »Das ist . . . das ist einfach unrecht.«

»Wir sind nun mal auf Eier versessen, Kid und ich«, entschuldigte sich Kurz.

Wild Water leerte seinen Teller halb in Gedanken und starrte dann die beiden Partner mit etwas mißtrauischen Blicken an. »Sagt mal, Kameraden, ihr könntet mir einen großen Dienst erweisen«, begann er vorsichtig. »Verkauft mir . . . oder leiht mir etwa ein Dutzend Eier.«

»Gern«, antwortete Kid. »Ich weiß ja selbst, was es heißt, Appetit auf Eier zu haben. Aber wir sind nicht so arm, daß wir unsere Gastfreundschaft zu verkaufen brauchen. Sie kosten nichts.« Als er soweit war, verriet ihm ein energischer Fußtritt unter dem Tisch, daß Kurz ängstlich zu werden begann. »Ein Dutzend, sagten Sie, Wild Water?«

Wild Water nickte.

»Du, Kurz«, fuhr Kid fort. »Brate sie doch für ihn! Ich verstehe ihn gut . . . Ich habe selbst Augenblicke gehabt, da ich ein ganzes Dutzend essen konnte, eines nach dem andern.«

Aber Wild Water legte dem eifrigen Kurz die Hand auf den Arm, um ihn zurückzuhalten, und erklärte: »Ich meine ja nicht gebraten . . . ich möchte sie roh mit der Schale haben.«

»Zum Mitnehmen?«

»Ganz recht.«

»Ja, aber das hat nichts mehr mit Gastfreundschaft zu tun«, wandte Kurz ein. »Das ist ja . . . das ist Geschäft.«

Kid nickte zum Einverständnis. »Das ist ja etwas ganz anderes, Wild Water. Ich dachte, Sie wollten sie essen. Sehen Sie, wir haben sie ja auf Spekulation gekauft.«

Das stets gefährlich drohende Blau in Wild Waters Augen begann noch bedrohlicher auszusehen. »Ich will sie natürlich bezahlen«, sagte er schneidend. »Wieviel?«

»Kein Dutzend natürlich«, antwortete Kid. »Wir können kein Dutzend verkaufen. Wir sind ja keine Kleinhändler. Wir sind eben Spekulanten geworden. Wir können uns doch nicht selbst den Markt verderben! Wir haben eine richtig gute Spekulation gemacht . . .«

»Wie viele habt ihr denn, und was wollt ihr dafür haben?«

»Wie viele haben wir eigentlich, Kurz?« fragte Kid.

Kurz räusperte sich und begannt laut nachzurechnen. »Laß mal sehen. Neunhunderteinundsiebzig weniger neun, das macht also neunhundertzwoundsechzig. Und wenn ich das Stück zu zehn Dollar rechne, macht die ganze Geschichte genau neuntausendsechshundertundzwanzig gute runde Dollar aus. Selbstverständlich sind wir kulante Kaufleute mit Dienst am Kunden und so weiter und geben das Geld für jedes Ei, das nicht gut ist, zurück. Aber das ist das einzige, was ich noch nie hier in Klondike gesehen . . . ein schlechtes Ei. Niemand ist so verrückt, ein faules Ei hierherzubringen.«

»So ist's recht«, fügte Kid hinzu. »Wir geben das Geld für die schlechten Eier zurück, Wild Water. Und da haben Sie unseren Vorschlag: neuntausendsechshundertundzwanzig Dollar, und alle Eier, die es in Klondike gibt, gehören Ihnen.«

»Sie werden sicher den Preis auf zwanzig Dollar treiben und also Ihre Auslagen doppelt wieder einbringen können«, meinte Kurz.

Wild Water schüttelte melancholisch den Kopf und tröstete sich mit den Bohnen. »Das ist zu teuer, Kurz. Ich will ja nur einige wenige haben. Ich gebe euch zehn Dollar das Stück, wenn ihr mir ein paar Dutzend ablaßt.«

»Alle oder gar keine«, lautete Kids Ultimatum.

»Seht mal her, ihr beiden«, sagte Wild Water in einem plötzlichen Anfall von Vertrauensseligkeit. »Ich will ganz aufrichtig zu euch sein, aber ihr dürft es nicht zu weit treiben. Ihr wißt ja, daß ich mit Fräulein Arral verlobt war. Na, und sie hat jetzt mit mir gebrochen. Das wißt ihr natürlich auch . . . alle Leute wissen es ja. Und die Eier möchte ich gern für sie haben.«

»Ach so«, sagte Kurz ironisch. »Dann begreifen wir schon, daß Sie sie ausgerechnet in den Schalen haben wollen. Aber das hätte ich doch nicht von Ihnen gedacht.«

»Was gedacht?«

»Das ist ja ein ganz gemeines Mittel, jawohl«, fuhr Kurz mit wachsender Entrüstung fort. »Und es sollte mich gar nicht wundern, wenn Ihnen jemand dafür eine Kugel durch den Kopf schösse . . . verdienen täten Sie's.«

Wild Water war nahe daran, einen seiner bekannten Wutanfälle zu bekommen. Er ballte die Fäuste, bis die billige Gabel, die er hielt, sich zu krümmen begann, und seine blauen Augen blitzten feurige Warnungen. »Nun sagen Sie mal, Kurz, was meinen Sie denn? Wenn Sie etwas dabei im Sinne haben . . .«

»Ich meine, was ich meine«, gab Kurz eigensinnig zurück. »Und Sie können darauf schwören, daß es keine Hinterlist ist. Wenn Sie etwas tun wollen, so kann es nur offen und ehrlich geschehen. Denn anders können Sie sie ja gar nicht schmeißen.«

»Was schmeißen?«

»Eier, Pflaumen, Fußbälle, was Sie wollen. Aber, Wild Water, machen Sie keine Dummheit! Für so etwas gibt es hier kein Publikum. Nur weil sie Sängerin ist, haben Sie kein Recht, sie mit Eiern zu bombardieren.«

Einen Augenblick schien es, als wollte Wild Water entweder einen Wutanfall oder einen Schlaganfall bekommen. Er trank schnell einen Schluck von dem heißen Kaffee und gewann langsam seine Selbstbeherrschung wieder. »Sie irren sich, Kurz«, sagte er mit kühler Ruhe. »Ich habe nicht die Absicht, sie mit Eiern zu bewerfen. Fällt mir nicht ein, Mensch!« brüllte er dann in plötzlich wachsender Erregung. »Ich will ihr die Eier schenken, auf einem Teller . . . Spiegeleier, zum Teufel . . . so ißt sie sie am liebsten.«

»Na, ich konnte mir ja schon denken, daß ich mich irrte . . .«, erklärte Kurz großzügig, ». . . ich wußte ja, daß Sie solche Gemeinheiten nicht machen würden.«

»Das stimmt auch wirklich, Kurz«, sagte Wild Water versöhnlich. »Aber reden wir wieder geschäftlich. Ihr seht also, warum ich die Eier kaufen möchte.«

»Sie wollen also wirklich neuntausendsechshundertundzwanzig dafür zahlen?« fragte Kurz.

»Das ist der reine Nepp, jawohl«, erklärte Wild Water erbost.

»Geschäft, nur Geschäft«, erwiderte Kurz. »Sie glauben doch wohl nicht, daß wir die Eier nur unserer Gesundheit wegen aufgekauft haben?«

»Nee . . . aber jetzt seid doch mal ein bißchen vernünftig«, sagte Wild Water eindringlich. »Ich möchte nur ein Dutzend haben. Ich gebe gern zwanzig Dollar das Stück. Was in aller Welt soll ich denn mit all den Eiern?«

»Deswegen brauchen Sie sich doch nicht aufzuregen«, beschwichtigte Kurz ihn. »Wenn Sie sie nicht haben wollen, ist die Sache ja erledigt. Wir zwingen Sie doch nicht, die Eier zu kaufen . . .«

»Aber ich will sie ja haben«, klagte Wild Water.

»Na, dann wissen Sie ja, was sie kosten . . . es macht genau neuntausendsechshundertundzwanzig Dollar, und wenn ich falsch gerechnet habe, komme ich für den Fehler auf.«

»Aber vielleicht tun die Eier es gar nicht«, wandte Wild Water ein. »Vielleicht hat Fräulein Arral jetzt gar keinen Appetit mehr auf Eier.«

»Ich muß zugeben, daß Fräulein Arral schon den Preis für die Eier wert ist«, warf Kid ruhig ein.

»Wert?« Wild Water wurde so eifrig, daß er aufstand. »Sie ist eine Million wert. Sie ist alles wert, was ich habe. Sie ist alles Gold wert, das es in Klondike gibt.« Er setzte sich wieder und fuhr dann mit ruhiger Stimme fort: »Aber deshalb brauche ich doch nicht zehntausend Dollar für ein Frühstück für sie wegzuschmeißen. Ich will euch einen Vorschlag machen. Leiht mir ein Dutzend von diesen verdammten Eiern. Ich werde sie Slavovitsch geben. Er wird sie wieder Fräulein Arral mit einem Gruß von mir geben. Es ist schon länger als hundert Jahre her, daß sie mich angelächelt hat. Wenn die Eier mir ein Lächeln von ihr eintragen, dann nehme ich euch den ganzen Laden ab.«

»Wollen wir einen Vertrag in diesem Sinne abschließen?« sagte Kid schnell. Er wußte ja genau, Lucille Arral würde Wild Water anlächeln, wenn sie die Eier bekam.

Wild Water ächzte. »Ihr seid ja verdammt schnell hier oben, wenn es sich um Geschäfte handelt.«

»Wir nehmen ja nur Ihren eigenen Vorschlag an«, antwortete Kid.

»Das ist wahr . . . also bringt das Papier . . . und legt mir Handschellen an«, rief Wild Water.

Kid verfaßte die Urkunde, durch die Wild Water sich verpflichtete, sämtliche Eier, die ihm geliefert wurden, zum Preise von zehn Dollar das Stück abzunehmen, vorausgesetzt, daß die zwei Dutzend, die ihm zur Verfügung gestellt wurden, ihm ein Lächeln von Lucille Arral eintrugen.

Als Wild Water die Feder, mit der er eben unterzeichnen wollte, in der erhobenen Hand hielt, besann er sich.

»Einen Augenblick«, sagte er. »Wenn ich Eier kaufe, nehme ich nur gute Eier ab.«

»Es gibt ja gar keine schlechten Eier in Klondike«, erklärte Kurz entrüstet.

»Ganz einerlei . . . wenn ich ein schlechtes Ei finde, müßt ihr es mir ersetzen . . .«

»Einverstanden«, sagte Kid vermittelnd.

»Und ich verpflichte mich, alle schlechten Eier aufzufuttern«, fügte Kurz hinzu.

Kid schob das Wort »gut« in den Vertrag ein, und Wild Water

unterzeichnete mürrisch. Dann bekam er die zwei Dutzend, die er zur Probe genommen hatte, zog sich die Handschuhe an und öffnete die Tür.

»Guten Abend, ihr beiden Räuber«, knurrte er und knallte wütend die Tür zu . . .

Am nächsten Morgen war Kid ein gespannter Zuschauer des Auftritts, der sich im Restaurant von Slavovitsch abspielte. Er war von Wild Water eingeladen worden, und sie saßen zusammen am Tisch neben dem, an welchem Fräulein Arral zu sitzen pflegte. Alles ging wirklich fast wortgetreu vor sich, wie sie es vorausgesagt hatte.

»Haben Sie wirklich immer noch keine Eier?« fragte sie den Kellner mit rührend-kläglicher Stimme.

»Nein, meine Dame«, lautete die Antwort. »Irgend jemand in Dawson hat sämtliche Eier aufgekauft. Herr Slavovitsch hat selbst versucht, extra für Sie ein paar zu kaufen. Aber der Spekulant will nichts abgeben.«

Eben in diesem Augenblick rief Wild Water den Besitzer zu sich, legte ihm die Hand auf die Schulter und zog seinen Kopf zu sich herab, um ihm etwas ins Ohr flüstern zu können.

»Hören Sie mal, Slavovitsch«, sagte Wild Water leise und heiser. »Ich habe Ihnen doch heute nacht ein paar Dutzend Eier gegeben. Wo haben Sie die?«

»Im Safe . . . mit Ausnahme von den sechs, die ich schon aufgetaut und für Sie bereitgestellt habe . . .«

»Ich will sie ja gar nicht selber haben«, flüsterte Wild Water noch leiser und heiserer. »Machen Sie Spiegeleier daraus und lassen Sie sie Fräulein Arral reichen.«

»Ich werde sie persönlich servieren«, versicherte ihm Herr Slavovitsch.

»Und vergessen Sie nicht . . . mit einem Gruß von mir«, fügte Wild Water hinzu und ließ die Schulter des Wirtes wieder los.

Die hübsche Lucille Arral starrte gerade verzweifelt ihr aus einem kleinen Häppchen Speck und Kartoffelmus bestehendes Frühstück an, als Herr Slavovitsch die zwei Spiegeleier auf ihren Tisch stellte.

»Mit einem ergebenen Gruß von Herrn Wild Water«, hörten die beiden am Nachbartisch ihn sagen.

Kid mußte einräumen, daß sie blendend Komödie zu spielen verstand . . . dieser schnelle, freudige Blick in ihren Augen, die impulsive Drehung des Köpfchens, der halb unfreiwillige Vorläufer eines Lächelns, das durch eine bewundernswerte Selbstbeherrschung zurückgehalten wurde, mit der sie sich auch wieder dem Wirt zuwandte,

um einige freundliche Worte zu sagen. Kid merkte, daß Wild Waters
Fuß im Mokassin ihm unter dem Tisch ein Zeichen gab.

»Wird sie sie auch essen . . . darauf kommt es ja an . . . ob sie sie jetzt
auch wirklich essen will?« flüsterte er, ganz außer sich vor Spannung.
Und als sie heimlich Lucille beobachteten, sahen sie, wie sie einen
Augenblick zögerte, nahe daran war, die Schlüssel fortzuschieben,
dann aber doch der Versuchung unterlag.

»Ich nehme die Eier also«, sagte Wild Water zu Kid . . . »Der Vertrag
tritt jetzt in Kraft. Haben Sie sie beobachtet? Haben Sie alles gesehen?
Sie war nahe daran zu lächeln! Ich kenne sie . . . Es ist alles in Ordnung.
Morgen wieder zwei Eier, dann wird sie mir verzeihen, und wir werden
uns wieder aussöhnen. Wenn sie nicht dabei wäre, würde ich Ihnen die
Hand schütteln, Kid . . . ich bin Ihnen wirklich dankbar. Sie sind gar
kein Räuber, wie ich gestern sagte . . . Sie sind ein . . . ein Menschen-
freund.«

Kid kehrte triumphierend in die Hütte auf dem Hügel zurück und fand
dort Kurz, der einsam in schwarzer Verzweiflung dasaß und Karten
legte. Wenn sein Partner allein Karten legte, dann – das wußte Kid –
bedeutete es, daß der Himmel über ihm eingestürzt war.

»Geh . . . sprich lieber nicht zu mir«, lautete die erste Abfuhr, die Kid
bekam.

Kurz taute indessen bald auf und begann frisch von der Leber weg zu
erzählen.

»Jetzt ist's vorbei mit dem großen Schweden«, stöhnte er. »Unsere
Spekulation ist zum Teufel gegangen. Morgen werden sie in allen
Kneipen Sherry mit einem Ei für einen Dollar das Glas verkaufen. Es
gibt kein hungriges Waisenkind in ganz Klondike, das sich nicht mit
Eiern vollfressen kann. Was, glaubst du, hab' ich heute erlebt? Einen
verfluchten Idioten hab' ich getroffen, der dreitausend Eier hergebracht
hat . . . verstehst du? Dreitausend . . . direkt aus Forty Mile.«

»Das ist doch nicht wahr«, meinte Kid zweifelnd.

»Wahr wie die Hölle . . . ich hab' ja die Eier höchst persönlich gesehen.
Gauteraux heißt der Lümmel . . . ein großer, blöder blauäugiger Bengel von französischem Kanadier. Erst fragte er nach dir, dann nahm er
mich beiseite und traf mich direkt ins Herz! Es war unsere Eierspekula-
tion, die ihn auf den Weg gebracht hatte. Er hatte von den dreitausend
gehört, die in Forty Mile lagen, ging einfach hin und kriegte sie. ›Zeigen
Sie sie mir‹, sagte ich zu ihm. Und das tat er auch. Da stand sein Hundegespann mit ein paar indianischen Fahrern, die am Uferhang so warteten, wie sie soeben aus Forty Mile gekommen waren. Und auf dem
Schlitten lagen Seifenkisten . . . dünne hölzerne Kisten.

Wir nahmen eine mit auf das Eis, mitten auf den Fluß, und öffneten sie. Eier, so wahr ich lebe! Unmengen von Eiern! Alle in Sägespäne eingepackt. Wir haben das Spiel verloren, Kid. Wir haben eben Hasard gespielt. Weißt du, was er die Frechheit hatte, mir zu sagen? Daß wir sie alle für zehn Dollar das Stück bekommen könnten. Und weißt du, was er tat, als ich seine Hütte verließ? Er zeichnete ein Plakat, auf dem er die Eier zum Verkauf anbot. Sagte, er habe uns das Vorkaufsrecht gegeben, für zehn Dollar das Stück bis zwei Uhr heute nachmittag . . . und wenn wir bis dahin nicht handelseinig seien, würde er uns das Geschäft verderben. Er sagte, er sei kein Geschäftsmann, aber er könne schon sehen, wenn eine Sache gut wäre . . . und damit meinte er, soviel ich verstehen konnte, dich und mich.«

»Das ist ja alles nicht so schlimm«, sagte Kid zufrieden. »Verlier nur nicht den Kopf und laß mich einen Augenblick überlegen. Hier helfen nur kaltes Blut und schnelles Handeln! Um zwei Uhr werde ich Wild Water hierherbestellen, um die Eier abzunehmen. Inzwischen kaufst du die Eier von Gauteraux. Versuch, den Preis zu drücken. Aber selbst wenn du zehn Dollar das Stück bezahlen mußt, wird Wild Water sie uns ja zum selben Preis abnehmen müssen. Wenn du sie billiger kriegst, schön, dann verdienen wir auch an ihnen. Aber sorg dafür, daß sie nicht später als bis zwei Uhr hier sind. Leih dir die Hunde von Oberst Bowie und nimm auch unser Gespann mit. Punkt zwei mußt du hier sein.«

»Du, Kid . . .«, rief Kurz, als sein Partner die Anhöhe hinabging. »Nimm lieber einen Regenschirm mit. Es sollte mich nicht wundern, wenn es Eier zu regnen begänne, bevor du zurückkommst.«

Kid fand Wild Water bei M. & M., und es wurde eine ziemlich stürmische Sitzung.

»Ich muß Ihnen sagen, daß wir noch einige Eier dazubekommen haben«, sagte Kid, als Wild Water sich bereit erklärt hatte, den Goldstaub um zwei Uhr nach der Hütte zu bringen und die Ware bei sofortiger Abnahme zu bezahlen.

»Ihr habt offenbar mehr Glück bei eurer Eiersuche als ich«, gab Wild Water zu. »Nun, wie viele Eier habt ihr denn im ganzen, und wieviel Staub muß ich mitbringen?«

Kid schlug in seinem Notizbuch nach. »So, wie es jetzt steht, macht es nach Kurz' Berechnung genau dreitausendneunhundertzweiundsechzig Eier . . . multipliziert mit zehn . . . .«

»Vierzigtausend Dollar«, brüllte Wild Water. »Sie sagten doch, es wären im ganzen nur ungefähr neunhundert Eier da! Das ist ja der reine Nepp . . . da mach' ich nicht mit.«

Kid zog den Vertrag aus der Tasche und zeigte auf die Worte: »Zahlbar bei Abnahme.« – »Es steht kein Wort da, wie viele Eier abzunehmen sind. Sie haben sich bereit erklärt, zehn Dollar für jedes Ei zu zahlen, das wir Ihnen liefern. Wir haben die Eier bekommen, und Vertrag bleibt Vertrag! Ich gebe gern zu, daß wir nichts von den Eiern wußten, als wir mit Ihnen abschlossen. Aber dann kauften wir sie, um uns das Geschäft nicht zu verderben.«

Fünf lange Minuten herrschte ein schwüles Schweigen. Wild Water kämpfte einen schweren Kampf mit sich. Dann gab er widerstrebend nach.

»Ich bin im Nachteil«, sagte er mit gebrochener Stimme. »Das ganze Land scheint Eier auszuspucken. Und je schneller ich die Sache erledige, um so besser! Sonst gibt es noch eine wahre Sturzflut von Eiern. Ich werde um zwei Uhr bei euch sein . . . aber vierzigtausend Dollar!«

»Es sind übrigens nur neununddreißigtausendsechshundertundzwanzig«, berichtigte Kid.

»Das wiegt mehr als zweihundert Pfund«, wütete Wild Water. »Ich muß das Geld mit einem Gespann hinausfahren.«

»Wir werden Ihnen unsere Hunde zur Verfügung stellen, um die Eier abzutransportieren«, erbot sich Kid freundlich.

»Aber wo, zum Teufel, soll ich sie aufbewahren? Wo schaffe ich sie nur hin? Na . . . nichts zu machen. Um zwei bin ich da. Aber solange ich lebe, werde ich kein Ei mehr anrühren.«

Um halb zwei kam Kurz, der den schroffen Hang hinauf ein doppeltes Gespann gebraucht hatte, mit Gauteraux' Eiern an. »Wir können unsern Gewinn, hol' mich der Teufel, fast verdoppeln«, erzählte er Kid, als sie die Seifenkisten in die Hütte brachten. »Ich hab' den Preis auf acht Dollar gedrückt. Nachdem er zuerst ganz verdammt auf französisch geflucht hatte, gab er schließlich nach. Wir haben also einen regulären Nettoprofit von zwei Dollar das Ei, und es sind im ganzen dreitausend. Ich habe sie in bar bezahlt. Hier hast du die Quittung . . .«

Während Kid die Goldwaage hervornahm und alles für die Ablieferung der Ware bereitmachte, vertiefte Kurz sich in Berechnungen.

»Hier haben wir es schwarz auf weiß«, berichtete er triumphierend. »Es ergibt einen Gewinn von zwölftausendneunhundertsiebzig Dollar. Und Wild Water tun wir nichts Böses an. Er gewinnt ja seine Lucille dabei. Außerdem bekommt er alle die herrlichen Eier. Es ist also für beide Teile ein gutes Geschäft. Keiner wird geschädigt.«

»Selbst Gauteraux verdient seine vierundzwanzigtausend«, lachte Kid. »Natürlich mit Abzug seiner Unkosten für Kauf und Transport der Eier. Und wenn Wild Water die Eier hält, kann er auch noch einen Profit herauspressen.«

Als Kurz um Punkt zwei hinausguckte, sah er Wild Water den Hügel heraufkommen. Als er in die Hütte trat, war er kurz angebunden und sehr geschäftsmäßig.

»Bringt die Eier her, ihr Räuber«, begann er. »Und ich gebe euch den guten Rat, nie mehr in meiner Anwesenheit von Eiern zu reden, jedenfalls nicht, wenn ihr in Freundschaft mit mir leben wollt.«

Sie machten den Anfang mit den verschiedenen Posten des ursprünglichen Corners, und alle drei beteiligten sich an der Nachzählung. Als die ersten zweihundert erreicht waren, zerschlug Wild Water plötzlich ein Ei am Tischrand.

»Hallo . . . was soll das . . .!« protestierte Kurz.

»Es ist ja mein Ei, oder etwa nicht?« brummte Wild Water mürrisch. »Ich bezahle ja meine zehn guten Dollar dafür, nicht wahr? Aber ich pflege keine Katze im Sack zu kaufen. Wenn ich zehn runde Dollar für ein Ei zahlen muß, will ich auch wissen, daß es gut ist.«

»Wenn es Ihnen nicht gut genug ist, bin ich bereit, es zu essen«, erbot sich Kurz ironisch.

Wild Water guckte das Ei an, beroch es und schüttelte den Kopf. »Nee, daraus wird nichts, Kurz. Das Ei ist gut! Geben Sie mir einen Topf. Ich werde es heut abend selber essen.«

Dreimal noch zerschlug Wild Water versuchsweise ein Ei, aber sie waren alle gut, und er tat sie in den neben ihm stehenden Topf.

»Es sind zwei mehr, als Sie gerechnet haben, Kurz«, sagte er, als sie endlich sämtliche Eier nachgezählt hatten. »Neunhundertdreiundsechzig, nicht einundsechzig.«

»Da hab' ich mich also geirrt«, gab Kurz artig zu. »Die kriegen Sie als Gratisbeigabe.«

»Glaub' schon, daß ihr euch den Spaß leisten könnt«, räumte Wild Water grimmig ein. »Den Posten nehme ich also ab. Neuntausendsechshundertzwanzig Dollar. Ich bezahle gleich! Schreiben Sie die Quittung aus, Kid.«

»Warum nehmen Sie nicht lieber auch gleich den Rest ab?« schlug Kid vor. »Dann können Sie alles auf einmal zahlen.«

Wild Water schüttelte den Kopf. »Ich bin nicht so gut im Rechnen. Jeder Posten für sich und kein Fehler, das ist meine Methode.«

Er trat zu seinem Pelz und zog aus den Taschen zwei Beutel mit Goldstaub, die so dickbäuchig und lang waren, daß sie wie Salamiwürste aussahen.

Als er den ersten Posten bezahlt hatte, blieben nur wenige hundert Dollar in den Säcken.

Jetzt wurde eine Seifenkiste auf den Tisch gestellt, und sie begannen die dreitausend abzuzählen. Als sie die ersten hundert voll hatten, schlug Wild Water ein Ei hart gegen die Kante des Tisches. Es ging aber nicht entzwei.

»Durch und durch gefroren«, sagte er und schlug noch härter. Dann hielt er das Ei hoch, und sie sahen alle drei, daß die Schale an der Stelle, wo er sie gegen den Tisch geschlagen, in ganz feine Stückchen zersplittert war.

»Hm«, sagte Kurz. »Es muß ja auch gefroren sein, da es eben erst den weiten Weg von Forty Mile hierhergebracht worden ist. Wir müssen es mit einer Axt zerschlagen.«

»Dann geben Sie eine Axt«, sagte Wild Water.

Kid holte die Axt, und mit dem sicheren Auge und der geübten Hand des Holzfällers teilte Wild Water das Ei mit einem Hieb in zwei gleiche Teile. Das Aussehen des Eis war durchaus nicht befriedigend. Kid wurde von einer unheimlichen Ahnung durchschauert. Kurz war zuversichtlicher. Er hielt die eine Hälfte an seine Nase.

»Riecht sehr gut«, sagte er.

»Aber sieht verdammt schlecht aus«, behauptete Wild Water. »Stinken kann es ja gar nicht, weil der Geruch mitgefroren ist. Warten Sie nur einen Augenblick, dann werden Sie es schon merken.«

Er legte beide Hälften in eine Bratpfanne, die er dann auf den heißen Ofen stellte. Dann standen die drei Männer eine Weile da und warteten mit weit geöffneten Nüstern der Dinge, die da kommen sollten. Langsam begann ein unverkennbarer Geruch sich durch den Raum zu verbreiten. Wild Water blieb stumm, und auch Kurz schwieg, obgleich er schon überzeugt war.

»Werfen Sie es weg«, rief Kid, nach Luft schnappend.

»Was hilft das?« fragte Wild Water. »Wir müssen die andern ja auch nachprüfen.«

»Nicht hier im Haus.« Kid hustete, und ihm wurde recht übel. »Zerschlagen Sie sie mit dem Beil, dann brauchen wir sie nur anzusehen. Schmeiß es doch weg, Kurz . . . hinaus damit! Pfui Deibel!«

Kiste auf Kiste wurde geöffnet. Ein Ei nach dem andern wurde in zwei Stücke zerschlagen. Und jedes trug dieselben unverkennbaren Merkmale; sie waren ohne Ausnahme unrettbar und hoffnungslos verdorben.

»Ich verlange nicht, daß Sie alle aufessen, Kurz«, spottete Wild Water. »Und wenn Sie nichts dagegen haben, will ich mich schleunigst aus dem Staube machen. Mein Vertrag lautet auf gute Eier! Wenn Sie mir einen Schlitten und Ihr Gespann zur Verfügung stellen wollen, werde ich die guten Eier entführen, bevor sie angesteckt sind.«

Kid half ihm, die Eier auf den Schlitten zu verstauen.

Kurz blieb am Tisch sitzen, die Karten vor sich, bereit, sobald sie allein waren, eine Patience zu legen.

»Sagen Sie mal, wie lange habt ihr beide eigentlich die Eier gehalten?« lauteten die spöttischen Abschiedsworte Wild Waters.

Kid gab keine Antwort, sondern begann, nach einem schnellen Blick auf seinen Partner, die Seifenkisten in den Schnee hinauszuwerfen.

»Sag mal, Kurz, wieviel hast du eigentlich für die dreitausend bezahlt?«

»Acht Dollar . . . Aber geh, sprich nicht . . . ich rechne genauso gut wie du. Wir haben siebzehntausend Dollar an der Geschichte verloren, wenn jemand auf einem Schlitten angefahren kommen sollte, um dich zu fragen. Ich hab' es ausgerechnet, während wir warteten, daß das erste Ei schmelzen sollte.«

Kid überlegte einige Minuten, dann begann er wieder zu sprechen: »Sag mal, Kurz. Vierzigtausend Dollar wiegen gut zweihundert Pfund. Wild Water lieh sich unsern Schlitten und unser Gespann, um die Eier wegzuschaffen. Er kam ohne Schlitten den Hügel herauf. Die beiden Säcke mit Goldstaub, die er in den Taschen trug, hatten ein Gewicht von kaum zwanzig Pfund je. Wir hatten verabredet, daß er bei Abnahme bezahlen sollte. Und doch brachte er nur so viel Staub mit, daß er die guten Eier bezahlen konnte. Er hatte offenbar gar nicht daran gedacht, die dreitausend zu bezahlen. Mit andern Worten: er wußte, daß sie schlecht waren. Und wie hat er denn wissen können, daß sie nicht gut waren? . . . Was meinst du dazu, Kurz?«

Kurz sammelte die Karten und mischte sie, um eine neue Patience zu legen, hielt dann aber inne: »Hm . . . die Frage ist ja sehr einfach. Jedes Kind kann sie beantworten. Wir haben siebzehntausend Dollar verloren. Wild Water hat also siebzehntausend gewonnen. Die Eier von Gauteraux haben die ganze Zeit Wild Water gehört. Möchtest du sonst noch etwas wissen?«

»Ja«, sagte Kid. »Warum hast du denn nur die Eier nicht untersucht, bevor du sie bezahltest?«

»Ebenso einfach wie deine erste Frage. Wild Water hat das verfluchte Spiel auf Minute und Sekunde zurechtgelegt. Ich mußte mich schon genug beeilen, um sie herzubringen, so daß wir sie rechtzeitig liefern konnten. Und jetzt, Kid, mußt du mir erlauben, dir eine offene, anständige Frage zu stellen: Wie hieß der Mann, der die Idee zu dieser Spekulation gab?«

Kurz hatte seine sechzehnte Patience verloren, und Kid war schon dabei, das Abendbrot vorzubereiten, als Oberst Bowie an die Tür klopfte, Kid einen Brief überreichte und gleich nach seiner eigenen Hütte weiterging.

»Hast du sein Gesicht gesehen?« wütete Kurz. »Er mußte sich ordentlich zusammennehmen, um ernst zu bleiben. Jetzt gibt es ein Mordsgelächter . . . aber auf unsere Kosten, Kid. Wir werden nie wieder den Mut haben, unsere Gesichter in Dawson sehen zu lassen.«

Der Brief war von Wild Water, und Kid las ihn vor:

»Liebe Freunde Kid und Kurz!

Ich schreibe, um Euch zu bitten, mich mit Eurer Anwesenheit heute abend zu einem Essen im Restaurant Slavovitsch zu beehren. Fräulein Arral wird kommen und Gauteraux ebenfalls. Er und ich waren in Circle vor fünf Jahren Kompagnons. Er ist in jeder Beziehung ein ausgezeichneter Mensch und wird mein Trauzeuge sein. Was die Eier betrifft, so kamen sie schon vor fünf Jahren ins Land. Sie waren bei der Ankunft verdorben. Sie waren es schon, als sie Kalifornien verließen. Sie sind überhaupt immer verdorben gewesen. Einen Winter haben sie in Carluk und einen in Nutlik verbracht, wo sie gegen Erstattung der Lagerspesen verkauft wurden. Diesen Winter werden sie vermutlich in Dawson verbringen. Aber lagern Sie sie nicht in einem geheizten Raum! Lucille sagt, ich soll Ihnen sagen, daß Sie beide und ich Dawson jetzt ein paar gemütliche Stunden verschafft haben. Und ich sage, daß Sie eine Runde schmeißen müssen; darüber kann kein Zweifel sein.

Ihr ergebener Freund

W. W.«

»Na, was sagst du nun?« fragte Kid. »Wir nehmen die Einladung natürlich an, nicht wahr?«

»Eins möchte ich aber doch noch bemerken«, antwortete Kurz, »nämlich daß Wild Water nie zu hungern braucht, wenn es ihm schiefgehen sollte. Denn er ist ein guter Schauspieler . . . ein ganz gottverfluchter, gerissener Schauspieler. Und dann muß ich noch bemerken, daß meine Zahlen alle falsch gewesen sind. Wild Water hat einen Gewinn von siebzehntausend Dollar gehabt, aber in Wirklichkeit hat er noch mehr gewonnen. Wir beide haben ihm alle guten Eier, die es in Klondike gibt, geschenkt . . . neunhundertvierundsechzig, davon zwei als Gratiszugabe. Und er war so unsagbar knickerig, daß er die drei, die er öffnete, in einem Topf mitnahm! Und dann habe ich noch eine letzte Bemerkung zu machen. Wir beide sind Grubenbesitzer und verstehen uns auf Goldminen. Wenn es sich aber um richtige ›Geschäfte‹ handelt, sind wir die armseligsten Trottel, die je die verrückte Idee bekommen haben, schnell reich zu werden. Nach dieser Geschichte haben wir nichts anderes zu tun, als uns an unzugängliche Felsen und große Baumstämme zu halten . . . und wenn du noch einmal das Wort Ei aussprichst, dann sind wir geschiedene Leute . . . Verstanden?«

Die neue Stadt

Kid und Kurz, die aus entgegengesetzten Richtungen kamen, trafen sich an der Ecke, wo das Schanklokal »Elchgeweih« lag. Kid sah sehr vergnügt aus und ging flott und rasch, während Kurz anscheinend sehr niedergeschlagen dahertrottete.

»Was ist los?« fragte Kid übermütig.

»Ich will ewig verflucht sein, wenn ich es selbst ahne«, gab Kurz mißmutig zur Antwort. »Ich möchte es tatsächlich gern wissen. Es gibt auch nichts, was mich ein bißchen aufrütteln könnte. Zwei Stunden lang habe ich die blödesten, langweiligsten Patiencen gelegt . . . keine Aufregung, keine Trümpfe, nichts zu machen. Dann habe ich ein paar Robber Whist mit Skiff Mitchel um Schnäpse gespielt, und jetzt sehne ich mich so nach einem Erlebnis, daß ich die Straße hier auf und ab laufe in der Hoffnung, daß es wenigstens eine Hundekeilerei oder einen Streit oder sonst irgendwas geben möchte.«

»Da hab' ich was Besseres auf Lager«, antwortete Kid, »deshalb bin ich auf der Suche nach dir. Komm mit.«

»Jetzt?«

»Ja, natürlich . . .«

»Wohin denn?«

»Über den Fluß, um dem alten Dwight Sanderson einen Besuch abzustatten.«

»Hab' nie was von dem gehört«, gab Kurz mißmutig zur Antwort, ». . . auch noch nie, daß überhaupt jemand auf der andern Seite des Flusses lebt. Warum in aller Welt wohnt er denn da? Ist er vollkommen verrückt?«

»Er hat was zu verkaufen«, lachte Kid.

»Hunde? Oder eine Goldmine? Vielleicht Tabak?«

Kid schüttelte zu jeder Frage den Kopf.

»Komm nur mit, dann wirst du schon sehen, was es ist. Ich will es jedenfalls kaufen . . . und wenn du willst, kannst du halbpart mit mir machen.«

»Sag nur um Gottes willen nicht, daß es Eier sind«, rief Kurz, und sein Gesicht verzog sich zu einem Grinsen, das halb drollig, halb spöttisch war.

»Komm nur mit«, erklärte Kid, »ich lasse dich noch zehnmal raten, während wir über das Eis gehen.«

Sie kletterten den schroffen Hang am Ende der Straße hinab und erreichten den eisbedeckten Yukon. Dreiviertel Meilen entfernt sahen sie gerade vor sich das andere Ufer mit seinen noch schrofferen Felsen. Dazwischen schlängelte sich, von vielen zerborstenen Eisblöcken unterbrochen, eine schmale, nur wenig benutzte Schlittenspur. Kurz trottete dicht hinter Kid her und verbrachte die Zeit mit zahlreichen Versuchen, zu enträtseln, was Dwight Sanderson wohl in seiner Hütte zu verkaufen hätte.

»Rentiere? Eine Kupfermine? Oder eine Ziegelei? Das war mein erster Versuch, das Rätsel zu lösen! Bären- oder andere Felle? Lotterielose? Eine Kartoffelfarm?«

»Jetzt kommst du der Sache schon näher«, ermunterte ihn Kid.

»Zwei Kartoffelfarmen? Eine Käsefabrik? Ein Binsengut?«

»Du irrst dich gar nicht so sehr, Kurz, bist gar nicht so weit von der Wahrheit entfernt, wie du selber glaubst.«

»Ein Steinbruch?«

»Jetzt bist du fast ebenso nahe daran wie mit dem Binsengut und der Kartoffelfarm.«

»Sei mal einen Augenblick ruhig, ich muß nachdenken! Ich darf noch einmal raten.« – Zehn Minuten vergingen im Schweigen.

»Weißt du, Kid, ich versuche es gar nicht mehr. Wenn das Ding, das du kaufen willst, so ähnlich lautet wie eine Kartoffelfarm, ein Binsengut und ein Steinbruch, dann geb' ich es lieber gleich auf. Und ich werde mich auch nicht an dem Geschäft beteiligen, bevor ich es gesehen habe und mir meine Meinung darüber bilden kann.«

»Gut . . . du wirst ja bald genug die Karten auf dem Tische sehen. Guck mal dort hinauf . . . Siehst du den Rauch aus der Hütte? Da wohnt der alte Dwight Sanderson. Er hat Grundstücke genug für eine ganze Stadt.«

»Was hat er sonst noch?«

»Weiter nichts«, lachte Kid. »Das heißt, er hat auch Gicht . . . das hab' ich wenigstens gehört.«

»Sag mal . . .« Kurz streckte die Hand aus, packte seinen Kameraden an der Schulter und zwang ihn stehenzubleiben. »Du willst mir doch nicht einreden, daß du auf diesem vollkommen verrückten Land Grundstücke für eine Stadt kaufen willst?«

»Jetzt hast du das zehnte Mal geraten . . . und diesmal richtig!«

»Aber wart doch einen Augenblick«, bat Kurz. »Sieh dir doch die Grundstücke hier an. Sie sind ja nichts als Felsen und Glitschbahnen . . . die reine Rutschbahn. Wo, zum Teufel, soll die Stadt denn stehen?«

»Ja, das möchtest du wohl wissen!«

»Dann willst du also gar keine Stadt hier bauen?«

»Nein, aber Dwight Sanderson will sie uns zur Gründung einer Stadt verkaufen«, neckte ihn Kid. »Komm jetzt. Wir müssen diese Rutschbahn hinaufklettern.«

Es war ein sehr schroffer Hang, und der schmale Steg schlängelte sich wie eine riesige Jakobsleiter empor. Kurz stöhnte und ächzte über die vielen scharfen Ecken und Spitzen.

»Daß jemand hier eine Stadt anlegen will! Es ist nicht so viel ebene Fläche hier, um eine Briefmarke aufzukleben. Und außerdem ist es ja die falsche Seite vom Fluß! Der ganze Warenverkehr geht ja am andern Ufer vor sich. Schau dir mal Dawson dort unten an! Da ist Platz genug für eine Erweiterung, selbst wenn die Bevölkerung auf vierzigtausend steigen sollte. Du, Kid, ich weiß ja, daß du die Grundstücke nicht kaufen willst, um eine Stadt zu gründen, aber warum in aller Teufel Namen kaufst du sie denn?«

»Um sie wieder zu verkaufen natürlich.«

»Aber andere Leute sind nicht solche Trottel wie der Alte dort oben oder wie du.«

»Vielleicht nicht in derselben Weise, Kurz. Aber ich kaufe jetzt diese Grundstücke. Dann teile ich sie in kleine Parzellen auf und verkaufe sie an eine ganze Menge von den vernünftigen Leuten in Dawson.«

»Brrr . . . ganz Dawson grinst heute noch über uns beide wegen der verdammten Eier. Du möchtest wohl, daß sie noch mehr grinsen?«

»Ja, natürlich.«

»Aber es ist ein verflucht teures Vergnügen, Kid! Bei der Eiergeschichte hab' ich dir geholfen, die Leute zum Lachen zu bringen, und mein Anteil an diesem herrlichen Vergnügen betrug fast neuntausend Dollar.«

»Ganz recht . . . aber du brauchst ja diesmal nicht mitzumachen. Dann stecke ich den Gewinn allein ein. Trotzdem mußt du mir aber helfen.«

»Oh, helfen tue ich gern! Und auslachen können sie mich meinetwegen auch. Aber ich gebe nicht eine Unze dafür aus. Was verlangt der alte Sanderson denn für seine Grundstücke . . . ein paar hundert?«

»Zehntausend. Ich denke aber, daß ich sie für fünf kriegen werde.«

»Ich möchte gern Pastor sein«, erklärte Kurz mit brennendem Eifer in seiner Stimme.

»Pastor? Wieso?«

»Dann würde ich eine wunderbar beredte Predigt über einen Text halten, den du vielleicht öfters gehört hast, nämlich über einen Narren und sein Geld . . .«

»Herein«, hörten sie Dwight Sanderson mürrisch rufen, als sie an seine Tür klopften. Und als sie eintraten, sahen sie ihn am steinernen Kamin hocken, wo er Kaffeebohnen, die in einem Fetzen aus einem alten Mehlsack eingewickelt waren, zerstampfte.

»Was wünschen Sie?« fragte er barsch, während er die zerstoßenen Kaffeebohnen in die Kaffeekanne schüttete, die auf den Kohlen stand.

»Etwas Geschäftliches mit Ihnen besprechen«, erwiderte Kid. »Sie haben Grundstücke für eine Stadt hier abgesteckt, wie ich gehört habe. Was verlangen Sie für die ganze Geschichte?«

»Zehntausend Dollar«, lautete die Antwort. »Und nachdem ich es Ihnen gesagt habe, können Sie ja wieder hinausgehen und mich auslachen. Da ist die Tür.«

»Ich habe gar nicht die Absicht zu lachen. Ich kenne eine Menge lustigerer Sachen, als ausgerechnet diese verdammten Felsen heraufzuklettern. Ich will Ihr Land kaufen.«

»So, wollen Sie? Nun, ich freue mich, endlich mal etwas Vernünftiges zu hören.« Sanderson trat zu ihnen und setzte sich seinen Besuchern gegenüber; seine Hände legte er auf den Tisch vor sich, während seine Blicke hin und wieder ängstlich nach der Kaffeekanne schweiften. »Ich habe Ihnen ja meinen Preis gesagt, und ich schäme mich nicht, ihn zu wiederholen . . . zehntausend Dollar! Und Sie können lachen oder kaufen . . . das ist mir beides ganz schnuppe.«

Um zu zeigen, wie schnuppe es ihm war, begann er mit seinen geschwollenen Knöcheln auf den Tisch zu trommeln und starrte wild die Kaffeekanne an. Ein paar Minuten später fing er auch an, eintönig und einförmig vor sich hin zu summen: »Tralalu, tralali, tralalu, tralali . . .«

»Aber sehen Sie, Herr Sanderson . . .«, sagte Kid. »Diese Grundstücke sind keine zehntausend wert. Wären sie das, so würden sie ebensogut hunderttausend wert sein. Und wenn sie keine hunderttausend wert sind – und daß sie das nicht sind, wissen Sie ja selbst sehr gut –, dann sind sie keine zehn Cent wert.«

Sanderson trommelte weiter mit seinen Knöcheln und summte: »Tralali, tralalu«, bis die Kaffeekanne überkochte. Er goß kaltes Wasser auf und nahm dann wieder seinen Platz ein.

»Wieviel bieten Sie denn?« fragte er Kid.

»Fünftausend.«

Kurz stöhnte.

Wieder folgte eine Pause, die nur durch das Trommeln auf dem Tische gestört wurde.

»Sie sind ja kein Idiot«, ließ Sanderson Kid wissen, »denn Sie sagten, wenn sie keine hunderttausend wert seien, hätten sie auch nicht den Wert von zehn Cent. Und doch bieten Sie fünftausend. Dann sind sie also hunderttausend wert. Ich erhöhe deshalb meine Forderung auf zwanzigtausend.«

»Sie werden ja nie einen Heller dafür kriegen«, antwortete Kid eifrig.
»Und wenn Sie hierbleiben, bis Sie in Verwesung übergegangen
sind.«
»Ich werde es schon aus Ihnen herauskriegen.«
»Nicht zu machen.«
»Dann werde ich eben hierbleiben, bis ich in Verwesung übergehe«,
gab Sanderson in einem Ton zurück, der offensichtlich die Unterredung
abschließen sollte.
Er nahm keine Rücksicht mehr auf die Anwesenheit der beiden, son-
dern bereitete seine kulinarischen Genüsse vor, als ob er ganz allein
wäre. Als er einen Topf Bohnen aufgewärmt und eine Scheibe Brot geröstet hatte, deckte er den Tisch für eine Person und begann zu essen.
»Nein, nein, danke schön . . . sehr liebenswürdig«, murmelte Kurz.
»Wir sind gar nicht hungrig.«
»Lassen Sie mich Ihre Urkunden sehen«, sagte Kid schließlich.
Sanderson suchte unter seinem Kopfkissen im Bett herum und zog
schließlich einen ganzen Stoß Dokumente hervor. »Es ist alles tipptopp,
in prima Ordnung«, sagte er. »Das große da, mit den riesigen Siegeln,
kommt den weiten Weg aus Ottawa hierher. Territorialschwierigkeiten
gibt es nicht, die kanadische Regierung steht in dieser Sache hinter mir
und bestätigt mir mein Besitzrecht.«
»Wie viele Parzellen haben Sie eigentlich in den zwei Jahren, in denen
Sie das Grundstück besitzen, verkauft?«
»Das ist nicht Ihre Sache«, antwortete Sanderson mürrisch. »Es gibt
kein Gesetz, das einem Mann verbietet, allein auf seinem Grund und
Boden zu wohnen, solange er Lust dazu hat.«
»Ich gebe Ihnen fünftausend«, sagte Kid.
»Ich weiß nicht, wer von euch beiden der Verrücktere ist«, klagte Kurz.
»Komm mal einen Augenblick mit hinaus, Kid. Ich möchte dir gern was
sagen.«
Zögernd fügte sich Kid den Überredungskünsten seines Partners.
»Ist es dir denn nie eingefallen«, fragte Kurz, als sie im Schnee draußen
vor der Hütte standen, »daß es Meile auf Meile zu beiden Seiten dieser
blöden Baugrundstücke gibt, die keinem gehören. Die kriegst du doch
umsonst, wenn du sie nur selbst absteckst und die Pfähle einrammst.«
»Ja, aber sie erfüllen meinen Zweck nicht«, sagte Kid.
»Wieso denn nicht?«
»Du staunst, daß ich ausgerechnet diese Parzellen haben will, wo ich
so viele Meilen umsonst bekommen kann, nicht wahr?«
»Selbstverständlich«, räumte Kurz ein.
»Und darauf kommt es eben an«, fuhr Kid triumphierend fort. »Wenn
du darüber staunst, werden die andern noch mehr staunen. Und wenn
sie staunen, werden sie angestürmt kommen. Durch dein Staunen be-

weist du, daß ich die Sache psychologisch richtig sehe. Und jetzt hör mal zu, Kurz: ich habe die Absicht, Dawson ein Geschenk zu machen, das diesem verdammten Eiergrinsen den Boden ausschlagen wird. Komm jetzt mit hinein.«

»Nun?« sagte Sanderson, als sie wieder eintraten. »Ich dachte, ich würde euch nicht wieder zu sehen bekommen ...«

»Nun sagen Sie mir ihre letzte Forderung«, sagte Kid.

»Zwanzigtausend.«

»Ich gebe zehntausend.«

»Schön, zu dem Preis verkaufe ich. Das ist ja meine ursprüngliche Forderung. Wann bezahlen Sie?«

»Morgen – in der Nordwest-Bank. Aber ich stelle zwei Bedingungen. Erstens, daß Sie, wenn Sie das Geld bekommen haben, sofort den Fluß hinab nach Forty Mile fahren und den Rest des Winters dort bleiben.«

»Das kann ich ohne weiteres. Was sonst?«

»Daß ich Ihnen fünfundzwanzig auszahle und Sie mir fünfzehntausend wiedergeben.«

»Kann ich gern machen.« Sanderson wandte sich zu Kurz. »Die Leute sagen, daß ich verrückt war, als ich hierherzog und die Grundstücke parzellierte«, spottete er. »Aber jedenfalls bin ich doch nicht verrückter gewesen, als daß ich zehntausend Dollar daran verdient habe.«

»In Klondike gibt's wahrhaftig Verrückte genug«, war alles, was Kurz antworten konnte. »Und wenn es so viele gibt, muß einer von ihnen wohl mal Glück haben.«

Am nächsten Morgen wurden die juristischen Formalitäten des Grundstücksverkaufs geregelt, und auf Kids ausdrücklichen Wunsch wurde im Vertrag bemerkt, daß dieser Grundstückskomplex künftig den Namen »Tra-li« tragen sollte. Dann wog der Kassierer der Nordwest-Bank Goldstaub im Werte von fünfundzwanzigtausend Dollar ab, während ein halbes Dutzend zufällige Zuschauer dem Abwiegen, der Auszahlung und dem Empfang beiwohnten.

In einem Goldgräberlager sind alle mißtrauisch. Alles, was jemand unerwartet unternimmt, kann ja der Schlüssel zu einem geheimnisvollen Goldfund sein, selbst wenn der Betreffende in Wirklichkeit nur auf die Elchjagd geht oder einen Abendspaziergang macht, um das schöne Nordlicht zu betrachten. Und als bekannt wurde, daß eine so bekannte Persönlichkeit wie Alaska-Kid dem alten Dwight Sanderson fünfundzwanzigtausend Dollar ausgezahlt hatte, wollte ganz Dawson wissen, wofür er diesen Betrag gezahlt hatte. Was hatte nun Dwight Sanderson, der drüben auf seinen einsamen Grundstücken hockte und halbwegs verhunderte, was hatte er zu verkaufen, das fünfundzwanzigtausend Dollar wert war? Da die Leute von Dawson nirgends eine Antwort auf diese Frage bekamen, war es nur selbstverständlich, daß sie mit fieberhafter Spannung alles zu beobachten begannen, was Kid jetzt unternahm.

Am Nachmittag wußte man bereits überall in der Stadt, daß eine ganze Anzahl von Männern leichte Wanderbündel geschnürt hatten, die sie in verschiedenen, ihnen geeignet erscheinenden Kneipen an der Hauptstraße versteckten. Wo Kid auch hinging, beobachteten ihn viele Augen. Und zum Beweis, wie ernst man ihn nahm, mag erwähnt werden, daß keiner die Stirn hatte, ihn offen über seine Geschäfte mit Sanderson auszufragen. Andererseits gab es auch keinen, der die Geschichte mit den Eiern vor ihm zu erwähnen wagte. Kurz war natürlich Gegenstand einer ähnlichen Beobachtung und derselben diskreten Freundlichkeit.

»Ich habe fast das Gefühl, als ob ich irgend jemand totgeschlagen oder die Pocken bekommen hätte, so lauern sie auf alles, was ich tue, und solche Angst haben sie, mir etwas zu sagen«, gestand Kurz, als er Kid zufällig vor dem »Elchgeweih« traf. »Schau dir mal Bill Saltman da drüben an – er platzt schon fast vor Neugierde und guckt doch dabei immerfort anderswohin . . . wenn man ihn ansieht, glaubt man, er hätte überhaupt keine Ahnung davon, daß wir beide auf der Welt sind. Aber ich wette Schnaps, soviel du willst, Kid, daß wir, wenn wir um die Ecke hier abbögen, als ob wir irgendwohin gehen wollten, und dann an der nächsten Ecke umkehrten, sehen würden, daß er uns nachrennte, als ob ihm der Teufel auf den Hacken wäre.«

Sie machten den Versuch, und als sie an der nächsten Ecke umkehrten und zurückkamen, liefen sie Saltman direkt in die Arme. Er war ihnen tatsächlich im Schlittentrott nachgelaufen.

»Tag, Bill«, grüßte Kid. »Wohin denn?«

»Nur ein bißchen herumbummeln«, antwortete Saltman. »So ein klein bißchen bummeln. Es ist verdammt schönes Wetter heute . . . nicht?«

»Hm«, meinte Kurz ironisch. »Wenn du die Schnelligkeit bummeln nennst, dann möchte ich wissen, was du tust, wenn du läufst.«

Als Kurz gegen Abend die Hunde fütterte, hatte er das ganz unverkennbare Gefühl, daß rings im Dunkeln eine Menge Augen auf ihn lauerten. Und als er die Hunde an den Zaun band, statt sie, wie sonst, nachts frei herumlaufen zu lassen, wußte er genau, daß er die Nervosität der Bevölkerung noch um ein Bedeutendes vermehrte.

Wie verabredet, nahm Kid sein Abendbrot in der Stadt ein und ging dann weiter, um sich zu amüsieren. Wo er auch erschien, wurde er gleich zum Mittelpunkt des allgemeinen Interesses. Er machte absichtlich eine Rundreise durch sämtliche Lokale. Die Bars füllten sich, sobald er erschien, und leerten sich, sobald er wieder ging. Wenn er an einem schläfrigen Roulettetisch einige Spielmarken kaufte, saß binnen fünf Minuten mindestens ein halbes Dutzend Spieler um ihn herum. Er benutzte die Gelegenheit, um eine kleine Rache an Lucille Arral zu nehmen, indem er den Zuschauerraum der Oper gerade in dem Augenblick verließ, als sie ihr volkstümlichstes Lied ableiern sollte. In kaum drei Minuten hatten mindestens zwei Drittel des gesamten Publikums das Theater verlassen. Gegen ein Uhr morgens ging er durch die außergewöhnlich belebte Hauptstraße. Er bog auf den Seitenweg ein, der die Anhöhe zu seiner Hütte hinaufführte. Als er einen Augenblick oben stehenblieb, hörte er, wie der Schnee hinter ihm unter den Tritten vieler Mokassins knirschte.

Eine Stunde blieb es noch dunkel in der Hütte, dann steckte er eine Kerze an, und nachdem er und Kurz sich so lange still verhalten hatten, wie man braucht, um sich anzuziehen, öffneten sie die Tür und begannen die Hunde anzuspannen. Als der Schein der Kerze aufflackerte und sie und die Hunde beleuchtete, hörten sie nicht weit entfernt einen leisen Pfiff. Dieses Pfeifen wurde dann von jemand am Fuße des Hügels beantwortet.

»Horch mal«, lachte Kid. »Sie haben Posten aufgestellt, um uns zu belauschen, und jetzt geht der Bescheid weiter durch die ganze Stadt. Ich wette, daß mindestens vierzig Leute in diesem Augenblick im Begriff sind, aus dem Bett zu steigen.«

»Sind die Leute nicht verrückt?« kicherte Kurz. »Sag mal, Kid, wozu hat man eigentlich seinen Grips? Man muß ja blöd sein, um sich heutzutage abzuschinden und mit den Händen zu schuften, wenn man Grips hat. Die Welt ist ja zum Überlaufen voll von Trotteln, die ganz verrückt danach sind, ihr Gold loszuwerden. Und bevor wir den Hügel hinunterklettern, möchte ich dir nur noch sagen, daß ich natürlich halbpart mit dir mache – wenn du nichts dagegen hast.«

Auf dem Schlitten hatten sie eine leichte Schlaf- und Minenausrüstung verstaut. Eine kleine Rolle Stahldraht guckte ganz unschuldig aus ihrem Versteck unter einem Proviantsack hervor, während ein Brecheisen, nur halb verborgen, unten auf dem Schlitten lag. Kurz strich leise mit den Händen über den Stahldraht und gab dem Brecheisen einen letzten freundschaftlichen Klaps. »Ho«, flüsterte er. »Ich weiß ja, was ich selbst denken würde, wenn ich das Zeugs nachts auf einem Schlitten sähe.«

Sie lenkten die Hunde ganz vorsichtig und leise den Hügel hinab, und als sie die Ebene erreichten, fuhren sie mit dem Gespann nordwärts durch die Hauptstraße. Dann ging es unter Beobachtung noch größerer Vorsichtsmaßregeln aus dem Geschäftsviertel der Stadt hinaus in der Richtung der Sägemühle. Sie hatten noch niemand gesehen, als sie aber die Richtung änderten, hörten sie leise Pfiffe aus der Finsternis hinter sich, die nicht einmal die Sterne zu erhellen vermochten. Nachdem sie an der Sägemühle und dem Krankenhaus vorbeigekommen waren, fuhren sie noch eine halbe Stunde, so schnell es ihnen möglich war, weiter geradeaus. Dann machten sie plötzlich kehrt und fuhren denselben Weg zurück, den sie gekommen waren. Kaum waren sie die ersten hundert Meter gefahren, als sie mit Mühe und Not einen Zusammenstoß mit fünf Männern vermieden, die in schnellem Tempo angelaufen kamen. Alle gingen gebückt unter dem Gewicht der Goldsucherausrüstung. Der eine hielt Kids Leithund an, während die andern sich um sie scharten.

»Habt ihr nicht einen Schlitten gesehen, der in der andern Richtung gefahren ist?« fragte einer.

»Nee«, antwortete Kid. »Bist du's, Bill?«

»Jawohl, und ich will ewig verflucht sein, wenn das nicht Alaska-Kid ist!« rief Bill Saltman in ehrlichem Staunen aus.

»Was machst du denn hier mitten in der Nacht?« fragte Kid. »Bummelst du auch nur so herum wie heute mittag?«

Ehe Bill Saltman antworten konnte, hatten sich schon zwei weitere Männer, die herbeigelaufen kamen, der Gruppe angeschlossen. Ihnen folgten noch andere, während das Knirschen des Schnees unter den Mokassins das Kommen vieler verkündete.

»Wer sind denn all Ihre Freunde hier?« fragte Kid.

Saltman steckte sich die Pfeife an, obgleich er kaum viel Vergnügen davon haben konnte, danach zu urteilen, wie er nach dem langen Lauf stöhnte und japste. Eine Antwort gab er aber nicht. Der Kniff mit dem Streichholz war zu deutlich, als daß die Absicht mißverstanden werden konnte, und Kid sah denn auch, wie sämtliche Augenpaare sich auf die Rolle Stahldraht und das große Brecheisen richteten. Dann erlosch das Streichholz wieder.

»Ach, ich hab' etwas reden hören, das ist alles, nur ein Gerücht«, murmelte Saltman mit feierlicher Geheimnistuerei.

»Da mußt du wirklich Kurz und mich einweihen«, meinte Kid.

Irgend jemand in der Gruppe kicherte ironisch.

»Aber wo wolltet ihr denn eigentlich hin?« fragte Saltman.

»Und als was seid ihr denn eigentlich hier?« erwiderte Kid. »Vielleicht Mitglieder eines Sicherheitsausschusses?«

»Nur als Interessenten . . . als richtige Interessenten«, sagte Saltman.

»Ihr könnt euer Leben wetten, daß wir Interessenten sind«, erklang eine andere Stimme aus der Dunkelheit.

»Wißt ihr, Kinder«, bemerkte Kurz, »ich möchte eigentlich wissen, wer von euch sich am dümmsten vorkommt.«

Man lachte nervös.

»Komm, Kid, wir wollen weitergehen«, sagte Kurz und trieb die Hunde an.

Die ganze Schar schloß sich ihnen an.

»Hört mal, Kinder«, verhöhnte Kurz sie. »Irrt ihr euch jetzt nicht? Als wir euch trafen, gingt ihr in der entgegengesetzten Richtung, und jetzt macht ihr wieder kehrt, ohne irgendwo gewesen zu sein! Habt ihr vielleicht die Adresse vergessen?«

»Geh zum Teufel«, sagte Saltman wenig gemütvoll.

»Wir gehen und kommen, wie es uns paßt. Wir brauchen keinen Vormund.«

Und der Schlitten fuhr, Kid voran und Kurz an der Lenkstange, durch die Hauptstraße, begleitet von drei Dutzend Männern, von denen jeder eine Goldgräberausrüstung auf dem Rücken trug. Es war schon drei Uhr morgens, und nur die schlimmsten Nachtbummler der Stadt sahen die Prozession und konnten in Dawson am nächsten Tage von der neuesten Sensation berichten.

Eine halbe Stunde später kletterten die beiden mit ihren Hunden, gefolgt von der ganzen Schar, den Hügel hinauf. Und als sie die Hunde vor der Hütte abgeschirrt hatten, warteten sechzig erbitterte Goldsucher immer noch draußen.

»Gute Nacht, Kameraden«, rief Kid ihnen zu und schloß die Tür.

Es waren kaum fünf Minuten vergangen, als die Kerze drinnen ausgelöscht wurde . . . aber nach einer halben Stunde tauchten Kid und Kurz wieder leise und vorsichtig vor der Hütte auf und schirrten die Hunde wieder an, ohne jedoch Licht zu machen.

»Hallo, Kid«, sagte Saltman, der sich ihnen so weit näherte, daß sie den Umriß seiner Gestalt sehen konnten.

»Ich kann dich offenbar nicht abschütteln, Bill«, antwortete Kid gemütlich. »Wo sind denn alle deine Freunde?«

»In die Stadt gegangen, um ein Glas zu trinken. Sie haben mich hiergelassen, um euch im Auge zu behalten, und das werde ich auch tun! Was ist denn eigentlich mit euch los, Kid? Du kannst mich und die andern auf keinen Fall abschütteln . . . du kannst uns also ebensogut gleich mitnehmen. Wir sind ja lauter gute Freunde. Das weißt du doch.«

»Es gibt Fälle, in denen man nicht einmal seine besten Freunde mitnehmen darf«, gab Kid vorsichtig zur Antwort. »Und andere Fälle, in denen man es tun kann. Und siehst du, Bill, dies ist einer von denen, wo man es eben nicht tun darf. Es wäre viel vernünftiger, wenn du zu Bett gingest. Gute Nacht!«

»Hier gibt es heute keine ›Gute Nacht‹, Kid. Du kennst uns nicht . . . Wir sind die reinen Kletten, weißt du.«

Kid seufzte hörbar. »Na ja, Bill, wenn du durchaus deinen Willen durchsetzen willst, kann ich es ja nicht hindern. Aber komm jetzt,

Kurz, wir können nicht mehr die Dummköpfe spielen, wir müssen ja weiter.«

Als der Schlitten losfuhr, ließ Saltman einen scharfen Pfiff hören und folgte ihm dann selbst. Unterhalb des Hügels, von der Ebene her hörte man das Pfeifen der Wachtposten. Kurz lief an der Lenkstange, und Kid und Bill gingen nebenher.

»Weißt du, Bill«, sagte Kid. »Ich will dir einen Vorschlag machen. Möchtest du nicht selbst mitmachen . . . aber natürlich nur du allein?«

Saltman zögerte nicht eine Minute mit der Antwort. »Und all meine Freunde im Stich lassen? Nee, mein Herr! Wir wollen alle mit dabeisein.« – »Dann kommst du zuerst dran . . .«, rief Kid aus, bückte sich, um den andern besser anpacken zu können, und warf ihn dann in den tiefen Schnee neben der Schlittenbahn.

Kurz trieb die Hunde an und schwenkte mit seinem Gespann südwärts auf den Weg ein, der an den baufälligen Hütten auf den wellenförmigen Abhängen hinter Dawson vorbeiführt. Kid und Saltman rollten fest umschlungen im Schnee herum. Kid war freilich der Ansicht, daß er in glänzender Form sei, aber Saltman hatte ein Mehrgewicht von fünfzig Pfund, die nur aus schieren, harttrainierten Muskeln bestanden, und er bekam deshalb auch mehrmals die Oberhand. Ein über das andere Mal gelang es ihm, Kid auf den Rücken zu legen; und Kid machte es sich dabei gemütlich und ruhte sich aus. Sooft aber Saltman den Versuch machte, sich von ihm zu befreien, um weiterzulaufen, streckte Kid die Hand aus und hielt ihn am Bein fest, so daß er fiel und ein neuer Ringkampf begann.

»Du bist nicht ganz ohne«, räumte Saltman anerkennend ein, als er zehn Minuten später keuchend auf Kids Brust saß. »Aber ich kriege dich doch immer wieder unter.«

»Und ich halte dich doch immer wieder fest«, gab Kid ächzend zurück. »Und deshalb bin ich ja auch hier . . . nur um dich festzuhalten, nicht wahr? Wohin, glaubst du, ist Kurz inzwischen gelaufen?«

Saltman machte eine verzweifelte Anstrengung, um sich frei zu machen, jedoch erfolglos. Kid erwischte ihn am Bein und schleuderte ihn mit dem Gesicht in den Schnee. Oben vom Hügel her hörte man ängstlich fragende Pfiffe. Saltman setzte sich auf und ließ ein schrilles Pfeifen hören, wurde aber wieder von Kid umgeworfen, der sich auf seine Brust setzte und ihn mit den Händen auf den Schultern unten hielt. In dieser Lage wurden sie von den Goldsuchern gefunden. Kid lachte und stand auf.

»Und jetzt gute Nacht, Kameraden«, sagte er und lief den Hügel hinab, während die sechzig verzweifelten, aber entschlossenen Goldsucher ihm auf den Fersen folgten.

Er schwenkte nach Norden ab, lief an der Sägemühle und dem Krankenhaus vorbei und folgte dann dem Uferweg über die schroffen Hänge am Fluß der Mooshillberge entlang. In einem großen Bogen umkreiste er das Indianerdorf und lief dann weiter nach der Mündung des Moosebaches, wo er kehrtmachte und sich seinen Verfolgern stellte.

»Ihr macht mich aber tüchtig müde, Kameraden«, sagte er und knurrte in scheinbarer Wut.

»Hoffentlich überanstrengen wir dich nicht«, murmelte Saltman höflich.

»Durchaus nicht«, knurrte Kid mit besser vorgetäuschter Wut, während er an den andern vorbeisauste und den Rückweg nach Dawson einschlug. Zweimal versuchte er das unwegsame Packeis auf dem Fluß zu überqueren, und seine entschlossenen Begleiter folgten ihm, aber beide Male mußten er und die andern den Versuch aufgeben. Er kehrte deshalb zum Ufer bei Dawson zurück, trottete geradenwegs durch die Hauptstraße, setzte über den gefrorenen Klondike und kehrte dann wieder nach Dawson zurück. Als es gegen acht Uhr hell zu werden begann, führte er seine todmüden Verfolger nach dem Wirtshaus von Slavovitsch, wo wenige Minuten später selbst für teures Geld kein Tisch zum Frühstücken mehr zu haben war.

»Gute Nacht, Kameraden«, sagte er, als er seine Rechnung bezahlt hatte.

Und er sagte ihnen wiederum »Gute Nacht«, als er den Hügel hinaufkletterte. Im hellen Tageslicht konnten sie ihn nicht mehr begleiten, sondern mußten sich damit begnügen, ihn in seine Hütte gehen zu sehen.

Zwei Tage blieb Kid noch in der Stadt, ständig unter schärfster Bewachung. Kurz war mit dem Schlitten verschwunden. Weder Wanderer, die den Yukon auf und hinab gegangen waren, noch solche, die aus Bonanzo, Eldorado oder Klondike kamen, hatten ihn gesehen. Es blieb also nur übrig, Kid zu beobachten, der ja doch früher oder später die Verbindung mit seinem verschwundenen Kompagnon aufnehmen mußte. Deshalb richtete sich alle Aufmerksamkeit jetzt auf Kid. Am zweiten Abend verließ er die Hütte überhaupt nicht, sondern verlöschte schon um neun Uhr die Lampe und stellte den Wecker auf zwei Uhr morgens. Der Posten, der vor seiner Hütte stand, hörte auch das schrille Klingeln der Uhr, so daß sich Kid – als er eine Stunde später aus der Hütte kam – sofort von einer ganzen Bande umgeben sah, nur waren es diesmal nicht sechzig, sondern mindestens dreihundert. Ein flammendes Nordlicht beleuchtete die Landschaft, als er mit einer zahlreichen Eskorte nach der Stadt hinunterging und in den

Schankraum des »Elchgeweih« trat. Der ganze Raum füllte sich sofort mit einer ängstlichen und wütenden Schar, die Getränke bestellte und vier langweilige Stunden damit verbrachte, Kid zuzuschauen, wie er mit seinem guten alten Freunde Breck Whist spielte. Nach sechs Uhr morgens verließ Kid mit wutentbrannter, düsterer Miene das »Elchgeweih« und ging durch die Hauptstraße. Ihm folgten treu und brav die dreihundert Goldsucher in unordentlichen Reihen. Sie sangen dabei höhnisch: »Hep hep hep, Herr Hasenfuß, Herr Schlauberger . . . hep hep.« »Gute Nacht, Kameraden«, sagte Kid wütend, als sie den Rand des Yukonabhangs erreichten, wo die Winterfähre steil hinabführte.

»Ich gehe jetzt frühstücken, und dann will ich pennen.«

Die dreihundert riefen ihm zu, daß sie ihn begleiten würden, und folgten ihm auch wirklich über den zugefrorenen Fluß direkt nach Tra-li. Gegen sieben Uhr morgens führte er seine goldsuchende Schar den gewundenen Pfad nach der Hütte Dwight Sandersons empor. Das Licht einer Kerze schien durch das Fenster, das mit Pergamentpapier verklebt war, und blauer Rauch stieg aus dem Schornstein auf. Kurz öffnete die Tür.

»Komm nur herein, Kid«, grüßte er. »Das Frühstück wartet schon. Wo sind deine Freunde?«

Kid drehte sich auf der Schwelle um. »Also jetzt gute Nacht, Kameraden. Ich hoffe, daß euer Spaziergang euch ein bißchen Vergnügen gemacht hat.«

»Einen Augenblick nur, Kid«, rief Bill Saltman mit einer Stimme, durch welche die Enttäuschung hindurchklang. »Ich möchte einen Augenblick mit dir sprechen.«

»Schieß nur los«, sagte Kid freundlich.

»Warum hast du dem alten Sanderson fünfundzwanzigtausend Dollar gezahlt? Willst du mir eine Antwort darauf geben?«

»Bill, warum willst du mir solchen Kummer bereiten?« lautete Kids Antwort. »Ich bin hierhergezogen, um mich ein bißchen zu erholen, sozusagen . . . und jetzt bist du mit einer ganzen Bande da, und ihr wollt mich ins Kreuzverhör nehmen, während ich doch nur Ruhe haben will . . . Ruhe und Frühstück.«

»Du hast meine Frage noch nicht beantwortet«, stellte Bill Saltman unerschütterlich fest.

»Und ich habe auch nicht die Absicht, es zu tun, Bill. Denn das ist eine rein persönliche Angelegenheit zwischen Dwight Sanderson und mir und geht keinen andern etwas an! Willst du sonst noch was wissen?«

»Ja . . . was ist denn mit dem Brecheisen und mit der Rolle Stahldraht, die du auf deinem Schlitten mitgenommen hast?«

»Das ist auch etwas, das mit dir und deinen süßen und unschuldigen

Geschäften nichts zu tun hat, Bill. Aber wenn Kurz Lust hat, es dir zu erzählen, dann meinetwegen.«

»So, meinst du?« sagte Kurz, der sich jetzt eifrig in die Bresche stellte. Er öffnete den Mund, um etwas zu sagen, dann stockte er plötzlich und wandte sich an seinen Partner: »Du, Kid, im tiefsten Vertrauen . . . ich glaube nicht, daß das die andern Herren etwas angeht. Komm lieber herein! Dein Kaffee kocht schon so lange, daß Kraft und Saft längst verdampft sind.«

Die Tür schloß sich, und die dreihundert zogen sich in mißmutigen, murrenden Gruppen zurück.

»Na, weißt du, Saltman«, sagte einer. »Ich dachte, du würdest uns zur Goldquelle führen.«

»Geh zum Teufel«, antwortete Saltman wütend. »Ich habe gesagt, daß Kid uns führen würde.«

»Und du meinst, daß es hier ist?«

»Ihr wißt genau soviel davon wie ich, und das einzige, was wir wissen, ist, daß Kid herumschleicht und irgend etwas fingern will! Denn warum, zum Teufel, hätte er sonst dem alten Sanderson fünfundzwanzigtausend für diese dreckigen, blöden Grundstücke gezahlt? Doch todsicher nicht, um eine verflucht idiotische Stadt hier zu gründen!«

Eine Menge von Stimmen bestätigte die Richtigkeit von Saltmans Gedanken.

»Nun ja . . . aber was jetzt?« fragte einer mißmutig.

»Ich bin dafür, daß wir frühstücken gehen«, erklärte Wild Water guter Laune. »Diesmal hast du uns in eine Sackgasse geführt, lieber Bill.«

»Das stimmt nicht, sage ich euch«, gab Bill Saltman zurück. »Kid hat uns geführt! Und mag es sein, wie es will . . . was haltet ihr von den fünfundzwanzigtausend?«

Nach halb acht, als es schon ganz hell geworden war, öffnete Kurz die Tür und spähte hinaus. »Donnerwetter«, rief er. »Sie sind alle nach Dawson zurückgekehrt. Ich hätte geglaubt, sie würden hier ihr Lager aufschlagen.«

»Nur ruhig . . . sie werden schon wiederkommen«, tröstete ihn Kid. »Wenn ich mich nicht sehr irre, wirst du halb Dawson hier sehen, bevor wir mit unserer Arbeit fertig sind. Komm jetzt nur mit hinein und hilf mir! Wir haben genug zu tun!«

»Um Gottes willen, erkläre mir jetzt, was du eigentlich vorhast«, klagte Kurz, als sie eine Stunde später das Ergebnis ihrer Arbeit betrachteten – in der einen Ecke der Hütte stand eine Winde mit einem endlosen, durch einen Doppelblock laufenden Seil.

Kid begann ohne Mühe zu drehen, und das Seil straffte sich, knarrte und quietschte. »Jetzt kannst du mal hinausgehen, Kurz, und mir nachher erzählen, wie das draußen klingt.«

Kurz stand draußen, lauschte an der Tür und hörte all die vielen Geräusche, die eine Winde macht, wenn eine schwere Last damit hinaufgeholt wird, und er erwischte sich dabei, wie er ganz unbewußt die Tiefe des Schachtes, aus dem die Last heraufgeholt wurde, einzuschätzen versuchte. Dann trat eine Pause ein, und vor seinem inneren Auge sah er, wie der Eimer am kurzen Seil hin und her schaukelte. Dann hörte er, wie der Eimer wieder schnell hinuntergelassen wurde und mit einem dumpfen Schlag gegen den Rand des Schachtes schlug. Er öffnete strahlend die Tür.

»Das hört sich einfach wunderbar an«, rief er. »Ich wurde selbst ganz neugierig. Was ist jetzt zu tun?« Zuerst mußten mehrere Schlittenladungen von schweren Steinen in die Hütte geschleppt werden. Überhaupt war es ein anstrengender Tag mit sehr viel Arbeit.

»Und heute abend fährst du dann mit den Hunden nach Dawson hinüber«, sagte Kid, als sie Abendbrot gegessen hatten. »Laß sie bei Breck, er wird sich ihrer schon annehmen. Die Leute werden gehörig aufpassen, was du tust, deshalb sollst du Breck überreden, daß er zur A. C. Company geht und ihr ganzes Sprengstofflager aufkauft. Sie haben höchstens ein paar hundert Pfund liegen! Und dann mußt du Breck beauftragen, ein halbes Dutzend Steinbohrer beim Grobschmied zu bestellen. Breck ist selbst Fachmann, er wird dem Schmied schon erklären, wie die Dinger sein sollen. Und gib Breck auch diese Grundbuchauszüge, so daß er sie morgen früh dem Goldkommissar überreichen kann. Und endlich mußt du gegen zehn durch die Hauptstraße gehen und hören, was geschehen soll. Vergiß nicht, daß die Explosionen nicht zu laut sein dürfen. Man muß sie in Dawson nur gerade hören können, nicht mehr. Ich werde es dreimal versuchen, mit verschiedenen Mengen, und du mußt dir merken, welche am natürlichsten klingt.«

Gegen zehn Uhr desselben Abends bummelte Kurz durch die Hauptstraße und fühlte, daß viele neugierige Blicke sich auf ihn richteten. Er paßte eifrig auf, was kommen sollte, und hörte bald eine sehr schwache Explosion, die aus weiter Ferne zu kommen schien. Dreißig Sekunden später erfolgte eine zweite, die schon so stark war, daß sie die Aufmerksamkeit der Passanten erregte. Und endlich folgte eine dritte, die so gewaltig war, daß alle Bewohner auf die Straße stürzten.

»Du hast sie herrlich aufgerüttelt«, erklärte Kurz, als er eine Stunde später atemlos die Hütte in Tra-li erreichte. Er ergriff Kids Hand. »Du hättest sie nur sehen sollen: Bist du nie in einen Ameisenhaufen getreten? Genauso sah Dawson aus. Die ganze Hauptstraße war voll von summenden Menschen, als ich mich dünnemachte. Morgen werden wir Tra-li vor lauter Menschen nicht sehen können. Und wenn nicht schon in diesem heiligen Augenblick ein paar draußen herumkriechen, dann weiß ich nicht, wie ein Goldsucher beschaffen ist.«

Kid grinste, trat zur Winde und ließ sie ein paarmal quietschen und knarren. Kurz zupfte etwas Moos zwischen den Wandbalken heraus, so daß man durch die Löcher hereingucken konnte. Dann blies er die Kerze aus.

»Jetzt«, flüsterte er, als eine halbe Stunde vergangen war.

Kid drehte langsam das Spill, hörte aber nach einigen Minuten auf, nahm einen verzinkten, mit Erde gefüllten Eimer und zog ihn scharrend, schleifend und kratzend über den Haufen von Steinen, die sie in die Hütte geschleppt hatten. Dann steckte er sich eine Zigarette an, hielt aber die Hand vor die Flamme des Streichholzes.

»Es sind drei draußen«, flüsterte Kurz. »Du hättest sie sehen sollen. Als du vorhin das dumpfe Geräusch mit dem Eimer machtest, wären sie fast geplatzt. Jetzt steht einer am Fenster und versucht hereinzugucken.«

Kid ließ seine Zigarette aufglühen und sah auf die Uhr.

»Wir müssen die Sache jetzt aber auch durchführen«, flüsterte er. »Jede Viertelstunde müssen wir einen Eimer heraufziehen. Und in der Zwischenzeit . . .«

Er begann mit einem Meißel auf einen Stein zu hämmern, nachdem er zuerst einen dreifach zusammengelegten Sack darübergelegt hatte.

»Herrlich . . . wunderbar . . .«, stöhnte Kurz begeistert. Er schlich sich lautlos an sein Guckloch . . . »Jetzt stecken sie die Köpfe zusammen . . . ich kann beinahe sehen, wie eifrig sie miteinander reden.«

Von da an bis gegen vier Uhr morgens wiederholten sie jede Viertelstunde den Trick mit dem Eimer, der scheinbar mit der Winde heraufgezogen wurde, die in der natürlichsten Weise quietschte und knarrte. Dann verschwanden die Besucher, und Kid und Kurz konnten endlich ins Bett gehen.

Als es hell geworden war, untersuchte Kurz die Mokassinfährten. »Der lange Bill Saltman war jedenfalls mit dabei«, stellte er fest.

Kid guckte nach der andern Seite des Flusses.

»Mach dich bereit, Besuch zu empfangen«, sagte er.

»Es kommen zwei jetzt über das Eis.«

»Hoho . . . warte nur, bis Breck die Geschichte von den Goldclaims erzählt hat, dann kommen zweitausend über den Fluß.«

Kurz war inzwischen auf einen hohen Felsblock geklettert und betrachtete von dort aus mit dem Auge des Kenners das Gelände, das sie abgezeichnet hatten. »Es sieht tatsächlich wie ein richtiger Claim aus«, sagte er. »Ein Experte würde fast die Linien ziehen können, wo die Ader unter dem Schnee läuft. Selbst der Klügste würde sich hinters Licht führen lassen. Die Rutschbahn da füllt den ganzen Vordergrund aus, und guck dir nur die Ausläufer da an . . . Es sieht alles ganz echt aus . . . und doch steckt nichts dahinter!«

Als die beiden Männer, die soeben den Fluß überquerten, den gewundenen Pfad die glatten Felswände heraufgeklettert waren, fanden sie die Hütte verschlossen. Bill Saltman, der den Führer machte, ging leise zur Tür und lauschte. Dann gab er Wild Water ein Zeichen, daß auch er kommen und lauschen sollte. Von drinnen hörten beide das Knarren und Quietschen einer Winde, die eine schwere Last heraufzog. Sie warteten die Pause ab, dann hörten sie endlich, wie der Eimer hart gegen die Felswand schlug. Viermal im Laufe einer Stunde hörten sie, wie dieselben Geräusche sich wiederholten. Dann klopfte Wild Water an die Tür. Von drinnen kamen noch einige leise, verstohlene Geräusche . . . dann wurde es still. Wieder hörte man einige, noch verdächtigere Laute . . . und als schließlich mindestens fünf Minuten vergangen waren, öffnete Kid, schwer atmend, die Tür auf Zollbreite und spähte vorsichtig hinaus. Auf seinem Gesicht und Hemd sahen sie noch den grauen Staub von dem Gestein, in dem er gearbeitet hatte. Sein Gruß war so freundlich, daß er ihnen doppelt verdächtig erschien.

»Wartet nur noch einen Augenblick«, sagte er. »Ich bin gleich bei euch.«

Während er sich die Handschuhe anzog, schlüpfte er zur Tür hinaus und stellte sich in den Schnee vor dem Haus neben seine Besucher. Ihre raschen Blicke stellten sofort fest, daß sein Hemd, besonders an den Schultern, schmutzig und voll Staub war und daß die Knie seiner Arbeitshosen deutliche Spuren von Erde trugen, die er offenbar ebenso schnell wie oberflächlich abzuwischen versucht hatte.

»Ein bißchen früh für einen Besuch«, sagte er. »Aber was hat euch über den Fluß gebracht?«

»Wir haben euch durchschaut«, sagte Wild Water vertraulich. »Und ihr könntet uns ebensogut die ganze Geschichte verraten . . . ihr habt was Feines vor, ihr beiden.«

»Wenn Sie Eier haben wollen«, begann Kid.

»Na, lassen wir die Geschichte. Wir wollen doch Geschäfte machen.«

»Ihr meint, daß ihr Parzellen kaufen wollt, nicht wahr?« leierte Kid schnell ab. »Es sind tatsächlich piekfeine Grundstücke hier. Aber, seht ihr, wir können noch nicht verkaufen! Wir haben die Stadt noch nicht parzelliert. Wenn Sie nächste Woche vorbeikommen wollen, Wild Water, und wenn Sie Ruhe und Frieden lieben und im Ernst hier wohnen möchten, dann werde ich Ihnen etwas ganz besonders Schönes zeigen. Also nächste Woche, ihr beiden, dann haben wir alles in Ordnung. Auf Wiedersehen . . . Tut mir leid, daß ich euch nicht hereinbitten kann, aber Kurz . . . na, ihr kennt ihn ja . . . er ist ja etwas sonderbar . . . Er sagt, er ist hierhergekommen, um Ruhe und Frieden zu finden . . . und er hat sich eben schlafen gelegt. Ich würde ihn nicht um ein Kaiserreich zu wecken wagen . . .«

Während Kid noch redete, schüttelte er ihnen freundschaftlich die Hände. Und noch immer sprechend und die Hände schüttelnd, schlüpfte er schnell wieder ins Haus und schlug, bevor sie ein Wort sagen konnten, die Tür zu.

Sie guckten sich an und nickten.

»Hast du seine Hosen gesehen?« flüsterte Saltman heiser.

»Natürlich! Und seine Schultern? Er ist ordentlich herumgekrochen drinnen im Schacht.«

Bei diesen Worten ließ Wild Water seine Blicke über die verschneite Schlucht gleiten, bis sie an etwas hängenblieben, das seinen Lippen einen verständnisinnigen Pfiff entlockte.

»Guck mal da hinauf, Bill. Siehst du, wo ich hinzeige? Wenn das nicht ein Minenloch ist . . . und dann guck auch nach beiden Seiten . . . siehst du, wie sie da im Schnee herumgestampft sind? Wenn das kein Randfelsen ist . . . und zu beiden Seiten, du Bill . . . dann weiß ich nicht, was ein Randfelsen ist . . . da ist der Eingang zu einer Ader . . . kein Zweifel!«

»Und sieh dir mal an, wie groß er ist!« brüllte Saltman. »Da haben sie was gefunden, so wahr ich hier stehe.«

»Und da . . . guck dir mal den Erdrutsch an . . . da, wo die Felswände herausgucken und gleich wieder abfallen . . . Der ganze Abhang gehört bestimmt mit zur Ader!«

»Ja, du, aber schau jetzt mal aufs Eis hinaus . . . auf den Weg da unten . . .«, und Saltman zeigte mit dem Finger . . . »Es sieht aus, als ob das halbe Dawson unterwegs wäre, nicht?«

Wild Water warf einen Blick hinab und sah, daß der Weg bis zu dem fernen Hang bei Dawson schwarz von Menschen war, und selbst ganz drüben strömte eine ununterbrochene Reihe von Menschen den Hang hinunter.

»Na, ich werde mir jedenfalls mal das Loch angucken, bevor die Leute herkommen«, sagte er und begann schnell nach der Schlucht zu gehen.

Aber im selben Augenblick öffnete sich die Tür, und die beiden Bewohner traten heraus.

»Hallo, Sie!« rief Kid. »Wo wollen Sie hin?«

»Mir einen Claim abstecken«, rief Wild Water zurück. »Schaut euch den Fluß an. Ganz Dawson ist unterwegs, um sich Claims abzustecken, und da wollen wir ihnen doch zuvorkommen und uns selbst welche aussuchen . . . Das ist ja unser gutes Recht, nicht wahr, Bill?«

»Todsicheres Recht«, bestätigte Saltman. »Hier scheint ja die richtige

Stelle zu sein, um eine Vorstadt zu gründen. Und offenbar wird sie eine zahlreiche Bevölkerung bekommen.«

»Wir werden aber dort, wo Sie jetzt hingehen, keine Parzellen verkaufen«, antwortete Kid. »Die Grundstücke liegen rechts drüben, weiter hinter den Felsblöcken. Dieser Teil, vom Fluß bis zum obersten Rand des Abhangs, ist reserviert! Kehren Sie lieber gleich wieder um.«

»Das ist aber die Stelle, die wir uns ausgesucht haben«, wandte Saltman ein.

»Da habt ihr aber nichts zu suchen . . . sage ich euch«, gab Kid ihm scharf zurück.

»Habt ihr denn etwas dagegen, daß wir dort herumspazieren?« fragte Saltman hartnäckig.

»Ja, wahrhaftig . . . Dein Herumspazieren fängt an, mich zu langweilen . . . Kommt jetzt zurück!«

»Aber ich denke, daß wir trotzdem hier herumspazieren werden«, knurrte Saltman. »Komm, Wild Water!«

»Ich warne euch . . . es ist eine Verletzung des Besitzrechtes«, lautete Kids letztes Wort.

»Ach wo, wir wollen ja nur spazierengehen«, antwortete Saltman gut gelaunt und ging weiter.

»Halt . . . Komm sofort zurück, Bill, oder ich knall' dich nieder«, donnerte Kurz und hob zwei unfreundlich aussehende 44er Colts. »Wenn du nicht sofort umkehrst, schieße ich dir elf Löcher in deinen verflucht gemeinen Bauch. Verstanden?«

Saltman blieb ganz überrascht stehen.

»Er weiß schon Bescheid«, murmelte Kurz Kid zu. »Aber wenn er weitergehen sollte, bringt er mich in eine verdammt schwierige Lage. Ich kann doch nicht einfach auf ihn schießen. Was, zum Deibel, soll ich machen?«

»Hör mal, Kurz, sei doch vernünftig«, bat Saltman.

»Komm hierher, dann werden wir vernünftig miteinander reden«, lautete Kurz' Antwort.

Und sie standen noch und sprachen »vernünftig« miteinander, als die Spitze der Goldsucherkolonne am Ende des geschlängelten Weges auftauchte und sich ihnen näherte.

»Ihr könnt nicht sagen, daß ein Mann sich gegen das Eigentumsrecht vergeht, wenn er auf einem Baugrundstück herumgeht, um sich eine Parzelle auszuwählen, die er kaufen will«, rechtfertigte sich Wild Water, und Kurz antwortete: »Selbst auf einem Stadtareal gibt es Privatbesitz, und das Stück dort oben ist eben Privatbesitz. Ich wiederhole es Ihnen: die Parzellen dort werden nicht verkauft!«

»Jetzt müssen wir das Geschäft aber schnell abwickeln«, murmelte Kid, »wenn die Leute auf eigene Faust herumzugehen beginnen.«

»Du mußt verdammt viel Selbstvertrauen haben«, flüsterte Kurz zurück, »wenn du glaubst, daß du all die Leute zurückhalten kannst. Es kommen mindestens zweitausend aus Dawson herüber . . . oder noch mehr. Sie werden unsere Absperrung einfach durchbrechen.«

Die Sperrlinie lief am Rande der Schlucht entlang, und Kurz hatte sie geschaffen, indem er die zuerst Gekommenen angehalten hatte, so daß sie dort stehenblieben. Unter der Menge befanden sich auch einige Beamte der Nordwest-Polizei mit einem Leutnant. Kid unterhielt sich flüsternd mit ihm.

»Es strömen immer noch neue Scharen aus Dawson herbei«, sagte er, »und es wird nicht lange dauern, dann sind fünftausend Menschen hier. Die Gefahr besteht darin, daß sie früher oder später anfangen werden, sich auf eigene Faust Claims auszusuchen. Wenn Sie bedenken, daß es im ganzen nur fünf Claims gibt, so bedeutet das also tausend Mann pro Feld, und vier- von den fünftausend werden versuchen, das ihnen zunächst liegende zu bekommen! Das ist natürlich unmöglich, und wenn es wirklich so weit kommt, wird es mehr Tote geben als in der ganzen Geschichte Alaskas. Außerdem sind diese fünf Felder schon heute morgen angemeldet und eingetragen worden und können also gar nicht mehr belegt werden. Mit anderen Worten: es darf gar nicht erst so weit kommen.«

»Gut, mein Herr«, sagte der Leutnant. »Ich werde meine Leute zusammenrufen und ihnen ihre Posten anweisen. Wir dürfen keine Unruhen bekommen, und wir wollen sie auch nicht haben. Aber ich glaube, es wird besser sein, wenn Sie mit den Leuten sprechen.«

»Hier muß ein Mißverständnis vorliegen, Kameraden«, begann Kid mit lauter Stimme. »Wir sind noch gar nicht soweit, daß wir Parzellen verkaufen. Die Straßen sind noch nicht einmal abgesteckt. Aber nächste Woche werden wir mit dem öffentlichen Verkauf beginnen können.«

Er wurde durch einen gewaltigen Ausbruch von Ungeduld und Entrüstung unterbrochen.

»Wir wollen gar keine Bauparzellen kaufen«, rief ein junger Goldgräber. »Wir sind gekommen, um zu kriegen, was im Boden ist.«

»Wir haben keine Ahnung, was im Boden ist«, antwortete Kid. »Aber wir wissen, daß eine piekfeine Stadt hier oben entstehen wird, wenn es erst soweit ist.«

»Eine verdammt feine Stadt«, fügte Kurz hinzu. »Mit wunderbarer Aussicht und herrlicher Einsamkeit.«

Wieder hörte man ungeduldige Ausbrüche, und Saltman rückte jetzt heran.

»Wir sind hierhergekommen, um Goldclaims zu belegen«, begann er.
»Wir wissen schon, was ihr getan habt ... Ihr habt euch nicht weniger
als fünf Quarzclaims einregistrieren lassen, und sie liegen alle in einer
Linie quer durch die Bauplätze, am Erdrutsch und der Schlucht. Aber
ihr habt einen Fehler gemacht! Denn zwei von den Eintragungen sind
einfach Schwindel! Wer ist Seth Talbot? Keiner hat je etwas von so
einem Kerl gehört. Und doch habt ihr heute morgen einen Claim auf
seinen Namen eintragen lassen! Und ein zweites Feld habt ihr auf den
Namen von Harry Macewell eintragen lassen. Aber der wohnt in
Seattle. Ist schon letzten Herbst von hier weggezogen. Diese beiden
Felder müssen also neu belegt und eingetragen werden.«
»Wie könnt ihr wissen, ob ich nicht Vollmacht von ihnen habe?« fragte
Kid. – »Die hast du nicht«, antwortete Saltman. »Und wenn du sie
wirklich hast, so bist du verpflichtet, sie vorzulegen ... Jedenfalls wer-
den wir die Claims neu belegen.«
Saltman hatte schon die Sperrlinie überschritten und wandte sich eben
zu den andern, um sie anzutreiben, als der Polizeileutnant rief:
»Zurück da ... Das ist nicht erlaubt.«
»Ich handle in Übereinstimmung mit dem Gesetz ... oder etwa nicht?«
fragte Saltman herausfordernd den Leutnant.
»Mag sein, daß es gesetzlich ist«, lautete die ruhige Antwort. »Aber
ich kann und werde nicht erlauben, daß fünftausend Mann den Versuch
machen, zwei Claims zu belegen und abzustecken. Es würde äußerst
gefährlich sein! Hier, an dieser Stelle und in diesem Augenblick, ist es
die Nordwest-Polizei, die das Gesetz vertritt. Der erste Mann, der die
Sperrlinie überschreitet, wird erschossen. Und Sie, Bill Saltman, treten
sofort zurück!«
Saltman gehorchte widerstrebend. Die ganze Menge aber, die sich in
unregelmäßigen Haufen zusammenballte, wurde von einer Unruhe ergriffen, die wenig Gutes verhieß.
»Donnerwetter«, flüsterte der Leutnant Kid zu. »Sehen Sie doch die
Leute, die wie Fliegen dort am Rande des Felsens kleben.«
Kid trat heraus.
»Ich bin gern bereit, mit offenen Karten zu spielen, Kameraden«, sagte
er. »Wenn ihr durchaus Bauplätze haben wollt, bin ich bereit, sie euch
zum Preise von hundert Dollar das Stück zu verkaufen, und dann könnt
ihr ja, sobald wir alles vermessen haben, über die Lage würfeln.« Die
Menge zeigte deutlich ihren Unwillen gegen diesen Vorschlag, aber Kid
hob abermals die Hand, um sie zu beruhigen. »Bleibt doch stehen ...
sonst geraten Hunderte von euch in Lebensgefahr.«
»Das ist uns ganz egal ... deshalb sollt ihr uns doch nicht beschwindeln«, rief eine Stimme. »Wir verlangen eine neue Belegung der Felder.«

»Aber es sind ja nur zwei Felder, die überhaupt in Frage kommen«, wandte Kid ein. »Wenn sie neu belegt werden, was macht dann der Rest von euch?« Er wischte sich mit dem Hemdsärmel die Stirn, und im selben Augenblick rief eine Stimme:

»Nehmt uns alle mit . . . mit gleich großen Anteilen!«

Keiner von den vielen, die diesem Vorschlag ihren Beifall zubrüllten, hatte eine Ahnung, daß er verabredet war, sobald Kid sich die Stirn mit dem Hemdsärmel wischte.

»Ihr müßt eure Chancen mit uns teilen! Schmeißt die gesamten Bauplätze in einen Topf«, rief der Mann weiter . . . »Und das Gold kommt mit in den Topf.«

»Aber es ist ja der reine Unsinn mit dem Gold«, wandte Kid ein.

»Das ist uns gleichgültig! Dann könnt ihr sie ja ruhig mit in denselben Pott schmeißen. Das Risiko wollen wir schon laufen.«

»Kameraden«, sagte Kid. »Ihr übt ja einen mordsmäßigen Zwang auf mich aus. Mir wäre es lieber, wenn ihr alle am andern Ufer geblieben wäret.«

Aber sein Versuch, die Entscheidung zu verzögern, war so unzweideutig, daß die Menge ihn unter gewaltigem Gebrüll nötigte, sofort seine Zustimmung zu geben. Saltman und die andern in der vordersten Reihe murrten.

»Kameraden«, rief Kid. »Bill Saltman und Wild Water wollen euch nicht alle teilnehmen lassen!«

Dadurch machten sich Bill Saltman und Wild Water unter sämtlichen Anwesenden gründlich unbeliebt.

»Aber wie sollen wir's jetzt anfangen?« fragte Kid. »Kurz und ich wollen natürlich die Majorität behalten. Wir sind die Entdecker.«

»Das ist euer gutes Recht«, riefen andere.

»Drei Fünftel für uns«, schlug Kid vor. »Und ihr, Kameraden, kriegt zwei Fünftel. Und ihr müßt eure Anteile natürlich bezahlen.«

»Zehn Cent per Dollar«, rief einer. »Und steuerfrei . . .«

»Und der Präsident der Gesellschaft muß persönlich herumgondeln und euch die Dividende auf einem silbernen Teller bringen, nicht?« spottete Kid. »Nein, mein Herr. Aber zehn Cent per Dollar wird die ganze Geschichte schon in Schwung bringen. Ihr bekommt zwei Fünftel vom Aktienpaket, hundert Dollar pro Aktie zum Kurs von zehn Dollar, die sofort zahlbar sind. Mehr kann ich beim besten Willen nicht für euch tun.«

»Keine Vertrustung hier«, ertönte eine Stimme, und dieser Ausruf war es, der all die vielen Köpfe Kids Vorschlag einstimmig billigen ließ.

»Es sind rund fünftausend Mann hier anwesend . . . das macht also fünftausend Aktien«, rechnete Kid laut nach. »Und diese fünftausend Aktien sollen zwei Fünftel des gesamten Kapitals ausmachen. Die Tra-li-Grundstücksgesellschaft wird demnach mit einem Kapital von einer Million zweihundertfünfzigtausend Dollar gegründet, also mit zwölftausendfünfhundert Aktien zu je hundert Dollar, und ihr, Kameraden, bekommt fünftausend von diesen Aktien zum Vorzugskurs von zehn Dollar die Aktie. Mir persönlich ist es vollkommen gleichgültig, ob ihr sie nehmt oder nicht.«

Die Menge fühlte sich vollständig überzeugt, ihn auf frischer Tat ertappt zu haben, daß er die beiden Claims auf falsche Namen hatte eintragen lassen. Sie traute ihm deshalb nicht ganz, sondern verlangte sofortige Erledigung der Angelegenheit. Ein Komitee wurde gewählt, das in großen Zügen die Organisation der Tra-li-Gesellschaft entwarf. Das Komitee lehnte den Vorschlag, die Aktien am nächsten Tage in Dawson zu liefern, ab, und zwar weil man befürchtete, daß die übrige Bevölkerung von Dawson, die an dem heutigen Rennen nach dem Golde nicht teilgenommen hatte, sonst auch noch einen Anteil an den Aktien fordern würde. Es wurde deshalb auf dem Eis unterhalb des Erdrutsches ein großes Feuer angezündet, und hier saß nun das Komitee und schrieb jedem Teilnehmer eine Quittung über zehn Dollar aus. Die zehn Dollar wurden an Ort und Stelle in Goldstaub abgewogen.

Gegen Abend war die Arbeit vollbracht, und Tra-li lag wieder still und öde da. Nur Kid und Kurz waren zurückgeblieben. Sie saßen jetzt in ihrer Hütte und verzehrten ihr Abendbrot, während sie sich über die Goldsäcke und das Verzeichnis der Aktionäre, das nicht weniger als viertausendachthundertvierundsiebzig Namen umfaßte, belustigten.

»Aber du hast das Geschäft noch nicht zu Ende geführt«, meinte Kurz.

»Das kommt schon noch«, versicherte Kid im Brustton der Überzeugung. »Er ist der geborene Hasardeur, und wenn Breck ihm unsern Tip zuflüstert, hält ihn nicht einmal eine Herzlähmung zu Hause.«

Es dauerte kaum eine Stunde, als es an die Tür klopfte und Wild Water in Begleitung Bill Saltmans eintrat. Ihre Blicke durchsuchten sofort eifrig die Hütte.

»Wenn ich nun aber im ganzen zwölfhundert Aktien haben möchte«, erklärte Wild Water, als sie schon eine halbe Stunde hin und her geredet hatten. »Mit den fünftausend, die heute verkauft worden sind, würde das nur sechstausendzweihundert Aktien ausmachen. Sie und Kurz würden dann immer noch sechstausenddreihundert behalten. Ihr hättet also doch die Majorität.«

»Aber Bill will ja auch welche haben«, sagte Kid widerstrebend. »Wir geben auf keinen Fall mehr als fünfhundert ab.«

»Wieviel kannst du denn anlegen?« fragte Wild Water Bill Saltman.

»Na . . . sagen wir fünftausend Dollar.«

»Nun gut, Wild Water«, sagte Kid dann. »Wenn ich Sie nicht so gut kennen würde, gäbe ich Ihnen keine einzige von diesen dummen

Aktien. Aber Kurz und ich wollen keinesfalls mehr als fünfhundert Aktien abgeben und verlangen fünfzig Dollar für die Aktie. Das ist unser letztes Wort in dieser Sache. Bill kann hundert haben, und die übrigen vierhundert kannst du ja nehmen.«

Schon am nächsten Tage erhielt Dawson Anlaß zum Lachen. Es begann frühmorgens, kurz vor Tagesanbruch, als Kid zum Warenhaus der A. C. Company kam und auf der schwarzen Tafel vor dem Eingang eine Bekanntmachung mit Reißnägeln befestigte. Es versammelten sich sogleich mehrere Zuschauer. Sie lasen die Mitteilung über seine Schulter hinweg und begannen schon, ehe der letzte Reißnagel saß, zu schmunzeln. Sofort strömten Hunderte von Leuten herbei, die nicht nahe genug an die schwarze Tafel kommen konnten, um die Bekanntmachung zu lesen; sie wählten deshalb einstimmig einen Vorleser, und im Laufe des Tages wurden viele ernannt, die mit lauter Stimme die von Kid am Eingang des Warenhauses angeschlagene Bekanntmachung vorlesen mußten. Viele Männer blieben stundenlang im Schnee stehen und hörten immer wieder zu, um all die heiteren Einzelheiten auswendig zu lernen. Die Bekanntmachung lautete wie folgt:

»Die Tra-li-Grundstücksgesellschaft veröffentlicht ihren Geschäftsbericht an der Mauer des Warenhauses A. C. Company. Der vorliegende Bericht ist der erste und letzte zugleich.
Sämtliche Aktionäre, die nicht bereit sind, für das Allgemeine Krankenhaus in Dawson zehn Dollar zu stiften, können diesen Betrag durch persönliche Rücksprache mit Herrn Wild Water Charley oder, falls diese nicht zum Erfolge führen sollte, durch Rücksprache mit Herrn Alaska-Kid zurückerhalten.

Einnahmen und Ausgaben

4874 Aktien à 10 Dollar	48740	Dollar
An Dwight Sanderson für Grundstücke		10000 Dollar
An verschiedene Unkosten: Pulver, Bohrer, Winde, Eintragungsgebühren.		1000 Dollar
An Allgemeines Krankenhaus, Dawson		37740 Dollar
insgesamt	48740	48740 Dollar

Übriggebliebene Aktien: 7126. Diese Aktien, die keinen Wert haben, befinden sich im Besitz von Alaska-Kid und Jack Kurz und werden auf Wunsch an Interessenten, die geneigt sind, nach dem einsamen und friedlichen Gelände von Tra-li überzusiedeln, gratis abgegeben.

Anmerkung: Ruhe und Einsamkeit werden auf den Bauplätzen von Tra-li für alle Ewigkeit garantiert.

Gezeichnet: Alaska-Kid, Präsident
Jack Kurz, Sekretär.«

Von Bill Saltman für 100 Aktien Privatverkauf à 50 Dollar	5 000	Dollar
Von Wild Water Charley für 400 Aktien à 50 Dollar	20 000	Dollar
An Bill Saltman zur Deckung von Unkosten als freiwilliger Aktionär		5 000 Dollar
An Allgemeines Krankenhaus, Dawson		3 000 Dollar
An Alaska-Kid und Kurz als Entschädigung für Verlust an Eiern und für moralisches Guthaben . . .		17 000 Dollar
insgesamt	25 000	25 000 Dollar

Das Wunder des Weibes

»Na, weißt du, Kid«, bemerkte Kurz, um die Unterredung, die allmählich eingeschlafen war, wieder in Fluß zu bringen, »ich finde jedenfalls nicht, daß du besonders aufs Heiraten versessen warst.«
Kid saß auf einem Zipfel seines Schlafsacks und war eifrig damit beschäftigt, die Füße eines knurrenden Hundes zu untersuchen, den er im Schnee auf den Rücken gewälzt hatte. Er gab deshalb keine Antwort.
Kurz, der einen dampfenden Mokassin an einem Stock zum Trocknen ans Feuer hielt, sah seinem Kameraden aufmerksam ins Gesicht.
»Schau dir mal das Nordlicht an«, sagte er. »Ein bißchen leichtfertig sieht es aus! Fast genau wie so 'n schillerndes, flatterndes Frauenzimmer! Von denen sind ja selbst die besten leichtfertig, wenn sie nicht komplett verrückt sind. Und Katzen sind sie alle, ohne Ausnahme, die kleinsten und die größten, die hübschesten und die häßlichsten. Sie sind ganz wie brüllende Löwen und keifende Hyänen, wenn sie erst mal einen Mann aufgespürt haben, den sie verzehren möchten.«
Wiederum blieb der Monolog Kurz' unbeantwortet.
Kid gab dem Hund, der nach seiner Hand schnappte, einen leichten Klaps und setzte seine Untersuchung der wunden und blutenden Fußballen fort.
»Hm«, plauderte Kurz weiter. »Vielleicht denkst du, ich hätte nicht verheiratet sein können, wenn ich Lust gehabt hätte? Und vielleicht glaubst du auch nicht, daß ich verheiratet wäre, selbst wenn ich keine Lust gehabt hätte, wäre ich nicht aus so hartem Holz geschnitzt? Kid, willst du wissen, was mich gerettet hat? Ich will es dir sagen. Meine gute Lunge! Ich lief einfach fort, und die Schürze möchte ich sehen, die mich einholen könnte!«
Kid ließ den Hund laufen und krempelte seine eigenen dampfenden Mokassins um, die ebenfalls auf Stöcken zum Trocknen am Feuer hingen.
»Wir werden bis morgen hierbleiben und Mokassins für die Hunde machen müssen«, ließ er sich herab mitzuteilen. »Die dünne Eiskruste verdirbt ihnen vollkommen die Pfoten.«
»Wir wollen lieber weitermarschieren«, wandte Kurz ein. »Wir haben nicht Proviant genug, um umkehren zu können, und müssen also se-

hen, so bald wie möglich das Gebiet der Rentiere oder der weißen Indianer zu erreichen . . . sonst werden wir unsere eigenen Hunde essen
müssen . . . mit Haut und Haaren und wunden Pfoten! Aber glaubst
du denn, daß überhaupt einer diese weißen Indianer gesehen hat? Alles
nur Unsinn. Wie zum Teufel sollte eine Rothaut weiß sein können? Ein
weißer Schwarzer wäre genauso natürlich und wahrscheinlich! Du,
Kid, wir müssen also jedenfalls sehen, daß wir morgen weiterkommen.
Das Land hier ist ja von allen Göttern verlassen . . . jedenfalls von allem
Wild. Die ganze Woche haben wir nicht eine einzige Hasenfährte gesehen . . . das weißt du ja. Und wir müssen aus dieser Einöde heraus und
irgendwohin, wo das Futter lebendig herumläuft.«
»Die Hunde werden aber alle besser laufen, wenn sie einen Ruhetag
gehabt haben und Mokassins bekommen«, riet Kid. »Wenn du von irgendeiner Wasserscheide aus Ausschau halten würdest, so daß wir sehen könnten, was auf der andern Seite liegt, wäre es gar nicht so dumm.
Wir müßten ja eigentlich jeden Augenblick offenes Hügelland antref-
fen. Das hat jedenfalls La Perle gesagt.«
»Pah! Nach seinem eigenen Bericht ist es zehn Jahre her, daß er durch
diese Gegend kam, und er war damals so verrückt vor Hunger, daß er
gar nicht ahnte, was er sah! Denk doch daran, daß er uns erzählt hat,
er hätte große Flaggen auf den Bergen wehen sehen. Danach kannst du
ausrechnen, wie verrückt er war! Und er gibt selber zu, daß er nie eine
weiße Rothaut gesehen hat . . . es war Anton, der ihm diesen Bären
aufgebunden hat. Und der gute Anton war ja auch, zwei Jahre, ehe wir
beide nach Alaska kamen, durchgebrannt. Aber ich werde morgen
einen kleinen Ausflug machen. Und vielleicht erwische ich auch einen
Elch. Aber wollen wir jetzt nicht schlafen?«

Kid verbrachte den Morgen im Lager, wo er Mokassins für die Hunde
nähte und das Geschirr reparierte. Gegen Mittag kochte er für sie beide,
aß dann seine Ration und begann sich nach Kurz' Rückkehr zu sehnen.
Eine Stunde später schnallte er sich die Schneeschuhe an und begann
der Fährte seines Partners nachzugehen. Sie führte ihn das Flußbett
hinauf und durch eine enge Schlucht, die sich plötzlich zu einer Elchweide erweiterte. Aber offenbar waren seit dem ersten Schneefall keine
Tiere dagewesen. Die Furchen von Kurz' Schneeschuhen überquerten
die Weide und führten den sanften Hang einer niedrigen Wasserscheide hinauf. Auf der Kuppe blieb Kid stehen. Die Fährte Kurz' lief
den andern Hang wieder hinab. Die ersten Fichten standen unten im
Flußbett, eine kleine Meile entfernt, und es leuchtete Kid ein, daß Kurz
sie passiert haben mußte. Kid sah auf seine Uhr, gedachte der eintretenden Dunkelheit, der wartenden Hunde, des einsamen Lagers und

entschloß sich widerstrebend zur Umkehr. Vorher aber warf er noch einen langen spähenden Blick über das weite Land. Der ganze östliche Horizont war von dem schneebedeckten Grat der Rocky Mountains begrenzt und glich der zackigen Schneide einer Säge. Das gewaltige Gebirge erstreckte sich, Kette neben Kette, nach Nordwesten und schien den Weg nach dem offenen Lande, von dem La Perle erzählt hatte, zu versperren. Es sah deshalb aus, als ob die Berge sich zusammengetan hätten, um den Wanderer nach dem Westen und dem Yukon zurückzudrängen.

Bis Mitternacht unterhielt Kid ein großes Feuer, das Kurz als Wegweiser dienen konnte. Und sobald er am nächsten Morgen das Lager abgebrochen und die Hunde vorgespannt hatte, nahm er die Verfolgung auf. In der engen Schlucht, durch die er ging, spitzte der Leithund plötzlich die Ohren und begann zu heulen. Bald danach stieß Kid auf sechs Indianer, die ihm entgegenkamen. Sie trugen nur leichtes Gepäck und hatten keine Hunde bei sich. Sie umringten ihn und gaben ihm sofort verschiedene Gründe, erstaunt zu sein. Es war nämlich ganz offenbar, daß sie unterwegs waren, um ihn aufzusuchen. Ebenso schnell stellte er fest, daß sie keinen der ihm bekannten Indianerdialekte sprachen. Es waren indessen keine weißen Rothäute, obgleich sie größer und kräftiger gebaut waren als die Indianer unten am Yukon. Fünf von ihnen trugen lange altmodische Gewehre, während der sechste einen Winchesterstutzen trug, den Kid sofort als Kurz' Eigentum erkannte.

Sie verschwendeten auch keine Zeit, um ihn feierlich gefangenzunehmen. Er trug selbst keine Waffen und war also gezwungen, sich zu ergeben. Den Inhalt des Schlittens übernahmen sie ohne weiteres und verteilten ihn unter sich. Er selbst mußte ein Bündel mit seinem und Kurz' Schlafsack auf den Rücken nehmen. Die Hunde liefen ohne Sielen herum, und als Kid dagegen Einspruch erhob, bedeutete ihm einer der Indianer durch Zeichen, daß der Weg zu schwierig zum Schlittenfahren sei. Kid mußte sich deshalb in das Unvermeidliche fügen, stellte den Schlitten auf den Hang oberhalb des Flusses aufrecht in den Schnee und trottete dann mit seinen Wärtern weiter. Sie zogen über die Wasserscheide nordwärts nach den Fichten, die Kid am vorigen Abend aus der Ferne gesehen hatte.

Die erste Nacht verbrachten sie in einem Lager, das seit mehreren Tagen benutzt sein mußte. Hier lagen reichliche Mengen von getrocknetem Lachs und einer Art Pemmikan, die die Indianer in ihren Bündeln verstauten. Von diesem Lagerplatz aus lief eine durch viele Schneeschuhe getretene Fährte . . . Kid war sich darüber klar, daß sie von den Leuten herrührte, die Kurz gefangengenommen hatten. Und schon ehe es dunkel wurde, hatte er unter den vielen Spuren die von Kurz' Schneeschuhen festgestellt, die schmaler als die der Indianer waren. Als er die Indianer durch Zeichen danach befragte, nickten sie zur Bestätigung und wiesen mit den Fingern nach Norden.

Die folgenden Tage zeigten sie immer nur nach dem Norden, und auch die Fährte, die sich durch ein wahres Chaos von hohen Felsblöcken schlängelte, führte in diese Richtung. Der Schnee war tiefer als in den niedriger gelegenen Tälern, und sie hätten überhaupt nicht ohne Schneeschuhe vorwärtskommen können. Kids Wärter, die alle jung waren, wanderten indessen leicht und sicher. Und er konnte einen gewissen Stolz nicht unterdrücken, daß er so mühelos mit ihnen Schritt zu halten vermochte.

Sie brauchten sechs Tage, um den mittleren Paß zu erreichen und zu überschreiten, denn wenn er auch im Verhältnis zu den Bergen, die ihn umgaben, niedrig erschien, war er an sich doch schreckenerregend und für schwerbeladene Schlitten überhaupt unbefahrbar. Nachdem sie weitere fünf Tage dem gewundenen Weg, der sich immer tiefer und tiefer den Berg hinabschlängelte, gefolgt waren, gelangten sie in das offene, wellenförmige, nur leicht hügelige Gelände, das La Perle zehn Jahre zuvor besucht hatte. Kid erkannte es auf den ersten Blick – es war ein eisiger Tag, das Thermometer stand vierzig Grad unter Null, und die Luft war so klar, daß er Hunderte von Meilen weit sehen konnte. So weit sein Blick reichte, erstreckte sich das wellenförmige Gelände. Fern im Osten erhoben die Gipfel der Rocky Mountains ihre schneebedeckten Bastionen gen Himmel. Nach Süd und Südwest liefen die zakkigen Ketten, die dem soeben überschrittenen, hoch aufragenden System von Ausläufern angehörten. Und in der großen Senkung inmitten dieser Gebirge lag das Gelände, das La Perle durchwandert hatte . . . im Augenblick freilich weiß von Schnee, aber sicher zu verschiedenen Jahreszeiten reich an Wild, und im Sommer von bunten Blumen bedeckt.

Sie wanderten weiter an einem breiten Strom entlang, an verschneiten Weiden und an entlaubten Eschen vorbei, durch Niederungen mit vielen Fichten und erreichten gegen Mittag ein großes Lager, das seit einigen Tagen verlassen schien. Im Vorbeigehen warf Kid einen prüfenden Blick hin und schätzte es auf vier- bis fünfhundert Feuer, so daß also die Bevölkerung in die Tausende gehen mußte. Die Schlittenfährte war so frisch und von den vielen Füßen so festgestampft, daß Kid und seine Wärter sich die Schneeschuhe abschnallten und nun in Mokassins schneller weitergehen konnten. Allmählich begannen die Spuren eines Wildbestandes sichtbar zu werden, der immer reicher zu werden schien . . . Sie sahen Fährten von Wölfen und Luchsen, die ohne Fleisch ja nicht leben konnten. Einmal stieß einer der Indianer einen Ruf der Zufriedenheit aus und wies auf ein weiteres verschneites Feld, das mit Rentierschädeln bedeckt war, denen die wilden Tiere Haut und Fleisch abgenagt hatten. Und auf dem ganzen Gelände war die Schneedecke so zerstampft und aufgerissen, als ob ein ganzes Heer dort einen schweren Kampf ausgefochten hätte. Kid war sich gleich darüber klar, daß Jäger hier seit dem letzten Schneefall sehr viele Tiere erlegt hätten. Obgleich die lang andauernde Dämmerung schon angebrochen war, schien doch niemand die Absicht zu haben, ein Lager aufzuschlagen. Die Indianer gingen weiter durch die zunehmende Dunkelheit, die jedoch allmählich von dem leuchtenden Himmel erhellt wurde . . . große glitzernde Sterne funkelten durch den grünen Schimmer des zitternden Nordlichts. Die Hunde waren die ersten, die das ferne Getöse des Lagers hörten . . . Sie spitzten die Ohren und winselten leise aus Eifer und Verlangen. Dann hörten auch die Wanderer das Geräusch . . . zuerst ein Murmeln, das die Entfernung noch schwach und dumpf machte, das aber doch ohne die sanft rauschende Romantik war, welche alle sehr fernen Geräusche kennzeichnet. Es waren statt dessen wilde und laute Töne . . . ein Gewirr von schrillen Lauten, die von einem noch schrilleren durchbrochen wurden . . . dem langen, unheimlich eintönigen Wolfsgeheul vieler Hunde . . . einem Johlen und Schreien, wie aus Unfrieden und Schmerz, schwermütig und klagend, wie die Stimmen hoffnungsloser Empörung gegen ein unabwendbares Schicksal.

Kid öffnete sein Uhrglas, und mit bloßen Fingern Zeiger und Ziffern nachprüfend, konnte er feststellen, daß es bereits gegen elf Uhr war. Die Männer, die ihn begleiteten, beschleunigten ihren Gang. Die Beine, die sich bereits mehr als zwölf ermüdende Stunden bewegt hatten, mußten sich noch mehr beeilen, so daß sie fast liefen oder, die meiste Zeit jedenfalls, trabten. Aus einer düsteren Fichtenniederung traten sie auf einmal in den Lichtkreis vieler Feuer und in einen plötzlich gewaltig anwachsenden Lärm. Vor ihnen lag das große Lager.

Und als sie es erst betreten hatten und durch seine unregelmäßigen Wege gingen, gerieten sie in ein wildes Getümmel, das wie eine Woge gegen sie anbrach und brausend mit ihnen weiterrollte . . . Rufe, Grüße, Fragen und Antworten, Späße und Witze flogen hin und her; die Wolfshunde schnappten und knurrten wütend und stürzten sich wie zottige Kugeln auf Kids fremdartige Hunde; die Indianerfrauen schimpften und lachten; die Kinder wimmerten und weinten; die Kranken klagten und stöhnten, wenn sie aus ihrem Schlaf zu neuen Schmerzen geweckt wurden . . . hier herrschte der ganze Höllenlärm, der ein Lager von Völkern der Einöden, von Völkern ohne Nerven, kennzeichnet.

Mit ihren Keulen und Gewehrkolben scheuchten Kids Begleiter die angriffslustigen Hunde zurück, während seine eigenen Tiere, die sich vor so vielen Feinden fürchteten, sich erregt knurrend und schnappend zwischen den Beinen ihrer menschlichen Beschützer verkrochen.

Es wurde erst haltgemacht, als sie den festgestampften Schnee um ein großes Feuer erreichten, wo Kurz mit zwei jungen Indianern hockte und lange Streifen Elchfleisch briet. Drei andere junge Indianer, die bereits in ihren Schlafsäcken auf einem Lager von Fichtenzweigen lagen, richteten sich auf. Kurz sah seinen Partner über das Feuer hinweg an, aber seine Miene blieb unbewegt und gleichgültig, genau wie die der Indianer. Er gab auch keine Zeichen, daß er Kid erkannte, sondern briet seelenruhig sein Fleisch weiter.

»Was hast du denn?« fragte Kid verärgert. »Kannst du nicht mehr reden?«

Das alte, vertraute Lachen glitt über Kurz' Gesicht. »Nein«, antwortete er. »Ich bin Indianer geworden. Ich habe jetzt gelernt, daß man keine Überraschung zeigen darf. Wann haben sie dich erwischt?«

»Am Tage nach deinem Verschwinden.«

»Hm«, sagte Kurz, und ein halb spöttisches Lächeln blitzte in seinen Augen auf. »Ich befinde mich hier sauwohl, darauf kannst du schwören. Es ist das Lager der Junggesellen.« Er streckte mit einer großartigen Bewegung die Hand aus, als ob er all die Herrlichkeiten an seine Brust drücken wollte, obgleich sie nur aus einem Feuer, Schlafplätzen aus Fichtenzweigen, die auf dem Schnee ausgestreut waren, aus Elchhautzelten und aus Windschirmen, die aus Fichten- und Weidenzweigen geflochten waren, bestanden. »Und hier siehst du die Junggesellen!«

Diesmal zeigte er auf die jungen Männer und spie dabei einige Gaumenlaute in ihrer Sprache aus, so daß sie dankbar und erfreut das Weiße ihrer Augen und Zähne blitzen ließen.

»Sie freuen sich, dich kennenzulernen, Kid. Setz dich und trockne deine Mokassins, dann werde ich etwas Futter für dich fertigmachen. Ich kann schon richtig mit ihrem Kauderwelsch umgehen. Das wirst du auch nötig haben, denn mir scheint, als ob wir ziemlich lange hierbleiben werden! Es ist noch ein Weißer hier. Der wurde vor sechs Jahren gefangengenommen. Es ist ein Ire, den sie am Großen Sklavensee aufgegabelt haben. Hier wird er Danny McCan genannt. Er hat sich schon mit einer Indianerfrau zur Ruhe gesetzt. Hat schon zwei Kinderlein, will sich aber trotzdem unsichtbar machen, wenn sich eine Möglichkeit bieten sollte. Siehst du das niedrige Feuer drüben rechts? Da ist sein Wigwam.«

Kid sollte offenbar auch hierbleiben, denn seine Wärter verließen ihn und seine Hunde und schritten tiefer ins Lager hinein. Während er für seine Fußbekleidung Sorge trug und gleichzeitig lange Streifen warmen Fleisches verschlang, kochte und schwätzte Kurz weiter.

»Es ist ja zweifellos eine herrliche Suppe, die wir uns hier eingebrockt haben . . . kannst mir ruhig glauben! Und wir müssen verdammt früh aufstehen, wenn wir lebendig aus diesem Hexenkessel entschlüpfen wollen. Sie sind richtige, waschechte wilde Indianer. Sie sind freilich nicht weiß, aber ihr Häuptling ist es. Er spricht, als ob er das Maul voll von heißem Brei hätte . . . Und wenn er nicht ein Vollblutschotte ist, dann gibt's überhaupt gar nicht so was wie Schotten in dieser verworrenen Welt. Er ist der Hiju, Skookum, Oberhäuptling des ganzen Warenhauses. Was er sagt, ist einfach Gesetz . . . das mußt du dir gleich von Anfang an klarmachen. Danny McCan versucht jetzt seit sechs Jahren durchzubrennen. Danny ist ein ganz guter Kerl, aber viel Mumm steckt nicht mehr in seinen alten Knochen. Er weiß einen Weg, auf dem man entkommen kann – hat ihn auf den Jagden kennengelernt – westlich von dem Weg, den wir gekommen sind. Er hat nur nicht die richtigen Nerven, um so eine Sache allein zu deichseln. Aber wir drei werden den Laden schon schmeißen. Backenbart ist ja ganz nett und todanständig, aber trotzdem ist er ein bißchen reichlich verschroben.«

»Wer ist der Backenbart?« fragte Kid, der unterdessen die warmen Fleischstücke mit wahrem Wolfshunger verschlungen hatte, jetzt aber eine kleine Pause machte.

»Na, das ist ja der Obergeneral-Idiot . . . der alte Schotte . . . er ist wirklich etwas alt geworden, und deshalb schläft er wohl auch jetzt schon. Aber morgen wird er dich sehen wollen, und er wird dir mit aller gewünschten Deutlichkeit sagen, was du für ein jämmerlicher Wicht bist, wenn du auf seine Jagdgründe gerätst. Denn dieses ganze Gebiet gehört ihm, das mußt du deiner Kokosnuß gleich einbleuen. Hier ist noch nie ein Forscher oder Entdecker gewesen, und es gehört ihm alles. Er hat ungefähr zwanzigtausend Quadratmeilen als Jagdgebiet. Er ist auch der weiße Indianer . . . er und sein Frauenzimmer. Haha, du brauchst mich deshalb nicht so anzugucken . . . warte, bis du sie gesehen hast . . . Verflucht hübsches Ding und ganz weiß, wie der Papa . . . du weißt, der Backenbart! Und Rentiere! Donnerwetter noch mal! Ich hab' sie schon gesehen . . . die Herden werden jetzt ostwärts getrieben, und wir sollen ihnen nachgehen . . . jeden Tag kann es losgehen . . . Was Backenbart von Rentieren und von Lachsen weiß, das weiß sonst keiner in der Welt . . . das kannst du mir ruhig glauben.«

»Da kommt Backenbart – er sieht aus, als ob er irgendwas vorhätte«, flüsterte Kurz.

Es war Morgen, und die Junggesellen hockten schon um das Feuer und verzehrten ein gutes Frühstück aus Elchfleisch, das sie geröstet hatten. Kid blickte auf und sah einen kleinen schlanken Mann. Er war wie ein Wilder in Pelze gekleidet, aber trotzdem sah man sofort, daß er ein

Bleichgesicht war. Er ging an der Spitze eines Hundegespanns und wurde von einem Dutzend Indianer begleitet. Kid zerbrach eben einen heißen Knochen, und während er das dampfende Mark aussaugte, blickte er seinen Wirt, der sich ihnen näherte, prüfend an. Ein ergrauter und vom Rauch vieler Lagerfeuer geschwärzter, buschiger Bart verbarg den größten Teil des Gesichtes, konnte aber doch die mageren, fast unheimlich eingefallenen Wangen nicht verbergen. Kid stellte aber fest, daß diese Magerkeit nicht von Krankheit oder Schwäche herrührte, denn die weit geöffneten Nüstern und die gewölbte, breite Brust zeugten von außergewöhnlicher Gesundheit.

»Guten Tag«, sagte der Mann. Gleichzeitig zog er einen Handschuh ab und gab Kid die Hand. »Mein Name ist Snass«, fügte er hinzu, als sie sich die Hände schüttelten. – »Und ich heiße Alaska-Kid«, antwortete Kid mit einem eigentümlichen Gefühl der Unruhe, als er in die klaren, durchdringenden Augen blickte.

»Sie haben genug zu essen, scheint es.«

Kid nickte und begann wieder seinen Markknochen zu bearbeiten. Das Schnurren der schottischen Aussprache berührte ihn seltsam angenehm.

»Es sind natürlich nur derbe Gerichte, die wir Ihnen bieten können. Aber es geschieht dafür selten, daß wir hungern müssen. Und unser Essen ist jedenfalls natürlicher und gesünder als der gekünstelte Fraß, den man in den Städten bekommt.«

»Sie lieben offenbar die Städte nicht«, sagte Kid lachend, nur um etwas zu sagen. Er war aber ganz verblüfft, als er die Veränderung bemerkte, die seine Worte in Snass' Gesicht hervorriefen.

Wie eine empfindliche Pflanze schien die ganze Gestalt des Mannes plötzlich zu zittern und sich zu krümmen. Dann wich die Erregung, um sich in seinen Augen zu konzentrieren, die – in wildem Aufruhr – einen Haß sprühten, der seine unermeßliche Pein, seinen unsagbaren Schmerz fast in die Welt hinausschrie. Mit einem Ruck wandte er sich ab, nahm sich aber mit einer gewaltigen Anstrengung wieder zusammen und warf Kid einen Gruß zu:

»Ich werde Sie später ja sehen, Herr Kid. Die Rentiere beginnen ostwärts zu wandern, und ich muß deshalb fort, um einen Lagerplatz zu finden. Morgen werden wir alle weiterwandern müssen.«

»Ein tüchtiger Backenbart, nicht?« flüsterte Kurz, als Snass an der Spitze seiner Schar verschwunden war.

Später am selben Morgen bummelte Kid im Lager herum. Alle waren mit ihren einfachen Pflichten beschäftigt. Eine große Schar von Jägern war soeben zurückgekehrt, und die Männer zerstreuten sich an die verschiedenen Lagerfeuer. Viele Frauen und Kinder waren im Begriff, mit den Hunden, die vor leere Tobogganschlitten gespannt waren, auszuziehen, während andere Frauen, Kinder und Hunde Schlitten mit frisch geschlachtetem, aber schon gefrorenem Fleisch herbeizogen. Ein kalter Frühlingswind wehte, und der ganze wilde Auftritt spielte sich bei einer Temperatur von dreißig Grad unter Null ab. Nirgends sah man gewebte Stoffe, alle waren in Pelzwerk und leichtgegerbte Felle gekleidet. Knaben liefen vorbei, sie hatten Bogen in den Händen, und ihre Köcher waren von Pfeilen mit knöchernen Widerhaken vollgestopft. Kid sah auch viele Jagdmesser aus Knochen oder Stein, die am Gürtel oder in ledernen Riemen um den Hals getragen wurden. Frauen beugten sich über die Feuer und kochten und brieten, während die kleinen Kinder, die sie auf dem Rücken trugen, mit großen runden Augen um sich blickten und an Klumpen von Talg saugten. Hunde, sehr nahe Verwandte von Wölfen, kamen mit gesträubten Haaren auf Kid zu, aber nur, um von ihm mit seinem kurzen Knüppel verjagt zu werden. Sie wollten alle diesen Fremden beschnüffeln, den sie des harten Knüppels wegen dulden mußten.

Mitten im Lager brannte ein Feuer ganz für sich. Kid war sich klar darüber, daß es der Lagerplatz Snass' sein mußte. Obwohl offenbar nur zu vorübergehendem Gebrauch gedacht, schien er dennoch sorgfältig gebaut zu sein und war von bedeutendem Umfang. Eine ganze Menge Bündel Felle und Ausrüstungen aller Art lagen auf einem Gerüst, so daß die Hunde sie nicht erreichen konnten. Eine große Leinwandplane war wie ein Halbzelt so aufgestellt, daß man in seinem Schutz schlafen und sich aufhalten konnte. Daneben stand ein Zelt aus Seide, wie Forschungsreisende oder reiche Großwildjäger sie bevorzugen. Kid hatte noch nie ein solches Zelt gesehen und trat deshalb näher. In diesem Augenblick wurde der Vorhang beiseite geschlagen, und eine junge Frau trat heraus. Sie kam so plötzlich und schnell, daß ihr Erscheinen auf Kid wie eine Offenbarung wirkte. Er schien jedoch denselben Eindruck auf sie gemacht zu haben, und einen langen Augenblick blieben beide stehen und starrten sich an.

Sie war ganz in Pelzwerk gekleidet, aber in Pelzwerk von so wunderbarer Schönheit, wie Kid es nie auch nur im Traum gesehen hatte. Ihre Parka, deren Kapuze sie zurückgeschlagen hatte, bestand aus irgendeinem unbekannten Pelz von der Farbe fahlen Silbers. Die Mukluks, deren Sohlen aus Walroßhaut waren, bestanden aus den silberfarbenen Fußballen vieler Luchse. Die langen Stulpenhandschuhe, die Troddeln an den Knien, all der verschiedenartige Pelzbesatz ihrer Kleidung hatte denselben blassen Silberglanz, der in der eisigen Luft wie Mondlicht schimmerte ... und aus diesem fahl funkelnden Silber erhob sich auf einem schlanken, feingeformten Hals ein Kopf, dessen rosiges Gesicht ebenso hell war, wie ihre Augen blau waren. Die Ohren glichen rosigen Muscheln. Das hellbraune Haar war von Reif bedeckt, so daß es wie von glitzernden Eiskristallen funkelte.

Kid sah das alles und noch mehr wie in einem märchenhaften Traum. Dann nahm er sich zusammen und faßte nach seiner Mütze. Im selben Augenblick wich der benommene Blick aus den Augen des Mädchens, die ihn wie ein Wunder angestarrt hatte, einem natürlichen Lächeln. Mit einer schnellen, lebhaften Bewegung zog sie einen Handschuh aus und gab ihm die Hand. »Guten Tag«, flüsterte sie ernst, mit einem eigenartigen, aber reizenden Akzent. Ihre Stimme hatte einen silbernen Klang, der ihrem Pelzwerk in sonderbarer Weise entsprach, und berührte Kids Ohr als etwas Ungewohntes und Merkwürdiges, da er so lange nur die rauhen Stimmen der Squaws in den verschiedenen Lagern gehört hatte.

Er vermochte nur einige Gemeinplätze zu stammeln, ungeschickte Erinnerungen aus seinem einstigen Gesellschaftsleben.

»Ich freue mich, Sie kennenzulernen«, sagte sie langsam und unsicher, während ein strahlendes Lächeln über ihr Gesicht glitt. »Sie müssen mein Englisch entschuldigen. Es ist nicht sehr schön! Ich bin Engländerin«, versicherte sie ihm ernst. »Mein Vater ist Schotte. Meine Mutter ist tot. Sie war Französin und Engländerin und auch ein klein wenig Indianerin. Ihr Vater war irgend etwas Großes bei der Hudson-Bucht-Company. Hu, es ist so kalt heute.« Sie zog ihren Handschuh wieder an und rieb sich die Ohren, deren zartes Rosa schon anfing, weiß zu werden. »Wollen wir ans Feuer gehen und uns ein bißchen unterhalten? Ich heiße Labiskwee. Wie heißen Sie denn?«

Auf diese Weise machte Kid die Bekanntschaft Labiskwees, der Tochter des alten Snass, der sie selbst Margaret nannte.

»Mein Vater heißt gar nicht Snass«, teilte sie Kid mit. »Snass ist nur sein indianischer Name . . .«

Kid lernte vieles an diesem Tage und den folgenden, während das Jagdlager der Fährte der Rentiere folgte. Es waren wirklich wilde Indianer, dieselben, die Anton einst getroffen hatte und denen er vor so vielen Jahren entkommen war. Sie befanden sich jetzt nahe der westlichen Grenze ihres Territoriums. Im Sommer zogen sie nordwärts bis zu den arktischen Tundren und westwärts bis an den Luskwa. Was der Luskwa für ein Fluß war, konnte Kid freilich nicht feststellen, und weder Labiskwee noch McCan konnten ihm Auskunft darüber geben. Hin und wieder zog Snass mit einer großen Schar tüchtiger Jäger ostwärts über die Rocky Mountains, an den Seen und am Mackenzie vorbei in die Einöde. Bei dem letzten Ausflug in dieser Richtung hatte man das Zelt Labiskwees gefunden.

»Es gehörte der Milicent-Abdury-Expedition«, erzählte Snass Kid.

»Ach wirklich? Ja, ich erinnere mich! Sie suchte nach Moschusochsen. Die Hilfsexpedition fand nie eine Spur von den beiden.«

»Ich fand sie«, sagte Snass. »Aber sie waren tot.«

»Die Welt weiß es noch nicht; sie hat nie etwas davon erfahren.«

»Die Welt wird auch nie etwas davon erfahren«, versicherte Snass ihm freundlich.

»Sie meinen, wenn sie am Leben gewesen wären, als Sie sie fanden . . .«

Snass nickte. »So hätten sie bei mir und meinem Volke bleiben müssen.«

»Anton entkam aber«, sagte Kid herausfordernd.

»Ich entsinne mich nicht mehr des Namens. Wie lange ist das her?«

»Vierzehn oder fünfzehn Jahre«, antwortete Kid.

»Er kam also durch . . . trotz allem. Wissen Sie, ich habe seinerzeit oft an ihn gedacht. Wir nannten ihn ›Langzahn‹. Er war ein kräftiger Mann.«

»La Perle kam vor zehn Jahren durch dieses Gebiet.«

Snass schüttelte den Kopf.

»Er fand Spuren Ihrer Lagerplätze . . . es war im Sommer.«

»Das erklärt die Sache«, antwortete Snass. »Im Sommer sind wir im hohen Norden, Hunderte von Meilen von hier entfernt.«

Soviel Kid sich aber auch bemühte, konnte er doch nichts von der Geschichte Snass' aus der Zeit erfahren, ehe er in der Wildnis des Nordens zu leben begann. Er war nicht ohne Erziehung, aber in der ganzen dazwischenliegenden Zeit hatte er weder Bücher noch Zeitungen gelesen. Er hatte keine Ahnung, was in der Welt seither geschehen war – aber es interessierte ihn auch gar nicht, es zu erfahren. Er hatte etwas von den Goldsuchern am Yukon und von dem großen Goldfund in Klondike gehört. Aber die Goldsucher hatten nie sein Gebiet betreten, und er freute sich aufrichtig darüber. Die Welt außerhalb seines Territoriums existierte nicht für ihn. Und er duldete nicht, daß sie erwähnt wurde.

In dieser Beziehung konnte Labiskwee auch keine Auskunft geben. Sie selbst war in den Jagdgründen geboren. Ihre Mutter hatte noch sechs Jahre gelebt . . . sie war die einzige weiße Frau, die Labiskwee je gesehen hatte. Sie erzählte ihm das mit einem wehmütig-sehnsuchtsvollen Klang in der Stimme. Überhaupt zeigte sie bei tausend Gelegenheiten, daß sie ein wenig von der großen fremden Welt wußte, deren Tür ihr Vater so fest verriegelt hatte. Aber sie bewahrte dieses Wissen wie ein furchtbares Geheimnis, das sie ängstlich hüten mußte. Labiskwee hatte schon längst aus Erfahrung gelernt, daß ihr Vater bei jeder Erwähnung der fremden Welt wahre Wutanfälle bekam.

Anton hatte einst einer Indianerin von ihrer Mutter erzählt, und er war es, der gesagt hatte, daß sie die Tochter eines hohen Beamten der Hudson-Bucht-Company gewesen war. Später hatte diese Squaw es dann Labiskwee selbst weitererzählt. Aber den Namen ihrer Mutter hatte sie nie gekannt.

Als Quelle bedeutungsvoller Informationen war der gute McCan absolut untauglich. Er liebte überhaupt keine Abenteuer. Das Leben in der Einöde war ihm ein Greuel, und doch hatte er neun Jahre hier verbracht. In San Franzisko war er von einem Heuerbaas schanghait worden, aber später bei Point Barrow mit drei Kameraden von dem Walfängerschiff desertiert. Zwei von ihnen waren längst gestorben, und der dritte hatte ihn auf der furchtbaren Wanderung nach dem Süden verlassen. Zwei Jahre hatte er unter den Eskimos verbracht, bevor er den Mut fand, die Wanderung nach dem Süden fortzusetzen ... und dann, nur noch wenige Tagesreisen von einer der Stationen der Hudson-Bucht-Company entfernt, wurde er von einer kleinen Schar von Snass' jungen Männern eingefangen. Er war ein schmächtiger, unintelligenter Mensch, der an einer Augenkrankheit litt. Und er konnte von nichts anderem sprechen und träumen als von der Möglichkeit, nach San Franzisko und zu seinem geliebten Maurerhandwerk zurückzukehren.

»Sie sind der erste intelligente Mensch, den wir hier gehabt haben«, erklärte Snass liebenswürdig, als er und Kid eines Abends am Feuer saßen. »Das heißt, mit Ausnahme von Vierauge, so wurde der Alte von meinen Indianern genannt, denn er trug eine Brille und war sehr kurzsichtig. Er war ursprünglich Professor der Zoologie ...« Kid bemerkte, wie korrekt Snass dieses Fremdwort aussprach ... »Er starb vor gut einem Jahr. Meine jungen Männer fanden ihn, als er sich von seiner Expedition am oberen Porcupine verirrt hatte. Er war sehr intelligent ... o ja ... aber dabei freilich auch ein Narr ... das war seine Schwäche ... er verirrte sich immer! Er war gründlich in Geologie beschlagen und wußte, wie man Metall bearbeitet. Drüben am Luskwa, wo Kohle ist, haben wir auch einige sehr anständige Handschmieden nach seiner Anleitung eingerichtet. Er reparierte unsere Gewehre und lehrte auch unsere jungen Männer, wie sie es machen sollten. Er starb leider voriges Jahr, und wir haben ihn ehrlich vermißt. Er verirrte sich ... er tat es, wirklich ... und erfror kaum eine Meile von unserem Lager.«

Am selben Abend sagte Snass zu Kid:
»Es wäre klüger, wenn Sie sich eine Frau wählen würden, so daß Sie Ihr eigenes Feuer bekommen könnten. Dann würden Sie es viel bequemer haben als bei den jungen Leuten. Das Feuer der Jungfrauen wird

erst angezündet, wenn Hochsommer und Lachs da sind . . . es ist so eine Art Fest der Jungfrauen, wissen Sie . . . aber ich kann es früher tun lassen, wenn Sie es wünschen.«

Kid lachte und schüttelte den Kopf.

»Vergessen Sie nicht«, beendete Snass ruhig die Unterredung. »Anton ist der einzige, der jemals von hier entkam. Er hatte Glück – ganz außergewöhnliches Glück.«

Labiskwee erzählte Kid, daß ihr Vater einen eisernen Willen hatte.

»Vierauge pflegte ihn den ›gefrorenen Seeräuber‹ zu nennen – ich weiß nicht, was er damit meinte – oder ›den Tyrannen des Eises‹, ›den Höhlenbären‹, ›den primitiven Tiermenschen‹, ›den König der Rentiere‹, ›den bärtigen Panther‹ und mit einer Menge ähnlicher Namen zu nennen. Vierauge liebte solche Ausdrücke sehr. Er lehrte mich auch mein erstes Englisch. Er machte immer Späße. Man wußte nie, wo er eigentlich hinwollte. Er nannte mich seinen ›Cheetah-Kameraden‹, wenn ich zornig gewesen war. Was bedeutet eigentlich ›Cheetah‹?« Sie plauderte weiter mit einer eifrigen und offenen Kindlichkeit, die Kid nicht gleich mit der reifen Fraulichkeit ihrer Gestalt und ihres Gesichts in Einklang bringen konnte.

Ja, ihr Vater war eisern und herrisch. Alle fürchteten ihn. Wenn er zornig wurde, war er schreckenerregend. Da war zum Beispiel die Geschichte mit den Leuten aus Porcupine. Durch sie und die Leute von Luskwa verkaufte er seine Felle an die Handelsstationen, und durch sie erhielt er auch seine Vorräte an Munition und Tabak. Er war stets korrekt in seinen Geschäften, aber der Häuptling der Porcupines versuchte ihn zu betrügen. Und nachdem Snass ihn zweimal gewarnt hatte, brannte er sein hölzernes Dorf ab, und mehr als ein Dutzend Porcupines fielen in dem Kampf. Aber mit dem Betrügen war es ein für allemal vorbei! Ein andermal war es – als sie noch ein kleines Kind war – geschehen, daß ein Weißer zu fliehen versuchte . . . aber Snass fing und tötete ihn, das heißt, er selbst tat es natürlich nicht, sondern er gab den jungen Männern des Stammes Befehl, es zu tun. Keiner der Indianer würde es wagen, ihrem Vater nicht zu gehorchen.

Aber je mehr Kid von ihr erfuhr, um so mehr vertiefte sich das Geheimnis, das die Persönlichkeit Snass' umgab.

»Und erzählen Sie mir doch, ob es wahr ist«, fragte das junge Mädchen, »ob es wahr ist, daß einst ein Mann und seine Frau gelebt haben, die Paolo und Francesca hießen und einander über alles in der Welt liebten?«

Kid nickte.

»Vierauge erzählte mir von ihnen«, berichtete sie und strahlte dabei vor Glück. »Er hat es also nicht selbst erfunden, wie es scheint. Sie sehen, ich war nicht ganz sicher . . . ich habe meinen Vater einmal gefragt, aber er wurde nur böse. Die Indianer haben mir verraten, daß er dem armen Vierauge deswegen furchtbare Vorwürfe machte. Dann gab es ja auch zwei, die Tristan und Isolde hießen ... zwei Isolden sogar. Es war schrecklich traurig, aber ich möchte so furchtbar gern auf diese Weise lieben! Tun alle jungen Männer und Frauen in der Welt so wie die beiden? Hier tun sie es nicht! Sie heiraten einfach ... sie scheinen gar keine Zeit zum Lieben zu haben. Aber ich bin Engländerin und würde nie einen Indianer heiraten – würden Sie? – Deshalb habe ich nie mein Jungfrauenfeuer angezündet. Einige von den jungen Männern quälen meinen Vater immer, daß er mich zwingen soll, es zu tun. Einer von ihnen ist Libash – ein großer Jäger. Und Mahkook kommt immer hierher und singt seine Lieder. Er ist verrückt! Wenn Sie heute abend nach Dunkelwerden in mein Zelt kommen wollen, werden Sie ihn in der Kälte stehen sehen und singen hören. Aber mein Vater sagt immer, ich soll tun, was ich will, und deshalb zünde ich mein Feuer nicht an. Sehen Sie ... wenn ein Mädchen sich entschlossen hat zu heiraten, zündet sie ein Feuer an, um es den jungen Männern auf diese Weise bekanntzugeben. Vierauge sagte immer, daß es eine schöne Sitte sei. Aber er selbst nahm sich keine Frau. Vielleicht nur, weil er zu alt war. Er hatte fast keine Haare mehr, aber ich finde doch nicht, daß er so furchtbar alt war. Und wie können Sie es denn wissen, wenn Sie von der richtigen Liebe erfaßt werden – so wie Paolo und Francesca, meine ich?«

Der klare Blick ihrer blauen Augen verwirrte Kid.

»Ja, man sagt ...«, stotterte er, ». . . sie sagen ... also diejenigen, die selbst lieben ... die sagen, daß Liebe mehr wert sei als das Leben. Wenn einer merkt, daß er – oder sie – einen andern lieber hat als sonst jemand in der ganzen Welt ... ja, dann weiß er, daß er liebt. So geht es ... aber es ist unendlich schwer zu erklären. Man weiß es einfach ... das ist alles!«

Sie starrte durch den beißenden Rauch des Lagerfeuers in den blauen Abend hinaus. Dann seufzte sie tief und wandte sich wieder dem Handschuh zu, an dem sie gerade nähte.

»Nun ja«, sagte sie in einem Ton, als ob sie einen endgültigen Entschluß faßte, »ich werde jedenfalls nie heiraten ... nie.«

»Wenn es uns je gelingt, aus dem Lager zu entkommen, werden wir die Beine ordentlich gebrauchen müssen«, sagte Kurz mißmutig.

»Ja ... die Gegend hier ist eine einzige Riesenfalle«, stimmte Kid ihm bei.

Von der Kuppe eines nackten Felsens blickten sie über das schneebedeckte Reich Snass' hinaus. Im Osten, Westen und Süden war es von hohen Zinnen und zackigen Ketten eingeschlossen. Gegen Norden schien das wellenförmige Gelände schier unendlich . . . aber es war ihnen bekannt, daß auch in dieser Richtung ein Dutzend querlaufender Gebirgsketten alle Wege verriegelten.

»Zu dieser Jahreszeit könnte ich Ihnen drei Tage Vorsprung geben«, sagte Snass am selben Abend zu Kid. »Sie können Ihre Fährte gar nicht verstecken, wissen Sie? Anton flüchtete, als der Schnee geschmolzen war. Meine jungen Leute laufen ebenso schnell wie der schnellste Weiße . . . außerdem würden Sie ja den Weg für sie festtreten. Und wenn der Schnee geschmolzen ist, werde ich schon dafür sorgen, daß Sie nicht die Chancen bekommen, die Anton seinerzeit hatte. Das Leben hier ist schön! Und die Erinnerung an die Welt schwindet sehr schnell. Ich habe mich nie von meinem Staunen erholt, daß es so leicht war, ohne diese Welt zu leben, die ihr die eure nennt.«

»Was mir besondere Sorge macht, ist, daß wir Danny McCan mitnehmen müssen«, vertraute Kurz Kid an. »Er taugt nicht für große Fahrten. Aber er schwört alle möglichen heiligen Eide, daß er den Weg nach dem Westen kennt, und deshalb müssen wir ja einen Versuch mit ihm machen, Kid . . . sonst wird dein Schicksal bald entschieden sein.«

»Soo? . . .« sagte Kid. »Wir sitzen doch wohl im selben Boot.«

»O nein, durchaus nicht, mein Freund . . . für dich birgt das Schicksal etwas ganz anderes im Busen.«

»Wieso?«

»Hast du die letzte Neuigkeit noch nicht gehört?«

Kid schüttelte den Kopf.

»Die Junggesellen haben es mir erzählt. Sie hatten es gerade erfahren. Heute abend geht's los . . . obgleich es für die Geschichte eigentlich mehrere Monate zu früh ist.«

Kid zuckte die Achseln.

»Interessiert es dich nicht, das Nähere zu hören?«

»Ich warte ja darauf.«

»Gut . . . Dannys Frau hat es den Junggesellen erzählt . . .« Kurz machte eine Pause, um den Eindruck zu erhöhen. »Und die Junggesellen haben es natürlich wieder mir erzählt . . . nämlich daß heute abend das Jungfrauenfeuer angezündet werden soll. Das ist alles. Wie gefällt dir die Geschichte?«

»Ich verstehe nicht, was du meinst, Kurz.«

»Ach nee . . . wirklich? Mir scheint es wahrhaftig einfach und klar genug! Es ist ein Mädel nach dir aus, und dies Mädel will ein Feuer anstecken, und das Mädel heißt Labiskwee! O ja, ich habe schon bemerkt, wie sie dich anguckt, wenn du es nicht siehst! Sie hat ja auch noch nie ein Feuer anzünden wollen. Sie sagte immer, daß sie keinen Indianer nehmen wollte . . . Und wenn sie jetzt ihr Feuer anzündet, so ist es todsicher, daß es meinem armen, unglücklichen Freund Alaska-Kid gilt.«

»Das klingt ja ganz logisch«, sagte Kid. Aber das Herz wurde ihm sehr schwer, denn er entsann sich, wie seltsam Labiskwee in den letzten Tagen gewesen war.

»Ja, siehst du«, meinte Kurz, »so geht es uns immer . . . sobald wir im Begriff sind, etwas Gutes auszuknobeln, kommt immer so ein verfluchtes Frauenzimmer und verdirbt uns die ganze Mahlzeit. Wir haben in dieser Beziehung ein verdammtes Pech . . . Holla . . . horch!«

Drei uralte Squaws waren grade zwischen dem Lager der Junggesellen und dem McCans stehengeblieben, und die älteste von ihnen hielt in schrillem Falsett einen Vortrag.

Kid verstand nur die Namen, aber nicht alle Worte, die Kurz ihm indessen mit wehmütiger Ironie übersetzte.

»Labiskwee, die Tochter Snass', des Herrn des Regens, des großen Häuptlings, zündet heute abend zum ersten Male ihr Jungfrauenfeuer an. Maka, die Tochter Owits, des gewaltigen Jägers . . .«

Im ganzen wurden die Namen von fünf bis sechs jungen Mädchen genannt . . . dann watschelten die drei Heroldinnen weiter nach dem nächsten Feuer, um ihre Botschaft dort zu verkünden.

Die Junggesellen, die im jugendlichen Übermut geschworen hatten, kein Mädchen je anreden zu wollen, bezeigten kein Interesse für die angekündigte Zeremonie. Um ihre Geringschätzung so deutlich wie möglich zum Ausdruck zu bringen, begannen sie sofort eine Expedition vorzubereiten, die Snass ihnen befohlen hatte, die aber freilich eigentlich erst am nächsten Tage stattfinden sollte. Der Häuptling war nämlich unzufrieden mit den Erklärungen, die die alten Jäger über die Wanderung der Rentiere gaben, weil er selbst der Ansicht war, daß die Herde sich geteilt hatte. Den Junggesellen war deshalb die Aufgabe gestellt worden, nach Norden und Westen vorzustoßen, um die zweite Abteilung der großen Herde dort zu suchen. Kid, der sich durch Labiskwees Feuer sehr beunruhigt fühlte, erklärte, die Junggesellen begleiten zu wollen. Vorher aber hatte er eine Unterredung mit Kurz und McCan.

»Am dritten Tage mußt du also da sein, Kid«, sagte Kurz. »Wir bringen die Ausrüstung und die Hunde mit.«

»Aber vergiß nicht«, warnte ihn Kid, »wenn wir uns aus irgendeinem Grunde nicht treffen sollten, dann geht ihr doch weiter, bis ihr den Yukon erreicht . . . das ist ja selbstverständlich, denn wenn euch das gelingt, könnt ihr nächsten Sommer wiederkommen und mich holen. Und wenn es mir gelingt, zu entkommen, werde ich natürlich dasselbe tun und euch nächstes Jahr holen.«

McCan, der an seinem Feuer stand, zeigte mit dem Blick auf einen zackigen Berg drüben, wo die westliche Gebirgskette in die Ebene verlief.

»Da drüben ist es«, sagte er. »Ein schmaler Fluß auf der Südseite. Wir gehen den Strom hinauf. Am dritten Tage treffen Sie uns dann! Denn am dritten Tag überschreiten wir den Fluß. Wo Sie ihn auch erreichen, werden Sie entweder uns oder unsere Fährte treffen.«

Aber am dritten Tage fand Kid überhaupt gar keine Möglichkeit zu entfliehen. Die Junggesellen hatten die Richtung, in der sie zogen, geändert. Während Kurz und McCan mit ihren Hunden den Strom hinaufzogen, befanden sich Kid und die jungen Männer sechzig Meilen entfernt an einem Ort, wo sie der Fährte der Herde nordwärts folgten. Erst mehrere Tage später kamen sie an einem dunklen Abend im Schneegestöber in das große Lager zurück. Eine Indianerin, die an einem Feuer saß und klagte, sprang auf, als sie Kid sah, und lief auf ihn zu. Wild und böse blickend, verfluchte sie ihn, während sie mit den Armen auf eine stumme, pelzbekleidete Gestalt zeigte, die reglos auf einem Schlitten lag.

Kid konnte nur ahnen, was geschehen war, und als er das Feuer McCans erreichte, war er deshalb darauf vorbereitet, hier wiederum verflucht zu werden. Statt dessen sah er aber McCan gemütlich am Feuer sitzen und mit gutem Appetit einen großen Bissen Rentierfleisch verzehren.

»Ich bin keine Kampfnatur«, erklärte der Ire klagend. »Aber Kurz ist geflohen, wenn sie ihm auch noch auf den Fersen sind. Er wird sich schon kräftig schlagen . . . aber sie werden ihn doch kriegen. Er hat ja keine Möglichkeit zu entkommen. Er hat übrigens zwei junge Indianer verwundet, aber die werden sich schon erholen. Einen hat er freilich gerade durch die Brust geschossen.«

»Ja, ich weiß schon«, sagte Kid. »Ich habe soeben seine Witwe gesehen.«

»Der alte Snass wünscht mit Ihnen zu sprechen«, fügte McCan hinzu. »Er hat schon Befehl gegeben: Sobald Sie zurück sind, sollen Sie gleich an sein Feuer kommen. Ich habe kein Wort von Ihnen gesagt! Sie wissen also von gar nichts! Vergessen Sie das nicht . . . Kurz ist ganz von selbst mit mir davongelaufen.«

Am Feuer des Häuptlings traf Kid Labiskwee. Sie sah ihn mit Augen an, die von solcher Wärme und Liebe leuchteten, daß ihm angst und bange wurde. »Ich bin so glücklich, daß Sie nicht auch fortgelaufen sind«, sagte sie. »Sie sehen ja, daß ich . . .«, sie zögerte einen Augenblick, schlug aber die Augen nicht nieder . . . es funkelte in ihnen ein Licht, das nicht mißzuverstehen war . . . »Ich habe mein Feuer angezündet . . . und natürlich für Sie. Es ist geschehen . . . ich habe Sie mehr liebgewonnen als sonst jemand in der Welt . . . lieber als meinen

Vater, lieber als tausend Männer wie Libash oder Mahkook. Ich liebe . . . es ist sehr seltsam . . . ich liebe, wie Francesca geliebt hat, wie Isolde es getan. Der alte Vierauge hat die Wahrheit gesprochen! Auf diese Weise können Indianer nicht lieben. Aber meine Augen sind blau, meine Haut ist weiß . . . Wir sind beide weiß, Sie und ich . . .«

Zum erstenmal in seinem Leben war Kid Gegenstand einer Werbung, und er wußte deshalb nicht, wie er sich benehmen sollte. Ja schlimmer noch . . . es war keine Werbung im üblichen Sinne, denn die Werbung ging davon aus, daß er mit ihr einig war. So sicher fühlte Labiskwee sich seiner Gegenliebe, so warm und weich war das Licht in ihren Augen, daß er sich nur wunderte, daß sie nicht ihre Arme um seinen Hals schlang und ihren süßen Kopf an seine Brust lehnte. Da wurde ihm klar, daß sie – trotz der keuschen Freimütigkeit ihrer Gefühle – noch nichts von den zarten Mitteln der Liebe wußte. Unter den primitiven Indianern kennt man dergleichen ja nicht. Sie hatte keine Möglichkeit gehabt, sie kennenzulernen.

Sie plauderte weiter, und jedes Wort, das sie sagte, verriet, wie glücklich ihre Liebe sie machte, während Kid mit sich kämpfte, um einen Weg zu finden, sie durch die Wahrheit zu verwunden, in der Hoffnung, sie dadurch abzukühlen. Nur jetzt hatte er Gelegenheit, der unerquicklichen Lage ein für allemal ein Ende zu machen.

»Aber hören Sie doch, bitte, Labiskwee«, begann er. »Sind Sie denn auch sicher, daß Vierauge Ihnen die Geschichte von Paolo und Francesca zu Ende erzählt hat?«

Sie schlug begeistert die Hände zusammen und lachte in einem wahren Rausch unschuldiger Freude. »Oh!« rief sie. »Die Geschichte geht also weiter! Ich wußte ja, daß es mehr und immer mehr Liebe geben mußte! Ich habe so viel darüber nachgedacht, seit ich selbst zu lieben begann . . . Ich habe . . .«

Aber in diesem Augenblick trat Snass aus der Dunkelheit und den fallenden Schneeflocken in den hellen Lichtkreis des Feuers, und Kid wußte, daß er die einzige Gelegenheit verpaßt hatte.

»Guten Abend«, knurrte Snass barsch. »Ihr Kamerad hat eine nette Verwirrung hier angerichtet. Es freut mich, daß Sie wenigstens vernünftiger gewesen sind.«

»Erzählen Sie mir bitte zuerst, was geschehen ist«, bat Kid.

Das Blitzen der weißen Zähne in dem grauen Bart machte einen unheimlichen Eindruck auf Kid.

»Natürlich kann ich Ihnen die Sache gern erst erzählen. Ihr Freund hat einen meiner Leute getötet. Diese schleimige Memme, der McCan, floh beim ersten Schuß. Er wird nie wieder den Versuch machen, wegzulaufen. Aber meine Jäger haben Ihren Freund in den Bergen eingeschlossen und werden ihn schon kriegen. Er wird nie den Yukon erreichen!

Und was Sie betrifft, so wird es am besten sein, wenn Sie künftig an meinem Feuer schlafen. Es gibt auch kein Herumstrolchen mit den jungen Männern mehr. Ich werde schon aufpassen.«

Kids Lage war sehr schwierig geworden, seit er sich immer am Feuer Snass' aufhalten mußte. Er sah Labiskwee jetzt öfter als je. Eben weil ihre Liebe so süß und keusch war, brachte ihr Freimut ihn in unbeschreiblich heikle Situationen. All ihre Blicke waren Blicke der Liebe; sooft sie ihn ansah, war es wie eine Liebkosung. Immer wieder entschloß er sich, ihr von Joy Gastell zu erzählen, und immer wieder mußte er feststellen, daß er ein moralischer Feigling war. Das Furchtbarste dabei war, daß Labiskwee so unendlich bezaubernd war. Es war eine Freude, sie anzusehen. Obgleich seine Selbstachtung sich krümmte, sobald er mit ihr zusammen war, freute er sich doch über jede Minute, die er mit ihr verbrachte. Zum erstenmal in seinem Leben lernte er eine Frau richtig kennen, und so klar und hell war Labiskwees Seele, so rührend und verführerisch in ihrer Unschuld und Unwissenheit, daß er in ihr wie in einem Buche lesen konnte. Die ganze Güte des Weibes, die seit uralten Zeiten in der Seele der Frau lebt, war auch in ihr unberührt geblieben von der Kenntnis der Anforderungen der Konvention und von dem Betrug der Notwehr, die so oft die Frauen zivilisierter Völker verdirbt und entartet. In seinem Gedächtnis ging er wieder den Gedanken Schopenhauers nach und erkannte hinter allen Sophismen, daß dieser schwermütige Philosoph sich in allen Punkten irrte. Die Frau kennenzulernen, wie er Labiskwee kennenlernte, war gleichbedeutend mit der Erkenntnis, daß alle Weiberfeinde nur kranke Menschen waren.

Labiskwee war einfach wundervoll, und doch brannte neben ihrem Gesicht, das er täglich in der Wirklichkeit sah, das traumhafte Bild Joy Gastells. Joy konnte sich beherrschen, sie konnte ihre Gefühle zurückhalten, sie besaß alle Hemmungen, die unsere Zivilisation von Frauen verlangt. Und doch war seine Phantasie und die lebendige Kraft der Frau, die neben ihm saß, so seltsam, daß Joy Gastell ihm von derselben Güte wie Labiskwee erschien. Die eine erhöhte nur den Wert der andern, und der Wert aller Frauen der Welt stieg in den Augen Kids durch alles, was er in der wunderbaren Seele Labiskwees abends am Feuer Snass' im Schneelande las.

Und Kid lernte auch vieles über sich selbst. Er gedachte aller Erlebnisse, die er mit Joy Gastell gehabt hatte, und erkannte, daß er sie liebte. Und dennoch war er von Labiskwee entzückt. Und war dies Entzücken denn etwas anderes als Liebe? Er konnte seinen Zustand mit keinem geringeren Wort bezeichnen. Es war Liebe! Es mußte Liebe sein! Und er wurde bis in die Wurzel seines Wesens erschüttert, als er diesen polygamen Zug bei sich feststellte. In den Ateliers von San Franzisko hatte er öfters behaupten hören, daß ein Mann zwei Frauen gleichzeitig lieben könnte. Damals hatte er es nicht für möglich gehalten ... und wie hätte er es auch glauben sollen, solange er selbst keine Erfahrung auf diesem Gebiet gemacht hatte? Jetzt lag die Sache natürlich ganz anders. Er wußte jetzt, daß er tatsächlich zwei Frauen gleichzeitig liebte, ehrlich und aufrichtig liebte. Und wenn er auch vielleicht meistens überzeugt war, daß seine Liebe zu Joy Gastell die tiefere war, gab es doch auch sehr viele Stunden, in denen er mit derselben unerschütterlichen Sicherheit wußte, daß seine Liebe zu Labiskwee doch noch größer war.

»Es muß sehr viele Frauen in der Welt geben«, sagte sie eines Tages in ihrer naiven Art. »Und Frauen haben die Männer gern. Viele Frauen müssen auch Sie geliebt haben. Erzählen Sie mir doch bitte von ihnen.«

Er gab keine Antwort.

»Erzählen Sie mir doch«, bat sie eindringlich. »Ist es denn nicht so?«

»Ich bin nie verheiratet gewesen«, sagte er mit einem Versuch, die Frage zu umgehen.

»Und sonst haben Sie nie geliebt? Gibt es keine andere Isolde in eurer Welt hinter unsern Bergen?«

In diesem Augenblick erkannte Kid mit Bitterkeit, daß er ein Feigling war. Denn er log. Er tat es widerstrebend, aber er tat es. Er schüttelte den Kopf und lächelte dabei langsam und nachsichtig. Und es war mehr Liebe in seinen Augen, als er selbst ahnte, auch in dem Augenblick, als er bemerkte, wie eine unbeschreibliche Freude das Gesicht Labiskwees verklärte.

Er versuchte, sich vor sich selbst zu entschuldigen. Er wußte aber selbst sehr gut, daß seine Gründe überaus spitzfindig waren. Anderseits war er doch nicht Spartaner genug, um ihr kindlich-frauliches Herz tödlich verwunden zu können.

Auch Snass tat das Seinige, um das Problem noch verwickelter zu machen.

»Kein Mann sieht seine Tochter gern verheiratet«, sagte er zu Kid. »Am allerwenigsten, wenn er ein wenig Phantasie besitzt. Es tut weh ... selbst der Gedanke daran tut einem einfach weh! Und doch gehört es ja zur Ordnung der Natur. Und auch Margaret muß einmal heiraten. – Ich bin ein harter und grausamer Mann, das weiß ich«, erklärte er weiter. »Aber Gesetz ist Gesetz, und ich bin gerecht. Ja ... für dieses Volk bin ich sogar das Gesetz und die Gerechtigkeit selbst ...«

Kid erfuhr nie, wohin er eigentlich mit seinen Worten zielte, denn sie wurden von einem lauten Schimpfen unterbrochen, das durch das silberne Lachen Labiskwees abgelöst wurde. Ein schmerzlicher Zug ging über Snass' Gesicht.

»Ich werde es ertragen müssen«, murmelte er grimmig. »Margaret muß heiraten . . . und es ist mein Glück . . . und auch das Ihre, daß Sie bei uns sind.«

Dann kam Labiskwee aus dem Zelt und setzte sich mit einem Wolfsjungen in den Armen ans Feuer. Wie von einem Magnet angezogen, starrten ihre Augen den Mann an, den sie liebte. Und ihre blauen Augen leuchteten von dieser Liebe, die keine Unnatur sie zu verbergen gelehrt hatte.

»Hören Sie, was ich Ihnen sage«, predigte McCan. »Der Frühling ist gekommen, und es beginnt schon zu tauen. Auf dem Schnee wird sich bald eine harte Kruste bilden. Jetzt würde die richtige Zeit zum Wandern sein, wären nicht die Frühlingsstürme im Gebirge . . . ich kenne sie. Ich würde mit einem schwächeren Mann als Sie eine solche Wanderung nicht unternehmen.«

»Aber Sie können ja selbst nicht laufen«, widersprach Kid. »Sie können überhaupt nie mit einem Schritt halten. Ihr Rückgrat ist schlapp wie gekochtes Mark. Wenn ich gehen will, gehe ich allein. Aber die Welt verdorrt allmählich, und es ist sehr wohl möglich, daß ich nie von hier wegkommen werde. Rentierfleisch schmeckt sehr gut . . . und bald kommt der Sommer und mit ihm der Lachs.«

Snass sagte: »Ihr Freund ist tot. Aber meine Jäger haben ihn nicht getötet . . . sie fanden seinen Leichnam steifgefroren in den ersten Frühlingsstürmen im Gebirge. Keiner kann von hier entkommen. Wann werden wir die Hochzeit feiern?«

Und Labiskwee sagte: »Ich beobachte dich. Es regt sich Sehnsucht in deinen Augen, in deinem Gesicht. Oh, ich kenne jede Bewegung, jeden Ausdruck deines Gesichtes. Du hast eine kleine Narbe am Halse, gerade unter dem rechten Ohr. Wenn du glücklich bist, ziehen sich deine Mundwinkel nach oben, wenn du an etwas Trauriges denkst, nach unten. Wenn du lächelst, hast du drei oder vier Runzeln in deinen Augenwinkeln. Wenn du aber lachst, sind es sechs! Zuweilen habe ich sogar sieben gezählt. Aber jetzt kann ich sie nicht mehr zählen! Ich habe nie Bücher lesen gelernt. Ich weiß nicht, wie man liest. Aber Vierauge hat mich vieles gelehrt. Ich kann sehr gut Grammatik, die hat er mich gelehrt. Und in seinen Augen lernte ich die Sehnsucht nach der Welt lesen. Ihn hungerte sehr oft nach der Welt! Und doch ist das Fleisch hier gut, und es gab Fisch in Hülle und Fülle, und Beeren und Wurzeln und oft genug Mehl, das wir für die Felle bekommen, die die Leute am Porcupine und am Luskwa für uns verkaufen . . . aber ihn hungerte nach der Welt selbst und nach ihrem Leben. Ist denn die Welt so wunderbar, daß auch du dich nach ihr sehnst? Vierauge besaß nichts. Aber du . . . du hast ja mich . . .«

Sie seufzte und schüttelte den Kopf.

»Als Vierauge starb, war er noch voller Hunger nach der Welt. Und wenn du immer hier leben müßtest, würde dich dann nicht auch nach der Welt hungern, bis du stürbest? Ich fürchte, daß ich die Welt nicht kenne. Möchtest du denn so gerne fliehen, um diese Welt, nach der du hungerst, wiederzusehen?«

Kid konnte nicht sprechen, aber aus seinen Mundwinkeln las sie, was er dachte und empfand. Und das überzeugte sie.

Minuten vergingen schweigend, in denen sie furchtbar mit sich kämpfte, während Kid der unerwarteten Schwäche fluchte, die es ihm unmöglich machte, seinen Hunger nach der früheren Welt zu verhehlen, ihn aber zwang, ihr die Wahrheit von der andern Frau zu verschweigen.

Wieder seufzte Labiskwee.

»Gut, mein Freund . . . ich liebe dich mehr, als ich den Zorn meines Vaters fürchte, und doch ist er gefährlicher in seinem Zorn als die Stürme in den Bergen. Du hast mir erzählt, was Liebe ist. Und dies ist eine Probe meiner Liebe. Ich werde dir helfen, in deine frühere Welt zurückzukehren.«

Leise und vorsichtig wurde Kid geweckt. Warme, kleine Finger strichen sanft über seine Wange und legten sich weich auf seine Lippen. Dann merkte er, wie Pelzwerk, das die Kälte draußen mit eisigem Reif bedeckt hatte, seine Haut kitzelte. Und ein einziges Wort wurde in sein Ohr geflüstert:

»Komm.«

Er erhob sich vorsichtig und lauschte. Die vielen hundert Wolfshunde des Lagers hatten ihren Nachtgesang angestimmt, aber trotz diesem gewaltigen Geheul konnte er ganz dicht neben sich Snass leicht und regelmäßig atmen hören.

Leise zupfte Labiskwee ihn am Ärmel, und er verstand, daß er ihr folgen sollte. Er nahm seine Mokassins und die wollenen Strümpfe in die Hand und kroch, noch in den Schlafmokassins, in den Schnee hinaus. Auf der andern Seite des Lagerfeuers, dessen Glut noch nicht ganz erloschen war, bedeutete sie ihm durch Zeichen, daß er seine Wandermokassins anziehen sollte. Und während er ihrem Wunsche nachkam, schlüpfte sie noch einmal in das Zelt, in dem Snass schlief.

Als Kid mit der Hand auf seiner Uhr nach der Zeit fühlte, stellte er fest, daß es ein Uhr nachts war. Es war schon ganz warm, fand er, höchstens zehn Grad unter Null. Labiskwee kam wieder zu ihm und führte ihn durch die dunklen Wege des schlafenden Lagers. Obgleich sie vorsichtig und leise gingen, knisterte der Schnee doch klirrend unter ihren Mokassins, aber das Geräusch ertrank in dem stürmischen Geheul der Hunde.

»Jetzt können wir endlich reden«, sagte sie, als das letzte Feuer des Lagers eine halbe Meile hinter ihnen lag. Im hellen Sternenlicht standen sie Angesicht zu Angesicht da. Jetzt erst sah Kid, daß sie eine schwere Last in ihren Armen trug. Und als er nachfühlte, stellte er fest, daß sie seine Schneeschuhe, einen Stutzen, zwei Patronengürtel und seinen Schlafsack mitgenommen hatte.

»Es ist alles da«, sagte sie und lachte glücklich. »Ich habe zwei Tage gebraucht, um das Versteck einzurichten. Wir haben Fleisch, ein bißchen Mehl, Streichhölzer und Indianerschneeschuhe, die für die harte Kruste am besten sind; selbst wenn sie zerbrechen, hält das Netzwerk doch. Oh, ich kann schon Schneeschuh laufen, und wir werden schnell gehen können, mein Geliebter.«

Kid bezwang seine Zunge . . . Daß sie diese Flucht vorbereitet hatte, war ihm schon eine große Überraschung, daß sie ihn aber selbst begleiten wollte, war mehr, als er gedacht hatte. Außerstande, sofort einen Entschluß zu fassen, nahm er ihr freundlich ein Bündel nach dem andern ab. Dann legte er seinen Arm um sie und preßte sie eng an sich, wußte aber immer noch nicht, was er tun sollte.

»Gott ist so gut«, flüsterte sie. »Er hat mir einen Mann geschickt, der mich liebt.«

Kid war doch anständig genug, ihr nicht vorzuschlagen, daß er allein gehen sollte. Und bevor er zu reden begann, fühlte er, wie alle seine Erinnerungen an die glückliche Welt und die Länder der Sonne dahinschwanden und welkten.

»Wir werden umkehren, Labiskwee«, sagte er. »Du sollst meine Frau sein, und wir werden immer bei dem Volk der Rentiere leben.«

»Nein . . . nein« – sie schüttelte den Kopf. Und selbst ihr Körper, den er umfaßt hielt, sträubte sich gegen seinen Vorschlag. »Ich weiß zu gut Bescheid. Ich habe zuviel darüber nachgedacht. Dich würde ja doch der Hunger nach der Welt packen, und in den langen Nächten würde er dein Herz ganz verzehren. Vierauge starb vor Sehnsucht nach der Welt. So würdest auch du sterben! Und ich will nicht, daß du stirbst. Wir werden den Schnee der Berge durchwandern, bis wir nach dem Süden gelangt sind.«

»Höre, Geliebte«, bat er. »Laß uns umkehren.«

Sie legte ihren Handschuh leise gegen seine Lippen, um zu verhindern, daß er weitersprach.

»Du liebst mich . . . sag, daß du mich liebst.«

»Ich liebe dich, Labiskwee. Du bist meine wunderbare, süße Geliebte.«
Wieder hinderte der sanfte Druck des Handschuhs ihn am Weiterspre-
chen. »Laß uns nach dem Versteck gehen«, sagte sie entschlossen. »Es
liegt drei Meilen von hier.«
Er hielt sie zurück, und so stark sie auch an seinen Armen zerrte,
konnte sie ihn doch nicht von der Stelle bringen. Er fühlte sich fast versucht, ihr von der andern Frau fern im Süden zu erzählen, die er liebte.
»Es würde ein furchtbares Unrecht gegen dich sein, wenn wir umkehren sollten«, sagte sie. »Ich bin . . . ich bin nur ein kleines wildes Mädchen, und ich habe Angst vor der Welt, aber noch mehr fürchte ich für
dich. Du siehst, es ist alles ganz, wie du mir erzählt hast. Ich liebe dich
mehr als sonst etwas in dieser Welt. Ich liebe dich viel mehr als mich
selbst. Alle Gedanken in meinem Herzen leuchten nur für dich, so hell
und so zahlreich wie die Sterne am Himmel . . . und es gibt keine Sprache, die reich genug für sie wäre. Wie sollte ich sie dir alle sagen können . . . Sie sind nur da . . . fühlst du?«
Und während sie sprach, zog sie ihm den Fäustling von der Hand und
führte sie unter ihre warme Parka, bis sie auf ihrem Herzen ruhte. Fest
preßte sie seine Hand an sich. Und während sie beide schwiegen, spürte
er das Klopfen des Herzens, das Klopfen ihres heißen Herzens . . . und
verstand, daß jeder Schlag, den es schlug, nur von Liebe, immer nur
von Liebe sprach. Dann begann ihr Körper – erst ganz langsam, fast
unmerkbar – sich von dem seinen zurückzuziehen, und während sie
immer noch seine Hand an ihre Brust drückte, begann sie nach dem
Versteck zu gehen. Er vermochte ihr nicht mehr zu widerstehen. Ihm
war, als zöge ihn ihr Herz . . . ihr klopfendes Herz, das so nahe an seiner Hand pochte.

Die Eiskruste, die sich nach dem Auftauen gebildet hatte, war so fest,
daß sie auf ihren Schneeschuhen sehr schnell vorwärts kamen.
»Hier zwischen den Bäumen ist das Versteck«, erzählte Labiskwee
Kid.
Im nächsten Augenblick faßte sie seinen Arm mit einem Ausruf des
Erstaunens. Die Flammen eines kleinen Feuers tanzten lustig zwischen
den Bäumen hin und her . . . und am Feuer hockte kein anderer als
McCan. Labiskwee murmelte einige indianische Worte, und das plötz-
liche Aufblitzen ihrer Augen erinnerte unwillkürlich daran, daß Vier-
auge sie »Cheetah« genannt hatte.
»Ich habe mir ja schon gedacht, daß Sie ohne mich weglaufen würden«,
erklärte McCan, als sie ihn erreichten, und seine kleinen stechenden
Augen funkelten listig. »Deshalb behielt ich Ihr Mädel im Auge, und
als ich sah, daß sie Schneeschuhe und Lebensmittel verbarg, wußte ich

ja, woran ich war. Ich habe meine eigenen Schneeschuhe und Lebensmittel mitgebracht. Das Feuer? Ach wo, das ist ganz ungefährlich. Das ganze Lager schnarcht, und das Warten hier war so verdammt kalt. Wollen wir jetzt losgehen?«

Labiskwee sah Kid mit einem schnellen, erschrockenen Blick an, aber ebenso schnell hatte sie sich ein Urteil gebildet und sprach. Und als sie sprach, zeigte sie, daß sie in Sachen der Liebe freilich noch ein Kind war, aber in allen anderen Angelegenheiten des Lebens die Fähigkeit, schnelle Entschlüsse zu fassen, besaß, und die Kaltblütigkeit, die es ihr ermöglichte, auf eigenen Füßen zu stehen.

»McCan, du bist ein Köter«, fauchte sie, und ihre Augen sprühten wilde Wut. »Ich weiß, daß du die Absicht hast, das Lager zu alarmieren, wenn wir dich nicht mitnehmen. Gut, wir sind also gezwungen, dich mitzunehmen. Aber du kennst meinen Vater. Ich bin von derselben Art wie er. Du wirst deinen Anteil an der Arbeit leisten müssen. Und wenn du uns auch nur einen einzigen schmutzigen Streich zu spielen versuchst, dann würde es besser für dich sein, wenn du nie geflohen wärest.«

Als es Tag wurde, hatten sie den Gürtel von niedrigen Hügeln erreicht, der zwischen dem wellenförmigen Gelände und den großen Bergen lag. McCan schlug vor, daß sie frühstücken sollten, aber sie gingen weiter. Erst als die Nachmittagswärme die Schneekruste erweichte und dadurch das Wandern erschwerte, machten sie halt, um zu essen.

Labiskwee erklärte Kid, was sie von dem Gelände wußte, und sagte ihm auch, wie sie sich gedacht hatte, die Verfolger hinters Licht zu führen. Es gab nur zwei richtige Wege, einen westlichen und einen südlichen. Snass würde unverzüglich Abteilungen von jungen Kriegern aussenden, die beide Wege beobachten sollten. Aber außerdem gab es noch einen dritten Weg nach Süden. Freilich führte er nur halbwegs bis zu den Bergen, dann schwenkte er plötzlich nach Westen ab, überquerte drei Wasserscheiden und vereinigte sich schließlich mit dem gewöhnlich gebrauchten westlichen Wege. Wenn die Indianer keine Fährte auf dem normalen Wege nach Süden fanden, kehrten sie wahrscheinlich um, in der Annahme, daß die Flüchtlinge den westlichen Weg eingeschlagen hätten, auf keinen Fall aber würden sie darauf kommen, daß sie den weiten Umweg vorgezogen hatten.

Während sie noch sprachen, warf Labiskwee einen Blick auf McCan, der als letzter ging, und flüsterte Kid zu: »Er ißt. Das ist kein gutes Zeichen.«

Kid beobachtete ihn. Der Ire ging und kaute tatsächlich vorsichtig an einem Klumpen Rentiertalg, den er aus seiner Tasche gezogen hatte.

»Zwischen den Mahlzeiten wird nicht gegessen, McCan«, befahl er. »Es gibt kein Wild in dem Gebiet, das vor uns liegt, und wir müssen von Anfang an die Lebensmittel in gleich große Rationen einteilen.«

Um ein Uhr war die Kruste so aufgeweicht, daß die Schneeschuhe durchbrachen. Da schlugen sie ihr Lager auf, und die erste Mahlzeit wurde eingenommen. Dann nahm Kid eine Schätzung des Proviantbestandes vor. McCans Bündel war eine Enttäuschung. Er hatte so viele Silberfuchsfelle in seinen Proviantsack gestopft, daß nur wenig Platz für Lebensmittel geblieben war. »Ja . . . aber ich habe wirklich keine Ahnung gehabt, daß so viele darin waren«, erklärte er. »Ich machte es zurecht, als es noch ganz dunkel war. Aber sie werden viele schöne Dollar geben. Und mit der Menge Munition, die wir mitführen, können wir ja Wild in Hülle und Fülle schießen.«

»Die Wölfe werden dich in Hülle und Fülle fressen«, war das einzige, was Kid in seiner Hilflosigkeit zu sagen wußte. Labiskwees Augen blitzten vor Zorn.

Sie hatten für einen Monat Proviant – wie Kid und Labiskwee feststellten –, aber freilich nur, wenn sie sehr haushälterisch wirtschafteten und ihren Hunger nie völlig stillten. Kid bestimmte Größe und Gewicht der einzelnen Bündel, nachdem er schließlich Labiskwees dringendem Wunsch, auch einen Teil des Gepäcks zu tragen, hatte nachgeben müssen.

Am nächsten Tage erreichten sie eine Stelle, wo das Flußbett sich zu einem großen Gebirgstal erweiterte, und sie begannen schon durch die Eiskruste zu brechen, als sie zu ihrem Glück die härtere Oberfläche auf dem Hang der Wasserscheide erreichten. »Zehn Minuten später – und wir wären nicht mehr herübergekommen«, sagte Kid, als sie auf halber Höhe eine Atempause machten.

»Wir müssen hier schon tausend Fuß höher sein.« Wortlos wies Labiskwee auf eine offene Niederung zwischen den Bäumen hinab. Mitten darin sahen sie in einer Reihe nebeneinander fünf kleine schwarze Punkte, die sich kaum vorwärts zu bewegen schienen. »Die jungen Männer«, sagte Labiskwee.

»Sie stecken bis zu den Hüften im Schneewasser«, meinte Kid. »Heute werden sie kaum noch festen Boden unter die Füße bekommen. Wir sind ihnen also um mehrere Stunden voraus. Komm jetzt, McCan! Nimm dich zusammen, zum Teufel. Wir essen nicht, ehe wir so müde sind, daß wir nicht weiterkönnen.«

McCan murrte, aber er hatte keinen Rentiertalg mehr in der Tasche, und verdrießlich schloß er sich deshalb als letzter den andern an.

In dem höher gelegenen Tal, in dem sie sich jetzt befanden, begann die Kruste erst nach drei Uhr nachmittags zu bersten, und um diese Zeit hatten sie den Schatten eines Berges erreicht, wo die harte Schneeschicht schon wieder zu gefrieren begann. Sie machten nur ein einziges Mal halt, um den Talg herauszuholen, den sie McCan weggenommen hatten und den sie im Weiterwandern verzehren konnten. Das Fleisch war ja ganz steifgefroren und nur genießbar, wenn man es am Feuer aufgetaut hatte. Aber der Talg zerging ihnen im Munde und stärkte immerhin etwas den Magen, der sonst von einem zitternden Schwächegefühl gequält wurde.

Nach einer langen Dämmerung trat gegen neun Uhr die Dunkelheit ein, die noch dadurch stärker wurde, daß der Himmel von Wolken überzogen war. Sie schlugen deshalb ihr Lager mitten in einem Hain von Zwergkiefern auf. McCan war vollkommen hilflos und wimmerte fortwährend. Die Wanderung des Tages war sehr ermüdend gewesen, und er hatte seinen Zustand noch dadurch verschlimmert, daß er – trotz neunjähriger Erfahrung in den arktischen Gebieten – Schnee gegessen hatte, so daß sein versengter Mund ihm furchtbare Schmerzen bereitete.

Labiskwee war unermüdlich, und Kid wunderte sich unwillkürlich über die ungeheure Lebenskraft ihres Körpers und die Ausdauer ihrer Seele und ihrer Muskeln. Ihre gute Laune war auch keinesfalls gekünstelt oder gewollt. Sie hatte stets ein Lächeln oder ein Lachen für ihn bereit, und sooft ihre Hand die seine berührte, zögerte sie einen Augenblick in einer Liebkosung.

Im Laufe der Nacht begann es zu wehen und zu regnen, und den ganzen Tag lang bahnten sie sich blindlings den Weg, ohne zu merken, daß sie die Biegung des Weges, der an einem schmalen Fluß entlang westwärts führte und eine Wasserscheide überquerte, übersehen hatten. Dann wanderten sie noch zwei Tage weiter, überschritten andere Wasserscheiden, aber nicht die richtigen, und in diesen zwei Tagen ließen sie den Frühling hinter sich und stiegen wieder in das Gebiet des eisigen Winters empor.

»Die jungen Männer haben unsere Fährte verloren . . . wir können uns doch einen Tag ausruhen«, bettelte McCan.

Aber es wurde keine Ruhepause bewilligt.

Kid und Labiskwee erkannten die Gefahren, die ihnen drohten. Sie hatten sich im Hochgebirge verirrt und sahen weder Wild noch irgendwelche Anzeichen davon. Tag für Tag kämpften sie sich durch das schwierigste Gelände vorwärts, das sie in verschlungene Schluchten und Täler hineinzwängte. Wenn sie einmal in einen solchen Canjon hineingerieten, waren sie gezwungen, ihm zu folgen, gleichgültig, in welche Richtung er führte, denn die vereisten Felsen und die noch höheren und schrofferen Hänge zu beiden Seiten ließen sich nicht übersteigen. Die furchtbare Ermüdung und die unaufhörliche Kälte zermürbten ihre Energie, und dennoch setzten sie die Rationen, die sie sich täglich bewilligten, noch weiter herab.

Eines Nachts wurde Kid durch das Geräusch eines Kampfes geweckt. Er vernahm deutlich Stöhnen und Ächzen von der Stelle, wo McCan lag und schlief. Er schürte das Feuer, bis es hell aufloderte, und sah bei seinem Schein Labiskwee, die über den Iren gebeugt stand und die eine Hand um seine Kehle preßte, während sie mit der andern einen Bissen zum Teil schon gekauten Fleisches aus seinem Munde riß. In diesem Augenblick, als Kid hinsah, führte sie schnell die eine Hand nach der Hüfte und zog ihr Messer so schnell aus der Scheide, daß es blitzte.

»Labiskwee!« rief Kid, und seine Stimme klang herrisch.

Ihre Hand zauderte.

»Tue es nicht«, sagte er und trat zu ihr.

Sie zitterte vor Wut, steckte aber doch das Messer nach kurzem Zögern langsam wieder in die Scheide. Als ob sie fürchtete, sich nicht länger beherrschen zu können, ging sie schnell zum Feuer und schürte es. McCan erhob sich jammernd und schimpfend, und halb wütend, halb verängstigt begann er eine unverständliche Entschuldigung zu stottern.

»Wo hast du das da her . . . ?« fragte Kid.

»Untersuche seine Kleider«, rief Labiskwee.

Es waren die ersten Worte, die sie sprach, und ihre Stimme bebte noch vor Zorn.

McCan versuchte Widerstand zu leisten, aber Kid hielt ihn mit harter Hand fest und untersuchte ihn vom Scheitel bis zur Sohle. Er fand auch in der Armhöhle ein Stück Rentierfleisch, das die Körperwärme schon aufgetaut hatte. Ein kurzer Ausruf Labiskwees erregte Kids Aufmerksamkeit. Sie war zu McCans Bündel hingesprungen und öffnete es jetzt. Statt Lebensmittel fand sie nur Moos, Fichtennadeln, Späne . . . allerlei leichten Abfall, den er statt des Fleisches in das Bündel gepackt hatte, damit es wohl dieselbe Größe, aber nicht dasselbe Gewicht hatte.

Wieder fuhr die Hand Labiskwees an ihre Hüfte, und sie stürzte sich auf den Verbrecher, wurde jedoch von Kids Arm zurückgehalten. Erst da ergab sie sich seinem Willen, während sie noch vor zwecklosem Zorn schluchzte.

»Oh, Geliebter, glaub mir, es ist nicht des Proviants wegen«, ächzte sie, »sondern weil es dein Leben gilt. Dieser Köter! Er verzehrt dein Leben, wenn er uns bestiehlt . . . er frißt dich auf.«

»Wir werden schon weiterleben«, beruhigte Kid sie.

»Von jetzt an kann er das Mehl tragen. Das kann er jedenfalls nicht roh essen . . . und wenn er es doch tun sollte, würde das Selbstmord für ihn bedeuten, denn er fräße dann nicht nur mein Leben, sondern auch deines.« Er drückte sie fester an sich. »Geliebte, Töten ist Männerarbeit . . . Frauen dürfen es nicht.«

»Würdest du mich denn nicht mehr lieben, wenn ich den räudigen Köter töten würde?« fragte sie überrascht.

»Nicht mehr so wie jetzt«, antwortete Kid verlegen.

Sie seufzte.

»Nun gut«, sagte sie, »dann werde ich es nicht tun.«

Die jungen Männer setzten ihre Verfolgung unbarmherzig fort. Teils durch merkwürdige Zufälle, teils durch Berechnung, welchen Weg die Flüchtlinge einschlagen mußten, gelang es den Verfolgern wirklich, die Fährte zu finden, die das Schneegestöber inzwischen verhüllt hatte, und folgten ihr unverdrossen.

Wenn Schneesturm herrschte, machten Kid und Labiskwee die unwahrscheinlichsten Umwege, um sie irrezuleiten – bogen nach Osten ab, wenn der bessere Weg süd- oder westwärts ging, oder ließen eine niedrige Wasserscheide links liegen, um eine höhere zu erklimmen. Da sie sich nun doch einmal verirrt hatten, spielte ein Umweg keine Rolle mehr. Und doch gelang es ihnen nicht, die Verfolger abzuschütteln. Zuweilen gewannen sie einen Vorsprung von einigen Tagen, aber immer wieder tauchten die jungen Männer auf.

Kid konnte die Tage nicht mehr zählen. Er kannte sich nicht mehr aus mit Tagen und Nächten, mit Stürmen und Lagern. Das Ganze war wie ein ungeheurer, wahnsinniger Fiebertraum von Leiden, Qualen und Anstrengungen, durch die Labiskwee und er sich vorwärtskämpften . . . während McCan irgendwie und irgendwo hinter ihnen herstolperte. Sie flohen schwarze Canjons hinab, deren Wände so schroff waren, daß die Felsen trotz der Kälte schneefrei waren. Sie wateten durch vereiste Täler, wo gefrorene Seen tief unter der Schneekruste lagen, auf der sie wanderten. Hoch über der Baumgrenze lagerten sie, ohne Feuer machen zu können, so daß sie das Fleisch nur durch die Wärme ihrer Körper auftauen und genießbar machen konnten. Und doch verlor Labiskwee keinen Augenblick ihre gute Laune – höchstens, wenn sie McCan sah. Und ihre Liebe zu Kid blieb immer gleich beredt und unstillbar.

Wie eine Tigerin überwachte sie die Verteilung der mageren Rationen, und Kid konnte merken, daß sie seinetwegen McCan um jeden Bissen, den er in den Mund steckte, grollte. Einmal verteilte sie die Rationen. Das erste, was Kid hörte, waren wilde Widersprüche seitens McCans – sie hatte nicht nur ihm, sondern auch sich selbst kleine Rationen gegeben, damit Kid um so mehr erhielt. Von diesem Tage an nahm Kid selbst die Verteilung vor.

Eines Nachts hatte es geschneit, und am nächsten Morgen gerieten sie in eine Lawine, die sie viele hundert Meter weit den Berg hinabschleuderte. Halb erstickt, aber unverletzt tauchten sie wieder auf . . . nur McCan hatte sein Bündel mit dem gesamten Mehlvorrat verloren. Eine zweite, noch größere Lawine begrub es vollkommen, so daß sie keine Hoffnung mehr hatten, es wieder auszugraben. Aber von diesem Tage an war Labiskwee nicht mehr imstande, McCan anzusehen, obgleich er an dem Unfall völlig unschuldig war, und Kid wußte genau, daß sie einfach nicht den Mut hatte, ihn anzusehen . . . sie wußte, daß sie ihn sonst töten würde.

Dann kam ein Morgen, an dem es vollkommen windstill und der Himmel klar und blau war. Weiße Sonnenlichter flackerten auf dem weißen Schnee, und der Weg führte einen langen, breiten Hang hinauf, der von einer dünnen Eiskruste bedeckt war. Wie müde Gespenster schlichen sie sich durch diese totenstille Welt vorwärts. In der eisigen, unwirklichen Stille regte sich kein Hauch. Weiße Gipfel, die Hunderte von Meilen entfernt hinter dem Grat der Rocky Mountains auftauchten, schienen so nahe, als seien sie nur fünf Meilen von ihnen entfernt.

»Es wird etwas geschehen«, flüsterte Labiskwee. »Kannst du es nicht merken . . . hier, dort, überall . . .? Alles ist heute so seltsam.«

»Ich empfinde auch einen merkwürdigen Schauer, der nicht von der Kälte herrührt«, antwortete Kid. »Und Hunger ist es auch nicht.«

»Er ist in deinem Herzen . . . in deinem Gehirn«, bestätigte sie erregt. »So empfinde ich es nämlich auch.«

»Aber es hat eigentlich nichts mit meiner Stimmung zu tun«, erklärte Kid. »Es kommt von außerhalb, merke ich, und durchschauert mich wie Eis. Es sind meine Nerven.«

Eine Viertelstunde mußten sie stehenbleiben, um Atem zu schöpfen.

»Ich kann die fernen Gipfel nicht mehr sehen«, sagte Kid.

»Die Luft wird so dick und schwer«, sagte Labiskwee. »Ich kann kaum atmen.«

»Es sind drei Sonnen da«, murmelte McCan heiser und wankte, obgleich er sich auf seinen Stock stützte.

Sie sahen tatsächlich je eine falsche Sonne zu beiden Seiten der richtigen.

»Jetzt sind es fünf«, erklärte Labiskwee. Und noch während sie emporstarrten, bildeten sich neue Sonnen vor ihren Augen, Sonnen, die blaß funkelten.

»Mein Gott!« schrie McCan voller Furcht. »Der Himmel ist voller Sonnen, die man nicht zählen kann.«

Und es war wahr; denn wo sie auch hinsahen, flammten und funkelten neue Sonnen an der Himmelswölbung.

McCan schrie auf vor Überraschung und Schmerz. »Ich bin gestochen worden!« rief er.

Dann kam die Reihe zu schreien an Labiskwee, und Kid fühlte gleichzeitig einen Stoß und einen Stich an seiner Wange, so kalt, daß es wie Säure brannte. Es erinnerte ihn an vergangene Zeiten, wenn er im salzigen Meere schwamm und von Quallen verbrannt wurde. So ähnlich empfand er selbst den Schmerz, daß er ganz mechanisch die Hand hob, um die beißende Substanz, die gar nicht da war, von seiner Wange zu wischen.

Da knallte ein Schuß, seltsam dumpf, wie durch Watte. Am Fuße des Hanges standen die jungen Männer auf ihren Schneeschuhen, und einer nach dem andern feuerten sie ihre Gewehre ab.

»Wir müssen uns verstreuen«, kommandierte Kid, »und dann klettern, so schnell wir können! Wir sind ja gleich auf dem Gipfel. Sie sind eine Viertelmeile unter uns, und das bedeutet einen Vorsprung von etlichen Meilen, wenn wir erst die andere Seite des Hanges hinuntergefahren sind.«

Mit Gesichtern, die von den unsichtbaren Stacheln der Luft gestochen und verbrannt wurden, entfernten sich die drei voneinander und kletterten die Schneefläche hinauf. Der gedämpfte Knall der Stutzen klang wie verzaubert in ihren Ohren.

»Gott sei Dank«, sagte Kid zu Labiskwee, »daß drei von ihnen nur alte Musketen haben und nur der eine einen Winchesterstutzen. Außerdem machen die vielen Sonnen ihnen ein sorgfältiges Zielen unmöglich.«

»Es zeigt aber, wie wütend mein Vater ist«, erklärte sie. »Sie haben offenbar den Befehl, uns zu töten.«

»Wie merkwürdig du sprichst«, sagte Kid. »Deine Stimme klingt wie aus weiter Ferne.«

»Bedecke deinen Mund«, schrie Labiskwee plötzlich. »Und sprich nicht! Ich weiß, was es ist! Deck den Mund mit deinem Ärmel zu!«

McCan war der erste, der hinfiel. Er kämpfte kraftlos, um wieder auf die Beine zu kommen. Und dann fielen sie alle ein über das andere Mal, ehe sie den Gipfel erreichten. Ihr Wille war stärker als ihre Muskeln ... sie wußten selbst nicht, was eigentlich geschah, sie fühlten nur, daß ihre Körper unter einer merkwürdigen Empfindungslosigkeit und einer Schwere litten, die ihnen jede Bewegung zur Qual machte. Als sie vom Gipfel den Abhang hinabblickten, den sie soeben hinaufgeklettert waren, sahen sie, daß auch die jungen Männer immer wieder stürzten und stolperten.

»Sie werden nie heraufgelangen«, sagte Labiskwee. »Es ist der weiße Tod. Ich kenne ihn, wenn ich ihn auch nie gesehen habe. Aber ich habe oft genug die alten Männer des Stammes davon sprechen hören. Bald wird der Nebel kommen ... aber er ist ganz anders als jeder Nebel, Dunst oder Rauch, den du je gesehen hast. Nur sehr wenige haben ihn erlebt ... und überlebt.«

McCan ächzte und keuchte.

»Halt den Mund geschlossen«, befahl ihm Kid.

Von allen Seiten flammte jetzt ein durchdringender Lichtschein auf. Kid blickte zu den vielen Sonnen empor und sah sie wie durch einen Schleier schimmern. Die Luft war von mikroskopischem Feuerstaub erfüllt. Die nahen Gipfel waren von dem zauberhaften Nebel schon wie ausgewischt. Und die jungen Männer, die tapfer und hartnäckig vorzudringen versuchten, wurden langsam von ihm verschlungen. McCan war zusammengesunken. Halb lag er, halb hockte er auf seinen Schneeschuhen, während er Mund und Augen mit den Armen bedeckte. »Komm jetzt, wir müssen weiter«, befahl Kid.

»Ich kann mich nicht rühren«, ächzte McCan.

Sein gekrümmter Körper begann hin und her zu schwanken. Langsam ging Kid zu ihm, kaum imstande, den Willen zur Bewegung gegen die Lethargie, die seinen Körper zentnerschwer machte, durchzusetzen. Er stellte fest, daß sein Gehirn vollkommen klar war. Nur der Körper schien angegriffen zu sein.

»Laß ihn doch hier«, murmelte Labiskwee.

Aber Kid hielt an seinem Entschluß fest, zog den Iren wieder auf die Beine und stellte ihn mit dem Gesicht in der Richtung des Hanges, den sie hinab sollten. Dann setzte er ihn durch einen kräftigen Stoß in Bewegung. Mit dem Stock bremsend und steuernd, schoß McCan in eine Wolke von diamantenem Staub hinein und verschwand.

Kid sah Labiskwee an, und sie lächelte, obgleich es ihr nur mit großer Mühe gelang, sich aufrecht zu halten. Er nickte ihr zu, daß sie aufbrechen sollte, aber sie kam zu ihm hin, stellte sich neben ihn, und Seite an Seite, nur wenige Fuß voneinander entfernt, sausten sie durch die schwere, brennende Luft, die wie eisiges Feuer war.

So stark Kid auch bremste, riß sein größeres Körpergewicht ihn doch an ihr vorbei, und er sauste mit furchtbarer Schnelligkeit ein großes Stück weiter. Es ging erst langsamer, als er ebenes, mit einer Eiskruste bedecktes Gelände erreichte. Hier wartete er, bis Labiskwee ihn einholte, und dann liefen sie wieder Seite an Seite weiter, während ihre Schnelligkeit allmählich nachließ, bis sie schließlich ganz still standen. Ihre Benommenheit war indessen noch stärker geworden. Selbst mit der größten Anspannung aller Energie konnten sie sich doch nur so langsam wie eine Schnecke vorwärts bewegen. Sie kamen an McCan vorbei, der wieder über seinen Schneeschuhen kauerte, und Kid gab ihm mit seinem Stock einen Hieb, daß er sich wieder aufraffte.

»Jetzt müssen wir haltmachen«, flüsterte Labiskwee mit schmerzlicher Mühe. »Sonst sterben wir. Jetzt müssen wir uns ganz zudecken . . . so haben mir die Alten gesagt.«

Sie ließ sich nicht einmal Zeit, die Knoten zu lösen, sondern zerschnitt ihre Gepäckriemen mit dem Messer. Kid machte es ebenso, und nach-

dem sie einen letzten Blick auf die feurigen Todesnebel und die täu-
schenden Sonnen geworfen hatten, deckten sie sich mit den Schlafsäk-
ken zu und krochen eng aneinander. Sie fühlten, daß ein Körper über
sie stolperte und fiel. Dann hörten sie ein leises Wimmern und Fluchen,
das durch einen Hustenanfall erstickt wurde, und wußten, daß es
McCan war, der zu ihnen kroch und sich in seinen Schlafsack hüllte.
Dann hatten sie selbst Erstickungsanfälle und wurden durch einen
trockenen Husten, den sie nicht zu unterdrücken vermochten, wie in
Krämpfen geschüttelt und gequält. Kid merkte, daß seine Temperatur
stieg und zum Fieber wurde, und Labiskwee erlitt dieselben Qualen.
Stunde auf Stunde nahmen die Hustenanfälle an Häufigkeit und Stärke
zu, und erst am Nachmittag hatten sie den Höhepunkt erreicht. Dann
trat eine langsame Besserung ein, und zwischen den Anfällen schlum-
merten sie jetzt erschöpft.
McCans Husten wurde dagegen immer schlimmer, und aus seinem
Stöhnen und Jammern erkannten sie, daß er im Fieberdelirium lag.
Einmal wollte Kid schon den Schlafsack beiseite schleudern, aber
Labiskwee hielt ihn fest.
»Nein, tue es nicht«, bat sie. »Es ist der Tod, wenn du dich jetzt ent-
blößt. Verbirg dein Gesicht hier in meiner Parka, atme ganz ruhig und
still und sprich nicht.«
So lagen sie im Halbschlaf in der Dunkelheit, obgleich der immer
schwächer werdende Husten des einen die andern immer weckte. Es
schien Kid, als ob McCan nach Mitternacht zum letztenmal hustete.
Kid erwachte, als Lippen sich gegen die seinen preßten. Er lag in
Labiskwees Armen, sein Kopf ruhte an ihrer Brust. Ihre Stimme war
heiter wie sonst. Der verschleierte Klang war ganz verschwunden.
»Es ist schon Tag«, sagte sie und lüftete vorsichtig einen Zipfel des
Schlafsacks. »Sieh, Geliebter, es ist Tag! Wir haben den weißen Tod
überlebt, und wir husten nicht mehr! Laß uns die Welt anschauen, ob-
gleich ich gern für immer hierbliebe. Die letzte Stunde war voll wun-
derbarer Süße. Ich war die ganze Zeit wach, und ich lag hier und hatte
dich so lieb.«
»Ich höre McCan nicht mehr«, sagte Kid. »Und was ist aus den jungen
Männern geworden, da sie uns nicht gefangen haben?«
Er schlug die Schlafsäcke zurück und sah eine normale und vernünftige
Sonne allein am Himmel stehen. Ein leiser Wind wehte knisternd vor
Frost und doch voll von Verheißungen warmer Tage, die bald kommen
sollten. Die ganze Welt war wieder wie sonst. McCan lag auf dem Rük-
ken, sein ungewaschenes, vom Rauch der Lagerfeuer geschwärztes
Gesicht war hartgefroren, so daß es wie in Marmor gehauen zu sein
schien. Der Anblick machte keinen Eindruck auf Labiskwee.
»Sieh«, rief sie. »Ein Schneehuhn! Das ist ein gutes Zeichen!«

Von den jungen Männern war keine Spur zu sehen. Sie hatten so wenig Proviant, daß sie es nicht wagten, auch nur ein Zehntel von dem, was sie nötig hatten, oder ein Hundertstel von dem, worauf sie Appetit hatten, zu essen. Und in den folgenden Tagen, an denen sie durch das einsame und öde Gebirge wanderten, wurde der scharfe Stachel ihrer Lebenskraft abgestumpft, und sie gingen weiter wie in einem Dämmerzustand. Hin und wieder kehrte bei Kid das Bewußtsein zurück, und er fand sich, wie er dastand und nach den fernen Schneekuppen starrte, die nie ein Ende nehmen wollten und die er längst hassen gelernt hatte, während sein eigenes sinnloses Plappern ihm noch in den Ohren hallte. Auch Labiskwee war meistens verstört. Überhaupt mühten sie sich rein automatisch ab, ohne darüber nachzudenken. Und immer wieder wurden sie durch schneebedeckte Gipfel enttäuscht und nach Norden oder Süden abgelenkt.

»Es gibt keinen Weg nach dem Süden«, sagte Labiskwee. »Die alten Männer wußten es. Westwärts, nur westwärts geht unser Weg.« Dann kam ein Tag, an dem es wieder kalt wurde und ein dichtes Schneegestöber sie überfiel, das nicht aus richtigen Schneeflocken, sondern aus Eiskristallen von der Größe von Sandkörnern bestand. Drei Tage lang fiel dieser Schnee, Tag und Nacht ununterbrochen. Es war unmöglich, weiterzuwandern, ehe sich unter dem Einfluß der Frühlingssonne eine Kruste gebildet hatte. Sie legten sich deshalb in ihren Schlafsäcken zur Ruhe, und da sie ruhten, brauchten sie nicht so viel zu essen. So klein waren die Rationen bereits geworden, daß sie den stechenden Hunger, der erst aus dem Magen, aber doch noch mehr aus dem Gehirn kam, nicht zu besänftigen vermochten. Und Labiskwee, die im Fiebertraum lag, wurde halb verrückt, wenn sie ihre kleine Ration kostete; sie schluchzte und murmelte und stieß kleine Schreie tierischer Freude aus. Dann stürzte sie sich über die Ration für den nächsten Tag und steckte sie in den Mund.

Aber da erlebte Kid etwas Wunderbares. Als sie das Essen zwischen den Zähnen spürte, kam sie zum Bewußtsein. Sie spie den Bissen aus, und in einem furchtbaren Zornesausbruch schlug sie sich mit der geballten Faust auf den eigenen Mund, der ihr solches Ärgernis bereitet hatte.

Überhaupt war es Kid vergönnt, in den kommenden Tagen viel Wunderbares zu erleben.

Nach dem lang anhaltenden Schneegestöber begann ein starker Wind zu wehen, der die feinen trockenen Eisstäubchen durch die Luft jagte, so wie der Wüstensturm die Sandkörner vor sich hertreibt. Die ganze Nacht hindurch wehte dieser Sturm des Eissandes, als es dann aber Tag – ein klarer, windiger Tag – geworden war, sah Kid mit schwimmenden Augen und schwindelndem Hirn etwas, das er für eine Vision oder einen Traum hielt. Zu allen Seiten erhoben sich mächtige Gipfel, kleinere, einsame Schildwachen und ganze Gruppen und Versammlungen von gewaltigen Titanen. Und von allen diesen Zinnen und Gipfeln flatterten mächtige, meilenlange Schneebanner, wehten, wogten und winkten weitausladend zum blauen Himmel empor, milchweiß und nebelig woben Licht und Schatten und funkelten silbern im Widerschein der Sonne.

»Meine Augen haben den Glanz deines Kommens geschaut, o Herr!« sang Kid, als er diese Schneewolken sah, die wie Schärpen aus schimmernder Seide im Winde flatterten.

Und er blieb stehen und starrte, und die Banner auf den Zinnen verschwanden nicht, und er glaubte noch zu träumen, als Labiskwee sich erhob.

»Ich träume, Labiskwee«, sagte er. »Sieh! Träumst du denselben Traum wie ich?«

»Es ist kein Traum«, antwortete sie. »Auch davon erzählten die alten Männer des Stammes. Und wenn dies vorbei ist, werden warme Winde wehen, und wir werden am Leben bleiben und Frieden finden.«

Kid erlegte ein Schneehuhn, und sie teilten es. In einem tiefen Tal, wo die Weiden schon Knospen trugen, schoß er einen Schneehasen. Und ein andermal war es ein mageres, weißes Wiesel, das er erlegte. Das war aber auch alles, was sie sich an Lebensmitteln verschaffen konnten. Mehr fanden sie nicht. Labiskwees Gesicht war mager geworden, aber die großen, klaren Augen waren jetzt noch klarer und größer. Wenn sie ihn ansah, schien sie sich zu verwandeln und von einer seltsam wilden, unirdischen Schönheit zu werden.

Die Tage wurden immer länger, und die Schneedecke begann dünner zu werden. Jeden Tag taute die Eiskruste, und jede Nacht gefror sie wieder. Früh und spät waren sie unterwegs, denn in den Mittagsstunden zwang die Wärme sie zu rasten, weil die Eiskruste ihr Gewicht nicht mehr tragen konnte. Wenn Kid schneeblind wurde, band Labiskwee ihn mit einem Riemen an ihren Gürtel und führte ihn so. Und wenn sie schneeblind war, tat er dasselbe mit ihr. Elend vor Hunger, kämpften sie sich in einem sich immer mehr vertiefenden Dämmerzustand durch ein Land, das im Begriff war zu erwachen, wo sie aber die einzigen lebenden Wesen waren.

In seiner Erschöpfung fürchtete Kid fast einzuschlafen, so furchtbar und trostlos waren die Visionen aus dem Lande des Wahnsinns und des Zwielichts. Er träumte immer von Essen, das ihm immer wieder, sobald es sich seinen Lippen näherte, von dem bösen Schöpfer seiner Träume weggerissen wurde. Er gab große Gelage für seine Kameraden aus den guten alten San Franziskoer Tagen. Er selbst leitete mit wachsamem

Blick die Vorbereitungen und schmückte den Tisch mit Ranken des wilden Weins in den tiefen Farben des Herbstes. Die Gäste kamen spät, und während er sie begrüßte und sie ihre neuesten Witze glänzen ließen, war er wie von Sinnen vor Gier nach dem Essen. Ohne daß jemand es bemerkte, schlich er sich in das Eßzimmer, raubte eine Handvoll schwarzer, reifer Oliven und kehrte zurück, um einen neuen Gast zu empfangen. Und andere umringten ihn, und das Lachen und die Jonglierkünste des Witzes gingen weiter, während er immer noch diese blöden reifen Oliven in seiner Hand hielt.

Er gab viele Gesellschaften dieser Art, und alle endeten sie in derselben unbefriedigenden Weise. Er beteiligte sich an mächtigen, eines Gargantua würdigen Orgien, bei denen Scharen von Menschen sich an dem Fleisch zahlloser Ochsen, die ganz am Spieß gebraten wurden, sättigten. Sie zogen die Braten selbst aus dem Feuer heraus und schnitten mit scharfen Messern gewaltige Bissen von den dampfenden Körpern. Er selbst aber stand mit offenem Munde zwischen langen Reihen von Puten, die von Männern mit weißen Schürzen verkauft wurden. Und viele Käufer waren da, nur Kid bekam nichts; er blieb immer mit offenem Mund stehen, weil sein bleischwerer Körper ihn an das Pflaster fesselte. Oder er war wieder Knabe geworden und saß mit erhobenem Löffel vor großen Schüsseln voll Brei und Milch. Er verfolgte scheu gewordene Kühe über hochgelegene Weiden und erlebte Jahrhunderte von Qual infolge der vergeblichen Versuche, ihnen die Milch aus den Eutern zu stehlen . . . oder er kämpfte in stinkenden Gefängnissen mit den Ratten um Abfälle und Reste. Es gab keine Art von Speisen, die ihn nicht zum Wahnsinn hätte treiben können.

Nur einmal . . . ein einziges Mal . . . hatte er Erfolg in seinem Traum. Als verhungerter Schiffbrüchiger oder Ausgesetzter kämpfte er mit der gewaltigen Dünung des Stillen Ozeans um die Muscheln, die an den Felsen der Küsten hafteten. Und er schleppte seine Beute auf den Sand hinauf bis zu dem trockenen Strandgut, das von den Frühlingsstürmen herrührte. Damit machte er ein Feuer, und in die schwelenden Holzkohlen legte er seinen köstlichen Fund. Er sah den Dampf aus den Muscheln strömen und die geschlossenen Schalen sich allmählich öffnen, so daß das lachsfarbene Fleisch sichtbar wurde. Gerade so gekocht, wie es sein mußte – das wußte er . . . und diesmal trat keine Störung ein, die ihm das Essen von den Lippen fortriß. Endlich einmal . . . so träumte er mitten in seinem Traum . . . sollte sich ein Traum verwirklichen. Diesmal sollte er wirklich essen! Und doch fühlte er selbst in dieser seiner Sicherheit Zweifel, und er hatte sich bereits gestählt, um die unvermeidliche Änderung der Vision ertragen zu können . . . aber schließlich fühlte er das lachsrote Fleisch heiß und wohlschmeckend in seinem Mund. Seine Zähne schlossen sich gierig, um es festzuhalten.

Er aß! Das Wunder war erfüllt! Aber die Verwunderung weckte ihn. Es war dunkel, als er wach wurde, er lag auf dem Rücken und hörte sich selbst leise fröhliche Rufe ausstoßen und grunzen wie ein Ferkel. Seine Kiefer bewegten sich, und die Zähne zermalmten das Fleisch. Er regte sich nicht . . . da merkte er, wie kleine Finger seine Lippen berührten und einen winzigen Bissen Fleisch zwischen sie steckten. Und weil er nicht mehr essen wollte – weniger deshalb, weil er böse wurde –, weinte Labiskwee sich in seinen Armen in den Schlaf. Aber er blieb wach, voll Verwunderung über die Liebe und die Wunder der Frau. Dann kam der Tag, an dem sie nichts mehr zu essen hatten. Die hohen Gipfel zogen sich immer weiter zurück, die Wasserscheiden wurden immer niedriger, und der Weg nach dem Westen lag offen und verheißungsvoll vor ihnen. Aber die letzten Kraftreserven waren schon erschöpft, und weil sie nichts zu essen hatten, kam bald der Augenblick, da sie sich abends hinlegten und morgens nicht mehr aufstehen konnten. Labiskwee lag bewußtlos, und ihr Atem ging so schwach, daß Kid oft glaubte, sie wäre tot. Am Nachmittag wurde er durch das Schnattern eines Eichhörnchens geweckt. Er schleppte den schweren Stutzen hinter sich her, als er durch die Kruste, die zu Schlamm geworden war, watete. Bald kroch er auf Händen und Knien, bald stand er aufrecht und fiel dann vornüber, während das schnatternde Eichhörnchen vor ihm herkletterte, langsam und spöttisch, daß es ihm wahre Tantalusqualen verursachte. Er hatte nicht Kraft genug, einen schnellen Schuß abzugeben, und das Tier verhielt sich nie still. Zuweilen wälzte sich Kid im nassen Schnee und heulte vor Schwäche. Zuweilen schienen seine Lebensgeister ganz zu entschwinden, und er versank in Bewußtlosigkeit. Wie lange er in der letzten Ohnmacht gelegen hatte, wußte er nicht, aber er kam wieder zum Bewußtsein, als er in der windigen Abendluft vor Kälte zitterte; da waren seine nassen Kleider bereits am Boden festgefroren. Das Eichhörnchen war verschwunden, und nach einem furchtbaren Kampf mit seiner Kraftlosigkeit kam er wieder zu Labiskwee zurück. So erschöpft war er, daß er die ganze Nacht wie tot dalag und nicht einmal träumte.
Die Sonne stand schon hoch am Himmel, und dasselbe Eichhörnchen schnatterte lustig in den Wipfeln der Bäume, als Labiskwee ihre Hand sanft auf Kids Wange legte und ihn weckte.
»Lege deine Hand auf mein Herz, Geliebter«, sagte sie. Ihre Stimme war klar, aber schwach und schien aus weiter Ferne zu kommen. »Mein Herz ist meine Liebe, und du hältst es in deiner Hand.«
Es schien lange Zeit vergangen zu sein, als sie wieder sprach: »Vergiß nicht, daß es keinen Weg südwärts gibt. Das weiß das ganze Volk der Rentiere! Westwärts . . . dorthin geht der Weg . . . und du bist schon nahe am Ziel . . . und du wirst es erreichen.«

Aber Kid versank in eine Ohnmacht, die fast der Tod war, und erwachte erst, als sie ihn wieder weckte.

»Lege deine Lippen an die meinen«, bat sie. »So will ich sterben . . .«

»Wir wollen zusammen sterben, Geliebte«, gab er zur Antwort.

»Nein.« Eine leise zitternde Bewegung ihrer Hand ließ ihn verstummen . . . so schwach war jetzt ihre Stimme, daß er sie kaum hören konnte, und doch hörte er alles. Ihre Hand tastete unsicher nach irgend etwas in der Kapuze der Parka, dann zog sie ein Säckchen hervor, das sie in seine Hand legte.

»Und jetzt reichst du mir deine Lippen, Geliebter. Deine Lippen auf meinen Lippen . . . deine Hand auf meinem Herzen . . .«

Doch während des langen Kusses wurde er wieder bewußtlos, und als er aus der Ohnmacht erwachte, wußte er, daß er allein war und selbst sterben wollte. Aber er freute sich auf den Tod.

Er merkte, daß seine Hand auf dem Säckchen ruhte . . . Innerlich mußte er über die Neugierde lachen, die ihn bewog, die Schnur zu lösen. Aber er öffnete es doch, und ein kleiner Strom von Lebensmitteln rann heraus. Kein Stückchen davon, das er nicht kannte, alles Labiskwee durch Labiskwee gestohlen . . . da waren kleine Brotstücke aus den Tagen, als McCan das Mehl verlor, da lagen Bissen und Streifen von Rentierfleisch, zum Teil schon gekaut . . . und Krümel von Talg. Da war auch ein Hinterbein des Schneehasen, völlig unberührt, und ein Hinterbein und ein Teil vom Vorderbein des weißen Wiesels . . . ein Flügel vom Schneehuhn mit Merkmalen ihrer Zähne, die es nur zögernd freigegeben hatten, und auch ein Beinknochen . . . jämmerliche Reste, tragische Entsagungen, ein Kreuzweg der Lebensfreude und des Lebenswillens . . . kleine Bissen nur, aber durch ihre unendliche Liebe ihrem furchtbaren Hunger entrissen. Mit dem Lachen eines Wahnsinnigen schleuderte Kid den Inhalt des Säckchens in den Schnee und sank wieder in Ohnmacht.

Er träumte. Der Klondike war ausgetrocknet. Er wanderte durch sein Bett, zwischen schmutzigen Wasserpfützen und eisbedeckten Felsblöcken hindurch und hob große Goldklumpen auf. Allmählich wurde ihr Gewicht so groß, daß er die Last kaum noch tragen konnte, aber da entdeckte er, daß das Gold eßbar war und gut schmeckte. Und er verschlang es gierig. Welchen Wert hatte schließlich das Gold, das die Menschen so priesen, wenn es nicht einmal zu essen war?

Er erwachte zu einem neuen Tage. Sein Gehirn war sonderbar frei und klar, und er sah keine Nebelflecken mehr vor seinen Augen. Das bisherige gewohnte Zittern, das ihn so lange gequält, war auch verschwunden. Alle Säfte in seinem Körper schienen zu singen, als ob der Frühling selbst ihn erobert hätte. Er fühlte sich so unerhört wohl! Er wandte sich zu Labiskwee um, sah – und erinnerte sich, was geschehen

war. Er spähte nach den weggeworfenen Lebensmitteln . . . sie waren
verschwunden. Da verstand er, daß sie in seinen Fieberträumen die
Rolle der Goldklumpen gespielt hatten. Im Fieber und im Traum hatte
er neuen Lebensmut gewonnen durch das Todesopfer Labiskwees, die
ihr Herz in seine Hand gelegt und seine Augen für die Wunder des
Weibes geöffnet hatte.

Er war ganz überrascht, wie leicht er sich bewegte, und staunte, daß
er mühelos ihren pelzgekleideten Leib nach dem Kieselhang schleppen
konnte, wo er ihn bestattete.

Drei Tage kämpfte er sich weiter nach Westen, ohne daß er etwas zu
essen bekam. Gegen Mittag des dritten Tages sank er unter einer Fichte
nieder, die an einem breiten offenen Wasser wuchs, von dem er wußte,
daß es der Klondike sein mußte. Bevor er in die Finsternis versank, öffnete er sein Bündel, sagte der hellen Welt Lebewohl und hüllte sich in
seinen Schlafsack.

Ein schläfriges Zirpen weckte ihn. Die lange andauernde Dämmerung
war schon angebrochen. Über ihm, in den Zweigen der Fichte, saßen
mehrere Schneehühner. Der Hunger ließ ihn sofort handeln, wenn er
seine Handlungen auch sehr langsam vollbrachte. Fünf Minuten vergingen, ehe er überhaupt imstande war, seinen Stutzen an die Schulter
zu bringen, und fünf weitere Minuten, ehe er, auf dem Rücken liegend
und gerade nach oben zielend, genügend Kraft gesammelt hatte, um
zu schießen. Der Schuß ging indessen glatt vorbei. Kein Vogel fiel, aber
es flog auch keiner fort. Sie putzten alle schläfrig und schlaff ihre Flügel
und raschelten in den Zweigen. Ein zweiter Schuß ging ebenfalls vorbei, weil Kid beim Schießen zusammenfuhr.

Die Schneehühner blieben indessen weiter sitzen. Er legte seinen
Schlafsack mehrmals zusammen und steckte ihn in den freien Raum
zwischen seinem rechten Arm und seiner Seite. Dann stützte er den
Kolben seines Stutzens gegen das Pelzwerk und feuerte wieder . . . und
diesmal fiel ein Huhn herab. Er ergriff es gierig, mußte aber feststellen,
daß das meiste Fleisch fortgerissen war. Die schwere Kugel hatte kaum
etwas mehr übriggelassen als einen Klumpen blutiger Federn. Die
Schneehühner flogen immer noch nicht fort, und er entschloß sich, nur
nach den Köpfen zu schießen – sonst lieber gar nicht. Er zielte deshalb
jetzt nur nach den Köpfen. Immer wieder füllte er das Magazin, er
schoß vorbei, er traf . . . und die dummen Schneehühner, die nicht
fortfliegen wollten, fielen wie ein Regen von frischem Fleisch auf ihn
herab . . . So wurde wieder das Leben anderer Wesen vernichtet, damit
er weiterleben konnte.

Das erste Huhn verschlang er roh. Dann ruhte er und schlief, während
die Lebenskraft des kleinen Tieres zu einem Teil seines Wesens
wurde.

Als es dunkel geworden war, wachte er auf, hungrig, aber genügend gekräftigt, um ein Feuer zu machen. Und bis zum frühen Morgen briet und aß er abwechselnd und zermalmte die Knochen zu Brei zwischen seinen Zähnen, die so lange unbeschäftigt gewesen waren. Und dann schlief er ein, wachte, als es wieder Nacht geworden war, und schlief dann weiter bis zum nächsten Tage.

Da stellte er fest, daß das Feuer mit frischem Holz geschürt worden war und lichterloh brannte. Und über den Gluten am Rande des Feuers hing eine rauchgeschwärzte Kaffeekanne, die ihm bekannt vorkam. Daneben saß ... kaum um Armeslänge von ihm entfernt ... kein anderer als Kurz, der wohlgefällig eine Zigarette aus Packpapier rauchte, während er ihn aufmerksam beobachtete.

Kids Lippen bewegten sich, aber seine Kehle war wie gelähmt, und er hatte Mühe, die Tränen zurückzuhalten, die hervorzustürzen drohten ... Er streckte die Hand nach einer Zigarette aus und sog den Rauch mit tiefen Zügen ein.

»Es ist lange her, daß ich geraucht habe«, sagte er leise. »Sehr, sehr lange her.«

»Und nach deinem Aussehen zu urteilen, ist es offenbar auch lange her, daß du gegessen hast«, fügte Kurz barsch hinzu.

Kid nickte und machte eine Handbewegung nach den Federn der Schneehühner, die ihn umgaben ...

»Mit Ausnahme der letzten Tage«, antwortete er. »Weißt du, ich möchte gern eine Tasse Kaffee haben ... er muß ganz merkwürdig schmecken ... und dann Eierkuchen mit Speck.«

»Und vielleicht auch mit Bohnen?« fragte Kurz lächelnd.

»Die müßten himmlisch schmecken. Ich habe den Eindruck, daß ich wieder einen mächtigen Hunger kriege ...«

Während der eine kochte und der andere aß, erzählten sie einander kurz, was ihnen geschehen war, seit sie sich getrennt hatten.

»Das Eis auf dem Klondike wollte schmelzen«, schloß Kurz seinen Bericht, »und wir mußten also warten, bis das Wasser wieder befahrbar geworden. Wir haben zwei gute Wrickboote und noch sechs Leute ... du kennst sie alle, tüchtige Kerle, kann ich dir sagen ... und allerhand Ausrüstung mit, und wir sind langsam, aber sicher vorwärts gekommen, haben gewrickt und geschoben und gezogen. Aber die Stromschnellen mußten die Boote eine gute Woche zurückhalten. Da habe ich die andern zurückgelassen, als sie einen Weg über die Felsen am Ufer anlegten, um die Boote an den Schnellen vorbeizuziehen. Ich hatte so eine Ahnung, weißt du, daß ich weiterlaufen müßte. Deshalb schnürte ich mir ein tüchtiges Bündel mit Proviant und ging. Ich wußte, daß ich dich irgendwo unterwegs finden würde, wenn auch ein bißchen mitgenommen.«

Kid ergriff seine Hand und drückte sie stumm. »Wollen wir nicht sehen, daß wir weiterkommen?« sagte er.

»Aber du bist ja so schwach wie ein neugeborenes Zicklein. Du kannst vorläufig nicht ans Wandern denken. Warum denn so eilig?«

»Weißt du, Kurz, ich bin auf der Suche nach dem Größten und Besten, das es hier in Klondike gibt . . . und ich kann nicht länger warten . . . das ist es, Kurz! Fang nur an zu packen. Es ist das Größte in der ganzen Welt! Es ist größer als Seen voller Gold, als Berge aus Gold, größer als alle Abenteuer und als Fleisch essen und Bären töten.«

Kurz' Augen traten fast aus den Höhlen, so entgeistert war er über diesen Ausbruch.

»In drei Teufels Namen«, fragte er endlich, »was ist dir denn zugestoßen? Bist du vielleicht verrückt geworden?«

»Gar nicht, mein Freund . . . es geht mir sogar verdammt gut. Es kann ja sein, daß man eine Zeitlang ganz ohne Essen leben muß, um die Welt und die Menschen im richtigen Licht zu sehen. Jedenfalls habe ich für mein Teil Dinge gesehen, von deren Dasein ich mir nie hätte träumen lassen. Ich weiß jetzt, was eine Frau ist.«

Kurz öffnete den Mund, um etwas zu sagen, und sowohl um seine Lippen wie um seine funkelnden Augen lag ein merkwürdiger Zug, der verriet, daß er schon eine spöttische Bemerkung auf der Zunge hatte.

»Bitte, laß das«, sagte Kid sanft. »Du weißt nichts davon . . . aber ich habe es kennengelernt.«

Kurz behielt also seine Bemerkung für sich und schlug ein anderes Thema an.

»Hm . . . ich brauche keine fremde Hilfe, um ihren Namen zu erraten! Alle andern sind schon nach dem Überraschungssee gezogen, um ihn trockenzulegen, nur Joy Gastell wollte nichts davon hören. Sie sagte, sie hätte keine Lust mitzugehen. Sie strolcht in Dawson herum und wartet, daß ich dich mit nach Hause bringe. Und sie hat geschworen, wenn ich es nicht tue, ihre Minenanteile zu verkaufen, ein ganzes Heer von guten Schützen zu heuern, nach dem Rentierland zu marschieren und dem alten Snass und seiner Rasselbande die letzte Puste aus dem Leibe zu schießen. Und wenn du dich noch ein bißchen beherrschen kannst, werde ich inzwischen den ganzen Mist einpacken und mich fertigmachen, so daß wir schnellstens von hier verduften können.«

Und Alaska-Kid lächelte . . .

Lockruf des Goldes

Es war ein stiller Abend im Tivoli. Am Schanktisch, der an der einen Seite des großen schindelgedeckten Raumes entlanglief, stand ein halbes Dutzend Männer, von denen zwei sich gerade über die Heilkraft von Fichtennadeltee und Zitronensaft bei Skorbut stritten. Die Unterhaltung war jedoch schleppend, und Pausen mürrischen Schweigens unterbrachen sie. Die andern hörten kaum zu. In einer Reihe, der Mauer gegenüber, standen die Spieltische. Der Crap-Tisch war verlassen, ein einziger Mann saß am Pharao-Tisch und spielte. Nicht einmal die Roulettkugel rollte, und der Spielhalter stand an dem knisternden, rot glühenden Ofen und sprach mit einem hübschen, dunkeläugigen jungen Weibe, das von Juneau bis Fort Yukon als die »Jungfrau« bekannt war. Drei Mann saßen bei einem Dauerpoker, spielten aber nur mit kleinen Einsätzen und ohne Begeisterung, weil sie keine Zuschauer hatten. Auf der Diele des Tanzbodens, der hinter dem Raume lag, walzten drei Paare trübselig zu den Klängen einer Geige und eines Klaviers.

Nicht daß Circle City verlassen oder daß das Geld knapp gewesen wäre; die Goldgräber waren von Moosehide Creek und anderen Fundstellen im Westen zurückgekehrt, die Sommerausbeute war gut gewesen, und die Taschen der Leute waren schwer von Staub und Nuggets. Klondike war noch nicht entdeckt, auch hatten die Goldgräber nicht gelernt, was sich durch tiefes Schürfen und die Anwendung von Feuer erreichen ließ.

Im Winter wurde nichts geschafft, man pflegte noch während der langen arktischen Nacht in großen Lagern wie Circle City zu überwintern. Man verschlief die Zeit, die Taschen waren wohlgefüllt, und Geselligkeit gab es einzig und allein in den Wirtschaften. Und doch war Tivoli verlassen, und die Jungfrau, die neben dem Ofen stand und gähnte, ohne die Hand vorzuhalten, sagte zu Charley Bates: »Wenn nicht bald etwas Leben in die Bude kommt, geh' ich zu Bett. Was ist denn nur los? Ist das ganze Lager ausgestorben?«

Bates machte sich nicht die Mühe zu antworten, sondern drehte sich mürrisch eine Zigarette. Dan MacDonald, der Pionier der Gastwirte und Spieler am oberen Yukon, Besitzer des Tivoli und aller seiner

Spieltische, wanderte verloren durch den weiten leeren Raum und erblickte die beiden am Ofen.

»Jemand gestorben?« fragte ihn die Jungfrau.

»Sieht so aus«, lautete die Antwort.

»Dann jedenfalls das ganze Lager«, beendete sie das Gespräch und gähnte wieder.

MacDonald nickte grinsend und öffnete den Mund, um etwas zu sagen, als die Tür weit aufgerissen wurde und ein Mann in der Öffnung erschien. Ein Hauch von Kälte, der sich in der Wärme des Raumes zu Dampf verdichtete, umwogte seine Knie, lief über den Boden, wurde immer dünner und verschwand schließlich einige Meter vom Ofen entfernt. Der Neuangekommene nahm den Reisigbesen vom Nagel an der Tür und bürstete sich den Schnee von den Mokassins und den langen Strümpfen. Man hätte ihn für einen großen Mann halten können, wäre nicht ein riesiger Kanadier von der Bar zu ihm getreten.

»Hallo, Daylight!« grüßte er. »Bei Gott, das ist Labsal für wehe Augen!«

»Hallo, Louis, wann bist du denn hergeweht?« erwiderte der Ankömmling. »Komm, laß uns eins trinken und erzähl von Bone Creek. Na, ihr Hundsfötter, her mit den Pfoten. Wo ist dein Kompagnon? Ich bin auf dem Ausguck nach ihm.«

Ein anderer Riese löste sich von der Bar und schüttelte ihm die Hand. Olaf Henderson und der Franzosen-Louis, denen Bone Creek gemeinsam gehörte, waren die beiden längsten Männer im Lande, und der Neueingetroffene, wenn auch nur einen halben Kopf kleiner, erschien wie ein Zwerg zwischen ihnen.

»Hallo, Olaf, dich such' ich gerade, savvy«, sagte der mit Daylight Angeredete. »Morgen ist mein Geburtstag, und ich hab' mir vorgenommen, euch alle zu werfen – savvy? Dich auch, Louis! Komm und trink eins, Olaf, ich erzähle euch alles.«

Seine Ankunft schien den Raum mit einer Flut von Wärme zu erfüllen. »Burning Daylight!« rief die Jungfrau, die erste, die ihn erkannte, als er nun ins Licht trat. Charley Bates' ernste Züge erhellten sich bei seinem Anblick, und MacDonald trat zu den dreien an der Bar. Es war, als hätte die Ankunft Burning Daylights den ganzen Raum heller und heiterer gestimmt. Die Kellner liefen, Rufe ertönten, Lachen erklang. Und als der Geiger nach einem Blick ins Vorzimmer zum Klavierspieler bemerkte: »Burning Daylight ist da«, kam sofort Schwung in den Walzer, und die Tänzer wirbelten herum, als ob es ihnen wirklich Freude machte. Sie wußten von alters her, daß es keine Langeweile gab, wenn Burning Daylight da war.

Der wandte sich von der Bar ab und sah das Mädchen am Ofen und den verlangenden Blick, den sie ihm zum Willkommen zuwarf.

»Hallo, Jungfrau, altes Mädel«, rief er. »Hallo, Charley. Was ist denn los mit euch? Ihr macht ja Gesichter wie sieben Tage Regenwetter! Kommt her, alle Mann, und getrunken! Her mit euch, ihr lebendigen Leichen, und sagt, was für Gift ihr haben wollt! Alle Mann her! Heute bin ich dran! Ich gebe aus! Morgen werde ich dreißig, und dann bin ich ein alter Mann. Die Jugend ist vorbei. Verstanden? Also her! Her mit euch!«

»Warte mal, Davins«, rief er dem Bankhalter am Pharao-Tisch zu, der seinen Stuhl vom Tisch zurückgeschoben hatte. »Laß sehen, wer ausgeben will, du oder ich!«

Er zog einen Beutel aus der Rocktasche, der schwer von Goldstaub war, und setzte ihn auf die hohe Karte. »Fünfzig«, sagte er. Der Bankhalter drehte zwei Karten um. Die hohe Karte gewann. Er kritzelte den Betrag auf ein Stück Papier, der Wäger an der Bar wog für fünfzig Dollar Staub in der Goldwaage ab und schüttete ihn in Burning Daylights Beutel.

Im Tanzsaal war es unterdessen still geworden, die drei Paare steuerten, von dem Geiger und dem Klavierspieler gefolgt, auf die Bar los, und Daylight bemerkte sie.

»Her mit euch!« schrie er. »Her mit euch und sagt, was ihr haben wollt. Heute bin ich dran, und eine solche Nacht kommt nicht so bald wieder. Her mit euch, ihr Siwashes und Lachsfresser! Heute bin ich dran, das sag' ich euch – –«

»Eine verflucht räudige Nacht«, fiel Charley Bates ein.

»Richtig, mein Sohn«, fuhr Burning Daylight heiter fort, »eine räudige Nacht, aber es ist meine Nacht, siehst du. Ich bin ein räudiger, alter Wolf. Kannst du mich heulen hören!«

Und er heulte wie ein einsamer grauer Waldwolf, bis sich die Jungfrau schaudernd ihre hübschen Finger in die Ohren steckte. Eine Minute später wirbelte sie in seinen Armen über den Tanzboden, wo bald darauf mit den drei andern Mädchen und ihren Partnern ein ausgelassener Virginia Reel im Gange war. Männer und Frauen tanzten in Mokassins, und es dauerte nicht lange, so ging es hoch her. Burning Daylight war der Mittelpunkt, seine Scherze und rauhen Späße rissen sie aus der Schlaffheit, in der er sie angetroffen hatte. Der Raum hatte durch sein Kommen gleichsam eine andere Atmosphäre erhalten. Er schien ihn ganz mit seiner Lebensfreude zu füllen. Wer von der Straße hereinkam, spürte es sofort, und als Antwort auf alle Fragen deuteten die Barkeeper nur nach hinten und erklärten: »Burning Daylight ist losgelassen.« Und die Leute blieben, und das Geschäft blühte. Das Spiel kam in Gang, bald waren alle Tische besetzt, und das Klirren des Jetons und das eintönige Surren der Roulettkugel übertönte gebieterisch den heiseren Lärm von Männerstimmen, Flüchen und schwerfälligem Lachen.

Wenige kannten Elam Harnish unter einem anderen Namen als Burning Daylight – den Namen, den man ihm in der ersten Zeit des Landes gegeben hatte, weil er seine Kameraden mit den Worten »Das Tageslicht brennt« (Burning Daylight = Brennendes Tageslicht) aus den Betten zu jagen pflegte. Von den Pionieren in jener fernen arktischen Wildnis, wo alle Männer Pioniere waren, wurde er zu den ältesten gezählt. Männer wie Al Mayo und Jack MacQuestion waren zwar vor ihm dagewesen; aber sie waren aus dem Osten von der Hudsonbai über die Rocky Mountains gekommen. Er hingegen hatte den Weg über den Chilkoot- und den Chilkat-Paß erschlossen. Im Frühling 1883, vor zwölf Jahren, war er als achtzehnjähriger Bursche mit fünf Kameraden über den Chilkoot gekommen. Im Herbst war er mit einem zurückgekehrt. Vier waren den Entbehrungen in der rauhen, unwirtlichen Wüste erlegen. Und zwölf Jahre lang hatte Elam Harnish Gold gegraben in dem finsteren Polarlande.

Und keiner hatte so hartnäckig und ausdauernd gegraben. Er war mit dem Lande aufgewachsen, kannte kein anderes Land. Zivilisation war ihm der Traum eines früheren Landes. Lager wie Forty Mile und Circle City waren Weltstädte für ihn. Und nicht allein, daß er mit dem Lande aufgewachsen war, er hatte das Land mit geschaffen. Er hatte Geographie und Geschichte dieses Landes gemacht, und die nach ihm kamen, schrieben über seine Fahrten und steckten die Wege ab, die sein Fuß getreten.

Helden neigen selten zu Heldenverehrung, aber unter den Bewohnern dieses jungen Landes galt er trotz seiner Jugend als einer der ältesten Helden. In der Zeit war er den meisten voraus. An Taten hatte er sie übertroffen. Und es war bekannt, daß er eine Ausdauer besaß, die selbst den Abgehärtetsten von ihnen umbringen konnte. Dazu kannte man ihn als einen mutigen Mann, einen ehrlichen Mann, als einen Mann ohne Furcht und Tadel.

In allen Ländern, wo das Leben ein Glücksspiel ist, das leichtsinnig beiseite geworfen wird, verfallen die Leute, um sich zu zerstreuen und zu vergnügen, fast automatisch dem Spiel. Am Yukon verspielte man das Leben für Gold, und wer das Gold aus der Erde gewann, verspielte es wieder an einen anderen. Und Elam Harnish machte keine Ausnahme. Er war in erster Linie Mann, und der Instinkt, der ihn das Spiel des Lebens zu spielen trieb, war stark. Die Umgebung hatte die Form seines Spiels bestimmt. Er war auf einer Farm in Iowa geboren, jedoch mit seinem Vater nach dem östlichen Oregon ausgewandert, und hier, in der Bergwerksgegend, hatte Elam seine Kindheit verlebt. Harte Knüffe einstecken und hohe Einsätze wagen, das war das einzige, was er gelernt hatte. Mut und Ausdauer galt es in dem Spiel, aber der große Gott Zufall teilte die Karten aus. Ehrliche Arbeit für einen sicheren, aber mageren Verdienst zählte nicht. Man spielte hoch. Man wagte alles für alles, und etwas weniger als alles galt als Verlust. Auf diese Weise verlor Elam Harnish am Yukon zwölf Jahre. Am Moosehide Creek hatte er allerdings im letzten Sommer für zwanzigtausend Dollar Gold gefunden, und im Boden steckten noch für weitere zwanzigtausend. Aber wie er selbst sagte, hatte er damit kaum seinen Einsatz, ein Dutzend Jahre seines Lebens, herausbekommen, und vierzigtausend waren nicht viel – die gingen drauf für einen Trunk und einen Tanz im Tivoli, einen Winter in Circle City und Proviant für das nächste Jahr.

Unter den Yukonleuten galt noch das alte Wort: Schwer gewonnen – leicht vertan. Als der Reel zu Ende war, lud Elam Harnish wieder alle Anwesenden ein, mit ihm zu trinken. Getränke waren teuer. Dreißig Mann nahmen seine Einladung an und waren zwischen jedem Tanz Elams Gäste. Es war seine Nacht, kein anderer durfte einen Cent bezahlen. Nicht daß Elam Harnish ein Säufer gewesen wäre – aus Whisky machte er sich nicht viel. Er war zu kraftvoll und robust, zu gesund an Körper und Seele, um zum Sklaven des Alkohols zu werden. Viele Monate schwerer Arbeit verbrachte er auf Schlittenreisen und Bootsfahrten, ohne ein stärkeres Getränk als Kaffee zu trinken, ja, einmal hatte er sogar ein ganzes Jahr auf diesen verzichtet. Aber er war gesellig, und weil die Geselligkeit am Yukon nur in den Wirtschaften zu finden war, mußte er sie dort suchen. In den Lagern der Minenarbeiter im Westen, wo er als Knabe gelebt hatte, war es immer so gewesen. Für ihn war es die Geselligkeit, die sich für einen Mann ziemte. Er kannte keine andere.

Er war eine auffallende Erscheinung, obgleich seine Kleidung nicht von der der anderen Männer im Tivoli abwich. An den Füßen trug er Mokassins aus weichgegerbter Elenhaut mit Perlenstickerei in Indianermustern. Seine Hosen zeigten nichts Außergewöhnliches, und sein Rock war aus einer wollenen Decke gemacht. Wollgefütterte Lederhandschuhe mit langen Stulpen hingen nach Yukon-Mode an einem Lederriemen, der ihm um Nacken und Schulter lief. Auf seinem Kopfe saß eine Pelzmütze, deren Ohrenklappen jetzt hochgeschlagen waren, während die Bänder herunterbaumelten. Sein mageres, längliches Gesicht, unter den Backenknochen leicht eingefallen, glich fast dem eines Indianers. Die sonnenverbrannte Haut und die scharfen schwarzen Augen verstärkten diesen Eindruck, obwohl gerade der Bronzeton und die Augen selbst bezeichnend für einen Weißen waren. Er sah älter als dreißig aus, wirkte aber jetzt, als er glattrasiert und faltenlos dastand, fast wie ein Knabe. Wenn man trotzdem den Eindruck hatte, daß er älter war, so hatte man zwar keinen greifbaren Anhalt dafür, aber man wußte, was der Mann durchgemacht und erlebt hatte und worin er anderen Männern so überlegen war – das war es. Er hatte sein Leben unverhüllt und unter ständigem Hochdruck gelebt, und etwas von alledem glühte in seinen Augen, zitterte in seiner Stimme und erschien, sobald er sprach, auf seinen Lippen.

Die waren dünn und pflegten sich nicht über den ebenmäßigen weißen Zähnen zu schließen. Aber ihre Härte wurde durch einen leichten Zug der Mundwinkel nach oben gemildert. Das verlieh ihm etwas Anziehendes, ebenso wie die winzigen Fältchen um die Augenwinkel, die ihn lustig erscheinen ließen. Roheit und Grausamkeit mußten seiner Natur fremd sein. Die Nase war schmal und fein, mit beweglichen Flügeln und von guten Verhältnissen, während die hohe Stirn sehr schmal, dafür aber schön und ebenmäßig geformt war. Besonders indianerhaft wirkte das Haar, das sehr glatt und tiefschwarz und von einem Glanz war, wie nur Gesundheit ihn verleihen kann. »Heute brennt Burning Daylight lichterloh«, lachte Dan MacDonald, als ein Ausbruch lärmender Lustigkeit vom Tanzboden herüberdrang.

»Ja, das ist ein Kerl, was, Louis?« meinte Olaf Henderson.

»Da kannst du Gift drauf nehmen«, sagte der Franzosen-Louis. »Der Junge ist echt wie Gold – –«

»Wenn der liebe Gott am letzten großen Siebentage Daylights Seele auswäscht«, unterbrach ihn MacDonald, »dann muß der liebe Gott tüchtig Schlamm in seinen Kasten schaufeln.«

»Sehr gut«, murmelte Henderson und betrachtete den Spieler mit tiefer Bewunderung.

»Ausgezeichnet«, pflichtete der Franzosen-Louis ihm bei. »Und darauf wollen wir einen genehmigen, was?«

Gegen zwei Uhr morgens stellten die Tanzenden, die jetzt hungrig geworden waren, den Tanz auf eine halbe Stunde ein. Und in diesem Augenblick schlug Jack Kearns einen Poker vor. Jack Kearns war ein großer Mann mit gutmütigem Gesicht, der, gemeinsam mit Bettles, den verhängnisvollen Versuch gemacht hatte, eine Station an der Quelle des Koyokuk, weit jenseits des Polarkreises, anzulegen. Darauf war er nach Forty Mile und Sixty Mile zurückgekehrt und hatte, um seinen Unternehmungen eine andere Richtung zu geben, eine kleine Sägemühle und einen Flußdampfer in den Staaten bestellt. Erstere wurde jetzt gerade durch Indianer mit Hunden über den Chilkoot-Paß geschafft und sollte im Vorsommer nach der Eisschmelze den Yukon herunterschwimmen. Im Spätsommer, wenn die Beringsee und die Mündung des Yukon eisfrei waren, sollte dann der Dampfer, der in St. Michaels gebaut wurde, bis an die Reling mit Proviant beladen, flußaufwärts fahren.

Jack Kearns schlug also einen Poker vor. Der Franzosen-Louis, Dan MacDonald und Hal Campbell (der einen Goldfund bei Moosehide gemacht hatte) tanzten nicht, weil nicht genug Mädchen da waren, und so gingen sie auf den Vorschlag ein. Sie sahen sich gerade nach einem fünften Mann um, als Burning Daylight mit der Jungfrau am Arm und allen Tanzenden hinter sich aus dem Hinterzimmer kam. Die Pokerspieler riefen ihn, und er trat an ihren Tisch.

»Willst du mitmachen?« fragte Campbell. »Vielleicht hast du Glück?«

»Heute sicher«, antwortete Burning Daylight mit Begeisterung und fühlte im selben Augenblick, wie die Jungfrau warnend seinen Arm drückte. Sie wollte mit ihm tanzen.

»Heute hätte ich sicher Glück, aber ich will lieber tanzen, denn ich möchte euch nicht alles Geld abnehmen.«

Niemand redete ihm zu. Sie nahmen seine Ablehnung als endgültig hin. Die Jungfrau preßte seinen Arm von neuem, damit er den hungrigen Tänzern folgte, aber da wurde er plötzlich anderen Sinnes. Nicht daß er keine Lust zum Tanzen gehabt oder ihr hätte weh tun wollen, aber der wiederholte mahnende Armdruck der Jungfrau reizte seine freie männliche Natur zum Widerstand. Der Wille, sich nichts von einem Weibe vorschreiben zu lassen, gewann die Oberhand in ihm. War er auch ein Liebling der Frauen, so machte er sich doch nicht viel aus ihnen. Sie waren Spielzeug, Tand, eine Erholung in dem großen Spiel des Lebens. Weiber, Whisky und Spiel standen für ihn auf einer Stufe, aber es war seiner Beobachtung nach leichter, mit Trinken und Kartenspielen zu brechen als mit einem Weibe, das einen Mann erst richtig eingefangen hatte.

Sein eigener Sklave sein, das war für seine gesunde Natur selbstverständlich, aber ehe er der Sklave eines andern wurde, war er zu blutiger Rebellion bereit. Die süße Knechtschaft der Liebe war etwas, das er überhaupt nicht verstand. Verliebte Männer waren ihm stets wie Verrückte erschienen, und Verrücktheit zu analysieren, lohnte sich nicht. Kameradschaft zwischen Männern – ja, das war etwas anderes. Die hatte nichts mit Sklaverei zu tun. Sie war eine geschäftliche Vereinbarung, ein Handel zwischen Männern, die einander nicht verfolgten, sondern im Kampf für Leben und Reichtum die Gefahren von Schlittenreisen, von Strömen und Bergen teilten. Männer und Frauen verfolgten sich, und eines mußte sich notgedrungen dem Willen des andern beugen. Kameradschaft war anders. Sich tagelang über sturmumfegte Pässe oder durch Sümpfe, die durch Moskitos verseucht waren, abzuschleppen und doppelt soviel zu tragen wie der Kamerad, das hatte weder etwas mit Unbilligkeit noch mit Zwang zu schaffen. Jeder tat sein Bestes, und nur darauf kam es an. Allerdings: der eine war stärker als der andere, aber solange jeder nur tat, was er konnte, so lange war es ehrliches Spiel, gegen das es nichts einzuwenden gab.

Aber mit Weibern – nein –, Weiber gaben wenig und forderten alles. Weiber besaßen Schürzenbänder und hatten die Neigung, jeden Mann, der sich mit ihnen einließ, damit zu umschlingen. Man brauchte nur an die Jungfrau zu denken. Als er kam, hatte sie beinahe einen Gähnkrampf gehabt, und jetzt war sie vor Freude außer sich, nur weil er tanzen wollte. Ein Tanz, das wäre ja noch gegangen, aber nun drückte sie auch noch seinen Arm, um ihn vom Pokern abzuhalten. Das waren die verhaßten Schürzenbänder, der erste Zwang von den vielen, die sie gegen ihn ausüben würde, wenn er jetzt nachgäbe. Sie war sicher ein netter Kerl, gesund, stark und hübsch, dazu eine ausgezeichnete Tänzerin, aber sie war nun einmal ein Weib mit der ganzen Neigung des Weibes, den Mann mit ihren Schürzenbändern einzufangen und an Händen und Füßen zu binden, um ihm sein Brandzeichen aufzudrücken. Lieber pokern.

Außerdem mochte er mindestens ebenso gern pokern wie tanzen. Sein ganzes Ich widersetzte sich diesem Druck auf den Arm, und er sagte: »Ich hätte übrigens doch nicht übel Lust, mit euch zu spielen.« Wieder fühlte er den Druck auf seinem Arm. Sie erprobte die Schürzenbänder an ihm. Für den Bruchteil einer Sekunde war er ein Wilder, von aufwallender Furcht und Mordlust beherrscht. In dieser unmeßbar kurzen Zeitspanne war er zu allem fähig; ein gereizter Tiger, den der Gedanke an die Falle mit Wut und Entsetzen erfüllte. Wäre er wirklich nichts als ein Wilder gewesen, so würde er wie ein Rasender über sie hergefallen sein und sie vernichtet haben. Aber im selben Augenblick kamen in ihm Generationen von Zivilisation zum Durchbruch, die ihn zu einem den Verhältnissen angepaßten Gesellschaftstier machten. Takt und Sympathie stritten mit ihm, und mit einem lächelnden Blick in die Augen der Jungfrau sagte er: »Geh nur, und laß dir etwas zu essen geben. Ich bin nicht hungrig. Später können wir wieder tanzen. Es ist ja noch so früh. Geh, Mädel!«

Er machte seinen Arm frei, klopfte ihr gemütlich auf die Schulter und wandte sich zu den Pokernden.

»Wie hoch wollt ihr gehen? Ich mache alles mit.«

»Bis in die Wolken«, sagte Jack Kearns.

»Also schön.«

Die Spieler blickten sich froh an, und Kearns wiederholte: »Bis in die Wolken!«

Elam Harnish ließ sich auf den leeren Stuhl nieder und holte seinen Goldbeutel heraus. Die Jungfrau schmollte einen Augenblick, dann wandte sie sich nach dem Tanzboden.

»Ich bring' dir ein Butterbrot, Daylight«, rief sie über die Schulter zurück.

Er nickte, und sie lächelte ihm Verzeihung zu. Er war den Schürzenbändern entronnen und hatte obendrein ihre Gefühle nicht allzusehr verletzt.

»Laßt uns mit Chips spielen«, schlug Daylight vor. »Jetons machen immer solch Durcheinander auf dem Tische . . . Wenn's euch allen recht ist?«

»Ich habe nichts dagegen«, antwortete Hal Campbell. »Meine lauten auf fünfhundert.«

»Meine auch«, sagte Harnish, und die andern erklärten ebenfalls, wie hoch ihre Chips gelten sollten. Der Franzosen-Louis, der Bescheidenste, bewertete die seinen mit hundert Dollar.

In jenen Tagen gab es in Alaska weder Betrüger noch Falschspieler. Es wurde ehrlich gespielt, und einer verließ sich auf den andern. Das Wort eines Mannes wog ebensoviel wie sein Gold. Ein Chip war ein flaches, längliches Blechstück, vielleicht einen Cent wert. Setzte aber ein Mann im Spiel einen Chip und sagte ihn mit fünfhundert Dollar an, so wurde er zum Werte von fünfhundert Dollar angenommen. Wer ihn gewann, wußte, daß der Aussteller ihn mit genau abgewogenem Goldstaub zurückkaufte. Da die Chips von verschiedener Farbe waren, war es nicht schwer, den Eigentümer herauszufinden. In jenen frühen Tagen am Yukon fiel es niemand auch nur im Traum ein, mit Bargeld zu spielen. Beim Spiel war ein Mann gut für alles, was er besaß, einerlei, wo seine Besitzungen lagen und welcher Art sie waren.

Harnish zog die höchste Karte. Bei diesem guten Anzeichen rief er dem Kellner zu, daß er eine Runde für die ganze Gesellschaft ausgäbe. Als er Dan MacDonald, der links von ihm saß, die ersten Karten austeilte, rief er:

»Los, ihr Halunken! Alle Mann an Deck! Krempelt die Ärmel auf! Hoppla! Ich sage euch, es gibt 'ne steife Brise. Paßt auf, daß ihr nicht über Bord fliegt.«

Dann ging es los. Es war ein ruhiges Spiel, bei dem wenig oder gar nicht gesprochen wurde, obwohl rings um die Spieler die ganze Stube toste. Elam hatte den Funken entzündet. Immer mehr Gäste kamen ins Tivoli und blieben. Wenn Burning Daylight losgelassen war, blieb keiner zu Hause. Der Tanzboden war voll. Da es zuwenig Damen gab, banden sich mehrere Männer ein Taschentuch um den Arm, wurden nun zum weiblichen Geschlecht gerechnet und tanzten mit anderen Männern. Alle Spieltische waren dicht besetzt, und die Stimmen der Männer an den langen Schanktischen und um den Ofen wurden von dem ständigen Klirren der Jetons und dem scharfen, steigenden und wieder ersterbenden Schnurren des Rouletts begleitet. Ein echter Yukon-Abend war im Gange. – Das Spiel der fünf Männer war einförmig, das Glück wechselte, es gab keine großen Karten. Die Folge war, daß hoch gespielt wurde, daß aber keines der Spiele lange dauerte. Eine »volle Hand« gab dem Franzosen-Louis einen Pot von fünftausend gegen zwei »Dreiständer« von Campbell und Kearns. In einem Spiel, das schon geworfen werden sollte, wurde ein Pot von achthundert Dollar auf ein Paar Asse gewonnen. Und einmal »brachte« Harnish und bluffte Kearns für zweitausend Dollar. Als Kearns die Karten auflegte, zeigte es sich, daß er einen »royal flush« hatte, während Harnish die Frechheit besessen hatte, auf zwei Zehnen zu melden.

Um drei Uhr morgens aber kam die richtige Konstellation, der große Augenblick, auf den Pokerspieler wochenlang warten können. Im Augenblick durchlief das Gerücht das Tivoli. Die Zuschauer verstummten. Entfernter Sitzende ließen die Unterhaltung und scharten sich um den Tisch, der Tanzboden leerte sich, und schließlich standen alle in einer dichten schweigenden Gruppe um den Pokertisch. Ehe gekauft wurde, hatte das hohe Wetten schon begonnen und wurde fortgesetzt, obwohl noch nicht »gebracht« war. Kearns hatte gegeben, und der Franzosen-Louis machte den Anfang zum Pot mit einem Chip – was für ihn hundert Dollar bedeutete. Campbell hatte gerade »gebracht«, doch Elam Harnish, der nach ihm daran war, überschlug seine hundert mit vierhundert besser, indem er zu MacDonald bemerkte, daß er ihn billig heranließe.

MacDonald sah wieder in seine Karten und legte tausend Dollar in Chips in den Pot. Kearns grübelte lange und »brachte« schließlich. Nun mußte der Franzosen-Louis neunhundert einschießen, um weiter mitzumachen, und er tat es denn auch nach einigem Bedenken. Campbell kostete das Weiterspielen und Kaufen ebenfalls neunhundert, aber zum allgemeinen Erstaunen »brachte« er sie und überschlug noch einmal mit fünfhundert Dollar.

»Endlich kommt Fahrt in die Sache«, bemerkte Harnish, »brachte« die fünfzehnhundert und noch tausend. »Der Sturm beginnt.«

»Ich bin zu allen Schandtaten bereit«, begleitete MacDonalds Chips auf zweitausend und noch eine Tausenddollareinlage.

Die Männer setzten sich zurecht, denn jetzt wußten sie bestimmt, daß große Karten im Spiel waren. Obwohl ihre Gesichter nichts verrieten, strafften sich ihre Züge doch unbewußt. Jeder suchte gleichmütig auszusehen – und jeder nach seiner Art. Hal Campbell zeigte seine gewöhnliche Vorsicht. Franzosen-Louis verriet sein Interesse. MacDonald spielte sein herzliches Wohlwollen, das allerdings ein bißchen übertrieben wirkte. Kearns gab sich kaltblütig und zuversichtlich, während Elam Harnish munter und lustig wie nur je zu sein schien.

Elftausend Dollar lagen schon im Pot, und die Chips häuften sich in der Mitte des Tisches.

»Ich habe keine Chips mehr«, bedauerte Kearns. »Wir geben jetzt am besten Gutscheine.«

»Es freut mich, daß du nicht schlappmachst«, lautete MacDonalds leutselige Antwort.

»Ich bin noch nicht fertig. Ich habe schon tausend Dollar darin. Wie steht es jetzt?«

»›Bringen‹ kostet dreitausend, aber es wird dich niemand hindern, mit mehr hineinzugehen.«

»Den Deubel will ich mehr! Du meinst wohl, ich bin gerade solch leichtsinniger Hund wie du.« Kearns guckte in seine Karten. »Aber ich will dir was sagen, Mac. Ich hab' 'ne feine Karte, die dreitausend möcht' ich doch gerade noch mal ›bringen‹.«

Er schrieb eine Summe auf ein Stück Papier, setzte seinen Namen drunter und schob es in die Mitte des Tisches.

Aller Augen richteten sich jetzt auf den Franzosen-Louis. Der zupfte einen Augenblick nervös an seinen Karten. Dann warf er mit einem ärgerlichen »Zum Kuckuck! Nichts zu machen« die Karten auf den Tisch.

Im nächsten Augenblick suchten die mehr als hundert Augenpaare Campbell.

»Ich will dich nicht überbieten, Jack«, sagte er und begnügte sich, die nötigen zweitausend zu »bringen«.

Jetzt richteten sich die Augen auf Harnish, der etwas auf ein Stück Papier schrieb, das er in die Mitte schob.

»Ich möchte nur bemerken, daß wir kein Wohlfahrtsverein für arme Kinder sind«, sagte er. »Ich ›bringe‹ und noch tausend. Jetzt bist du dran, Mac.«

»Darauf habe ich gewartet, und ich geh' noch tausend weiter«, war MacDonalds Entgegnung. »Gehst du immer noch mit, Jack?«

»Aber sicher.« Kearns beschäftigte sich lange mit seinen Karten. »Ich will's darauf ankommen lassen, aber erst sollt ihr wissen, wie ich stehe. Da ist mein Dampfer ›Bella‹ – der ist wenigstens zwanzigtausend wert. Dann Sixty Mile mit einem Warenlager für fünftausend. Und ihr wißt, daß ich meine Sägemühle erwarte. Sie ist jetzt in Linderman, und das Schiff ist im Bau. Bin ich euch gut?«

»Los, du bist gut«, antwortete Daylight. »Und weil wir gerade dabei sind, so will ich auch gleich sagen, daß ich zwanzigtausend in Macs Geldschrank und noch zwanzigtausend im Boden von Moosehide stecken habe. Du kennst ihn, Campbell. Steckt so viel drinnen?«

»Sicher, Daylight.«

»Wieviel kostet es jetzt?« fragte Kearns.

»›Bringen‹: Zweitausend.«

»Wir überbieten dich doch nur, wenn du hineingehst«, warnte Daylight ihn.

»Ich hab' 'ne mächtige Chance«, sagte Kearns und fügte seinen Gutschein über zweitausend zu dem wachsenden Haufen. »Sie krabbelt mir ordentlich den Rücken herauf.«

»Ich hab' zwar keine große Chance, aber anständige Karten«, erklärte Campbell, indem er seinen Gutschein hinschob; »aber ich kann nicht mehr überschlagen.«

»Das gehört mir«, Daylight machte eine Pause und schrieb. »Ich ›bringe‹ die tausend und noch so einen strammen Tausender.«

In diesem Augenblick tat die Jungfrau, die hinter ihm stand, etwas, das selbst der beste Freund eines Mannes nicht tun darf. Sie langte über Daylights Schulter, nahm die fünf Karten vom Tisch und besah sie sich, indem sie sie dicht vor ihre Brust hielt. Was sie sah, waren drei Damen und zwei Achten, aber niemand konnte es aus ihren Zügen erraten. Aller Augen waren auf sie gerichtet, aber sie verzog keine Miene. Ihr Gesicht hätte in Eis ausgehauen sein können. Nicht ein Muskel verzog sich; weder bebten ihre Nasenflügel noch kam ein stärkerer Glanz in ihre Augen. Sie legte die Karten wieder auf den Tisch, und die forschenden Augen der Männer ließen von ihr ab, ohne etwas erfahren zu haben.

MacDonald lächelte wohlwollend. »Ich ›bringe‹ noch zweitausend, Daylight. Wie steht es mit deiner Chance, Jack?«

»Immer noch da, Mac. Ihr habt mich jetzt fest, aber es ist 'ne Chance von der richtigen Sorte, und es ist meine verdammte Pflicht und Schuldigkeit, nicht lockerzulassen. Ich ›bringe‹ dreitausend. Und zudem hab' ich noch eine Chance: Daylight muß ja auch ›bringen‹.«

»Aber sicher«, stimmte Daylight zu, nachdem Campbell seine Karten hingeworfen hatte. »Er weiß, wann es darauf ankommt, und spielt danach. Ich ›bringe‹ die zweitausend, und dann wollen wir kaufen.«

Und in der Totenstille, die nur von den leisen Stimmen der drei Spieler unterbrochen wurde, kauften sie. Vierunddreißigtausend Dollar lagen schon im Pot, und das Spiel war vielleicht noch nicht halb zu Ende. Zum Erstaunen der Jungfrau behielt Daylight seine drei Damen, warf seine Achten und zog zwei neue Karten. Und diesmal wagte nicht einmal sie zu sehen, was er gekauft hatte. Sie kannte die Grenzen ihrer Selbstbeherrschung. Auch er sah nicht nach. Die beiden neuen Karten lagen mit der Bildseite nach unten auf dem Tische, wie er sie bekommen hatte.

»Karten?« fragte Kearns McDonald.

»Hab' genug«, war die Antwort.

»Du kannst kaufen, wenn du willst.«

»Danke, ich hab' genug.«

Kearns kaufte selbst zwei Karten, sah sie sich aber nicht an. Harnish ließ seine Karten immer noch auf dem Tische liegen. »Ich wette nie gegen eine Karte, die nicht zugekauft ist«, sagte er langsam und sah den Wirt an. – »Los, Mac!«

MacDonald zählte seine Karten sorgfältig, um sich noch einmal zu ver-gewissern, daß sie nicht schlecht waren, schrieb eine Summe auf ein Stück Papier und legte es mit der einfachen Bemerkung »Fünftausend« in den Pot.

Kearns, auf den sich jetzt aller Augen richteten, sah auf seine beiden zuletzt gezogenen Karten, zählte die drei anderen, um jeden Zweifel auszuschließen, daß er nicht mehr als fünf Karten hätte, und schrieb auch etwas auf.

»Ich ›bringe‹, Mac«, sagte er, »und noch ein kleines Tausend, nur damit Daylight weitergehen kann.«

Die Aufmerksamkeit sammelte sich wieder um Daylight. Er unter-suchte ebenfalls seine Karten und zählte seine fünf Karten. »Ich ›bringe‹ die sechstausend und noch fünftausend . . . nur um zu versu-chen, dich 'rauszubringen, Jack.«

»Und ich setze fünftausend, um dir dabei zu helfen«, meinte MacDo-nald.

Seine Stimme war ein ganz klein wenig heiser und angestrengt, und ein nervöses Zittern um die Mundwinkel begleitete seine Worte.

Kearns war blaß, und die Zuschauer bemerkten, daß seine Hand zit-terte, als er den Gutschein schrieb. Seine Stimme war jedoch unverän-dert.

»Ich halte die fünftausend«, sagte er.

Jetzt war Daylight wieder an der Reihe. Das Licht der von der Decke herabhängenden Petroleumlampen spielte in den Schweißtropfen auf seiner Stirn. Die Bronzefarbe seiner Wangen war durch das emporstei-gende Blut dunkler geworden. Seine schwarzen Augen funkelten, und seine Nasenflügel bebten vor Erregung. Gerade sie bezeugten seine Abstammung von Wilden, deren Rasse sich dank ihrer tiefen Lungen und üppigen Luftzufuhr erhalten hatte.

Doch im Gegensatz zu MacDonald war seine Stimme fest wie immer, und seine Hand zitterte nicht wie die Kearns', als er schrieb.

»Ich ›bringe‹ zehntausend«, sagte er. »Ich bin nicht bange vor dir, Mac, es ist wegen Jacks Chance.«

»Ich setze nun gerade fünftausend gegen diese Chance«, sagte MacDo-nald. »Ich hatte die beste Karte, ehe wir kauften, und ich nehme an, daß ich sie noch immer habe.«

»Es kommt ja vor, daß eine Chance nach dem Kaufen besser ist als vor-her«, bemerkte Kearns. »Und da sagt mir die Pflicht: Immer 'ran, Jack, immer 'ran, und ich sage: noch fünftausend.« Daylight legte sich zu-rück und betrachtete sich die Petroleumlampe, während er laut rech-nete.

»Ich habe neuntausend gesetzt, ehe gekauft wurde, und ich habe elf-tausend ›gebracht‹ und erhöht – das macht dreißig. Ich bin nur noch für zehn gut.« Er beugte sich vor und sah Kearns an. »Also ich ›bringe‹ die zehntausend.«

»Du kannst gut höher hineingehen«, antwortete Kearns. »Deine Hunde rechnen gut für fünf.«

»Nicht einen Hund. Du kannst all meinen Goldstaub und das andere Zeug gewinnen, aber nicht einen von meinen Hunden. Ich ›bringe‹ nur.«

MacDonald bedachte sich lange. Keiner rührte sich oder flüsterte. Kein Muskel erschlaffte in den Gesichtern der Zuschauer. Nicht einer trat auch nur von einem Fuß auf den andern. Es herrschte feierliches Schweigen. Nichts war zu hören als das Prasseln in dem großen Ofen und das Heulen der Hunde, das gedämpft durch die Holzwände herein- tönte. Nicht jede Nacht wurde am Yukon so hoch gespielt, und dieses Spiel war das höchste, das die Geschichte des Landes aufzuweisen hatte. Endlich sagte der Wirt: »Wenn einer von euch gewinnt, muß ich eine Hypothek auf das Tivoli nehmen.«

Die beiden anderen Spieler nickten.

»Dann ›bringe‹ ich auch.«

MacDonald fügte seinen Gutschein über fünftausend zu den anderen. Nicht einer von ihnen forderte den Pot für sich, und nicht einer nannte seine Karte. Gleichzeitig legten sie ihre Karten offen auf den Tisch, während die Zuschauer auf den Zehenspitzen standen und sich die Hälse ausreckten, um besser zu sehen.

Daylight hatte vier Damen und ein As; MacDonald vier Buben und ein As; und Kearns vier Könige und eine Drei. Kearns langte aus und zog den Pot zu sich, aber sein Arm zitterte dabei.

Daylight nahm sein As, warf es neben das MacDonalds und sagte: »Das hat mich die ganze Zeit hochgehalten, Mac. Ich wußte, daß nur die Könige mich schlagen konnten, und richtig, er hatte sie.«

»Was hattest du denn?« wandte er sich eifrig an Campbell.

»Flush royal von beiden Enden zu kaufen – eine gute Karte.«

»Das sollte ich meinen! Du hättest eine ›straight‹, einen ›straight flush‹ oder einen gewöhnlichen ›flush‹ bekommen können.«

»Das Rausgehen kostet mich sechstausend«, meinte Campbell be- trübt.

»Ich wünschte, du hättest gekauft«, lachte Daylight, »dann hätte ich nicht die vierte Dame gekriegt. Nun muß ich Billy Rawlins Post besor- gen und machen, daß ich nach Dyea komme. – Wie groß ist die Beute, Jack?«

Kearns versuchte den Pot zu zählen, war aber zu erregt. Daylight zog ihn zu sich herüber, sortierte Chips und Gutscheine und rechnete ruhig zusammen.

»Hundertsiebenundzwanzigtausend!« meldete er.

»Jetzt kannst du Ausverkauf halten und nach Hause reisen, Jack.«
Der Gewinner lächelte und nickte, konnte aber kein Wort herausbringen.
»Ich möchte etwas zu trinken bestellen«, sagte MacDonald, »die Bude gehört mir nun nicht mehr.«
»Doch!« antwortete Kearns, nachdem er seine Lippen mit der Zunge angefeuchtet hatte. »Deine Gutscheine gelten, solange du willst. Aber für Getränke zu sorgen ist meine Sache.«
»Sagt, was ihr haben wollt, Leute – der Gewinner bezahlt!« rief Daylight den Umstehenden laut zu, und zugleich erhob er sich und faßte die Jungfrau am Arm. »Kommt alle mit, wir tanzen einen Reel. Es ist noch früh am Tage, und morgen muß ich mit der Post los. He, Rawlins – ich verpflichte mich, die Post hin und zurück zu besorgen, und morgen früh um neun geht's los – savvy? Alle her! Wo ist die Musik?«

Es war Daylights Nacht. Er war der Mittelpunkt, das Haupt der Lustbarkeit, unersättlich in seiner Laune, ein Ansteckungsherd von Frohsinn. Er vervielfältigte sich und damit den Trubel. Kein Streich, den er vorschlug, war zu ausgelassen für sein Gefolge, und ihm folgten alle bis auf die, die als singende Idioten auf dem Schlachtfeld blieben. Aber nie kam es zu Ausschreitungen. Es war am Yukon bekannt, daß an den Abenden, wenn Burning Daylight losgelassen war, Zank und Streit verpönt waren. Früher war es wohl einmal vorgekommen, aber da hatten die Leute zu spüren bekommen, was wahrer Zorn ist, und zwar auf eine Weise, wie nur Burning Daylight es verstand. Wenn er Feste gab, mußten die Leute lachen und froh sein oder nach Hause gehen.
Daylight war unermüdlich. In einer Tanzpause bezahlte er Kearns die zwanzigtausend in Goldstaub und übertrug ihm seine Rechte auf Moosehide. Den Postkontrakt mit Billy Rawlins ordnete er ebenfalls und traf seine Vorbereitungen zur Abreise. Er schickte nach Kama, seinem Hundetreiber, einem Tananaw-Indianer, der seinen Stamm verlassen hatte, um in die Dienste der Weißen zu treten. Kama betrat das Tivoli, groß, mager, muskulös, in Felle gekleidet, ein Auserwählter seiner barbarischen Rasse und doch selbst ein Barbar, der sich durch die ihn umtobenden Gäste nicht stören ließ, als Daylight ihm seine Befehle erteilte. »Hm«, sagte Kama und zählte seine Aufträge an den Fingern her. »Briefe bei Rawlins abholen. Schlitten aufladen. Proviant bis Selkirk – du meinst viel Hundefutter, halten in Selkirk?«
»Viel Hundefutter, Kama.«
»Hm. Schlitten um neun Uhr herbringen. Schneeschuhe bringen. Kein Zelt bringen. Vielleicht das kleine Zelt bringen?«
»Nein, kein Zelt«, antwortete Daylight entschieden.

»Hm, sehr kalt.«

»Wir reisen mit leichtem Gepäck – savvy? Wir bringen viele Briefe hin, viele zurück. Du bist ein starker Mann. Sehr kalt, lange Reise – schön!«

»Ja, schön«, beschied Kama sich. »Sehr kalt, schert sich den Teufel drum. Fertig um neun Uhr.«

Er wandte sich auf den Hacken der Mokassins um und schritt hinaus, unerschütterlich, gleich einer Sphinx, ohne zu grüßen, ohne nach rechts oder links zu schauen. Die Jungfrau zog Daylight in eine Ecke.

»Hör, Daylight«, sagte sie leise, »du bist fertig.«

»Bis auf den letzten Cent.«

»Ich hab' achttausend in Macs Geldschrank . . .«, begann sie.

Aber Daylight unterbrach sie. Die Schürzenbänder waren drohend nahe, er schlug aus wie ein Füllen, das den Sattel spürt.

»Macht nichts«, sagte er, »so wie ich jetzt bin, bin ich auf die Welt gekommen, und so bin ich seither die meiste Zeit gewesen. Komm, laß uns tanzen.«

»Aber hör doch«, fuhr sie fort, »mein Geld arbeitet nicht. Ich möchte es dir leihen – um Proviant zu kaufen«, fügte sie schnell hinzu, als sie die Alarmzeichen auf seinem Gesicht bemerkte.

»Mich braucht niemand zu verproviantieren«, war die Antwort. »Ich sorge selbst für mich, und mache ich dann mal einen Treffer, dann bin ich sicher, daß mir auch alles gehört. Nein, ich danke dir, Mädel. Es ist sehr nett von dir. Ich verschaffe mir meinen Proviant, indem ich die Post hin- und zurückfahre.«

»Daylight«, murmelte sie vorwurfsvoll.

Aber in einer plötzlichen Aufwallung zog er sie in den Tanzsaal, und während er sie im Walzer herumschwang, grübelte sie über die Hartnäckigkeit des Mannes, der sie in seinen Armen hielt und all ihrer List widerstand.

Um sechs Uhr stand er, von Whisky brennend, aber immer noch seiner mächtig, am Schanktisch und drückte jedem die Hand herunter. Das ging so vor sich, daß zwei Männer sich einander gegenüberstellten, während ihr rechter Ellbogen auf dem Schanktisch ruhte. Dann griffen sie sich bei der rechten Hand, und jeder versuchte, die des andern herunterzupressen. Einer nach dem andern kam an die Reihe, aber keiner konnte ihn bezwingen, und selbst Olaf Henderson und der Franzosen-Louis konnten nicht gegen ihn aufkommen. Da sie behaupteten, daß es ein Trick, ein eingeübter Griff war, forderte er sie zu einer anderen Probe heraus.

»Seht her, Leute!« rief er. »Ich will zweierlei tun: erstens meinen Beutel wiegen und zweitens um alles wetten, daß ich zwei Mehlsäcke mehr heben werde als der Stärkste von euch.«

»Bei Gott – angenommen!« übertönte die Stimme des Franzosen-Louis das Getöse.

»Halt!« rief Olaf Henderson. »Ich bin wohl ebenso gut wie du, Louis. Ich übernehme die Hälfte der Wette.«

Als Elam Harnish' Beutel auf die Waagschale gelegt wurde, zeigte es sich, daß sein Gewicht vierhundert Dollar entsprach, und Louis und Olaf hielten jeder die Hälfte gegen ihn. Fünfzig-Pfund-Säcke wurden aus MacDonalds Vorratsraum geholt. Zuerst erprobten ein paar andere Männer ihre Kräfte daran. Sie stellten sich auf zwei Stühle, und die Mehlsäcke wurden unter sie auf den Fußboden gelegt und zusammengebunden. Viele von ihnen konnten auf diese Weise vier- oder fünfhundert Pfund heben, und mancher brachte es sogar auf sechshundert. Dann machten sich die beiden Hünen dazu, indem sie mit siebenhundert begannen. Der Franzosen-Louis legte nun noch einen Sack dazu und hob siebenhundertundfünfzig Pfund vom Boden. Olaf wiederholte die Leistung, aber bei achthundert versagten beide. Immer wieder versuchten sie es, der Schweiß stand ihnen auf der Stirn, ihre Glieder knackten. Beide konnten das Gewicht lüften, aber heben konnten sie es nicht.

»Bei Gott, Daylight, diesmal hast du dich verrechnet!« sagte der Franzosen-Louis, indem er sich aufrichtete und von den Stühlen sprang.

»Das kann nur ein Mann aus Eisen, hundert Pfund mehr – Freundchen, keine zehn Pfund mehr.«

Die Säcke wurden auseinandergebunden und noch zwei dazugestellt, aber da erhob Kearns Einwand.

»Nur einen Sack mehr.«

»Zwei!« schrie einer. »Zwei gilt die Wette.«

»Sie haben die letzten nicht gehoben«, protestierte Kearns. »Sie haben nur siebenhundertundfünfzig gehoben.«

Aber Daylight machte der Verwirrung ein großartiges Ende.

»Wozu das Gerede? Was ist ein Sack mehr? Kann ich nicht drei Säcke mehr heben, dann sicher auch keine zwei. Nehmt beide.« Er stellte sich auf die Stühle, hockte nieder und beugte sich vor, bis seine Hände den Strick gefaßt hatten. Dann änderte er seine Fußstellung ein wenig, spannte prüfend die Muskeln und versuchte, die Stellung zu finden, die seinem Körper die beste Hebekraft verlieh. Der Franzosen-Louis betrachtete ihn zweifelnd.

»Los, Daylight, los! Den Deubel noch mal!« schrie er. Daylights Muskeln strafften sich zum zweitenmal, und diesmal im Ernst, mit aller Energie, über die sein prachtvoller Körper verfügte, und ganz unmerklich, ohne Ruck, ohne Anstrengung hob er die umfangreiche Last von neunhundert Pfund vom Boden und schwang sie wie ein Pendel zwischen seinen Schenkeln hin und her.

Olaf Henderson schöpfte tief und hörbar Atem. Die Jungfrau, die sich unbewußt gestrafft hatte, bis ihr die Muskeln schmerzten, erschlaffte, während der Franzosen-Louis ehrerbietig murmelte:

»M'sieur Daylight, Salut! Ich bin ein großer Säugling. Du bist ein großer Mann!«

Daylight ließ die Last fallen und sprang vom Stuhl.

»Abwiegen!« schrie er und warf seinen Beutel dem Wäger zu, der vierhundert Dollar aus den Beuteln Hendersons und Louis' in den seinen tat.

»Alle Mann her!« rief Daylight. »Sagt, was ihr haben wollt! Der Gewinner bezahlt.«

»Heute ist meine Nacht!« jauchzte er zehn Minuten später. »Ich bin der Einsiedlerwolf und habe dreißig Winter gesehen. Es ist mein Geburtstag, mein einziger Festtag im ganzen Jahr, und ich kann euch alle zusammen schmeißen. Kommt an, alle Mann! Ich will euch alle in den Schnee werfen. Kommt an, ihr Chechaquos (Weichlinge) und Sour-dougs (etwa: alte Jungens), ihr sollt eure Taufe kriegen!«

Die ganze Rotte bis auf die Kellner und die singenden Bacchanten strömte zur Tür hinaus.

Der Wunsch, seine Würde zu wahren, mochte MacDonald durch den Kopf fahren, denn er näherte sich Daylight mit ausgestreckter Hand.

»Wie? Du zuerst?« lachte Daylight und ergriff seine Hand wie zur Begrüßung.

»Nein, nein«, widersprach der Wirt schnell. »Ich will dir nur zum Geburtstag gratulieren. Daß du mich in den Schnee werfen kannst, weiß ich. Was kann ich gegen einen Mann machen, der neunhundert Pfund hebt?«

MacDonald wog hundertachtzig Pfund, und Daylight hatte nur seine Hand ergriffen; aber durch einen plötzlichen Ruck riß er ihn um und warf ihn kopfüber in den Schnee. Dann kam der nächste an die Reihe, und ihm folgte schnell ein halbes Dutzend. Widerstand war nutzlos. Sie flogen Hals über Kopf und landeten in den groteskesten Stellungen im Schnee, ohne jedoch zu Schaden zu kommen.

Bei dem dunklen Sternenlicht war es nicht leicht zu unterscheiden, wer von ihnen schon geworfen war und wer noch darauf wartete, daß die Reihe an ihn kam, und so begann er, ihre Rücken und Schultern zu befühlen, um zu erkennen, wer schon mit Schnee bestäubt war. »Schon getauft?« war die ständige Frage, wenn er seine schreckliche Hand ausstreckte.

Eine ganze Reihe lag schon im Schnee, während andere in komischer Demut vor ihm knieten, Schnee auf ihren Kopf streuten und behaupteten, die Zeremonie überstanden zu haben. Eine Gruppe von fünf Männern stand jedoch aufrecht – Hinterwäldler und Grenzer, die darauf brannten zu zeigen, daß sie es mit jedem, sogar mit Daylight, aufnehmen könnten. Aber wenn sie auch die härteste Schule hinter sich hatten und Veteranen mancher harten Schlacht, Männer von Blut, Schweiß und Ausdauer waren, so fehlte ihnen doch eines, das Daylight in hohem Maße besaß – nämlich die beinahe vollkommene Zusammenarbeit von Gehirn und Muskeln. Das war an und für sich ganz einfach und nicht sein Verdienst. Diese Eigenschaft war ihm angeboren. Seine Nerven reagierten rascher als die ihren, seine Muskeln gehorchten dem Willen schneller, sie glichen explosivstem Sprengstoff. Alle Kraft in seinem Körper schnappte sofort ein wie die Stahlfeder einer Falle. Und dazu besaß er einen Überfluß an Kraft, wie ihn nur einer unter Millionen besitzt – eine Kraft, die nicht von Körpergröße, sondern von einer seltenen organischen Überlegenheit des Muskelgewebes abhing. So konnte er Wirkungen erzielen, ehe der Gegner sich überhaupt darüber klar war, was es galt und wie er Widerstand leisten konnte. Andererseits erkannte er einen gegen ihn selbst gerichteten Angriff so schnell, daß er rechtzeitig widerstehen und einen blitzartigen Gegenangriff machen konnte.

»Es hat keinen Zweck, daß ihr dort stehenbleibt, Leute«, wandte sich Harnish an die wartende Gruppe. »Ihr könnt euch ebensogut gleich werfen lassen und eure Taufe kriegen. An einem andern Tage könnt ihr mich vielleicht schmeißen, aber an meinem Geburtstage will ich euch zeigen, daß ich der Stärkste bin. Ist das Pat Hanrahan, der so erwartungsvoll dasteht? Komm an, Pat.«

Pat Hanrahan, früherer Meisterschaftsringer und eine Kapazität in der Kunst des Raufens, trat vor. Die beiden Männer stürzten aufeinander los, doch ehe der Irländer zur Besinnung gekommen war, fand er sich in der unbarmherzigen Zange eines »Halfnelson«, der ihm Schultern und Kopf in den Schnee preßte. Joe Hines, früherer Holzhauer, flog mit einer Macht wie ein zweistöckiges Gebäude – sein Purzelbaum wurde von einem Schlag auf den Hintern begleitet –, er war geliefert, ehe er sich überhaupt hatte zurechtstellen können.

Das alles schien Daylight nicht im geringsten anzustrengen. Er bedurfte keiner Vorbereitungen. Sein Körper explodierte plötzlich und mit furchtbarer Kraft, um im nächsten Augenblick wieder zu erschlaffen. So wurde Doc Watson, der graubärtige, eiserne Mann ohne Vergangenheit, der sich selbst ein Schrecken war, den Bruchteil einer Sekunde vor seinem eigenen Angriff geworfen. Als er zum Sprunge ansetzte, war Daylight schon über ihm, und mit so gefährlicher Schnelligkeit, daß er rücklings in den Schnee flog. Olaf Henderson wollte den Augenblick ausnutzen und stürzte sich seitwärts auf Daylight, der noch mit ausgestreckter Hand dastand, um Doc Watson wieder auf die Beine zu helfen. Aber Daylight ließ sich auf Hände und Knie fallen, so daß Olafs Knie an seiner Seite landeten. Olaf nahm das Hindernis, indem er der Länge nach auf die Nase fiel.

Ehe er sich erheben konnte, hatte Daylight ihn auf den Rücken gedreht, schrubbte ihm Gesicht und Ohren mit Schnee und stopfte ihm ganze Hände voll in den Nacken.

»Ich bin ebenso stark wie du, Daylight«, sprudelte Olaf hervor, als er wieder auf die Füße gekommen war, »aber bei Gott, einen solchen Griff hab' ich noch nicht gesehen.«

Franzosen-Louis war der letzte der fünf, und er hatte genug gesehen, um vorsichtig zu sein. Er umkreiste Daylight eine ganze Minute, ehe er es zum Zusammenstoß kommen ließ; und eine ganze Minute rangen sie miteinander, ohne daß einer das Übergewicht erhielt. Aber dann, gerade als der Kampf interessant zu werden begann, machte Daylight einen seiner blitzschnellen Griffwechsel und ließ gleichzeitig seine Muskeln explodieren. Der Franzosen-Louis wehrte sich, daß sein riesiger Körper krachte, und dann wurde er langsam in den Schnee gepreßt.

»Der Gewinner bezahlt!« schrie Daylight, indem er auf die Füße sprang, und eilte ins Tivoli zurück. »Alle her, Leute! Hier geht's zur Giftbude!«

Sie stellten sich in einer zwei bis drei Mann tiefen Reihe an dem langen Schanktisch auf und stampften sich den Frost aus den Füßen, denn es waren sechzig Grad Kälte draußen.

Bettles, der selbst der Tüchtigsten einer war und manche Heldentat vollbracht hatte, unterbrach sein Lied von der »Sassafraswurzel« und kam herübergeschwankt, um Daylight zu gratulieren. Aber mittendrin fühlte er den Drang, eine Rede zu halten, und erhob seine Stimme:

»Ich sag' euch, Kameraden, ich bin verdammt stolz drauf, daß ich Daylight meinen Freund nennen darf. Wir haben manche Schlittenreise zusammen gemacht, und er ist achtzehnkarätig von den Mokassins aufwärts – verdammt soll er sein, die alte Haut! Er war ein Dreikäsehoch, als er ins Land kam. Aber als ihr in seinem Alter wart, wart ihr noch nicht mal trocken hinter den Ohren. Er war nie ein Säugling. Er ist als ausgewachsener Mann auf die Welt gekommen. Und ich sag' euch, damals mußte man ein Mann sein. Damals gab es noch keine marklose Zivilisation wie jetzt.« Bettles hielt einen Augenblick inne und schlang seinen Arm wie eine Bärentatze um Daylights Nacken. »Als wir beide in der guten alten Zeit den Yukon heraufkamen, regnete es keine Suppe, und es gab keine Tischlein-deck-dich-Wirtschaften. Unser Lagerfeuer wurde angezündet, wenn wir unser Wild gejagt hatten, und die meiste Zeit lebten wir von Lachsfährten und Kaninchenbäuchen – stimmt das?« Nachdem der Lachsturm sich gelegt hatte, den diese Umkehrung erregt hatte, zog Bettles seine Bärentatze zurück und wandte sich aufgebracht gegen die Menge. »Lacht nur, ihr räudigen Gelbschnäbel, lacht nur! Aber ich sage euch mit einfachen Worten, daß der Beste von euch nicht würdig ist, Daylight die Mokassins zu schnüren. Stimmt das nicht, Campbell? Stimmt das nicht, Mac? Daylight ist einer von der alten Garde, ein richtiger alter Bursche. Und in jenen Tagen gab es keine Dampfer und keine Poststationen, und wir mußten zusehen, wie wir mit Lachsbäuchen und Kaninchenfährten fertig wurden.«

Er sah sich triumphierend um, und in den Beifall, der jetzt folgte, mischten sich Rufe nach einer Rede von Daylight. Er gab seine Bereitwilligkeit zu erkennen. Ein Stuhl wurde gebracht, und man half ihm hinauf. Er war nicht nüchterner als die ganze Schar, die er jetzt überragte – ein wilder Schwarm in ungeschlachten Kleidern, mit Mokassins oder Muclucked (wasserdichte Eskimostiefel aus Walroßhaut), mit um den Hals hängenden Fäustlingen und hochgeklappten Ohrenklappen, daß sie den Flügelhemden der alten Wikinger glichen. Daylights schwarze Augen funkelten, und die Glut der schweren Getränke verdunkelte seine Wangen. Er wurde mit herzlichen Beifallsrufen von der Menge begrüßt, was eine verdächtige Feuchtigkeit in seine Augen steigen ließ, obwohl viele der Stimmen unartikuliert und undeutlich waren. Und doch hatten Männer seit Anbeginn der Welt es so gehalten, hatten mit Schlägerei und Trinken Feste gefeiert und gezecht. Wie die Helden vergangener Zeiten waren diese Männer die Begründer des arktischen Reiches; sie prahlten, tranken und lärmten und suchten in wenigen wilden Augenblicken Vergessen der rauhen Wirklichkeit.

»Schön, Jungens. Ich weiß zwar nicht, was ich euch sagen soll«, begann Daylight stockend, denn er mußte erst die Herrschaft über sein wirres Gehirn wiedergewinnen. »Ich glaube, ich will euch eine Geschichte erzählen, Leute. Ich hatte einmal einen Partner, unten in Juneau. Er kam aus Nordcarolina und pflegte mir diese Geschichte zu erzählen.
Es war bei einer Hochzeit in den Bergen seiner Heimat. Die Familie und alle ihre Freunde waren versammelt. Der Pfarrer legte gerade die letzte Hand ans Werk und sagte: ›Was Gott zusammengefügt, die soll der Mensch nicht scheiden.‹
›Herr Pastor‹, sagte der Bräutigam, ›ich gestatte mir zu bezweifeln, daß dieser Satz grammatikalisch richtig ist. Ich möchte, daß diese Hochzeit in jeder Beziehung korrekt ausgeführt wird.‹
Als der Rauch sich verzog, sieht die Braut sich um und erblickt einen toten Pfarrer, einen toten Bräutigam, einen toten Bruder, zwei tote Onkel und fünf tote Hochzeitsgäste.
Da stößt sie einen tiefen Seufzer aus und sagt: ›Die neumodischen Selbstladepistolen haben alle meine Pläne über den Haufen geworfen.‹
Und so sage ich euch, Leute«, fuhr Daylight fort, als das stürmische

Gelächter sich gelegt hatte, »daß Jack Kearns' vier Könige meine ganzen Pläne umgeworfen haben. Ich bin so arm wie eine Kirchenmaus und muß nun mit der Post nach Dyea.«

»Nach Hause?« fragte einer.

Einen Augenblick flog ein ärgerliches Zucken über sein Gesicht, aber im nächsten Augenblick hatte er seine gute Laune wiedergefunden. »Ich weiß, daß es nur Scherz ist, wenn ihr so was fragt«, sagte er lächelnd. »Selbstverständlich gehe ich nicht nach Hause.«

»Kannst du darauf schwören, Daylight?« rief dieselbe Stimme.

»Aber sicher. Dreiundachtzig kam ich zum erstenmal. Ich überschritt den Chilkoot im Schneesturm mit einem zerlumpten Hemd und einer Tasse voll Mehl. Drüben gab es nichts zu beißen, und ich mußte nach Juneau zurück. Dort erhielt ich in jenem Winter meinen Proviant, und im Frühling ging ich wieder über den Paß. Und noch einmal vertrieb mich der Hunger. Im nächsten Frühling kam ich wieder, und ich schwor, nicht umzukehren, ehe ich meinen Einsatz nicht heraus hatte. Schön, das ist noch nicht geschehen, und hier bin ich nun. Und jetzt gehe ich nicht nach Hause. Ich hole die Post, und dann komme ich wieder. Ich bleibe nicht die Nacht über in Dyea. Sobald ich die Hunde gewechselt und Post und Proviant bekommen habe, will ich über den Chilkoot gehen. Und ich schwöre noch einmal bei dem Geschwänzten der Hölle und beim Kopf Johannes des Täufers, daß ich nicht eher heimgehe, als ich mir ein Vermögen gemacht habe. Und das sage ich euch, Leute, es muß ein mächtiges Vermögen sein.«

»Was nennst du ein Vermögen?« fragte Bettles, der neben dem Stuhl stand und seine Arme zärtlich um Daylights Schenkel geschlungen hatte.

»Ja, wieviel? Was nennst du ein Vermögen?« fragten andere.

Daylight hielt einen Augenblick inne und bedachte sich.

»Vier oder fünf Millionen«, sagte er langsam und hob die Hand, um Schweigen zu gebieten, denn seine Erklärung wurde mit stürmischem Hohngelächter begrüßt. »Ich will ganz vernünftig sein und sagen: mindestens eine Million. Aber das ist auch das wenigste, sonst gehe ich nicht aus dem Lande.«

Wieder wurde seine Behauptung mit schallendem Gelächter begrüßt. Nicht nur hatte die gesamte Ausbeute von Yukon bis dahin keine fünf Millionen erreicht, es gab nicht einen einzigen, der je für hunderttausend Dollar Gold gefunden hätte, geschweige denn für eine Million.

»Hört nur zu, Jungens. Ihr habt heute gesehen, wie Jack Kearns eine Chance verfolgte. Ehe gekauft wurde, hatten wir ihn. Aber er wußte, daß er noch einen König bekommen würde – das war seine Chance –, und er bekam ihn. Und ich sage euch, ich habe auch eine Chance. Es wird einmal ein großer Treffer am Yukon kommen, und er kommt bald.

Ich meine nicht die Brocken, die wir in Moosehide oder Birch-Creek finden. Ich meine einen Fund, daß sich einem die Haare sträuben. Ich sag' euch, Leute, das Gold liegt da und wartet nur, daß man es holt. Niemand kann den Gang der Dinge aufhalten. Es liegt flußaufwärts, und dort müßt ihr mich suchen, wenn ihr mich in der nächsten Zeit finden wollt – irgendwo im Lande um den Stewart-River, den Indian-River und Klondike-River. Wenn ich mit der Post zurückkomme, mache ich mich auf den Weg dahin, und so schnell, daß ihr meine Fährte vor Rauch nicht sehen könnt. Es kommt, Jungens, Gold von den Graswurzeln abwärts, hundert Dollar in jeder Pfanne, und aus der ganzen Welt werden die Leute herströmen, fünfzigtausend Mann stark. Ihr werdet denken, daß die Hölle losgelassen ist.«

Er führte das Glas an die Lippen.

»Ihr sollt leben, und ich hoffe, daß ihr alle mit dabeisein werdet!«

Er trank, trat vom Stuhl herab und fiel wieder in die Bärentatzen Bettles'.

»Wenn ich du wäre, Daylight, so würde ich heute nicht fahren«, riet Joe Hines, der draußen gewesen war und das Thermometer untersucht hatte. »Wir kriegen eine schöne Kälte. Es sind jetzt schon sechzig Grad, und es geht immer noch herunter. Wart' lieber, bis es wärmer wird.«

Daylight lachte, und die alten Kerle um ihn her lachten.

»Das sieht euch Gelbschnäbeln ähnlich«, rief Bettles, »vor dem bißchen Kälte bange zu sein. Du kennst Daylight verdammt schlecht, wenn du meinst, daß die Kälte ihn aufhalten kann.«

»Er kriegt ja Frost in die Lunge, wenn er in der Kälte reist«, lautete die Antwort.

»Den Deubel kriegt er! Sieh mal, Hines, du bist erst drei Jahre in diesem Land, du hast dich noch nicht richtig daran gewöhnt. Ich hab' Daylight fünfzig Meilen den Koyokuk aufwärts fahren sehen an einem Tage, als das Thermometer bei zweiundsiebzig Grad in Stücke sprang.«

Hines schüttelte besorgt den Kopf.

»Gerade solche Leute kriegen Frost in die Lunge«, warnte er. »Wenn Daylight fährt, bevor die ärgste Kälte vorüber ist, so kommt er nie durch, noch dazu, wenn er ohne Zelt reist.«

»Es sind tausend Meilen bis Dyea«, erklärte Bettles, indem er auf einen Stuhl kletterte und, um seinen schwankenden Körper zu stützen, einen Arm um Daylights Nacken schlang. »Es sind tausend Meilen, sage ich, und zum größten Teil ungebahnter Weg, aber ich wette mit jedem Chechaquo – so hoch er will –, daß Daylight in einem Monat in Dyea ist.«

»Das wären mehr als dreißig Meilen täglich«, warnte Doc Watson, »und ich bin auch schon gereist. Ein Schneesturm am Chilkoot würde ihn eine Woche aufhalten.«

»Stimmt«, sagte Bettles trocken, »und die tausend Meilen zurück wird Daylight wieder in einem Monat machen; ich wette fünfhundert Dollar, und den Schneesturm mag der Teufel holen.«

Um seiner Bemerkung Nachdruck zu verleihen, holte er einen Beutel mit Gold aus der Hosentasche und warf ihn auf den Schanktisch.

Doc Watson legte seinen eigenen daneben.

»Halt!« rief Daylight. »Bettles hat recht, aber ich will auch mit dabeisein. Ich wette fünfhundert, daß ich heute in sechzig Tagen mit der Post von Dyea in die Tür vom Tivoli trete.«

Zweifelnde Stimmen erhoben sich, und ein Dutzend Männer holten ihre Beutel heraus. Jack Kearns drängte sich vor, so daß Daylight ihn bemerkte.

»Ich nehm' dich beim Wort, Daylight«, rief er. »Zwei gegen eins, daß du es nicht machst – nicht in siebzig Tagen.«

»Keine Wohltätigkeit, Jack«, war die Antwort. »Die Wette steht gleich, und es bleibt bei sechzig Tagen.«

»Siebzig Tage und zwei gegen eins, daß du es nicht machst«, beharrte Kearns. »›Fifty Mile‹ ist weit offen und das Ufereis unsicher.«

»Was du mir abgewinnst, gehört dir«, fuhr Daylight fort. »Donnerwetter, Jack, du kannst mir meinen Verlust nicht auf diese Weise erstatten. Ich will überhaupt nicht mit dir wetten. Du willst nur versuchen, mir Geld zu schenken. Aber ich will dir etwas sagen, Jack, ich habe eine andere Chance. Eines Tages gewinne ich alles zurück. Warte nur, bis der große Goldfund oben am Fluß kommt. Dann wollen wir beide ein Spiel machen, wie es sich für Männer ziemt. Gilt das?«

Sie schüttelten sich die Hände.

»Er macht es«, flüsterte Kearns Bettles ins Ohr. »Und hier setze ich fünfhundert Dollar darauf, daß Daylight in sechzig Tagen wieder da ist«, fügte er laut hinzu.

Billy Rawlins ging die Wette ein, und Bettles umarmte Kearns.

»Bei Gott, die Wette halte ich«, sagte Olaf Henderson und zog Daylight von Bettles und Kearns weg.

»Wer gewinnt, gibt aus!« rief Daylight und schlug ein. »Und ich bin sicher, daß ich gewinne, sechzig Tage sind eine lange Zeit zwischen zwei Gläsern, und darum bezahle ich jetzt. Sagt, was ihr haben wollt, ihr Hoochinoos! Sagt, was ihr wollt!«

Mit einem Glas Whisky in der Hand kletterte Bettles wieder auf seinen Stuhl und, hin und her schwankend, sang er das einzige Lied, das er kannte:

> »Oh, it's Henry Ward Beecher
> And Sunday-school teachers
> All sing of the sassafras-root;

But you bet all the same,
If it had its right name,
It's the joice of the forbidden fruit.«

Und die ganze Bande sang den Refrain:

»But you bet all the same,
If it had its right name,
It's the joice of the forbidden fruit.«

Die Tür wurde geöffnet. Ein unsicheres, graues Licht strömte herein.
»Es wird hell, der Tag bricht an!« rief eine Stimme mahnend.
Ohne sich auch nur einen Augenblick zu bedenken, stürzte Daylight
zur Tür und zog die Ohrenklappen herunter.
Kama stand draußen neben dem Schlitten, einem langen schmalen
Gerät, sechzehn Zoll breit und siebeneinhalb Fuß lang, mit einem sechs
Zoll über den stählernen Kufen liegenden Holzboden. Die leichten
Rupfensäcke, die die Post enthielten, sowie Proviant für Hunde und
Menschen waren mit Riemen aus Elenhaut darauf festgebunden. Vor
ihm lagen in einer Reihe fünf weißbereifte Hunde. Es waren Huskies
(eine Art Wolfshund), die in ihrer ungewöhnlichen Größe und grauen
Farbe zueinander paßten. Von ihrer grimmigen Schnauze bis zu den
buschigen Ruten glichen sie lebensgroßen Waldwölfen. Sie waren
Wölfe, zwar zahme, aber doch Wölfe in ihrer ganzen Erscheinung wie
in ihrem Wesen. Oben auf dem Schlitten lagen zu augenblicklichem
Gebrauch bereit zwei Paar Schneeschuhe.
Bettles zeigte auf einen Schlafsack aus Polarhasenfell, der aus einem
Sack herausguckte.
»Das ist sein Bett«, sagte er. »Sechs Pfund Kaninchenfell. Das Wärm-
ste, worunter er je geschlafen hat, aber ich will verdammt sein, wenn
mich das warm halten könnte, und ich kann doch was vertragen. Day-
light ist das reine Höllenfeuer.«
»Ich möchte nicht der Indianer sein«, bemerkte Doc Watson.
»Er macht ihn tot, er macht ihn sicher tot«, sang Bettles begeistert. »Ich
weiß das. Ich habe schon Schlittenreisen mit Daylight gemacht. Der
Mann ist noch nie in seinem Leben müde gewesen. Weiß gar nicht, was
das heißt. Ich hab' ihn einen ganzen Tag bei vierzig Grad Kälte mit nassen Strümpfen reisen sehen. Das macht ihm keiner nach.«
Während dieses Gesprächs verabschiedete Daylight sich von den Männern, die ihn umdrängten. Die Jungfrau wollte ihn küssen, aber obwohl

er stark vom Whisky umnebelt war, gelang es ihm auch diesmal, den Schürzenbändern zu entgehen. Er küßte die Jungfrau, küßte aber auch die andern drei Mädchen mit derselben Wärme. Dann zog er die langen Fäustlinge an, jagte die Hunde auf und nahm seinen Platz am Steuer ein.

»Mush, Kinder!« rief er.

Im selben Augenblick warfen die Tiere ihr volles Gewicht gegen die Brustgurte, krochen im Schnee zusammen und hieben ihre Klauen hinein. Sie winselten vor Eifer, und ehe der Schlitten ein halbes Dutzend Längen fortgekommen war, mußten sowohl Daylight als auch Kama, der den Nachtrab bildete, laufen, um mitzukommen. Und so glitten Männer und Hunde den Hang hinunter, liefen dem gefrorenen Bette des Yukon zu und waren bald in dem grauen Licht verschwunden.

Auf dem Fluß, in ausgetretener Bahn, wo es keiner Schneeschuhe bedurfte, machten die Hunde sechs Meilen in der Stunde. Um Schritt mit ihnen zu halten, waren die beiden Männer gezwungen zu laufen. Daylight und Kama gingen abwechselnd am Steuer, denn den schnell fahrenden Schlitten zu lenken und vor ihm zu bleiben, war die härteste Arbeit. Der andere Mann hielt sich dicht hinter dem Gefährt und sprang zuweilen auf, um auszuruhen.

Es war harte Arbeit, aber sie machte trotzdem Freude. Sie flogen über den Boden dahin und hielten sich meist auf der ausgefahrenen Spur. Wenn sie sich später selbst ihren Weg bahnen mußten, waren drei Meilen die Stunde eine gute Leistung. Dann gab es kein Fahren und Ausruhen mehr, und auch von Laufen war wohl kaum noch die Rede. Dann war das Lenken die leichteste Arbeit, und während der eine Mann eine Zeitlang mit Schneeschuhen den Weg für die Hunde bahnte, konnte sich der andere am Steuerplatz ausruhen. Diese Arbeit machte keinen Spaß. Oft mußten sie sich lange Strecken über ein Chaos von Eisschollen schleppen und froh sein, wenn sie zwei Meilen die Stunde schafften. Und es kamen noch schlimmere Strecken, wo eine Meile die Stunde furchtbarste Anstrengung bedeutete.

Kama und Daylight sprachen nicht miteinander. Ihre Arbeit ließ es nicht zu, und es lag ihnen auch nicht, während der Arbeit zu sprechen. Nur ganz selten, wenn es unumgänglich war, wechselten sie ein kurzes Wort miteinander, und Kama beschränkte sich auch dann meistens auf einen kurzen Grunzlaut. Hin und wieder winselte oder knurrte ein Hund, aber im allgemeinen verhielt das Gespann sich still. Der einzige Laut, den man hörte, war das scharfe Pfeifen der stählernen Kufen über die harte Fläche und das Knirschen des gleitenden Schlittens.

Wie durch eine Mauer war Daylight jetzt von dem Summen und Lärmen des Tivoli getrennt – eine andere Welt hatte ihn aufgenommen, eine Welt von Schweigen und Unbeweglichkeit. Nichts regte sich. Der Yukon schlummerte unter einer drei Fuß starken Eisdecke. Nicht ein Windhauch war zu spüren. Selbst der Saft in den Fichtenstämmen an beiden Ufern schien erstarrt zu sein. Die Bäume standen wie versteinert mit der leichten Schneelast auf ihren Zweigen, die der leiseste Hauch herabgeweht hätte, aber es geschah nicht. Daylights Schlitten war der einzige lebendige, bewegliche Punkt inmitten der großen feierlichen Stille, und das rauhe Scheuern der Kufen verstärkte nur das Schweigen ringsum.

Es war eine tote Welt, ja eine graue Welt. Das Wetter war kalt und klar; die Luft war trocken, ohne Dunst und Nebel; aber der Himmel war ein graues Bahrtuch. Zwar verdunkelten keine Wolken den Tag, aber auch keine Sonne gab Helligkeit. Weit im Süden erklomm sie stetig ihre Mittagshöhe, aber zwischen ihr und dem gefrorenen Yukon lag die Wölbung der Erde.

Der Yukon war in nächtliche Schatten getaucht und der Tag selbst nur eine lange Dämmerung. Als um dreiviertel zwölf eine plötzliche Wendung des Flusses einen Ausblick nach Süden eröffnete, zeigte sich der oberste Rand der Sonne gerade über dem Horizont. Eine blasse, verwischte Scheibe. Ihre Strahlen wärmten nicht, und man konnte gerade in sie hineinsehen, ohne daß einem die Augen schmerzten. Und kaum hatte sie ihre Mittagshöhe erreicht, als sie auch schon wieder hinter den Horizont kroch, und ein Viertel nach zwölf warf die Erde wieder ihre Schatten über das Land.

Männer und Hunde eilten weiter. Daylight und Kama nahmen wie die Wilden Nahrung zu sich. Sie aßen zu unregelmäßigen Zeiten, konnten sich bei Gelegenheit bis zum Überfluß vollstopfen und dann wieder weite Strecken zurücklegen, ohne überhaupt etwas zu essen. Die Hunde fraßen nur einmal täglich, und dann bekamen sie selten mehr als ein Pfund gedörrten Fisch jeder. Sie waren ausgehungert, dabei aber in glänzender Verfassung. Wie bei ihren Vorfahren, den Wölfen, war ihr Stoffwechsel streng ökonomisch und vollkommen. Nichts wurde vergeudet. Die kleinste Krume, die sie verzehrten, wurde in Energie umgesetzt. Und Kama und Daylight glichen ihnen. Sie waren ausdauernd wie die Generationen, von denen sie abstammten. Die geringste Nahrungsmenge versorgte sie mit produktiver Energie. Nichts ging verloren. Ein zivilisierter, verzärtelter Stubenmensch wäre mager und mutlos geworden bei der Lebensweise, die Kama und Daylight auf der Höhe körperlichen Wohlbefindens hielt. Sie kannten, was jener nicht kennt: beständiges, normales Hungergefühl, so daß sie jederzeit essen konnten. Ihr Appetit verließ sie nie und ließ sie gierig in alles 'reinhauen, was sie kriegen konnten, ohne Verdauungsstörungen zu bekommen.

Gegen drei Uhr nachmittags ging die lange Dämmerung in die Nacht über. Die Sterne kamen zum Vorschein und funkelten nahe und klar, und bei ihrem Licht setzten Hunde und Männer die Reise fort. Sie waren unermüdlich. Und dabei war dies keine eintägige Rekordleistung, sondern der erste von sechzig gleichen Tagen. Obwohl Daylight eine Nacht durchtanzt und durchtrunken hatte, war ihm nichts anzumerken. Seine ungewöhnliche Lebenskraft und die selten ausbrechende Ausgelassenheit ließen ihn solche Nächte leicht überwinden.

Daylight reiste ohne Uhr, er fühlte die Zeit. Als es seiner Berechnung nach sechs Uhr sein mußte, begann er sich nach einem Lagerplatz umzusehen. Bei einer Biegung kreuzten die Reisenden den Fluß. Da sie nicht gleich eine passende Stelle fanden, fuhren sie eine Meile am anderen Ufer entlang, wurden aber unterwegs vom Eise aufgehalten und brauchten eine Stunde schwerer Arbeit, um durchzukommen. Schließlich fand Daylight, was er suchte, einen abgestorbenen Baum am Ufer. Der Schlitten wurde hinaufgefahren. Kama grunzte zufrieden, und sie begannen ihr Lager aufzuschlagen.

Die Arbeitsteilung war ausgezeichnet. Jeder wußte, was er zu tun hatte. Mit der einen Axt zerhieb Daylight die tote Fichte. Mit der anderen Axt und einem Schneeschuh legte Kama die Eisdecke des Yukon frei und schlug Eis zum Kochen los. Das Feuer wurde mit einem Stück trockener Rinde angezündet, und Daylight machte sich ans Kochen, während der Indianer den Schlitten ablud und jedem Hund seine Portion an gedörrtem Fisch austeilte. Die Proviantsäcke warf er so hoch in die Bäume, daß die Hunde sie nicht erreichen konnten. Dann fällte er eine junge Tanne und hieb die Zweige ab. Dicht am Feuer trat er den Schnee fest und bedeckte ihn mit Zweigen. Auf dies legte er sein eigenes und Daylights Gepäck, das aus trockenen Strümpfen, Unterzeug und Schlafsäcken bestand. Kama hatte zwei Schlafsäcke aus Kaninchenfell, Daylight nur einen. – Sie arbeiteten ruhig, ohne die Zeit mit Sprechen zu vergeuden. Jeder tat das Seine, ohne dem andern etwas von seiner eigenen Arbeit aufzubürden. Kama sah, daß sie mehr Eis brauchten, und holte es, während Daylight einen Schneeschuh, den die Hunde umgeworfen hatten, wieder aufrichtete. Während der Kaffee kochte und der Speck briet und Kama den Teig zu den Pfannkuchen knetete, fand Daylight Zeit, einen großen Topf mit Bohnen aufzusetzen. Dann kam Kama zurück, setzte sich an den Rand der Tannenzweige und benutzte die Wartezeit, um die Hundeleinen nachzusehen.

»Ich glaub', Skookum und Boga werden sich beißen«, bemerkte Kama, als sie sich zum Essen niederließen. »Paß gut auf sie auf«, war Daylights Antwort.

Und das war die einzige Unterhaltung während der ganzen Mahlzeit. Einmal sprang Kama mit einem leisen Fluch auf und schlug mit einem brennenden Holzscheit auf ein paar Hunde ein, die aneinandergeraten waren. Daylight tat während des Essens Eisstücke in den Blechtopf, wo sie zerschmolzen. Als die Mahlzeit beendet war, fachte Kama das Feuer an, hieb noch etwas Holz für den nächsten Morgen ab und kehrte dann zu den Tannenzweigen und seiner Beschäftigung mit den Hundeleinen zurück. Daylight schnitt große Speckstücke ab und warf sie in den Topf mit den kochenden Bohnen. Ihre Mokassins waren trotz der starken Kälte feucht geworden; sobald sie ihre Arbeit beendet hatten, nahmen sie die Mokassins ab, hingen sie zum Trocknen an kurzen Stöcken vor das Feuer und wendeten sie von Zeit zu Zeit. Als die Bohnen gargekocht waren, schüttete Daylight einen Teil davon in einen kleinen Sack, den er in den Schnee legte, während der Rest der Bohnen zum Frühstück stehenblieb.

Es war neun Uhr vorbei, als sie endlich zu Bett gehen konnten. Der Kampf zwischen den Hunden hatte längst aufgehört, und die müden Tiere waren im Schnee zusammengekrochen, wobei sie Pfoten und Schnauze zusammensteckten und sie mit der buschigen Wolfsrute bedeckten. Kama breitete seinen Schlafsack aus und steckte sich seine Pfeife an. Daylight drehte sich eine Zigarette aus braunem Papier, und die zweite Unterhaltung des Abends begann.

»Ich denke, wir haben fast sechzig Meilen gemacht«, sagte Daylight.

»Hm, glaub' ich auch«, sagte Kama.

Wie sie gingen und standen, nur mit einer wollenen Mackinawjacke anstatt der »Parka«, die sie den ganzen Tag getragen hatten, wickelten sie sich in ihre Schlafsäcke. Und fast im selben Augenblick schliefen sie auch schon fest. Die Sterne funkelten in der frostklaren Nacht, und über ihnen fuhren die farbenprächtigen Streifen des Nordlichts wie große Scheinwerfer über den Himmel.

Es war noch dunkel, als Daylight erwachte und Kama rief. Obwohl das Nordlicht noch flammte, war doch ein neuer Tag angebrochen. Ihr Frühstück bestand aus Pfannkuchen, aufgewärmten Bohnen, gebratenem Speck und Kaffee. Die Hunde erhielten nichts, obwohl sie mit sehnsüchtiger Miene in einiger Entfernung im Schnee lagen und mit um die Schnauzen gelegten Ruten zusahen. Hin und wieder hoben sie unruhig eine Vorderpfote, als ob ihnen in der Kälte die Füße schmerzten. Es war bitter kalt, wenigstens fünfundsechzig Grad unter Null, und als Kama die Hunde mit bloßen Händen vor den Schlitten spannte, mußte er sich mehrmals die gefühllos gewordenen Fingerspitzen am Feuer wärmen. Gemeinsam beluden die beiden Männer den Schlitten. Sie wärmten sich zum letztenmal die Hände, zogen die Handschuhe an und trieben das Gespann zum Fluß hinunter. Nach Daylights Berechnung war es jetzt ungefähr sieben Uhr, aber die Sterne funkelten noch ebenso hell wie früher, und das Nordlicht pulste still über ihren Häuptern.

Zwei Stunden später wurde es plötzlich dunkel – so dunkel, daß sie den Weg nur noch fühlen konnten, und Daylight wußte nun, daß seine Zeitberechnung richtig gewesen war. Es war jene Dunkelheit vor Tagesanbruch, die nirgends auffälliger ist als auf winterlichen Schlittenreisen in Alaska. Langsam stahl sich das graue Licht durch die Finsternis, im Anfang noch unmerklich, so daß sie fast mit Überraschung den unsicheren Schimmer der Spur unter ihren Füßen bemerkten. Das nächste, was sie zu sehen bekamen, war der letzte Hund, dann die ganze Reihe laufender Tiere, und zuletzt erschienen die schneebedeckten Hänge zu beiden Seiten. Einen Augenblick tauchte das Ufer selbst auf, verschwand wieder, tauchte wieder auf und blieb nun. Wenige Minuten später erschien das andere Ufer eine Meile entfernt, und nun konnte man weithin den zugefrorenen Fluß und zur Linken ganz in der Ferne eine langgestreckte Kette sich scharf abzeichnender schneebedeckter Berge sehen. Und das war alles. Die Sonne zeigte sich nicht, und das Licht blieb grau.

Einmal während des Tages kreuzte plötzlich ein Luchs gerade vor der Nase des Leithundes den Weg und verschwand in den weißen Wäldern. Der Raubtierinstinkt der Hunde erwachte. Sie erhoben den Jagdruf des Rudels, warfen sich ins Geschirr und wandten sich seitwärts zur Verfolgung. Daylight brüllte: »Hoa!«, riß die Lenkstange herum, und es glückte ihm, den Schlitten in den weichen Schnee zu lenken, wo er umschlug. Die Hunde ließen von der Verfolgung ab, der Schlitten wurde aufgerichtet, und fünf Minuten später flogen sie wieder auf dem festen Wege dahin. Der Luchs war das einzige lebende Wesen, das sie seit zwei Tagen gesehen hatten, und wie er auf sammetweichen Pfoten leicht vorübersprang, wirkte er fast wie eine Erscheinung. Als die Sonne um zwölf über die Erdrundung emporsah, machten die Männer halt und zündeten ein kleines Feuer auf dem Eise an. Daylight hieb mit der Axt Stücke von den gefrorenen Bohnen los. Sie wurden aufgetaut, in der Bratpfanne gewärmt und bildeten die ganze Mahlzeit. Kaffee gab es nicht. Das Tageslicht war zu kostbar, um es auf solchen Luxus zu verschwenden. Die Hunde hörten auf, sich zu balgen, und sahen sehnsüchtig zu. Nur abends bekamen sie ihr Pfund Fisch. Tagsüber arbeiteten sie. Die Kälte hielt an. Nur Männer aus Stahl können bei so niedrigen Temperaturen reisen, aber Kama und Daylight waren Auserwählte ihrer Rasse. Kama jedoch, der die Überlegenheit des andern kannte, wußte, daß er von Anfang an zum Untergang verurteilt war. Nicht daß er es bewußt an Fleiß und Willigkeit fehlen ließ, aber dies Bewußtsein drückte ihn zu Boden. Er betete Daylight an. Selbst stoisch, schweigsam, stolz auf seine Ausdauer, fand er all diese Eigenschaften in seinem weißen Kameraden verkörpert. Hier war einer, der sich in allem auszeichnete, worin ein Mann sich auszeichnen mußte, ein Halbgott, und Kama konnte nicht anders, er mußte ihn anbeten – wenn er es auch mit keiner Miene verriet.

Kein Wunder, daß die weiße Rasse siegte, dachte er, wenn sie solche Männer hervorbrachte. Was vermochte sein Volk gegen eine so zähe, ausdauernde Rasse? Selbst die Indianer reisten nicht bei solcher Kälte, und sie besaßen doch die Weisheit von tausend Generationen; und dieser Daylight, der Mann aus dem weichlichen Süden, war härter als sie, verlachte ihre Angst und reiste zehn und zwölf Stunden am Tage. Und dieser Daylight glaubte, eine tägliche Schnelligkeit von dreiunddreißig Meilen sechzig Tage lang aushalten zu können. Er sollte nur warten, bis frischer Schnee fiel oder bis sie wieder auf ungebahnte Wege oder an die große Eisschranke um das offene Wasser kamen.

Aber unterdessen hielt Kama Schritt mit ihm, murrte nie und drückte sich nie von einer Arbeit. Fünfundsechzig Grad unter Null ist sehr kalt *. Da Wasser bei zweiunddreißig Grad über Null gefriert, bedeuten fünfundsechzig Grad nicht weniger als siebenundneunzig Grad unter dem Gefrierpunkt. So erhält man einen schwachen Begriff von der Kälte, in der Kama und Daylight durch die Finsternis reisten.

Obgleich Kama beständig seine Wangen rieb, bekam er Frostbeulen an den Backenknochen, und das Fleisch wurde schwarz und gefühllos. Seine Lungenspitzen schmerzten – ein gefährliches Anzeichen und allein schon ein Grund, daß ein Mann sich nicht im Freien bei fünfundsechzig Grad Kälte übermäßig anstrengen soll. Aber er klagte nie, und Daylight fühlte sich ebenso warm unter seinen sechs Pfund Kaninchenfell wie der andere unter seinen zwölfen.

Am zweiten Abend schlugen sie nach weiteren fünfzig Meilen ihr Lager nahe der Grenze zwischen Alaska und dem nordwestlichen Territorium auf. Der Rest der Reise ging bis auf das letzte kurze Stückchen nach Dyea durch kanadisches Gebiet. Bei der schnellen Fahrt und da kein Neuschnee gefallen war, gedachte Daylight am vierten Abend das Lager von Forty Mile zu erreichen. Aber am dritten Tag begann die Temperatur zu steigen, und das bedeutete am Yukon, wie sie wußten, Schnee. Auch mußten sie sich an diesem Tage zehn Meilen weit ihren Weg durch Eisschollen bahnen und den Schlitten über riesige Eisblöcke heben. Hier nützten die Hunde nur wenig, und sowohl sie als auch die Männer mühten sich ab, ohne viel weiter zu kommen. Eine Stunde Überarbeit am Abend brachte ihnen nur einen Teil der verlorenen Zeit wieder ein.

* Es handelt sich stets um Fahrenheit.

Als sie am Morgen erwachten, lag der Schnee zwei Zoll hoch auf ihren Schlafsäcken. Die Hunde waren ganz unter der weißen Decke begraben und wollten nur ungern ihr warmes Nest verlassen. Der Neuschnee bedeutete schwere Arbeit. Die Kufen sanken ein, und einer der Männer mußte beständig vorausgehen und den Schnee mit den Schneeschuhen festtreten, damit sie nicht umwarfen. Der Schnee ist in diesen Gegenden ganz anders, als man ihn in südlichen Ländern kennt. Er ist hart, fein und trocken wie Zucker. Er läßt sich nicht ballen und wirbelt wie loser Sand unter den Füßen auf. Er besteht nicht aus Flocken, sondern aus Kristallen – winzigen geometrischen Frostkristallen. Es war wärmer geworden, kaum zwanzig Grad unter Null, und die beiden Männer schwitzten bei der Arbeit, obwohl sie die Ohrenklappen hochgeschlagen und die Handschuhe ausgezogen hatten. Sie erreichten Forty Mile an diesem Abend nicht mehr, und als sie am nächsten Tage dort eintrafen, machte Daylight nur halt, um Post und neuen Proviant aufzunehmen. Am folgenden Nachmittag lagerten sie an der Mündung des Klondike-River. Seit Forty Mile hatten sie nicht eine lebende Seele getroffen und sich beständig ihren Weg selbst bahnen müssen. Seit dem Herbst war noch keiner den Fluß hinauf südwärts von Forty Mile gekommen, und es konnte gut sein, daß sie den ganzen Winter die einzigen blieben. In jenen Tagen war Yukon ein einsames Land. Zwischen dem Klondike-River und Salt Water bei Dyea lagen sechshundert Meilen schneebedeckte Wildnis, und auf der ganzen Strecke gab es nur zwei Stellen, wo Daylight möglicherweise Menschen treffen konnte. Beides waren isolierte Poststationen, Sixty Mile und Fort Selkirk. Im Sommer stellten sich wohl an der Mündung des Stewart- und des White-River, bei Big und Little Salmons und am Le-Barge-See Indianer ein, im Winter jedoch folgten sie, wie er wohl wußte, den Elchherden bis weit in die Berge.

An diesem Abend, an der Mündung des Klondike, legte sich Daylight nach verrichteter Abendarbeit nicht nieder. Einem Weißen hätte er gesagt, daß er die »Chance« in sich spürte. Er schnallte sich die Schneeschuhe an, verließ die Hunde, die sich im Schnee verkrochen hatten, und Kama, der schwer atmend unter seinem Kaninchenfell lag, und kletterte den hohen Erdhang empor auf die weite Hochfläche. Aber dichte Tannen versperrten ihm die Aussicht, und so schritt er über die Ebene und erklomm die ersten Ausläufer der dahinterliegenden Berge. Hier konnte er den Klondike, der im rechten Winkel aus Osten heranströmte, und den Yukon, der einen weiten Bogen von Süden her machte, sehen. Links, stromabwärts, gegen die Moosehide-Berge, zeigte sich der mächtige weiße Fleck, von dem sie ihren Namen hatten, klar im Sternenlicht. Leutnant Schwatka hatte ihnen den Namen gegeben, aber er, Daylight, hatte sie als erster gesehen, lange bevor der un-

erschrockene Forscher nach Überschreitung des Chilkoots auf einem
Floß den Yukon hinabgefahren war.

Aber den Bergen schenkte er jetzt weniger Aufmerksamkeit als der
weiten Ebene selbst, an deren Seiten das Wasser tief genug war, daß
Dampfer dort anlegen konnten.

»Wie geschaffen für eine Stadt«, murmelte er. »Platz für ein Lager von
vierzigtausend Mann. Man muß nur Gold finden.« Er dachte einen
Augenblick nach. »Zehn Dollar die Pfanne genügen, um Scharen her-
beizulocken, wie Alaska sie noch nie gesehen hat. Und wenn's nicht
hier ist, dann bestimmt irgendwo hier herum. Die Idee ist sicher gut.
Man muß die Baugelände den ganzen Weg herauf im Auge behalten.«
Er stand noch eine Weile, sah über die einsame Fläche hinüber und
malte sich aus, wie es hier aussehen würde, wenn der große Zustrom
käme. Vor seinem Geiste entstanden die Sägemühlen, die Kaufhäuser,
Wirtschaften und Tanzsäle und die langen Straßen der Goldgräber-
siedlung. Und durch diese Straße wogte der Verkehr, Tausende von
Männern, während vor den Geschäften die schwerbeladenen Schlitten
mit langen Reihen von Hunden standen. Er sah sie auf der Hauptstraße
fahren und den zugefrorenen Klondike bis zu seinen Goldfeldern hin-
aufsteuern.

Daylight lachte und schüttelte die Erscheinung von sich ab, dann stieg
er zur Ebene hinunter und nach dem Lager. Fünf Minuten später hatte
er sich in seinen Schlafsack gewickelt. Aber er öffnete die Augen und
setzte sich auf, erstaunt, daß er nicht einschlafen konnte. Er betrachtete
den schlummernden Indianer neben sich, die Glut des halberloschenen
Feuers, die fünf Hunde, die mit der buschigen Rute über der Schnauze
dalagen, und die vier Schneeschuhe, die im Schnee steckten.

»Die verdammte Chance läßt mir keine Ruhe«, murmelte er. Seine
Gedanken kehrten zum Pokerspiel zurück. »Vier Könige!« Er grinste
bei der Erinnerung. »Das war eine Chance!«

Er legte sich nieder, zog den Schlafsack um Nacken und Ohrenklappen
zusammen, schloß die Augen, und diesmal schlief er ein.

In Sixty Mile ergänzten sie ihren Proviant, vermehrten ihre Last um
einige Pfund Briefe und fuhren dann wieder unverdrossen drauflos.
Von Forty Mile an war der Weg ungebahnt gewesen, und bis Dyea
sollte es nun so weitergehen. Daylight war in glänzender Verfassung,
auf Kama dagegen blieb die furchtbare Fahrt nicht ohne Einfluß. Zwar
schloß ihm sein Stolz den Mund, aber die Wirkung der Kälte auf seine
Lungen ließ sich nicht mehr verbergen. Der angegriffene Rand der
Lungenspitzen war mikroskopisch klein, aber sie begannen sich jetzt
abzuschälen, was einen trockenen Husten verursachte. Jede außerge-

wöhnliche Anstrengung bedeutete einen heftigen Hustenkrampf. Das Blut trieb ihm die Augen aus dem Kopf, und die Tränen rannen ihm über die Backen. Der Rauch von der Bratpfanne genügte, ihn eine halbe Stunde nach Luft keuchen zu lassen, und wenn Daylight kochte, hielt er sich daher sorgfältig auf der Windseite.

Tag für Tag, endlos kämpften sie sich vorwärts durch den weichen, ungebahnten Schnee. Es war eine harte, einförmige Arbeit ohne die Freude und Erregung, die man fühlt, wenn man über eine harte Oberfläche dahinsaust. Bald ging der eine, bald der andere auf Schneeschuhen voraus, es war unablässige harte Mühsal. Der Staubschnee mußte niedergepreßt werden, und bei jedem Schritt sank der breite Schneeschuh zwölf Zoll tief ein. Unter solchen Umständen erforderte die Arbeit mit dem Schneeschuh ganz andere Kräfte als gewöhnlich. Um vorwärts zu kommen, mußte der Fuß senkrecht gehoben werden. War der Schneeschuh in den Schnee eingepreßt, so stand die Spitze vor einer senkrechten, zwölf Zoll hohen Schneemauer. Wurde der Fuß beim Vorwärtsschreiten nur ganz wenig schiefgesetzt, so drang die Spitze in die Schneemauer und wippte herunter, daß der Schneeschuh dem Mann hinten gegen das Bein schlug. So mußte Stunde für Stunde bei jedem Schritt der Fuß zwölf Zoll gehoben werden, ehe das Knie ihn vorwärts schwingen konnte.

Dicht hinter dem Wegbahner folgten die Hunde, der Mann am Steuer und der Schlitten. Bei einer Arbeit, wie sie nur wenige Auserwählte zu leisten imstande sind, schafften sie höchstens drei Meilen in der Stunde. Das bedeutete längere Arbeitszeit, und um einen Vorsprung zu gewinnen für den Fall, daß ihnen etwas Unerwartetes zustoßen sollte, fuhren sie zwölf Stunden täglich.

Da das Aufschlagen des Lagers und das Kochen der Bohnen, die Zubereitung des Frühstücks, der Aufbruch am Morgen und die Mittagspause mit dem Auftauen der Bohnen drei Stunden erforderten, blieben ihnen nur neun Stunden für Schlaf und Ruhe, und weder Mensch noch Hund vergeudete eine Minute von diesen kostbaren neun Stunden.

In Silkirk, der Poststation in der Nähe des Pelly-River, schlug Daylight vor, daß Kama hierbleiben und wieder zu ihm stoßen sollte, wenn er von Dyea zurückkäme. Ein vom Le-Barge-See hierher verschlagener Indianer hatte sich bereit erklärt, seinen Platz einzunehmen; aber Kama war halsstarrig. Er grunzte mit einer schwachen Andeutung von Empfindlichkeit, und damit war die Sache erledigt. Dagegen wechselte Daylight die Hunde, ließ das erschöpfte Gespann zurück, damit die Tiere sich bis zu seiner Rückkehr ausruhten, und zog mit sechs frischen weiter.

Um zehn Uhr erreichten sie Selkirk, und am nächsten Morgen um sechs Uhr befanden sie sich wieder auf der Wanderung durch die weite

Einöde nach dem fast fünfhundert Meilen entfernten Dyea. Eine zweite Kältewelle kam, aber ob kalt oder warm, der ungebahnte Weg blieb immer gleich. Wenn das Thermometer auf fünfzig Grad herunterging, war die Reise ebenso beschwerlich, denn bei dieser niedrigen Temperatur widerstanden die harten Eiskristalle den Schlittenkufen wie Sandkörner. Die Hunde mußten eben stärker ziehen als auf demselben Schnee bei zwanzig bis dreißig Grad unter Null. Daylight verlängerte die Arbeitszeit auf dreizehn Stunden. Er wachte eifersüchtig auf den gewonnenen Vorsprung, denn er wußte, daß noch schwierige Stellen kamen.

Es war erst Mitte Dezember, und der ungestüme Fifty-Mile-River rechtfertigte seine Befürchtungen. An vielen Strecken war er offen und nur am Ufer entlang von unsicherem Eise bedeckt. An zahlreichen Stellen, wo das Wasser gegen die steilen Felsufer brach, konnte sich überhaupt kein Eis bilden. Sie machten Umwege, gingen hier über den Fluß und dort wieder zurück und mußten es oft ein dutzendmal versuchen, ehe sie einen Weg über eine besonders schwierige Stelle fanden. Es ging nur langsam vorwärts. Die Eisbrücken mußten geprüft werden; einer von ihnen schritt dann mit den Schneeschuhen an den Füßen und einer langen Stange quer in den Händen voraus. Brach das Eis, so konnte er sich an die Stange klammern. Ein solcher Unfall begegnete beiden mehrmals. Bei fünfzig Grad unter Null kann ein Mann, wenn er bis zum Gürtel naß geworden ist, nicht sofort weiterreisen, ohne zu erfrieren, so daß jedes Bad eine neue Verspätung bedeutete. Sobald der Mann herausgezogen war, begann er, so naß, wie er war, auf und ab zu laufen, um sein Blut in Zirkulation zu halten, während sein trockener Gefährte ein Feuer anmachte. Unter dessen Schutz konnte dann die Kleidung gewechselt und das nasse Zeug bis zum nächsten Unfall getrocknet werden. Das schlimmste aber war, daß die gefährliche Reise nicht in der Dunkelheit fortgesetzt werden konnte und sich der Arbeitstag daher auf sechs Stunden beschränkte. Jede Minute war kostbar, und sie bestrebten sich, nicht eine zu verlieren. So war, ehe noch der erste Schimmer des grauen Tages dämmerte, das Lager abgebrochen, der Schlitten beladen, das Gespann angeschirrt, und die beiden Männer kauerten sich wartend am Feuer nieder. Selbst mittags machten sie keinen Halt mehr. Und doch waren sie weit hinter ihrer Zeitberechnung zurück, und jeder Tag verschlang ein Stück des Vorsprunges, den sie anfangs gehabt hatten. Es gab Tage, an denen sie fünfzehn Meilen, und Tage, an denen sie ein Dutzend zurücklegten. Und auf einer besonders schlimmen Strecke brauchten sie zwei volle Tage für neun Meilen, da sie gezwungen waren, den Fluß zu verlassen und den Schlitten über die Berge zu tragen.

Zuletzt bezwangen sie aber den furchtbaren Fifty-Mile-River und erreichten den Le-Barge-See. Hier gab es weder offenes Wasser noch Eisbarrieren. Auf einer Strecke von dreißig Meilen oder mehr lag der Schnee so eben wie eine Tischplatte, aber drei Fuß hoch und weich wie Mehl. Drei Meilen die Stunde waren das höchste, was sie leisten konnten, aber Daylight feierte den Abschied vom Fifty-Mile-River, indem er bis zum späten Abend fuhr. Um elf Uhr morgens war der See vor ihren Augen aufgetaucht. Als die arktische Nacht sich um drei Uhr nachmittags herabsenkte, konnten sie in der Ferne sein Ende erblicken, und beim ersten Sternenlicht war es erreicht. Um acht Uhr abends ließen sie den See hinter sich und fuhren in die Mündung des Lewes-River ein. Hier wurde eine halbstündige Rast gemacht und Stücke der kalten gefrorenen Bohnen aufgetaut, während die Hunde eine Extraportion Fisch erhielten. Dann setzten sie ihren Weg flußaufwärts fort, bis sie um ein Uhr nachts ihr Lager aufschlugen.

Sie waren an diesem Tage sechzehn Stunden gefahren, die Hunde waren jetzt sogar zu müde, um sich zu raufen, und Kama hatte die letzten Meilen kaum noch folgen können; aber schon um sechs Uhr am nächsten Morgen war Daylight zur Weiterfahrt bereit. Um elf waren sie am Fuße des White Horse, und diese Nacht sah sie jenseits des Box-Canjon lagern, die letzte schlimme Flußstrecke im Rücken und die Seenreihe vor sich.

Aber deshalb ließ Daylight nicht nach. Weiter ging es: zwölf Stunden am Tage, sechs im Zwielicht und sechs in der Dunkelheit. Drei Stunden brauchten sie, um zu kochen, das Geschirr nachzusehen, das Lager aufzuschlagen und abzubrechen, und die übrigen neun Stunden schliefen Hunde und Männer wie die Toten. Kamas eiserne Gesundheit war erschüttert. Tag für Tag wurde sie mehr von der fürchterlichen Arbeit untergraben. Tag für Tag verbrauchte er mehr von seiner Kraftreserve. Seine Bewegungen wurden langsamer, seine Muskeln verloren die Spannkraft, und er wurde immer schlaffer. Aber er arbeitete stoisch weiter, ohne zu klagen. Daylight hatte eingefallene Wangen und war müde. Man sah es ihm an, aber mit der gleichen Schnelligkeit ging es weiter, immer weiter, unablässig weiter. Nie war er dem Indianer gottähnlicher erschienen als in diesen letzten Tagen ihrer Wanderung nach dem Süden. Daylight war stets an der Spitze und eilte vorwärts mit einer Schnelligkeit und Ausdauer, die Kama sich hatte nie träumen lassen, und der immer schwächer werdende Indianer wachte über ihn.

Es kam die Zeit, da Kama nicht mehr vorausgehen und den Weg bahnen konnte, und es war der beste Beweis, wie mitgenommen er war, daß er Daylight den ganzen Tag die harte Schneeschuharbeit allein leisten ließ. Sie überschritten nun die lange Seenreihe von Marsh bis Linderman und begannen den Chilkoot zu erklimmen. Eigentlich hätte Daylight in der Dämmerung sein Lager auf dem höchsten Punkt des Passes aufschlagen müssen, aber er fuhr weiter bis nach Sheep Camp hinunter, während hinter ihm ein Schneesturm tobte, der ihn vierundzwanzig Stunden verspätet haben würde.

Diese letzte gewaltige Anstrengung brach Kamas Kräfte völlig. Am Morgen konnte er nicht mehr weiter. Als er um fünf geweckt wurde, erhob er sich mit Beschwer, stöhnte und sank wieder zurück. Daylight verrichtete seine eigene und Kamas Arbeit, schirrte die Hunde an, und als alles zum Aufbruch bereit war, lud er den hilflosen Indianer, in alle Schlafsäcke gewickelt, auf den Schlitten. Die Bahn war gut, es war das letzte Stück Weg, und er sauste mit den Hunden in voller Fahrt durch den Dyea-Canjon und über den festgetretenen Weg, der zur Dyea-Station führte. Und in voller Fahrt, mit dem stöhnenden Kama auf dem Schlitten, während Daylight jeden Augenblick beiseite springen mußte, um nicht unter die Kufen zu kommen, hielten sie ihren Einzug in Dyea.

Seinem Versprechen getreu machte Daylight dort keinen Halt. In einer Stunde war der Schlitten mit Proviant und Post beladen, ein frisches Hundegespann angeschirrt und ein neuer Indianer engagiert. Von der Ankunft bis zu dem Augenblick, da Daylight zur Abreise bereit stand, hatte Kama kein Wort gesprochen. Nun schüttelten sie sich die Hände.

»Du machst den verdammten Indianer tot«, sagte Kama, »savvy, Daylight? Du machst ihn tot!«

»Er braucht jedenfalls nur bis Pelly zu halten«, lachte Daylight.

Kama schüttelte zweifelnd den Kopf und drehte ihm den Rücken zu – das war sein Abschied.

Daylight überschritt den Chilkoot noch am selben Tage und stieg in Dunkelheit und Schneegestöber die fünfhundert Fuß zum Kratersee hinab, wo er übernachtete. Es war ein kaltes Lager, hoch über der Baumgrenze, und er hatte kein Brennholz auf den Schlitten geladen. In der Nacht fielen drei Fuß Schnee, und als sie sich an dem finsteren Morgen herausgegraben hatten, versuchte der Indianer zu desertieren. Er hatte genug davon, mit einem Manne zu reisen, der seiner Ansicht nach verrückt sein mußte. Aber Daylight überredete ihn recht unsanft zum Bleiben, und sie fuhren weiter über den Deep und den Long Lake und erreichten schließlich die ebene Fläche des Linderman Lake.

Es war dieselbe mörderische Fahrt wie auf der Herreise, und der Indianer hielt nicht so gut stand wie Kama. Aber auch er klagte weder noch versuchte er ein zweites Mal davonzulaufen. Er tat sein Bestes und sagte nur beständig vor sich hin, daß er sich Daylight in Zukunft wohl vom Leibe halten wollte. Ein Tag nach dem anderen verging im Wechsel von Helligkeit, Dämmerung und Nacht, schneidender Kälte und

Schneestürmen, aber in den langen Stunden wuchs die Zahl der zurückgelegten Meilen.

Doch am Fifty Mile erlitten sie einen Unfall. Beim Überschreiten einer Eisbrücke brachen die Hunde ein und wurden unter dem Eis vom Strom fortgerissen. Die Stränge, die das übrige Gespann mit dem letzten Hund verbanden, rissen, und sie sahen sie nicht wieder. Ihnen blieb nur ein einziger Hund, und Daylight mußte sich selbst und den Indianer vor den Schlitten spannen. Aber bei solcher Arbeit kann ein Mann nicht einen Hund ersetzen, und hier sollten zwei Männer die Arbeit von fünf Hunden leisten. Nach der ersten Stunde entlastete Daylight den Schlitten. Hundefutter, das Reservebeil und alles Überflüssige wurden fortgeworfen. Infolge der Überanstrengung zerriß sich der Hund am nächsten Tag eine Sehne und wurde völlig unbrauchbar. Daylight erschoß ihn und ließ den Schlitten zurück. Auf seinen Rücken lud er hundertsechzig Pfund Post und Proviant, und auf den des Indianers hundertfünfundzwanzig Pfund. Rücksichtslos wurde alles Überflüssige weggeworfen. Der Indianer war entsetzt, als er sah, wie Daylight jedes Pfund wertloser Postsachen sorgfältig aufbewahrte, während Bohnen, Tassen, Eimer, Teller und alle Reservekleidung über Bord gingen. Sie behielten nur einen Schlafsack für jeden, ein Beil, einen Blecheimer und eine ganz kleine Ration von Speck und Mehl. Den Speck konnten sie roh essen, und wenn das Mehl in heißem Wasser verrührt wurde, gab es immerhin eine kräftige Mahlzeit. Sogar die Flinte und der letzte Munitionsvorrat wurden zurückgelassen. Und so legten sie die zweihundert Meilen bis Selkirk zurück. Daylight wanderte früh und spät, und die Stunden, die früher zum Aufschlagen des Lagers und zur Fütterung der Hunde verwendet worden waren, wurden nun zum Marschieren gebraucht. Nachts krochen sie, in ihre Schlafsäcke gehüllt, an einem kleinen Lagerfeuer zusammen, tranken Mehlsuppe und spießten Speck auf kleine Holzstückchen und tauten ihn auf; und in der Finsternis des Morgens erhoben sie sich, luden wortlos ihre Lasten auf den Rücken, rückten die Riemen zurecht und zogen weiter. Die letzten Meilen vor Selkirk mußte Daylight den Indianer, ein hohlwangiges, hageres Gespenst, vor sich hertreiben; er wäre sonst am Wege liegengeblieben oder hätte seinen Teil der Post im Stich gelassen.

In Selkirk wurde das alte Hundegespann, das jetzt frisch und in guter Verfassung war, vor einen anderen Schlitten gespannt, und noch derselbe Tag sah Daylight, als wäre es die natürlichste Sache von der Welt, abwechselnd mit dem Le-Barge-Indianer, der sich schon auf der Hinreise angeboten hatte, am Steuer. Daylight war jetzt zwei Tage hinter seiner Berechnung zurück, und Schneefälle und ungebahnte Wege hinderten ihn, die beiden Tage bis Forty Mile einzuholen. Aber hier kam ihm das Wetter zu Hilfe. Eine lang anhaltende starke Kälteperiode schien im Anmarsch zu sein. Er rechnete bestimmt mit ihr und verminderte den Proviant für Hunde und Menschen. Die Männer in Forty Mile schüttelten warnend die Köpfe und fragten, was er tun wollte, wenn das Schneegestöber anhielte.

»Die Kälte kommt sicher«, lachte er und zog getrost weiter.

Der Schlittenverkehr zwischen Forty Mile und Circle City war diesen Winter schon lebhaft gewesen und der Weg daher gut gebahnt. Und die Kälte kam und hielt an, und bis Circle City waren es nur zweihundert Meilen. Der Le-Barge-Indianer war ein junger Mann, voller Stolz und Zuversicht. Freudig hielt er mit Daylight Schritt und träumte sogar in der ersten Zeit davon, den Weißen auszustechen. Die ersten hundert Meilen wartete er darauf, Zeichen von Müdigkeit bei Daylight zu sehen, und wunderte sich, als sie ausblieben. Während der zweiten hundert Meilen wurde er selbst müde, aber er biß die Zähne zusammen und hielt aus. Und immer weiter ging es – bald war Daylight am Steuer, bald ruhte er sich auf dem dahinfliegenden Schlitten aus. Am letzten Tage, der klarer und kälter als je war, hatten sie glänzende Bahn und legten siebzig Meilen zurück. Es war zehn Uhr abends, als sie den Abhang hinauffuhren und durch die Hauptstraße von Circle City flogen, und der junge Indianer, obwohl er an der Reihe war, sich auszuruhen, sprang ab und lief hinter dem Schlitten her. Es war ehrliche Prahlerei, und verzweifelt gegen seine Schwäche ankämpfend, rannte er jetzt, was das Zeug hielt.

Eine große Gesellschaft füllte das Tivoli – die alte Gesellschaft, die Daylight vor zwei Monaten hatte abfahren sehen. Denn es war der Abend des sechzigsten Tages, und die Meinungen, ob Daylight sein Wort einlösen würde, waren geteilt wie je. Noch um zehn Uhr wurden Wetten eingegangen. Obwohl die Einsätze gegen ihn bei jeder Wette stiegen und obwohl die Jungfrau im Innern überzeugt war, daß sein Unternehmen mißglückt sei, wettete sie doch zwanzig gegen vierzig Unzen mit Charley Bates, daß Daylight vor Mitternacht eintreffen würde.

Sie war die erste, die das Bellen der Hunde hörte.

»Das ist er!« rief sie. »Daylight.«

Alles strömte an die Tür, als aber die Pforten weit aufgerissen wurden, zog sich die Menge schleunigst zurück. Frohes Hundegebell erscholl, das Klatschen einer Hetzpeitsche und Daylights Stimme, die die müden Tiere anfeuerte. Sie kamen hereingesaust und mit ihnen die Kälte als sichtbarer weißer Dampf, über den Köpfe und Rücken emporragten, so daß es aussah, als schwämmen sie in einem Flusse. Hinter ihnen steuerte Daylight seinen Schlitten herein, bis an die Knie in dem wogenden Frost steckend, in dem er zu waten schien.

Es war der alte Daylight, wenn auch mager und müde, und seine schwarzen Augen sprühten und funkelten heller als je. Seine Parka aus Baumwolldrell bedeckte ihn wie eine Mönchskutte und fiel in langen Falten bis auf die Knie herab. Schweißig und schmutzig vom Rauch der Lagerfeuer, erzählte seine Kleidung die Geschichte seiner Fahrt. Ein zwei Monate alter Bart bedeckte sein Gesicht, und dieser Bart war verfilzt und von seinem Atem gefroren.

Sein Eintritt war wirkungsvoll wie ein Melodrama, und er wußte es. Das war sein Leben, und er genoß es in vollen Zügen. Unter seinen Genossen war er ein großer Mann, ein arktischer Held. Er war stolz darauf, und es war ein großer Augenblick für ihn, wie er jetzt von einer Schlittenpartie von zweitausend Meilen mit Hunden, Schlitten, Post, Indianer und allem, was sonst dazu gehörte, zurückkehrte. Er hatte wieder eine Leistung vollbracht, die den ganzen Yukon von ihm reden lassen würde – er, Burning Daylight, der König der Reisenden und Hundeführer.

Ein Schauer der Überraschung überrieselte ihn, als die Willkommenrufe in seinen Ohren klangen und seine Blicke alle die bekannten Gegenstände trafen – den langen Schanktisch mit der Reihe von Flaschen, die Spieltische, den großen Ofen, den Wäger an der Goldwaage, die Musikanten, die Jungfrau, Celia und Nelli, Dan MacDonald, Bettles, Billy Rawlins, Olaf Henderson, Doc Watson – sie alle. – Alles war, wie er es verlassen hatte, es hätte gut die Stunde seines Aufbruchs sein können. Die sechzig Tage Schlittenreise durch die weiße Wildnis schrumpften ein wie in einem Fernglase und hatten nicht eine Stunde gedauert. Sie waren ein Augenblick, ein Zufall. Durch die Mauer des Schweigens war er hinausgestürzt, und durch die Mauer des Schweigens war er scheinbar nur einen Augenblick später wieder zurückgekommen und stand nun mitten im Trubel vom Tivoli.

Er mußte einen Blick auf den Schlitten mit den Postsäcken werfen, um sich zu vergewissern, daß diese zwei Monate und die zweitausend Meilen Wirklichkeit gewesen. Wie in einem Traum schüttelte er alle die Hände, die sich ihm entgegenstreckten. Ein unsägliches Entzücken erfüllte ihn. Das Leben war herrlich. Er liebte es. Ein Gefühl von Menschlichkeit und Kameradschaftlichkeit durchströmte ihn heiß. Sie alle gehörten zu ihm, waren von seiner Art. Es war überwältigend, riesenhaft. Er spürte seinen Herzschlag, und er hätte jedem einzelnen die Hand drücken, ihn an seine Brust ziehen können.

Er schöpfte tief Atem und rief: »Der Gewinner bezahlt, und das bin ich, nicht wahr? Her mit euch, ihr Mameluts und Siwashes, und sagt, was ihr haben wollt! Hier ist eure Post aus Dyea, geradewegs von Salt

Water geholt, und es ist keine Hexerei dabei! Bindet die Säcke auf und macht euch drüber her!« Ein Dutzend Händepaare machten sich an das Aufbinden der Säcke, als der junge Le-Barge-Indianer, der eben damit angefangen hatte, sich plötzlich mit einer kraftlosen Bewegung aufrichtete. In seinen Augen stand eine große Überraschung. Er blickte sich verwirrt um, denn alles um ihn her war ihm fremd. Ein Gefühl ungeahnter Begrenzung durchfuhr ihn. Er zitterte wie im Fieber, die Knie versagten ihm, und er sank langsam nieder, bis er plötzlich über den Schlitten stürzte und Finsternis seine Sinne umhüllte.

»Erschöpfung«, sagte Daylight. »Bringt ihn hinaus und legt ihn ins Bett. Ein braver Indianer.«

»Daylight hat recht«, bestätigte Doc Watson einen Augenblick später. »Der Mann ist vollständig fertig.«

Die Post war ausgeladen, das Gespann eingebracht, um zu fressen, und Bettles stimmte sein Schlachtlied von der Sassafraswurzel an, während sich alle an den langen Schanktisch stellten, um zu trinken und ihre Gewinne einzuheimsen.

Wenige Minuten später wirbelte Daylight mit der Jungfrau auf dem Tanzboden im Walzer herum. Er hatte die Parka mit Pelzmütze und Wolljacke vertauscht, die steifgefrorenen Mokassins abgestreift und tanzte auf Strümpfen. Am Nachmittag war er bis zu den Knien durchnäßt gewesen, aber er war weitergefahren, ohne sein Fußzeug zu wechseln, und nun waren seine wollenen Strümpfe bis zu den Knien mit einer Eiskruste bedeckt, die jetzt in der Wärme des Raumes aufzutauen und in kleine Stücke zu brechen begann. Beim Tanzen schlugen diese Eisstückchen gegeneinander, klirrten auf den Boden und machten ihn für die andern Tänzer unsicher. Aber jeder sah es Burning Daylight gerne nach. Er, einer der wenigen, die diesem fernen Lande seine Gesetze geben, die seine ethischen Führer gewesen und durch ihr Benehmen den Maßstab für Recht und Unrecht geschaffen, er stand selbst über dem Gesetz. Er war einer jener seltenen, begünstigten Sterblichen, die nichts Schlechtes tun können. Was er tat, mußte eben recht sein, weil er immer das Rechte tat, und zwar auf edlere und feinere Art als andere. Und daher war Daylight einer der ältesten Helden in diesem jungen Lande und doch zugleich einer der Jüngsten von allen, ein Ausnahmegeschöpf, einer, der über den anderen stand, einer, der in erster Linie Mann und dazu ein ganzer Mann war. Kein Wunder, daß die Jungfrau sich ihm in die Arme warf, daß sie einen Tanz nach dem andern mit ihm tanzte und daß ihr das Herz schwer wurde, weil sie sich wohl bewußt war, daß er in ihr nichts anderes sah als einen guten Freund und eine ausgezeichnete Tänzerin. Das Bewußtsein, daß er nie eine andere Frau geliebt hatte, war ihr nur ein schwacher Trost. Sie war krank aus Liebe zu ihm, und er tanzte mit ihr, wie er mit jeder andern, ja mit einem Manne getanzt hätte, der ein guter Tänzer war und sich ein Taschentuch um den Arm gebunden hatte, zum Zeichen, daß er als Frau galt.

Einmal tanzte Daylight an diesem Abend mit einem Kameraden. Zwischen Hinterwäldlern war es stets ein Zeichen von Ausdauer gewesen, einen andern so lange herumzuwirbeln, bis er umfiel, und als Ben Davis, der Pharao-Bankhalter, ein buntes Taschentuch um den Arm, Daylight zu einem Virginia Reel aufforderte, ging der Spaß los. Der Tanz wurde abgebrochen, und alle Anwesenden stellten sich an den Wänden auf, um zuzusehen. Immer herum wirbelten die beiden Männer, immer in derselben Richtung. Die Leute im großen Schankraum hörten davon und verließen die Spieltische. Jeder wollte sehen, und sie drängten sich am Eingang des Tanzsaals zusammen. Die Musiker spielten wie besessen, und die beiden Männer wirbelten herum. Davis kannte den Trick, und manchen starken Mann hatte er schon am Yukon damit geworfen. Aber schon nach wenigen Minuten war es klar, daß er und nicht Daylight verlieren mußte.

Eine Weile wirbelten sie noch herum, aber auf einmal blieb Daylight stehen, ließ seinen Partner los und trat zurück, indem er mit den Armen in der Luft herumfocht, um Halt zu finden. Davis lächelte schwindlig und benommen, taumelte seitwärts, drehte sich, um festen Fuß zu gewinnen, und stürzte vornüber zu Boden. Daylight aber ergriff, noch schwankend mit den Armen fechtend, das nächste Mädchen und stürzte sich mit ihr in einen Walzer. Wieder hatte er etwas Großes vollbracht. Von zweitausend Meilen über das Eis und einer Fahrt von siebzig Meilen des letzten Tages ermattet, hatte er einen frischen Mann zu Boden getanzt, und der Mann war Ben Davis.

Daylight liebte die Höhen, und gab es in seinem Gesichtskreis auch nur wenige Höhen, so hatte er sich doch vorgenommen, die höchste zu erklimmen, die zu finden war. Die Welt draußen hatte nie seinen Namen gehört, aber in dem schweigenden Norden war er weit und breit bekannt, bei Weißen, Indianern und Eskimos, von der Beringsee bis zu den Pässen, von den Quellen der entlegensten Flüsse bis zu den Tundren von Point Barrow. Der Wunsch zu herrschen war stark in ihm, und es war ihm gleich, ob er mit den Elementen selbst, mit Männern oder mit dem Glück ein hohes Spiel spielte. Das Leben und alles, was dazu gehörte, war ein einziges großes Spiel. Und er war Spieler vom Scheitel bis zur Sohle. Risiko und Chancen waren für ihn Essen und Trinken. Zwar spielte er nicht ins Blaue hinein, denn er gebrauchte Witz, Geschicklichkeit und Stärke, aber hinter alledem stand das ewige Glück, dieses Etwas, das sich zuzeiten gegen seine Anbeter wandte, die Klugen vernichtete und die Toren segnete – das Glück, das alle Menschen suchten und zu besiegen träumten. Auch er. Tief in seinen

Lebensfunktionen sang das Leben selbst ein Sirenenlied von der eigenen Hoheit, immer hörte er ein Flüstern und Drängen, das ihn überredete, er könne mehr als andere Menschen, er könne gewinnen, wo sie verloren, siegen, wo sie untergingen. Er war der gesunde, starke Sporn des Lebens, der nicht Schwäche und Verfall kennt, der sich am eigenen Wohlbefinden berauscht, sich an sich selber begeistert, an seinem eigenen mächtigen Optimismus entzückt. Und immer, im schwächsten Flüstern wie im hellsten Trompetenton, hörte er die Botschaft, daß er einmal irgendwo und irgendwie das Glück besiegen, sich selbst zum Herrn darüber machen und ihm sein Brandzeichen aufdrücken würde. Spielte er Poker, so flüsterte es von vier Assen und »royal flush«. Suchte er Gold, so wisperte es von Gold unter Graswurzeln, Gold in Flußbetten, von Gold überall. Bei den größten Wagnissen, auf Schlittenreisen, Flußreisen und Hungerlagern, erklang die Botschaft, daß andere Männer sterben müßten, wo er selbst triumphierte. Es war die alte, alte Lüge des Lebens – des Lebens, das sich selbst narrte, sich selbst für unsterblich und unvergänglich hielt und glaubte, nach Herzenswunsch über alle andern siegen zu können.

Und so kehrte Daylight das Unterste zuoberst, walzte sich frei vom Schwindel und stürmte als erster die Bar. Aber nun ertönte energischer Protest von allen Seiten. Seine Theorie, daß der Gewinner bezahlen müßte, wurde nicht länger geduldet. Es verstieß gegen jeden guten Ton, und obgleich es das Gefühl guter Kameradschaft betonte, mußte es nun gerade im Namen der Kameradschaft aufhören. Gerechterweise mußte Ben Davis ausgeben. Ferner sollten alle Getränke und Runden, zu denen Daylight eingeladen hatte, zu Lasten des Etablissements gehen, denn Daylight war jedesmal, wenn er losgelassen war, eine Attraktion für die Gäste.

Bettles hatte das Wort, und seine Gründe, die in einer bündigen, wenn auch nicht gerade eleganten Sprache vorgebracht wurden, fanden starken Beifall.

Daylight grinste, trat an den Roulettisch und kaufte einen Haufen gelber Chips. Nach Verlauf von zehn Minuten stand er an der Waage, und für zweitausend Dollar Goldstaub wanderten in seinen und einen Extrabeutel. Das Glück, wenn auch nur das Glück eines Augenblicks, war sein. Sein Selbstgefühl wuchs immer mehr. Er lebte, und die Nacht gehörte ihm. Er wandte sich zu seinen wohlmeinenden Kritikern.

»Nun muß aber der Gewinner bezahlen«, sagte er.

Und sie gaben nach. Es war unmöglich, Daylight zu widerstehen, wenn er auf dem Rücken des Lebens herumsprang und es mit Sporen und Zügel ritt.

Um ein Uhr nachts sah Daylight, wie Elijah Davis den Henry Finn und Joe Hines, den Holzfäller, zur Tür trieb. Er legte sich dazwischen.

»Wo wollt ihr hin, Leute?« fragte er und versuchte, sie zum Schanktisch zu ziehen.

»Zu Bett«, antwortete Elijah Davis.

Er war ein magerer, tabakrauchender Neuengländer, der den Ruf aus dem Westen gehört hatte und ihm über die Weiden und Wälder des Mount Desert gefolgt war.

»Laß uns nur gehen«, fügte Joe Hines entschuldigend hinzu. »Wir müssen morgen früh fort.«

Aber Daylight hielt sie zurück.

»Wohin? Was habt ihr vor?«

»Nichts Aufregendes«, erklärte Elijah. »Wir wollen nur deine Chance im Oberland untersuchen. Willst du mit?«

»Aber gewiß«, versicherte Daylight.

Doch die Frage war nur im Scherz getan, und Elijah tat, als hörte er nicht das Ja des andern.

»Wir wollen den Stewart in Angriff nehmen«, fuhr er fort. »Al Mayo hat mir erzählt, daß er das erste Mal, als er den Stewart hinunterkam, einige Spalten gesehen hat, die so aussahen, als wäre etwas draus zu machen, und wir wollen es versuchen, solange der Fluß noch gefroren ist. Hör zu, Daylight, was ich sage, und paß gut auf, es wird die Zeit kommen, da man im Winter gräbt. Dann wird man sich über unsere Sommerarbeit und unser Wälzen im Schlamm lustig machen.«

Damals ließ man sich am Yukon noch nichts davon träumen, im Winter Gold zu suchen. Von Moos und Gras bis zur Felsunterlage war der ganze Boden gefroren, und die Erde, die hart wie Granit war, trotzte der Hacke und der Schaufel. Im Sommer wühlte man den Boden auf, soweit die Sonne ihn auftaute. Dann war es Zeit zum Goldsuchen. Während des Winters verfrachteten sie Proviant, gingen auf Elchjagd, bereiteten alles für die Sommerarbeit vor und vertrieben sich die dunklen, traurigen Monate in den großen Lagern wie Circle City und Forty Mile, so gut es eben ging.

»Gewiß wird man im Winter graben«, stimmte Daylight zu. »Wartet nur, bis der große Fund am Flusse oben gemacht ist. Dann werdet ihr eine neue Art von Goldgraben erleben, Jungens! Warum sollte man nicht Feuer anmachen, Schächte graben und auf der Felsunterlage arbeiten können? Man braucht sie nicht einmal zu zimmern. Der gefrorene Schutt wird stehen, bis die Hölle gefriert und der Höllenpfuhl zu Eiscreme wird. Ja, in kommenden Tagen wird man in Lagern arbeiten, die hundert Fuß tief unter der Erde liegen. Gewiß gehe ich mit euch, Elijah!«

Elijah lachte, rief seine beiden Kameraden und machte einen neuen Versuch, die Tür zu erreichen.

»Halt!« rief Daylight. »Es ist mein Ernst.«

Da wandten die drei Männer, mit freudiger Überraschung auf den Gesichtern, sich plötzlich um.

»Ach was, du machst dich nur über uns lustig«, sagte Finn, der andere Holzfäller, ein ruhiger, zuverlässiger Mann aus Wisconsin. »Da sind meine Hunde und mein Schlitten«, antwortete Daylight. »Das gibt zwei Gespanne und das halbe Gewicht; wir können allerdings in der ersten Zeit nicht sehr schnell reisen, denn die Hunde sind müde.« Die drei Männer waren außer sich vor Freude, aber immer noch ungläubig.

»Hör mal«, platzte Joe Hines heraus, »halt uns nicht zum besten, Daylight. Es ist Geschäft. Willst du mit?« Daylight ergriff seine Hand und schüttelte sie.

»Dann tätest du am besten, auch ins Bett zu gehen«, rief Elijah. »Wir wollen um sechs Uhr fort, und vier Stunden Schlaf ist nicht zuviel.«

»Vielleicht warten wir noch einen Tag, damit er sich ausruhen kann«, schlug Finn vor.

Das verletzte aber Daylights Stolz.

»Auf keinen Fall«, schrie er. »Um sechs geht's los. Wann wollt ihr geweckt werden? Um fünf? Schön, ich hol' euch 'raus.«

»Du müßtest doch auch etwas Schlaf haben«, rief Elijah ernsthaft. »Du kannst das nicht so in alle Ewigkeit aushalten.«

Daylight war müde, zum Umfallen müde. Selbst sein eiserner Körper mußte diesmal daran glauben. Jeder Muskel sehnte sich nach Schlaf und Ruhe und schrak zurück vor weiterer Anstrengung und dem Gedanken an eine neue Reise. Und der Protest seines Körpers wallte aufrührerisch zum Gehirn empor. Aber tiefer saß, verächtlich und herausfordernd, das Leben selbst, die Triebfeder von allem, und flüsterte Daylight zu, daß alle seine Kameraden dabeiständen und zusähen und daß jetzt der Zeitpunkt gekommen wäre, daß er Tat auf Tat häufen, seine ganze Kraft zeigen müßte. Es war nur das Leben, das seine alten Lügen flüsterte. Und verbündet mit ihm der Whisky mit all seinem tollen Übermut und seiner Prahlerei.

»Ihr meint vielleicht, daß ich das Trinken nicht mehr gewohnt bin?« fragte Daylight. »Ich hab' nicht ein Glas getrunken, nicht einen Tanz getanzt, nicht eine Seele gesehen in den zwei Monaten, was? Geht ihr nur zu Bett. Ich wecke euch schon um fünf.«

Und die ganze Nacht tanzte er auf Strümpfen, und als er um fünf Uhr an die Tür seiner neuen Kameraden donnerte, konnten sie ihn das Lied singen hören, dem er seinen Namen verdankte: »Das Himmelslicht brennt, ihr Glücksritter vom Stewart-River! Das Himmelslicht brennt! Burning Daylight! Burning Daylight!«

Diesmal ging die Reise leichter. Der Weg war besser gebahnt, sie hatten keine Post zu fahren und mehr Zeit. Die Tagesreisen waren kürzer und der Arbeitstag auch. Auf seiner Postfahrt hatte Daylight die Indianer zuschanden gefahren, aber seine jetzigen Kameraden wußten, daß sie sich nicht überanstrengen durften, weil es noch genug zu tun gab, wenn sie am Stewart angekommen waren, und reisten daher langsam. Während die Reise aber seine Kameraden ermüdete, erholte Daylight sich und ruhte sich aus. In Forty Mile blieben sie der Hunde wegen zwei Tage, und in Sixty Mile ließen sie Daylights Gespann beim Kaufmann zurück. Im Gegensatz zu ihrem Herrn waren die Hunde durch die wahnsinnige Fahrt von Selkirk nach Circle City furchtbar mitgenommen und hatten auf der Rückreise keine frischen Kräfte sammeln können. So fuhren die vier Männer von Sixty Mile mit einem frischen Gespann vor Daylights Schlitten weiter. In der folgenden Nacht lagerten sie auf der Inselgruppe in der Mündung des Stewart. Daylight redete von Baugründen, und obgleich die andern ihn auslachten, steckte er dennoch dies ganze Labyrinth hoher bewaldeter Inseln ab.

»Wenn nun der große Goldfund gerade hier am Stewart gemacht wird?« schloß er. »Vielleicht seid ihr mit dabei, Jungens, vielleicht auch nicht. Aber ich will jedenfalls mit dabeisein. Überlegt es euch lieber und macht es wie ich.«

Aber sie wollten nicht hören.

»Du bist gerade so verrückt wie Harper und Joe Ladue«, sagte Joe Hines. »Die machen das immer so. Du kennst doch die große Ebene unten am Klondike, bei der Moosehidequelle? Schön. Der Registrator von Forty Mile hat mir erzählt, daß sie sie vor kaum einem Monat abgesteckt haben – die Harperschen und Ladueschen Grundstücke. Ha! Ha! Ha!«

Elijah und Finn fielen in sein Lachen ein. Aber Daylight blieb ernst.

»Da habt ihr's!« rief er. »Da ist die Chance! Sie liegt in der Luft, sag' ich euch! Wozu sollten sie die große Ebene abstecken, wenn sie nicht selbst daran glaubten? Ich wollte, ich hätte es getan.«

Das Bedauern in seiner Stimme erregte wieder schallendes Gelächter.

»Lacht nur, Jungens! Lacht nur! Ihr meint, die einzige Art, sein Glück zu machen, sei Gold zu graben. Aber das sag' ich euch, wenn der große Fund kommt, dann habt ihr verflucht wenig von eurer Buddelei. Ihr lacht, wenn man Quecksilber in die Büchsen tut, und meint, daß Gott in seiner Allmacht den Goldstaub nur geschaffen habe, um Verrückte und Chechaquos zu narren. Ihr nehmt nur den gröbsten Goldstaub mit, und die Hälfte laßt ihr im Schutt stecken, den ihr wegschmeißt. Aber den Hauptgewinn ziehen die Männer, die den Boden abstecken, die Handelskompanien organisieren und Banken gründen . . .«

Hier unterbrach ihn wieder schallendes Gelächter. Banken in Alaska!

Der Gedanke war zum Schreien. »Ja, und dann fehlt nur noch die Börse . . .«

Wieder wanden sie sich vor Lachen. Joe Hines wälzte sich in seinem Schlafsack und hielt sich die Seiten.

»Und hinterher werden die großen Minengauner kommen und die Landstrecken aufkaufen, wo ihr wie die Hühner im Sand gescharrt habt, und sie werden im Sommer mit hydraulischen Motoren arbeiten und im Winter mit Dampf auftauen . . .«

Mit Dampf auftauen! Das war die Höhe. Daylight hatte schon manchen guten Einfall gehabt, aber heute übertraf er sich selbst. Auftauen mit Dampf – wo selbst das Auftauen mit Feuer noch ein unerprobtes Experiment, ein Luftgebilde war!

»Lacht nur, ihr Schlauköpfe, lacht nur! Euch werden schon die Augen aufgehen. Ihr seid dumm wie neugeborene Katzen. Ich sage euch, wenn der Goldfund in Klondike kommt, dann sind Harper und Ladue Millionäre. Und wenn er am Stewart kommt, dann sollt ihr sehen, was Elam Harnish' Grundstücke wert sind. Dann steht ihr mit langen Gesichtern da . . .« Er seufzte resigniert. »Ja, und dann muß ich euch noch ein bißchen Proviant und Suppe abgeben.«

Daylight hatte Phantasie. Sein Horizont war begrenzt, aber was er sah, sah er groß. Seine Gedanken waren wohlgeordnet, seine Einbildungskraft praktisch, und er träumte nie ins Blaue hinein. Wenn er in seiner Phantasie eine große Stadt auf einer bewaldeten, schneebedeckten Ebene sah, so setzte er zuerst den Goldfund voraus, der diese Stadt ermöglichte, und dann richtete er sein Augenmerk auf die Möglichkeit, Anlegestellen für Dampfer, Sägewerke und Warenhäuser, kurz alles, was für eine Minenstadt im hohen Norden erforderlich war, zu schaffen. Aber das war doch nur gleichsam die Voraussetzung für noch Größeres: ein Spielfeld für sein Temperament. Alle Möglichkeiten schwärmten durch die Straßen und Gebäude seiner Traumstadt. Sie war ein Spieltisch im großen. Die Grenzen waren der Himmel, das Land im Süden auf der einen und das Nordlicht auf der andern Seite. Es mußte ein großes Spiel werden, größer als alle, die ein Mann am Yukon sich je hatte träumen lassen, und er, Burning Daylight, wollte schon dafür sorgen, daß er mit dabei war.

Vorläufig hatte er jedoch nichts Greifbares, es war nur Gefühlssache. Aber es kam schon noch. Wie er seine letzte Unze auf eine gute Pokerkarte setzte, so setzte er Leben und Kräfte auf diese Chance des großen Goldfundes am Upper-River. Und darum kämpften er und seine drei Kameraden sich mit Hunden und Schlitten über den gefrorenen Busen des Stewarts hinauf und weiter und immer weiter durch die weiße Wüste, deren unendliche Stille noch nie von menschlichen Stimmen, von Axthieben oder dem fernen Knall einer Büchse durchbrochen worden war. Sie waren die einzigen, die sich durch diese unendliche gefrorene Stille bewegten, winzige Menschlein, die ihr Maß von Meilen täglich dahinkrochen, das Eis schmolzen, um Trinkwasser zu erhalten, und nachts im Schnee ihr Lager aufschlugen, während ihre Wolfshunde als reifbedeckte haarige Klumpen dalagen und die acht Schneeschuhe aufrecht neben den Schlitten im Schnee steckten.

Von anderen Menschen sahen sie nicht das geringste, nur einmal kamen sie an einer roh gezimmerten Schute vorbei, die auf einer Sandbank lag. Der Eigentümer war nie zurückgekehrt, sie zu holen, und sie fuhren verwundert weiter. Einmal stießen sie auf die Reste eines Indianerdorfes, aber die Bewohner waren verschwunden, befanden sich zweifellos am oberen Lauf des Stewarts auf der Elchjagd. Zweihundert Meilen vom Yukon fanden sie die Barren, von denen Al Mayo gesprochen hatte. Hier schlugen sie ihr Lager für längere Zeit auf, legten ihre Vorräte hoch, so daß die Hunde sie nicht erreichen konnten, und begannen mit der Arbeit, indem sie sich durch die Eisdecke hindurchgruben.

Es war ein hartes, einfaches Leben. Sie arbeiteten beim Frühlicht, sobald sie gefrühstückt hatten, und wenn die Nacht hereinbrach, kochten sie ihr Essen, verrichteten ihre Lagerarbeit, rauchten und unterhielten sich eine Weile und wickelten sich dann in ihre Schlafsäcke und schliefen, während das Nordlicht über ihren Häuptern flammte und die Sterne in der starken Kälte funkelten und flimmerten. Ihre Kost war einförmig: aus Sauerteig bereitetes Brot, Speck, Bohnen und gelegentlich ein Teller Reis, mit einer Handvoll gedörrter Pflaumen zusammengekocht. Frisches Fleisch war nicht aufzutreiben. Es herrschte ein ungewöhnlicher Mangel an Wild. Ab und zu fanden sie die Fährte eines Schneehasen oder Hermelins, aber im großen und ganzen schien das Land ausgestorben. Das war ihnen nichts Neues, denn sie hatten es schon oft erlebt, daß sie in einer Gegend, wo es das eine Jahr von Wild wimmelte, ein oder zwei Jahre später nicht ein Stück mehr antrafen.

Sie fanden zwar Gold an den Barren, aber es war nicht der Mühe wert. Als Elijah sich einmal fünfzig Meilen vom Lager auf der Fuchsjagd befand, hatte er Kies vom Grunde eines großen Baches ausgewaschen und gute Farben gefunden. Sie schirrten die Hunde an und fuhren mit leichter Ausrüstung hin. Hier – und vielleicht zum erstenmal in der Geschichte des Yukons – warfen sie mit Hilfe von Feuer einen Schacht aus. Es geschah auf Daylights Veranlassung. Nachdem sie Moos und Gras entfernt hatten, entzündeten sie ein Feuer aus trockenen Tannenzweigen. Nach sechs Stunden war der Boden acht Zoll tief aufgetaut. Sie trieben ihre Hacken hinein, schaufelten ein Loch und zündeten ein neues Feuer an. Angespornt von dem Erfolg ihres Experimentes, arbeiteten sie von früh bis spät. Nach sechs Fuß gefrorener Erde erreichten sie eine Kiesschicht, die ebenfalls gefroren war. Hier ging die Arbeit langsamer vonstatten. Aber sie lernten bald, ihr Feuer besser zu handhaben und fünf bis sechs Zoll auf einmal aufzutauen. Es gab Goldstaub in dem Kies, und nach weiteren zwei Fuß stießen sie wieder auf Erde. In siebzehn Fuß Tiefe kam wieder eine dünne Schicht Kies, der groben Goldstaub enthielt, und die Probepfannen ergaben eine Ausbeute von je sechs bis acht Dollar. Leider war diese Schicht nur einen Zoll dick. Darunter war wieder Erde, vermischt mit alten Baumstämmen und versteinerten Knochen längst verschwundener Ungeheuer. Aber sie hatten Gold gefunden – richtiges Gold. Und was war natürlicher, als anzunehmen, daß der große Fund auf der abschließenden Felsunterlage gemacht werden würde? Sie beschlossen, in zwei Schichten zu arbeiten, und waren Tag und Nacht an zwei Stellen tätig, während der Rauch ihrer Feuer zum Himmel stieg.

Als zu dieser Zeit die Bohnen knapp wurden, fuhr Elijah nach dem Hauptlager zurück, um mehr Proviant zu holen. Elijah war selbst ein erprobter alter Schlittenführer. Es waren rund hundert Meilen, aber er versprach, am dritten Tage zurückzukommen, indem er einen Tag für die Hinfahrt und zwei für den Rückweg mit den beladenen Schlitten berechnete. Statt dessen kam er schon am Abend des zweiten Tages. Die andern hatten sich gerade schlafen gelegt, als sie ihn kommen hörten.

»Was ist los, zum Teufel?« fragte Henry Finn, als der leere Schlitten in den Lichtschein fuhr und er bemerkte, daß Elijahs langes ernstes Gesicht noch länger und ernster als gewöhnlich war.

Joe Hines warf Holz auf das Feuer, und die drei in ihre Schlafsäcke gehüllten Männer krochen dicht an das Feuer heran. Elijahs bärtiges Gesicht war bis zu den Augenbrauen mit einer Eisschicht bedeckt, so daß er der Karikatur eines Weihnachtsmannes glich. »Ihr wißt die große Tanne, direkt am Flusse, die die eine Ecke des Brettes mit unsern Vorräten trägt?« begann er.

Das Unglück war schnell erzählt. Der scheinbar starke Baum war von irgendeiner versteckten Krankheit angegriffen gewesen, hatte die Last der Vorräte und des Schnees nicht ertragen, hatte das so lange bewahrte Gleichgewicht verloren und war zu Boden gestürzt. Die Vorräte waren fort. Die Vielfraße hatten alles, was sie nicht gefressen hatten, verdorben. »Sie haben allen Speck, Pflaumen, Zucker und Hundefutter gefressen«, berichtete Elijah. »Und dann haben die verdammten Biester Löcher in die Säcke gefressen und Mehl, Bohnen und Reis von Dan bis Beerseba verstreut. Ich hab' leere Mehlsäcke gefunden, die sie eine Viertelmeile verschleppt hatten.«

Eine Weile sprach keiner ein Wort. Es war eine Katastrophe, mitten in einem arktischen Winter und einem vom Wilde verlassenen Lande den

Proviant zu verlieren. Das Entsetzen lähmte sie nicht, aber sie mußten der Situation ins Auge sehen und einen Ausweg finden. Joe Hines fand zuerst die Sprache wieder. »Wir können Reis und Bohnen aus dem Schnee auswaschen, wenn es auch nicht mehr als acht bis zehn Pfund geben wird.«

»Und einer muß mit einem Gespann bis nach Sixty Mile hinunter«, sagte Daylight.

»Ich fahre«, sagte Finn.

Sie grübelten eine Weile.

»Aber wie sollen wir das andere Gespann und drei Mann ernähren, bis er zurückkommt?« fragte Hines.

»Es gibt nur eine Möglichkeit«, meinte Elijah. »Du mußt das andere Gespann nehmen, Joe, und den Stewart hinauffahren, bis du die Indianer findest. Dann kommst du mit Fleisch zurück. Du mußt lange wieder da sein, ehe Henry von Sixty Mile zurück ist, und in eurer Abwesenheit brauchen wir nur Essen für Daylight und mich. Wir müssen uns eben mit kleinen Rationen begnügen.«

»Und morgen früh fahren wir alle zum Depot und waschen den Schnee aus, um zu sehen, was wir haben.« Mit diesen Worten legte Daylight sich hin und wickelte sich in seinen Schlafsack. »Jetzt wollen wir schlafen, damit wir morgen zeitig wegkommen«, fügte er hinzu. »Zwei von euch können die Hunde mitnehmen. Elijah und ich werden einen Abstecher machen, um zu sehen, ob wir einen Elch erwischen.«

Es wurde keine Zeit verloren. Mit den Hunden, die schon auf kleine Rationen gesetzt waren, gebrauchten Hines und Finn zwei Tage, um das Depot zu erreichen. Am Abend des dritten Tages traf Elijah ein, aber er hatte keinen Elch gesehen, und in der Nacht kam Daylight und berichtete dasselbe. Gleich nach ihrer Ankunft machten sich die Männer daran, den Schnee in der Umgebung des Depots gründlich auszuwaschen. Es war eine tüchtige Arbeit, denn sie fanden verstreute Bohnen bis hundert Schritt vom Depot entfernt. Noch ein Tag verging damit, aber das Ergebnis war kläglich, und die vier Männer verteilten redlich die wenigen Pfund Proviant unter sich, die sie dabei gewonnen hatten.

Den Löwenanteil erhielten Daylight und Elijah. Die Männer, die mit den Hunden den Stewart hinauf- und hinabfuhren, würden eher Proviant erhalten. Die beiden Zurückbleibenden aber mußten ausharren, bis die andern zurückkehrten. Überdies konnten im Notfall die Hunde, die bei der geringen täglichen Ration nur langsam vorwärts kamen, gegessen werden. Die Zurückbleibenden aber hatten keine Hunde. Aus diesem Grunde übernahmen Daylight und Elijah den gefährlicheren

Posten. Die Tage vergingen, ganz unmerklich glitt der Winter in den nordischen Frühling hinüber, der wie ein Blitz aus heiterem Himmel kommt. Es war der Frühling des Jahres 1896. Jeden Morgen erhob sich die Sonne weiter östlich, blieb länger am Himmel und sank weiter im Westen. Der März ging zu Ende, der April begann, und Daylight und Elijah, mager und hungrig, begannen sich Gedanken zu machen, was ihren Kameraden zugestoßen sein mochte. Selbst wenn sie jede erdenkliche Verspätung in Betracht zogen und noch ein paar Tage hinzurechneten, hätten sie längst zurück sein müssen. Ohne Zweifel war ihnen etwas zugestoßen. Vorsichtshalber waren sie beide in verschiedenen Richtungen ausgeschickt. Sollte nun ihnen beiden etwas zugestoßen sein? Das wäre der letzte Schlag gewesen.

Inzwischen schlugen Daylight und Elijah, die die Hoffnung nicht aufgaben, sich kümmerlich durch. Das Tauwetter hatte noch nicht begonnen, so daß sie den Schnee in der Umgebung des zerstörten Depots aufsammeln und in Töpfen, Eimern und Goldpfannen schmelzen konnten. Wenn das Wasser dann abgestanden war, zeigte sich auf dem Boden der Gefäße eine dünne, schleimige Lage. Es war das Mehl, die verschwindende Spur dessen, was über Tausende von Kubikmetern Schnee verstreut war. In dieser schleimigen Masse fanden sie zuweilen auch ein aufgeweichtes Teeblatt oder ein bißchen Kaffeegrus, mit Erdteilchen und Schmutz vermischt. Aber je weiter sie sich vom Depot entfernten, desto schwächer wurden die Mehlspuren, desto geringer die Schleimlage. Elijah war der ältere, und seine Kräfte versagten zuerst, so daß er die meiste Zeit in seinem Schlafsack verbringen mußte. Hin und wieder schoß Daylight ein Eichhörnchen, mit dem sie ihr Leben erhielten. Die Jagd war seine Sache und eine schwere Arbeit. Bei einem Munitionsvorrat von nur dreißig Schuß durfte er keinen Fehlschuß riskieren, und obwohl seine Büchse ein Kaliber von 45 bis 90 hatte, war er gezwungen, die kleinen Tierchen durch den Kopf zu schießen. Es gab nur sehr wenige, und es vergingen Tage, ohne daß sie eines zu Gesicht bekamen. Geschah das aber, dann traf er alle möglichen Vorsichtsmaßregeln. Stundenlang pirschte er sich an. Unzählige Male zielte er mit vor Schwäche zitternden Armen und schoß doch nicht. Sein eiserner Wille hielt ihn zurück. Ehe er seiner Sache sicher war, wollte er nicht schießen. So schrecklich Hunger und Sehnsucht nach dem bißchen Leben ihn auch quälten, wollte er sich doch nicht der Möglichkeit eines Fehlschusses aussetzen. Als der geborene Spieler, der er war, spielte er jetzt um den höchsten Einsatz. Sein Leben war der Einsatz, und er spielte, wie nur ein Spieler es kann, mit unsagbarer Überlegung. Das Ergebnis war, daß er nie fehlte. Jeder Schuß bedeutete ein Eichhörnchen, und wenn auch Tage zwischen den einzelnen Schüssen vergehen konnten, änderte er doch nie seine Spielmethode.

Von der Beute wurde nichts vergeudet. Selbst das Fell wurde zu Suppe ausgekocht, jeder Knochen zu Mehl zerstampft. Daylight suchte unter dem Schnee und fand hier und da ein paar Moosbeeren. Aber die meisten Beeren, die er fand, stammten vom vorigen Jahre, waren trocken und eingeschrumpft und besaßen nur einen ganz geringen Nährwert. Nicht viel besser war die Rinde der jungen Zweige.

Der April näherte sich seinem Ende, und der Frühling strich übers Land. Die Tage wurden länger. Wo die Sonne hinschien, begann der Schnee zu schmelzen, und unter dem Schnee quoll das Wasser hervor. Vierundzwanzig Stunden lang blies der Chinook-Wind, und in diesen vierundzwanzig Stunden sank die Schneedecke einen ganzen Fuß. Gegen Abend fror der geschmolzene Schnee wieder, so daß seine Oberfläche imstande war, das Gewicht eines Mannes zu tragen. Aus dem Süden erschienen kleine weiße Schneesperlinge, rasteten einen Tag und setzten dann die Reise nach dem Norden fort. Einmal sahen sie hoch oben einen Schwarm Wildgänse, der sich verfrüht hatte und, nach offenem Wasser ausspähend, nordwärts flog. Und drunten am Flusse war eine Zwergweide voller Knospen. Diese jungen Knospen konnten gekocht werden und ergaben eine ausgezeichnete Mahlzeit. Elijah faßte frischen Mut, wenn er ihn auch ebenso schnell wieder verlor, als Daylight keine weiteren Knospen fand.

Der Saft in den Bäumen stieg, und täglich wurde der rieselnde Laut unsichtbarer Quellen stärker: das gefrorene Land erwachte zu neuem Leben. Aber der Fluß wurde immer noch in den Fesseln des Frostes gehalten. Der Winter hatte viele Monate gebraucht, um sie so fest zu schmieden, daß sie nicht an einem Tage, nicht einmal durch den Donnerkeil des Frühlings gebrochen werden konnten. Der Mai kam, und die letzten Überlebenden der vorjährigen Moskitoschwärme krochen ausgewachsen, aber unschädlich aus Felsspalten und morschen Baumstämmen hervor. Die Grillen begannen zu zirpen, und immer mehr Enten und Gänse zogen über ihren Häuptern dahin. Und noch hielt der Fluß. Am zehnten Mai riß sich die Eisdecke des Stewart mit Krachen und Getöse von den Ufern los und stieg drei Fuß. Aber sie trieb nicht stromabwärts. Erst mußte der untere Yukon dort, wo der Stewart in ihn mündete, aufbrechen und ins Treiben kommen. Bis dahin konnte das Eis des Stewart nur immer höher steigen, je reißender der Strom darunter wurde. Wann der Yukon aufbrechen würde, war nicht vorauszusagen. Zweitausend Meilen von hier floß er in die Beringsee, und auf die Eisverhältnisse in der Beringsee kam es an, ob der Yukon sich von den Millionen Tonnen befreite, die auf seiner Brust lagen.

Am zwölften Mai machten sich die beiden Männer mit ihren Schlafsäcken, einem Eimer, einer Axt und der kostbaren Büchse auf den Weg über das Eis zum Fluß hinunter. Ihre Absicht war, bis zu dem Depot mit der verlassenen Schute zu gehen, die sie getroffen hatten und in der sie sich nun, sobald das Wasser offen war, vom Strom nach Sixty Mile treiben lassen wollten. Erschöpft und ohne Nahrung, wie sie waren, mußte es eine langsame und beschwerliche Reise werden. Elijah fiel oft hin und war dann außerstande, wieder aufzustehen. Daylight verausgabte seine eigenen Kräfte, um ihn wieder aufzurichten. Dann wankte der Alte automatisch weiter, bis er das nächste Mal stolperte und hinfiel.

An dem Tage, als sie das Boot hätten erreichen sollen, brach Elijah völlig zusammen. Als Daylight ihn aufhob, ließ er sich sofort wieder fallen. Daylight versuchte ihn zu stützen, war aber selbst so schwach, daß sie beide hinfielen. Er schleppte Elijah ans Ufer, ein notdürftiges Lager wurde aufgeschlagen, und Daylight ging fort, um nach Eichhörnchen auszuspähen. Jetzt war auch er am Ende seiner Kraft. Am Abend fand er das erste Eichhörnchen, aber es wurde dunkel, ohne daß er zu einem sicheren Schuß kam. Mit der Geduld eines Wilden wartete er bis zum nächsten Tage, und dann, nach einer Stunde, war das Eichhörnchen sein.

Das meiste gab er Elijah und behielt selbst nur die zäheren Teile und die Knochen. Aber so ist die chemische Beschaffenheit des Lebens, daß dies kleine Wesen, dies Stückchen lebenden Fleisches in menschliche Nahrung umgesetzt, seine Bewegungskraft auf die beiden Männer übertrug. Dieselbe Energie, die die Triebfeder dieser Bewegungen gewesen, Kraft und Beweglichkeit des Tierchens ausgemacht hatte, durchströmte die ausgemergelten Muskeln und den wankenden Willen der Männer und gab ihnen die Kraft, die paar Meilen zu wandern, die zwischen ihnen und dem Boote lagen. Als sie es erreicht hatten, brachen sie zusammen und blieben eine lange Weile unbeweglich liegen.

Für einen starken Mann wäre es eine leichte Arbeit gewesen, das kleine Boot zum Ufer hinunterzuschaffen, aber Daylight brauchte Stunden dazu. Und tagelang mühte er sich ab, Moos in die klaffenden Risse zu stopfen. Aber selbst als er das getan, hielt der Fluß noch immer. Das Eis hatte sich mehrere Fuß gehoben, machte aber keine Anstalten, stromabwärts zu treiben. Noch eine weitere schwere Arbeit wartete ihrer; das Boot mußte ins Wasser geschafft werden, wenn es so weit war, daß sie ihre Fahrt beginnen konnten.

Vergebens wankte und stolperte Daylight durch den nassen Schnee oder über die Eisringe, die der Nachtfrost darübergebreitet hatte, fiel, kroch auf allen vieren und spähte nach weiteren Eichhörnchen aus, um noch einmal die schnelle Beweglichkeit des Tierchens in menschliche Körperenergie umzusetzen und das Boot über die Eiskante in den Strom zu heben.

Erst am zwanzigsten Mai brach das Eis. Die Bewegung begann um fünf

Uhr morgens. Die Tage waren schon so lang, daß Daylight sich aufsetzte und das Treiben des Eises betrachtete. Elijah war zu mitgenommen, um sich für das Schauspiel zu interessieren. Obgleich bei Bewußtsein, blieb er doch regungslos liegen, während das Eis vorbeisauste und große Stücke gegen das Ufer krachten, Bäume mit der Wurzel ausrissen und die Erde untergruben. Der ganze Boden um sie her wurde von diesen gewaltigen Zusammenstößen erschüttert. Nach einer Stunde hielt das Eis in seiner Fahrt inne. Irgendwo stromabwärts war es aufgehalten worden. Dann begann der Fluß zu steigen und hob das Eis auf seiner Brust, bis es das Ufer überragte. Immer mehr Wasser strömte den Fluß hinunter, und Millionen und aber Millionen Tonnen Eis vermehrten durch ihr Gewicht die angehäufte Menge. Der Druck und die Spannung waren furchtbar. Mächtige Eisschollen wurden herausgepreßt, bis sie hoch emporsprangen wie Melonenkerne zwischen Daumen und Zeigefinger eines Kindes, und am Flußufer entstand eine mächtige Eismauer. Als die Barre stromabwärts gesprengt war, verdoppelte sich das scheuernde, krachende Getöse. Noch eine Weile dauerte das Treiben des Eises. Der Fluß sank reißend schnell. Aber die Eismauer am Ufer, die bis hinunter in das sinkende Wasser reichte, blieb. Nachtreibende Eisschollen kamen vorüber, und zum erstenmal seit sechs Monaten sah Daylight offenes Wasser. Er wußte, daß das Eis den oberen Lauf des Stewart noch nicht verlassen hatte, dort aufgehäuft und zusammengepreßt war und daß es jederzeit losbrechen und ein zweites Eistreiben verursachen konnte; aber ihre Lage war zu verzweifelt, als daß er noch länger hätte warten dürfen. Elijah war dem Tode nahe. Er selbst war nicht sicher, ob er Kraft genug in seinen ausgemergelten Muskeln besaß, um das Boot flottzumachen. Alles stand auf dem Spiel. Auf das nächste Eistreiben warten? Dann war Elijah sicher tot, und er selbst wahrscheinlich auch. Gelang es ihm, das Boot flottzumachen und einen Vorsprung vor dem zweiten Eistreiben zu gewinnen, ohne vom Eise des oberen Yukon eingeholt zu werden, so erreichten sie Sixty Mile und waren gerettet, wenn – und hier war wieder ein großes Wenn – wenn er Kräfte genug besaß, das Boot in Sixty Mile zu landen und nicht vorbeizufahren.

Er machte sich an die Arbeit. Die Eismauer erhob sich fünf Fuß über den Boden, auf dem das Boot ruhte. Er suchte die beste Stelle aus, um das Boot ins Wasser zu bringen, und fand eine mächtige Eisscholle, die sich schräg aus dem Wasser dicht an die Eismauer schob. Es war eine ganze Strecke bis dahin, aber nach einer Stunde hatte er es geschafft. Er war krank vor Anstrengung, und zeitweise wurde ihm schwarz vor Augen, er konnte nichts sehen, Lichtpunkte und Streifen, qualvoll wie Diamantstaub, tanzten ihm vor den Augen, während sein Herz klopfte, daß er fast erstickte. Elijah zeigte kein Interesse, er lag regungslos da, ohne die Augen aufzuschlagen, und Daylight mußte seinen Kampf allein ausfechten. Zuletzt – die gewaltige Anstrengung zwang ihn in die Knie – glückte es ihm, das Boot in sicherem Gleichgewicht oben auf die Mauer zu bringen. Auf Händen und Füßen kriechend, brachte er dann seinen Schlafsack, die Büchse und den Eimer ins Boot. Die Axt ließ er liegen, denn er hätte zwanzig Fuß zurückkriechen müssen, um sie zu holen.

Elijah ins Boot zu schaffen, war schwieriger, als er gedacht hatte, Zoll für Zoll, mit Pausen zwischen jedem Griff, schleppte er ihn über den Boden auf eine Eisscholle, die neben dem Boot lag. Aber ins Boot hinein vermochte er ihn nicht zu bringen. Elijahs kraftloser Körper war weit schwerer zu heben als ein entsprechendes starres Gewicht. Daylight wollte ihn hochziehen, aber der schlaffe Körper knickte in der Mitte zusammen wie ein halbgefüllter Mehlsack. Da kletterte Daylight ins Boot und versuchte, seinen Kameraden hinter sich herzuschleppen. Aber er brachte nur Elijahs Kopf und Schultern über den Bootsrand. Sobald er oben losließ, um ihn weiter unten zu packen, knickte der Erschöpfte auch schon wieder in der Mitte zusammen und glitt auf das Eis zurück.

Da entschloß sich Daylight zu einem letzten verzweifelten Mittel. »Herrgott, du Jammerlappen, nimm dich zusammen!« schrie er. »Da, du verdammter Kerl, da hast du's!«

Und jedes Wort begleitete ein Schlag auf die Backen, die Nase, den Mund, um auf diese gewaltsame Weise die fliehende Seele und den verirrten Willen des Mannes wieder ins Leben zu rufen. Die zitternden Augenlider hoben sich.

»Paß auf!« schrie Daylight mit heiserer Stimme. »Wenn du deinen Kopf über den Bootsrand bekommst, so häng fest! Hörst du? Häng fest! Beiß mit den Zähnen hinein, aber häng fest!« Die zitternden Augenlider schlossen sich wieder, aber Daylight wußte, daß seine Worte gewirkt hatten. Wieder zog er Kopf und Schultern des Hilflosen über die Reling.

»Häng fest, zum Teufel! Beiß hinein!« schrie er, als er losließ, um ihn unten zu packen.

Eine schlaffe Hand glitt von der Reling ab, und auch die Finger der andern ließen nach, aber Elijah gehorchte und hielt sich mit den Zähnen. Als Daylight ihn hochzog, scheuerte Elijahs Gesicht gegen den Boden des Bootes, und Holzsplitter rissen ihm die Haut von Nase, Lippen und Kinn, aber kopfüber glitt er immer weiter ins Boot hinein, bis sein kraftloser Körper quer über der Reling zusammenfiel und nur noch die Beine über den Bootsrand hinaushingen. Aber auch die schob Daylight hinter ihm her ins Boot. Dann schöpfte er tief Atem, drehte Elijah auf den Rücken und deckte ihn mit den Schlafsäcken zu.

Nun war noch das letzte übrig – das Boot zu Wasser zu bringen. Dies war naturgemäß das schwerste von allem und verlangte eine riesige Kraftanstrengung. Daylight nahm alle Kräfte zusammen und machte sich ans Werk. Es mußte aber etwas in ihm gesprungen sein, denn als er nach einem Augenblick der Bewußtlosigkeit zu sich kam, lag er zusammengekrümmt auf dem scharfen Stern des Bootes. Zum erstenmal in seinem Leben war er ohnmächtig geworden. Dazu hatte er das Gefühl, daß er fertig wäre, daß er alle Beweglichkeit verloren hätte und, was das merkwürdigste war, daß ihm das alles ganz gleichgültig sei. Er hatte Visionen, klare und lebendige Visionen, und seine Sinne waren scharf wie die Schneide einer Stahlklinge. Er, der all seine Tage das nackte Leben vor Augen gehabt, hatte nie zuvor so viel von der Nacktheit des Lebens gesehen. Zum erstenmal spürte er einen Zweifel an seiner eigenen strahlenden Persönlichkeit. In diesem Augenblick strauchelte das Leben und vergaß zu lügen. Alles in allem war er nur ein kleiner Wurm, gerade wie alle andern Würmer, wie das Eichhörnchen, das er verzehrt, wie die andern Männer, die er hatte sterben sehen, wie Joe Hines und Henry Finn, die sicher ihren Untergang gefunden hatten, wie Elijah, der mit zerschundenem Gesicht auf dem Boden des Bootes lag, ohne sich um etwas zu kümmern. Wie Daylight lag, konnte er den Fluß hinauf bis zu der Biegung sehen, um die früher oder später das neue Eistreiben kommen mußte. Und als er so hinausblickte, war es ihm, als könnte er zurückblicken durch die Zeiten in eine Vergangenheit, als es weder Weiße noch Indianer im Lande gab, und immer sah er denselben Stewart, Winter auf Winter, mit Eis beladen, und Frühling auf Frühling, das Eis sprengend, bis er wieder frei dahinströmte. Und auch in eine unendliche Zukunft sah er, wenn die letzten des Menschengeschlechtes die Oberfläche von Alaska verlassen hatten, und er sah, ewig gleich, den Fluß, mit Eis und Überschwemmung, immer und immer strömen.

Das Leben hatte gelogen und betrogen. Es narrte alle Geschöpfe. Es hatte ihn genarrt, ihn, Burning Daylight, der es wie kaum ein zweiter mit Frohsinn gedeutet hatte. Er war nichts – nur ein Bündel Fleisch und Nerven, das im Schmutze herumkroch, um Gold zu finden, das träumte, strebte und spielte und das verging und hin war. Nur die toten Dinge blieben, die Dinge, die nicht Fleisch und Nerven waren – der Sand, die Erde und der Kies, die Ebenen, die Berge, der Fluß selbst, der zufror und seine Decke sprengte, Jahr für Jahr, allezeit. Alles in allem war es ein falsches Spiel. Wer starb, konnte nicht gewinnen, und alle starben. Wer gewann? Nicht einmal das Leben, der Lockvogel, der zum Spiel verleitete – das Leben, der immer blühende Kirchhof, das ewige Grabgefolge. Für einen Augenblick kehrte er zur Gegenwart zurück und bemerkte, daß der Fluß immer noch offen war und daß ein Häher sich auf dem Achterende des Bootes niedergelassen hatte und ihn frech ansah. Dann kehrte er wieder zu seinen Betrachtungen zurück.

Es war nicht möglich, dem Ende des Spiels zu entgehen. Sicherlich war er dazu verurteilt, alles mitzumachen. Und was dann? Immer wieder grübelte er über diese Frage nach.

Für Religion hatte Daylight keinen Sinn. Er hatte eine Art Religion gelebt, indem er ehrliches Spiel mit andern gespielt hatte, ohne metaphysische Spekulationen über ein höheres Leben anzustellen. Der Tod beendete alles. Das hatte er stets geglaubt, ohne sich davor zu fürchten. Und auch in diesem Augenblick, als das Boot unbeweglich fünfzehn Fuß hoch über dem Wasser hing und er selbst vor Schwäche ohnmächtig und von aller Kraft verlassen war, glaubte er noch, daß der Tod alles beende, und fürchtete sich nicht. Seine Lebensanschauung war zu einfach, um bei der ersten – oder letzten – Todesfurcht über den Haufen geworfen zu werden. Er hatte Menschen und Tiere sterben sehen, und die Erinnerung an ihr Sterben tauchte in ihm auf. Er sah sie wieder wie damals, und sie machten keinen Eindruck auf ihn. Sie waren tot – seit langem tot. Der Tod war leicht – leichter, als er ihn sich je vorgestellt hatte, und jetzt, wo er so nahe war, freute er sich auf ihn. Ein neues Bild zeigte sich ihm. Er sah seine Traumstadt – die goldene Metropole des Nordens, die auf den Hängen über dem Yukon lag und sich weit über die Ebene erstreckte. Reihe an Reihe sah er die am Ufer vertäuten Dampfer; er sah die Sägemühlen arbeiten und die langen Hundegespanne mit Doppelschlitten hinter sich, die mit Proviant für die Goldgräber beladen waren. Und weiter sah er die Spielhäuser, die Banken, die Börsen und alle die vielen Möglichkeiten für ein weit höheres Spiel, als er es je gesehen. Es müßte doch mit dem Teufel zugehen, dachte er – nicht mit dabeisein zu können, wenn die Chance, die er in seinem Innern gespürt hatte, zur Wirklichkeit, wenn der große Goldfund gemacht würde. Bei dem Gedanken hob das Leben das Haupt und begann noch einmal seine alten Lügen zu wispern. Daylight rollte vom Boot herunter und lehnte sich, auf dem Eise sitzend, dagegen. Er wünschte, mit dabeizusein. Und warum sollte er es nicht? Irgendwo in seinen ausgemergelten Muskeln besaß er noch Kraft genug, das Boot über den Eisrand ins Wasser zu schaffen. Ganz sinnlos tauchte der Gedanke in ihm auf, einen Anteil an den Grundstücken von Harper und Ladue zu kaufen. Sie würden ihn sicher zu günstigen Bedingungen als dritten Teilhaber aufnehmen. Würde dann der große Goldfund am Stewart gemacht, so hätte er sich dort in seiner Elam-Harnish-Stadt festgesetzt, und erfolgte er am Klondike, so wäre er doch nicht ganz aus dem Spiel geschlagen.

Aber inzwischen wollte er Kräfte sammeln. Er streckte sich der Länge nach, mit dem Gesicht nach unten, auf dem Eise aus, blieb eine halbe

Stunde so liegen und sammelte Kräfte. Dann erhob er sich, schüttelte die Blindheit von den Augen und machte sich an die Arbeit. Er wußte genau, wie es um ihn stand; mißglückte die erste Anstrengung, so mußten auch alle späteren scheitern. Er mußte alle seine wiedergewonnene Kraft in einer einzigen Anstrengung zur Entladung bringen, so gründlich, daß für später nichts zu tun übrigblieb.

Er hob, hob mit der Seele wie mit dem Körper, und alle Kraft seines Körpers und seiner Seele wurde in dieser Anstrengung ausgelöst. Das Boot hob sich. Er glaubte, ohnmächtig zu werden, hob aber weiter. Er fühlte, wie das Boot nachgab und ins Gleiten kam. Mit dem letzten Rest seiner Kraft ließ er sich hineinfallen und landete als ein Häufchen Elend auf Elijahs Beinen. Er war zu müde, um sich zu erheben, und so lag er da und hörte und fühlte, wie das Boot ins Wasser glitt. An den Baumwipfeln konnte er sehen, daß es im Kreise herumwirbelte. Dann kam ein Krachen und Stoßen, und aus Eisstücken, die um ihn herumflogen, entnahm er, daß das Boot gegen das Ufer gestoßen sein mußte. Wohl ein dutzendmal wirbelte es herum und stieß dagegen, dann schwamm es endlich leicht und frei dahin.

Daylight kam zu sich und sagte sich, daß er geschlafen haben mußte. Nach dem Stand der Sonne mußten Stunden vergangen sein. Es war früh am Nachmittage. Er schleppte sich nach achtern und setzte sich aufrecht. Das Boot befand sich mitten im Strom, die bewaldeten Ufer mit ihrem breiten Fuß leuchtenden Eises glitten vorbei. Neben ihm trieb eine mächtige Kiefer, die mit der Wurzel ausgerissen war, vorüber. Eine Laune der Strömung legte das Boot neben sie. Er kroch nach vorn und befestigte die Leine an einer der Wurzeln. Da der Baum tiefer im Wasser lag, trieb er schneller, die Leine spannte sich, und das Boot folgte in seinem Kielwasser. Er warf noch einen letzten Blick auf seine Umgebung, sah die Ufer auf dem Kopfe stehen und die Sonne am Himmel wie ein Pendel hin und her schwingen, wickelte sich in seinen Schlafsack, legte sich auf den Boden des Bootes und schlief ein. Als er erwachte, war es finstere Nacht. Er lag auf dem Rücken und sah die Sterne schimmern. Ein gedämpftes Murmeln schwellenden Wassers drang an sein Ohr. Ein plötzlicher Ruck belehrte ihn, daß die Leine, die bisher schlaff gewesen war, auf einmal von der schneller treibenden Kiefer angezogen worden war. Ein Stück verirrten Treibeises schlug gegen das Boot und scheuerte gegen seine Seite. Schön, dachte er, dann wäre die Eisbarre vorüber, schloß die Augen und schlief wieder ein.

Als er das nächste Mal erwachte, war heller Tag. Die Sonne zeigte, daß es Mittag war. Ein Blick auf die entfernten Ufer, und er wußte, daß er sich auf dem mächtigen Yukon befand. Sixty Mile konnte nicht mehr fern sein. Er war furchtbar schwach. Seine Bewegungen waren langsam, tastend und unsicher; er keuchte und wurde von Schwindel befallen, aber er zwang sich, die Büchse in der Hand, aufrecht im Stern des Bootes zu sitzen. Er betrachtete Elijah lange, konnte aber nicht sehen, ob er atmete oder nicht, die Entfernung bis zu ihm war allzu weit.

Er begann wieder zu träumen und Betrachtungen anzustellen, aber Träume und Gedanken wurden von langen Perioden der Leere abgelöst, in denen er weder schlief noch bei vollem Bewußtsein war. Dazwischen jedoch kamen wieder klare Augenblicke, und dann dachte er über seine Lage nach. Er war noch am Leben, und aller Wahrscheinlichkeit nach wurde er gerettet; aber wie kam es, daß er nicht quer über dem Bootsrand oben auf der Eismauer lag? Dann erinnerte er sich der letzten großen Anstrengung, die er gemacht hatte. Aber warum hatte er sie gemacht? fragte er sich. Nicht aus Todesfurcht. Er hatte sich nicht gefürchtet, das wußte er bestimmt. Dann erinnerte er sich seiner Chance und des großen kommenden Goldfundes, an den er so fest glaubte, und er wußte, daß das, was ihn angespornt, der Wunsch war, das große Spiel mitzumachen. Und wieder warum? Wenn er nun wirklich seine Million hatte? Er würde geradeso sterben wie die andern, die eben ihr Leben fristeten. Also warum? Aber die Perioden der Leere in seinem Denken begannen häufiger zu kommen, und er übergab sich auf Gnade oder Ungnade der wundervollen Mattigkeit, die ihn beschlich . . .

Mit einem Ruck fuhr er auf. Etwas in ihm hatte geflüstert, daß er aufwachen müßte. Plötzlich sah er Sixty Mile, keine hundert Fuß entfernt. Die Strömung hatte ihn dicht an die Stadt geführt. Aber dieselbe Strömung trieb ihn jetzt weiter, hinaus in die Wildnis des unteren Flußlaufes. Kein Mensch war zu sehen. War der Ort verlassen? Aber er sah den Rauch aus einem Küchenschornstein aufsteigen. Er versuchte zu rufen, konnte aber keinen Ton, nur ein unnatürliches Röcheln hervorbringen. Er tastete nach der Büchse, hob sie an die Schulter und drückte ab. Der Rückstoß war so stark, daß ein fast unerträglicher Schmerz ihn durchzuckte. Die Büchse war ihm auf die Knie gefallen, und ein Versuch, sie nochmals zu erheben, mißglückte. Er wußte, daß er eilen mußte, und fühlte das Bewußtsein schwinden, und so drückte er ab, wo seine zitternden Hände die Büchse fanden. Der Schuß ging los, und die Büchse fiel über Bord. Aber ehe die Finsternis ihn einhüllte, sah er noch, wie die Küchentür geöffnet wurde und eine Frau zu der Tür des großen Blockhauses heraussah, das einen gräßlichen Tanz zwischen den Bäumen aufführte.

Zehn Tage später kamen Harper und Joe Ladue nach Sixty Mile, und Daylight, der zwar noch ein wenig schwach, aber doch stark genug war, der Stimme seines Innern zu gehorchen, tauschte ein Drittel von seinen

Grundstücken am Stewart gegen ein Drittel der ihren am Klondike ein.

Sie glaubten fest an das Oberland, und Harper wollte auf einem Floß mit Proviant und anderem Bedarf den Fluß hinunterfahren, um eine kleine Poststation an der Mündung des Klondike zu errichten.

»Warum nimmst du nicht den Indian-River in Angriff, Daylight?« meinte Harper beim Abschied. »Da gibt es massenhaft Bäche und Wasserläufe, und das Gold schreit nur danach, daß man es holt. Das ist meine Chance. Da kommt einmal ein großer Goldfund, und der Indian-River ist nicht aus der Welt.«

»Und es wimmelt da von Elchen«, fügte Joe Ladue hinzu. »Bob Henderson ist nun seit drei Jahren da irgendwo herum. Er schwört darauf, daß sich Großes dort ereignen wird. Er lebt ausschließlich von Elchfleisch und sucht wie ein Verrückter nach Gold.«

Daylight entschloß sich, sein Glück am Indian-River zu versuchen, konnte aber Elijah nicht überreden, ihn zu begleiten. Elijahs Seele war durch den Hunger gezeichnet, und nichts hätte vermocht, daß er sich einer Wiederholung aussetzte.

»Ich mag mich nicht so weit vom Brotbeutel entfernen«, erklärte er. »Ich weiß, daß es der reine Wahnsinn ist, aber ich kann mir nicht helfen. Ich kann erst vom Tische aufstehen, wenn ich so satt bin, daß ich beinahe platze und keinen Bissen mehr herunterkriege. Ich will nach Circle City zurück und mich dort herausfüttern, bis ich wieder ganz gesund bin.«

Daylight blieb noch ein paar Tage, sammelte neue Kräfte und traf seine einfachen Vorbereitungen. Er gedachte, wie die Indianer mit leichtem Gepäck zu reisen und jeden seiner Hunde dreißig Pfund tragen zu lassen. Im Vertrauen auf Ladues Bericht wollte er Bob Hendersons Beispiel folgen und ausschließlich von Fleisch leben. Als Jack Kearns' Schute, mit der Sägemühle von Linderman-See beladen, bei Sixty Mile anlegte, brachte Daylight schleunigst seine Ausrüstung und seine Hunde an Bord, überschrieb seine Grundstücke am Stewart Elijah, damit er sie einregistrieren lassen konnte, und landete noch am selben Tage an der Mündung des Indian-River.

Vierzig Meilen flußaufwärts, an der ihm als Quartz Creek beschriebenen Stelle, fand er Spuren von Bob Hendersons Tätigkeit. Eine Woche nach der andern verging jedoch, ohne daß Daylight den andern getroffen hätte. Dagegen traf er Elche in großen Mengen, und er wie seine Hunde gediehen prächtig bei der reichen Kost. Er fand Gold, wenn auch nicht sehr viel, und das reichliche Vorhandensein verstreuten Goldstaubes im Schlamm und auf dem Grunde vieler Bäche überzeugte ihn mehr als je, daß grobes Gold in großen Mengen da war und nur darauf wartete, gehoben zu werden. Oft suchte sein Blick die Hügelreihen im

Norden, und er grübelte darüber, ob das Gold wohl dorther käme. Zuletzt folgte er dem Lauf des Dominion Creek bis zur Quelle, überschritt die Wasserscheide und kam an den Nebenfluß des Klondike, der später den Namen Hunter Creek erhalten sollte. Wenn er bei der Wasserscheide weitergegangen wäre und die hohe Bergkuppel rechts gelassen hätte, so würde er nach Gold Bottom gelangt sein und Bob Henderson dabei gefunden haben, wie er das erste Gold in größeren Mengen auswusch, als je bis dahin am Klondike gefunden worden war. Statt dessen setzte Daylight aber seinen Weg den Hunter aufwärts zum Klondike fort, bis er an das Sommerfischerlager der Indianer am Yukon kam. Hier machte er einen Tag bei Carmack, der mit einer Indianerin verheiratet war, und seinem Schwager Skookum Jim halt, kaufte ein Boot und ließ sich mit seinen Hunden den Yukon hinunter bis nach Forty Mile treiben. Es war gegen Ende August, die Tage begannen kürzer zu werden, der Winter näherte sich. Immer noch glaubte er felsenfest, daß im Oberland Gold zu finden wäre, und gedachte mit fünf, sechs Mann, und wenn das nicht möglich war, wenigstens mit einem Partner den Fluß hinaufzufahren, ehe er zufror, um im Winter Untersuchungen anzustellen. Aber die Männer in Forty Mile hatten kein Vertrauen zu seinem Plan und begnügten sich mit den Minen im Westen.

Da kamen Carmack, sein Schwager Skookum Jim und ein anderer Indianer namens Cultus Charlie in einem Kanu nach Forty Mile, gingen sofort zum Registrator und ließen sich drei Claims und einen Entdeckerclaim am Bonanza Creek einregistrieren. Und am selben Abend zeigten sie der ungläubigen Versammlung im Sourdough Saloon Goldkörner. Man grinste und schüttelte die Köpfe. Wußte man doch, wie so etwas in Szene gesetzt wurde. Es war ein zu offensichtlicher Trick von Harper und Joe Ladue, die auf diese Weise Menschen in die Nähe ihrer Grundstücke und ihrer Poststation locken wollten. Und wer war Carmack? Ein Squawmann. Hatte man je gehört, daß der Mann einer Indianerin etwas geleistet hatte? Und was war Bonanza Creek? Nichts als eine Elchweide an der Mündung des Klondike und seit alters her bekannt unter dem Namen Rabbit Creek. Würden Daylight und Bob Henderson sich Claims einregistrieren lassen und Goldkörner gezeigt haben, so hätte man doch gewußt, daß etwas an der Sache war. Aber Carmack, der Squawmann! Und Skookum Jim! Und Cultus Charlie! Nein, nein, das war denn doch zuviel verlangt.

Selbst Daylight war skeptisch, und das trotz seines Glaubens an das Oberland. Hatte er nicht erst vor wenigen Tagen Carmack gesehen, wie er sich mit seinen Indianern herumtrieb, ohne auch nur im entferntesten ans Goldsuchen zu denken? Aber um elf Uhr am selben Abend, als er auf seinem Bettrand saß und sich die Mokassins aufschnürte, kam ihm plötzlich ein Gedanke. Er zog seine Jacke an, setzte seinen Hut auf und ging in die Gaststube. Carmack war noch da und zeigte immer noch der ungläubigen Menge sein Gold. Daylight ging hin, nahm Carmacks Beutel und entleerte ihn in einem Schmelztiegel. Er untersuchte lange. Dann nahm er einen anderen Schmelztiegel, schüttelte ein paar Unzen von Circle City und Forty Mile aus seinem eigenen Beutel hinein. Wieder untersuchte er es lange und verglich beides miteinander. Schließlich steckte er sein eigenes Gold wieder in die Tasche, gab Carmack das seine zurück und hob die Hand, um Schweigen zu gebieten.

»Jungens, ich will euch was erzählen«, sagte er. »Er ist da – der große Fund oben am Fluß. Und ich sag' euch mit reinen Worten: Gold wie dies ist noch nie in einem Schmelztiegel hier im Land gewesen. Es ist neues Gold. Es ist mehr Silber drin. Ihr könnt es an der Farbe sehen. Carmack hat Gold gefunden, das ist sicher. Wer getraut sich, mit mir zu gehen?«

Keiner wollte. Statt dessen erklangen Gelächter und höhnische Zurufe.

»Du hast wohl selbst Grundstücke da oben«, meinte einer.

»Allerdings«, lautete die Antwort. »Und außerdem ein Drittel von Harpers und Ladues Grundstücken. Und ich seh' schon im Geist, wie ich meine Eckgrundstücke für viel mehr verkaufe, als ihr je verdient habt mit eurer Buddelei am Birch Creek.«

»Das mag schon richtig sein, Daylight«, warf Curly Parson beruhigend ein. »Du hast einen guten Namen, und wir wissen, daß man sich auf dich verlassen kann. Aber du kannst dir ebenso gut wie ein anderer von diesen Taugenichtsen etwas aufbinden lassen. Ich frage dich geradeheraus: Wann hat Carmack das hier gesucht? Du hast ja selbst gesehen, wie er sich im Lager herumtrieb und mit seinen Siwash-Verwandten Lachse fischte, und das erst vor ein paar Tagen.«

»Und doch hat Daylight die Wahrheit gesprochen«, fiel Carmack ihm heftig ins Wort. »Und es ist Wahrheit, was ich sage, die reine Wahrheit. Ich habe gar nicht ans Goldsuchen gedacht. Aber wer kommt am selben Tage, als Daylight abreiste? Bob Henderson. Mit einem großen Floß mit Proviant und allem möglichen. Er wollte nach Sixty Mile hinunter. Und dann wollte er zurück und den Indian-River hinauf mit Proviant über die Wasserscheide zwischen Quartz Creek und Gold Bottom –«

»Wo, zum Teufel, ist Gold Bottom?« fragte Curly Parson.

»Drüben auf der anderen Seite von Bonanza – der frühere Rabbit Creek«, fuhr der Squawmann fort. »Es ist der Lauf eines großen Flusses, der in den Klondike fließt. Auf dem Wege stieg ich hinauf, aber zurück ging ich über die Wasserscheide und hielt mich einige Meilen auf dem Kamme, bis ich nach Bonanza kam. ›Komm mit, Carmack, und steck das Land ab‹, sagte Bob Henderson zu mir. ›Diesmal hab' ich Gold gefunden in Bottom. Fünfundvierzig Unzen hab' ich schon herausgeholt.‹ Und ich ging mit, und Skookum Jim und Cultus Charlie auch. Und wir haben alle am Gold Bottom Land abgesteckt. Ich kam über Bonanza zurück, um zu sehen, ob keine Elche zu finden waren. Ganz unten bei Bonanza machten wir halt und kochten ab. Ich lege mich schlafen, und was macht Skookum Jim? Fängt auf eigene Faust an, Gold zu graben. Er hatte es Henderson abgesehen, wißt ihr. Geht zum Fuß einer Birke, füllt die Pfanne mit Schlamm, und als er ihn ausgewaschen hat, hat er für einen Dollar Goldkörner. Da weckte er mich, und ich machte mich auch an die Arbeit. Beim ersten Versuch kriegte ich zweieinhalb. Da nannte ich den Bach ›Bonanza‹, steckte den Boden ab, und wir kamen her, um ihn einregistrieren zu lassen.«

Er blickte eifrig von einem zum andern, ob er Glauben finden würde, aber seine Augen trafen nur ungläubige Gesichter – mit der einzigen Ausnahme von Daylight, der ihn während seiner Erzählung scharf beobachtet hatte.

»Wieviel haben Harper und Ladue dir gegeben, damit du einen Massenzustrom machst?« fragte einer.

»Sie wissen gar nichts davon«, antwortete Carmack. »Ich sag' euch, es ist die reine Wahrheit. Ich hab' drei Unzen in einer Stunde ausgewaschen.«

»Und hier ist das Gold«, sagte Daylight. »Ich sag' euch, Jungens, es ist noch nie solches Gold in eurer Pfanne gewesen. Seht euch die Farbe an.«

»Eine Kleinigkeit dunkler«, sagte Curly Parson.

»Carmack hat wohl zufällig ein paar Silberdollar im selben Beutel gehabt. Und wenn wirklich etwas an der Sache ist, warum kommt Bob Henderson dann nicht Hals über Kopf, um einregistrieren zu lassen?«

»Er ist oben am Gold Bottom«, erklärte Carmack. »Wir machten den Fund auf dem Rückwege.«

Von neuem lohnte ihn schallendes Gelächter.

»Wer von euch will sich mit mir zusammentun und morgen in einem Boot mit mir nach diesem Bonanza fahren?« fragte Daylight.

Keiner wollte.

»Wer will mir einen Gefallen tun und tausend Pfund Proviant gegen Vorausbezahlung für mich hinauffahren?«

Curly Parson und ein anderer, Pat Monaham, erboten sich, und mit gewohnter Entschlossenheit bezahlte Daylight ihnen sofort ihren Lohn und ordnete alles bezüglich der Einkäufe an, obgleich er seinen Beutel dazu leeren mußte. Er wollte das Lokal verlassen, kehrte aber an der Tür plötzlich um und trat wieder an den Schanktisch.

»Noch eine Chance?« wurde er gefragt.

»Allerdings«, antwortete er. »Mehl wird in diesem Winter am Klondike sicher steigen, so daß man jeden Preis dafür zahlen wird. Wollt ihr mir etwas Geld leihen?«

Augenblicklich drängte sich ein Dutzend der Männer, die sich geweigert hatten, ihn zu begleiten, um ihn und streckten ihm ihre Beutel hin.

»Wieviel Mehl brauchen Sie?« fragte der Geschäftsführer der Alaska Commercial Company.

»Ungefähr zwei Tonnen.«

Die ausgestreckten Beutel wurden nicht zurückgezogen, obgleich ihre Besitzer sich eines äußerst kränkenden Heiterkeitsausbruches schuldig machten.

»Was wollen Sie mit zwei Tonnen machen?« fragte der Geschäftsführer.

»Mein Sohn«, lautete Daylights Erwiderung. »Sie sind noch nicht lange genug im Lande, um alle seine Buchten zu kennen. Ich will eine Sauerkraut- und Haarwasserfabrik gründen.«

Er lieh sich Geld von allen Seiten und engagierte und bezahlte sechs weitere Männer zum Transport des Mehles.

Wieder war sein Beutel leer, und er steckte bis über die Ohren in Schulden.

Curly Parson legte mit einer verzweifelten Handbewegung den Kopf auf den Schanktisch.

»Großer Gott«, meinte er. »Was willst du bloß mit all dem Zeugs machen?«

»Das ist einfach wie das Abc und das Einmaleins, sag' ich euch!« Daylight hob einen Finger und begann abzuzählen. »Chance Nummer eins: ein großer Goldfund im Oberland. Chance Nummer zwei: Carmack hat ihn schon gemacht. Chance Nummer drei: Es ist gar keine Chance, sondern eine sichere Sache. Wenn eins und zwei stimmen, dann muß das Mehl mächtig im Preise steigen. Wenn ich mich auf Nummer eins und zwei einlasse, muß ich auch Nummer drei, die sichere Sache, machen. Wenn ich recht habe, ist Mehl in diesem Winter nicht mit Gold aufzuwiegen. Ich sag' euch, Jungens, wenn ihr eine Chance spürt, dann sollt ihr sie ausnutzen, so gut ihr könnt. Wozu ist das Glück gut, wenn man's nicht benutzt? Und wenn ihr euch mit so was abgebt, dann müßt ihr's auch gründlich, zum Donnerwetter. Ich bin seit Jahren im Lande und hab' die ganze Zeit nur auf die richtige Chance gewartet. Und nun ist sie da. Schön, ich will sie ausnutzen, das ist alles. Gute Nacht, Jungens.«

Dennoch glaubte man noch nicht recht an den großen Goldfund. Als Daylight mit seinem Mehlvorrat an der Mündung des Klondike eintraf, fand er die weite Ebene so öde und verlassen wie je. Unten am Flusse hatten der Häuptling Isaac und seine Indianer neben den Gerüsten, auf denen sie Lachse dörrten, ihr Lager aufgeschlagen. Auch mehrere von den alten Jungens hatten sich dort niedergelassen. Nachdem sie ihre Sommerarbeit am Ten Mile Creek beendet hatten, waren sie den Yukon hinuntergefahren, um sich nach Circle City zu begeben. In Sixty Mile hatten sie jedoch auf die Nachricht von dem Funde haltgemacht, um sich die Sache näher anzusehen. Sie waren gerade zu ihrem Boot zurückgekehrt, als Daylight sein Mehl landete, und ihr Bericht lautete pessimistisch.

»Verfluchte Elchweide!« sagte einer von ihnen, der lange Jim Harvey, und machte eine Pause, um in seine blecherne Teetasse zu blasen. »Gib dich nicht damit ab, Daylight. Es ist gemeiner Schwindel. Sie tun nur so, als ob sie was gefunden hätten. Harper und Ladue stehen dahinter, und Carmack ist nur der Lockvogel. Wer hätte je gehört, daß man Gold findet auf einer Elchweide zwischen Randbergen und einer Felsunterlage, die Gott weiß wie tief liegt.«

Daylight nickte zustimmend und bedachte sich dann einen Augenblick.

»Hast du versucht, zu waschen?« fragte er schließlich.

»Den Deubel habe ich gewaschen!« war die entrüstete Antwort. »Meinst du, ich bin von gestern? Nur ein verrückter Chechaquo bringt es fertig, so lange hier herumzulaufen, bis er eine Pfanne mit Dreck gefüllt hat. Für solche Narrenpossen bin ich nicht zu haben. Ein Blick hat mir genügt. Morgen früh fahren wir nach Circle City. Ich hab' übrigens nie viel Vertrauen zum Oberland gehabt. Die Tananaquelle genügt mir, und merk' dir, was ich sage: Wenn der große Fund gemacht wird, dann geschieht es ganz unten am Flusse. Johnny hat ein paar Meilen weiter abwärts Land abgesteckt, aber er ist nun auch nicht gerade ein großes Licht.«

Johnny machte ein verlegenes Gesicht.

»Ich hab's nur aus Spaß getan«, erklärte er. »Aber ich will meine Chance für ein Pfund Sterntabak verkaufen.«

»Das geb' ich dir«, sagte Daylight rasch. »Aber beklag' dich nicht hinterher, wenn ich zwanzig- und dreißigtausend heraushole.«

Johnny grinste vergnügt.

»Gib mir den Tabak«, sagte er.

»Ich wollte, ich hätte mir ein Stück daneben abgesteckt«, murmelte der lange Jim bedauernd.

»Es ist noch nicht zu spät«, erwiderte Daylight.

»Aber es sind zwanzig Meilen hin und zurück.«

»Wenn ich morgen hinaufkomme, werde ich es für dich abstecken«, erbot sich Daylight. »Du kannst es ja dann ebenso machen wie Johnny. Die Bezahlung kannst du dir von Tim Logan geben lassen. Er ist der Wirt vom Sourdough-Saloon und leiht es mir gern. Stellt die Papiere auf euren Namen aus, übertragt sie auf mich und gebt sie Tim in Verwahrung.«

»Ich bin auch dabei«, fiel der dritte ein.

Und für drei Pfund Sterntabak kaufte Daylight dreimal fünfhundert Fuß Boden am Bonanza. Dazu konnte er noch einen Claim auf seinen eigenen Namen abstecken, da die andern nur übertragen waren.

»Ich muß schon sagen, du bist mächtig flott mit deinem Kautabak«, grinste der lange Jim. »Du hast wohl irgendwo eine Fabrik?«

»Nee, aber eine Chance«, lautete die Antwort. »Und das sag' ich euch, Jungens, drei Pfund Tabak dafür ist billiger als Dreck.«

Als er jedoch eine halbe Stunde später in seinem eigenen Lager war, kam Joe Ladue, frisch vom Bonanza Creek, herein. Zuerst wollte er sich nicht über Carmacks Fund äußern, dann stellte er sich zweifelnd, und schließlich bot er Daylight hundert Dollar für seinen Anteil.

»Bar?« fragte Daylight.

»Selbstverständlich, da sind sie.«

Mit diesen Worten zog Ladue seinen Goldbeutel heraus. Daylight hob ihn in Gedanken auf, öffnete ihn, immer noch in Gedanken, und ließ etwas Goldstaub über seine Hand rinnen. Er war dunkler als irgendwelcher Goldstaub, den er je gesehen, bis auf Carmacks. Er schüttete das Gold zurück, schloß den Beutel und gab ihn Ladue zurück.

»Ich vermute, du hast es nötiger als ich«, bemerkte Daylight.

»Nee, ich kann mehr kriegen«, meinte der andere.

»Wo kommt's denn her?«

Daylight war die Unschuld selbst, als er die Frage stellte, und Ladue hörte sie unerschütterlich wie ein Indianer an. Doch einen kurzen Augenblick sahen sie sich in die Augen, und in diesem Augenblick schien etwas Ungreifbares von Joe Ladues Körper und Geist auszugehen.

Und es schien Daylight, als hätte er diesen Schimmer gefangen und ein geheimnisvolles Etwas in dem Wissen und den Plänen hinter den Augen des andern gespürt.

»Du weißt natürlich besser Bescheid als ich«, fuhr Daylight fort. »Und wenn mein Anteil für dich hundert Dollar wert ist, so ist er für mich ebensoviel wert, ob ich nun Bescheid weiß oder nicht.«

»Ich geb' dir dreihundert!« bot Ladue, der jetzt die Besinnung verlor.

»Das ändert nichts für mich. Was du bietest, ist es für mich auch immer wert.«

Da kapitulierte Joe Ladue ganz ohne Scham. Er führte Daylight beiseite und gab ihm vertraulich verschiedene Aufklärungen.

»Die Sache ist sicher«, sagte er schließlich. »Ich habe es weder geschleust noch gewiegt. Alles, was in diesem Beutel ist, hab' ich gestern auf den Randfelsen ausgewaschen. Ich sag' dir, man kann's aus den Graswurzeln herausschütteln. Und was auf der Felsenunterlage unten im Flußbett liegt, ist gar nicht zu sagen. Halt den Mund und verschaff dir so viel Claims, wie du kannst. Es liegt in Flecken verstreut da, aber ich würde nicht überrascht sein, wenn einige von den Claims fünfzigtausend brächten. Das einzig Unangenehme ist, daß es so verstreut liegt.«

Ein Monat verging, und immer noch war Bonanza Creek ruhig. Ganz vereinzelt hatten Leute sich Claims abgesteckt, waren dann aber meist nach Forty Mile und Circle City weitergereist. Die wenigen, die Vertrauen genug besaßen, um zu bleiben, waren damit beschäftigt, sich Blockhütten für den kommenden Winter zu errichten. Carmack und seine indianischen Verwandten waren dabei, einen Schleusenkasten zu bauen und einen Kanal hinzuleiten. Die Arbeit ging nur langsam vonstatten, denn sie mußten selbst mit der Hand die Bretter im Walde sägen. Aber weiter abwärts am Bonanza waren vier Männer, die vom oberen Lauf des Flusses gekommen waren, Dan McGilvary, Dave McKay, Dave Edward und Harry Waguh, ruhige Leute, die weder fragten noch sprachen und sich ganz für sich hielten. Aber Daylight, der den Kies am Rande von Carmacks Claim ausgewaschen und Goldkörner von den Graswurzeln geschüttelt und darauf an vielen anderen Stellen den Kies mit der Wiege ausgewaschen und nichts gefunden hatte, war neugierig, was auf der Felsunterlage zu finden war. Er hatte bemerkt, daß die vier ruhigen Leute dicht am Flusse einen Schacht gruben, und er hatte gehört, wie sie Bretter für ihre Schleusenkästen gesägt hatten. Er wartete keine Einladung ab, sondern stellte sich daneben, als sie am ersten Tage schleusten. Und als ein Mann fünf Stunden geschaufelt hatte, sah er, wie sie dreizehn und eine halbe Unze Gold herausholten. Es war grobes Gold, von Stecknadelkopfgröße bis zu Klumpen im Werte von zwölf Dollar, direkt von der Felsunterlage. Das war der große Fund. Carmacks Sache war gesichert. Daylight steckte einen Claim in seinem eigenen Namen neben den dreien ab, die er für seinen Kautabak gekauft hatte. Dadurch erhielt er ein Stück Boden, das zweitausend Fuß lang war und sich in der Breite von einem Randfelsen zum anderen erstreckte. Der erste Schnee war an diesem Tage gefallen, und der arktische Winter senkte sich über das Land, aber Daylight hatte keine Augen für die trübe Stimmung, die über den letzten Stunden des kurzen Sommers ruhte. Er sah seinen Traum in Erfüllung gehen und seine goldene Schneestadt auf der weiten Fläche erstehen. Auf der Felsunterlage war Gold gefunden worden. Es war der große Fund.

Als er an diesem Abend zu seinem Lager an der Klondike-Mündung zurückkehrte, fand er Kama vor, den Indianer, den er in Dyea zurückgelassen hatte. Kama hatte mit einem Kanu die letzte Post des Jahres gebracht. Er besaß ein paar hundert Dollar in Goldstaub, die Daylight sich sofort von ihm lieh. Dagegen versprach er ihm, einen Claim für ihn abzustecken, den er einregistrieren wollte, wenn er Forty Mile passierte.

Als Kama am nächsten Tage aufbrach, gab Daylight ihm eine Anzahl Briefe an die alten Jungens am unteren Flußlauf mit, in denen er sie aufforderte, sofort zu kommen und sich Land abzustecken. Kama hatte von den anderen Männern in Bonanza Briefe mit ähnlichem Inhalt bekommen.

»Das wird ein Zustrom, wie man ihn noch nie gesehen hat«, lachte Daylight, und er stellte sich vor, wie die aufgeregte Bevölkerung von Forty Mile und Circle City sich in die Boote werfen und in voller Fahrt die Hunderte von Meilen den Yukon hinauffahren würde, denn er wußte, daß man seinen Worten Glauben schenkte.

Als die ersten eintrafen, erwachte Bonanza Creek, und nun begann ein wahrer Wettlauf zwischen Lüge und Wahrheit, bei dem auch die stärksten Lügner immer wieder von der Wahrheit geschlagen wurden. Wenn Leute, die Carmacks Worte bezweifelten, daß er zweieinhalb Unzen in der Pfanne gefunden hatte, selbst zweieinhalb fanden, so logen sie und sagten, sie hätten eine Unze gefunden. Und ehe die Lüge noch recht in Umlauf gekommen war, hatten sie nicht eine, sondern fünf Unzen gefunden. Dann sprachen sie von zehn Unzen; wenn sie aber zum Beweis eine Pfanne auswuschen, so hatten sie zwölf darin. Und so ging es weiter. Sie logen getrost weiter, aber die Wahrheit blieb ihnen immer eine Länge voraus.

Eines Tages im Dezember füllte Daylight eine Pfanne von der Felsunterlage seines eigenen Claims und trug sie in seine Hütte. Hier brannte ein Feuer, so daß das Wasser in seinem Leinenbehälter nicht gefror. Er hockte sich neben den Behälter nieder und begann zu waschen. Erde und Schlamm schienen die Pfanne zu füllen. Als er sie in einem Kreise bewegte, schwappten die leichten gröberen Teile über den Rand. Hin und wieder kämmte er die Oberfläche mit den Fingern und schöpfte ganze Hände voll Schlamm heraus. Der Inhalt verminderte sich beständig. Als er sich dem Boden näherte, gab er der Pfanne einen plötzlichen Stoß, so daß das ganze Wasser herausfloß. Der ganze Boden sah aus, als wäre er von Butter bedeckt. So schimmerte das gelbe Gold. Es war Gold – Goldstaub, grobes Gold, Goldkörner, Klumpen. Er war ganz allein. Er setzte die Pfanne einen Augenblick nieder und dachte an vielerlei. Dann wusch er zu Ende und wog die Ausbeute in seiner Waage. Nach der gewöhnlichen Berechnung von sechzehn Dollar die Unze enthielt die Pfanne für reichlich siebenhundert Dollar Gold. Das übertraf seine kühnsten Träume. Er hatte erst gedacht, daß er zwanzig- oder dreißigtausend Dollar aus jedem Claim herausholen könnte, aber hier waren Claims, die wenigstens eine halbe Million wert waren, wenn auch das Gold in Flecken verstreut lag. An diesem Tage kehrte er nicht zum Schacht zurück, auch nicht am zweiten oder am dritten. Statt dessen zog er in leichter Ausrüstung, seinen Kaninchenfellschlafsack auf den Rücken geschnallt, aus, wanderte viele Tage hindurch und untersuchte das ganze benachbarte Gebiet. Er hatte das Recht, sich an jedem Wasserlauf einen Claim zu sichern, war aber zu vorsichtig, um sich seine Chancen auf diese Weise zu begrenzen. Nur am Hunter Creek steckte er sich einen Grund ab. Den Bonanza Creek fand er von der Mündung bis zur Quelle abgesteckt, und dasselbe war der Fall mit jedem Bach und jeder Rinne, die in ihn mündete. Man hatte nicht viel Zutrauen zu diesen kleinen Wasserläufen. Sie waren von den Hunderten von Männern abgesteckt, die zu spät zum Bonanza gekommen waren. Der beliebteste dieser Bäche war der Adams. Am wenigsten hielt man vom Eldorado, der oberhalb von Carmacks Claim in den Bonanza floß. Selbst Daylight glaubte nicht recht an Eldorado, kaufte aber doch einen halben Claimanteil für einen halben Sack Mehl. Einen Monat später bezahlte er achthundert Dollar für den anstoßenden Claim. Drei Monate darauf erweiterte er wiederum seinen Besitz und bezahlte vierzigtausend für einen dritten Claim, und noch später – aber das lag noch im Schoße der Zukunft – sollte er hundertundfünfzigtausend für einen dritten an dem Creek bezahlen, der ursprünglich von allen am wenigsten gegolten hatte.

Seit dem Tage jedoch, da er die siebenhundert Dollar aus einer einzigen Pfanne gewaschen und große Gedanken gehabt hatte, rührte er nie wieder Schaufel oder Hacke an. Wie er zu Joe Ladue am Abend nach diesem wunderbaren Ereignis sagte:

»Joe, die Arbeit mit den Händen ist zu Ende. Jetzt fange ich an, mein Gehirn zu gebrauchen. Ich will Gold bauen. Gold wird Gold zeugen, wenn man nur den Kopf am rechten Platze und genügend zur Aussaat hat. Als ich die siebenhundert Dollar auf dem Boden meiner Pfanne sah, da wußte ich, daß ich endlich Saatgut genug hatte.«

»Und wo willst du aussäen?« fragte Joe Ladue.

Und Daylight hatte mit einer Handbewegung auf das ganze Land gezeigt, das um sie her lag, und auf die Flüsse und Bäche jenseits der Wasserscheide.

»Dort«, sagte er, »und ihr sollt sehen, wie es geht. Für den, der Augen hat, liegen Millionen hier. Und ich hab' sie gesehen, als die siebenhundert Dollar aus dem Boden meiner Pfanne hervorguckten und flüsterten: ›Na, endlich ist Burning Daylight da.‹«

War Burning Daylight in früheren Tagen von dem großen Goldfunde Carmacks der Held von Yukon gewesen, so wurde er jetzt der Held des großen Fundes. Weit und breit erzählte man sich die Geschichte seiner Chance und wie er sie verfolgt hatte. Er hatte sie gut ausgenutzt, denn die fünf Glücklichsten besaßen zusammen nicht so viel Claims wie er. Und er verfolgte seine Chance immer weiter, ohne daß sein Glück ihn verließ. Die Klugen schüttelten den Kopf und prophezeiten, daß er jede Unze, die er gewonnen hatte, wieder verlieren würde. Er handelte, behaupteten sie, als bestände das ganze Land aus Gold, und keiner könnte gewinnen, der es so machte wie er.

Andererseits berechnete man den Wert seiner Claims auf Millionen, und manche hielten die für verrückt, die gegen Daylight wetteten. Hinter seiner prachtvollen Freigebigkeit und sorglosen Gleichgültigkeit in Geldsachen lagen eine gesunde, praktische Urteilskraft, Phantasie und die Kühnheit des großen Spielers. Er sah voraus, was er nie mit eigenen Augen gesehen hatte, und spielte so, daß er entweder viel gewinnen oder alles verlieren mußte.

»Es ist zuviel Gold hier in Bonanza«, behauptete er, »als daß es nur eine ›Tasche‹ sein sollte. Es muß bestimmt von einer Mutterader irgendwo herkommen, und andere Creeks werden das beweisen. Behaltet den Indian-River im Auge. Die Bäche, die auf der anderen Seite der Wasserscheide hineinfließen, können ebenso gut Gold führen wie die hier.«

Und er glaubte so fest an diese Theorie, daß er ein halbes Dutzend Expeditionen ausrüstete, um die Gegend um den Indian-River, jenseits der großen Wasserscheide, zu untersuchen. Andere Männer, die selbst nicht das Glück gehabt hatten, sich Claims an den guten Flüssen abzustecken, ließ er auf seinen Bonanza-Claims arbeiten. Er bezahlte sie gut – sechzehn Dollar täglich für die Achtstundenschicht –, und er arbeitete in drei Schichten. Er hatte Proviant genug, um die Sache in Gang zu bringen, und als die »Bella« mit Vorräten beladen landete, überließ er Jack Kearns ein Grundstück zur Errichtung eines Warenhauses gegen die Verpflichtung, alle seine Leute den Winter 1896 über mit Proviant zu versorgen. Als zudem eine Hungersnot ausbrach und das Mehl für zwei Dollar das Pfund verkauft wurde, konnte Daylight doch ständig die drei Schichten auf seinem Bonanza Creek arbeiten lassen. Andere Minenbesitzer zahlten ihren Leuten fünfzehn Dollar täglich, aber er war der erste gewesen, der andere für sich arbeiten ließ, und hatte ihnen von Anfang an eine ganze Unze täglich bezahlt. Der Erfolg war, daß er nur ausgesuchte Männer hatte, die mehr herausholten als ihren hohen Lohn.

Eines seiner wildesten Spiele fand im Frühwinter statt, als eben alles zugefroren war. Hunderte von Neuankömmlingen waren, nachdem sie ihre Claims anderswo am Bonanza abgesteckt hatten, gekränkt den Fluß hinunter nach Forty Mile und Circle City gereist. Daylight nahm bei der Alaska Commercial Company eine Anleihe auf einen seiner Bonanza-Claims auf und steckte ein Akkreditiv in die Tasche. Dann spannte er seine Hunde vor den Schlitten und fuhr mit einer Schnelligkeit, wie nur er sie kannte, über das Eis hinab. Ein Indianer auf der Hinfahrt, einer auf der Rückfahrt und vier Gespanne Hunde waren sein Verbrauch auf dieser Reise. Und in Forty Mile und Circle City kaufte er haufenweise Claims. Wie sich später zeigte, waren viele von ihnen ganz wertlos, aber andere gaben noch verblüffendere Ergebnisse als die am Bonanza. Er kaufte rechts und links und zahlte alle möglichen Preise von fünfzig Dollar bis fünftausend. Dies war der höchste Preis, den er bezahlte, und das betreffende Geschäft wurde im Tivoli abgeschlossen. Es war ein Claim am oberen Eldorado; als er abgeschlossen hatte, erhob sich Jacob Wilkins, einer von den Alten, der gerade von einer Besichtigung der Elchweiden zurückgekehrt war, und verließ den Raum mit den Worten:

»Ich kenne dich nun seit sieben Jahren, Daylight, und ich hab' dich immer für einen vernünftigen Menschen gehalten. Aber jetzt läßt du dich regelrecht ausplündern. Das ist ja der reine Straßenstaub. Fünftausend für einen Claim in der verfluchten Elchgegend, das ist Schwindel. Das kann ich nicht mit ansehen, wie du dich beschwindeln läßt.«

»Und ich sage dir, Wilkins«, erwiderte Daylight, »Carmacks Fund ist so groß, daß wir ihn noch gar nicht übersehen können. Es ist die reine Lotterie. Jeder Claim, den ich kaufe, ist ein Los. Und es gibt sicher mächtige Gewinne.«

Jacob Wilkins, der in der offenen Tür stehengeblieben war, schnaufte ungläubig.

»Gesetzt, Wilkins«, fuhr Daylight fort, »gesetzt, ihr wüßtet, daß es Suppe regnen würde. Was würdet ihr tun? Löffel kaufen, klar. Schön, ich kaufe Löffel. Es wird Suppe regnen in Klondike, und wer Gabeln hat, kriegt nichts ab.«

Aber jetzt schlug Wilkins die Tür hinter sich zu, und Daylight schloß den Kauf des Claims ab.

Als er wieder nach Dawson zurückgekehrt war, arbeitete er wie nie zuvor in seinem Leben, obwohl er seinem Wort, weder Hacke noch Schaufel je wieder anzurühren, treu blieb. Er hatte tausend Eisen im Feuer, und die hielten ihn in Atem. Er mußte oft nach den verschiedenen Flüssen und Bächen reisen, um zu entscheiden, welche Claims er abstoßen und welche er behalten sollte. Ehe er nach Alaska kam, hatte er in Quarzminen gearbeitet, und er träumte davon, die Mutterader zu finden. Ein Goldwäscherlager, das wußte er, war vergänglich, aber ein Quarzlager behielt seinen Wert. Er schickte Männer in die Berge, die monatelang nach der Mutterader suchten. Aber sie wurde nie gefunden, und viele Jahre später schätzte er, daß ihn das Suchen fünfzigtausend Dollar gekostet hatte.

Aber er spielte hoch. Waren seine Ausgaben groß, so waren seine Einnahmen noch größer. Er nahm alles mit, kaufte halbe Anteile, teilte mit den Männern, die er verproviantierte, und nahm selbst Ortsuntersuchungen vor. Tag und Nacht waren seine Hunde bereit; er besaß die schnellsten Gespanne, so daß er immer unter den ersten war, wenn ein neuer Fund gemacht wurde. Er fuhr in den längsten und kältesten Nächten, bis er seine Pfähle zunächst dem Entdeckerplatze angebracht hatte. Jedenfalls kam er in den Besitz von Claims an allen guten Flüssen, gar nicht zu reden von vielen wertlosen, und so besaß er Gründe am Sulphur, am Dominico und Excelsis, am Siwash, am Cristo, Alhambra und am Doolittle. Die Tausende, die er hinauswarf, kamen in Zehntausenden zurück. Die Leute von Forty Mile erzählten die Geschichte von seinen zwei Tonnen Mehl und berechneten, was sie ihm eingebracht hatten; es mußte zwischen einer halben und einer Million sein. Eines wußte man ganz sicher, daß der Eldorado-Claim, den er für einen halben Sack Mehl gekauft hatte, heute fünfhunderttausend wert war. Andererseits wurde erzählt, daß er der Tänzerin Freda, die in einer Petersboroughjolle von der anderen Seite der Pässe kam und tausend Dollar für zehn Sack Mehl bot, aber niemand finden konnte, der es ihr verkaufen wollte, das Mehl als Geschenk schickte, ohne sie auch nur sehen zu wollen. Ebenso sandte er dem einsamen katholischen Geistlichen, der im Begriff war, das erste Hospital zu errichten, zehn Sack. Seine Freigebigkeit war zügellos. Manche nannten sie wahnsinnig. Es war ja auch der reine Wahnsinn, einer Tänzerin und einem Pfaffen zwanzig ganze Säcke zu schenken, wenn ein Sack Mehl ihm eine halbe Million einbrachte. Aber das war nun einmal seine Art. Geld bedeutete ihm nicht mehr als Spielmarken. Nur das Spiel hatte Wert für ihn. Der Besitz von Millionen bewirkte keine Veränderung bei ihm, nur betrieb er das Spiel noch leidenschaftlicher. Von seltenen Gelegenheiten abgesehen, war er immer mäßig gewesen, aber jetzt, da er in der Lage war, sich jeden Tag Spirituosen in unbegrenzten Mengen zu verschaffen, trank er noch weniger. Die durchgreifendste Veränderung war, daß er, außer auf Schlittenreisen, nicht mehr selbst kochte. Ein verkrachter Minenarbeiter hauste mit ihm in seiner Blockhütte und kochte für ihn. Aber es war dasselbe Essen: Speck, Bohnen, Mehl, Pflaumen, Dörrobst und Reis. Auch seine Kleidung war immer noch die gleiche: Überziehhosen, lange Strümpfe, Mokassins, Flanellhemd, Pelzmütze und ein wollener Rock. Zigarren, von denen die billigsten einen halben oder einen Dollar das Stück kosteten, rauchte er nicht. Er begnügte sich mit Zigaretten aus Bull-Durham-Tabak und braunem Papier, die er sich selbst drehte. Es ist wahr, daß er mehr Hunde hielt als andere und riesige Preise für sie bezahlte. Aber das war kein Luxus, sondern Geschäft. Seine Fahrten und Reisen erforderten Eile. Und nur, um Zeit zu sparen, nahm er sich einen Koch. Es wäre ein schlechtes Geschäft gewesen, Zeit zu verschwenden, wenn man um Millionen spielte.

In diesem Winter des Jahres 1896 wuchs Dawson mit reißender Schnelligkeit. Daylight verkaufte Grundstücke, und das Geld strömte ihm zu. Er legte es stets wieder an, so daß es noch mehr brachte. In der Tat spielte er das gefährliche Spiel, Unternehmen auf Unternehmen zu häufen, und das ist nirgends gefährlicher als in einem Goldsucherlager.

Aber er spielte mit offenen Augen.

»Wartet nur, Jungens, bis der Goldfund draußen bekanntgeworden ist«, sagte er zu seinen alten Freunden in der Wirtschaft »Zum Elchgeweih«. »Wartet nur bis zum Frühjahr, dann werdet ihr sehen, wie sie kommen. Erst eine Abteilung zum Sommer, wie sie standen und gingen, dann eine zum Herbst, schon besser ausgerüstet, und im nächsten Frühjahr wieder eine Abteilung von fünfzigtausend Mann. Vor lauter Chechaquos könnt ihr die Erde nicht mehr sehen. Und das ist erst der Anfang. Was wollt ihr machen?«

»Was willst du machen?« fragte einer seiner Freunde. »Nichts«, antwortete er. »Ich habe selbstverständlich schon meine Vorbereitungen getroffen. Ein Dutzend Leute habe ich den Yukon hinaufgeschickt, um für Bauholz zu sorgen. Wenn der Fluß aufbricht, sollt ihr Flöße zu sehen kriegen. Die Häuser? Die werden gerade so viel wert sein, wie die Leute im nächsten Herbst dafür zahlen können. Die Holzpreise werden bis in die Wolken steigen. Ich erwarte zwei Sägemühlen, die über die Pässe kommen, sobald die Seen eisfrei sind. Und wenn ihr glaubt, daß ihr Holz braucht, so will ich jetzt schon mit euch abschließen – dreihundert Dollar für tausend Stämme, roh.«

Gutgelegene Eckgründe wurden in diesem Winter für zehn- bis dreißigtausend Dollar verkauft. Daylight sandte den Neuankömmlingen über die Pässe Nachricht entgegen, daß sie Holz mitbringen sollten; infolgedessen arbeiteten seine Sägemühlen im Sommer Tag und Nacht in drei Schichten, und er behielt noch Holz genug übrig, um Blockhütten zu bauen. Diese Hütten wurden mit dazugehörigem Grundstück für ein bis mehrere tausend Dollar das Stück verkauft. Die eingehenden Gelder wurden sofort wieder in anderen Unternehmungen angelegt. Er wandte und drehte das Gold, bis alles, was er anfaßte, sich in Gold zu verwandeln schien.

Aber dieser erste wilde Winter nach Carmacks Fund lehrte Daylight vielerlei. Trotz seiner verschwenderischen Veranlagung verlor er nicht das Gleichgewicht. Er sah die wilde Vergeudung der neuen Millionäre und konnte sie durchaus nicht verstehen. Zwar widersprach es nicht seiner Natur und seinen Anschauungen, einmal alles auf eine Karte zu setzen und in einer Nacht durchzubringen. Das hatte er selbst in jener Pokernacht in Circle City getan, als er fünfzigtausend – alles, was er besaß – verlor. Aber die fünfzigtausend hatte er nur als den Beginn von etwas Größerem betrachtet. Wenn es um Millionen ging, dann war es etwas anderes. Ein solches Vermögen durfte man nicht auf den Boden der Wirtshäuser ausstreuen, wie die neuen Millionäre, die allen Sinn für die Wirklichkeit verloren hatten, es buchstäblich mit dem Inhalt ihrer Elchlederbeutel taten. MacMann zum Beispiel machte in einem Wirtshaus eine Zeche von dreißigtausend Dollar; und der grobe Jimmie brauchte hunderttausend monatlich, um vier Monate in Saus und Braus zu leben, bis er schließlich in einer Märznacht betrunken in den Schnee fiel und erfror; und Wasserfall-Bill, der drei wertvolle Claims mit seinen wahnsinnigen Ausschweifungen durchgebracht und sich dreitausend leihen mußte, um fortzukommen, hatte alle hundertundzehn Dutzend Eier, die der Markt von Dawson aufwies, für vierundzwanzig Dollar das Dutzend aufgekauft und dann seinen Wolfshunden vorgeworfen, nur weil eine junge Dame, die ihn genasführt, gerne Eier aß.

Champagner wurde zu vierzig und fünfzig Dollar die Flasche verkauft, Dosenaustern zu fünfzig Dollar. Daylight machte diesen Wahnsinn nicht mit. Er hatte nichts dagegen, die ganze Wirtsstube mit Whisky zu fünfzig Cent das Glas zu traktieren, aber irgendwo in seiner ausschweifenden Natur lehnte sich ein Sinn für Schicklichkeit und Rechenkunst dagegen auf, fünfzehn Dollar für den Inhalt einer Austerndose zu bezahlen. Andererseits gebrauchte er vielleicht mehr Geld, um Leuten zu helfen, die sich wirklich in Not befanden, als die neugebackenen Millionäre für ihre sinnlosen Ausschweifungen. Vater Judge am Hospital hätte von weit wertvolleren Geschenken als den ersten zehn Sack Mehl erzählen können. Aber fünfzig Dollar für eine Flasche Champagner! Das war unsinnig.

Und doch konnte er gelegentlich noch eines seiner alten, lärmenden Feste geben. Aber er tat es aus anderen Gründen. Man erwartete es von ihm, weil es so seine Art seit alters her gewesen. Und dann konnte er es sich leisten. Aber er machte sich nicht mehr soviel aus dieser Art Zerstreuung. Sein Machtgefühl hatte sich in einer anderen Richtung entwickelt. Es war zur Begierde geworden. Obgleich er bei weitem der reichste Minenbesitzer in Alaska war, wollte er doch noch reicher werden. Es war ein hohes Spiel, das er spielte, und er liebte es mehr als sonst irgend etwas. Auf gewisse Weise wirkte er schöpferisch. Er tat etwas. Eine andere Saite in seiner Natur wurde angeschlagen, aber er konnte über eine gelungene Millionenspekulation in Eldorado-Claims nie die gleiche Freude fühlen wie beim Anblick seiner arbeitenden Sägemühlen oder der großen Flöße, wenn sie den Fluß hinabfahren sollten und sich in dem großen Wirbel oberhalb des Moosehide Mountain gegen das Ufer schwangen. Gold war selbst in der Waagschale nur ein abstrakter Begriff. Es repräsentierte andere Dinge, verlieh die Macht, etwas zu schaffen. Aber die Sägemühlen waren die Dinge selbst, sie waren konkret und greifbar, und man konnte weitere Dinge mit ihnen schaffen. Sie waren Wahrheit gewordene Träume, die unzweifelhafte Verwirklichung eines Märchens.

Mit dem Sommerzustrom von draußen kamen die Berichterstatter der großen Blätter und Zeitschriften, und alle schrieben sie in erster Linie über Daylight. Er wurde für die Welt die mächtigste Gestalt Alaskas. Als einige Monate später der spanische Krieg ausbrach, vergaß man ihn natürlich darüber, aber in Klondike selbst blieb Daylight ständig die hervorragendste Persönlichkeit. Wenn er die Straßen von Dawson durchschritt, wandte sich jeder Kopf, um ihm nachzusehen, und in den Wirtschaften betrachteten ihn die Chechaquos ehrfurchtsvoll und ließen ihn kaum aus den Augen, solange er in Sicht war. Er war nicht nur der reichste Mann im Lande, nein, er war Burning Daylight, der in der ersten Frühzeit dieses jungen Landes über den Chilkoot den Yukon hinabgekommen war, um die älteren Giganten, Al Mayo und Jack McQuestion, zu treffen. Er war der Burning Daylight von Hunderten wilder Abenteurer, der Mann, der der eingefrorenen Walfängerflotte Botschaft über die öden Tundren gebracht, der im Laufe von sechzig Tagen die Post von Circle City nach Salt Water und zurück gefahren, der im Jahre 1891 den ganzen Tanana-Stamm vor dem Hungertode gerettet hatte, kurz, der Mann, der die Phantasie der Chechaquos stärker in Anspruch nahm als ein Dutzend anderer Männer auf einmal.

Was er tat, erregte die Aufmerksamkeit der Menge, so spontan und zufällig es auch geschah. Und seine letzte Tat war immer in aller Munde, ob er in dem wilden Wettlauf nach Danish Creek gesiegt oder den berühmten kahlen Grislybären am Sulphur Creek getötet oder am Geburtstag der Königin in einer Kanuregatta gesiegt hatte, an der er teilnehmen mußte, weil der Repräsentant von Sourdough im letzten Augenblick ausgeblieben war. So war es auch einmal nachts im »Elchgeweih« zu der längst versprochenen Revanchepartie mit Jack Kearns gekommen. Es war ausgemacht worden, daß das Spiel bis acht Uhr morgens dauern sollte, und da belief Daylights Gewinn sich auf zweihundertunddreißigtausend Dollar. Für Jack Kearns, der bereits mehrfacher Millionär war, bedeutete der Verlust nicht viel. Aber die ganze Gemeinde fiel fast von den Stühlen über die hohen Einsätze, und jeder von den Dutzend Berichterstattern, die anwesend waren, schickte seinem Blatt einen sensationellen Artikel.

Trotz seiner vielen Einnahmequellen hatte er im ersten Winter alles bare Geld verbraucht. Wenn der Kies auf der Felsunterlage aufgetaut und an die Oberfläche gebracht war, gefror er augenblicklich wieder. Daher waren seine Claims, die für viele Millionen Gold enthielten, unzugänglich. Erst als die Sonne wiederkehrte, schmolz das Wasser, mit dem sie wuschen, so daß sie die Erde ihres Goldes berauben konnten. Nun hatte er auf einmal mächtige Überschüsse, die er in den beiden kürzlich gegründeten Banken deponierte. Zwar wurde er von Leuten und Konsortien belagert, die ihn veranlassen wollten, sein Kapital in ihre Unternehmungen zu stecken, doch er spielte lieber sein eigenes Spiel und ließ sich nur auf Verbindungen ein, wenn sie allgemein defensiv oder offensiv waren. So schloß er sich, obgleich er die höchsten Löhne zahlte, dem Minenbesitzerverband an, organisierte den Kampf und vermochte wirklich die wachsende Unzufriedenheit der Lohnarbeiter zu zügeln. Die Zeiten hatten sich geändert. Die alten Tage waren für immer dahin. Dies war eine neue Ära, und Daylight, der reiche Minenbesitzer, war loyal gegen seine Klassengenossen.
In seinem Herzen konnte er die alten Tage nicht vergessen, während er mit seinem Verstande das ökonomische Spiel nach den neuesten und praktischsten Regeln spielte.
Solche Gruppenverbindungen waren die einzigen Gelegenheiten, bei denen er sich an dem Spiel der andern beteiligte. Sonst spielte er sein hohes Spiel allein und brauchte sein Geld, um sein eigenes Feuer zu unterhalten. Die neugegründete Fondsbörse interessierte ihn ungeheuer. Er hatte eine derartige Einrichtung nicht gekannt, wußte aber schnell ihre Vorteile auszunützen. Hier gab es wieder Spiel, und bei mancher Gelegenheit gab er der Börse, ohne daß es seinen eigenen Plänen frommte, »eine Chance«, wie er es nannte, aus reinem Übermut und weil es ihm Spaß machte.
»Das übertrifft selbst Pharao«, erklärte er eines Tages, als er die Spekulanten von Dawson eine ganze Woche in Atem gehalten hatte, indem er abwechselnd à la baisse und à la hausse spekulierte, bis er zuletzt seine Karten aufdeckte und einen Betrag einheimste, der für andere ein Vermögen gewesen wäre.
Wenn andere genug verdient hatten, reisten sie nach dem Süden, um sich unter dem sonnigen Himmel von dem harten arktischen Kampf

zu erholen. Fragte man aber Daylight, wann er nach dem Süden wolle, so lachte er stets und sagte, sobald sein Spiel gewonnen sei.

Er fügte auch hinzu, daß nur ein Narr ein Spiel hinwerfe, wenn er gerade eine gute Karte in der Hand hätte.

Die Tausende von Chechaquos, die Daylight wie einen Helden verehrten, meinten, daß er überhaupt keine Furcht kenne. Aber Bettles, MacDonald und andere schüttelten den Kopf und nannten das Wort »Weiber«. Und sie hatten recht. Er hatte sie stets gefürchtet seit der Stunde, da Königin Anne in Juneau sich in den damals Siebzehnjährigen verliebt hatte. Im übrigen hatte er nie eine Frau gekannt. Er war in einem Minenlager geboren, wo sie selten und geheimnisvoll waren, und da er keine Schwestern und keine Mutter hatte, war er nie mit ihnen in Berührung gekommen. Allerdings hatte er sie später am Yukon getroffen und ihre Bekanntschaft gemacht – diese weiblichen Pioniere, die gleich nach den ersten Goldgräbern über die Pässe gekommen waren. Aber nie hatte ein Lamm mehr vor einem Wolfe gezittert als er vor ihnen. Als Mann war es Ehrensache für ihn, sich mit ihnen zu beschäftigen, und er hatte seine Rolle auch gut gespielt, aber sie waren ihm stets ein verschlossenes Buch geblieben, dem er jederzeit ein gutes Spiel Karten vorzog.

Und jetzt, da er weit und breit als König von Klondike bekannt war und dazu noch verschiedene andere fürstliche Titel wie Eldorado-König, Bonanza-König, Holzbaron und Fürst der Schnellreisenden, nicht zu vergessen den stolzesten von allen, Vater der Pioniere, trug, jetzt fürchtete er sich mehr denn je vor den Weibern. Wie nie zuvor streckten sie ihre Arme nach ihm aus, und jeder Tag brachte neue Weiber ins Land. Ganz gleich, ob er im Hause des Goldkommissionärs saß, in einem Tanzsaal nach Getränken rief oder sich einem Interview durch den weiblichen Vertreter der New York Sun unterwarf, überall, wo er ging und stand, streckten sie ihre Arme nach ihm aus.

Eine Ausnahme gab es jedoch, und das war Freda, die Tänzerin, der er das Mehl geschenkt hatte. Sie war die einzige Frau, in deren Gesellschaft er sich wohl fühlte, denn sie allein streckte nie die Arme nach ihm aus. Und doch sollte sie es sein, die ihm seinen ersten großen Schrecken einjagte. Das war im Herbst 1897. Er befand sich auf dem Rückwege von einer seiner kleinen Besichtigungsreisen, die diesmal dem Henderson, einem Flusse, gegolten hatte, der dicht unterhalb des Stewart in den Yukon floß. Ganz plötzlich war der Winter gekommen, und er kämpfte sich die siebzig Meilen den Yukon hinab in einem gebrechlichen Petersborough-Kanu, während rings um ihn die Eisschollen trieben. Er hielt sich sorgsam an der schon harten Eiskante und war gerade im Begriff, an dem eisspeienden Maul des Klondike vorbeizusausen, als er einen Mann sah, der einen wilden Tanz auf der Eiskante aufführte und ins Wasser wies. Das nächste, was er sah, war eine pelzgekleidete, weibliche Gestalt, die, mit dem Gesicht unter dem Wasser, gerade zwischen Treibeis versinken wollte. Nur ein paar Sekunden, und das Kanu war an der Stelle, er packte die Frau an den Schultern und zog sie vorsichtig ins Kanu. Es war Freda. Und alles wäre gut gewesen, hätte sie ihn nicht, als sie später zur Besinnung gekommen war, mit vor Zorn flammenden blauen Augen angesehen und gefragt: »Warum hast du das getan? Oh, warum hast du das getan?«

Das quälte ihn. Statt wie sonst gleich einzuschlafen, lag er lange wach und sah immer wieder ihr Gesicht und die zornsprühenden Augen vor sich und grübelte über ihre Worte nach. Die hatten aufrichtig geklungen. Sie hatte gemeint, was sie sagte. Und er grübelte weiter.

Als er ihr das nächste Mal begegnete, wandte sie sich zornig und verächtlich von ihm ab. Aber später bat sie ihn um Verzeihung und ließ ein Wort fallen, daß irgendein Mann irgendwo und irgendwie – sie sprach sich nicht näher aus – ihr den Willen zum Leben geraubt hätte. Sie sprach offen, aber unzusammenhängend, und alles, was er aus ihr herausbekommen konnte, war, daß das Erlebnis, was es auch nun sein mochte, schon weit zurücklag. Und er bekam auch heraus, daß sie den Mann geliebt hatte.

Das war es also – die Liebe. Sie war schuld daran. Sie war schlimmer als Kälte und Hunger. Die Frauen mochten gut, schön und liebenswürdig sein; aber mit ihnen kam etwas, das man Liebe nannte und das sie alle bis auf die Knochen zeichnete. So unvernünftig machte es sie, daß man nie wissen konnte, was ihnen einfiel. Die Freda zum Beispiel war ein prachtvolles Geschöpf, üppig, schön und durchaus nicht dumm; aber da war die Liebe gekommen, hatte sie bitter gegen die ganze Welt gemacht und sie nach Klondike und in den Tod getrieben, so unwiderstehlich, daß sie den Mann haßte, der ihr das Leben rettete.

Na, bisher war er der Liebe entronnen wie den Pocken, aber für den, den sie packte, war sie ebenso ansteckend wie Pocken und bedeutend gefährlicher. Sie ließ Männer und Frauen die schrecklichsten, unvernünftigsten Dinge tun. Sie glich dem Delirium tremens, war aber noch schlimmer. Und wenn sie ihn, Daylight, kriegte, dann konnte es ihm ebenso schlimm ergehen wie den andern. Sie war Wahnsinn, starker Wahnsinn, und ansteckend obendrein. Ein halbes Dutzend junger Burschen war in Freda verschossen. Alle wollten sie heiraten. Aber sie war nun einmal in diesen einen Burschen auf der andern Seite der Welt verschossen und wollte mit keinem andern zu tun haben.

Aber noch einen größeren Schrecken sollte er erleben: Eines Morgens wurde die Jungfrau tot in ihrer Hütte gefunden. Ein Schuß durch den Kopf hatte sie abgetan, und sie hatte keine Botschaft, keine Erklärung hinterlassen. Dann kam das Gerede. Man sagte, sie hätte sich aus Liebe zu Daylight das Leben genommen. Alle wollten es wissen. Wieder einmal war Burning Daylight, der König von Klondike, die Sensation in den Sonntagsbeilagen der Vereinigten Staaten. Die Jungfrau hätte einen besseren Lebenswandel angefangen, so hieß es in den Berichten, und das stimmte wohl. Nie hatte sie ihren Fuß in einen Tanzsaal in Dawson City gesetzt. Nachdem sie Circle City verlassen, hatte sie zuerst für andere Leute gewaschen, dann sich eine Nähmaschine gekauft und Pelzmützen und Elchlederhandschuhe genäht. Dann war sie Kontoristin bei der ersten Yukonbank geworden. Alles das und noch mehr war bekannt, alle sprachen darüber und waren sich einig, daß Daylight die Ursache von alledem und dazu auch von ihrem Tod gewesen.

Und das schlimmste war: Daylight selbst wußte, daß es stimmte. Immer mußte er an den letzten Abend denken, und wenn er zurückdachte, quälte ihn jede Kleinigkeit, die geschehen war. Das traurige Ereignis hatte manches geklärt. Was er erst jetzt verstand – ihre Ruhe und die fast mütterliche Süße über allem, was sie sagte und tat. Er erinnerte sich, wie sie ihn angesehen und gelacht hatte, als er sich über Micky Dolano lustig gemacht, der beim Abstecken seines Claims bei Skookum Gluch ins Wasser gefallen war. Ihr Lachen war sorglos und heiter, dabei aber weniger körperhaft als in früheren Tagen gewesen. Nicht daß sie ernst oder bedrückt gewesen. Im Gegenteil, sie war so von Frieden erfüllt, hatte ihn genarrt – Tor, der er war. Er hatte an jenem Abend sogar gedacht, daß ihr Gefühl für ihn vorüber sei, hatte sich gefreut bei dem Gedanken und sich die gute Freundschaft ausgemalt, die zwischen ihnen bestehen würde, wenn diese unangenehme Liebe aus dem Wege geschafft war.

Und dann hatte er mit der Mütze in der Hand in der Tür gestanden und gute Nacht gesagt. Und plötzlich hatte sie sich über seine Hand gebeugt und sie geküßt. Er war sich wie ein Narr vorgekommen, aber wenn er jetzt daran zurückdachte und wieder die Berührung von ihren Lippen auf seiner Hand fühlte, erschauerte er. Sie hatte Abschied nehmen wollen, ewigen Abschied, und er hatte nichts geahnt. In jenem Augenblick war sie entschlossen gewesen zu sterben. Wenn er es nur gewußt hätte! War er auch nicht selbst von der ansteckenden Krankheit ergriffen, so würde er sie doch geheiratet haben, wenn er nur die geringste Ahnung von ihrer Absicht gehabt hätte. Aber andererseits wußte er, daß sie einen gewissen aufrechten Stolz besaß, der ihr nicht erlaubt hätte, eine Ehe einzugehen, die ihr nur aus Mitleid angeboten wurde. Nein, hier wäre keine Rettung möglich gewesen. Die Liebe hatte sie gepackt, und ihr sollte sie erliegen.

Ihre einzige Chance war gewesen, daß auch er die Krankheit bekommen hätte. Aber er war ihr entgangen. Hätte sie ihn ergriffen, so wäre er wahrscheinlich in Freda oder irgendeine andere verliebt gewesen. Man brauchte nur an Dartworthy, den Universitätsmann, zu denken, der einen Claim am Bonanza besaß. Jedermann wußte, daß Bertha, die Tochter des alten Doolittle, in ihn verliebt war. Als ihn aber die Krankheit packte, mußte es von allen Weibern ausgerechnet die Frau von Oberst Walthstone, dem Sachverständigen des großen Guggenhammers, sein. Resultat drei Wahnsinnsanfälle: Dartworthy verkaufte seine Mine für ein Zehntel ihres Wertes; die arme Frau opferte ihren guten Namen, ihren Ruf und ihr warmes Plätzchen in der Gesellschaft, um mit ihm in einem offenen Boot den Yukon hinabzuflüchten, und Oberst Walthstone rief Tod und Verderben auf sie herab und fuhr in einem andern offenen Boot hinter ihnen her. Die ganze drohende Tragödie war den schlammigen Yukon hinab, an Forty Mile und Circle City vorbeigezogen und hatte sich schließlich in der Wildnis verloren. Aber das war sie, die Liebe, die das Leben von Männern und Frauen aus den Fugen brachte, sie zu Tod und Verzweiflung trieb, alle Vernunft und Rücksicht über den Haufen warf, tugendhafte Frauen zu Dirnen und Selbstmörderinnen, Männer aber, die bisher einen redlichen Wandel geführt, zu Schuften und Mördern machte.

Zum erstenmal in seinem Leben verlor Daylight seine Selbstbeherrschung. Er gestand sich offen, daß er bange war. Frauen waren entsetzliche Geschöpfe, und der Keim der Liebe gedieh am besten in ihrer Nähe. Und so rücksichtslos waren sie, so ganz ohne Furcht. Sie schreckte nicht der Tod der Jungfrau. Sie streckten die Arme nach ihm aus und waren verführerischer als je. Ganz abgesehen von seinem Gelde war er allein durch seine Persönlichkeit, als ein junger Mann von gut dreißig Jahren, strotzend von Kraft, hübsch und liebenswürdig, eine Anziehung für die meisten Frauen. Andere Männer hätten die Huldigungen nicht ertragen, sie hätten ihnen den Kopf verdreht, ihn machten sie nur noch ängstlicher. Die Folge war, daß er fast alle Einladungen in Häuser, wo er Frauen treffen konnte, ablehnte und nur bei Junggesellen und im »Elchgeweih« verkehrte, wo es keinen Tanzboden gab.

Sechstausend Menschen verbrachten den Winter 1897 in Dawson. Die Arbeit an den Creeks schritt rasch vorwärts, und von der andern Seite der Pässe wurde gemeldet, daß dort hunderttausend auf den Frühling warteten, um herüberzukommen. Als Daylight an einem der kurzen Nachmittage auf der Senkung zwischen dem French Hill und dem Skookum Hill stand, hatte er wieder eine Vision. Zu seinen Füßen lag der reichste Teil des Eldorado Creek, und er konnte meilenweit den Bonanza hinauf- und hinabsehen. Es war ein Bild gewaltiger Zerstörung. Die Hügel waren bis zum Gipfel abgeholzt, die nackten Flanken von den zahlreichen Gruben und Bohrstellen zerrissen, die selbst der Schneemantel nicht verdecken konnte. Unter ihnen lagen überall die Blockhütten der Leute. Aber es waren nicht viel Menschen zu sehen. Eine dichte Rauchwolke erfüllte die Täler und verwandelte selbst das graue Tageslicht in eine trübe Dämmerung. Der Rauch stieg aus tausend Löchern im Schnee, tief unten auf der Felsunterlage krochen die Menschen in der gefrorenen Erde und dem Schnee herum und entzündeten immer mehr Feuer, um die Macht des Frostes zu brechen. Hier und da, wo neue Schächte im Bau waren, flammten diese Feuer mit rotem Schein. Menschliche Gestalten krochen aus den Löchern hervor, verschwanden in ihnen oder standen auf Plattformen aus roh zugehauenen Holzstämmen und wanden den aufgetauten Kies an die Oberfläche, wo er sofort wieder gefror. Überall sah man die traurigen Überreste der Frühjahrsauswaschung – Haufen von Schleusenkästen, Stücke von Wasserleitungen und mächtige Wasserräder –, alles Trümmer, wie sie ein Heer golddurstiger Männer hinterläßt.

»Welch ein Raubbau«, murmelte Daylight halblaut. Er sah auf die nackten Hügel, und ihm wurde klar, welch riesige Vergeudung von Holz hier stattgefunden hatte. Aus der Vogelschau sah er die unglaubliche Verwirrung, die ihre rastlose Arbeit hier geschaffen hatte. Jeder arbeitete für sich, und das Ergebnis war ein Chaos. In dieser reichsten aller Minen kostete es einen Dollar, für zwei Dollar Gold herauszuholen, und für jeden Dollar, den sie auf diese fieberhafte, gedankenlose Arbeitsweise herausholten, wurde ein anderer Dollar hoffnungslos verschüttet. Noch ein Jahr, und die Claims waren ausgesogen, und dabei blieb ebensoviel Gold im Boden stecken, wie herausgeholt worden war.

Organisation war es, was sie brauchten, das sah er; und seine fruchtbare Phantasie entwarf ein Bild vom Eldorado Creek, von der Mündung bis zur Quelle, von Bergesgipfel zu Bergesgipfel, unter einer einheitlichen energischen Leitung. Sogar das Auftauen mit Dampf, das zwar noch nicht erprobt war, aber sicher kommen mußte, war, wie er einsah, nur ein Notbehelf. Was hier fehlte, waren hydraulische Anlagen an den Hängen und Goldbagger, wie sie in Kalifornien verwandt wurden.

Hier sah er die Chance für neue reiche Ausbeute. Er hatte sich den Kopf zerbrochen, warum wohl die Guggenhammers und die großen englischen Firmen ihre hochbesoldeten Sachverständigen ins Land geschickt hatten. Das war also ihr Plan. Darum hatten sie sich also an ihn gewandt, um bereits ausgebeutete Claims und Schutthalden zu kaufen. Ihretwegen mochten die kleinen Minenbesitzer gern herausholen, soviel sie konnten, es blieben doch noch Millionen zurück.

Und indem er auf die rauchende Hölle zu seinen Füßen hinabsah, entwarf Daylight ein neues Spiel, das er spielen wollte, ein Spiel, in dem die Guggenhammers und alle andern mit ihm zu rechnen haben sollten. Aber mit der Freude über diesen neuen Plan beschlich ihn ein Gefühl von Müdigkeit. Er war müde von den langen Jahren im hohen Norden, und er wollte wissen, wie die Welt draußen aussah – die große Welt, von der er andere hatte reden hören und von der er selbst nicht mehr wußte als ein Kind. Auch dort gab es Spiele zu spielen. Der Tisch war größer, und warum sollte er sich nicht mit seinen Millionen daransetzen und mitspielen? Und so entschloß er sich an jenem Nachmittage auf dem Skookum Hill, seine beste Klondike-Karte auszuspielen und dann in die Welt hinauszureisen.

Aber das ging nicht so schnell. Durch zuverlässige Leute ließ er die Ingenieure der großen Firmen überall beobachten, und überall, wo die zu kaufen begannen, kaufte auch er. Überall, wo sie einen ausgebeuteten Claim in ihre Hand zu bekommen suchten, stießen sie auf ihn, weil er ganze Komplexe oder einzelne Claims besaß, die so geschickt verstreut waren, daß ihre Pläne durchkreuzt wurden.

»Ich spiele mit offenen Karten – stimmt das nicht?« sagte er einmal in einer heißen Verhandlung.

Es folgten Kriege, Waffenstillstände, Vergleiche, Siege und Niederlagen. Im Jahre 1898 waren sechzigtausend Menschen am Klondike, und ihrer aller Wohlfahrt hing ab von dem Ausfall der Schlachten, die Daylight schlug. Und immer mehr feuerte der Geschmack an diesem großen Spiel Daylight an. Hier hatte er sich schon in einen Kampf auf Leben und Tod mit den großen Guggenhammers eingelassen, und er gewann. Der schwerste Kampf vielleicht wurde am Ophir geführt, der elendsten Elchweide, deren wenig goldhaltiger Boden nur durch seine ungeheure Ausdehnung Wert hatte. Der Besitz von sieben Claims im Herzen des Geländes gab Daylight einen festen Griff, und sie konnten nicht zu einer Einigung gelangen. Die Guggenhammerschen Sachverständigen waren der Ansicht, daß die Sache seine Kräfte überstieg, als sie ihm aber ein Ultimatum stellten, kaufte er sie aus.

Er schickte nach den Vereinigten Staaten und ließ tüchtige Ingenieure kommen. An der achtzig Meilen entfernten Wasserscheide erbaute er ein Reservoir und führte die mächtige hölzerne Wasserleitung quer durch das Land bis zum Ophir. Reservoir und Wasserleitung waren mit drei Millionen veranschlagt, kosteten aber beinahe vier. Und hierbei blieb es nicht. Elektrische Kraftanlagen wurden errichtet, seine Werkstätten durch Elektrizität erleuchtet und betrieben. Andere, die auch mehr Gold gefunden hatten, als sie sich je hatten träumen lassen, schüttelten düster die Köpfe, prophezeiten ihm, daß er zu Fall kommen würde, und weigerten sich, Geld in seine verrückten Unternehmungen zu stecken. Aber Daylight lächelte und verkaufte den Rest seiner

Grundstücke. Er tat es gerade im rechten Augenblick, als die Goldausbeute den höchsten Grad erreicht hatte. Wenn er seinen alten Freunden im »Elchgeweih« prophezeite, daß in fünf Jahren kein Mensch mehr ein Grundstück in Dawson geschenkt haben wollte und daß die Hütten dann zu Brennholz verbraucht wären, so lachten sie ihn aus und versicherten ihm, daß die Mutterader dann längst gefunden wäre. Aber er blieb dabei. Weil er keinen Bedarf an Bauholz mehr hatte, verkaufte er auch seine Sägemühlen. Ebenso begann er seine an den verschiedenen Flüssen verstreuten Claims abzustoßen, und beendete seine Anlagen, baute seine Bagger, importierte seine Maschinen und machte das Gold von Ophir unmittelbar zugänglich, ohne jemand Dank zu schulden. Und er, der vor fünf Jahren vom Indian-River über die Wasserscheide gekommen, mit seinen Hunden als Lasttieren die schweigende Wildnis betreten und wie ein Indianer ausschließlich von Fleisch gelebt hatte, er hörte jetzt das heisere Pfeifen, das seine Hunderte von Arbeitern zur Arbeit rief, und sah sie in dem weißen Schein der Bogenlampen arbeiten.

Da nun das getan war, war er auch fertig zur Abreise. Und als das bekannt wurde, überboten sich die Guggenhammers und die englischen Konzerne und eine neue französische Kompanie gegenseitig, um Ophir und die ganze Anlage zu kaufen. Die Guggenhammers boten am meisten, und der Preis, den sie bezahlten, gab Daylight einen Gewinn von rund einer Million. Man glaubte allgemein, daß er zwanzig bis dreißig Millionen besäße. Aber er allein wußte genau, wie er stand, und daß er, wenn er seinen letzten Claim verkauft und reinen Tisch gemacht hatte, gut elf Millionen aus seiner Chance herausgeholt hatte.

Seine Abreise war ein Ereignis, das mit seinen andern Taten der Geschichte des Yukon angehört. Ganz Yukon war zu Gast bei ihm, und in Dawson wurde das Fest gefeiert. An diesem letzten Abend galt kein anderer Goldstaub als der seine. Getränke waren nicht zu kaufen. Jede Gastwirtschaft stand offen, hinter den Schanktischen standen Reserven für die ermatteten Bartender bereit, und die Getränke wurden umsonst ausgeschenkt. Wollte jemand seine Gastfreundschaft nicht annehmen und durchaus bezahlen, so wurde er gleich von zehn verschiedenen Seiten angegriffen. Selbst die Chechaquos erhoben sich, um Daylights Namen gegen eine solche Beleidigung zu verteidigen. Und überall war Daylight auf seinen mokassinbekleideten Füßen, lärmte, als wäre die Hölle losgelassen, strömte über von Gutmütigkeit und Kameradschaftlichkeit, stieß sein altes Wolfsgeheul aus, schrie, daß es seine Nacht wäre, preßte allen Männern an der Bar die Hände herunter und führte andere Kraftstückchen aus, während sein sonnenverbranntes Gesicht durch das Trinken gerötet war und seine Augen leuchteten. Er war wie immer gekleidet, die Ohrenklappen umflatterten ihn, und die Handschuhe mit den hohen Stulpen baumelten ihm an einer Schnur um den Hals. Diese Nacht verdunkelte alles, was Dawson je gesehen hatte. Es war Daylights Wunsch, daß man sie nicht vergessen sollte, und sein Wunsch ging in Erfüllung. Ein gut Teil von der Bevölkerung Dawsons holte sich in dieser Nacht einen seligen Rausch. Der Herbst stand vor der Tür, und obwohl der Yukon noch nicht zugefroren war, stand das Thermometer auf fünfundzwanzig Grad unter Null und fiel noch weiter. Daher mußte ein Rettungskorps organisiert werden, das durch die Straßen patrouillierte und die Betrunkenen auflas, die in den Schnee gefallen waren, wo eine Stunde Schlaf ihnen verhängnisvoll geworden wäre. Daylight, dessen Grille es war, sie zu Hunderten und Tausenden betrunken zu machen, war der Urheber dieses Rettungskorps. Er wollte, daß Dawson sich amüsieren sollte, da er aber weder rücksichtslos noch mutwillig war, verhütete er Unglücksfälle. Und wie in seinen alten Tagen verfügte er, daß kein Streit und keine Prügelei stattfinden dürften – die Übertreter seines Gebotes würde er sich persönlich vornehmen.

Aber er brauchte sich keinen vorzunehmen. Ein Gefolge von Hunderten ergebener Leute sorgte dafür, daß alle Unruhestifter in den Schnee gerollt und dann zu Bett gebracht wurden. Wenn in der großen Welt einer der Großen der Industrie stirbt, so ruhen eine Minute lang alle Maschinen in dem Unternehmen, das er geleitet hat. Aber in Klondike trauerten die Leute über die Abreise ihres Großen so lustig, daß sich vierundzwanzig Stunden lang kein Rad rührte. Selbst das große Ophir, das tausend Mann im Sold hatte, mußte schließen. Am Tage nach dem Feste fand sich nicht ein einziger arbeitsfähiger Mann.

Am nächsten Morgen verabschiedete Daylight sich bei Anbruch des Tages von Dawson. Tausende standen am Ufer mit Handschuhen und heruntergezogenen Ohrenklappen. Es waren dreißig Grad unter Null, die Eiskante hatte an Stärke zugenommen, und im Yukon trieben die Eisschollen. Vom Deck der »Seattle« aus winkte und rief Daylight zum Abschied. Als die Leinen losgeworfen wurden und der Dampfer sich in den Strom hinausschwang, sahen die Nächststehenden, wie ihm die Tränen in die Augen stiegen. Ihm war, als verließe er sein Vaterland, dies rauhe Polarland, das einzige, das er gesehen. Er nahm die Mütze vom Haupte und schwang sie.

»Lebt wohl, Jungens!« rief er. »Lebt wohl, Jungens!«

Burning Daylights Einzug in San Franzisko war nicht glanzvoll. Nicht er allein war vergessen, mit ihm auch Klondike. Die Welt interessierte sich für ganz andere Dinge, das Alaska-Abenteuer war, ebenso wie der Spanische Krieg, erledigt. Vieles war seither geschehen, täglich hatten spannende Ereignisse stattgefunden, und der Raum der Zeitungen für Sensationen war begrenzt. Diese Nichtbeachtung wirkte indessen nur anspornend auf ihn. Wie groß mußte erst das neue Spiel sein, wenn er, der Held des arktischen Spiels, wenn ein Mann von elf Millionen und mit seiner Vergangenheit hier unbemerkt kommen und gehen konnte.

Er schlug sein Quartier im St.-Francis-Hotel auf, wurde von den jungen Hotelreportern interviewt, und die Blätter brachten in den nächsten vierundzwanzig Stunden kurze Notizen über ihn. Er lachte bei sich und begann sich umzusehen, um die neuen Menschen und die neuen Dinge kennenzulernen. Er war sehr linkisch, wußte sich aber zu beherrschen. Das Bewußtsein, der Besitzer von elf Millionen zu sein, verlieh ihm ein gewisses Rückgrat, und zudem hatte er eine starke angeborene Sicherheit. Nichts verblüffte ihn oder setzte ihn in Erstaunen, weder die Pracht noch die Kultur oder die Macht um ihn her. Diese Wildnis hier war anders geartet, das war alles; er mußte sehen, sich in ihr zurechtzufinden, Wegzeichen, Straßen und Wasserstellen, gute Jagdgründe sowie die schlechten Strecken, die er meiden mußte, zu erkunden. Wie gewöhnlich machte er einen großen Bogen um die Weiber. Er fürchtete sich immer noch, diesen strahlenden, blendenden Geschöpfen nahezukommen, nach denen er doch kraft seiner Millionen nur die Hand auszustrecken brauchte. Sie folgten ihm mit schmachtenden Blicken, und er verstand seine Furcht so gut zu verbergen, daß er sich scheinbar ganz frei unter ihnen bewegte. Nicht allein sein Reichtum zog sie an. Er war zu sehr Mann, von zu ungewöhnlichem Schlage. Er war sechsunddreißig Jahre alt, auffallend hübsch, von wunderbarer Stärke, fast überschäumend von strahlender Männlichkeit. Sein freier Gang, den er den Schlittenreisen verdankte und sich nicht auf dem Pflaster einer Stadt angeeignet haben konnte, seine schwarzen Augen, die von weiten Ebenen erzählten und nicht vom engen Ausblick des Städters ermüdet waren, zogen ihm manchen neugierigen Frauenblick zu. Er merkte es wohl, lächelte verständnisvoll und sah kaltblütig dieser Gefahr ins Auge, die mehr bedeutete, als Hungersnot, Kälte oder Überschwemmung je getan hatten.

Um Männerspiel, nicht um Weiberspiel war er nach den Staaten gekommen; und die Männer hatte er noch nicht kennengelernt. Sie erschienen ihm weichlich, aber in geschäftlichen Dingen waren sie doch wohl hart unter der verzärtelten Oberfläche. Ihre katzenartige Geschmeidigkeit fiel ihm auf. Er dachte darüber nach, ob die Kameradschaftlichkeit, die sie in den Klubs zur Schau trugen, wohl wirklich aufrichtig gemeint sei und ob sie nicht doch bald die Krallen zeigen würden. »Ich möchte sie sehen«, meinte er bei sich, »wenn es ihnen an den Geldbeutel geht.« Er hegte ein unerklärliches Mißtrauen gegen sie.

»Sie sind mir zu geleckt«, urteilte er im geheimen. Andererseits waren sie von einer gewissen Atmosphäre von Männlichkeit und damit verbundener Aufrichtigkeit umgeben. Sie mochten im Kampfe kratzen und Wunden schlagen, das war nur natürlich, aber er hatte die Vorstellung, daß sie dies nach gewissen Regeln taten. Das war der Eindruck, den er von ihnen hatte – ein ganz allgemeiner Eindruck. Jedenfalls war er davon überzeugt, daß unbedingt ein gewisser Prozentsatz von Schurken unter ihnen sein müßte.

Schließlich war er des bloßen Zuschauens müde und fuhr nach Nevada, wo soeben die neuen Goldminen erschlossen waren – »nur um eine Chance zu haben«, wie er sich ausdrückte. Sein Gastspiel an der Börse von Tonopah dauerte zehn Tage, und in dieser Zeit richtete sein wildes, regelloses Spiel eine furchtbare Verwirrung unter den Durchschnittsspielern an. In diesen zehn Tagen machte er seinem Herzen Luft, dann schnalzte er mit der Zunge und reiste mit einem Reingewinn von einer halben Million wieder nach San Franzisko. Es hatte gut geschmeckt, sein Appetit auf das Spiel war noch gewachsen.

Und wieder war er die Sensation der Presse. Wieder war BURNING DAYLIGHT in fetten Buchstaben die Überschrift. Die Interviewer scharten sich um ihn. Alte Zeitschriften und Blätter wurden durchgepflügt, und wieder erschien der romantische Elam Harnish, der Abenteurer des Frostes, der König von Klondike, der Vater der Pioniere, in Millionen Häusern neben geröstetem Brot und Eiern auf dem Frühstückstisch. Ehe er es gedacht hatte, war er mit Gewalt ins Spiel geschleudert. Kapitalisten und Gründer, der ganze Auswurf des Meeres der Spekulation brandete gegen seine elf Millionen. Er hatte Aufsehen erregt, und jetzt gab man ihm Karten, ob er wollte oder nicht, so daß er mitspielen mußte. Schön, so spielte er denn. Er wollte es ihnen schon zeigen – gerade weil die Rede davon gewesen war, wie schnell sein Übermut beschnitten werden sollte.

Anfänglich spielte er niedrig – »er wartete auf seinen großen Coup«, wie er Holdsworthy, einem Manne, mit dem er sich im Alta-Pacific-Klub befreundet hatte, erklärte. Daylight war selbst Mitglied des Klubs, in den Holdsworthy ihn eingeführt hatte. Und es war gut, daß Daylight im Anfang so vorsichtig spielte, immer mehr staunte er über die große Zahl von Haien – »Landhaien«, wie er sie nannte –, die sich an ihn heranmachten. Er durchschaute ihre Methode schnell genug und wunderte sich sogar, daß so viele von ihnen Beute genug machen konnten, um sich durchzuschlagen. Ihre Schurkerei und ihre ganze Zweifelhaftigkeit waren so durchsichtig, daß er nicht verstand, wie sich jemand von ihnen anführen lassen konnte.

Holdsworthy behandelte ihn mehr wie einen Bruder als wie einen Klubgenossen. Er wachte über ihn, gab ihm gute Ratschläge und stellte ihn den Magnaten der lokalen Finanzwelt vor. Holdsworthys Familie wohnte in einem entzückenden Landhaus in der Nähe von Menlo Park, und Daylight verbrachte oft die Zeit von Sonnabend bis Montag dort. Er erhielt dabei Einblick in ein Familienleben von einer Feinheit und Herzlichkeit, wie er es sich nie hatte träumen lassen. Holdsworthy war ein großer Blumenliebhaber und begeisterter Geflügelzüchter, und diese beiden Passionen waren eine Quelle ständigen Vergnügens für Daylight, der ihn mit freundlicher Nachsicht beobachtete.

Bei einem Besuche erzählte Holdsworthy von einer kleinen Sache, einer wirklich guten kleinen Sache, einer Ziegelei bei Glen Ellen. Daylight lauschte aufmerksam den Erklärungen des andern. Es war ein sehr vernünftiges, aber kleines Geschäft. Er machte schließlich aus reiner Freundschaft mit, als er hörte, daß auch Holdsworthy darin engagiert war und in anderer Beziehung Opfer bringen mußte, um die Erweiterung des Unternehmens durchführen zu können. Daylight schoß das gewünschte Kapital, fünfzigtausend Dollar, ein.

»Ja«, erklärte er später lachend, »ich bin angeführt worden, aber schuld daran war weniger Holdsworthy als seine verdammten Küken und Obstbäume.«

Es war ihm jedoch eine gute Lehre, denn er lernte, daß es nur selten Treu und Glauben in der Geschäftswelt gab und daß selbst der einfache Begriff der Gastfreundschaft nichts bedeutete im Vergleich mit einer wertlosen Ziegelei und fünfzigtausend Dollar. Aber er meinte doch, daß alle diese Haie verschiedenen Kalibers nur an der Oberfläche zu finden waren, daß es in der Tiefe Redlichkeit und Rechtschaffenheit gab. Die Industriefürsten und Großkapitalisten, entschied er, waren doch sicher Leute, mit denen sich arbeiten ließ. Bei der Natur ihrer ungeheuren Unternehmungen mußten sie unbedingt ehrlich spielen. Sie hatten keinen Raum für solche kleine Schwindeleien und Betrügereien. Von diesen kleinen Leuten konnte man nichts anderes erwarten, als daß sie ihren Freunden wertlose Ziegeleien aufhalsten, aber in der Hochfinanz lohnte sich dergleichen nicht. Da war man mit ganz anderen Dingen beschäftigt: Entwicklung des Landes, Organisation von Eisenbahnen, Gründung von Minen und Erschließung der zahllosen Quellen der Natur. Das Spiel mußte unbedingt hoch und ehrlich sein. »Die können sich nicht mit solchen Schwindeleien abgeben«, schloß er.

So kam er zu dem Entschluß, die kleinen Leute wie Holdsworthy links liegen zu lassen. Er stand zwar immer noch auf recht gutem Fuße mit ihnen, schloß sich aber an keinen enger an. Er hatte gar nichts gegen diese kleinen Leute vom Alta-Pacific-Klub und ähnliche, nur wollte er sie nicht als Partner in dem großen Spiel, das er vorhatte. Worin das große Spiel bestand, wußte er selbst noch nicht. Er wartete einfach darauf. Und da traf er John Dowsett, den großen John Dowsett. Es war der reine Zufall, daran war kein Zweifel. Rein zufällig – das wußte Daylight selbst – hörte er von einem Geschäft in Santa Catalina, und statt direkt nach San Franzisko zurückzukehren, fuhr er nach der Insel hinüber. Dort traf er John Dowsett, der sich einige Tage von einer Geschäftsreise nach dem Westen erholen wollte. Dowsett hatte natürlich von dem unternehmungslustigen König von Klondike und seinen dreißig Millionen gehört und interessierte sich für den Mann, den er nun kennenlernte. Im Laufe der Bekanntschaft mußte dann irgendwann die Idee in seinem Kopfe aufgetaucht sein. Aber er berührte sie nicht, sondern zog vor, sie sorgfältig reifen zu lassen. So hielt sich das Gespräch nur in allgemeinen Bahnen, und er tat sein Bestes, um sich Daylight angenehm zu machen und seine Freundschaft zu gewinnen.

Er war der erste große Magnat, den Daylight traf, und er fühlte sich stark angezogen. Etwas so Herzliches und Gewinnendes, eine so geniale demokratische Denkweise lag über dem Manne, daß Daylight kaum verstehen konnte, daß dies der große John Dowsett, der Präsident von einer ganzen Reihe von Banken, der Chef des Versicherungstrustes war, der mit allen Leuten der »Standard Oil« alliiert sein sollte und immer mit den Guggenhammers zusammen auftrat. Auch sein Äußeres strafte seinen Ruf nicht Lügen.

Seine Erscheinung bürgte Daylight für alles, was er über ihn gehört hatte. Trotz seiner sechzig Jahre und seines schneeweißen Haares war sein Händedruck fest und herzlich; er zeigte keine Spur von Hinfälligkeit, wenn er rasch und leicht dahinschritt und sich sicher und entschieden bewegte. Seine Gesichtsfarbe war rot und gesund, und sein feingezeichneter Mund schien immer bereit, über einen guten Witz zu lächeln. Er hatte ehrliche Augen von hellstem Blau, die scharf und freimütig unter den buschigen grauen Brauen hervorblickten. Sein Verstand war geschult und ruhig und arbeitete mit der Sicherheit einer stählernen Falle. Er war ein Mann, der Wissen besaß, es aber nie mit Gefühl oder Sentimentalität aufputzte. Jedes Wort, jede Bewegung war von Kraft getragen; die Gewohnheit zu herrschen konnte er nicht verleugnen. Dabei war er taktvoll und sympathisch, und Daylight erkannte schnell, daß er einen Mann vor sich hatte, der sich in jeder Beziehung von kleinen Leuten wie Holdsworthy unterschied. Er kannte auch Dowsetts Geschichte, wußte, daß er einer der ersten amerikanischen Familien entstammte, wußte, daß er sich im Kriege ausgezeichnet hatte. Daylight hatte von John Dowsett gehört, der sich um die Union verdient gemacht hatte, von General Dowsett, dessen Ruhm aus der Zeit der Revolution stammte, und von jenem Dowsett, der schon in den ersten Tagen Neuenglands ein wohlhabender Mann gewesen war.

»Das ist ein Mann«, erzählte er später seinen Klubgenossen im Rauchzimmer des Alta-Pacific. »Ich sage Ihnen, Gallon, er war eine Überraschung für mich. Ich wußte es ja, die Großen mußten so sein, aber ich mußte ihn erst gesehen haben, um es wirklich zu glauben. Er gehört zu den Menschen, die wirklich schaffen. Das sieht man ihm an. Er ist einer unter Tausenden, das ist sicher, und ein Mann, auf den man sich verlassen kann. Die Spiele, die er spielt, sind unbegrenzt, aber ehrlich, darauf können Sie schwören. Ich wette, er kann ein halbes Dutzend Millionen gewinnen oder verlieren, ohne auch nur mit der Wimper zu zucken.«

Gallon paffte seine Zigarre, und als der andere mit seiner Lobrede fertig war, betrachtete er ihn verwundert, aber Daylight, der sich gerade einen Cocktail bestellte, bemerkte den Blick nicht.

»Dann wollen Sie wohl ein Geschäft mit ihm machen?« bemerkte Gallon.

»Ach, keine Rede davon. – Prosit! Ich wollte Ihnen nur erklären, daß ich jetzt verstehe, wie große Männer heldenhafte Taten vollbringen. Wissen Sie, er machte auf mich den Eindruck, als wäre er allwissend, so daß ich mich ganz beschämt fühlte. Bei einem Wettrennen mit einem Hundegespann könnte ich ihm, glaube ich, einen sehr großen Vorsprung lassen und doch noch gewinnen«, bemerkte Daylight nach einer kurzen Pause. »Und ich könnte ihm wohl auch noch ein paar Tips beim Poker oder beim Goldwaschen und beim Paddeln in einem Birkenkanu geben. Ja, vielleicht könnte ich doch noch eher sein Spiel lernen als er das, welches ich dort oben im Norden gespielt habe.«

Nicht lange darauf kam Daylight nach New York. Ein Brief von John Dowsett war die Veranlassung – ein paar auf der Maschine geschriebene Zeilen. Aber als Daylight sie empfing, gab es einen Ruck in ihm. Er erinnerte sich, den gleichen Ruck gespürt zu haben, als der Spieler Tom Galsworthy in Tempas Butte in Ermangelung eines vierten Mannes zu ihm, dem damals Fünfzehnjährigen, gesagt hatte: »Komm her, Bengel, spiel mit!« Die dürftigen maschinengeschriebenen Zeilen schienen mit Mystik geladen. »Unser Herr Howison wird Sie in Ihrem Hotel aufsuchen. Sie können sich auf ihn verlassen. Man darf uns nicht zusammen sehen. Wenn wir miteinander gesprochen haben, werden Sie verstehen, warum.« Daylight las die Worte immer wieder. Jetzt schien es, als sei das große Spiel gekommen und er zum Mitspielen aufgefordert. Sicherlich, denn kein anderer Grund konnte einen Mann bewegen, einen anderen zu einer Reise quer über den Kontinent aufzufordern.

Sie trafen sich – dank »unserm« Herrn Howison – auf einem prachtvollen Landsitz am oberen Hudson. Infolge der erhaltenen Instruktionen hatte Daylight ein ihm zur Verfügung gestelltes Privatauto vorgefunden. Den Eigentümer des Wagens kannte er ebensowenig wie den des Hauses, das von riesigen, mit Baumgruppen bestandenen Rasenflächen umgeben war. Dowsett war schon da und ebenso ein anderer Mann, den Daylight erkannte, noch ehe sie einander vorgestellt waren. Es war Nathaniel Letton und kein anderer. Daylight hatte sein Gesicht unzählige Male in Blättern und Zeitschriften gesehen und über seine Stellung in der Finanzwelt wie über die von ihm gestiftete Universität in Daratona gelesen. Auch er wirkte auf Daylight als ein starker Mann, wenn ihn auch wunderte, daß er gar keine Ähnlichkeit mit Dowsett hatte. Mit Ausnahme seiner Sauberkeit – einer Sauberkeit, die sich bis in seine innersten Fibern zu erstrecken schien – war er in jeder Beziehung von dem andern verschieden. Er war mager wie ein Schwindsüchtiger und sah aus wie ein Mann, in dessen Innerem eine mysteriöse, kalte, chemische Flamme mit der Hitze von tausend Sonnen unter einem gletscherhaften Äußeren brannte. Besonders seine großen grauen Augen verursachten dies Gefühl. Sie flackerten fieberhaft in einem Antlitz, das fast einem Totenkopf glich; so mager war es und so unheimlich matt und leichenähnlich seine Haut. Er war nicht älter als fünfzig, wirkte aber mit seinem schütteren grauen Haar doppelt so alt wie Dowsett. Dennoch war Nathaniel Letton der geborene Herrscher – das konnte Daylight deutlich sehen. Er war ein Asket mit einem mageren Gesicht, der in einem Zustand überirdischer Ruhe lebte – ein feuerflüssiger Planet unter einer Eisdecke, die sich von Festland zu Festland erstreckte. Aber den größten Eindruck von allem machte auf Daylight die entsetzliche, beinahe unheimliche Sauberkeit des Mannes. Er war schlackenlos. Er schien wie im Feuer geläutert. Daylight hatte das Gefühl, daß ein guter, gesunder Fluch eine tödliche Beleidigung, eine Entheiligung, eine Gotteslästerung für ihn sein mußte.

Sie tranken – das heißt, Nathaniel Letton trank Mineralwasser, das von dem lautlos wirkenden Automaten von Lakaien, der das Haus bewohnte, serviert wurde, während Dowsett einen Whisky-Soda und Daylight einen Cocktail nahm. Keiner schien etwas Ungewöhnliches an einem »Martini« um Mitternacht zu finden, obwohl Daylight scharf beobachtete; denn er hatte längst gelernt, daß ein »Martini« seine bestimmte Zeit und Stelle hatte. Aber er liebte »Martini« und wollte als Naturmensch die Freiheit haben zu trinken, wann und wo es ihm paßte. Andere hätten vielleicht die eigentümliche Gewohnheit beachtet, nicht so Dowsett und Letton, und Daylights geheimer Gedanke war: Die würden auch nicht mit der Wimper zucken, wenn ich ein Glas ätzendes Sublimat verlangte.

Als sie mitten im Trinken waren, kam Leon Guggenhammer und bestellte sich einen Whisky. Daylight studierte ihn neugierig. Das war also einer von den großen Guggenhammers; ein jüngeres Mitglied der Familie zwar, aber immerhin einer von ihnen, mit denen er seinen Kampf auf Leben und Tod droben im Norden ausgefochten hatte. Und Leon Guggenhammer machte denn auch kein Hehl aus der alten Geschichte. Er beglückwünschte Daylight zu seiner Kühnheit. – »Das Echo von Ophir ist bis zu uns gedrungen, wissen Sie. Und ich muß sagen, Herr Daylight – äh, Herr Harnish –, daß Sie uns bei der Geschichte ordentlich eins ausgewischt haben.«

»Das Echo!« Es gab Daylight doch einen Stoß bei dieser Bemerkung – das Echo von dem Kampf, zu dem er alle seine Kräfte und seine Klondike-Millionen aufgewandt hatte, war zu ihnen gedrungen. Die Guggenhammers mußten wirklich groß sein, wenn ein derartiger Kampf für sie nur ein Scharmützel war, dessen Echo sie zu hören geruhten. »Sie müssen ein mächtiges Spiel hier spielen«, schloß er und fühlte gleichzeitig ein entsprechendes Entzücken darüber, daß sie gerade jetzt ihn zur Teilnahme an diesem Spiel auffordern wollten. In diesem Augenblick bedauerte er wirklich, daß er nicht statt seiner elf die dreißig Millionen besaß, die das Gerücht ihm zuteilte. Nun, er wollte in diesem Punkte ehrlich sein; er wollte sie genau wissen lassen, wie viele Chips er kaufen konnte.

Leon Guggenhammer war jung und beleibt. Er war genau dreißig Jahre alt und sein Gesicht so glatt wie das eines Knaben. Auch er machte einen Eindruck von Sauberkeit. Er strahlte vor Gesundheit; seine fleckenlose Haut zeugte von einer glänzenden Verfassung.

Bei einer so prachtvollen Gesichtsfarbe konnten selbst seine Beleibtheit, sein runder Bauch nur normal sein. Er hatte Anlage dazu, das war alles. – Das Gespräch kam bald auf Geschäfte, obwohl Guggenhammer erst von der bevorstehenden internationalen Regatta und seiner prachtvollen Dampfjacht »Electra« erzählen mußte, deren Maschinen, kaum erbaut, schon wieder veraltet waren. Dowsett erklärte den Plan, und wenn Daylight Fragen stellte, warfen die beiden anderen hin und wieder eine Bemerkung dazwischen. Wohin ihr Vorschlag auch immer zielte, so wollte er doch jedenfalls wissen, um was es sich handelte, ehe er sich entschloß mitzumachen. Und ihr Vorhaben war so einleuchtend, daß er ganz geblendet war.

»Kein Mensch wird sich träumen lassen, daß wir hinter Ihnen stehen«, warf Guggenhammer ein, als sie ihren Plan fertig entwickelt hatten, und seine hübschen jüdischen Augen funkelten vor Begeisterung. »Man wird glauben, daß Sie in Ihrer alten Freibeuterweise drauflosgehen.«

»Sie verstehen natürlich, Herr Harnish, wie notwendig es ist, unsere Verbindung geheimzuhalten«, warnte Nathaniel Letton ernst.
Daylight nickte.

»Und auch das werden Sie verstehen«, fuhr Letton fort, »daß unser Unternehmen nur gute Folgen zeitigen kann. Die Sache ist völlig gesetzlich und einwandfrei, und die einzigen, die den Schaden davon haben werden, sind die Börsenspekulanten selbst. Es ist nicht etwa ein Versuch, den Markt zu sprengen. Wie Sie sehen, sollen Sie à la hausse liegen. Die Leute, die ihr Geld auf ehrliche Weise anlegen, werden die Gewinner sein.«

»Sehr richtig«, sagte Dowsett. »Die Nachfrage nach Kupfer ist ständig im Steigen begriffen. Ward Valley und alle damit zusammenhängenden Unternehmungen – in Wirklichkeit ein Viertel der gesamten Kupferproduktion der Erde, wie ich Ihnen gezeigt habe – sind eine bedeutende Angelegenheit, wie bedeutend, können wir noch nicht genau berechnen. Wir haben unsere Vorbereitungen getroffen. Wir haben selbst reichlich Kapital, können aber immer noch mehr gebrauchen. Außerdem befinden sich noch zu viele Ward-Valley-Aktien in anderen Händen, als für unsere jetzigen Pläne dienlich ist. Auf diese Weise schlagen wir zwei Fliegen mit einer Klappe.«

»Und die Klappe bin ich«, fiel Daylight lächelnd ein.

»Eben. Sie sollen die Ward-Valley-Aktien gleichzeitig aufkaufen und in die Höhe treiben. Das wird von unschätzbarem Vorteil für uns sein, und Sie und wir alle werden unseren Nutzen davon haben. Und dabei handelt es sich, wie Herr Letton schon betont hat, um ein völlig gesetzliches und ehrliches Spiel. Am achtzehnten ist Aufsichtsratssitzung, und dann wird statt der gewöhnlichen die doppelte Dividende festgesetzt.«

»Und wer zieht den kürzeren dabei?« rief Leon Guggenhammer.

»Die Spekulanten«, erklärte Nathaniel Letton, »die Spieler, der Ausschuß von Wallstreet – verstehen Sie. Die Leute, die ihr Geld ehrlich angelegt haben, werden nicht betroffen; mehr noch: sie werden zum tausendsten Male gelernt haben, daß man sich auf Ward Valley verlassen kann. Und haben sie einmal Vertrauen gefaßt, so können wir darangehen, die großen Verbesserungen, von denen wir vorhin gesprochen haben, durchzuführen.«

»Sie werden natürlich alle möglichen Gerüchte hören«, sagte Dowsett, »aber lassen Sie sich nicht dadurch abschrecken. Sie können sehr gut von uns selbst in Umlauf gebracht sein. Das wird Ihnen ja einleuchten. Kümmern Sie sich gar nicht darum. Sie sind mit im Bunde. Alles, was Sie zu tun haben, ist kaufen, kaufen, kaufen, bis zum letzten Atemzug kaufen, bis der Aufsichtsrat die doppelte Dividende festgesetzt hat. Ward Valley werden so steigen, daß man nachher überhaupt nicht mehr kaufen kann.«

Letton machte eine bedeutungsvolle Pause und trank einen Schluck Mineralwasser. Dann nahm er den Faden wieder auf. »Was wir wollen«, sagte er, »ist, das Publikum von einer großen Partie von Ward-Valley-Aktien zu entlasten. Das ginge ganz einfach, indem wir den Kurs drückten und die Besitzer bange machten. Aber wir sind die Herren der Situation, und wir sind anständig genug, Ward-Valley-Aktien zu steigenden Kursen zu kaufen. Philanthropen sind wir nicht, wir sind nur genötigt, die Aktionäre für unsere großen Erweiterungspläne zu gewinnen. Und wir verlieren auch nicht gerade bei der Transaktion. In dem Augenblick, wo der Beschluß des Aufsichtsrats bekannt wird, werden Ward Valley bis in die Wolken steigen. Wir haben dann unseren völlig gesetzmäßigen Zweck erreicht und außerdem noch den Fixern eine gehörige Summe abgenommen. Aber das hat, wie Sie verstehen, mit der Sache an sich nichts zu tun, ist nur eine unvermeidliche Zugabe. Andererseits wollen wir auch nicht die Nase rümpfen über diese Seite der Angelegenheit. Die Fixer sind Spieler schlimmster Sorte und erhalten nur ihren wohlverdienten Lohn.«

»Und noch eins, Herr Harnish«, sagte Guggenhammer. »Wenn der Betrag, über den Sie verfügen oder den Sie in die Sache hineinstecken wollen, überschritten werden sollte, dann wenden Sie sich nur sofort an uns. Denken Sie immer daran, daß wir hinter Ihnen stehen.«

»Jawohl, daß wir hinter Ihnen stehen«, wiederholte Dowsett.

Nathaniel Letton nickte zustimmend.

»Und was die doppelte Dividende betrifft, die am achtzehnten festgesetzt wird –« John Dowsett zog ein Papier aus seinem Notizbuch hervor und setzte seinen Kneifer auf. »Ich will Ihnen die Zahlen zeigen. Sehen Sie hier – –« Und nun begann eine lange technische und historische Auseinandersetzung über die Entwicklung von Ward Valley.

Die ganze Besprechung dauerte nicht länger als eine Stunde, und in dieser Stunde fühlte Daylight sich dem Gipfel des Lebens näher als je. Diese Männer, das waren große Spieler. Sie waren Großmächte. Allerdings war er sich klar darüber, daß sie noch nicht zu den Allergrößten gehörten. Sie standen noch nicht in einer Reihe mit den Morgans und Harrimans. Aber sie waren doch in Berührung mit ihnen und selbst schon Giganten. Auch die Haltung, die sie ihm gegenüber einnahmen, gefiel ihm sehr. Sie waren liebenswürdig, ohne herablassend zu sein. Es war die Liebenswürdigkeit gegen ihresgleichen, und die feine Schmeichelei in diesem Auftreten verfehlte ihre Wirkung auf Daylight nicht; war er sich doch klar darüber, daß sie an Erfahrung wie an Reichtum weit über ihm standen.

»Wir wollen diese Spekulantenbande mal ordentlich aufrütteln«, erklärte Leon Guggenhammer triumphierend. »Und Sie sind der rechte Mann dazu, Herr Harnish. Alle Welt muß ja glauben, daß Sie auf eigene Faust handeln, und wenn es gilt, einen Neuling wie Sie zu stutzen, sind alle Scheren scharf geschliffen.«

»Die werden sich wundern«, fügte Letton hinzu, und seine unergründlichen Augen leuchteten aus den umfangreichen Falten des wollenen Schals hervor, den er sich jetzt um Hals und Ohren wickelte. »Die Gedanken dieser Leute gehen immer bestimmte Bahnen. Das Unerwartete wirft alle ihre Berechnungen über den Haufen – sei es eine neue Kombination, irgendein fremder Faktor oder eine neue Variante. Und das alles werden Sie für die Leute sein, Herr Harnish. Ich wiederhole: Es sind Spieler, und sie verdienen ihr Schicksal. Sie hemmen und stören jedes regelrechte Geschäft. Sie, Herr Harnish, haben ja keine Ahnung von dem Ärger, den diese Spekulanten Leuten wie uns verursachen, wenn sie – was vorkommt – mit ihrem Spiel die vernünftigsten Pläne durchkreuzen und die sichersten Geschäfte über den Haufen werfen.«

Dowsett und der junge Guggenhammer fuhren zusammen in einem Auto fort, Letton allein in einem andern. Auf Daylight, dessen Gedanken immer noch von den Ereignissen der letzten Stunde erfüllt waren, machte die Art ihrer Abreise einen tiefen Eindruck. Wie seltsame Ungeheuer standen die drei Maschinen am Fuße der breiten Treppe unter der unbeleuchteten Einfahrt. Es war finstere Nacht, und die Scheinwerfer der Automobile durchschnitten wie Messer die feste Substanz des Dunkels. Der ehrerbietige Lakai, der automatische Hausgeist, der keinem der drei gehörte, stand, nachdem er ihnen beim Einsteigen geholfen, wie aus Stein gehauen da. Auf den Führersitzen saßen die pelzbekleideten Chauffeure. Dicht hintereinander jagten die Wagen ins Dunkel hinaus und verschwanden um die Ecke.

Daylights Wagen war der letzte, und als er hinaussah, erblickte er einen Schimmer des unbeleuchteten Hauses, das groß und mächtig wie ein Berg in der Finsternis dalag. Wem mochte es gehören? Wie kam es, daß sie es für ihre heimliche Besprechung benutzten? Ein Mysterium? Die ganze Geschichte war voller Mysterien. Aber Hand in Hand mit dem Mysterium schritt die Macht. Er lehnte sich zurück und atmete den Rauch seiner Zigarette ein. Großes war im Gange. Eben jetzt wurden die Karten zu einem mächtigen Spiel ausgeteilt, und er war dabei. Er erinnerte sich seines Pokerspiels mit Jack Kearns und lachte laut. Damals ging es um Tausende, jetzt um Millionen. Und wenn am achtzehnten die Dividende festgesetzt wurde – er lachte laut bei dem Gedanken an die Scheren, die geschliffen wurden, um ihn zu stutzen –, ihn, Burning Daylight.

Es war fast zwei Uhr morgens, als er in sein Hotel zurückkehrte, aber noch warteten Reporter auf ihn, um ihn zu interviewen. Am nächsten Morgen kamen wieder welche. Und so wurde er mit schmetternden Zeitungsfanfaren in New York empfangen. Wieder einmal wanderte seine malerische Gestalt unter dem Lärm der Tamtams, unter wildem Spektakel durch die Druckspalten, der König von Klondike, der Held des hohen Nordens, der dreißigfache Dollarmillionär aus Alaska war nach New York gekommen. Warum? Wollte er jetzt den New Yorkern an den Kragen wie früher der Tomopah-Bande in Nevada? Wallstreet mußte auf dem Posten sein: Der wilde Mann aus Alaska war da. Oder würde diesmal Wallstreet ihm an den Kragen gehen? So war es schon vielen wilden Männern ergangen. Wie würde es ihm ergehen? Daylight grinste und sprach sich den Interviewern gegenüber in dunklen Wendungen aus.

Man war darauf vorbereitet, daß er spielen würde, und als am selben Tage ein mächtiger Kauf von Ward Valley begann, gab es keinen Zweifel mehr, daß er dahintersteckte. Die Wogen der Börsengerüchte gingen hoch. Wieder hatte er es also auf die Guggenhammers abgesehen. Die Geschichte von Ophir wurde wieder hervorgeholt und so sensationell ausgeputzt, daß Daylight sie selbst kaum wiedererkannte. Aber das war nur Wasser auf seine Mühle. Es war klar: Die Spekulanten gingen auf den Leim. Von Tag zu Tag kaufte er mehr, aber das Angebot war so groß, daß Ward-Valley-Aktien nur ganz langsam stiegen.

Die Woche, die Donnerstag, dem achtzehnten, vorausging, war eine wilde, aufgeregte Zeit für Daylight. Ganz allmählich hatte das anhaltende Kaufen doch die Aktien in die Höhe getrieben, und je näher der Donnerstag kam, desto mehr spitzte die Lage sich zu. Irgendwie mußte die Bombe platzen. Wieviel Ward Valley wollte dieser Klondikespieler denn kaufen? Wieviel konnte er kaufen? Was taten die Ward-Valley-Leute unterdessen? Die Interviews mit ihnen, die in den Blättern erschienen – Interviews, die prachtvoll ruhig und beherrscht waren –, belustigten Daylight sehr. Leon Guggenhammer äußerte sogar die Meinung, daß dieser Nordlandkrösus sich vielleicht doch verrechnet hätte. Aber das mache ihnen keine Sorge, erklärte John Dowsett. Sie hätten auch nichts dagegen. Sie hätten keine Ahnung von seinen Plänen, und nur eines sei sicher: Ward Valley lägen à la hausse. Dagegen hätten sie auch nichts. Wie es ihm und seinen Operationen auch immer erginge, Ward Valley sei jedenfalls in schönster Ordnung, so fest wie der Felsen von Gibraltar, und würde es bleiben. Nein, sie hätten keine Ward Valley zu verkaufen, besten Dank. Der ganz unnatürliche Stand des Marktes müsse sich bald ändern, und Ward Valley sei durch ein so wahnsinniges Börsenspiel nicht aus seinem ruhigen Gang zu bringen. »Es ist das reine Spiel von Anfang bis zu Ende«, sagte Nathaniel Letton, »wir haben nicht das geringste damit zu tun und nehmen keine Notiz davon.«

Am Dienstag kam Daylight jedoch ein beunruhigendes Gerücht zu Ohren. Es war im Wallstreet-Journal veröffentlicht und ging darauf aus, daß nach anscheinend besten Informationen die Direktoren von Ward Valley am Donnerstag keine Dividende ausschütten, sondern statt dessen eine Einzahlung fordern würden. Es war das erste Mal, daß Daylight ängstlich wurde. Stimmte die Nachricht, so war er ruiniert, und plötzlich fiel es ihm wie Schuppen von den Augen: Diese ganzen riesigen Operationen waren ausschließlich mit seinem eigenen Gelde gemacht. Dowsett, Guggenhammer und Letton hatten nichts riskiert. Es war ein augenblicklicher Schreck, der ebenso schnell wieder vorüberging, aber doch stark genug war, ihn alle Kaufaufträge widerrufen zu lassen. Dann stürzte er ans Telefon.

»Hat nichts zu sagen – nur ein Gerücht«, klang Leon Guggenhammers tiefe Stimme durch den Fernsprecher. »Wie Sie wissen«, sagte Nathaniel Letton, »bin ich selbst Mitglied des Aufsichtsrats, und ich müßte es doch wohl wissen, wenn man an so etwas dächte.« Und John Dowsett: »Vor solchen Gerüchten habe ich Sie ja gerade gewarnt. Es ist nicht ein Jota daran – Ehrenwort.« Daylight schämte sich furchtbar, daß seine Nerven mit ihm durchgegangen waren, und kehrte zu seiner Arbeit zurück. Als er das Kaufen eingestellt hatte, war die Börse in ein Narrenhaus verwandelt, und auf der ganzen Linie verkauften die Baissiers drauflos. Ward Valley, die ihren Höhepunkt erreicht hatten, begannen zu wanken. Daylight verdoppelte in aller Ruhe seine Kaufaufträge. Und Dienstag, Mittwoch und Donnerstag morgen fuhr er fort zu kaufen, während Ward Valley triumphierend immer höher stiegen. Immer noch verkauften die andern, und immer noch kaufte er, und zwar in einem Maße, daß er, wenn es geliefert wurde, seine Zahlungsfähigkeit weit überschritt. Aber was tat das? Heute wurde die doppelte Dividende festgesetzt. Die Baissiers waren die Hereingefallenen, und er konnte ihnen seine Bedingungen diktieren.

Und dann platzte die Bombe. Das Gerücht hatte recht gehabt: Ward Valley verlangte Zahlung. Daylight gab sofort den Kampf auf. Sobald er sich vergewissert hatte, daß es stimmte, zog er sich zurück. Nicht nur Ward Valley, alle sicheren Papiere wurden von den triumphierenden Baissiers hinuntergehämmert. Daylight gab sich nicht einmal die Mühe zu untersuchen, ob die Ward Valley ihren Tiefststand erreicht hatten oder immer noch weiter fielen. Er war nicht betäubt, nur verwirrt und zog sich vom Schlachtfeld zurück, um sich zu sammeln, während Wallstreet ganz die Besinnung verlor. Nach einer kurzen Besprechung mit seinen Maklern ging er in sein Hotel. Unterwegs kaufte er sich die Abendblätter und las die Überschriften. Burning Daylight fertig! stand da; Daylight hat's gekriegt! Wieder ein Mann aus dem Westen, der sein Geld losgeworden ist! Als er sein Hotel erreichte, erzählte eine spätere Ausgabe von einem jungen Mann, der Selbstmord begangen hatte, einem Lamm, das Daylights Spiel treuherzig gefolgt war. »Warum nimmt er sich das Leben, zum Donnerwetter?« murmelte Daylight.

Er ging in sein Zimmer hinauf, bestellte sich einen Martini-Cocktail, zog sich die Schuhe aus, setzte sich hin und dachte nach. Nach einer halben Stunde faßte er sich und leerte das Glas, und während er fühlte, wie die Flüssigkeit seinen ganzen Körper durchwärmte, erschlafften seine Züge zu einem langsamen, beherrschten, aber aufrichtigen Lächeln. Er mußte selbst über sich lachen.

»Reingefallen, weiß Gott!« murmelte er.

Dann verschwand das Lächeln wieder, und sein Gesicht wurde ernst und düster. Bis auf seine Anteile in den verschiedenen landwirtschaftlichen Unternehmungen, die noch hohe Zuschüsse erforderten, hatte er nichts mehr. Aber härter als dies war der Schlag, der seinen Stolz getroffen. Es war kein Kunststück gewesen, ihn hereinzulegen. Sie hatten ihm Steine für Gold gegeben, und er hatte nicht den geringsten Beweis. Der einfachste Bauer hätte Dokumente gehabt, und er hatte nichts als ein Ehrenwort. Ein Ehrenwort! Er schnaufte verächtlich. In seinem Ohr klang noch die Stimme John Dowsetts durchs Telefon: »Ehrenwort!« Hinterlistige Diebe und Gauner waren sie, und richtig angeführt hatten sie ihn. Was die Zeitungen schrieben, stimmte. Er war nach New York gekommen, um sich 'reinlegen zu lassen, und die Herren Dowsett, Letton und Guggenhammer hatten das gründlich besorgt. Er war ein kleiner Fisch, mit dem sie zehn Tage gespielt hatten – genügend Zeit, um ihn samt seinen elf Millionen zu verschlingen. Natürlich hatten sie ihm alles nur aufgehalst, um Ward Valley dann für ein Butterbrot zurückzukaufen, bevor der Markt sich wieder erholt hatte. Nathaniel Letton würde wahrscheinlich von seinem Anteil am Raube der von ihm gestifteten Universität wieder ein paar neue Gebäude schenken. Leon Guggenhammer würde sich neue Maschinen für seine Jacht oder eine ganze Flotte von Jachten kaufen. Aber was der Teufel von Dowsett mit seinem Gelde machen wollte, das war ihm nicht klar – vielleicht eine neue Reihe Banken gründen.

Daylight trank einen Cocktail nach dem andern und dachte an sein Leben in Alaska, an die schweren Jahre, in denen er sich seine elf Millionen erkämpft hatte. Einen Augenblick dachte er an Mord, und wilde Pläne jagten ihm durch den Sinn. Das hätte der junge Mann tun sollen, statt sich selbst zu töten. Niederschießen hätte er sie sollen. Daylight öffnete seinen Koffer und holte seinen Revolver – einen großen Colt 44 – hervor. Er sah nach, ob er geladen war, steckte die Waffe in die Seitentasche seines Überziehers, bestellte sich noch einen Martini und setzte sich wieder. Eine ganze Stunde dachte er nach, lächelte aber nicht mehr. In seinem Gesicht bildeten sich Furchen, die Wahrzeichen der Arbeit des Nordens, des beißenden Frostes, alles dessen, was er erreicht und was er erlitten hatte – die endlosen Wochen der Schlittenreisen, die düsteren Tundren von Point Barrow, das zermalmende Eistreiben des Yukon, die Kämpfe mit Menschen und Tieren, die langen Hungertage, die Monate unter den Stichen der Moskitos von Koyokuk, die mühselige Arbeit mit Hacke und Schaufel, die Zeichen und Narben von Tragriemen und Zugleine, die Zeit, da er und seine Hunde nichts als Fleisch zu essen hatten, diese ganze lange Reihe von zwanzig Jahren Arbeit, Schweiß und Mühsal . . .

Um zehn Uhr erhob er sich und begann das New Yorker Adreßbuch zu studieren. Dann zog er sich die Schuhe an, nahm eine Droschke und fuhr in die Nacht hinaus. Zweimal wechselte er die Droschke und hielt schließlich vor dem Nachtbüro eines Detektivs. Er nahm selbst die Sache in die Hand, bezahlte reichlich voraus, wählte die sechs Mann, die er brauchte, und instruierte sie. Noch nie hatten sie für eine so einfache Sache eine so gute Bezahlung erhalten, denn außer der Taxe gab er jedem einen Fünfhundertdollarschein und versprach ihnen noch einmal soviel, wenn sie Erfolg hatten. Spätestens am nächsten Tage mußten seine drei stillen Partner sich treffen. Auf jeden wurden zwei von den Detektiven losgelassen. Zeit und Ort der Zusammenkunft war alles, was er erfahren wollte.

»Macht eure Sache gut, Jungens«, ermahnte er sie zuletzt. »Ich muß es wissen. Was auch geschieht, ich schlage euch heraus.«

Er kehrte in sein Hotel zurück, indem er wie zuvor die Droschke wechselte, ging in sein Zimmer, trank noch einen Cocktail zur Nacht, legte sich nieder und schlief ein. Am Morgen kleidete er sich an, rasierte sich, bestellte sein Frühstück und die Zeitungen und wartete. Aber er trank nicht. Um neun Uhr begann das Telefon zu klingeln, und die ersten Berichte liefen ein. Nathaniel Letton war im Begriff, in Tarrytown den Zug zu besteigen. John Dowsett kam mit der Untergrundbahn zur Stadt. Leon Guggenhammer hatte sich noch nicht auf der Straße sehen lassen, war aber bestimmt zu Hause. Daylight breitete eine Karte vor sich auf dem Tisch aus und folgte so den drei Männern, wie sie einander näher kamen. Jetzt war Nathaniel Letton in seinem Büro im Mutual-Solander-Hause.

Als nächster erschien Guggenhammer. Dowsett befand sich noch in seinem Büro; aber um elf kam die Nachricht, daß auch er eingetroffen sei, und wenige Minuten später saß Daylight im Auto und sauste in voller Fahrt nach dem Mutual-Solander-Hause.

Nathaniel Letton war mitten im Satze, als die Tür geöffnet wurde; er blieb stecken, und er wie die beiden andern starrten erschrocken, aber beherrscht den eintretenden Burning Daylight an. Unwillkürlich übertrieb er den freien schwungvollen Gang, der Schlittenreisenden eigen ist. Ihm war, als fühlte er Schnee unter seinen Füßen.

»Guten Morgen, meine Herren«, sagte er, ohne die unnatürliche Ruhe zu beachten, mit der sie seinen Eintritt begrüßten. Er schüttelte ihnen der Reihe nach so herzlich die Hände, daß Nathaniel Letton zusammenfuhr. Dann warf er sich in einen schweren Sessel und streckte die Beine aus, als ob er müde wäre. Die große Ledertasche, die er mitgebracht hatte, stellte er sorglos neben sich auf den Fußboden.

»Allmächtiger, ich bin halb tot!« seufzte er. »Wir haben's ihnen aber auch nicht schlecht gegeben. Das war 'ne Sache. Und erst ganz zum Schluß ist mir aufgegangen, wie fein das Spiel war. Glatter Knockdown! Und wie sie drauf 'reinfielen, war einfach großartig!«

Sein schleppender westlicher Dialekt und seine Fröhlichkeit beruhigten sie. Es war wohl gar nicht so schlimm. Wenn er sich auch entgegen Lettons Anordnungen den Zutritt zum Büro erzwungen hatte, so schien er doch nicht die Absicht zu haben, eine Szene zu machen oder ausfallend zu werden.

»Na«, fragte Daylight liebenswürdig, »habt ihr nicht ein freundliches Wort für euren Partner? Oder hat sein Glanz euch völlig geblendet?«

Letton räusperte sich, konnte aber kein Wort herausbringen. Dowsett saß ruhig abwartend da, während Guggenhammer mit Anstrengung stammelte:

»Sie haben wirklich ein schönes Tohuwabohu angerichtet.«

Daylights schwarze Augen funkelten vor Vergnügen.

»Das will ich meinen!« rief er triumphierend. »Haben wir sie nicht schön angeführt? Ich war selbst ganz überrascht. Ich hatte mir nie träumen lassen, daß es so leicht ginge.

Und jetzt«, fuhr er fort, ehe die entstandene Pause drückend wurde, »können wir wohl abrechnen. Ich möchte gern heute nachmittag abreisen.« Er nahm seine Tasche und griff mit beiden Händen hinein. »Und wenn ihr Wallstreet wieder mal einen kleinen Schrecken einjagen wollt, Jungens, dann braucht ihr's mir nur zu sagen.«

Seine Hände kamen wieder zum Vorschein; sie umschlossen eine Menge Talons, Scheckbücher und Schlußnoten. Er schüttete alles auf den Tisch, griff noch einmal in die Tasche und fischte einige Nachzügler heraus. Dann las er von einem Blatt Papier ab: »Zehn Millionen siebenundzwanzigtausend und zweiundvierzig Dollar und acht Cent betragen meine Ausgaben. Die müssen natürlich vom Gewinn abgezogen werden, ehe wir die ganze Beute zusammenrechnen. Wo habt ihr eure Berechnung? Es muß doch eine mächtige Summe herauskommen.«

Die drei Männer sahen sich erstaunt an. Entweder war der Mann dümmer, als sie gedacht hatten, oder er spielte ein Spiel, das sie noch nicht durchschauen konnten.

Nathaniel Letton befeuchtete seine Lippen mit der Zunge und sprach: »Es wird noch einige Stunden dauern, Herr Harnish, bis wir die Abrechnung in Ordnung haben. Howison ist gerade dabei. Wir – hm – wie Sie sagen, haben wir befriedigend abgeschnitten. Was meinen Sie, wollen wir jetzt nicht zusammen frühstücken gehen – wir könnten ja dabei über die Sache sprechen. Ich lasse meine Angestellten über Mittag arbeiten, so daß Sie Ihren Zug noch erreichen können.«

Dowsett und Guggenhammer gaben ihre Erleichterung fast zu offen zu erkennen. Die Situation klärte sich. Unter den augenblicklichen Verhältnissen war es nicht angenehm, in einem Raum mit dem Manne eingeschlossen zu sein, den sie soeben ausgeplündert hatten, einem Manne, der starke Muskeln hatte und einem Indianer glich. Sie erinnerten sich mit Unbehagen der vielen Geschichten über seine Stärke und Brutalität. Wenn Letton ihn nur so lange hinhalten könnte, bis sie in die polizeibeschützte Welt außerhalb der Bürotüren entwischt waren, so war alles gut. Und Daylight schien mit sich reden zu lassen.

»Das freut mich wirklich«, sagte er. »Ich möchte nicht gern den Zug versäumen. Sie haben mir eine große Ehre erwiesen, meine Herren, daß Sie mich an diesem Geschäft teilnehmen ließen. Ich weiß das in hohem Maße zu schätzen, wenn ich meinen Gefühlen auch nicht den rechten Ausdruck verleihen kann. Aber ich bin schrecklich neugierig und möchte gern wissen, Herr Letton, wie hoch Sie unsern Gewinn veranschlagen. Können Sie es mir nicht schätzungsweise sagen?«

Nathaniel Letton sandte seinen Freunden einen flehenden Blick, und es entstand eine Pause. Dowsett, der aus festerem Holz als die beiden andern geschnitzt war, begann zu ahnen, daß der Klondike-Mann spielte. Jene aber ließen sich immer noch von seiner kindlichen Unschuld einwiegen.

»Es ist außerordentlich – hm – schwierig«, begann Leon Guggenhammer vorsichtig. »Sie wissen, daß die Kurse von Ward Valley fabelhaft schwankten, so daß – hm –«

»So daß es ganz unmöglich ist, jetzt schon den Gewinn abzuschätzen«, fuhr Letton fort.

»Annähernd, annähernd«, meinte Daylight freundlich. »Auf eine Million mehr oder weniger kommt es nicht an. Darüber können wir uns ja später noch einigen. Aber ich bin so neugierig, daß es mich am ganzen Körper juckt. Was meint ihr?«

»Warum sollen wir weiter unter falschen Voraussetzungen spielen?« fragte Dowsett plötzlich kalt. »Laßt uns die Karten auf den Tisch legen. Herr Harnish hat einen falschen Eindruck von der Sache, und wir wollen ihn aufklären. Diesmal . . .«

Aber Daylight fiel ihm ins Wort. Er war ein zu guter Pokerspieler, als daß er den psychologischen Faktor außer acht gelassen hätte, und er unterbrach Dowsett, um das Spiel selbst zum Abschluß zu bringen.

»Da wir gerade von Karten sprechen«, sagte er, »so fällt mir ein Poker ein, den ich mal in Reno in Nevada gesehen habe. Es war nicht gerade, was man ehrliches Spiel nennt. Die Spieler waren alle ausgekochte Jungens. Aber hinter dem Mann, der gab, stand ein neuer, ein Gelbschnabel, und der sah, wie der andere sich unten aus dem Spiel vier Asse nahm. Der Neue ärgerte sich. Er trat zu dem Gegenübersitzenden.

›Sie‹, flüsterte er ihm zu. ›Ich habe gesehen, wie der drüben sich vier Asse genommen hat.‹

›Na wennschon?‹ sagte der Spieler.

›Ich wollt' es Ihnen nur sagen, weil ich meinte, daß Sie es wissen sollten‹, sagte der Neue. ›Ich wiederhole, ich hab' es mit eigenen Augen gesehen, wie er sich vier Asse gegeben hat.‹

›Wissen Sie was‹, sagte der Spieler, ›Sie täten am besten, wenn Sie sich verzögen, Sie haben ja keine Ahnung von dem Spiel. Er ist doch am Geben, nicht wahr?‹«

Das Gelächter, mit dem die Geschichte begrüßt wurde, war weder sehr aufrichtig noch natürlich, doch Daylight schien keine Notiz davon zu nehmen.

»Ich vermute, daß Ihre Geschichte einen Sinn hat«, sagte Dowsett mit Nachdruck.

Daylight blickte ihn unschuldig an, antwortete aber nicht. Er wandte sich jovial an Nathaniel Letton.

»Los«, sagte er. »Geben Sie uns eine Übersicht über unseren Gewinn. Wie ich schon sagte, kommt es auf eine Million mehr oder weniger nicht an, denn es muß ja eine mächtige Summe sein.«

Letton war jetzt durch die Haltung, die Dowsett einnahm, sicherer geworden und antwortete schnell und entschieden.

»Ich fürchte, Sie mißverstehen die Situation, Herr Harnish? Wir haben keinen Gewinn mit Ihnen zu teilen. Bitte, regen Sie sich nicht auf. Ich brauche nur auf diesen Knopf zu drücken . . .«

Aber Daylight schien durchaus nicht aufgeregt zu sein, er machte vielmehr den Eindruck, als ob er völlig gelähmt wäre. Mit geistesabwesender Miene griff er in seine Westentasche, zündete ein Streichholz an und entdeckte, daß er keine Zigaretten hatte. Die drei Männer folgten seinen Bewegungen wie Katzen. Sie wußten, daß sie jetzt einige höchst ungemütliche Minuten vor sich hatten. »Wollen Sie das bitte noch einmal sagen?« meinte Daylight. »Mir scheint, ich habe nicht ganz richtig gehört. Sie sagten . . .?«

In qualvoller Erwartung hing er an Nathaniel Lettons Lippen.

»Ich sagte, daß Sie die Situation mißverstehen, Herr Harnish; das war alles. Sie haben an der Börse gespielt und tüchtig dabei verloren. Aber weder Ward Valley noch ich oder meine Kompagnons können sehen, daß wir Ihnen etwas schuldig sind.«

Daylight deutete auf den Haufen Quittungen und Talons auf dem Tische.

»Das hier repräsentiert eine Summe von zehn Millionen zwanzigtausend und zweiundvierzig Dollar und achtundsechzig Cent in bar. Hat das denn keinen Wert?«

Letton lächelte und zuckte die Achseln.

Daylight betrachtete Dowsett und murmelte:

»Dann hat meine Geschichte doch wohl einen Sinn.«

Er lachte krampfhaft. »Sie haben die Karten gegeben, und Sie haben richtig gegeben. Schön, ich beklage mich nicht. Ich bin wie der Mann im Poker. Sie haben gegeben und konnten es natürlich so tun, wie Sie es für gut befanden. Und das haben Sie getan – und haben mich bis auf den letzten Heller ausgeplündert.« Er starrte verwirrt den Haufen auf dem Tische an. »Und das alles ist nicht mal das Papier wert, worauf es geschrieben ist. Verflucht noch mal, Sie verstehen Karten zu geben, wenn Sie eine Chance haben. O nein, ich beklage mich nicht. Sie waren am Geben, und Sie haben mich 'reingelegt, aber ich bin nicht der Mann, zu jammern, wenn mir so was passiert. Die Partie ist jetzt ausgespielt, die Karten liegen auf dem Tisch, und es ist kein Wort weiter drüber zu verlieren, aber . . .«

Seine Hand tauchte schnell in die Brusttasche und erschien wieder mit dem großen Coltrevolver.

»Wie gesagt, die Partie ist zu Ende. Aber jetzt gebe ich, und da will ich doch sehen, ob ich nicht die vier Asse kriegen kann – –. Finger weg, du getünchtes Grab!« rief er scharf.

Nathaniel Lettons Hand, die sich sacht nach dem Klingelknopf geschoben hatte, zuckte zurück.

»Plätze wechseln«, kommandierte Daylight. »Nimm den Stuhl drüben, du leberkrankes Stinktier! Rück auf die andere Seite, Guggenhammer! Und du, Dowsett, setz dich hierher.

Jetzt werde ich die Karten geben. Denkt daran, daß ich nichts über euer Spiel gesagt habe. Ihr habt euer Leck gestopft, gut! Aber jetzt bin ich am Geben, und jetzt will ich mein Leck dichten. Ihr kennt mich. Ich bin Burning Daylight – savvy? Ich fürchte nichts, weder Gott noch Teufel, weder Tod noch Untergang. Das sind meine vier Asse, und die stechen eure sicher aus.«

»Und doch werden wir dich hängen sehen«, sagte Dowsett, der als einziger seine Ruhe bewahrt hatte.

»Damit hat's noch eine gute Weile. Und wenn's geschieht, so erlebt ihr es sicher nicht. Ihr sterbt hier und in dieser Minute.«

Daylight schwieg.

»Ist das Ihr Ernst?« fragte Letton mit seltsam dünner Stimme.

Daylight schüttelte lächelnd den Kopf.

»Nein, es lohnt sich nicht. Ihr seid es nicht wert. Aber ich will meine Chips wiederhaben. Und ich denke, ihr gebt sie mir lieber zurück, als daß ihr geradewegs von hier in die Leichenhalle wandert.«

Ein langes Schweigen folgte.

»Schön, also ich hab' jetzt gegeben. Ihr seid am Spiel. Aber während ihr noch überlegt, will ich euch noch eine Warnung erteilen: Wenn die Tür aufgeht und einer von euch Banditen sich merken läßt, daß hier was Besonderes los ist, dann knall' ich euch nieder, so wahr ich hier stehe. Nicht eine Seele kommt hier heraus, es sei denn mit den Füßen voran.«

Geschlagene drei Stunden blieben sie sitzen. Der entscheidende Faktor war weniger der große Revolver an sich als die Gewißheit, daß Daylight Gebrauch von ihm machen würde. Die drei Männer waren fest davon überzeugt, und er war es auch. Er war entschlossen, sie zu töten, wenn er sein Geld nicht bekam. Sofort zehn Millionen in bar herbeischaffen war keine Kleinigkeit. Immer wieder mußten Howison und der erste Buchhalter hereingerufen werden. Dann lag der Revolver unter einer Zeitung auf Daylights Schoß, während er sich eine seiner braunen Zigaretten drehte und anzündete. Aber endlich war alles in Ordnung. Aus dem wartenden Auto wurde eine Segeltuchtasche geholt, und als Daylight das letzte Paket Scheine hineingestopft hatte, schnappte er sie zu. An der Tür drehte er sich noch einmal um. »Noch eines: Wenn ich zu dieser Tür hinaus bin, habt ihr eure Handlungsfreiheit wieder, aber ich will euch ein paar Winke geben. Erstens keinen Haftbefehl – savvy? Dies Geld gehört mir, ich hab's euch nicht gestohlen. Wenn es herauskommt, wie ihr mich 'reinlegen wolltet, so wird man auf eure Kosten lachen, und das nicht zu knapp. Weiter: Ihr habt mich ausgeplündert, und ich habe mir mein Geld wiedergeholt. Wenn ihr versucht, mich verhaften zu lassen und mich noch einmal auszuplündern, schieße ich euch über den Haufen. Ihr seid gerade die Rechten, Burning Daylight das Fell über die Ohren zu ziehen. Also nehmt euch in acht, daß es hier nicht ein paar Beerdigungen gibt. Wenn ihr mir in die Augen seht, dann wißt ihr, daß ich meine, was ich sage. Die Talons und Quittungen hier gehören euch. Guten Morgen!«

Als sich die Tür hinter ihm geschlossen hatte, sprang Nathaniel Letton ans Telefon, aber Dowsett stellte sich ihm in den Weg. »Was wollen Sie tun?« fragte Dowsett.

»Die Polizei. Das ist gemeiner Raub. Ich laß mir das nicht gefallen.«

Dowsett lächelte grimmig und schob den dürren Finanzier auf seinen Sessel zurück.

»Lassen Sie uns erst mal drüber reden«, sagte er, und Leon Guggenhammer pflichtete ihm eifrig bei.

Es kam nichts dabei heraus. Die drei wahrten ihr Geheimnis. Auch Daylight verriet nichts; als er aber an diesem Nachmittag im Salonwagen in seinen Sitz zurückgelehnt saß, lachte er herzlich und lange.

New York konnte nie aus der Geschichte klug werden oder eine vernünftige Erklärung dafür finden. Wenn alles mit rechten Dingen zugegangen wäre, hätte Burning Daylight fertig sein müssen, und doch wußte man, daß er unmittelbar darauf mit anscheinend unvermindertem Kapital wieder in San Franzisko auftauchte. Das bezeugte die Größe seiner neuen Unternehmungen, wie der Panama-Post, deren Kontrolle er Seftly ausschließlich kraft seines Geldes und seiner Kampftüchtigkeit entriß und die er zwei Monate später für eine, dem Gerüchte nach, fabelhafte Summe den Harrimans überließ.

Nach Daylights Rückkehr wuchs sein Ruf schnell. Es war gerade kein beneidenswerter Ruf. Man fürchtete ihn. Er wurde als Raufbold, als Teufel, als Tiger verschrien. Sein Spiel war vernichtend, und keiner wußte, wie und wann sein nächster Schlag fallen würde. Alles kam überraschend. Er schlug unerwartet zu, ließ seinen Geist nicht ausgetretene Bahnen gehen, sondern erfand immer neue Kniffe und Kriegslisten.

Zu ruhiger Kapitalanlage neigte er nicht, die hätte sein Geld nur gebunden und sein Risiko verringert. Was ihn an den Geschäften reizte, war das Moment der Spannung, und sein Draufgängertum erforderte stets neue Mittel. Er band sich immer nur für kurze Zeit, steckte Geld in eine Sache und zog es wieder heraus, um es anderweitig anzulegen, sobald er seinen Gewinn in Sicherheit hatte. Heute hier, morgen da, war er ein wahrer Seeräuber auf dem Meere des Kapitalismus. Er spielte genau nach den Regeln, aber schonungslos. Die Verbindungen, die er von Zeit zu Zeit einging, waren ausschließlich von Nützlichkeitsgründen diktiert; in seinen Verbündeten sah er Leute, die ihn ihrerseits bei der ersten Gelegenheit übers Ohr hauen würden. Trotzdem war er selbst anständig gegen sie, wenn auch nur so lange, wie sie selbst es waren, und sein Wort galt soviel wie seine Unterschrift.

Der Grund zu seiner Schonungslosigkeit war, daß er seine Mitspieler verachtete. Er hatte jede Illusion bezüglich des Spieles, das unter dem Namen Geschäft ging, verloren und sah es nun in seiner ganzen Nacktheit. – Die moderne Gesellschaft war ein riesiger organisierter, auf Ausbeutung der Schwachen und Minderbegabten berechneter Schwindel. Arbeit, rechtmäßige Arbeit war die Quelle allen Reichtums, nirgends aber sah man die rauhhändigen Söhne der Arbeit sich ihrer Früchte freuen. Fuhren sie in eigenen federnden Automobilen, kleideten sich in feine seidene Stoffe? . . . Tausende, Hunderttausende saßen Nächte hindurch und schmiedeten Ränke, um sich zwischen die Arbeiter und die von diesen geschaffenen Dinge zu drängen. Diese Ränkeschmiede waren die Unternehmer. Ihnen fiel der Gewinn zu, der durch kein Gleichheitsgesetz geregelt, sondern nur durch ihre eigene Stärke und Gemeinheit bestimmt wurde.

Freilich gab es auch unter ihnen Unterschiede. Jene kleinen Geschäftsleute, Ladeninhaber und dergleichen waren in Wirklichkeit nur die Handlanger der Großen, über denen wiederum die ganz Großen saßen. Magnaten, über Heere von Arbeitern gebietend, mehr Spieler als Räuber, die kein direkter Gewinn befriedigte und deren unersättliche Gier sie zu Großmachtkämpfen untereinander trieb. Das nannte man haute finance.

Noblesse oblige galt bei den Großen des Handels und der Industrie nur in seltenen Ausnahmefällen. Diese modernen Übermenschen waren eine Horde Banditen, die die erfolgreiche Frechheit besaßen, ihren Opfern ein Gesetz über Recht und Unrecht zu predigen, das sie selbst nicht befolgten. Ihnen galt das Wort eines Mannes nur so lange, wie er gezwungen war, es zu halten. Das Wort »Du sollst nicht stehlen« wurde nur auf den ehrlichen Arbeiter angewandt. Sie selbst waren über solche Gebote erhaben. Sie stahlen und wurden von ihren Mitmenschen nach der Größe ihrer Beute geehrt.

Daylight war ein dickschädeliger Praktikus, und nichts lag ihm ferner als Bücherweisheit. Er hatte sein Dasein unter den einfachsten Verhältnissen verbracht und keiner Gelehrsamkeit bedurft, um das Leben zu verstehen, und jetzt, unter den komplizierten Verhältnissen, erschien es ihm ebenso einfach. Er durchschaute Betrug und Lüge und fand das Leben hier ebenso elementar wie am Yukon. Die Männer waren aus demselben Stoff gemacht. Sie hatten dieselben Wünsche und Leidenschaften hier wie dort! Finanz war nur Poker im großen.

So kam es, daß Daylight ein erfolgreicher Kapitalist wurde, wenn auch kein Sklavenhalter und Blutsauger. Bedrückung der Schwachen erschien ihm verächtlich. Aber im Hinterhalt liegen und dem erfolgreichen Räuber die Beute abjagen, das war ein lustiger, aufregender Sport, wie er ihn liebte.

Das harte Leben am Yukon hatte nicht vermocht, Daylight zu einem harten Manne zu machen. Dieser Erfolg blieb der Zivilisation vorbehalten. In dem wilden, grausamen Spiel, das er jetzt spielte, schwand das Wohlwollen, das ihn bisher gekennzeichnet hatte, ganz unmerklich und auf gleiche Weise wie sein schleppender Dialekt. Und scharf und nervös wie seine Sprechweise wurde auch seine Seele. In dem rasenden Tempo des Spiels fand er immer weniger Zeit, gutmütig zu sein. Die Veränderung zeichnete sogar seine Züge. Die Linien wurden strenger. Seltener erschien das lustige Lächeln auf seinen Lippen und in seinen Augenwinkeln. Die Augen selbst, schwarz und feurig wie die eines Indianers, funkelten zuweilen vor Grausamkeit und brutalem Macht-bewußtsein. Die von seiner ganzen Persönlichkeit ausstrahlende, über-wältigende Lebenskraft blieb, aber es war jetzt die des Siegers, des schonungslosen Bezwingers. Seine Kämpfe mit der elementaren Natur waren gewissermaßen unpersönlich gewesen; jetzt kämpfte er mit den Männern seiner Rasse, und diese unerbittlichen Kämpfe zeichneten ihn mehr, als es die Mühen seiner Schlittenreisen und Flußfahrten getan.

Da trat Dede Mason in sein Leben. Fast unmerklich. Er hatte sie ganz unpersönlich engagiert, so wie er seine Büroeinrichtung angeschafft, seinen Laufjungen und Morrison, den einzigen Kontoristen und sein Faktotum, engagiert hatte. In den ersten Monaten wäre er nicht im-stande gewesen, die Farbe ihrer Augen oder ihres Haares anzugeben. Ebensowenig hatte er eine Ahnung, wie sie sonst aussah. Für ihn war sie »Fräulein Mason«, und das war alles, wenn er sie auch als gewandte und zuverlässige Sekretärin schätzte.

Als er aber eines Morgens einige Briefe unterschrieb, fiel ihm eine grammatikalische Wendung auf, die er, wie er bestimmt wußte, nicht beim Diktieren gebraucht hatte. Er drückte zweimal auf den Klingel-knopf, und einen Augenblick später trat Fräulein Mason ein.

»Hab' ich das gesagt, Fräulein Mason?« fragte er, indem er ihr den Brief reichte und ihr die fragliche Stelle zeigte.

Ein verlegener Ausdruck trat in ihre Züge, als wäre sie auf frischer Tat ertappt worden.

»Es ist mein Fehler«, sagte sie. »Es tut mir leid. Aber eigentlich ist es kein Fehler«, fügte sie schnell hinzu.

»Wie meinen Sie das?« fragte Daylight herausfordernd. »Meiner Ansicht nach ist es nicht richtig.«

Sie stand schon in der Tür, drehte sich aber mit dem unglückseligen Briefe in der Hand um.

»Richtig ist es doch«, antwortete sie dreist. »Aber wenn Sie es wün-schen, ändere ich es.« Und damit nahm sie den Brief und ging an ihre Schreibmaschine. Am nächsten Morgen trat Daylight auf dem Wege ins Büro in eine Buchhandlung und kaufte eine englische Grammatik; und eine geschlagene Stunde saß er, mit den Beinen auf dem Schreib-tisch, und arbeitete sich durch das Buch hindurch.

»Ich will gehenkt sein, wenn das Mädel recht hat«, murmelte er. Als aber die Stunde um war, wußte er, daß sie recht hatte, und zum ersten Male fand er, daß etwas Besonderes an seiner Sekretärin sei. Bisher hatte er sie nur als ein beliebiges weibliches Wesen, als einen Teil seiner Büroausstattung angesehen, jetzt aber wurde sie in seinen Augen plötzlich eine Persönlichkeit. Sie wußte offenbar manches, wovon er keine Ahnung hatte, und er begann Notiz von ihr zu nehmen.

Als sie an diesem Nachmittag das Büro verließ, bemerkte er zum erstenmal, wie gut sie gewachsen war und daß sie sich zu kleiden verstand. Er kannte nichts von den Einzelheiten der Frauenkleidung und sah denn auch nichts an ihrer hübschen Bluse und dem gutsitzenden Rock. Er sah nur die Wirkung im allgemeinen. Sie sah aus, wie man aussehen mußte. Aber das kam eben daher, daß nichts Auffallendes an ihr war.

»Nettes kleines Mädchen«, war sein Urteil, als die Kontortür sich hinter ihr schloß.

Als er ihr am nächsten Morgen Briefe diktierte, bemerkte er, daß ihr Haar hellbraun mit einem Goldschimmer war. Die blasse Sonne ließ das Gold wie schwelendes Feuer schimmern, was sehr anziehend war. Er wunderte sich, daß er dieses Spiel der Natur noch nicht beachtet hatte.

Mitten im Briefe kam derselbe Satzbau vor, der am vorigen Tage den Zwischenfall veranlaßt hatte. Er erinnerte sich der Grammatik und diktierte den Satz in derselben Weise, wie sie ihn verbessert hatte.

Fräulein Mason blickte schnell auf. Sie tat es ganz unwillkürlich und tatsächlich überrascht. Im nächsten Augenblick senkte sich ihr Blick wieder. Aber in dieser Sekunde hatte Daylight bemerkt, daß ihre Augen grau waren. Später fand er heraus, daß zuzeiten ein goldener Schimmer in ihnen sein konnte; aber fürs erste genügte, was er gesehen, um ihn zu überraschen, denn er wurde sich plötzlich klar, daß er bisher immer geglaubt hatte, eine Brünette müsse auch braune Augen haben.

Als er eines Tages an ihrem Schreibtisch vorbeiging, fand er einen Band Gedichte von Kipling und guckte verblüfft auf die Seiten.

»Sie lesen gern, Fräulein Mason?« fragte er und legte das Buch wieder hin.

»Ja«, lautete die Antwort, »sehr.«

Ein andermal war es ein Buch von Wells: »The Weels of Chance.«

»Wovon handelt es?« fragte Daylight.

»Ach, es ist nur ein Roman, eine Liebesgeschichte.«

Sie schwieg; er aber blieb wartend stehen, und sie fühlte, daß sie noch etwas sagen mußte.

»Es handelt von einem kleinen Londoner Kommis, der in den Ferien einen Ausflug macht und sich in ein Mädchen verliebt, das sehr hoch über ihm steht. Ihre Mutter ist eine beliebte Schriftstellerin und so weiter. Die Situation ist sehr eigenartig und traurig, teilweise direkt tragisch. Möchten Sie es lesen?«

»Kriegt er sie?« fragte Daylight.

»Nein, das ist es ja eben. Er war nicht – –«

»Er kriegt sie nicht, und da lesen Sie dreihundert Seiten, bloß um das herauszufinden?« murmelte Daylight erstaunt.

Fräulein Mason ärgerte sich, war aber doch belustigt. »Sie sitzen ja auch stundenlang da und lesen Bergwerks- und Geschäftsberichte«, erwiderte sie.

»Aber davon habe ich was. Das ist Geschäft und ganz was anderes. Ich schlage Geld daraus. Was haben Sie von Ihren Büchern?«

»Neue Gesichtspunkte, neue Ideen, Leben.«

»Das ist alles nicht einen Pfennig wert.«

»Das Leben ist mehr wert als Geld«, meinte sie.

»Mag sein«, sagte er mit einem Unterton männlicher Duldsamkeit. »Solange man Freude daran hat. Das ist meiner Ansicht nach das Wesentliche; aber über den Geschmack läßt sich nicht streiten.«

Trotz seiner Überlegenheit hatte er eine Ahnung, daß sie eine Menge wußte, und zugleich das Gefühl, daß er ein Barbar war, der hier den Zeugnissen einer mächtigen Kultur gegenüberstand. Ihm war Kultur etwas Wertloses, aber er hatte dennoch immer wieder eine unbestimmte Vorstellung, daß sie mehr bedeutete, als er sich denken konnte.

Einige Tage später bemerkte er wieder ein Buch auf ihrem Schreibtisch. Diesmal blieb er nicht stehen, denn er hatte den Einband erkannt. Es war das Buch eines Zeitungskorrespondenten über Klondike, und er wußte, daß von ihm darin die Rede war, und zwar in einem sensationellen Kapitel, das vom Selbstmord einer Frau handelte, an dem er die Schuld tragen sollte.

Seitdem sprach er nicht wieder mit ihr über Bücher. Der Gedanke, daß sie irrige Schlüsse aus dem betreffenden Kapitel gezogen haben mußte, ärgerte ihn um so mehr, je unverdienter es war. Das war denn doch der Gipfel: er – Burning Daylight – ein Herzensbrecher, und eine Frau sollte sich aus Liebe zu ihm das Leben genommen haben! Er kam sich selbst wie der unglücklichste Mensch vor. Es war ja aber auch schreckliches Pech, daß gerade dieses Buch von all den Tausenden, die es auf der Welt gab, seiner Sekretärin in die Hände fallen mußte. Einige Tage hatte er jedesmal, wenn er mit Fräulein Mason zusammen war, ein unangenehmes Gefühl von Schuldbewußtsein, und einmal bemerkte er, wie sie ihn merkwürdig forschend betrachtete, als wollte sie ermitteln, was für eine Art von Mann er wäre.

Er erkundigte sich bei Morrison, dem Kontoristen, der erst seiner persönlichen Antipathie gegen Fräulein Mason Luft machen mußte, ehe er das wenige, was er wußte, berichtete. »Sie stammt aus Siskiyou. Es läßt sich gut mit ihr zusammenarbeiten, gewiß, aber sie ist sehr von sich eingenommen – exklusiv, verstehen Sie.«

»Wie äußert sich das?« fragte Daylight.

»Ja, sie fühlt sich zu gut, um mit ihren Kollegen zu verkehren. Ich hab' sie ein paarmal eingeladen, ins Theater und so. Aber es ist nichts zu machen. Sie sagt, daß sie viel Schlaf braucht und nicht spät aufbleiben kann und einen weiten Weg bis Berkeley – da wohnt sie – hat.«

Dieser Teil des Berichts gefiel Daylight ausnehmend. Sie war etwas Besonderes, daran war nicht zu zweifeln. Aber Morrisons nächste Worte schlugen ihm eine böse Wunde.

»Das ist aber alles Unsinn. Sie läuft immer mit Studenten herum. Ins Theater gehen, das kann sie nicht, weil sie zuviel Schlaf braucht; aber mit denen tanzen, das kann sie immer. Ich finde, das ist ein bißchen zu vornehm für eine Bürodame. Und dann hält sie sich noch ein Pferd. Sie reitet und treibt sich immer in den Bergen drüben herum. Ich habe sie selbst eines Sonntags gesehen. Oh, sie will hoch hinaus, und ich möchte bloß wissen, wie sie das macht. Mit fünfundsechzig Dollar im Monat kommt man nicht weit. Und dabei hat sie noch einen kranken Bruder.«

»Wohnt sie bei ihrer Familie?« fragte Daylight.

»Nein, sie hat keine. Die Leute sollen übrigens mal wohlhabend gewesen sein, wie ich gehört habe. Sie müssen es gewesen sein, sonst hätte der Bruder nicht die Kalifornien-Universität besuchen können. Ihr Vater hat eine große Viehfarm gehabt, ließ sich aber in dumme Minenspekulationen ein und ging pleite, ehe er starb. Ihre Mutter war schon lange tot. Ihr Bruder muß ein schönes Stück Geld kosten. Er war ein tüchtiger Kerl, spielte Fußball, war ein guter Jäger, kletterte in den Bergen herum und ähnliches. Er kam zu Schaden, als er Pferde zuritt, und dazu bekam er noch Rheumatismus. Das eine Bein ist kürzer als das andere und etwas eingeschrumpft. Er ging an Krücken. Ich hab' sie mal zusammen gesehen – sie wollten mit der Fähre übersetzen. Die Ärzte haben jahrelang an ihm herumgedoktert, und jetzt ist er, glaube ich, im französischen Hospital.«

Alle diese Streiflichter erhöhten Daylights Interesse für Dede Mason. Aber sosehr er es auch wünschte, gelang es ihm doch nicht, näher mit ihr bekannt zu werden. Er dachte daran, sie zum Frühstück einzuladen, besaß aber die angeborene Ritterlichkeit des Hinterwäldlers, und so blieb es bei der Absicht. Er wußte, daß ein Mann von Selbstachtung kaum seine Sekretärin zum Frühstück einladen konnte.

Hinter allen Gründen Daylights aber lag eine gewisse Furcht. Das einzige, was er je gefürchtet hatte, waren Frauen, aber vor denen hatte er auch sein ganzes Leben lang Angst gehabt. Und jetzt, da er den ersten aufglimmenden Drang und das erste Verlangen nach dem Weibe spürte, war diese Furcht auch nicht leicht zu verjagen. Die Angst vor den Schürzenbändern war immer noch da und ließ ihn Entschuldigungen dafür finden, daß er mit Dede Mason nicht weiterkam.

Da Daylight keine Gelegenheit fand, Dede Masons nähere Bekanntschaft zu machen, schlief sein Interesse für sie allmählich ein. Das war nur natürlich, denn er steckte tief in Spekulationen.

Ein erbitterter Kampf mit der Coastwise Steam Navigation Company, der Hawaiian, der Nicaraguan und der Pacific-Mexican Steamship Company war in vollem Gange. Die Aufgabe, die er sich gestellt hatte, drohte ihm über den Kopf zu wachsen, und er erschrak über die weiten Verzweigungen und die vielen einander anscheinend widersprechenden Interessen, die hineingezogen wurden. Alle Zeitungen San Franziskos wandten sich gegen ihn. Anfangs hatte zwar die eine oder andere erkennen lassen, daß sie nicht abgeneigt wäre, Subsidien von ihm anzunehmen, aber Daylight war der Ansicht gewesen, daß die Situation solche Ausgaben nicht erforderte. War die Presse ihm gegenüber bisher scherzhaft tolerant und gutmütig sensationell gewesen, so sollte er jetzt erfahren, welcher giftigen Bosheit und Verleumdung sie fähig war. Jede Episode seines Lebens wurde ausgegraben und entstellt. Daylight amüsierte sich köstlich über die neue Art, wie seine Erfolge und Taten ausgelegt wurden. Aus dem großen Alaskahelden wurde er zum Alaskaschurken, -lügner, -räuber, schlechthin zum »gemeinen Kerl«. Er antwortete nie auf ihre Anwürfe, wenn er auch einmal einem halben Dutzend Reportern die Wahrheit sagte.

»Macht, was ihr wollt«, sagte er zu ihnen. »Burning Daylight ist schon mit anderen Dingen fertig geworden als mit euren dreckigen verlogenen Zeitungen. Und ich tadle euch gar nicht, Jungens – das heißt nicht allzusehr. Ihr habt keine Schuld daran. Ihr müßt ja leben. Es gibt eine Menge Weiber auf der Welt, die ihr Brot auf dieselbe Weise verdienen wie ihr, weil sie nichts Besseres können. Irgendeiner muß ja schließlich die schmutzige Arbeit tun. Ihr werdet dafür bezahlt, und euch fehlt das Rückgrat, reinlichere Arbeit zu verrichten.«

Die sozialistische Presse der Stadt münzte diese Äußerung triumphierend aus und verbreitete sie in Tausenden von Zeitungen über ganz San Franzisko. Und die an ihrer wundesten Stelle getroffenen Journalisten rächten sich mit dem einzigen Mittel, das in ihrer Macht stand – mit Druckerschwärze. Die Angriffe wurden giftiger als je, Haß und Wildheit wuchsen immer mehr. Das arme Mädchen, das sich das Leben genommen hatte, wurde aus seinem Grabe gezerrt und paradierte in Tausenden von Zeitungsspalten als Märtyrerin und Opfer der fürchterlichen Brutalität Daylights. Es erschienen ganz sachliche Artikel, in denen nachgewiesen wurde, daß er die armen Minenarbeiter ihrer Claims beraubt und zuletzt einen verräterischen Treubruch an den Guggenhammers in der Ophir-Geschichte begangen und damit den Grund zu seinem Vermögen gelegt hatte. In Leitartikeln wurde er ein Feind der Gesellschaft mit den Manieren und der Kultur eines Höhlenbewohners genannt, ein Aufwiegler, der den Wohlstand der Stadt bedrohte.

Mit dem Angriff auf zwei Dampfergesellschaften fing es an, und bald hatte sich ein Kampf auf der ganzen Linie entwickelt. Das war, was er wünschte, und er fühlte, wie recht er gehabt hatte, als er Klondike verließ, denn hier ging es um höhere Einsätze, als Yukon ihm je hätte bieten können. Auf seiner Seite focht für ein glänzendes Honorar Rechtsanwalt Larry Hegan, ein junger Irländer, der sich einen Namen machen wollte und dessen Begabung Daylight entdeckt hatte. Hegan besaß keltische Phantasie und Kühnheit, und zwar in dem Maße, daß Daylights kühler Kopf ihn bisweilen zügeln mußte. Hegan war ein juristischer Napoleon ohne Gleichgewicht, und gerade darin ergänzte ihn Daylight. Er besaß auch nicht mehr menschliches und bürgerliches Gewissen als Napoleon.

Hegan war es, der Daylight durch das Labyrinth der modernen Politik, der Arbeiterorganisation, der bürgerlichen Gesetzgebung führte. Hegan, der durch seine Fähigkeiten und Ideen Daylight die Augen für ungeahnte Möglichkeiten in der Kriegführung des zwanzigsten Jahrhunderts öffnete; und Daylight wiederum, der den Kriegsplan verwarf oder annahm, ausarbeitete und ausführte. Die ganze pazifische Küste von Puget Sound bis Panama war in Aufruhr. San Franzisko wütete gegen ihn, und es mußte scheinen, als ob die beiden großen Schiffahrtsgesellschaften den Sieg davontrügen, als würde Daylight langsam auf die Knie gezwungen. Und da langte er aus – nach den Schiffahrtsgesellschaften, nach San Franzisko, nach der ganzen pazifischen Küste.

Es fing ganz harmlos an. Während einer Versammlung des Christlichen Vereins in San Franzisko machte die Gepäckträgervereinigung Nr. 927 Spektakel über einen kleinen Gepäckhaufen im Fuhrgebäude. Das Ergebnis waren ein paar Löcher in den Köpfen, einige Verhaftungen und Auslieferung des Gepäcks. Keiner hätte erraten, daß hinter diesem Scharmützel der gewandte Irländer und Daylights Gold standen. Es war eine völlig gleichgültige Affäre, oder vielmehr – schien es zu sein. Aber da mischte sich der Fuhrleute-Verband hinein, hinter den sich wieder die ganze Hafenarbeiter-Gewerkschaft stellte. Die Weigerung der Köche und Kellner, die Streikbrecher zu bedienen, zog auch sie mit hinein. Die Schlächter und Arbeiter der Konservenfabriken wollten nicht für die Restaurants arbeiten, die Streikbrecher beschäftigten. Der Arbeitgeberverband entschloß sich zu gemeinsamem Vorgehen und stand den 40000 organisierten Arbeitern San Franziskos geschlossen gegenüber. Die Bäcker in den Gastwirtschaften und die Brotkutscher streikten, es streikten die Milchkutscher und die Geflügelrupfer. Ganz San Franzisko stand in Aufruhr. Noch war es nur San Franzisko. Aber Hegan intrigierte meisterhaft, und Daylights Feldzug nahm immer größere Dimensionen an. Die mächtige und gefährliche Organisation, die unter dem Namen »Seeleute-Verband der pazifischen Küste« bekannt war, weigerte sich, auf Schiffen zu heuern, die von Streikbrechern gelöscht oder befrachtet wurden. Sie stellte erst ein Ultimatum und erklärte dann den Streik. Darauf hatte Daylight die ganze Zeit gewartet. Sobald ein Küstenfahrzeug einlief, meldeten sich die Vertreter des Verbandes an Bord, und die Mannschaft wurde an Land geschickt. Mit den Seeleuten gingen Heizer, Maschinisten, Köche und Stewards. Täglich stieg die Zahl der aufliegenden Schiffe. Zuletzt lagen alle Häfen voll von Schiffen, und jeder Seeverkehr hörte auf. Tage und Wochen vergingen, es wurde weitergestreikt. Die Coastwise Steam Navigation Company, die Hawaiian, Nicaraguan und die Pacific-Mexican Steamship Company waren vollkommen stillgelegt. Die Bekämpfung des Streiks kostete Unsummen, und die Situation verschlimmerte sich von Tag zu Tag, bis »Frieden um jeden Preis!« die Losung war. Aber es gab erst Frieden, als Daylight und seine Verbündeten die Karten aufdeckten, ihren Gewinn einheimsten und ein gut Teil eines ganzen Kontinents die Arbeit wiederaufnehmen ließen.

Die Rolle, die Daylight gespielt hatte, wurde bald bekannt. Er wurde infolgedessen sehr verhaßt und unpopulär, obgleich er nie gedacht hatte, daß sein Angriff auf die Schiffahrtsgesellschaften so ungeheure Dimensionen annehmen würde. Aber er hatte erreicht, was er wollte. Er hatte ein aufregendes Spiel gespielt und gewonnen, hatte die Schiffahrtsgesellschaften in den Staub getreten und die Aktionäre, ohne die Gesetze zu übertreten, schonungslos ausgeplündert. Gewissensbisse machte er sich nicht. Wenn man mit Halsabschneidern spielte, galt es, die Gelegenheit wahrzunehmen, und die Hauptsache war, daß sein eigener Kopf noch saß. Er hatte gewonnen. Alles war Spiel und Kampf zwischen den Starken. San Franzisko hatte Krieg gewollt, und er hatte ihm den Krieg gegeben. Das war das Spiel. So machten es alle Großen, und sie machten es noch viel schlimmer.

Die Zivilisation hatte Daylight nicht zu einem besseren Menschen gemacht. Zwar kleidete er sich gewählter, hatte etwas bessere Manieren und sprach ein reineres Englisch. Er hatte sich auch an eine bessere

Lebensweise gewöhnt und hatte seinen Witz in dem heißen Kampfe zwischen wütenden Männern geschärft, bis er scharf wie ein Rasiermesser war. Aber es war auf Kosten seiner einstigen überströmenden Liebenswürdigkeit geschehen. Von der Verfeinerung der Zivilisation wußte er nichts. Er war zynisch, bitter und brutal geworden.

Er war auch nicht mehr wie einst der Mann mit den Muskeln aus Stahl und Eisen. Es fehlte ihm an Bewegung, er aß mehr, als ihm zuträglich war, und trank allzuviel. Seine Muskeln begannen schlaff zu werden, und sein Schneider machte ihn auf seinen zunehmenden Umfang aufmerksam. Das hagere Indianergesicht veränderte sich. Unter den Augen bildeten sich Säcke, der Halsumfang wurde größer, und die erste, an ein Doppelkinn gemahnende Falte zeigte sich. Der frühere asketische Ausdruck, eine Folge des genügsamen, harten Lebens, war verschwunden; die Züge waren breiter und schwerer geworden, gleichsam gezeichnet von dem Leben, das er führte.

Sogar sein Geselligkeitstrieb ließ nach. Er spielte am liebsten allein und verachtete die meisten der Mitspielenden. Da er weder Sympathie noch Verständnis für sie hatte und unabhängig von ihnen war, gab er sich nur wenig mit den Männern ab, die er zum Beispiel im Alta-Pacific-Klub traf. Als der Kampf mit den Schiffahrtsgesellschaften am heißesten tobte und seine Angriffe unberechenbaren Schaden in der Hafenwelt anrichteten, wurde er sogar aufgefordert, aus dem Klub auszutreten. Das paßte ihm im Grunde genommen ausgezeichnet, und er schlug sein Quartier jetzt in den Klubs auf, die von den eigentlichen Machthabern der Stadt gegründet waren und unterhalten wurden. Diese Männer gefielen ihm tatsächlich besser. Sie waren ehrliche Seeräuber, die freimütig erklärten, daß sie nur um des Gewinnes willen spielten und sich nicht hinter eleganter Heuchelei versteckten.

Der seit Monaten tobende Sturm der gesamten Presse hatte an Daylights Charakter nicht ein Tüttelchen Gutes gelassen. Es gab keinen Punkt in seiner Geschichte, der nicht zum Verbrechen oder zum Laster verzerrt war. Der Umstand, daß er auf diese Weise öffentlich zu einem schändlichen Ungeheuer gestempelt war, hatte fast die letzte schwache Hoffnung in ihm ertötet, Dede Mason näher kennenzulernen. Er fühlte, daß ein Mann seines Kalibers nicht die geringste Aussicht hatte, mit freundlichen Augen von ihr angesehen zu werden, und nur durch eine Gehaltserhöhung auf fünfundsiebzig Dollar den Monat konnte er sie zwingen, an ihn zu denken. Die Aufbesserung wurde ihr durch Morrison mitgeteilt, sie bedankte sich später bei Daylight, und damit war die Sache erledigt.

Als er sich eines Sonnabends müde und von der Stadt bedrückt fühlte, gehorchte er seiner Eingebung, die eine so große Rolle in seinem Leben zu spielen bestimmt war. Der Wunsch, aus der Stadt zu flüchten, frische Landluft zu atmen und andere Eindrücke zu erhalten, war die Ursache. Aber vor sich selbst entschuldigte er sich damit, daß er nach Glen Ellen wollte, um die Ziegelei, die er einmal Holdsworthy zuliebe gekauft hatte, zu besichtigen.

Er verbrachte die Nacht in einem kleinen ländlichen Gasthof und ritt am Sonntagmorgen aus dem Dorfe. Alles, was irgendwie ans Geschäft erinnerte, hing ihm zum Halse heraus, die bewaldeten Höhen riefen ihn. Er hatte ein Pferd unter sich, ein gutes Pferd; es erinnerte ihn an die Mustangs, die er als Knabe in Oregon zugeritten. Er war früher ein guter Reiter gewesen, und er hatte seine Freude daran, wie das Pferd jetzt auf dem Gebiß kaute und wie das Sattelzeug knirschte.

Er wollte sich erst das Vergnügen gönnen und hinterher die Ziegelei besichtigen und ritt aufwärts, indem er nach einem Wege spähte, der ihn auf den Gipfel bringen konnte. Beim ersten Gatter verließ er die Landstraße und galoppierte über eine Wiese, auf der Heu gemäht war. Zu beiden Seiten des Weges stand das Korn hoch, und er atmete entzückt den warmen Wohlgeruch ein. Lerchen flogen vor ihm auf, und von allen Seiten klangen weiche Töne. Nicht ein Gehöft war zu sehen, und nach dem Trubel der Städte genoß er die Stille. Er ritt jetzt durch offene Wälder, über kleine, blumenübersäte Lichtungen, bis er zu einer Quelle kam. Flach auf dem Boden liegend, trank er in tiefen Zügen, und aufblickend durchfuhr es ihn plötzlich, wie schön die Welt war. Es überkam ihn wie eine Entdeckung. Die wichtigen Geschäfte hatten ihm keine Zeit gelassen, daran zu denken. Während er die Luft, die Schönheit um sich her und den Gesang der Lerchen in der Ferne einatmete, kam er sich wie ein Pokerspieler vor, der vom Spieltisch aufsteht, an dem er die ganze Nacht verbracht hat, und der nun aus der stickigen Luft in den frischen Morgen kommt.

Am Fuße der niedrigen Hügel fand er ein verfallenes Holzgatter, vermutlich noch aus der Zeit der ersten Ansiedler, die nach der Goldgräberperiode das Land urbar gemacht hatten. Die Bäume standen hier sehr dicht, aber es gab nur wenig Unterholz, so daß er unbehindert unter dem Gewölbe der Zweige reiten konnte. Er befand sich jetzt in einem mehrere Morgen großen Winkel, wo statt Eichen und Madronjos stattliche Fichten wuchsen. Am Fuße eines steilen Hanges stieß er auf eine prachtvolle Gruppe, die um eine kleine murmelnde Quelle standen.

Er hielt sein Pferd an, denn neben der Quelle sah er eine wilde kalifornische Lilie. Es war eine wundervolle Blume, die in diesem Kirchenschiff von hohen Bäumen wuchs. Wenigstens acht Fuß hoch erhob sich ihr Stengel, gerade und schlank, grün und nackt, bis zu zwei Drittel seiner Höhe, und dort brach eine Fülle schneeweißer, wachsartiger Glocken hervor. Es waren Hunderte dieser Blüten, alle an einem Stengel, fein abgewogen und ätherisch zart. Daylight hatte nie etwas Ähnliches gesehen. Mit einem unklaren religiösen Gefühl nahm er den Hut ab. In diesem Frieden war kein Raum für Verachtung und schlimme Gedanken.

An dem steilen Hang über der Quelle wuchsen zierliche Farnkräuter; gestürzte, mit Moos bewachsene Baumriesen lagen hier und dort, sanken langsam und wurden eins mit dem Waldboden. Auf einer kleinen Lichtung, etwas weiter fort, schlangen sich wilder Wein und Jelängerjelieber in grünem Überfluß um die alten knorrigen Eichenstämme. Ein graues Eichhörnchen huschte auf einen Zweig und betrachtete ihn. Irgendwoher erklang das Hämmern eines Spechtes. Diese Töne störten nicht die feierliche Ruhe des Ortes, sie gehörten hierher und machten die Einsamkeit erst vollkommen.

»Als wäre es eine andere Welt«, flüsterte Daylight leise.

Er band sein Pferd an einen Baum und wanderte zu Fuß durch die Hügel. Die Höhen waren gekrönt von jahrhundertealten Tannen, die Hänge von Eichen, Madronjos und Christdorn bewachsen. Hier gab es keinen Weg für sein Pferd, und er kehrte zu der Lilie am Bach zurück. Zu Fuß, strauchelnd und stolpernd, das Pferd am Zügel führend, erkletterte er die Hügel. Farnkräuter bildeten einen Teppich zu seinen Füßen, der Wald stieg mit ihm und wölbte sich über seinem Haupte, und immer spürte er die reine Freude und Süßigkeit in seinem Herzen.

Auf dem Gipfel kam er durch ein seltsames Gebüsch samtstämmiger Madronjos, und dann tauchte der offene Hang vor ihm auf, der in ein kleines Tal hinabführte. Im ersten Augenblick blendete ihn der helle Sonnenschein, und er blieb stehen, um ein Weilchen auszuruhen, denn er keuchte vor Anstrengung. In alten Tagen hatte er keine Atemnot, keine so leichte Ermüdung der Muskeln gekannt. Ein kleiner Bach floß talabwärts über eine Wiese, auf der kniehohes Gras und blaue und weiße Anemonen wuchsen. Die Hänge des Hügels waren mit Lilien und wilden Hyazinthen bedeckt, die sein Pferd langsam, fast zögernd durchschnitt.

Daylight ritt durch den Bach, folgte einem kaum erkennbaren Viehsteig über eine niedrige felsige Anhöhe und durch einen von Wein umrankten Manzanitawald und gelangte schließlich in ein anderes kleines Tal, in das ebenfalls ein Bach hinabrieselte. Ein Kaninchen sprang vor den Hufen seines Pferdes aus dem Gebüsch und verschwand im Grase des gegenüberliegenden Hanges. Daylight sah ihm bewundernd nach und ritt weiter dorthin, wo die Wiese begann. Hier schreckte er einen Bock mit vielzackigem Geweih auf, der scheinbar schwebend über das Gatter setzte und – immer schwebend – drüben in einem schirmenden Gebüsch verschwand.

Daylights Entzücken war grenzenlos. Ihm schien, er sei noch nie so glücklich gewesen. Die Erinnerung an das alte Leben in den Wäldern war wieder erwacht, und alles, was er sah, beschäftigte ihn – das Moos auf Stämmen und Zweigen, die Misteldolden, die von den Eichen herabhingen, das Nest einer Waldratte, die Wasserkresse, die in den schützenden Wirbeln des Bächleins wuchs, die Schmetterlinge, die auf ihrem Fluge Sonnenschein und Schatten spalteten, die blauen Häher, die in bunten Farben funkelnd durch die Seitenschiffe des Waldes huschten, die kleinen, zaunkönigartigen Vögelchen, die im Gebüsch umherhüpften und den Schrei der Wachteln nachahmten, der rotköpfige Specht, der mit dem Klopfen aufhörte und den Kopf auf die Seite legte, um ihn zu betrachten. Er überschritt den Bach und fand die schwache Andeutung eines Waldweges, der augenscheinlich seit Generationen nicht mehr benutzt worden war, seit die Eichen auf der Wiese gefällt waren.

Der alte Waldweg führte auf eine Lichtung, wo auf weinrotem Boden in einer Ausdehnung von einem Dutzend Morgen Weinreben wuchsen. Dann kam ein Viehsteig, wieder Bäume und Gebüsch und schließlich ein Abhang nach Südosten. Hier lag über einem großen Canjon, mit der Aussicht über das Sonoma-Tal, ein kleines Gehöft. Mit seiner Scheune und den Nebengebäuden schmiegte es sich an den Berg, der es gegen alle Winde aus Westen und Norden schützte. Aus dem Hange war ein kleines Fleckchen Erde herausgegraben, das als Küchengarten benutzt wurde. Der Boden war fett und schwarz, und wie Daylight sah, gab es Wasser in Hülle und Fülle, das aus mehreren weit offenen Hähnen strömte.

Vergessen war die Ziegelei. Es war niemand zu Hause, aber Daylight stieg ab, durchstreifte den Küchengarten, aß Erdbeeren und grüne Erbsen, besichtigte die alte Scheune aus ungebrannten Ziegeln, den rostigen Pflug und die Egge, drehte sich Zigaretten und rauchte, während er die possierlichen Bewegungen einiger Hühner und ihrer Küken beobachtete. Ein an der Seite des großen Canjons hinabführender Fußpfad lud ihn ein, und er schickte sich an, ihm zu folgen. Parallel mit dem Wege lief ein Wasserrohr, und er schloß, daß es bis zu dem Creek hinaufführte. Die Wände des Canjons waren mehrere hundert Fuß hoch, und so prachtvoll waren die unberührten Bäume, daß die Stelle dauernd in Schatten getaucht war. Er sah Tannen, die nach dem Augenmaß einen Durchmesser von fünf bis sechs Fuß haben mußten, und Kiefern, die noch größer waren. Der Pfad führte zu einem kleinen Teiche, wo das Wasserrohr zur Bewässerung des Küchengartens abgezweigt war. Hier standen Erlen und Lorbeerbäume, und er schritt durch Farnkräuter, die ihm über den Kopf ragten. Überall war samtartiges Moos, und dazwischen wuchsen Venushaar und goldrückiger Farn. Mit

Ausnahme des Teiches war es eine jungfräuliche Wildnis. Keine Axt hatte sie je berührt, und die Bäume starben nur vor Alter oder unter dem Druck der Winterstürme. Die mächtigen Stämme der gestürzten Bäume lagen mit Moos bedeckt da und wurden langsam wieder zur Erde, der sie entstammten. Manche hatten so lange dagelegen, daß sie ganz verschwunden waren, obgleich man immer noch ihre Umrisse auf dem ebenen Boden sah. Andere bildeten Brücken über den Bach, und unter den riesigen Stämmen sah man ein halbes Dutzend junger Bäume, die im Fall mitgerissen waren, aber nun am Boden entlang wuchsen und immer noch lebten und gediehen, während der Bach ihre Wurzeln umspülte und ihre aufstrebenden Zweige das Sonnenlicht auffingen, das durch die im Waldbach entstandene Öffnung hereinströmte.

Hinter dem Gehöft stieg Daylight auf und ritt fort von der bebauten Erde in die wilderen Canjons. Nichts als die Besteigung des Sonoma-Berges konnte seine Feiertagsstimmung jetzt befriedigen. Und drei Stunden später erschien er auf dem Gipfel, müde und in Schweiß gebadet, mit zerrissenen Kleidern und zerschrammten Händen, aber mit strahlenden Augen und einem ungewohnten Ausdruck von Zufriedenheit. Er fühlte dieselbe Freude wie ein Schuljunge, der die Schule schwänzt. Der große Spieltisch von San Franzisko erschien ihm jetzt so fern. Aber es war mehr als unerlaubte Freude in seiner Stimmung.

Ohne daß er sich darüber klar wurde, was es war, wurde er von einem läuternden, erhebenden Gefühl beseelt. Hätte er erklären sollen, was er fühlte, so hätte er nur sagen können, daß er sich mächtig wohl fühlte, denn er war sich des gewaltigen Zaubers der Natur nicht bewußt, der Leib und Seele erfüllte, die vom Stadtleben angekränkelt waren.

Der Gipfel des Sonoma-Berges war unbewohnt. Er hielt sein Pferd an der südlichen Seite des Gipfels an. Im Süden und Westen sah er wogende Strecken offenen, grasbewachsenen Landes, das von bewaldeten Canjons durchschnitten wurde, Falte auf Falte, Woge auf Woge, bis der Blick auf der Sohle des Petaluma-Tales haftenblieb, die eben wie ein Billard war mit ihren geometrischen Flecken und Vierecken – den Gehöften, die inmitten ihrer fetten Felder dalagen und fast an ein Reißbrett gemahnten. Weiter nach Westen erhob sich Kette auf Kette von Bergen, über deren Tälern dunkelvioletter Nebel brütete, und noch weiter fort, hinter der allerletzten Bergkette, sah er den silbernen Schimmer des Stillen Ozeans. Dann wandte er sein Pferd und blickte nach Westen und Norden, von Santa Rosa bis zum St.-Helena-Berg, und nach Osten über das Sonoma-Tal bis zu der mit Eichen bewaldeten Bergkette, die die Aussicht über das Napa-Tal versperrte. Hier, am östlichen Hang des Sonoma-Tales, in der Flucht einer Linie, die das kleine

391

Dorf Glen Ellen durchschnitt, konnte er etwas sehen, das einer Schramme an der Seite des Berges glich. Sein erster Gedanke war, daß es der Schuttplatz von einem Minentunnel sei, dann aber fiel ihm ein, daß er sich nicht in einem Goldlande befand, gab es auf, sich den Kopf zu zerbrechen, und setzte seinen Rundblick über das Land fort nach Südosten, wo er jenseits der San-Pablo-Bucht scharf und fern die Zwillingszinnen des Mount Diabolo sehen konnte. Im Süden lag der Mount Tamalpais, und fünfzig Meilen weiter, wo die Zugwinde vom Stillen Ozean durch das Goldene Tor hereinwehten, bildete der Rauch von San Franzisko eine niedrige Dunstwolke am Himmel.

»Es ist lange her, daß ich so viel Land auf einmal gesehen habe«, dachte er laut.

Er riß sich ungern los, und erst nach einer Stunde konnte er sich zum Abstieg entschließen. Es machte ihm Freude, daß er einen neuen Weg fand, und es wurde später Nachmittag, ehe er die bewaldeten Hügel wieder erreichte und weiter nach Glen Ellen ritt. Er saß mit losen Knien im Sattel und sang halbvergessene Lieder vor sich hin. Es ging einen unebenen, gewundenen Weg hinab, über eichenbestandene Wiesen, wo es hin und wieder freie Ausblicke gab. Er lauschte begierig dem Ruf der Wachtel und lachte einmal laut auf vor Freude, als er einen kleinen Chipmunk sah, der schimpfend einen Hang hinaufflüchtete, jedoch auf der schlüpfrigen Oberfläche ausglitt, seinem Pferde gerade an der Nase vorbei quer über den Weg lief und schließlich, immer noch schimpfend, in die schirmende Krone einer Eiche schlüpfte.

Daylight brachte es heute nicht über sich, auf belebten Straßen zu reiten, und als er wieder quer über das Land in der Richtung von Glen Ellen ritt, versperrte ein Canjon ihm den Weg, so daß er gezwungen war, einem Viehsteig zu folgen, den er glücklicherweise fand. Der führte ihn zu einer kleinen Blockhütte. Türen und Fenster standen offen, und in der Tür saß eine Katze und leckte ihre Jungen, sonst aber schien niemand zu Hause zu sein. Er ritt weiter den Weg hinab, der offenbar den Canjon kreuzte. Ein Stückchen weiter traf er einen alten Mann, der ihm in der Abendsonne entgegenkam. In der Hand trug er einen Eimer mit schäumender Milch; er hatte keinen Hut auf dem Kopfe, und auf seinem von weißem Kopf- und Barthaar eingerahmten Gesicht lag die warme Glut und Zufriedenheit des schwindenden Sommertages.

»Wie alt seid Ihr, Väterchen?« fragte Daylight.

»Vierundachtzig«, lautete die Antwort. »Ja, junger Herr, vierundachtzig, aber munterer als die meisten.«

»Ihr müßt Euch gut gepflegt haben«, meinte Daylight.

»Davon weiß ich nichts. Müßiggang ist nie meine Sache gewesen. Ich zog mit einem Ochsengespann über die Steppe und half einundfünfzig den Indianern, und da war ich schon Familienvater und hatte sieben Jungens. Damals war ich so alt wie Sie jetzt.«

»Fühlt Ihr Euch hier nicht einsam?«

Der Alte nahm den Milcheimer in die andere Hand und dachte nach.

»Das kommt darauf an«, sagte er orakelhaft. »Ich hab' mich nie einsam gefühlt, nur damals, als meine Frau starb. Mancher fühlt sich einsam, wenn er unter Menschen ist, und so einer bin ich auch. Nur in Frisko fühle ich mich einsam. Aber in diesem Leben gehe ich nicht mehr dahin. Ich bin zufrieden mit meinem Leben. Seit vierundfünfzig bin ich hier im Tale ansässig – ich bin einer von den ersten Ansiedlern nach den Spaniern.« Daylight ritt weiter mit den Worten:

»Na, dann gute Nacht, Väterchen! Macht's weiter so. Ihr könnt's noch mit dem Jüngsten aufnehmen, und ich denke, Ihr habt schon eine ganze Menge von ihnen begraben.«

Der Alte kicherte, und Daylight ritt weiter, äußerst zufrieden mit sich und der ganzen Welt. Das alte Glücksgefühl der Schlittenreisen und Lagerplätze am Yukon schien wieder über ihn gekommen zu sein. Er sah immer noch den alten Ansiedler vor sich, wie er ihm in der Abendsonne entgegengekommen war. War der rüstig für seine vierundachtzig Jahre! Der Gedanke, seinem Beispiel zu folgen, tauchte in Daylight auf, aber das große Spiel in San Franzisko legte sein Veto dagegen ein.

Statt am Montag in die Stadt zurückzukehren, mietete Daylight wieder das Pferd des Schlächters und ritt durch das Tal nach den Bergen im Osten, um sich die Mine anzusehen. Hier war es trockener und felsiger als dort, wo er am Tage zuvor gewesen, und auf den Hängen wuchs hauptsächlich Dornengestrüpp. Aber die Canjons waren wasserreich und üppig bewaldet. Die Mine war verlassen, doch das Herumklettern machte ihm Freude. Ehe er nach Alaska gegangen war, hatte er ziemlich viel mit Quarzminen zu tun gehabt, und das Wiedererwachen der früheren Kenntnisse freute ihn. Die Geschichte war einfach: Gute Aussichten hatten den Anlaß gegeben, den Tunnel in den Hügel zu graben; nach drei Monaten war das Geld auf die Neige gegangen, die Arbeit war eingestellt worden, und die Männer hatten sich neue Beschäftigung gesucht; dann waren sie wiedergekommen und hatten wieder eine Weile gearbeitet. Das Gold lockte und zog sich doch immer weiter in den Berg zurück, bis sie schließlich, nach Jahren, die Hoffnung aufgegeben hatten und enttäuscht fortgezogen waren. Jetzt mochten sie wohl tot sein, dachte Daylight, als er sich im Sattel umdrehte und über den Canjon nach dem alten Schuttplatz und der dunklen Mündung des Tunnels zurückblickte. Wie am vorigen Tage folgte er rein zum Vergnügen auf gut Glück den Viehsteigen und arbeitete sich ein gutes Stück zum

Gipfel hinauf. Dann gelangte er auf einen aufwärtsführenden Fahrweg, dem er mehrere Meilen folgte, bis er zu einem kleinen, von Bergen eingerahmten Tal kam, an dessen steilen Hängen ein halbes Dutzend kleine Farmer Weintrauben zogen. Jenseits des Tales stieg der Weg steil an. Dichter Chaparral bedeckte die sonnigen Hänge, in den Schründen aber wuchsen riesige Tannen, wilder Hafer und Blumen.

Und weiter kam er durch das Gestrüpp, folgte den halbverwachsenen Pfaden und arbeitete sich langsam hinauf bis zur Wasserscheide. Dort sah er unter sich das Napa-Tal und, wenn er zurückblickte, die Sonoma-Berge.

»Ein schönes Land«, murmelte er, »ein mächtig schönes Land.« Dann wandte er sich rechts und ritt auf einem andern Wege nach dem Sonoma-Tal; aber die Pfade schienen ganz zu verschwinden, das Gestrüpp wurde immer dichter, und als er schließlich durchgedrungen war, versperrte ihm der Canjon mit seinen kleinen Nebenflüssen den Weg, so daß er wieder umkehren mußte. Aber er machte sich nichts daraus. Er freute sich, denn es war der alte Kampf mit der Natur, den er so liebte.

Spät am Nachmittag fand er endlich einen Weg, der über einen trockenen Canjon führte. Und hier erwartete ihn wieder eine angenehme Überraschung. Vor einigen Minuten hatte er einen Hund bellen hören, und plötzlich sah er einen Rehbock über den nackten Berg hoch über seinem Haupte flüchten. Und nicht weit dahinter kam der Jagdhund, ein prächtiges Tier. Daylight saß gespannt im Sattel und blickte den Tieren nach, bis sie verschwanden; sein Atem ging schneller, als wäre er selbst mit bei der Jagd. Die Sehnsucht erwachte in ihm und die Erinnerung an die Tage, ehe er in die Stadt gezogen war.

Der trockene Canjon machte bald einem anderen schmalen Bande rieselnden Wassers Platz. Der Weg lief in einen Waldsteig aus, und dieser führte über eine kleine Ebene zu einem nur wenig benutzten Landweg. In unmittelbarer Nähe gab es weder Höfe noch Häuser. Der Boden war mager, das Gestein lag dicht darunter oder trat direkt zutage. Zu beiden Seiten war der Weg jedoch von Manzanitas und niedrigen Eichen eingerahmt, die so dicht wie Dschungelgestrüpp standen. Und aus diesem Gestrüpp hervor huschte plötzlich ein Mann in einer Weise, die Daylight an ein Kaninchen erinnerte.

Es war ein kleiner Mann in geflickten Überzugskleidern, barhäuptig und mit einem Baumwollhemd, das Hals und Brust völlig frei ließ. Die Sonne verlieh seinem Gesicht einen rotbraunen Glanz und den Spitzen seines sandgelben Haares einen Silberschimmer. Er winkte Daylight, daß er anhalten sollte, und reichte ihm einen Brief hinauf.

»Wollen Sie zur Stadt, dann wäre ich Ihnen sehr dankbar, wenn Sie mir diesen Brief besorgen wollten«, sagte er.

»Gerne.« Daylight steckte ihn in seine Rocktasche. »Wohnen Sie hier in der Gegend?«

Aber der Kleine antwortete nicht. Er starrte Daylight überrascht und anhaltend an.

»Ich kenne Sie«, sagte der Kleine schließlich. »Sie sind Elam Harnish – Burning Daylight, wie die Zeitungen Sie nennen. Hab' ich recht?«

Daylight nickte.

»Aber was in aller Welt tun Sie hier im Chaparral?«

Daylight antwortete lächelnd: »Suche Kunden für eine unentgeltliche Landpostverbindung.«

»Ja, ich freue mich, daß ich den Brief heute nachmittag geschrieben habe«, fuhr der Kleine fort, »sonst hätte ich Sie ja nicht zu sehen gekriegt. Ich sah Ihr Bild oft in den Zeitungen, und ich habe ein gutes Gedächtnis für Gesichter. Ich hab' Sie sofort erkannt. Mein Name ist Ferguson.«

»Wohnen Sie hier in der Gegend?« fragte Daylight nun seinerseits.

»Jawohl. Ein bißchen weiter drinnen im Gebüsch hab' ich eine kleine Hütte, eine hübsche Quelle und ein paar Obstbäume und Beerensträucher. Kommen Sie und sehen Sie sich's an. Die Quelle ist prachtvoll. Solches Wasser haben Sie noch nicht geschmeckt. Versuchen Sie es!«

Daylight stieg ab, folgte, sein Pferd am Zügel führend, dem schnell ausschreitenden kleinen Mann durch den grünen Tunnel und stand plötzlich auf der Lichtung. Es war ein kleiner Winkel in den Bergen, im Schutze der steilen Wände einer Canjonmündung. Mehrere große Eichen zeugten von reicherem Boden. Die Zeiten hatten den Hügel ausgewaschen und allmählich diese Ablagerung fetter Erde gebildet. Fast unter den Eichen begraben stand eine roh gezimmerte, ungestrichene Hütte, deren breite, mit Stühlen und Hängematten versehene Veranda zeigte, daß die Bewohner im Freien schliefen. Daylights scharfem Blick entging nicht die geringste Einzelheit. Die Lichtung war unregelmäßig, sie reichte so weit wie der beste Boden, und jeder Obstbaum, jeder Busch, ja jede Gemüsepflanze hatte ihre eigene Wasserzuführung. Überall waren kleine Rieselkanäle.

Ferguson suchte eifrig im Gesicht seines Gastes nach Zeichen der Anerkennung.

»Was meinen Sie dazu, wie?«

»Jeder einzelne Baum mit der Nagelschere gestutzt und manikürt«, lachte Daylight, aber die Freude und das Vergnügen in seinen Augen befriedigten den Kleinen.

»Ja, wissen Sie, ich kenne jeden einzelnen Baum, als wäre er mein eigenes Kind. Ich habe sie gepflanzt, aufgepäppelt und großgezogen. Jetzt sollen Sie aber die Quelle sehen.«

»Großartig«, lautete Daylights Urteil, als sie die Quelle gründlich besichtigt und gekostet hatten und nun zum Hause zurückkehrten. Als sie eintraten, war Daylight überrascht. Gekocht wurde in der angebauten kleinen Hütte, und das Haus selbst war ein einziger großer Wohnraum. Ein großer Tisch in der Mitte war mit Büchern und Zeitschriften übersät, jeder verfügbare Raum an den Wänden vom Boden bis zur Decke mit Bücherregalen verstellt. Es schien Daylight, daß er noch nie so viele Bücher auf einmal gesehen hätte. Felle von Wildkatzen, Waschbären und Hirschen lagen auf den Dielen des Fußbodens.

»Selbst geschossen und gegerbt«, erklärte Ferguson stolz.

Das Hauptmerkmal der Stube war jedoch der mächtige Kamin aus größeren und kleineren unbehauenen Feldsteinen.

»Selbst gebaut«, erklärte Ferguson, »und, weiß Gott, der zieht. Nicht der geringste Rauch außer im Schornstein, und das bei den schweren Südoststürmen!«

Daylight fühlte sich von dem Kleinen angezogen und war neugierig. Warum versteckte er sich mit all seinen Büchern hier im Chaparral? Er war durchaus kein Narr, das konnte jeder sehen. Aber warum? Die ganze Geschichte sah nach einem Abenteuer aus, und Daylight nahm die Einladung zum Abendbrot an, halbwegs darauf vorbereitet, in seinem Wirt einen Rohe-Früchte- und Nüssefresser oder sonst einen Gesundheitsapostel zu finden. Bei Tisch, während sie Kaninchenfrikassee mit Reis und Curry aßen, fand Daylight, daß der Kleine in dieser Beziehung kein Fanatiker war. Er aß, was ihm schmeckte und soviel er mochte, und mied nur solche Speisen, die ihm, wie er aus Erfahrung wußte, unzuträglich waren.

Als sie die Teller abgewaschen und es sich dann gemütlich gemacht hatten, fand Daylight Gelegenheit, ihn zu fragen:

»Hören Sie, Ferguson. Seit wir uns getroffen, habe ich darüber nachgedacht, was für eine Schraube bei Ihnen los ist, aber ich will gehenkt werden, wenn ich es 'rausgekriegt habe. Was treiben Sie eigentlich hier? Womit haben Sie sich Ihr Brot verdient, bevor Sie herkamen?«

Ferguson amüsierte sich ganz offen über die Fragen des andern. »Erstens«, begann er, »war ich von den Ärzten aufgegeben, obgleich ich alle möglichen Sanatorien besucht und eine Reise nach Europa und eine nach Hawaii gemacht hatte. Sie versuchten Elektrizität, Mast- und Hungerkuren. Sie ruinierten mich mit ihren Rechnungen, und dabei ging es mir immer schlechter. Ich war ein Schwächling, und dann lebte ich unnatürlich – zuviel Arbeit, Verantwortung und Mühe. Ich war Hauptschriftleiter der ›Times-Tribune‹ –«

Daylight schnappte nach Luft, denn die »Times-Tribune« war von jeher die größte und einflußreichste Zeitung San Franziskos. »– und der Anstrengung nicht gewachsen. Mein Körper lehnte sich auf, und mein

Geist natürlich auch. Ich mußte mit Whisky nachhelfen, und das vertrug ich ebensowenig wie das Leben in den Klubs und Hotels.«
Er zuckte die Achseln und paffte seine Pfeife.
»Als die Ärzte mich aufgaben, ordnete ich meine Angelegenheiten und gab meinerseits die Ärzte auf. Das ist jetzt fünfzehn Jahre her. Als junger Mann habe ich in den Universitätsferien hier gejagt, und als ich nun so herunter war, bekam ich Sehnsucht nach dem Landleben. Da ließ ich alles stehen und liegen und baute mich hier im Mondtal an – das ist der indianische Name für das Sonoma-Tal, wissen Sie. Im ersten Jahre lebte ich in dem kleinen Anbau; dann errichtete ich die Blockhütte und ließ mir meine Bücher kommen. Ich habe früher nicht gewußt, was Glück und Gesundheit ist. Und nun schauen Sie mich an! Wagen Sie zu behaupten, daß ich nach siebenundvierzig Jahren aussehe?«
»Ich würde Sie höchstens für vierzig halten«, gestand Daylight.
»Aber als ich herkam, sah ich fast wie ein Sechzigjähriger aus, und das war vor fünfzehn Jahren.«
Sie sprachen weiter, und Daylight lernte die Welt von ganz neuen Gesichtspunkten betrachten. Der Mann hier war weder bitter noch zynisch, er verlachte die Städter und nannte sie Narrenhäusler; er strebte nicht nach Geld, und seine Herrschsucht war längst erstorben.
»Aber was machen Sie denn jetzt?« fragte Daylight. »Sie müssen doch Geld haben, um Kleidung und Zeitschriften zu kaufen?«
»Ich arbeite eine Woche oder einen Monat, wie es sich gerade trifft, pflüge im Winter, pflücke Trauben im Herbst, und im Sommer gibt es immer irgendwelche Arbeit bei den Ansiedlern. Meine Bedürfnisse sind nicht groß, viel brauche ich also nicht zu arbeiten. Die meiste Zeit vertreibe ich mir mit Nichtstun. Ich könnte gelegentlich für Zeitschriften und Zeitungen schreiben, aber ich ziehe vor, zu pflügen und Trauben zu pflücken. Sie brauchen mich nur anzusehen, um zu wissen, warum. Ich bin hart wie Stein. Und ich liebe die Arbeit. Aber ich sage Ihnen, man muß sich daran gewöhnen. Es ist etwas Großes, wenn man gelernt hat, den ganzen lieben Tag Trauben zu pflücken und dann abends mit einem glücklichen Gefühl von Müdigkeit heimzukehren, anstatt immer vor einem körperlichen Zusammenbruch zu stehen. Dieser Kamin – diese großen Steine –, ich war damals ein schwächlicher, kleiner Kerl, bleichsüchtig und vom Alkohol degeneriert, ein Hasenfuß, mit nicht mehr als einem Prozent Ausdauer, und einige von diesen großen Steinen zerbrachen mir fast das Rückgrat. Aber ich hielt durch und gebrauchte meinen Körper, wie die Natur es bestimmt hat – nicht über dem Schreibtisch liegend oder Whisky saufend . . . und, na ja, hier bin ich, ein anderer Mensch als zuvor, und da ist mein Kamin, schön und gut, nicht wahr?

Und nun erzählen Sie mir von Klondike und wie Sie es fertiggebracht haben, bei Ihrem letzten Kampf ganz Franzisko auf den Kopf zu stellen. Sie sind ein tüchtiger Streiter, wissen Sie, und Sie setzten meine Phantasie in Bewegung, wenn ich mir auch bei näherem Nachdenken sage, daß Sie ebenso ein Narr wie die anderen sind. Herrschsucht! Das ist eine furchtbare Krankheit. Warum sind Sie nicht in Ihrem Klondike geblieben? Und warum reißen Sie sich nicht los und leben ein natürliches Leben, wie ich zum Beispiel? Sie sehen, ich kann auch Fragen stellen. Nun sprechen Sie und lassen Sie mich eine Weile zuhören.«

Erst um zehn Uhr verließ Daylight Ferguson. Als er im Sternenlicht fortritt, kam ihm plötzlich in den Sinn, das Gehöft auf der anderen Seite des Tales zu kaufen. Er dachte nicht daran, sich je dort niederlassen zu wollen. Sein Spiel hielt ihn in San Franzisko. Aber das Gehöft gefiel ihm, und sobald er wieder in sein Büro zurückgekehrt war, wollte er mit dem Besitzer Verhandlungen anknüpfen. Übrigens gehörte die Lehmgrube dazu, und das gab ihm dann die Oberhand über Holdsworthy, wenn er sich einmal mausig machen wollte.

Daylight spielte weiter; aber sein Spiel war in eine neue Phase getreten. Die Triebfeder war jetzt die Rache. Hinter viele Namen in San Franzisko setzte er ein schwarzes Kreuz, das dann gelegentlich durch einen blitzschnellen Angriff ausgelöscht wurde. Er bat nie um Pardon, gab aber auch keinen. Alle Welt fürchtete und haßte ihn, außer seinem Rechtsanwalt Larry Hegan, der sein Leben für ihn gegeben hätte.

Aber auch San Franzisko nahm Daylight gegenüber jetzt eine andere Haltung ein. Er hatte die Leute schon gelehrt, daß es am besten war, den schlafenden Löwen nicht zu wecken. Viele versuchten sich bei ihm einzuschmeicheln, seine Freundschaft zu gewinnen. Selbst die Zeitungen – mit Ausnahme einiger, die versucht hatten, Geld von ihm zu erpressen – hörten auf, ihn zu beschimpfen, und behandelten ihn fast mit Ehrerbietung. Kurz, man betrachtete ihn als einen gefährlichen Grislybären aus der nordischen Wildnis, dem man am besten aus dem Wege ging. Nach seiner Plünderung der Schiffahrtsgesellschaften war die ganze Meute auf ihn losgefahren, aber da hatte er kehrtgemacht und sie in der erbittertsten Schlacht, die San Franzisko je gesehen, zu Boden geschlagen. Der Streik der Seeleute, der die Verwaltung der Stadt den Arbeiterführern in die Hände gespielt hatte, war noch nicht vergessen. Die Vernichtung Charles Klinkners und der California und Altamont Trust Company war eine gute Lehre gewesen.

Dede Mason war noch bei ihm. Er hatte keine weiteren Annäherungsversuche gewagt und weder über Bücher noch Grammatik mit ihr diskutiert. Seine Energie wurde restlos von den endlosen Kämpfen verbraucht, aber trotzdem kannte er jedes Lichtspiel in ihrem Haar, jede ihrer schnellen, sicheren Bewegungen und jede Linie ihrer Gestalt. Mehrmals hatte er ihr in etwa halbjährlichen Zwischenräumen Gehaltszulage gegeben, so daß sie jetzt neunzig Dollar monatlich hatte. Höher wagte er nicht zu gehen, tat aber sein möglichstes, ihr die Arbeit zu erleichtern. So behielt er, als sie aus den Ferien zurückkehrte, ihre Stellvertreterin als Mitarbeiterin. Dann mietete er ein neues Kontor, in dem jedes der beiden jungen Mädchen einen Raum für sich hatte.

Sein Blick hatte sich für alles geschärft, was mit Dede Mason zusammenhing. Längst hatte er ihre stolze Haltung bemerkt. Er verglich sie mit der Assistentin, mit den Stenotypistinnen in andern Geschäften und den Frauen, denen er auf der Straße begegnete. »Sie weiß, was sie wert ist«, sagte er bei sich; »und sie versteht sich zu kleiden und ihre Kleider zu tragen, ohne dabei eingebildet zu sein.« Aber das alles hatte zur Folge, daß sie ihm immer unnahbarer wurde.

So lebte er denn ausschließlich für sein Geschäft, aber die sitzende Arbeitsweise und das viele Trinken taten ihm nicht gut. Er wurde fett und weichlich, und seine Muskeln wurden schlaff. Und das schlimmste war, daß er jeden Glauben an die Menschheit verlor. Hin und wieder berichteten die Zeitungen von seinen Streichen, bei denen unter dem Einfluß des Alkohols etwas von dem alten Burning Daylight zum Durchbruch kam. Dann konnte er in seinem großen roten Auto meilenweit die Umgegend durchjagen mit einer Geschwindigkeit, die ihm manche Strafe eintrug. Er zahlte lachend und ließ die Leute über seinen neuen Wahnsinn reden. Eines Sonntags befand er sich spät am Nachmittag jenseits der Bucht in den Piedmont-Bergen, diesmal aber nicht in seinem eigenen Wagen. Er war Gast Wasserfall-Bills, eines Glücksritters, der nach dem Süden gekommen war, um das siebente Vermögen durchzubringen, das er dem gefrorenen Boden Alaskas entrissen hatte. Er war es gewesen, der das Land mit einem Meer von Champagner – zu fünfzig Dollar die Flasche – überschwemmte; der den Eiermarkt bis hundertzehn das Dutzend in die Höhe getrieben hatte, nur um seine Liebste zu ärgern, die ihm den Laufpaß gegeben; der einen Extrazug genommen und jeden Rekord zwischen San Franzisko und New York geschlagen hatte. Nun war er wieder hier – »das Glückskind der Hölle«, wie Daylight ihn nannte – und im Begriff, sein letztes Vermögen zum Fenster hinauszuwerfen.

Es war eine lustige Gesellschaft. Sie hatten sich gut amüsiert und waren jetzt von San Franzisko um die Bucht herum über San José nach Oakland unterwegs. Dreimal waren sie wegen zu schnellen Fahrens angehalten worden, das dritte Mal waren sie jedoch ihrem Plagegeist entwischt. Da sie fürchteten, daß er telefonischen Bescheid gegeben hätte, sie anzuhalten, waren sie hinten um die Berge herumgefahren und sausten nun auf Oakland zu.

In voller Fahrt schwangen sie um eine Wegbiegung und sahen vor sich einen abgeschlossenen Seitenweg. Jenseits des Gatters hielt auf einem kastanienbraunen Pferd eine junge Dame, die sich gerade niederbeugte, um das Gattertor zu schließen. Schon auf den ersten Blick kam sie Daylight sehr bekannt vor. Im nächsten Augenblick richtete sie sich mit einer Bewegung, die nicht zu verkennen war, im Sattel auf und ritt fort. Es war Dede Mason – er erinnerte sich, von Morrison gehört zu haben, daß sie sich ein Reitpferd hielt, und freute sich, daß sie ihn nicht in der lauten Gesellschaft bemerkt hatte. Wasserfall-Bill stand auf, klammerte sich mit einer Hand an die Rückseite des Vordersitzes und winkte mit der andern, um ihre Aufmerksamkeit auf sich zu lenken. Er spitzte die Lippen, um den durchdringenden Pfiff auszustoßen, für den er in alten Tagen berühmt gewesen war, als Daylight ihm das Knie auf die Schulter setzte und ihn auf seinen Sitz zurückdrängte.

»Du k–k–kennst die Dame?« sprudelte Wasserfall-Bill hervor.

»Jawohl«, antwortete Daylight, »und darum sollst du den Mund halten.« – »Schön. Ich gratuliere dir zu deinem guten Geschmack, Daylight. Sie ist einfach großartig, und reiten kann sie auch!«

Jetzt kamen einige Bäume dazwischen, so daß sie nicht mehr zu sehen war, und Wasserfall-Bill stürzte sich in das Problem, wie sie den lauernden Schutzleuten entwischen sollten, während Daylight sich im Wagen zurücklehnte, nachdem er noch gesehen hatte, wie Dede Mason den Landweg hinuntergaloppierte. Sie ritt im Herrensitz und saß ausgezeichnet zu Pferde. Bravo, Dede! Daß sie den Mut hatte, auf die einzige natürliche Art zu reiten, sprach auch wieder für sie. Sie hatte den Kopf auf dem rechten Fleck, das war sicher. Als sie am Montag zum Diktat hereinkam, betrachtete er sie mit erneutem Interesse, wenn er sich auch nichts merken ließ. Aber der nächste Sonntag fand ihn selbst zu Pferde jenseits der Bucht zwischen den Piedmont-Bergen. Er ritt den ganzen Tag umher, sah aber nicht einen Schimmer von Dede Mason, obwohl er schließlich auf dem Seitenwege mit den zahlreichen Gattern nach Berkeley ritt, wo sie nach Morrisons Erzählung angeblich wohnte.

Es war ein verlorener Tag, denn Dede Mason hatte er nicht getroffen; und doch nicht ganz verloren, denn Daylight hatte die frische Luft und den Ausflug so genossen, daß er am nächsten Tage dem Pferdehändler den Auftrag gab, ihm das beste kastanienbraune Pferd zu verschaffen. Im Laufe der Woche besah er eine ganze Herde kastanienbrauner Pferde, probierte verschiedene, war aber nicht zufrieden. Erst am Sonnabend fand er Bob, der ziemlich groß war für ein Reitpferd, aber nicht zu groß für einen so starken Mann wie Daylight.

»Das ist der Richtige«, sagte Daylight; aber der Händler war nicht so zuversichtlich. »Er steckt voll von Launen und Einfällen, wenn er auch nicht eigentlich boshaft ist. Er kann Ihnen gelegentlich den Hals brechen, aus reinem Vergnügen, verstehen Sie, ohne sich was dabei zu denken. Ich selbst möchte ihn nicht reiten. Aber er ist ein Prachttier! Nicht der geringste Fehler! Er hat nie harte Arbeit geleistet. Es ist aber noch niemand mit ihm fertig geworden. Er ist aus den Bergen und von frühauf schlechte Wege gewohnt. Er ist so sicher auf den Beinen wie eine Ziege, solange er sich nicht auf die Hinterhand setzt. Er schlägt nicht aus, steigt nur. Man muß ihn mit Sprungriemen reiten. Es kommt ganz auf seine Laune an. Einen Tag kann man ihn in aller Gemütsruhe mehr als zwanzig Meilen reiten, und am nächsten Tag ist er gar nicht zu regieren. Automobile kennt er so gut, daß er sich neben sie zum Schlafen legen oder Heu aus ihnen fressen würde. Er läßt neunzehn vorüberlaufen, ohne auch nur mit der Wimper zu zucken, und über das zwanzigste setzt er vielleicht aus reinem Übermut wie ein durchgegangener Mustang hinweg. Alles in allem: Er ist zu lebhaft und nicht zuverlässig genug. Der jetzige Besitzer hat ihm den Namen Judas Ischariot gegeben und will ihn nicht verkaufen, ohne daß der Käufer alles von ihm weiß. Mehr kann ich Ihnen nicht erzählen – aber schauen Sie sich mal die Mähne und den Schweif an! Haben Sie je so etwas gesehen? Haare, so fein wie die eines kleinen Kindes!«

Der Händler hatte recht. Daylight untersuchte die Mähne und fand sie feiner als die irgendeines Pferdes, das er je gesehen. Auch die Farbe war ungewöhnlich, fast kastanienbraun. Während Daylight seine Finger durch das Haar gleiten ließ, wandte Bob den Kopf und legte ihm scherzend das Maul auf die Schulter.

»Satteln Sie ihn, ich will ihn probieren«, sagte er zum Händler. »Ich möchte wissen, ob er Sporen gewöhnt ist. Aber keinen englischen Sattel. Geben Sie mir einen guten mexikanischen und eine leichte Kandare, weil er zum Steigen neigt.«

Daylight überwachte die Vorbereitungen, legte selbst die Kandare an, stellte die Steigbügelriemen und schnallte den Gurt fest. Zu dem Sprungriemen schüttelte er den Kopf, hörte aber auf den Rat des Händlers und ließ ihn anlegen. Und Bob war außer einer gewissen feurigen Unruhe und ein paar scherzhaften Versuchen, sich auf die Hinterbeine zu stellen, sehr brav. Auch auf dem nun folgenden Ritt betrug er sich sehr manierlich bis auf einige unzulässige Seitensprünge und Tanzschritte. Daylight war entzückt; der Handel wurde abgeschlossen und Bob sofort mit allem Zubehör nach der anderen Seite der Bucht in die Ställe der Oakland-Reitschule geschickt.

Am nächsten Tage, einem Sonntag, war Daylight früh auf und setzte mit der Fähre über. Er hatte Wolf bei sich, seinen alten Leithund, den einzigen von seinem Gespann, den er aus Alaska mitgebracht hatte. Aber wieviel er auch in den Piedmont-Bergen und auf dem Wege mit den vielen Gattern in Berkeley spähte, sah er doch keinen Schimmer von Dede Mason und ihrem kastanienbraunen Pferd. Ihm blieb jedoch nicht viel Zeit für seine Enttäuschung, denn er hatte genug mit seinem eigenen Kastanienbraunen zu tun. Bob versuchte allerhand Neckereien und Widersetzlichkeiten und ermüdete seinen Reiter ebenso wie der Reiter ihn. Daylight mußte seine ganze Kenntnis von Pferden aufwenden, während Bob wiederum alles versuchte, was sein Pferdeverstand hergab. Als er fühlte, daß der Sprungriemen sich gelockert hatte, begann er zu zeigen, was er im Steigen leisten konnte. Nach zehn Minuten vergeblicher Mühe mußte Daylight absteigen und den Sprungriemen anziehen, worauf Bob sich als ein Muster engelhafter Güte erwies. Es glückte ihm, Daylight völlig hinters Licht zu führen. Eine halbe Stunde verging, Daylight ritt, nichts Böses ahnend, im Schritt und drehte sich eine Zigarette, während er mit schlaffen Knien im Sattel saß und die Zügel lose über den Hals des Tieres hängen ließ. Plötzlich wirbelte Bob mit blitzartiger Schnelligkeit herum und drehte sich, die Vorderfüße in der Luft, auf den Hinterbeinen wie auf einer Achse. Als Daylight zur Besinnung kam, war sein rechter Fuß aus dem Steigbügel, während seine Arme den Hals des Tieres umklammerten; und Bob benutzte die Gelegenheit und rannte den Weg hinunter. Daylights einzige Hoffnung war, daß er in diesem Augenblick nicht Dede Mason begegnete. Dann gelang es ihm, sich wieder zurechtzusetzen und die Herrschaft über das Pferd zu gewinnen. »Na, Bob«, sagte er zu dem Tiere, während er sich den Schweiß aus den Augen wischte, »ich muß schon gestehen, daß du das verfluchteste, schnellste und halsstarrigste Biest bist, das ich je gesehen habe. Ich glaube, man muß dich die ganze Zeit die Sporen fühlen lassen.«

Doch im selben Augenblick, wo die Sporen ihn berührten, hob Bob den Fuß und gab dem Steigbügel einen gehörigen Tritt. Aus Neugier versuchte Daylight noch mehrere Male die Sporen, und jedesmal traf Bobs Huf den Steigbügel. Da folgte Daylight Bobs Beispiel, jagte ihm ebenso unerwartet beide Sporen in die Seite und versetzte ihm gleichzeitig einen Peitschenhieb von unten.

»Du scheinst noch nie eine ordentliche Tracht Prügel bekommen zu haben«, murmelte er, während Bob, der so rauh aus dem Kreislauf seiner neckischen Gedanken gerissen war, in vollem Galopp dahinschoß.

Ein halb Dutzend Mal wurde Bob von Sporen und Peitsche getroffen, und dann fand Daylight Muße, sich an dem prachtvollen Galopp zu erfreuen. Als Bob merkte, daß er nicht mehr bestraft werden sollte, fiel er in einen gleichmäßigen Trab; Wolf, der zurückgeblieben war, holte

sie jetzt ein, und alles ging herrlich. »Ich will dich lehren, so herumzuwirbeln, mein Junge«, sagte Daylight, als Bob es wieder tat.
In vollem Galopp machte er plötzlich halt und stemmte beide Vorderfüße gegen den Boden. Daylight umklammerte mit den Armen den
Hals des Tieres. Im selben Augenblick erhob Bob sich auf den Hinterbeinen und wirbelte herum. Nur ein ausgezeichneter Reiter konnte sich
oben halten, und Daylight war nahe daran, abgeworfen zu werden. Als
er sich wieder zurechtgesetzt hatte, jagte Bob in voller Karriere denselben Weg, den sie gekommen waren, zurück, so daß Wolf seitwärts
durch die Büsche springen mußte.
»Schön, Freundchen!« grunzte Daylight, indem er immer wieder Sporen und Peitsche gebrauchte. »Du willst rückwärts gehen, und das sollst
du, bis du die Lust dazu verlierst!«
Als Bob nach einiger Zeit versuchte, die wahnsinnige Fahrt etwas zu
verringern, wurden Peitsche und Sporen wieder mit unverminderter
Kraft gebraucht und er dadurch zu neuer Anstrengung angestachelt.
Und als Daylight schließlich meinte, daß das Pferd genug bekommen
hätte, wandte er es plötzlich und ließ es in etwas ruhigerem Galopp
weiterlaufen. Nach einiger Zeit hielt er an, um zu sehen, ob das Tier
außer Atem war. Da wandte Bob den Kopf und rieb ungeduldig mit
schelmischem Ausdruck das Maul am Steigbügel seines Reiters, wie
um anzudeuten, daß es Zeit wäre, weiterzukommen.
»Na, so was hab' ich doch noch nicht gesehen«, meinte Daylight. »Kein
Unwille, kein Ärger, gar nichts – und das nach all den Prügeln! Du bist
wirklich ein Prachtkerl, Bob.«
So verging der Tag. Daylight hatte das Tier liebgewonnen und bereute
den Kauf nicht. Er verstand, daß Bob weder boshaft noch gemein war
und daß alles nur von dem überschäumenden Lebensmut und seinem
für ein Pferd ungewöhnlichen Verstand kam. Zu dem Feuer und der
Intelligenz gesellte sich noch eine unbezahlbare Schelmerei. Um ihn zu
beherrschen, bedurfte es einer festen Hand, einer gewissen Strenge und
eines scharfen Kommandotones.
»Entweder du oder ich, Bob«, sagte Daylight ihm mehr als einmal an
diesem Tage.

Die ganze Woche dachte Daylight fast ebensoviel an Bob wie an Dede;
und da er gerade nicht von großen Unternehmungen in Anspruch genommen war, dachte er vielleicht mehr an die beiden als an sein geschäftliches Spiel.
Bobs Trick mit dem Herumwirbeln beschäftigte ihn ganz besonders.
Wie es ihm abgewöhnen – das war die Frage. Wenn er nun Dede in den
Bergen traf und vielleicht gar durch ein glückliches Spiel des Schicksals

neben ihr reiten durfte, dann konnten Bobs Angewohnheiten sehr unangenehm und ärgerlich werden. Es war ihm nicht gerade daran gelegen, daß sie ihn sehen sollte, wie er Bobs Hals mit den Armen umklammerte. Andererseits konnte er sie auch nicht stehenlassen und, Peitsche und Sporen gebrauchend, denselben Weg, den er gekommen, wieder zurückjagen.

Er mußte eine Methode finden, die das blitzartige Herumwirbeln verhinderte. Er mußte das Pferd anhalten, ehe es herum war. Der Zügel allein genügte nicht. Auch die Sporen nicht. Dann blieb nur die Peitsche. Aber wie sollte er es machen? Er war in dieser Woche recht oft nicht bei der Sache, wenn er auf seinem Bürostuhl saß. Er bildete sich ein, auf dem wundervollen kastanienbraunen Pferde zu sitzen und es an dem unerwarteten Herumwirbeln zu hindern. Ein solcher Augenblick von Geistesabwesenheit erfolgte gegen Ende der Woche mitten in einer Konferenz mit Hegan. Hegan, der ihm einen blendenden neuen Traum unterbreitete, wurde gewahr, daß Daylight gar nicht zuhörte. Dessen Augen waren glanzlos geworden, als sähe er etwas mit seinem inneren Blick. »Ich hab' es!« rief er plötzlich. »Hegan, gratulieren Sie mir. Es ist so einfach wie nur was. Ich brauch' ihm bloß einen tüchtigen Schlag auf die Nase zu geben.« Dann erklärte er dem verblüfften Hegan, um was es sich handelte, und hörte nachher wieder gut zu, obgleich er es nicht lassen konnte, hin und wieder vor Freude und Befriedigung laut zu lachen. Sein Plan war folgender: Bob wirbelte immer rechts herum. Schön. Er wollte die Peitschenschnur doppelt zusammenlegen und im selben Augenblick, wenn Bob zu wirbeln begann, ihm eines über die Nase geben. Das Pferd, das nach der Lektion angesichts der doppelten Peitschenschnur noch einmal wirbeln würde, war noch nicht geboren.

In dieser Woche fühlte Daylight mehr als je, daß er weder soziale noch menschliche Berührungspunkte mit Dede hatte. Er konnte nicht einmal die einfache Frage an sie stellen, ob sie nächsten Sonntag ausreiten wollte. Das war eine Schwierigkeit neuer Art in seinem Verhältnis als Chef zu einem hübschen jungen Mädchen. Er betrachtete sie oft während der Arbeit, und die Frage, die er nicht stellen konnte, brannte ihm auf der Zunge – ob sie nächsten Sonntag reiten würde? Diese sechs Tage zwischen den beiden Sonntagen dachte er sehr viel an sie, und allmählich wurde ihm eines völlig klar: Er wollte sie besitzen. Und so sehr wünschte er dies, daß seine alte Furcht vor den Schürzenbändern ganz schwand. Er, der sein ganzes Leben vor den Weibern geflohen war, wurde nun so tapfer, daß er daran dachte, sie zu verfolgen. Früher oder später mußte er Dede eines Sonntags in den Bergen treffen, und wenn sie dann nicht miteinander bekannt wurden, so war es, weil sie sich nichts aus der Bekanntschaft mit ihm machte.

So fand er unter den Karten in seiner Hand noch eine, die der wahnsinnige Gott ihm ausgeteilt hatte. Wie wichtig diese Karte werden sollte, ließ er sich nicht träumen, aber er kam doch zu der Erkenntnis, daß es eine wirklich gute Karte war. Dann wieder zweifelte er. Vielleicht war es nur ein Trick des Glücks, um Unglück und Verzweiflung über ihn zu bringen. Gesetzt, daß Dede ihn nicht haben wollte, und gesetzt, daß er sich immer mehr und immer heißer in sie verliebte? Seine Furcht vor der Liebe wurde wieder lebendig. Er erinnerte sich aller unglücklichen Liebesgeschichten von Männern und Frauen, die er je gehört hatte.

Alte Erinnerungen schreckten ihn. Wenn es ihn erst richtig packte und Dede Mason ihn dann nicht wollte, dann war es beinahe so schlimm, wie wenn ihm alles, was er hatte, von Dowsett, Letton und Guggenhammer geraubt worden wäre. Würde sein wachsendes Verlangen nach Dede geringer gewesen sein, so hätte seine Angst vielleicht jeden Gedanken an sie erstickt. So, wie es stand, tröstete er sich damit, daß einige Liebesgeschichten auch gut ausgingen. Und er konnte ja nicht wissen, ob das Glück ihm nicht solche Karten gegeben hatte, daß er gewann. Vielleicht war er ein solches Glückskind, das nicht verlieren konnte. Der Sonntag kam, und Bob benahm sich draußen in den Piedmont-Bergen wie ein Engel. Seine Liebenswürdigkeit war zuzeiten etwas unruhig und zappelig, aber sonst war er so fromm wie ein Lamm. Daylight hielt die zusammengelegte Peitschenschnur in der rechten Hand bereit und wartete nur darauf, daß er ein einziges Mal herumwirbeln wollte, aber Bob wollte nicht, sein Benehmen war geradezu aufreizend tadellos. Doch von Dede war nichts zu entdecken. Vergebens ritt er hügelauf und -ab. Am Nachmittag setzte er den steilen Hang hinab und über die Wegscheide nach der anderen Bergkette hinüber, und von dort aus ritt er ins Maraga-Tal hinunter. Und gerade, als er den Fuß des Abhangs erreicht hatte, hörte er den Hufschlag eines galoppierenden Pferdes hinter sich. Wenn das Dede war? Er wandte Bob und begann im Trab zurückzureiten. Wenn es wirklich Dede war, so war er ein Glückspilz; denn die Begegnung hätte nicht unter günstigeren Bedingungen erfolgen können. Sie ritten beide in derselben Richtung, und da sie Galopp ritt, so mußte sie ihn gerade dort einholen, wo der steile Aufstieg ihn zwang, im Schritt zu reiten. Sie hatte keine Wahl, als mit ihm zum Gipfel hinaufzureiten, und wenn sie oben waren, zwang der steile Abstieg auf der anderen Seite sie wieder, im Schritt zu reiten.

Der Galopp näherte sich, aber er ritt ruhig weiter, bis er das Pferd hinter sich im Schritt gehen hörte. Da blickte er über die Schulter zurück. Es war Dede. Das Erkennen war schnell und ihrerseits mit Überraschung gepaart. Was war natürlicher, als daß er sein Pferd wandte und wartete, bis sie ihn eingeholt hatte, und daß sie dann nebeneinander den Hang hinaufritten? Er hätte erleichtert seufzen können. Es war geschehen, und so leicht! Sie hatten sich begrüßt, und nun ritten sie Seite an Seite in derselben Richtung, und mehrere Meilen lagen vor ihnen.

Er bemerkte, daß sie sich mehr für das Pferd als für ihn selbst interessierte.

»Oh, was für ein schönes Tier!« rief sie bei Bobs Anblick. Ihre Augen strahlten, und ihr Gesicht leuchtete vor Freude. Er konnte kaum glauben, daß sie dasselbe junge Mädchen war, das bei ihm im Kontor war, das junge Mädchen mit den ruhigen, beherrschten Zügen.

»Ich wußte gar nicht, daß Sie reiten«, war eine ihrer ersten Bemerkungen. »Ich dachte, Sie wären mit Ihren Schnellfahrmaschinen verheiratet.« – »Ich habe gerade angefangen«, antwortete er. »Ich wurde stark, wissen Sie, und mußte mir daher Bewegung machen.«

Sie sandte ihm einen schnellen Seitenblick, der ihn vom Scheitel bis zur Sohle maß und seinen Sitz im Sattel prüfte, und sagte:

»Aber Sie haben doch früher schon geritten?«

Er dachte, daß sie sich auf Pferde und alles, was damit zusammenhing, verstehen müßte, und erwiderte: »Seit vielen Jahren nicht mehr. Aber als Knabe in Oregon habe ich mir eingebildet, ein gewaltiger Reiter zu sein. Ich schlich mich fort vom Lager, um mit dem Vieh hinauszureiten und Mustangs zu dressieren und dergleichen.«

So waren sie, zu seiner großen Erleichterung, mitten in einem Gespräch, das sie beide interessierte.

»Ich kann mich wirklich nicht erinnern, wann ich das erste Mal zu Pferde saß«, erzählte sie. »Ich bin auf einer Ranch geboren, wissen Sie, und man konnte mich nicht von den Pferden wegbringen. Die Liebe für sie muß mir angeboren sein. Mit sechs Jahren hatte ich mein erstes eigenes Pony. Mit acht wußte ich, was es heißt, den ganzen Tag mit Vater zusammen auf einem Pferderücken zu verbringen. Ich war noch nicht elf Jahre alt, als er mich schon mit auf die Hirschjagd nahm. Ohne Pferd bin ich verloren. Ich hasse das Leben in den vier Wänden, und ohne Mab wäre ich, glaube ich, längst krank oder tot.«

»Sie lieben das Landleben?« fragte er und sah im selben Augenblick in ihren Augen zum erstenmal einen hellen Schimmer.

»Ebensosehr, wie ich die Stadt verabscheue«, antwortete sie. »Aber eine Frau kann sich auf dem Lande nicht ihr Brot verdienen. So richte ich es mir ein, so gut ich kann – zusammen mit Mab.«

Und dann erzählte sie mehr von ihrem Leben auf der Ranch, bevor ihr Vater starb. Daylight war sehr zufrieden mit sich. Sie waren dabei, miteinander bekannt zu werden. In der halben Stunde, die sie nun zusammen waren, hatte es noch nicht eine Pause in der Unterhaltung gegeben.

»Wir stammen ungefähr aus derselben Gegend«, sagte er. »Ich bin im östlichen Oregon aufgewachsen, und das ist nicht weit von Siskiyou.« Im nächsten Augenblick hätte er sich die Zunge abbeißen können, denn sie fragte schnell: »Woher wissen Sie, daß ich aus Siskiyou bin? Ich bin sicher, daß ich es nie erwähnt habe.«

»Ich weiß es nicht«, sagte er verlegen. »Irgendwo habe ich es gehört.« In diesem Augenblick schlich Wolf leicht und lautlos wie ein Schatten heran, ihr Pferd schaute erschrocken, und so kam er verhältnismäßig leicht über die peinliche Situation hinweg, indem er ihr eine Zeitlang von Alaska-Hunden erzählte, bis das Gespräch wieder auf Pferde kam. Und über Pferde unterhielten sie sich während des ganzen Aufstiegs und während des Abstiegs auf der anderen Seite.

Während sie sprach, hörte er ihr aufmerksam zu, folgte aber gleichzeitig seinen eigenen Gedanken und Empfindungen. Es war kühn von ihr, im Herrensitz zu reiten, und im Grunde war er sich doch nicht recht klar darüber, ob es ihm gefiel oder nicht. Seine Vorstellungen von Frauen waren etwas altmodisch; sie stammten aus seinen ersten Tagen in den Grenzgegenden, wo er nie eine Frau anders als im Damensitz hatte reiten sehen. Er war in der Anschauung aufgewachsen, daß Frauen zu Pferde keine Zweifüßler waren. Es hatte etwas Überraschendes für ihn, sie hier wie einen Mann im Sattel zu sehen. Aber gleichzeitig mußte er gestehen, daß der Anblick ihm zusagte.

Noch zweierlei überraschte ihn. Erstens die goldenen Punkte in ihren Augen. Seltsam, daß er sie noch nie bemerkt hatte. Waren sie in der Beleuchtung im Kontor nicht dagewesen, kamen und gingen sie? Nein, es waren Farbenfunken – eine Art zerstreuten, goldenen Lichts. Es war auch nicht eigentlich golden, aber doch eher golden als sonst eine Farbe, die er kannte. Eine Schattierung von Gelb war es bestimmt nicht. Die Gedanken eines Liebenden sind immer bunt, und es ist zweifelhaft, ob sonst irgend jemand auf der Welt Dedes Augen golden genannt haben würde. Aber Daylight befand sich in einer milden, weichen Stimmung, und da es ihm gefiel, sie sich golden zu denken, so waren sie eben golden.

Und so natürlich waren sie. Sie hatte so gar nichts Geziertes oder Eingebildetes an sich – mit diesen Ausdrücken unterschied er die Dede zu Pferde von der Dede im Kontor, die er kannte. Aber während er sich darüber freute, daß alles so glatt ging und daß sie sich soviel zu sagen hatten, hatte er doch ein bedrückendes Gefühl. Er war ein Mann der Tat, und er wünschte sie, Dede Mason, zur Frau; er wünschte, daß sie ihn liebte; und er wünschte, daß dies sofort strahlende Wirklichkeit werden sollte. Er war gewohnt, Entscheidungen schnell zu treffen, gewohnt, Menschen und Dinge nach seinem Willen zu beugen, und fühlte nun, wie die alte Herrschsucht ihn anstachelte. Er wünschte, ihr zu erzählen, daß er sie liebte, daß sie ihn unbedingt heiraten müßte. Und doch widerstand er dem Antrieb. Frauen waren flatterhafte Geschöpfe, und hier war es vielleicht ein Fehler, sich die Macht anzueignen. Er erinnerte sich aller seiner alten Jägerschliche, wie er geduldig gewartet hatte, zum Schuß zu kommen, wenn Leben oder Tod davon abhing. Und wenn auch vielleicht nicht ganz soviel, so bedeutete dieses junge Mädchen doch recht viel für ihn – jetzt mehr denn je, als er neben ihr ritt und sie, sooft er es wagte, ansah, wie sie in ihrem Reitkleide keck, fast männlich und doch in jeder Linie Weib, zu Pferde saß, lächelte, lachte und sprach, Schimmer des sonnigen Tages und der warmen Glut des Sommerwindes auf den Wangen.

Am nächsten Sonntag waren Reiter, Pferd und Hund wieder draußen in den Piedmont-Bergen. Und wieder ritten Daylight und Dede nebeneinander. Aber diesmal hatte sich in die Überraschung, ihn zu treffen, etwas wie Mißtrauen gemischt. Sie ließ Daylight fühlen, daß sie ihm nicht glaubte; er gab vor, in der Nähe von Blair Park einen großen Steinbruch gesehen zu haben, und erklärte ihr unverzüglich, daß er daran dächte, ihn zu kaufen. Die Ziegelei, in die er Geld gesteckt, hatte ihn auf die Idee gebracht, und er schlug vor, sie anzusehen.
Er verbrachte mehrere Stunden in ihrer Gesellschaft, und sie war die ganze Zeit dieselbe wie früher, natürlich, ungekünstelt, munter, lächelnd und lachend, ein guter Kamerad, der mit unvermindertem Begeisterung von Pferden sprach und sich mit dem mürrischen Wolf zu befreunden suchte. Sie sprach den Wunsch aus, Bob reiten zu dürfen, in den sie, wie sie erklärte, mehr verliebt sei, als sie es je sonst gewesen. Aber Daylight erhob Einwände. Bob hätte die gefährlichsten Einfälle, und er könnte keinen darauf reiten lassen, es sei denn seinen schlimmsten Feind.
»Sie meinen, ich verstehe nichts von Pferden, weil ich ein Mädchen bin«, ereiferte sie sich. »Aber ich bin so oft abgeworfen worden, daß ich mir etwas darauf einbilden kann. Und ich bin nicht gerade auf den Kopf gefallen. Ich würde nie versuchen, ein Pferd zu reiten, das ausschlägt. So viel habe ich doch gelernt. Aber sonst fürchte ich nichts. Und daß Bob nicht ausschlägt, sagen Sie ja selbst.«
»Aber Sie haben noch nicht gesehen, was er für Geschichten macht«, beharrte Daylight.
»Vergessen Sie nicht, daß er nicht der erste ist, mit dem ich zu tun habe. Ich habe Mab an die elektrische Bahn, an Lokomotiven und Automobile gewöhnt. Als ich sie bekam, war sie ein ganz rohes Füllen vom Lande. Sie hatte eben gelernt, den Sattel zu tragen, das war alles. Übrigens werde ich Ihrem Pferd keinen Schaden zufügen.«

Halb wider Willen gab Daylight nach, und an einer verkehrslosen Stelle des Weges tauschten sie Sättel und Zügel.

»Denken Sie daran, daß er läuft wie ein geölter Blitz«, warnte er, als er ihr in den Sattel half.

Sie nickte, während Bob die Ohren spitzte in dem Bewußtsein, einen fremden Reiter auf dem Rücken zu haben. Seine Späße begannen schnell genug – zu schnell für Dede, die sich mit den Armen um Bobs Hals klammern mußte, während er herumwirbelte und in entgegengesetzter Richtung davonstob. Daylight folgte ihr auf dem Pferde und sah zu. Einen Augenblick später hielt sie das Pferd und schwang es mit dem auf dem Hals liegenden Zügel und unter Gebrauch des linken Sporns wieder in seine frühere Richtung herum.

»Halten Sie die Peitsche nur bereit, um ihm eins über die Nase zu geben«, rief Daylight.

Aber Bob kam ihr zuvor und wirbelte wieder herum. Mit einem kräftigen Ruck befreite sie sich aus ihrer unwürdigen Stellung. Seine Bewegung war diesmal noch schärfer, aber sie nötigte ihn durch den Zügel zu einer Art Tanzschritt und zwang ihn durch schonungslosen Gebrauch der Sporen, wieder umzuwenden. Es war nichts Weibliches in der Art, wie sie ihn behandelte; und diese einleitende kleine Kraftprobe zeigte ihm Dede ein wenig von der richtigen Seite. Wie sie mit zusammengepreßten Lippen und ein wenig unzufrieden mit sich dasaß, genügte ihm ein Blick in ihre grauen Augen, es zu erkennen. Daylight machte ihr keine weiteren Vorschläge, folgte ihr aber fast mit Freude in den Augen und wartete darauf, wie es Bob nun ergehen würde. Und es erging Bob schlecht. Als er das nächste Mal herumwirbelte oder es vielmehr versuchte, war er noch nicht halb herum, als die Peitschenschnur ihn schon mitten auf die Nase traf. Da ließ er die Vorderfüße, die er gerade erhoben hatte, in seiner Verblüffung, seiner Überraschung und seinem Schmerz wieder fallen.

»Großartig!« applaudierte Daylight. »Noch ein paarmal – dann tut er es nicht wieder.«

Bob versuchte es noch einmal. Aber diesmal hatte er noch keine Viertelwendung gemacht, als die zusammengelegte Peitschenschnur seine Füße schon wieder auf den Boden zwang. Und dann gehorchte er Dede ohne Zügel oder Sporen, wenn sie ihm nur mit der Peitsche drohte. Dede sah Daylight triumphierend an.

»Darf ich ihn einmal laufen lassen?« fragte sie.

Daylight nickte, und sie schoß den Weg entlang. Er sah ihr nach, bis sie hinter der Wegbiegung verschwand, und blickte hin, bis sie wieder zum Vorschein kam. Sicher, sie konnte reiten, und sie war ein Prachtkerl. Herrgott, das war eine Frau für einen Mann! Und die mußte die ganze Woche auf der Schreibmaschine herumhämmern! Das war nicht der richtige Platz für sie. Sie mußte einen Mann haben, der sie in Samt und Seide kleidete und mit Diamanten behängte (so stellte er sich in seiner Hinterwäldlerart vor, was einer geliebten Frau gebührte) und ihr Hunde und Pferde und dergleichen mehr hielt – »Wir wollen sehen, Herr Burning Daylight, was sich machen läßt«, murmelte er. Und laut sagte er:

»Großartig, Fräulein Mason, großartig. Für Sie ist kein Pferd zu schade – eine Frau, die reiten kann wie Sie. Nein; behalten Sie ihn, wir traben zum Steinbruch hinunter.« Er lachte. »Wissen Sie, ich glaube, als Sie ihn zum erstenmal schlugen, stöhnte er. Haben Sie es gehört? Und wie er die Füße fallen ließ – gerade als wäre er gegen eine Steinmauer geprallt. In Zukunft weiß er Bescheid.«

Als er sie am Nachmittag an dem Gattertor, das nach Berkeley führte, verließ, zog er sich in den Schatten einer Baumgruppe zurück, wo er ihr, ohne selbst gesehen zu werden, mit den Augen folgen konnte, bis sie außer Sicht war. Als er dann sein Pferd wandte, um nach Oakland zurückzureiten, kam ihm ein Gedanke, bei dem er reuevoll lächeln mußte, und er murmelte: »Jetzt ist also nichts zu machen, ich muß den verdammten Steinbruch kaufen. Das ist der einzige Vorwand, den ich habe, um mich in diesen Bergen herumzutreiben.«

Aber er mußte seine Pläne mit dem Steinbruch für einige Zeit verschieben, denn am nächsten Sonntage ritt er allein. Keine Dede kam auf einem kastanienbraunen Pferd den Weg von Berkeley geritten, weder an diesem Tage noch eine Woche später. Daylight war außer sich vor Ungeduld und Ärger, obwohl er sich im Kontor beherrschte. An ihr bemerkte er auch nicht die geringste Veränderung, und er gab sich Mühe, sich selbst auch nichts merken zu lassen.

Es war dieselbe monotone Arbeit, aber sie regte ihn jetzt auf und machte ihn beinahe verrückt. Daylight war erbittert über eine Welt, die es ihm nicht erlaubte, mit seiner Sekretärin ebenso zu verkehren wie andere Männer mit andern Frauen. Was nützen mir meine Millionen? fragte er eines Tages den Kalender, als sie nach dem Diktat hinausging.

Als die dritte Woche sich ihrem Ende näherte und Daylight wieder einem traurigen Sonntag gegenüberstand, entschloß er sich, trotz allem zu reden. Seiner Natur gemäß ging er ohne Umschweife auf die Sache los. Sie hatte gerade ihre Arbeit beendet und nahm ihr Stenogrammheft und ihre Bleistifte, als er sagte:

»Noch eins, Fräulein Mason, und ich hoffe, Sie werden es mir nicht übelnehmen, wenn ich geradeheraus rede; denn ich habe Sie immer für ein vernünftiges junges Mädchen gehalten. Sie wissen, wie lange Sie bei mir im Geschäft sind – mehrere Jahre schon; und ich bin immer ehrlich und offen gegen Sie gewesen. Ich habe mir Ihnen gegenüber nie etwas, wie man so sagt – herausgenommen. Eben weil Sie bei mir waren, habe ich versucht, vorsichtiger zu sein, als wenn – wenn Sie nicht bei mir gewesen wären – Sie verstehen. Aber deshalb bin ich doch auch nur ein Mensch. Ich bin ein einsamer Bursche – nein, glauben Sie nicht, daß ich um ein freundliches Wort bitten will. Ich möchte Ihnen nur sagen, wie wohl mir diese Ausritte mit Ihnen getan haben. Und nun hoffe ich, werden Sie es mir nicht verdenken, wenn ich Sie frage, warum Sie die beiden letzten Sonntage nicht ausgeritten sind?«

Er hielt inne und wartete, aber es überkam ihn heiß, und der Schweiß stand in kleinen Tropfen auf seiner Stirn. Sie sprach nicht gleich, und er schritt durch den Raum und schob das Fenster höher.

»Ich bin ausgeritten«, antwortete sie, »nur in einer anderen Richtung.«

»Aber warum denn . . .« Er konnte die Frage nicht beenden. »Seien Sie nun ebenso ehrlich gegen mich wie ich gegen Sie«, bat er. »Warum sind Sie nicht in den Piedmont-Bergen geritten? Ich habe überall nach Ihnen gesucht.«

»Eben deswegen.« Sie lächelte und sah ihm einen Augenblick gerade in die Augen, dann senkte sie den Blick. »Das müssen Sie doch verstehen, Herr Harnish.«

Er schüttelte verdrießlich den Kopf.

»Ja und nein. Es gibt Dinge, die man nicht tun darf, und solange ich nicht Lust habe, sie zu tun, ist es mir auch einerlei.«

»Wenn Sie aber Lust haben?« fragte sie schnell.

»Dann tue ich sie.« Bei dieser Willenserklärung hatte er die Lippen zusammengepreßt, aber im nächsten Augenblick schränkte er seine Behauptung etwas ein: »Das heißt, meistens. Aber ich verstehe nicht, warum man etwas nicht tun darf, wenn es nicht schlecht ist und niemandem schadet – dies Reiten zum Beispiel.«

Sie spielte eine Zeitlang nervös mit einem Bleistift, als dächte sie über ihre Antwort nach, und er wartete geduldig.

»Dies Reiten«, begann sie, »ist nicht das, was man ›guten Ton‹ nennt. Ich überlasse es Ihnen selbst, Ihre Schlüsse daraus zu ziehen. Sie kennen die Welt. Sie sind Herr Harnish, der Millionär – –«

»Der Spieler«, unterbrach er sie barsch.

Sie nickte ihre Zustimmung zu diesem Ausdruck und fuhr fort:

»Es ist eine ganz einfache und recht gewöhnliche Situation, in der wir uns befinden. Ich stehe in Ihren Diensten. Es kommt nicht darauf an, was Sie oder ich, sondern was andere Menschen darüber denken. Und darüber brauche ich Ihnen weiter nichts zu sagen, das wissen Sie selber.«

Ihre kühle Art, die Sache zu behandeln, stimmte nicht ganz mit ihren wirklichen Gefühlen überein – das meinte Daylight wenigstens, als er

411

jetzt die Anzeichen weiblicher Erregung, die weichen Linien ihrer Gestalt, die wogende Brust und die Röte sah, die die Bewegung auf ihren Wangen hervorrief.

»Es tut mir leid, daß ich Sie verscheucht habe«, sagte er scheinbar zusammenhanglos.

»Sie haben mich nicht verscheucht«, erwiderte sie eifrig. »Ich bin kein Schulkind. Ich habe lange für mich sorgen müssen, und ich bin nie bange gewesen. Wir waren zwei Sonntage zusammen, und ich habe mich wahrlich weder vor Ihnen noch vor Bob gefürchtet. Das ist es nicht. Ich kann schon lange für mich einstehen, aber die Welt will auch mitreden. Das ist das Unglück. Was würde die Welt sagen, wenn mein Chef und ich uns jeden Sonntag in den Bergen träfen und miteinander reiten. Es ist albern, aber es ist nun einmal so. Mit einem von den Kontoristen könnte ich ohne weiteres reiten, aber mit Ihnen – nein.«

»Aber die Welt weiß es ja gar nicht und braucht es auch nicht zu wissen«, rief er.

»Das macht es gewissermaßen nur schlimmer, wenn man weiß, daß man auf heimlichen Wegen herumschleicht und immer das Gefühl hat, etwas Verkehrtes zu tun. Es wäre richtiger und besser, wenn ich öffentlich . . .«

». . . wochentags mit mir frühstücken ginge«, erriet Daylight den Sinn ihres unvollendeten Satzes.

Sie nickte.

»Es ist zwar nicht ganz, was ich dachte, aber wir können es sagen. Ich würde vorziehen, offen zu handeln, so daß alle Menschen es sehen können, statt etwas im geheimen zu tun. Es wird ja doch entdeckt. Nicht daß mir etwas an einer Einladung zum Frühstück läge«, fügte sie lächelnd hinzu. »Ich bin sicher, daß Sie meine Lage begreifen.«

»Aber warum dann nicht offen mit mir durch die Berge reiten?« fragte er.

Sie schüttelte den Kopf, wie er sich einbildete, mit einem Hauch von Bedauern, und sein Verlangen nach ihr wuchs so schnell, daß es ihm fast die Besinnung raubte.

»Sehen Sie, Fräulein Mason, ich verstehe, daß Sie über so etwas nicht im Geschäft reden mögen. Ich auch nicht. Das gehört auch dazu, denke ich, ein Mann darf mit seiner Sekretärin nicht über andere Dinge im Geschäft sprechen. Wollen Sie nächsten Sonntag mit mir reiten, dann können wir weiter über die Sache reden und vielleicht einen Ausweg finden. In den Bergen ist der richtige Ort. Ich denke, Sie kennen mich genügend, um zu wissen, daß ich ein einigermaßen anständiger Mensch bin. Ich – ich achte und ehre Sie, und ich . . .« Er begann zu stottern, und die auf dem Löscher ruhende Hand zitterte sichtbar. Er nahm sich zusammen. »Heißer habe ich mir noch nie etwas in meinem

Leben gewünscht. Ich – ich – ich kann nicht erklären, was ich meine, aber es ist, wie ich sage. Wollen Sie? – Nächsten Sonntag? Morgen?« Aber er ließ sich nicht träumen, daß er ihr kaum hörbares Ja mehr als allem anderen den Schweißtropfen auf seiner Stirn, seiner zitternden Hand und seiner allzu augenscheinlichen Bedrängnis verdankte.

Aus dem, was die Leute sagen, erfährt man natürlich nie, was sie eigentlich wollen. Daylight berührte Bobs rebellische Ohren mit der Peitsche und dachte unzufrieden über seine letzte Äußerung nach. Sie drückte nicht aus, was er eigentlich gemeint hatte. »Ich möchte, daß Sie mir rein heraus sagten, Sie wollten mich nicht mehr treffen, und daß Sie mir Ihre Gründe dafür angäben. Aber wie kann ich denn wissen, ob es Ihre wirklichen Gründe sind. Vielleicht haben Sie keine Lust, näher mit mir bekannt zu werden, und wollen es nur nicht sagen aus Furcht, mich zu verletzen. Können Sie es nicht einsehen? Ich bin der letzte auf der Welt, der sich aufdrängen will, wenn andere nichts von ihm wissen wollen. Und wenn ich wüßte, daß Sie sich nicht das geringste aus mir machten, so würde ich mich schleunigst zurückziehen.« Dede lächelte über seine Worte, ritt aber schweigend weiter. Und das Lächeln dünkte ihn das wunderbarste Lächeln, das er je gesehen. So konnte nur jemand lächeln, der einen ein bißchen gern hatte. Natürlich war sie sich dessen, wie er sich im nächsten Augenblick selbst sagte, ganz unbewußt.
Es mußte eben so kommen, wenn zwei Menschen ein wenig miteinander zu tun hatten. Jeder Fremde, jeder Geschäftsmann, Angestellte oder sonstwer würde nach einigen zufälligen Begegnungen dieselbe Freundlichkeit gezeigt haben. Aber es machte in diesem Fall besonderen Eindruck auf ihn, denn es war ein so süßes, wunderbares Lächeln. Andere Frauen hatten nie so gelächelt; das war sicher.
Es war ein glücklicher Tag gewesen. Daylight hatte Dede auf dem Wege nach Berkeley getroffen, und sie hatten mehrere Stunden zusammen verbracht. Erst jetzt, als der Tag auf die Neige ging und sie sich dem Gattertor bei Berkeley näherten, begann er den Gegenstand zu berühren, der ihn so beschäftigte.
Sie ging zuerst auf seine letzte Bemerkung ein, und er lauschte dankbar.
»Wenn ich nun aber wiederhole, daß die Gründe, die ich Ihnen genannt habe, die einzigen sind – daß nicht die Rede davon ist, daß ich Ihre Bekanntschaft nicht machen wollte?«
»Dann werde ich Sie weiterquälen wie der Teufel«, sagte er schnell.
»Aber wenn Sie heimlich einen andern Grund haben, wenn Sie mich nicht kränken wollten, weil Sie eine gute Stellung bei mir haben . . .«

413

Hier wich seine ruhige Betrachtung einer furchtbaren Angst, der Angst, daß es wirklich so wäre, und er verlor den Faden. »Na, einerlei, Sie brauchen nur ein Wort zu sagen, und ich geh' meiner Wege. Ohne Bitterkeit; es wäre eben ein Unglück für mich. Seien Sie deshalb ehrlich gegen mich, Fräulein Mason, ich bitte Sie, und sagen Sie mir, ob das der Grund ist – ich bin beinahe überzeugt davon.«

Sie warf ihm einen schnellen Blick zu, ihre Augen waren plötzlich feucht geworden, halb aus Kränkung, halb aus Reue.

»Oh, das ist kein ehrliches Spiel«, rief sie. »Sie stellen mich vor die Wahl, zu lügen und Sie zu kränken, um Sie auf diese Weise loszuwerden, oder Ihnen meine einzige Waffe auszuliefern und Ihnen die Wahrheit zu erzählen.«

Ihre Wangen waren gerötet, ihre Lippen zitterten, aber sie blickte ihm immer noch frei in die Augen.

Daylight lächelte grimmig, aber doch mit einer gewissen Befriedigung.

»Ich freue mich, Fräulein Mason, freue mich wirklich über diese Worte.«

»Aber sie helfen Ihnen nichts«, fuhr sie hastig fort. »Sie können Ihnen nichts helfen. Ich will nicht mehr. Dies ist unser letzter Ritt, und – hier ist das Gatter.« Sie lenkte das Pferd auf die Seite, beugte sich hinab, drückte die Klinke herunter und ritt durch das offene Tor.

»Nein, bitte nicht«, sagte sie, als Daylight sich anschickte, ihr zu folgen.

Er fügte sich demütig ihrem Willen und zog Bob zurück, während das Tor sich zwischen ihnen schloß. Aber sie hatten sich noch mehr zu sagen, und sie ritt nicht gleich weiter.

»Hören Sie, Fräulein Mason«, sagte er mit leiser, vor Aufrichtigkeit bebender Stimme. »Ich will Ihnen nur eines versichern. Ich will nicht versuchen, Sie zum Narren zu halten. Ich hab' Sie gern, ich brauche Sie, und mir ist noch nie im Leben etwas so ernst gewesen wie dies. Ich habe nichts Böses im Sinne. Ich meine es ehrlich –«

Aber ihr Ausdruck ließ ihn innehalten. Sie war ärgerlich, lachte aber gleichzeitig.

»Das hätten Sie nun schon gar nicht sagen sollen«, rief sie, »das ist ja das reine Heiratsbüro: Durchaus reelle Absichten. Zweck: Ehe. Aber ich hab' es verdient.«

Daylights Gesichtsfarbe war blasser geworden, seit er sich in der Stadt niedergelassen hatte, so daß das Blut unter der Haut leuchtete, als eine heftige Röte sich ihm jetzt über Gesicht und Hals breitete. Und in seiner unsagbaren Verlegenheit ließ er sich nicht träumen, daß sie ihn in diesem Augenblick mit größerer Freundlichkeit betrachtete als je zuvor an diesem Tage. Sie war nicht gewohnt, große erwachsene Männer wie

Schulknaben erröten zu sehen, und sie bereute schon, daß sie sich zu einer so scharfen Bemerkung hatte hinreißen lassen.

»Sehen Sie, Fräulein Mason«, begann er, zuerst langsam, nach Worten suchend, dann aber immer schneller, so daß seine Rede schließlich fast zusammenhängend wurde. »Ich bin kein feiner Mann, und ich weiß nicht viel. Ich hab' nie etwas von diesen Dingen gelernt. Ich hab' noch nie jemandem den Hof gemacht, und ich bin auch noch nie verliebt gewesen – und ich benehme mich wahrscheinlich wie ein furchtbarer Esel. Sie müssen versuchen, ein bißchen Fühlung mit dem Manne zu bekommen, der hinter diesen Worten steht. Ich meine es ehrlich, wenn ich auch nicht weiß, wie ich es ausdrücken soll.«

Dede Mason hatte eine schnelle Art und Weise, fast wie ein Vögelchen die Stimmung zu wechseln, und in diesem Augenblick war sie auch schon lauter Reue.

»Seien Sie nicht böse, daß ich gelacht habe«, sagte sie über das Gatter hinweg. »Ich hab' es nicht so gemeint. Ich war so überrascht, daß ich nicht die richtigen Worte fand. Sie sehen, Herr Harnish, ich bin nicht . . .« Sie hielt inne, als wäre sie plötzlich ängstlich geworden, ihren Gedanken ganz auszusprechen, den ihre Schnelligkeit ihr eingegeben hatte.

»Sie meinen, daß Sie solche Anträge nicht gewöhnt sind«, sagte Daylight, »so im Vorbeigehen: Guten Tag, mein Fräulein, freut mich, Ihre Bekanntschaft zu machen; wollen Sie meine Frau sein?«

Sie nickte und brach in ein Lachen aus, in das er einstimmte und das ihnen beiden über ihre Schüchternheit hinweghalf. Er wurde gleich beherzter und fuhr sicherer und mit kühlerem Kopf und beherrschter Zunge fort: »Sehen Sie, das ist gerade meine Meinung. Sie haben Erfahrung in diesen Dingen. Ich bin überzeugt, daß Sie eine Menge Anträge gehabt haben. Na ja, ich hab' die Erfahrung nicht, und ich komme mir vor wie ein Fisch auf dem Trockenen. Außerdem ist dies gar kein Antrag. Es ist nur eine eigentümliche Situation, und ich bin in die Ecke gedrängt. Ich besitze gesunden Menschenverstand genug, um mir selber sagen zu können, daß es keinen Sinn hat, wenn ein Mann einem Mädchen einen Heiratsantrag macht, nur um ihre Bekanntschaft zu machen. Und dadurch bin ich gerade in die Klemme geraten. Im Kontor kann ich Ihre Bekanntschaft nicht machen, außerhalb des Kontors wollen Sie mich nicht treffen, weil die Leute darüber reden würden. Aber ich muß Ihnen doch etwas sagen, damit Sie darüber nachdenken, und das habe ich gesagt. Und nun möchte ich, daß Sie wirklich darüber nachdächten.«

Während sie ihm lauschte und sich über sein ernstes, beunruhigtes Gesicht und die einfachen, schlichten Worte freute, die nur noch mehr seinen Ernst betonten, vergaß sie zuzuhören und verlor sich in ihren eigenen Gedanken. Die Liebe eines starken Mannes hat immer etwas Verführerisches für eine normale Frau, und nie hatte Dede den Reiz stärker gespürt als jetzt, da sie Burning Daylight über das Gatter hinweg betrachtete. Es fiel ihr nicht im Traume ein, sich mit ihm zu verheiraten – hundert Gründe sprachen dagegen; aber weshalb sollte sie ihn nicht häufiger sehen? Er gefiel ihr, hatte ihr vom ersten Tage an gefallen, da sie in sein hageres Indianergesicht und in seine funkelnden Indianeraugen gesehen hatte. Er war ein Mann, und das nicht nur kraft seiner prachtvollen Muskeln. Außerdem hatte die Romantik ihn mit einem goldenen Schimmer übergossen, ihn, diesen kühnen, roh zugehauenen Abenteurer aus dem Norden, diesen Mann von vielen Taten und vielen Millionen, der aus dem Lande des Eises gekommen war, um einen so meisterhaften Kampf mit den Männern des Südens zu führen.

Wild wie ein Indianer, ein Mann ohne Moral, dessen Rachedurst nie erlosch und der alle, die sich ihm in den Weg stellten, zu Boden trat – o ja, sie kannte alle die harten Namen, die man ihm gab. Und doch fürchtete sie ihn nicht. Der Name Burning Daylight hatte eine mächtige Bedeutung, die auf die Phantasie jeder Frau wirken mußte, wie sie jetzt auf die ihre wirkte, als sie, durch das Gatter getrennt, dem ernsten leidenschaftlichen Klange seiner einfachen Worte lauschte. Schließlich war Dede ja nur eine Frau, mit der Eitelkeit ihres Geschlechts, und ihrer Eitelkeit schmeichelte es, daß ein Mann wie er sich in seiner Not an sie wandte. Aber noch mehr regte sich in ihr – ein Gefühl von Müdigkeit und Einsamkeit. Unbestimmte Gefühle und noch unbestimmtere Eingebungen; und tiefer und dunkler flüsterte in ihr das Sehnen längst vergangener Geschlechter, das sich wieder kristallisierte und feste Form annahm – ungeahntes, unergründliches Sehnen, flüchtig und doch mächtig, Geist und Wesen des Lebens, das unter tausend Verkleidungen hinausstrebte. Mit diesem Manne durch die Berge zu reiten war allein schon eine starke Versuchung. Aber dabei blieb es auch, denn sie war fest davon überzeugt, daß seine Lebensweise nie die ihre werden konnte. Andererseits litt sie nicht an der gewöhnlichen weiblichen Furcht und Scham. Sie zweifelte nicht daran, daß sie unter allen Umständen für sich einstehen konnte. Warum also nicht? Alles in allem hatte es ja nicht viel zu sagen.

Er war ein großer Junge, dieser mächtige Riese von Millionär, den die Hälfte der reichen Leute in San Franzisko fürchtete. Ein richtiger Junge! Sie hatte nie gedacht, daß er so sein könnte.

»Wie machen die Leute es, wenn sie sich verheiraten?« sagte er. »Erstens treffen sie sich; zweitens gefallen sie sich äußerlich; drittens werden sie miteinander bekannt, und viertens heiraten sie sich oder lassen es bleiben, je nachdem, ob sie sich leiden mögen oder nicht. Aber wie wir herausbekommen sollen, ob wir uns leiden mögen, wenn wir uns nicht selbst die Gelegenheit dazu schaffen, zum Donnerwetter, das geht über meinen Verstand. Ich möchte Sie besuchen, aber ich weiß, daß Sie in einem möblierten Zimmer oder in einem Pensionat wohnen, und da geht es doch nun einmal nicht.«

Plötzlich änderte sich Dedes Stimmung wieder, die Situation erschien ihr lächerlich und sinnlos. Sie fühlte einen starken Drang zu lachen – nicht ärgerlich, nicht hysterisch, sondern nur lustig. Es war so komisch. Sie, die Sekretärin, er, der berüchtigte und mächtige millionenschwere Spieler, und zwischen ihnen das Gatter, über das hinweg sich seine Betrachtungen ergossen, wie man sich heiraten könnte. Dabei war es eine ganz unmögliche Situation. So konnte es doch unmöglich weitergehen. Diese Begegnung mußte die letzte sein. Und wenn er ihr dann in Ermangelung dessen im Kontor den Hof zu machen versuchte, so mußte sie eben die sehr angenehme Stellung aufgeben, aber schließlich hatte ihr die Männerwelt, besonders in der Stadt, nie sehr gefallen. Sie hatte nicht jahrelang fürs tägliche Brot gearbeitet, ohne einen Teil ihrer Illusionen einzubüßen.

»Wir brauchen doch kein Hehl daraus zu machen«, erklärte Daylight. »Wir können ganz offen zusammen ausreiten, und wenn uns jemand sieht, so schadet es auch nichts. Wenn man redet – schön, solange wir selbst uns nichts vorzuwerfen haben, brauchen wir uns auch nicht darum zu kümmern. Sagen Sie ja, und Bob wird den glücklichsten Mann von der Welt auf dem Rücken tragen.«

Sie schüttelte den Kopf, zog den Zügel an, da das Pferd ungeduldig wurde, und blickte bedeutungsvoll auf die länger werdenden Schatten.

»Es ist spät geworden«, sagte Daylight schnell, »und wir haben noch keinen Entschluß gefaßt. Nur noch einen Sonntag – das ist doch nicht viel verlangt –, um das Weitere zu bereden.«

»Wir haben ja heute den ganzen Tag gehabt«, sagte sie.

»Aber wir haben zu spät angefangen, darüber zu sprechen. Nächstes Mal wollen wir nicht so lange warten. Es ist mir bitterer Ernst, das kann ich Ihnen sagen. Also nächsten Sonntag?«

»Sind Männer je ehrlich?« fragte sie. »Sie wissen ganz gut, daß Sie mit ›nächsten Sonntag‹ viele Sonntage meinen.«

»Dann lassen Sie es viele Sonntage sein«, rief er unbekümmert, und ihr schien, er sei noch nie so hübsch gewesen.

»Sagen Sie ja. Nur dieses eine Wort. Nächsten Sonntag am Steinbruch . . .«

Sie nahm die Zügel in die Hand, um weiterzureiten.

»Gute Nacht«, sagte sie, »und . . .«

»Ja«, flüsterte er mit einem ganz leisen gebieterischen Anflug in der Stimme.

»Ja«, sagte sie leise, aber deutlich.

Im selben Augenblick galoppierte sie davon, ohne sich umzusehen, nur damit beschäftigt, sich über ihre eigenen Gedanken klarzuwerden. Bis zum letzten Augenblick war sie entschlossen gewesen, nein zu sagen, und doch hatten ihre Lippen ja gesagt. Oder es schien ihr doch, daß es die Lippen waren. Sie hatte nicht die Absicht gehabt, ihre Zustimmung zu geben. Warum hatte sie es dann getan? Ihre Überraschung und Verwirrung über eine so vollkommen unüberlegte Handlung wich der Bestürzung, als sie sich die Folgen klarmachte. Sie wußte, daß mit Burning Daylight nicht zu scherzen war, daß er mit seiner Einfachheit und Knabenhaftigkeit doch in erster Linie eine Herrschernatur war und daß sie sich einer Zukunft überlassen hatte, die unvermeidlich Sturm und Drang bringen mußte. Und wieder fragte sie sich, warum sie in dem Augenblick, als es am allerwenigsten ihre Absicht gewesen, ja gesagt hatte.

Das Leben im Kontor ging seinen Gang. Weder durch Worte noch durch Blicke räumten sie ein, daß die Situation sich irgendwie gegen früher verändert hatte. Jeden Sonntag verabredeten sie sich zum Reiten für den nächsten Sonntag, aber im Kontor wurde nie die geringste Anspielung darauf gemacht. In diesem Punkt war Daylight durchaus ritterlich. Er wollte sie nicht verlieren. Der Anblick ihrer Person und ihrer Arbeit war ihm eine ständige Freude.

Trotz aller guten Vorsätze lag eine gewisse Heimlichkeit über ihren Begegnungen. Sie ritten nicht frei miteinander im Angesicht der ganzen Welt. Im Gegenteil, sie trafen sich stets an Stellen, wo sie sich am wenigsten beobachtet wußten. Sie ritten auch nur auf den stillsten Wegen und zogen die zweite Hügelreihe vor, wo sie höchstens ländliche Kirchgänger trafen, die Daylight wahrscheinlich nicht einmal aus den Bildern in den Zeitungen kannten. Auf diesen ununterbrochenen Ritten lernten sie sich kennen. Sie sprachen meist über sich selbst. Während er von den arktischen Reisen und den Goldminen sprach, erzählte sie ihm ausführlich von ihrem Leben auf der Ranch, von Pferden und Hunden, Menschen und Dingen, bis er ihre ganze Jugend, ihren Werdegang gleichsam vor sich sah. Er erfuhr alles, bis zum Bankrott und Tod ihres Vaters, wodurch sie gezwungen worden war, die Universität zu verlassen und eine Anstellung im Kontor zu suchen. Auch von ihrem Bruder erzählte sie, von ihrem jahrelangen Kampf, um ihn wieder gesund zu bekommen, und ihre immer mehr schwindende Hoffnung ... Daylight fand, daß man viel leichter klug aus ihr werden konnte, als er gedacht hatte, obwohl, wie er immer wieder gewahr wurde, hinter und unter allem, was er von ihr wußte, das geheimnisvolle, verwirrende Geschlecht stand. Hier war, wie er selbst demütig einräumte, ein unendliches Meer, von dem er nichts wußte, auf dem er sich ohne Seekarten und andere Hilfsmittel, so gut es ging, zurechtfinden mußte.

Dede zu Pferde, Dede auf einem sommerlichen Hange Mohn pflükkend, Dede nach einem Diktat stenographierend – das war alles sehr verständlich. Aber die Dede, die so schnell die Stimmung wechselte, die sich energisch weigerte, mit ihm zu reiten, und dann plötzlich ja sagte, in deren Augen das goldene Licht ständig kam und ging und Dinge flüsterte, die nicht für seine Ohren bestimmt waren, die Dede kannte er nicht. In alledem sah er die schimmernde Tiefe des Geschlechts. Er spürte seine Anziehungskraft und nahm sie als etwas Unbegreifliches hin.

»Der Winter kommt bald«, sagte sie eines Tages bedauernd und ein wenig herausfordernd, »und dann ist es vorbei mit unseren Ritten.«

»Aber ich muß Sie sehen«, rief er hastig.

Sie schüttelte den Kopf.

»Es war sehr schön«, sagte sie und sah ihn offen an. »Ich erinnere mich noch gut Ihres törichten Arguments, daß wir uns kennenlernen müßten, aber es führt ja zu nichts, kann zu nichts führen. Ich kenne mich selbst zu gut, um nicht zu wissen, daß ich nicht irre.«

Ihr Gesicht war ernst und fast bekümmert, als wollte sie ihn nicht kränken, und sie schlug die Augen nicht nieder, aber in ihnen leuchtete das goldene, flammende Licht – der Abgrund zwischen den Geschlechtern, den er jetzt nicht mehr fürchtete. »Ich bin doch wirklich sehr brav gewesen«, erklärte er. »Sagen Sie selbst, ob das nicht wahr ist. Und ich kann Ihnen sagen, daß es mir nicht ganz leicht geworden ist. Denken Sie mal darüber nach. Ich habe nicht ein Wort von Liebe zu Ihnen gesagt, und dabei habe ich Sie die ganze Zeit geliebt. Das will etwas heißen bei einem Mann, der gewohnt ist, stets seinen Willen zu bekommen. Ich will, daß Sie mich heiraten. Aber habe ich das je mit einem Wort berührt? Ich habe Sie nicht gefragt, ob Sie mich heiraten wollen. Ich frage Sie auch jetzt nicht. Sie kennen mich gut genug, um zu wissen, was Sie wollen.« Er zuckte die Achseln. »Ich weiß nicht recht, und ich möchte jetzt nicht den Versuch machen. Sie sollen sich völlig klar darüber sein, ob Sie glauben, es mit mir wagen zu können oder nicht, und deshalb spiele ich ein so langsames, ruhiges Spiel. Ich möchte nicht verlieren.«

Das war eine Art von Verehrung, die Dede noch nicht kannte. Es lagen Nüchternheit und Kälte darin, die sie kränkten, aber das Gefühl verschwand, wenn sie sich der Leidenschaft erinnerte, die sie tagein, tagaus in seinen Augen gesehen, in seiner Stimme gehört hatte. Dazu rief sie sich ins Gedächtnis, was er ihr vor vierzehn Tagen gesagt hatte: »Vielleicht wissen Sie, was Geduld ist«, und dazu hatte er ihr erzählt, wie er am Stewart-River, als er und Elijah Davis am Verhungern gewesen waren, Eichhörnchen geschossen hatte.

»Sie sehen also«, fuhr er fort, »daß wir uns im Winter treffen müssen, allein schon, damit das Spiel gleich ist. Sie haben selbstverständlich Ihren Entschluß noch nicht fassen können –«

»Doch«, unterbrach sie ihn. »Mein Glück liegt nicht auf diesem Wege. Ich habe Sie gern, Herr Harnish, aber mehr kann es nie werden.«

»Das kommt wohl daher, daß Ihnen meine Lebensweise nicht zusagt«, meinte er, und dabei dachte er an die sensationellen Zeitungsberichte über sein ausschweifendes Leben und war gleichzeitig gespannt, ob sie tun würde, als wisse sie nichts davon.

Zu seiner Überraschung antwortete sie indessen offen und ohne Vorbehalt:

»Nein, das ist es nicht.«

»Gewiß, ich bin unvorsichtig gewesen«, begann er sich zu verteidigen. »Und ich hab' mich auch in bedenklicher Gesellschaft herumgetrieben –«

»Das meine ich nicht«, sagte sie, »obgleich ich auch davon gehört habe und nicht sagen kann, daß es mir gefallen hätte. Aber es ist Ihr Leben im allgemeinen, Ihr Geschäft. Es gibt sicher Frauen genug in der Welt, die einen Mann wie Sie heiraten und glücklich werden können, aber ich könnte es nicht. Und je mehr ich einen solchen Mann liebte, desto unglücklicher würde ich sein. Und wenn ich unglücklich wäre, so würde das ihn natürlich auch wieder unglücklich machen. Ich würde einen Irrtum begehen und er selbst einen ähnlichen, obgleich er nicht so schwer an den Folgen seines Irrtums zu tragen hätte, da ihm ja immer noch sein Geschäft bliebe.«

»Geschäft!« Daylight schnappte nach Luft. »Was ist Schlechtes an meinem Geschäft? Es ist ehrliches Spiel, was man von den meisten Geschäften nicht sagen kann. Ich spiele ehrliches Spiel und brauche nicht zu lügen, zu betrügen oder mein Wort zu brechen.«

Dede war erleichtert über die Wendung, die das Gespräch genommen hatte, und benutzte die Gelegenheit, um ihm ihre Meinung zu sagen.

»Im alten Griechenland«, begann sie lehrhaft, »wurde ein Mann als ein guter Bürger angesehen, wenn er Häuser baute, Bäume pflanzte ––«

Sie vollendete ihr Zitat nicht, sondern zog schnell den Schluß. »Wie viele Häuser haben Sie gebaut? Wie viele Bäume gepflanzt?«

Er schüttelte den Kopf, sagte aber nichts, denn er wußte nicht, wo sie hinauswollte.

»Sehen Sie«, fuhr sie fort, »vorletzten Winter machten Sie einen Corner in Kohlen –«

»Eine rein lokale Angelegenheit«, er lächelte, als er daran dachte, »rein lokal. Ich nutzte den Wagenmangel und den Streik in British-Columbia aus.«

»Aber Sie hatten die Kohlen nicht selbst gegraben. Und dennoch trieben Sie den Preis in die Höhe bis auf vier Dollar die Tonne und verdienten einen Haufen Geld daran. Das war Ihr Geschäft. Sie ließen die Armen mehr für die Kohlen bezahlen. Sie spielten wohl ehrliches Spiel, wie Sie sagen, aber Sie steckten Ihre Hand in die Taschen der Armen und nahmen ihnen ihr Geld. Ich kann ein Wort mitreden. Ich hab' einen Kamin in meinem Wohnzimmer in Berkeley. Und statt elf Dollar die Tonne mußte ich damals fünfzehn Dollar für Rock-Wells-Kohlen bezahlen. Sie beraubten mich um vier Dollar. Ich konnte es ertragen. Aber Tausende von den ganz Armen konnten es nicht. Das nennen Sie vielleicht ehrliches Spiel, aber in meinen Augen war es recht und schlecht Raub.«

Daylight ließ sich nicht aus der Fassung bringen. Das war nicht gerade eine Offenbarung für ihn.

»Schauen Sie einmal, Fräulein Mason. Ich räume ein, daß Sie mich bei einem wunden Punkt gepackt haben. Aber Sie sehen mich nun seit mehreren Jahren mein Geschäft betreiben und wissen, daß ich es mir nicht zur Regel gemacht habe, die Armen auszuplündern. Ich bin nach den Großen aus. Auf die hab' ich es abgesehen. Die plündern die Armen, und ich plündere sie. Die Kohlengeschichte war ein Zufall. Den Armen wollte ich gar nichts zuleide tun, sondern den Großen, und die hab' ich auch gekriegt. Die Armen kamen zufällig dazwischen und kriegten was ab.

Können Sie nicht sehen«, fuhr er fort, »daß das nichts als Spiel ist? Jedermann spielt ja auf eine oder die andere Weise. Der Landmann setzt seine Saat gegen Wetter und Markt. Dasselbe tut der Stahltrust. Das Geschäft der meisten Menschen geht darauf aus, die Armen auszuplündern. Aber das Geschäft hab' ich nie betrieben. Das wissen Sie auch. Ich hab' es nur auf die Räuber selbst abgesehen.«

»Ich habe mich nicht richtig ausgedrückt«, gab sie zu. »Warten Sie einen Augenblick.«

Eine Weile ritten sie schweigend.

»Es ist mir selbst ganz klar, aber ich kann es nicht recht erklären. Es gibt ehrliche Arbeit, und es gibt Arbeit, die – na ja, die nicht ehrlich ist. Der Landmann bearbeitet den Boden und bringt Getreide hervor. Er macht etwas, das für die Menschheit gut ist. In gewisser Weise wirkt er schöpferisch, er schafft das Korn, das Hungrige sättigen kann.«

»Und dann plündern die Eisenbahnen und Spekulanten ihn aus«, fiel Daylight ein.

Dede lächelte und hob die Hand.

»Warten Sie einen Augenblick. Sie bringen mich sonst wieder aus dem

Konzept. Mag sein, daß er ausgeplündert wird und schließlich verhungern muß. Jedenfalls aber ist der Weizen, den er hervorgebracht hat, noch auf der Welt. Er existiert. Verstehen Sie nicht? Der Landmann hat etwas geschaffen, sagen wir, zehn Tonnen Weizen, und diese zehn Tonnen existieren. Die Eisenbahnen holen den Weizen zum Markt, zu den Mündern, die ihn essen wollen. Das ist ehrlich. Das ist, als ob jemand uns ein Glas Wasser bringt oder uns ein Staubkörnchen aus dem Auge holt. Es ist etwas getan, in gewisser Weise geschaffen.«

»Aber die Eisenbahnen sind doch die ärgsten Räuber«, wandte Daylight ein.

»Dann ist das, was sie tun, teils ehrlich und teils unehrlich. Jetzt aber zu Ihnen. Sie schaffen nicht. Bringen Sie durch Ihr Geschäft Neues hervor? Zum Beispiel Kohle? Sie graben sie nicht. Sie schaffen sie nicht zum Markt. Sie liefern sie nicht. Sehen Sie das nicht ein? Das meinte ich mit dem Pflanzen von Bäumen und dem Bauen von Häusern. Sie haben nicht einen Baum gepflanzt, nicht ein einziges Haus gebaut.«

»Ich hab' nie gedacht, daß es eine Frau auf der Welt gäbe, die so über Geschäfte sprechen könnte«, murmelte er bewundernd. »Und in diesem Punkt sind Sie mir über. Aber ich habe meinerseits auch ein ganz Teil darüber zu sagen. Jetzt müssen Sie mich ein wenig anhören. Ich will von drei Gesichtspunkten aus sprechen. Erstens: Wir leben nur kurze Zeit, selbst die Besten von uns, und wir sind sehr lange tot. Das Leben ist ein hohes Spiel. Einige sind im Zeichen des Glücks, andere in dem des Unglücks geboren. Jedermann sitzt mit am Tisch und versucht die andern nach Möglichkeit zu plündern. Die meisten werden geplündert. Das sind die geborenen Dummköpfe. Da kommt ein Kerl wie ich und überlegt, was er tun soll. Es gibt zwei Möglichkeiten. Ich kann mich zu den Dummköpfen schlagen, oder ich kann mich zu den Räubern schlagen. Als Dummkopf gewinne ich nichts. Selbst die Brotkrumen werden mir von den Räubern aus dem Munde gerissen. All meine Tage arbeite ich schwer und sterbe in den Sielen. Ich habe nichts gehabt als Arbeit, Arbeit und wieder Arbeit. Man spricht soviel vom Adel der Arbeit. Ich sage Ihnen, in der Arbeit steckt nicht viel Adel. Dann kann ich mich zu den Räubern schlagen, und das habe ich getan. Ich spiele das Spiel, das mir einen Gewinn ermöglicht. Ich bekomme Automobile, gutes Essen und weiche Betten.

Es ist gar kein großer Unterschied, ob man halber Räuber ist wie die Eisenbahn, die den Weizen des Landmanns zum Markt bringt, oder ganzer Räuber und die Räuber selbst ausräubert, wie ich es tue. Und außerdem ist halbes Räubertum nicht nach meinem Geschmack, das ist mir zu langweilig. Dabei gewinnt man nicht schnell genug, finde ich.«

»Aber warum wollen Sie denn gewinnen?« fragte Dede. »Sie haben doch schon Millionen über Millionen. Sie können nicht in mehr als einem Automobil zugleich fahren und nicht in mehr als einem Bett zugleich schlafen.«

»Das wird in Nummer drei beantwortet«, sagte er, »und die lautet: Alle Geschöpfe sind so eingerichtet, daß ihr Geschmack verschieden ist. Ein Kaninchen liebt vegetarische Kost. Ein Luchs Fleisch. Enten schwimmen; Küken scheuen das Wasser. Ein Mann sammelt Briefmarken und ein anderer Schmetterlinge. Dieser schwärmt für Bilder, jener für seine Jacht, und wieder andere lieben die Jagd auf Großwild. Für den einen sind Rennen das Höchste auf der Welt, für den andern Schauspielerinnen. Sie können nichts für diesen Geschmack. Sie haben ihn einmal, dabei ist nichts zu machen. Ich liebe nun das Spiel. Ich liebe es, hoch und schnell zu spielen. So bin ich nun einmal. Und daher spiele ich.«

»Aber warum können Sie mit Ihrem Geld nichts Gutes tun?«

Daylight lachte.

»Gutes mit meinem Geld tun! Das wäre ungefähr so, als wollte ich den lieben Gott ins Gesicht schlagen und ihm erzählen, daß er nicht verstehe, die Welt zu regieren, die er selbst erschaffen hat, und daß man ihm sehr dankbar sein würde, wenn er ein wenig abtreten und einem eine Chance gäbe. Ich sitze nicht nachts in meinem Bett und denke an den lieben Gott, und ich betrachte die Sache daher etwas anders. Ist es nicht ein komischer Gedanke, herumzulaufen, den Leuten mit einer großen Keule den Kopf einzuschlagen und ihnen ihr Geld abzunehmen, bis man genug hat, und dann zu bereuen und die Köpfe zu flicken, die die andern Räuber eingeschlagen? Urteilen Sie selbst. So ist es, wenn man mit seinem Gelde Gutes tun wollte. Hin und wieder einmal wird ein Räuber weichherzig und pflegt die Verwundeten. Carnegie zum Beispiel. Er hat den Leuten massenweise die Köpfe eingeschlagen und die Dummköpfe um ein paar hundert Millionen geplündert und gibt es ihnen jetzt teelöffelweise wieder. Komisch, nicht wahr? Urteilen Sie selbst!«

Er drehte sich eine Zigarette und betrachtete sie halb neugierig, halb lustig.

Seine Antworten und sein rücksichtsloses Verallgemeinern, das er in einer harten Schule gelernt hatte, waren verwirrend, und sie kehrte zu ihrem Ausgangspunkt zurück.

»Ich kann mich nicht mit Ihnen streiten, und das wissen Sie. Wenn eine Frau auch noch so recht hat, so hat der Mann doch eine Art zu reden, die völlig überzeugend ist, selbst wenn die Frau sicher ist, daß er unrecht hat. Aber es gibt eines: die Schaffensfreude. Nennen Sie es Spiel, wenn Sie wollen, aber mir scheint doch, daß es mehr befriedigen muß, etwas hervorzubringen, etwas zu schaffen, als den ganzen lieben Tag die Würfel aus dem Becher rollen zu lassen. Manchmal striegele ich selbst Mab, wenn ich Bewegung haben will oder fünfzehn Dollar für

Kohlen bezahlen soll. Und wenn ihre Haut dann blank, schimmernd und seidig ist, dann fühle ich Befriedigung über das, was ich getan habe. So muß es dem Manne gehen, der ein Haus baut oder einen Baum pflanzt. Er kann es vor sich sehen. Er hat es geschaffen. Es ist seiner Hände Arbeit. Und wenn ein Mann Ihres Schlages, Herr Harnish, kommt und ihm seinen Baum wegnimmt, so bleibt der doch stehen, und er hat ihn geschaffen. Mit all Ihren Millionen können Sie ihm den Baum nicht rauben. Das ist die Schaffensfreude, und die ist mehr wert als alle Freude am Spiel. Haben Sie nicht selbst einmal etwas geschaffen – eine Blockhütte am Yukon, ein Kanu, ein Floß oder sonst etwas? Und erinnern Sie sich nicht, wie zufrieden Sie waren und welch ein schönes Gefühl Sie bei der Arbeit und hinterher hatten?«

Während sie sprach, mußte er an die Zeiten denken, die sie ihm heraufbeschwor. Er sah die verlassene Ebene am Ufer des Klondike, sah die Blockhütten und Warenhäuser emporwachsen, alle die Gebäude, die er errichtet hatte, und die Sägemühlen, die Tag und Nacht mit drei Schichten arbeiteten.

»Ja, zum Donnerwetter, Sie haben recht, Fräulein Mason – in gewisser Weise. Ich habe Hunderte von Häusern gebaut, und ich erinnere mich, wie stolz und froh ich war, wenn ich sie entstehen sah. Ich bin jetzt noch stolz darauf, wenn ich daran denke. Und Ophir – diese gottverlassene Elchweide! Ich schuf das große Ophir daraus. Von Rinksbilly leitete ich das Wasser achtzig Meilen weit hin. Alle sagten, daß es unmöglich sei, aber ich tat es, und ich tat es ganz allein. Damm und Leitung kosteten mich vier Millionen. Aber dann hätten Sie Ophir sehen sollen – Kraftanlage, elektrisches Licht und Hunderte von Arbeitern, die Tag und Nacht im Gange waren. Ich glaube, ich weiß jetzt ungefähr, was Sie meinen. Ich schuf Ophir, und, weiß Gott, das war verdammt schön!«

»Und da gewannen Sie etwas, das mehr wert war als Geld«, ermutigte ihn Dede. »Wissen Sie, was ich tun würde, wenn ich so viel Geld hätte, daß ich nicht zum Weiterspielen gezwungen wäre? Sehen Sie alle diese nackten Hänge dort im Süden und Westen. Ich würde sie kaufen und mit Eukalyptus bepflanzen. Ich würde es nur aus Freude an der Sache tun, gesetzt aber, ich hätte den Spielteufel in mir, so würde ich genau dasselbe tun und die Bäume zu Geld machen. Und da komme ich wieder zu dem andern Punkte. Statt den Kohlenpreis heraufzuschrauben, ohne doch dem Kohlenmarkt auch nur im geringsten mehr zuzuführen, würde ich tausend und aber tausend Klafter Brennholz hervorbringen – aus dem Nichts schaffen. Und jeder, der mit der Fähre übersetzte, würde zu den bewaldeten Bergen hinaufsehen und sich freuen. Wer hat sich darüber gefreut, daß Sie eine Tonne Rock Wells um vier Dollar verteuerten?«

Jetzt war es Daylight, der eine Weile schwieg, während sie auf Antwort wartete.

»Möchten Sie lieber, daß ich derartige Dinge täte?« fragte er schließlich.

»Es wäre besser für die Welt und besser für Sie«, antwortete sie ruhig.

Die ganze Woche wußte jeder auf dem Kontor, daß Daylight mit großen Plänen umging. Außer einigen unbedeutenden Geschäften hatte er mehrere Monate nichts gemacht. Aber jetzt ging er tief in Gedanken versunken umher, machte unerwartet längere Fahrten über die Bucht von Oakland oder saß stundenlang still und unbeweglich an seinem Schreibtisch. Was ihn beschäftigte, schien ihm eine ganz besondere Freude zu bereiten. Manchmal kamen auch Leute und besprachen sich mit ihm – Leute mit neuen Gesichtern und von einem ganz anderen Schlage als die, die ihn sonst aufzusuchen pflegten. Am Sonntag erfuhr Dede alles.

»Ich habe ein bißchen über unsere Unterhaltung nachgedacht«, begann er, »und ich habe eine Idee bekommen, mit der ich es einmal versuchen möchte. Es ist ein Plan, daß Ihnen die Haare zu Berge stehen werden. Es ist das, was Sie ehrliches Spiel nennen, dabei aber das tollste Spiel, auf das ein Mensch sich je eingelassen hat. Was meinen Sie dazu, Minuten en gros zu pflanzen und zwei wachsen zu lassen, wo früher nur eine Minute wuchs? Ach ja, und auch ein paar Bäume dazu, sagen wir, einige Millionen. Erinnern Sie sich des Steinbruchs, dessen Besichtigung ich vortäuschte? Nun, ich will ihn jetzt kaufen. Ich will die ganzen Berge von Berkeley den Weg hinab bis nach San Leandro kaufen. Ein Teil davon gehört mir übrigens schon. Aber verraten Sie nicht ein Wort davon. Ich will erst noch eine ganze Weile weiterverkaufen, ehe etwas bekannt wird, denn ich will nicht, daß die Preise ins uferlose steigen. Können Sie den Berg drüben sehen? Der gehört mir schon, und er erstreckt sich mit seinen Hängen durch ganz Piedmont bis halbwegs zu den wogenden Hügeln von Oakland. Und das ist noch gar nichts gegen das, was ich erst kaufen will.«

Er hielt triumphierend inne.

»Und das alles, um zwei Minuten wachsen zu lassen, wo früher nur eine wuchs?« fragte Dede und lachte über seine Heimlichtuerei.

Er starrte sie bezaubert an. Sie hatte eine so freie, knabenhafte Art, den Kopf zurückzuwerfen. Und ihre Zähne entzückten ihn immer wieder. Sie waren nicht gerade klein, aber regelmäßig, stark und tadellos, und er war überzeugt, daß es die gesundesten, weißesten und schönsten Zähne waren, die er je gesehen.

Erst als sie aufgehört hatte zu lachen, konnte er fortfahren.

»Das Fährsystem zwischen Oakland und San Franzisko ist der elendeste Einspännerbetrieb in den ganzen Vereinigten Staaten. Sie benutzen die Fähre ja täglich, sechsmal in der Woche. Das macht vierundzwanzig Tage im Monat oder mehr als dreihundert im Jahr. Wie lange brauchen Sie jedesmal dazu? Wenn Sie Glück haben, vierzig Minuten. Ich will Sie in zwanzig Minuten übersetzen. Wenn das nicht zwei Minuten wachsen lassen heißt, wo früher nur eine wuchs, dann will ich mir den Kopf abhauen lassen. Ich will Ihnen jedesmal zwanzig Minuten ersparen. Das heißt, vierzig Minuten täglich, mal dreihundert, gleich zwölftausend Minuten jährlich – nur für Sie, für einen einzigen Menschen. Das sind rund zweihundert Stunden. Und nun denken Sie, daß wir Tausenden von Menschen ebenfalls diese zweihundert Stunden ersparen – das lohnt sich doch, nicht wahr?«

Dede konnte nur atemlos nicken. Sie ließ sich von seiner Begeisterung mitreißen, wenn sie auch noch nicht verstand, wie diese große Zeitersparnis erzielt werden sollte.

»Kommen Sie«, sagte er. »Lassen Sie uns auf diese Anhöhe reiten, und wenn ich Sie oben habe und Sie etwas sehen können, will ich Ihnen die Geschichte erklären.«

Ein schmaler Pfad führte zu dem trockenen Bett des großen Canjons hinab, den sie überschreiten mußten, ehe sie den Aufstieg beginnen konnten. Der Abhang war steil und mit dichtem Gestrüpp und Buschwerk bedeckt, durch das die Pferde mühsam stolperten. Bob, der solche Verzögerungen nicht leiden konnte, wandte sich plötzlich um und versuchte, an Mab vorbeizukommen. Die Stute wurde seitwärts in das dichte Gestrüpp gedrängt und wäre beinahe gestürzt. Die Schenkel beider Reiter wurden zwischen die Pferde geklemmt, und als Bob nun den Hügel hinunterjagte, wäre Dede fast abgeworfen worden. Daylight zwang sein Pferd auf die Hinterhand und zog gleichzeitig Dede wieder in den Sattel. Zweige und Blätter regneten auf sie herab, und sie kamen aus einer Klemme in die andere, bis sie schließlich, stark mitgenommen, aber glücklich und froh erregt, den Gipfel erreichten. Hier versperrte kein Baum die Aussicht. Der Hügel, auf dem sie standen, sprang aus der Reihe heraus, so daß sie nach drei Seiten freie Aussicht hatten. Auf dem Flachland zu ihren Füßen lag Oakland, und auf der andern Seite der Bucht war San Franzisko zu sehen. Zwischen den beiden Städten konnten sie die weißen Fährboote auf dem Wasser erblicken. Zu ihrer Rechten befand sich Berkeley, und links lagen die verstreuten Dörfer zwischen Oakland und San Leandro. Gerade vor ihnen war Piedmont, dessen Häuser zwischen Äckern verstreut lagen, und von dort wogte das Land bis nach Oakland hinüber.

»Sehen Sie«, sagte Daylight mit einer umfassenden Armbewegung. »Hunderttausend Menschen wohnen dort, aber warum sollte nicht eine halbe Million dort wohnen? Da haben wir die Möglichkeit, fünf Menschen wachsen zu lassen, wo jetzt einer wächst. Das ist in wenigen Worten mein Plan. Warum wohnen nicht mehr Leute in Oakland? Weil die Verbindung mit San Franzisko schlecht und, nebenbei, weil Oakland eingeschlafen ist. Leben kann man dort viel besser als in San Franzisko. Gesetzt, ich kaufte jetzt alle Straßenbahnen in Oakland, Berkeley, Alameda, San Leandro und den übrigen Orten – brächte sie unter einen Hut, unter eine tüchtige Leitung? Gesetzt, ich verkürzte die Fahrzeit nach San Franzisko um die Hälfte, indem ich einen großen Damm fast bis nach Goat Island hinaus baute und ein Fährsystem mit ganz modernen Booten einrichtete? Nicht wahr, die Leute würden sich daran gewöhnen, auf dieser Seite zu wohnen? Sehr schön. Dann brauchen sie aber auch Grund und Boden. Augenblicklich ist der Boden noch billig. Warum? Weil es hier noch keine Eisenbahnen, elektrische Bahnen oder andere schnelle Verbindungen gibt und weil keiner ahnt, daß sie bald kommen werden. Ich will sie bauen. Das wird die Preise für den Boden in die Höhe schrauben. Sobald die Leute dann die verbesserten Fähren und andere Verkehrserleichterungen sehen, werden sie kaufen wollen, und dann verkaufe ich ihnen die Grundstücke. Sie sehen, ich mache den Boden wertvoll, indem ich die Bahnen baue. Der Verkauf der Grundstücke bringt die Auslagen wieder herein, und dann habe ich noch die Bahnen, die die Leute hin und her transportieren und viel Geld bringen. Ich kann nicht verlieren. Es sind Millionen daran zu verdienen. Ich will mir Grund und Boden am Strande sichern. Vielleicht zwischen dem alten Damm und der Stelle, wo ich den neuen bauen will. Da ist das Wasser seicht. Ich kann es zuschütten und Docks für Hunderte von Schiffen anlegen. Die Reede von San Franzisko ist überfüllt. Kein Platz mehr für Schiffe. Wenn Hunderte von Schiffen auf dieser Seite gerade an der Eisenbahn laden und löschen, werden hier Fabriken entstehen, statt drüben in San Franzisko. Das bedeutet Fabrikbauplätze. Das bedeutet, daß ich Fabrikbauplätze aufkaufe, ehe ein Mensch eine Ahnung davon hat, daß die Katze aus dem Sack ist und noch weniger, wie sie springen wird. Fabriken bedeuten Tausende von Arbeitern mit ihren Familien. Das bedeutet wieder mehr Häuser und Grundstücke, und das heißt wieder für mich, daß ich dasein werde, um ihnen die Grundstücke zu verkaufen. Und Tausende von Familien bedeuten Tausende von Groschen täglich für meine elektrische Bahn. Die wachsende Bevölkerung bedeutet mehr Läden, mehr Banken, von allem mehr. Das heißt für mich wieder, daß ich mit Grundstücken für Geschäftshäuser und für Privathäuser zur Stelle sein werde. Was meinen Sie dazu?«

Ehe sie antworten konnte, war er schon wieder mitten darin, denn seine Seele war erfüllt von dem Gedanken an diese neue Traumstadt, die er in den Alabama-Bergen an der Pforte zum Osten erbaute. »Wissen Sie – ich hab' es selbst untersucht –, daß der Firth of Clyde, wo die meisten stählernen Schiffe gebaut werden, nicht halb so breit ist wie die Bucht von Oakland, wo all die alten Holzschiffe liegen? Warum ist sie nicht ein Firth of Clyde? Weil der Magistrat von Oakland seine Zeit damit vergeudet, über Pflaumen und Weintrauben zu disputieren. Was not tut, ist ein Mann, der sich um die Sache kümmert, und danach eine Organisation. Ich bin der Mann. Die Ophirgeschichte habe ich nicht umsonst gemacht. Und wenn es erst losgeht, wird das fremde Kapital schon von selber kommen. Ich brauche nur die Geschichte in Gang zu bringen. ›Meine Herren‹, werde ich sagen, ›hier sind alle Bedingungen für eine große Hauptstadt gegeben. Die Allmacht hat selbst die Voraussetzungen geschaffen und hat mich hergesetzt, um sie zu erkennen. Wollen Sie Ihren Tee und Ihre Seide von Asien hier landen und weiter nach dem Osten schicken? Hier sind Docks für Ihre Dampfer, und hier sind Eisenbahnen. Wollen Sie Fabriken haben, von denen Sie Ihre Waren direkt zu Wasser und zu Lande verschicken können? Hier ist der Baugrund, und hier ist die moderne Stadt mit den neuesten Einrichtungen für Sie selbst und Ihre Arbeiter.‹

Dann haben wir hier Wasser. Ich werde schon dafür sorgen, daß die meisten Wasserkräfte mir gehören. Warum nicht auch die Wasserwerke? Da liegt Geld – Geld überall. Alle Räder greifen ineinander. Jede Verbesserung erhöht den Wert der andern. Sehen Sie hin. Sehen Sie nur hin. Sie könnten gar keinen besseren Platz für eine große Stadt finden. Es fehlt nur noch die Bevölkerung; in zwei Jahren will ich einige hunderttausend Menschen herschaffen. Und was mehr wert ist, es wird kein Schwindel sein. In zwanzig Jahren wird eine Million Menschen auf dieser Seite der Bucht wohnen. Und dann will ich Eukalyptusbäume auf diesen Höhen pflanzen.«

»Aber wie wollen Sie das alles machen?« fragte Dede. »Sie haben doch nicht Geld genug für alle Ihre Pläne?«

»Ich habe dreißig Millionen, und wenn ich mehr brauche, kann ich den Boden oder andere Werte beleihen. Die Hypothekenzinsen werden längst nicht die Wertsteigerung der Grundstücke verschlingen, und ich werde ja auch immer schon welche davon verkaufen.«

In den folgenden Wochen war Daylight stark in Anspruch genommen. Die meiste Zeit verbrachte er in Oakland und kam nur selten ins Büro. Er dachte daran, das Büro nach Oakland zu verlegen, mußte aber erst, wie er zu Dede sagte, den heimlich vorbereiteten Feldzug zu Ende gebracht und den Boden aufgekauft haben. Sonntag auf Sonntag sahen sie bald von diesem, bald von jenem Gipfel auf die Stadt und ihre noch ländlichen Vororte hinunter, und er zeigte ihr seine letzten Erwerbungen. Zuerst waren es verstreute Ländereien, aber mit den Wochen wurden die Grundstücke, die ihm nicht gehörten, immer seltener, bis sie schließlich wie Inseln dalagen, die von allen Seiten von seinem Grund und Boden umgeben waren.

Es hieß schnell und angestrengt arbeiten, denn Oakland und Umgebung begannen natürlich bald das riesige Aufkaufen zu spüren. Aber Daylight hatte bares Geld, und schnelles Handeln war immer seine Art gewesen. Ehe die andern etwas von dem bevorstehenden Aufschwung ahnten, hatte er in der Stille schon vieles vollbracht. Während seine Agenten Eckgrundstücke und ganze Häuserblocks im Herzen des Geschäftsviertels aufkauften, hatte er sich gleichzeitig von der Stadtverwaltung Privilegien erteilen lassen, die beiden ruinierten Wasserwerke und die acht, neun unabhängigen Straßenbahnlinien beschlagnahmt und seine Hand nach der Bucht von Oakland und dem Strande für seine Docks ausgestreckt.

Als Oakland dann endlich, durch diese unerhörte Tätigkeit in jeder Beziehung aufgerüttelt, erregt fragte, was das zu bedeuten habe, kaufte Daylight im geheimen die maßgebende republikanische Zeitung und das Hauptorgan der Demokraten und übersiedelte kühn nach Oakland in sein neues Büro. Das war natürlich im großen Stil eingerichtet und nahm vier Stockwerke in dem einzigen modernen Gebäude der Stadt ein – dem einzigen Gebäude, das, wie Daylight sagte, später nicht abgerissen werden sollte. Hier gab es Abteilung über Abteilung, ganze Haufen von Abteilungen, und Hunderte von Handlungsgehilfen und Stenotypistinnen.

Monatelang vergrub Daylight sich in die Arbeit. Die Ausgaben waren ungeheuer, und vorläufig hatte er keine Einnahmen. Außer mit einer allgemeinen Steigerung der Bodenwerte hatte Oakland nicht auf sein unerwartetes Auftreten auf der Finanzbühne reagiert. Die Stadt wartete ab, was er tun würde, und er verlor darüber keine Zeit. Die besten Köpfe wurden von ihm für die verschiedenen Arbeitszweige angeworben. Mit Leuten, die die Sache verkehrt angriffen, hatte er kein Mitleid, und er war fest entschlossen, auf die rechte Weise anzufangen. So engagierte er Wilkinson, indem er sein an sich schon hohes Gehalt verdoppelte, holte ihn sich aus Chikago, damit er die Organisation der städtischen Eisen- und elektrischen Bahnen übernahm. Tag und Nacht wurde in den Straßen gearbeitet, und Tag und Nacht rammten die Arbeiter mächtige Pfähle in den Schlamm der Bucht von San Franzisko. Der Pier sollte drei Meilen lang werden, und die Berge von Berkeley wurden ganzer Eukalyptuswälder für die Pfähle beraubt.

Gleichzeitig ließ er die Wiesen vermessen und nach den besten modernen Methoden in Baustellen, Boulevards und Parks einteilen. Breite, gutgeplannte Straßen mit Abzugskanälen und Wasserleitungen wurden angelegt und mit Steinen aus seinen eigenen Steinbrüchen gepflastert. Die Bürgersteige wurden zementiert, so daß der Käufer nichts zu tun hatte, als Grundstück und Architekt zu wählen und zu bauen. Die schnelle Beförderung mit den neuen elektrischen Bahnen machte die Umgebung von Oakland unmittelbar zugänglich, und lange, ehe noch die Fähre in Gang war, befanden sich schon Hunderte von Wohnhäusern im Bau. Sein Verdienst an den Grundstücken war riesig. Mit einem Schlage hatte er kraft seines Reichtums freies Feld zu einem der besten Wohnviertel der Stadt umgeschaffen.

Aber das Geld, das auf diese Weise hereinfloß, wurde sofort wieder in andere Unternehmungen gesteckt. Der Bedarf an Straßenbahnwagen war so groß, daß er eigene Werkstätten für ihren Bau einrichtete. Und selbst zu den steigenden Preisen fuhr er fort, Fabrikgrundstücke und Bauplätze zu kaufen. Auf Wilkinsons Rat wurden fast alle bereits im Betrieb befindlichen Straßenbahnlinien geändert. Die leichten, unmodernen Schienen wurden herausgerissen und durch die schwersten ersetzt, die fabriziert wurden. Eckhäuser an scharfen, engen Straßenbiegungen wurden aufgekauft und ohne Gnade geopfert, um der Straßenbahn Kurven für die Schienen und größere Fahrgeschwindigkeit zu schaffen. Dann machte er sich auch an die Hauptlinien, die zu seiner Fähre führten und den Verkehr von ganz Oakland, Alameda und Berkeley mit durchgehenden Expreßzügen bis zum Ende des Piers besorgten. Bei seinen Unternehmungen zu Wasser wurde dasselbe großzügige System angewandt. Nur das Beste war gut genug, wenn seine riesigen Landaufkäufe vom Glück begünstigt sein sollten. Oakland sollte zu einer Weltstadt gemacht werden. Außer seinen großen Hotels baute er Vergnügungsetablissements für das Volk, Kunstgalerien und Klubhäuser für die Verwöhnteren. Und früher als die Einwohnerschaft selbst war schon der Verkehr auf den Eisen- und Straßenbahnen der Stadt gestiegen. Seine Pläne waren keine Launen. Sie waren gesunde Unternehmungen.

»Was Oakland noch fehlt, ist ein erstklassiges Theater«, sagte er, und nachdem er vergebens versucht hatte, die lokalen Finanzgrößen dafür zu interessieren, begann er selbst den Bau. Er allein sah die zweihunderttausend Menschen, die zur Stadt kommen mußten.

Aber so schwer die Last auch war, die auf Daylights Schultern ruhte, die Sonntage hielt er sich frei, um in die Berge zu reiten. Selbst der regnerische Winter machte seinen Ritten mit Dede kein Ende. Eines Sonnabendnachmittags aber sagte sie unerwartet ab, und als er auf eine Erklärung drang, sagte sie: »Ich habe Mab verkauft.«

Daylight war sprachlos. Ihre Handlungsweise konnte so ernste Folgen haben, daß sie fast nach Verrat schmeckte. Sie konnte große pekuniäre Verluste erlitten haben. Sie konnte ihm auf diese Weise mitteilen wollen, daß sie seiner überdrüssig war. Oder . . . »Was ist los?« brachte er schließlich hervor.

»Ich konnte sie nicht mehr halten, wo das Heu jetzt fünfundvierzig Dollar die Tonne kostet«, antwortete Dede.

»Ist das der einzige Grund?« forschte er und sah ihr gerade in die Augen, denn er erinnerte sich, von ihr gehört zu haben, daß sie das Pferd einen ganzen Winter behalten hatte, obgleich das Heu sechzig Dollar kostete.

»Nein. Die Ausgaben für meinen Bruder haben sich gesteigert, so daß ich sie nicht mehr beide durchbringen könnte, und so trennte ich mich lieber vom Pferde und behielt den Bruder.«

Daylight wurde von unsagbarer Traurigkeit erfaßt. Er gewahrte plötzlich eine große Leere in seinem Innern. Was war ein Sonntag ohne Dede? Und Sonntag über Sonntag ohne sie? Verstört trommelte er mit den Fingern auf den Schreibtisch. »Wer hat das Pferd gekauft?« fragte er.

Dedes Augen funkelten ihn durchaus nicht freundlich an, gerade so, wie er sie kannte, wenn sie böse war.

»Wagen Sie nicht, sie mir zurückzukaufen«, rief sie. »Und leugnen Sie nicht, daß Sie das im Sinne hatten.«

»Nein, ich leugne es nicht. Es war meine Absicht. Aber ich hätte es nicht getan, ohne Sie erst gefragt zu haben, und da ich nun weiß, wie Sie darüber denken, frage ich Sie nicht einmal. Aber Sie hingen so an dem Tier, und es ist hart für Sie, daß Sie es verlieren müssen. Es tut mir wirklich leid. Und es tut mir auch leid, daß Sie morgen nicht mit mir reiten können. Ich bin ganz verzweifelt. Ich weiß nicht, was ich anstellen soll.«

»Das weiß ich auch nicht«, räumte Dede traurig ein. »Es wäre denn, daß ich etwas nähte.«

»Aber ich hab' ja nichts zu nähen.«

Daylights Ton war halb scherzend, halb klagend, aber im geheimen war er entzückt über ihr Geständnis, daß auch sie sich einsam fühlte. Sie das sagen zu hören, wog fast den Verlust des Pferdes auf. So bedeutete er also doch etwas für sie. Er war ihr nicht ganz gleichgültig.

»Ich möchte, daß Sie es sich noch einmal überlegten, Fräulein Mason«, sagte er weich. »Nicht allein des Pferdes, sondern meinetwegen. Das Geld spielt doch wirklich keine Rolle. Wenn ich das Pferd kaufe, so bedeutet das für mich nicht mehr als für die meisten Männer, wenn sie einer jungen Dame einen Blumenstrauß oder eine Schachtel Konfekt schicken. Und ich habe Ihnen nie Blumen oder Konfekt geschickt.«

Er bemerkte den warnenden Schimmer in ihren Augen und beeilte sich, ihre Ablehnung zu parieren.

»Ich will Ihnen sagen, was wir tun werden. Was meinen Sie, wenn ich das Pferd kaufe und Ihnen leihe, wenn wir ausreiten wollen? Dabei ist doch nichts. Ein Pferd kann man doch von jedem leihen, nicht wahr?«

Wieder las er die Ablehnung in ihren Augen und kam ihr zuvor: »Es gibt doch massenhaft Männer, die Frauen im Buggy mitnehmen. Dabei ist doch nichts. Und der Mann liefert stets Pferd und Wagen. Schön, was für ein Unterschied ist es dann, ob ich mit Ihnen ausfahre und Pferd und Wagen liefere oder mit Ihnen ausreite und das Pferd stelle?«

Sie schüttelte den Kopf, ohne zu antworten, und sah gleichzeitig zur Tür, als wäre es Zeit, das Gespräch zu beenden. Er machte noch eine Anstrengung.

»Wissen Sie, Fräulein Mason, daß ich nicht einen Freund auf der Welt habe außer Ihnen? Ich meine, einen wirklichen Freund, Mann oder Frau, einen guten Kameraden, mit dem zusammen zu sein eine Freude, getrennt zu sein Kummer ist. Vielleicht käme noch Hegan in Betracht, aber es liegen Millionen Meilen zwischen ihm und mir. Außerhalb der Geschäfte passen wir nicht zusammen. Er hat eine riesige Bibliothek und eine verschrobene Art von Kultur. Ich habe keinen Kameraden außer Ihnen, und Sie wissen ja selbst, wie selten wir zusammen waren – einmal wöchentlich und nur, wenn es nicht regnete. Ich bin ganz abhängig von Ihnen geworden. Sie sind mir eine Art von – von – von –«

»Eine Art von Gewohnheit«, sagte sie lächelnd.

»Ja, so was Ähnliches. Und das Pferd und Sie darauf, wie Sie unter den Bäumen oder im Sonnenschein dahergeritten kommen – ja, wenn ich das entbehren soll, dann habe ich nichts mehr, um mich die ganze Woche darauf zu freuen. Wenn Sie mir doch erlauben wollten – es Ihnen zurückzukaufen –«

»Nein, nein, ich sage nein!« Dede erhob sich ungeduldig, aber ihre Augen waren feucht bei dem Gedanken an ihr geliebtes Pferd. »Bitte erinnern Sie mich nicht mehr an Mab. Wenn Sie denken, daß es mir leicht geworden ist, mich von ihr zu trennen, so irren Sie sich. Aber ich habe sie zum letztenmal gesehen und will sie vergessen.«

Daylight erwiderte nichts, und die Tür schloß sich hinter ihr.

Eine halbe Stunde später konferierte er mit Jones, einem früheren Liftboy und wütenden Proletarier, den Daylight ein Jahr lang unterhalten hatte, damit er sich der Literatur widmen konnte. Das Ergebnis, ein Roman, war ein Fehlschlag gewesen. Weder Redakteure noch Verleger hatten ihn auch nur ansehen wollen, und Daylight benutzte den enttäuschten Autor jetzt als eine Art Privatdetektiv. Jones, der gern so tat, als ob er durch nichts zu verblüffen sei, zeigte auch keine Überraschung, als ihm der Auftrag gegeben wurde, herauszufinden, wer eine gewisse Stute gekauft hätte.

»Wie hoch soll ich gehen?« fragte er.

»Zahlen Sie jeden Preis. Sie haben sie herzuschaffen, das ist die Hauptsache. Drücken Sie den Preis soviel wie möglich, um keinen Verdacht zu erregen. Dann liefern Sie das Pferd an diese Adresse in Sonoma ab. Der Mann ist Verwalter auf einer kleinen Ranch, die ich gekauft habe. Sagen Sie ihm, daß er gut für das Pferd sorgen soll. Und nachher vergessen Sie die ganze Geschichte wieder. Erzählen Sie mir nicht den Namen des Mannes, von dem Sie das Tier bekommen haben, nur daß Sie es abgeliefert haben. Savvy?«

Nach einigen Tagen bemerkte Daylight einen unheilverkündenden Schimmer in Dedes Augen.

»Mab«, sagte sie. »Der Mann, der sie gekauft hatte, hat sie schon wieder verkauft. Wenn ich wüßte, daß Sie dahintersteckten – –«

»Ich weiß nicht einmal, wer sie gekauft hat«, lautete Daylights Antwort. »Und mehr noch: Ich will mir nicht den Kopf darüber zerbrechen. Es war Ihr Pferd, und was Sie damit machen, hat nichts mit meinem Geschäft zu tun. Sie haben sie nicht mehr, das ist sicher, und das ist ein Jammer. Aber da wir gerade mal dabei sind, möchte ich eine Sache mit Ihnen besprechen. Und Sie dürfen sich nicht davon verletzt fühlen, denn es geht Sie eigentlich gar nichts an.«

Es trat eine Pause ein, in der sie ihn beinahe mißtrauisch betrachtete.

»Wie steht es mit Ihrem Bruder? Der Verkauf Ihres Pferdes wird wohl kaum genügen, ihn nach Deutschland zu schicken. Und dahin muß er ja, wie seine eigenen Ärzte sagen – zu dem großen deutschen Spezialisten, der den Leuten Knochen und Fleisch herausreißt, Grütze daraus macht und sie ihnen dann neu wieder einsetzt. Schön, ich will ihn nach Deutschland schicken und diesem Wunderkerl eine Chance geben, das ist alles.«

»Ach, wenn das möglich wäre«, sagte sie fast atemlos und ganz ohne Ärger. »Aber Sie wissen ja selbst, daß es nicht möglich ist. Ich kann kein Geld von Ihnen annehmen – –«

»Warten Sie«, unterbrach er sie. »Würden Sie einen Schluck Wasser von einem der zwölf Apostel annehmen, wenn Sie am Verdursten wären? Oder wären Sie bange, daß er unlautere Absichten hätte« – sie machte eine abwehrende Handbewegung – »oder was die Leute darüber sagen würden?«

»Aber das ist doch etwas ganz anderes«, begann sie.

»Sehen Sie mal, Fräulein Mason. Sie müssen versuchen, sich ein paar dumme Begriffe aus dem Kopf zu schlagen. Die Geldbegriffe sind mit das Komischste, was ich erlebt habe. Gesetzt, Sie stürzten von einem Felsen, wäre es da nicht ganz in der Ordnung, wenn ich Ihnen die Hand

reichte und Sie am Arm griffe? Sicherlich. Gesetzt aber, Sie brauchten eine andere Art Hilfe – statt der Stärke meines Armes die Stärke meines Beutels? Das würde verkehrt sein. Das sagt man. Aber warum sagt man das? Weil die Räuberbanden wollen, daß die Dummen ehrlich sein und das Geld achten sollen. Wären sie das nicht, wo wären die Räuber dann? Sehen Sie das nicht ein?«
Dede weigerte sich immer noch, und Daylights Gründe wurden unangenehmer.
»Ich kann mir nur denken, daß Sie sich Ihrem Bruder in den Weg stellen, weil Sie die ganz falsche Vorstellung haben, ich wollte Ihnen auf diese Weise den Hof machen. Das tue ich aber gar nicht. Ich hab' Sie nicht gefragt, ob Sie mich heiraten wollen, und wenn ich es tue, dann werde ich mir Ihr Jawort nicht erkaufen. Wenn ich die Frage stelle, dann tue ich es offen und ehrlich.«
Dede errötete vor Zorn.
»Wenn Sie wüßten, wie lächerlich Sie sich machen, dann würden Sie aufhören«, platzte sie heraus. »Sie können mir das Leben unangenehmer machen als irgendein Mann, den ich kenne. Jeden Augenblick lassen Sie mich verstehen, daß Sie mich nicht gebeten haben, Ihre Frau zu werden. Ich warte nicht darauf, daß Sie mich fragen, und ich habe Ihnen vom ersten Tage an gesagt, daß Sie keine Aussicht hätten. Und doch halten Sie die Drohung immer über meinem Haupte, daß Sie eines Tages die Frage an mich stellen wollen. Tun Sie es doch gleich, dann können Sie Ihre Antwort haben, und die Sache ist erledigt.«
Er betrachtete sie forschend und mit ehrlicher Bewunderung.
»Ich brauche Sie so sehr, Fräulein Mason, daß ich nicht wage, Sie jetzt zu fragen«, sagte er mit so komischem Ernst im Ausdruck und Tonfall, daß sie den Kopf zurücklegte und in ein freies knabenhaftes Lachen ausbrach. »Wie ich Ihnen zudem sagte, bin ich in diesen Dingen ganz unerfahren. Ich habe noch nie einer Frau den Hof gemacht und möchte nicht gern etwas Verkehrtes tun.«
»Aber Sie tun ja die ganze Zeit nichts anderes«, rief sie heftig aus. »Das ist noch nicht dagewesen, daß ein Mann einer Frau den Hof gemacht hat mit der dauernden Drohung, ihr einen Heiratsantrag zu machen.«
»Ich will es nicht wieder tun«, sagte er demütig. »Aber das hat nichts mit der Sache zu tun. Was ich vor einer Minute gesagt habe, gilt noch. Sie stehen Ihrem Bruder im Wege. Was für Vorstellungen Sie sich machen, ist mir ganz gleichgültig, deshalb müssen Sie doch beiseite treten und ihm eine Chance geben. Wollen Sie mich zu ihm gehen und mit ihm über die Sache reden lassen? Ich werde schon einen ganz geschäftlichen Vorschlag draus machen. Ich will ihm helfen, gesund zu werden, und dann kann er es mit Zinsen zurückzahlen.«

Daylight hatte die volle Wahrheit gesprochen, als er Dede sagte, daß er keinen wirklichen Freund hätte. Obgleich er mit Tausenden auf gutem, kameradschaftlichem Fuße stand, mit Hunderten trank, war er dennoch einsam. Er hatte nicht den einen Mann oder die Gruppe von Männern, mit denen er völlig vertraut hätte werden können. Die Stadt schuf keine Kameradschaft wie das Leben in Alaska. Zudem waren die Männer hier und dort weit voneinander verschieden. Die Verbindung mit den ihm verächtlichen Geschäftsleuten wie mit den Selfmademännern von San Franzisko war ihm aus rein praktischen Gründen diktiert worden. Ihre freimütige Brutalität war ihm sympathischer gewesen, aber Achtung hatten sie ihm nicht einzuflößen vermocht. Sie neigten zu sehr zu Schleichwegen. In dieser modernen Welt war etwas Geschriebenes mehr wert als das Wort eines Mannes, und selbst dann mußte man sich noch gut vorsehen. In den alten Tagen am Yukon war es anders gewesen. Da bedurfte es keiner schriftlichen Abmachungen. Ein Mann sagte, daß er soundso viel hatte, und selbst beim Poker wurde seine Schätzung ohne weiteres anerkannt.

Larry Hegan, der den schwersten Anforderungen genügte, die Daylights Operationen an ihn stellten, der nur geringe Illusionen besaß und kein Heuchler war, hätte sein Freund sein können, wäre er nicht so verschroben gewesen. Ein eigenartiges Genie, ein Napoleon im kleinen, mit einer visionären Kraft, die sogar noch größer war als die Daylights, mit dem Daylight aber außerhalb des Geschäfts nichts gemein hatte.

Statt wahrer Freunde besaß Daylight nur Zech- und Spielgenossen. Und als nun die sonntäglichen Ausritte mit Dede vorbei waren, verfiel er jenen immer mehr. Anhaltender als je baute er an seiner Cocktailmauer. Das große rote Auto war ständig im Gebrauch. In seinen ersten Tagen in San Franzisko hatte es Ruhepausen zwischen den geschäftlichen Unternehmungen gegeben; die letzte jedoch, die größte von allen, hielt ihn unaufhörlich in Atem. Es mußte Monate dauern, bis seine riesigen Landaufkäufe ein Resultat zeitigten. Jeder Tag brachte neue Probleme, und wenn er sie auf seine überlegene Weise gelöst hatte, verließ er das Kontor in seinem großen Automobil mit einem Seufzer der Erleichterung bei dem Gedanken an den doppelten Martini, der ihn erwartete.

Sechs Wochen verstrichen, ohne daß er Dede außerhalb des Kontors gesehen hätte, und die ganze Zeit war er fest entschlossen, keine Annäherungsversuche mehr zu machen. Am siebenten Sonntag wurde die Sehnsucht in ihm übermächtig. Es war ein stürmischer Tag. Ein heftiger Südost wehte, und ein Regenschauer nach dem anderen ging über die Stadt nieder. Er konnte sie sich nicht aus dem Sinn schlagen, und immer wieder stand das Bild vor seinem Geiste, wie Dede am Fenster saß und nähte oder sonst eine unnütze weibliche Beschäftigung vorhatte. Als der Zeitpunkt kam, da ihm sein erster Martini ins Zimmer gebracht wurde, trank er ihn nicht. Von einem kühnen Entschluß erfüllt, schlug er in seinem Notizbuch Dedes Telefonnummer nach und rief sie an.

Zuerst war die Tochter der Wirtin am Apparat, aber einen Augenblick später hörte er die Stimme, nach der er sich so sehr gesehnt hatte.

»Ich wollte Ihnen nur sagen, daß ich Sie besuchen werde«, sagte er. »Ich wollte nicht kommen, ohne es Ihnen gesagt zu haben – das ist alles.«

»Ist etwas vorgefallen?« klang ihre Stimme.

»Das sage ich Ihnen, wenn ich da bin«, wich er aus.

Er ließ den roten Wagen zwei Ecken vorher halten und kam zu Fuß bei dem hübschen dreistöckigen, schindelgedeckten Hause in Berkeley an. Er wußte, daß das, was er jetzt tat, durchaus im Widerspruch mit ihren Wünschen stand und daß er sie in eine schwierige Situation brachte, wenn er sie zwang, den bekannten und berüchtigten Multimillionär wie einen gewöhnlichen Sonntagsbesucher zu empfangen. Andererseits war »dumme Zimperlichkeit«, wie er sich ausdrückte, das letzte, das er von ihr erwartete. Und er wurde nicht enttäuscht. Sie kam selbst an die Tür, um ihn zu empfangen, und schüttelte ihm die Hand. Er hängte Hut und Regenmantel in der geräumigen Diele auf und wandte sich ihr zu.

»Drinnen sind sie beschäftigt«, sagte sie und zeigte nach dem Wohnzimmer, aus dem die Stimmen junger Leute tönten; durch die angelehnte Tür konnte er mehrere Studenten sehen. »Wir müssen also schon in mein Zimmer gehen.«

Sie führte ihn durch die Tür rechts, und drinnen blieb er verlegen, wie angenagelt stehen und starrte das Zimmer und sie selbst an, obwohl er sich die ganze Zeit bemühte, nicht zu starren. In seiner Verwirrung sah und hörte er nicht, daß sie ihn aufforderte, Platz zu nehmen.

So wohnte sie also! Die Vertrautheit und die Art, wie sie ihn ohne Aufhebens hereinführte, war verblüffend, aber eigentlich hatte er es nicht anders von ihr erwartet.

Es waren gewissermaßen zwei Zimmer; das eine, in dem er sich befand, war ihr Wohnzimmer, das andere, in das er hineinsehen konnte, ihre Schlafkammer. Aber außer einem eichenen Toilettentisch voller Kämme, Bürsten und zierlichen Kleinigkeiten deutete nichts darauf hin, daß es als Schlafzimmer benutzt wurde. Der breite Diwan mit einer altrosa Decke und einem Berg von Kissen mußte wohl das Bett sein, wenn er auch nie etwas gesehen hatte, das einem zivilisierten Bett so unähnlich war. Nicht daß er in diesem ersten peinlichen Augenblick viele Einzelheiten gesehen hätte! Er hatte einen ganz allgemeinen Eindruck von Wärme, Behaglichkeit und Schönheit. Einen Teppich gab es nicht, aber auf dem Parkettboden sah er mehrere Wolfs- und Kojotenfelle. Dann aber wurde sein Blick gefangen, einen Augenblick gehalten von einer halb sitzenden Venus auf einem Steinwayflügel vor einem Hintergrund von Berglöwenfellen an der Wand.

Dede selbst aber machte den stärksten Eindruck auf seine Sinne. Er hatte sich stets gefreut, daß sie so weiblich war – die Linien ihrer Gestalt, ihr Haar, ihre Augen, ihre Stimme, ihr vogelartiges Lachen, alles hatte dazu beigetragen; wie sie aber hier in einem weichen Kleide, das sich eng um ihre Gestalt schmiegte, in ihrem eigenen Zimmer stand, war der Eindruck ihrer Weiblichkeit geradezu überwältigend. Er war nur gewohnt, sie in hübschen Schneiderkleidern und Blusen oder in ihrer Reittracht aus Samtcord zu sehen. Auf diese neue Offenbarung war er nicht vorbereitet. Sie erschien ihm jetzt viel weicher, anschmiegender und zarter. Sie war ein Teil dieser Atmosphäre von Ruhe und Schönheit. Sie paßte ebenso herein wie in die nüchterne Kontoreinrichtung.

»Wollen Sie nicht Platz nehmen?« wiederholte sie.

Er kam sich wie ein Tier vor, das lange nichts zu fressen bekommen hatte. Das Verlangen wallte in ihm auf, und ihm war, als müsse er über den leckeren Bissen vor ihm herfallen. Hier gab es weder Geduld noch Diplomatie. Der kürzeste Weg war ihm nicht zu schnell, und es war doch – wenn er es gewußt hätte – der unglücklichste, den er wählen konnte.

»Hören Sie«, sagte er mit einer Stimme, die von unterdrückter Leidenschaft bebte, »ich möchte nicht im Kontor um Sie anhalten. Darum bin ich hier. Dede Mason, ich muß Sie besitzen, ich muß.« Während er so sprach, war er auf sie zugetreten mit einem flammenden Ausdruck in den schwarzen Augen und mit brennenden Wangen.

Der Angriff war so schnell gekommen, daß sie kaum Zeit hatte, einen kleinen erschreckten Schrei auszustoßen und zurückzutreten. Gleichzeitig ergriff sie seine Hand, da er sie in seine Arme zu schließen suchte.

Sie war plötzlich totenblaß geworden. Ihre Hand, die die seine ergriffen hatte, um ihn fortzuhalten, und sie immer noch umschloß, bebte. Seine Finger lösten sich, und sein Arm sank schlaff herab. Sie wollte etwas sagen, irgend etwas tun, um dieser drückenden Situation ein Ende zu machen, aber nicht ein einziger verständiger Gedanke tauchte in ihrem Kopfe auf. Sie fühlte nur einen fast unwiderstehlichen Lachreiz. Dieser Reiz war halb hysterisch, halb eine Folge ihres spontanen Humors und wich von Sekunde zu Sekunde. Sie kam sich vor wie ein Mensch, der entsetzliche Angst vor dem Überfall eines blutdürstigen Räubers ausgestanden hat und nun merkt, daß er es mit einem ganz unschuldigen Spaziergänger zu tun hatte, der nur nach der Zeit fragen wollte. Daylight hatte sich zuerst gefaßt.

»Ach, ich weiß gut, daß ich ein rechter Narr bin«, sagte er. – »Ich – ich glaube, ich will mich setzen. Haben Sie keine Angst, Fräulein Mason. Ich bin gar nicht so gefährlich.«

»Ich bin nicht bange«, antwortete sie lächelnd, indem sie sich auf einen Stuhl fallen ließ, neben dem ein Nähkorb stand, der, wie Daylight bemerkte, etwas Feines aus Mull und Spitzen enthielt. Dann lächelte sie wieder. »Obwohl ich gestehen muß, daß Sie mich im ersten Augenblick wirklich erschreckt haben.«

»Es ist wirklich komisch«, sagte Daylight bedauernd, »hier sitze ich, der ich gewohnt bin, bei Menschen und Tieren und allem in der Welt meinen Willen durchzusetzen, auf diesem Stuhl, schwach und hilflos wie ein Lamm. Sie können wahrhaftig mit einem machen, was Sie wollen.«

Dede zerbrach sich vergebens den Kopf, um eine Antwort auf diese Bemerkung zu finden. Statt dessen weilten ihre Gedanken ununterbrochen bei der Frage, was es bedeuten mochte, daß er mitten in einem heftigen Antrag abschweifte und Bemerkungen machte, die gar nicht hierhergehörten. Was ihr besonders auffiel, war die Sicherheit des Mannes. So wenig zweifelte er also daran, daß sie ihm einmal gehören würde, daß er Zeit hatte, ganz allgemeine Bemerkungen über die Liebe und ihre Wirkungen einzuflechten. Sie bemerkte, daß er unbewußt die Hand in die Seitentasche steckte, wo er, wie sie wußte, seinen Tabak und sein braunes Zigarettenpapier hatte. »Sie können gern rauchen, wenn Sie wollen«, sagte sie. Er zog die Hand so hastig zurück, als hätte ihn etwas in der Tasche gestochen.

»Nein, ich dachte nicht an Rauchen. Ich dachte an Sie. Was kann ein Mann, der eine Frau haben will, anderes tun, als sie fragen, ob sie ihn heiraten will? Das ist alles, was ich tue. Korrekt kann ich es nicht machen; das weiß ich. Aber ich kann es mit reinen Worten sagen, und das genügt mir. Ich habe Sie wirklich schrecklich nötig, Fräulein Mason. Ich denke immer an Sie. Und was ich wissen will, ist – na ja, ob Sie mich nehmen wollen? Das ist alles.«

»Ich – ich wollte, Sie hätten mich nicht gefragt«, sagte sie weich.

»Vielleicht ist es am besten, wenn Sie erst einiges erfahren, ehe Sie mir eine Antwort geben«, fuhr er fort, indem er die Tatsache, daß die Antwort eigentlich schon gegeben war, ignorierte. »Ich habe mich noch nie in meinem Leben mit einer Frau abgegeben, trotz allem, was man in dieser Beziehung von mir erzählt. Was Sie in Zeitungen und Büchern gelesen haben, ist Unsinn. Es ist nicht ein Tüttelchen Wahres daran. Karten gespielt und getrunken, das habe ich tüchtig, aber ein Frauenjäger bin ich nie gewesen. Eine Frau hat sich meinetwegen das Leben genommen, aber ich wußte nicht, daß sie mich haben wollte, sonst hätte ich sie wahrhaftig gern geheiratet, nicht aus Liebe, ich habe ihr nie den

Hof gemacht, sondern nur, um sie am Selbstmord zu hindern. Ich erzähle Ihnen das alles nur, weil Sie es gelesen haben und weil ich will, daß Sie aus meinem Munde die reine Wahrheit erfahren. Frauenjäger« – er schnaufte verächtlich. »Fräulein Mason, ich kann Ihnen sagen: Ich habe die Weiber mein Leben lang gefürchtet. Sie sind die erste, vor der ich nicht bange bin. Vielleicht deshalb, weil Sie nicht wie die andern sind, die ich gekannt habe. Frauenjäger! Solange ich denken kann, bin ich vor Damen ausgerissen, und ich glaube, nur meine gute Lunge hat mich gerettet und der Umstand, daß ich nie gefallen bin, nie ein Bein gebrochen habe oder so etwas. Bis ich Sie traf, habe ich nie daran gedacht, mich zu verheiraten, und auch da noch lange nicht gleich. Sie haben mir vom ersten Tage an gefallen, aber ich hätte nie gedacht, daß es schiefgehen würde. Ich kann nicht einmal nachts schlafen, weil ich an Sie denke und mich nach Ihnen sehne.«

Er hielt inne und wartete. Sie hatte den Mull und die Spitzen aus dem Korb genommen, vielleicht um ihre Nerven ein wenig zu beruhigen, und nähte nun daran. Da sie ihn nicht ansah, verschlang er sie förmlich mit den Blicken. Er bemerkte die sicheren flinken Hände – Hände, die ein Pferd wie Bob tummelten, fast so schnell Maschine schrieben, wie ein Mann sprach, zierliche Kleidungsstücke nähten und zweifellos auf dem Flügel in der Ecke spielen konnten. Noch eine außerordentliche weibliche Einzelheit bemerkte er – ihre Hausschuhe. Es waren sehr kleine Bronzeschuhe. Er hätte nie gedacht, daß ihre Füße so klein waren. Bisher hatte er sie stets nur in Straßenschuhen oder Reitstiefeln gesehen, und die hatten ihm keinen rechten Begriff gegeben. Die Bronzeschuhe bezauberten ihn, sein Blick ging immer wieder zu ihnen zurück. Es wurde an die Tür geklopft, und sie ging hin. Daylight konnte nicht umhin, das Gespräch mit anzuhören. Es war jemand am Telefon, der sie sprechen wollte.

»Sagen Sie ihm, daß er in zehn Minuten wieder anrufen möchte«, hörte er sie sagen, und das kleine »er« gab ihm einen Stich von Eifersucht. Schön, sagte er bei sich, wer es auch immer sei, so wolle er, Burning Daylight, schon noch mit ihm fertig werden. Merkwürdig, daß ein Mädchen wie Dede nicht längst verheiratet war.

Sie kam zurück, lächelte und nahm ihr Nähzeug wieder auf.

»Die zehn Minuten sind bald vorbei«, sagte er eindringlich.

»Ich kann Sie nicht heiraten«, sagte sie.

»Sie lieben mich nicht?«

Sie schüttelte den Kopf.

»Können Sie mich nicht leiden – nur ein ganz klein wenig?«

Sie hob die Augen von der Arbeit und sah ihn an, während sie antwortete:

»Ich habe Sie sehr gern, aber . . .«

Er wartete einen Augenblick, daß sie fortfuhr, und da sie schwieg, tat er es selbst.

»Ich habe keine übertrieben hohe Meinung von mir selber, und ich weiß daher, daß ich nicht prahle, wenn ich sage, daß ich einen sehr guten Ehemann abgeben würde. Ich kann mich in Sie gut hineinversetzen, was es für eine Frau wie Sie heißt, unabhängig zu sein. Aber Sie würden auch als meine Frau unabhängig sein. Ich würde Ihre Freiheit nicht beschränken. Sie könnten Ihrem eigenen Willen folgen, nichts würde zu gut für Sie sein. Ich würde Ihnen alles geben, was Ihr Herz begehrte –«

»Nur nicht sich selbst«, warf sie plötzlich – beinahe scharf – ein. Einen Augenblick war Daylight starr.

»Das weiß ich nicht. Ich würde ehrlich und ordentlich und treu sein. Ich sehne mich nicht nach andern.«

»Das meine ich nicht«, sagte sie. »Statt für Ihre Frau würden Sie für die dreihunderttausend Menschen in Oakland, für Ihre Eisenbahnen und Fähren, für die zwei Millionen Bäume rings auf den Bergen, kurz für alles leben, was Geschäft heißt und damit zu tun hat.«

»Das würde ich nicht«, erklärte er schnell. »Ich würde Ihnen ganz gehören.«

»Das meinen Sie, aber es würde anders gehen.« Sie wurde plötzlich nervös. »Wir müssen dies Gespräch abbrechen – es ist ja fast, als schacherten wir miteinander. ›Wieviel wollen Sie geben?‹ – ›Soundso viel.‹ ›Ich verlange mehr‹, und so weiter. Ich mag Sie leiden, aber nicht genug, um Sie zu heiraten, und ich werde Sie nie so gern haben, daß ich Sie heiraten könnte.«

»Wie können Sie das wissen?« fragte er.

»Weil Sie mir immer weniger gefallen.«

Daylight saß wie vom Donner gerührt da. Die Kränkung stand auf seinem Gesicht geschrieben.

»Ach, Sie verstehen mich gar nicht«, rief sie heftig aus, denn jetzt begann sie ihre Selbstbeherrschung zu verlieren. »So meine ich es nicht. Ich mag Sie schon leiden, je mehr ich Sie kennenlerne, desto lieber habe ich Sie. Und gleichzeitig muß ich doch sagen, daß ich Sie, je mehr ich Sie kennenlerne, desto weniger heiraten möchte.«

Diese rätselhafte Äußerung machte Daylights Verblüffung vollständig.

»Sehen Sie denn nicht?« drängte sie. »Ich hätte mich viel eher mit dem Elam Harnish verheiraten können, der frisch von Klondike kam, als mit dem, der jetzt vor mir sitzt.« – Er schüttelte langsam den Kopf.

»Nein, das ist mir zu hoch. Je mehr Sie einen Mann kennenlernen, desto lieber haben Sie ihn und desto weniger Lust haben Sie, ihn zu heiraten. Umgang erzeugt Verachtung – das meinen Sie wohl?«

»Nein, nein«, rief sie, aber ehe sie fortfahren konnte, wurde wieder an die Tür geklopft.

»Die zehn Minuten sind um«, sagte Daylight.

Während sie draußen war, flogen seine Augen scharf und schnell, wie die eines Indianers, durch den Raum. Der Eindruck von Wärme, Behaglichkeit und Schönheit war vorherrschend, obwohl Daylight nicht imstande war, ihn zu analysieren; die Einfachheit entzückte ihn – eine Einfachheit, die dennoch kostbar war, wie er bei sich sagte. Es war ihm nie in den Sinn gekommen, daß ein Fußboden schön sein konnte, wenn nur ein paar Wolfsfelle darauf lagen, aber sicher waren sie schöner als alle Teppiche der Welt. Er starrte fast feierlich ein Bücherregal an, das ein paar hundert Bände enthielt. Das war ein Mysterium. Er begriff nicht, daß es so viel gab, worüber die Menschen schreiben konnten. Schreiben und lesen war nicht dasselbe wie etwas tun, und für ihn, den Mann der Tat, war etwas tun das einzig Verständliche. Sie trat wieder ein, und als sie zu ihrem Stuhl schritt, bewunderte er ihren Gang, ganz vernarrt in ihre Bronzeschuhe.

»Ich möchte gern ein paar Fragen an Sie richten«, begann er. »Denken Sie daran, sich mit einem anderen zu verheiraten?«

Sie lachte lustig und schüttelte den Kopf.

»Haben Sie einen andern lieber als mich? – Zum Beispiel den Mann, der Sie eben anrief?«

»Nein. Ich kenne niemanden, den ich so gern hätte, daß ich ihn heiraten möchte. Ich glaube eigentlich, ich gehöre gar nicht zu den Frauen, die sich verheiraten. Kontorarbeit scheint einen untauglich für die Ehe zu machen.«

Daylight ließ seinen Blick von ihrem Antlitz bis zur Spitze ihres Bronzeschuhes schweifen, daß ihr das Blut in die Wangen stieg. Dann schüttelte er ungläubig den Kopf.

»Mir scheint, daß Sie sich mehr zur Ehe eignen als irgendeine von den Frauen, denen die Männer sonst nachlaufen. Und nun eine letzte Frage, denn Sie verstehen ja wohl, daß ich wissen muß, wie der Hase läuft. Gibt es jemanden, der Ihnen ebenso gut gefällt wie ich?«

Aber jetzt hatte Dede ihre Selbstbeherrschung wiedergefunden. »Das ist kein ehrliches Spiel«, sagte sie. »Und wenn Sie ein bißchen nachdenken, dann werden Sie sich selbst sagen, daß Sie gerade das tun, was Sie, wie Sie sagten, nie täten. Ich beantworte Ihnen jetzt keine Frage mehr. Wir wollen von etwas anderem sprechen. Was macht Bob?«

Als Daylight eine halbe Stunde später durch den Regen nach Oakland sauste, rauchte er eine seiner braunen Zigaretten und dachte über das Geschehene nach. Er kam zu dem Ergebnis, daß es nicht allzuschlecht stände, wenn es auch manches gab, woraus er nicht klug werden konnte. »Gott bewahre!« murmelte er. »Wenn ich nun an den Grundstücken noch hundert Millionen verdiene, dann will sie vielleicht gar nichts mehr von mir wissen.«

Aber er konnte es nicht mit einem Scherz abtun. Es fuhr fort, ihn zu quälen, ihr rätselhafter Ausspruch, daß sie sich eher mit dem frisch aus Klondike gekommenen Elam Harnish als mit dem jetzigen hätte verheiraten können. Schön, sagte er bei sich, dann muß ich sehen, wieder etwas mehr der alte Daylight zu werden. Aber das war unmöglich. Er konnte die Zeit in ihrer Flucht nicht aufhalten. Wünsche halfen nichts, und einen anderen Ausweg gab es nicht. Ebensogut hätte er sich wünschen können, wieder ein Knabe zu sein. Aber schließlich hatte sie, nachdem die Sache ins rechte Licht gerückt war, keine Einwände mehr dagegen erhoben, daß er ihren Bruder nach Deutschland schickte.

An einem anderen Regentage, mehrere Wochen später, hielt Daylight wieder um Dede Mason an. Wie das erste Mal beherrschte er sich, bis das Verlangen nach ihr die Oberhand gewann und ihn in seinem roten Automobil nach Berkeley sausen ließ. Aber Dede war ausgegangen, wie die Tochter der Wirtin ihm erzählte; nach kurzem Bedenken fügte sie hinzu, daß sie einen Spaziergang in die Berge mache. Ferner unterrichtete die junge Dame ihn, welchen Weg Dede aller Wahrscheinlichkeit nach eingeschlagen hatte.

Daylight folgte den Anweisungen des jungen Mädchens und erreichte bald das letzte Haus der Straße, die von hier ab an den steilen Hängen entlanglief und dann in den offenen Bergen verschwand. Die Luft war feucht, aber es hatte noch nicht zu regnen begonnen. So weit sein Blick reichte, war keine Spur von Dede auf den gleichförmigen grasbewachsenen Hängen zu sehen. Rechts führte ein Hohlweg durch ein Eukalyptuswäldchen. Hier war alles Geräusch und Bewegung, die hohen Bäume wiegten ihre schlanken Stämme im Winde und schlugen geräuschvoll die Zweige gegeneinander, und in den Bäumen erhob sich ein dumpfes Rollen, das all die schwächeren, knirschenden und stöhnenden Laute wie eine mächtige Harfe übertönte. Wie er Dede kannte, war Daylight überzeugt, sie irgendwo in diesem Wäldchen zu finden, wo die Wirkungen des Sturmes so ausdrucksvoll waren. Und er fand sie denn auch auf der andern Seite des Hohlweges, ganz oben auf dem höchsten Hange, wo der Sturm am stärksten wehte. Es lag etwas Einförmiges, wenn auch nicht gerade Ermüdendes in der Art, wie Daylight um Dede freite. Diplomatische Umschweife kannte er nicht, er ging ebenso gerade drauflos wie der Sturm. Er ließ sich weder Zeit, sie zu begrüßen, noch sich zu entschuldigen.

»Es ist die alte Geschichte«, sagte er. »Ich brauche Sie. Sie müssen mich heiraten, denn je länger ich darüber nachdenke, desto sicherer bin ich, daß Sie im Innern für mich etwas übrig haben, was mehr ist als Sympathie. Und Sie können nicht sagen, daß dem nicht so ist, nicht wahr?«

Bei der Begegnung hatte er ihre Hand ergriffen und hielt sie immer noch fest. Als sie nicht antwortete, spürte sie jetzt einen leichten, aber festen und anhaltenden Druck, als ob er sie an sich ziehen wollte. Gegen ihren Willen hätte sie fast nachgegeben, denn im Augenblick war ihr Verlangen stärker als ihr Wille. Aber dann zog sie sich plötzlich ein wenig zurück, obwohl sie ihm immer noch ihre Hand ließ.

»Sie fürchten sich doch nicht vor mir?« fragte er reuevoll.

»Nein«, sie lächelte wehmütig. »Nicht vor Ihnen, aber vor mir selber.«

»Sie haben mir nicht geantwortet«, fuhr er, durch diese Worte ermutigt, fort.

»Bitte nicht«, bat sie. »Wir können uns nie heiraten, warum also darüber reden?«

»Dagegen will ich wetten.« Er war in diesem Augenblick beinahe heiter, denn jetzt schien der Sieg näher, als er sich hatte träumen lassen. Sie hatte ihn gern, zweifellos, und zweifellos hatte sie ihn so gern, daß sie ihm ihre Hand überließ und sich nicht durch seine Nähe abgestoßen fühlte.

Sie schüttelte den Kopf: »Nein, es ist unmöglich. Sie würden Ihre Wette verlieren.«

Zum erstenmal tauchte ein düsterer Verdacht in seiner Seele auf – vielleicht die Lösung des Rätsels.

»Sagen Sie, Sie haben sich doch nicht zu so einer heimlichen Ehe verlocken lassen, wie?«

Die Bestürzung in seiner Stimme und seinem Gesicht war zuviel für sie, und sie lachte laut heraus, ein heiteres natürliches Lachen, das wie der jubelnde Ausbruch aus der Kehle eines Vogels klang.

Daylight hatte nun seine Antwort; ärgerlich über sich selber, kam er zu dem Ergebnis, daß Handeln besser sei als Reden. Darum stellte er sich zwischen den Wind und sie und zog sie an sich, so daß sie in seinem Schutze stand. Ein stärkerer Windstoß ging über sie hin, trommelte über ihren Häuptern in den Baumwipfeln, und sie schwiegen beide, um zu lauschen. Ein Schauer von fallenden Blättern hüllte sie ein, und dem Windstoß auf den Fersen folgten die ersten Regentropfen. Er sah auf ihr Haar hinunter, das ihr der Wind ins Gesicht wehte, und weil sie ihm so nahe war, wurde er von einem neuen, noch stärker bohrenden Gefühl durchbebt, was sie ihm bedeutete, und er zitterte so, daß sie es an der Hand, die die ihre hielt, spüren konnte.

Plötzlich lehnte sie sich an ihn und beugte den Kopf, bis er leicht an seiner Brust ruhte. Und so standen sie, während ein neuer Windstoß mit fliegenden Blättern und vereinzelten Regentropfen an ihnen vorbeiraste. Dann hob sie ebenso schnell den Kopf und blickte ihn an.

»Wissen Sie, gestern abend betete ich für Sie. Ich betete, daß Sie Unglück im Geschäft haben und alles verlieren möchten.«

Daylight starrte sie in maßloser Verblüffung über ihren rätselhaften Ausspruch an.

»Das ist mir zu hoch. Ich hab' immer gesagt, daß ich mich nicht auf Frauen verstehe, und Sie haben mich nicht klüger gemacht. Warum wollen Sie, daß ich alles verliere, da Sie mich doch leiden mögen.«

»Das hab' ich nie gesagt!«

»Wagen Sie zu sagen, daß Sie es nicht tun! Aber wenn Sie mich, wie ich sagte, leiden mögen, so begreife ich nicht, warum Sie wollen, daß ich alles verliere, was ich habe. Das ist mir genauso dunkel wie Ihre Behauptung, daß Sie mich um so weniger heiraten wollen, je besser Sie mich leiden mögen. Nun müssen Sie mir schon eine Erklärung geben.«

Er legte den Arm um sie und preßte sie an sich, und diesmal widerstrebte sie nicht. Sie hatte den Kopf gesenkt, so daß er ihr Gesicht nicht sehen konnte, aber er hatte das Gefühl, daß sie weinte. Er hatte die Macht des Schweigens kennengelernt und wartete ruhig, daß sie sich äußern würde. Es war nun so weit gekommen, daß sie unweigerlich sprechen mußte. Das wußte er.

»Ich bin nicht romantisch«, begann sie und sah ihn wieder an, während sie sprach. »Es wäre vielleicht besser für mich, wenn ich es wäre. Dann könnte ich die herrlichsten Dummheiten machen und für den Rest meiner Tage unglücklich sein. Aber daran hindert mich mein gräßlich gesunder Menschenverstand, ohne daß er mich freilich im geringsten glücklich macht.«

»Das ist mir immer noch dunkel«, sagte Daylight, nachdem er vergebens gewartet hatte, daß sie fortfahren sollte. »Sie müssen mir schon klaren Wein einschenken, bis jetzt haben Sie es nicht getan. Ihr gesunder Verstand und Ihr Gebet, daß ich Pleite machen soll, gehen über meinen Horizont. Ich brauche Sie so notwendig, und ich will, daß Sie mich heiraten. Das ist so einfach, wie es nur sein kann. Wollen Sie?«

Sie schüttelte langsam den Kopf. Als sie dann zu reden begann, war es, als ob der Zorn in ihr aufstieg, ein Zorn, der sich mit Kummer mischte und der sich, wie Daylight wußte, gegen ihn richtete.

»Lassen Sie es mich Ihnen denn erklären, und das ehrlich und offen, wie Sie gefragt haben.« Sie schwieg, als wisse sie nicht recht, wo beginnen. »Sie sind selbst ehrlich und aufrichtig. Wollen Sie, daß ich es auch bin, daß ich Ihnen Dinge sage, die Ihnen weh tun werden?«

Der Arm, der um ihre Schulter lag, drückte sie ermutigend, aber Daylight sagte nichts.

»Ich möchte Sie so gern heiraten, aber ich bin bange. Ich bin stolz und gedemütigt zugleich darüber, daß ein Mann wie Sie sich etwas aus mir macht. Aber Sie haben zuviel Geld. Das ist der Punkt, wo mein gräßlich gesunder Menschenverstand ein Wort mitsprechen will. Selbst wenn wir uns wirklich heirateten, so würden Sie nie mein Mann – mein Geliebter und Gatte – sein. Sie würden der Mann Ihres Geldes sein. Ihr Geld besitzt Sie, nimmt Ihre Zeit, Ihre Gedanken, Ihre Energie, alles in Anspruch, gebietet Ihnen, hierhin und dorthin zu gehen, dies und jenes zu tun. Sehen Sie das nicht ein? Ja, ich fühle, daß ich sehr lieben, viel geben – alles geben kann; aber dagegen verlange ich auch, zwar nicht alles, aber viel – viel mehr, als Ihr Geld zulassen würde.

Ich liebte Sie schon, als ich Sie noch gar nicht kannte, als Sie eben erst aus Alaska gekommen waren. Sie waren mein Held. Sie waren der Burning Daylight, der Goldgräber, der kühne Reisende und Pionier. Und Sie sahen danach aus. Ich glaube nicht, daß eine Frau Sie ansehen konnte, ohne Sie zu lieben – damals. Aber jetzt sehen Sie nicht mehr so aus.

Bitte, bitte, verzeihen Sie mir, wenn ich Sie verletze. Diese ganzen letzten Jahre hindurch haben Sie unnatürlich gelebt. Sie, ein Mann, der hinaus gehört, haben sich selbst eingemauert in die Stadt. Sie sind nicht mehr derselbe, und Ihr Geld verdirbt Sie. Sie sind nicht mehr so gesund, nicht mehr so rein. Das kommt von Ihrem Gelde und Ihrer Lebensweise. Und das wissen Sie selbst. Ihr Körper ist nicht mehr der alte. Sie sind stark geworden. Sie sind nett und freundlich zu mir, das weiß ich, aber Sie sind nicht mehr nett und freundlich zu aller Welt, wie Sie es damals waren. Sie sind hart und grausam geworden. Die Grausamkeit ist nicht nur in Ihrem Herzen und Ihren Gedanken, sie steht auch auf Ihrem Gesicht geprägt. Sie hat ihre Linien darin eingegraben. Sie fangen an, brutal zu werden und an Wert zu verlieren. Und diese Entwicklung muß immer weitergehen, bis Sie hoffnungslos verloren sind –«

Er versuchte sie zu unterbrechen, aber sie ließ ihn nicht zu Worte kommen, sondern fuhr atemlos und mit zitternder Stimme fort:

»Nein, nein, lassen Sie mich aussprechen. Ich habe in all diesen Monaten nichts tun können als denken, denken, denken, seit wir gemeinsam miteinander ausritten – und jetzt, da ich einmal angefangen habe, will ich auch alles sagen, was ich so lange mit mir herumgetragen habe. Ich liebe Sie, aber ich kann Sie nicht heiraten und meine Liebe vernichten. Sie entwickeln sich zu einem Menschen, den ich schließlich verachten müßte. Sie können nichts dafür. Mehr als Sie mich je lieben können, lieben Sie Ihr Geschäft. Zuweilen denke ich, daß ich Sie lieber mit einer andern Frau teilen möchte als mit dem Geschäft. Dann hätte ich doch wenigstens die Hälfte von Ihnen. Aber dies Geschäft fordert nicht die Hälfte, sondern neun Zehntel, neunundneunzig Hundertstel von Ihnen.

Vergessen Sie nicht, daß der Sinn der Ehe für mich nicht ist, das Geld eines Mannes gebrauchen zu können. Ich will den Mann selbst haben. Gesetzt, etwas anderes in meinem Leben beanspruchte die übrigen neunundneunzig Hundertstel, machte mich häßlich von innen und außen. Können Sie sich da wundern, daß ich Sie nicht heiraten will? – daß ich nicht kann? Sie gleichen einem Kranken. Das Geschäft ist Ihnen mehr als anderen. Sie haben Ihr ganzes Herz, Ihre ganze Seele, Ihr ganzes Ich dabei. Was Sie auch glauben und sich vornehmen, eine Frau würde Ihnen nur eine kurze Zerstreuung bedeuten. Denken Sie an den herrlichen Bob, der jetzt im Stall steht und fett wird! Sie würden mir ein prachtvolles Schloß kaufen, und ich könnte dann sitzen und mir die Augen ausweinen, weil ich so hilflos und außerstande bin, Sie zu retten. Die Krankheit, die Sie Geschäft nennen, würde Sie auffressen und in Wirklichkeit mit Ihnen verheiratet sein. Sie spielen damit, wie Sie mit allem andern, wie Sie auf Ihren Schlittenreisen in Alaska mit Ihrem Leben gespielt haben. Keiner durfte so weit und so schnell reisen wie Sie, so schwer arbeiten und so viel ertragen. Sie behalten nie etwas in Reserve; in jedes Unternehmen werfen Sie alles, was Sie haben –«

»Ja, bis auf den letzten Shilling«, bestätigte er barsch.

»Wenn Sie doch nur den Gatten und Geliebten auch so spielen könnten –«

Ihre Stimme zitterte, und sie schwieg, während eine warme Röte in ihre Wangen stieg, und sie schlug vor seinem Blick die Augen nieder.

»Und jetzt sage ich kein Wort mehr«, fügte sie hinzu. »Ich habe schon viel zuviel gesagt.«

Dann legte sie sich offen und ehrlich in seine schützenden Arme, und beide vergaßen den Sturm, der in immer heftigeren Stößen an ihnen vorbeijagte. Der Regen war noch nicht losgebrochen, aber die nebelähnlichen Schauer wurden immer häufiger. Daylight verbarg seine Verwirrung nicht, und er war noch verwirrt, als er zu sprechen begann.

»Ich weiß nicht, was tun, aber etwas muß getan werden. Ich kann Sie nicht lassen. Ich kann nicht. Und ich will auch nicht. Sie haben mir kein Argument übriggelassen. Ich weiß, daß ich nicht mehr derselbe bin, der aus Alaska kam. Ich könnte heute nicht mehr mit meinen Hunden fahren wie in jenen Tagen. Meine Muskeln sind weich, und mein Gemüt ist hart geworden. Ich pflegte die Männer zu achten. Jetzt verachte ich sie. Sehen Sie, ich verbrachte mein ganzes Leben draußen, und ich glaube, dafür bin ich geboren. Ich habe übrigens den schönsten kleinen

Bauernhof, den Sie sich denken können, in Glen Ellen. Dort, wo ich mit der Ziegelei hereinfiel. Ich habe den Hof nur ein einziges Mal gesehen, aber ich habe mich so in ihn verliebt, daß ich ihn auf der Stelle kaufte. Ich ritt nur so durch die Berge und freute mich wie ein Junge, der die Schule schwänzt. Ich wäre ein besserer Mensch, wenn ich auf dem Lande lebte. Die Stadt hat mich nicht besser gemacht. Sie haben ganz recht, das weiß ich. Aber gesetzt, ich verkrachte jetzt und müßte als Tagelöhner arbeiten?«

Sie antwortete nicht, obgleich jede Fiber ihres Körpers zuzustimmen schien.

»Gesetzt, ich hätte nichts als den kleinen Hof und ein paar Hühner und begnügte mich, ein bißchen zu graben und zu pflanzen – würden Sie mich dann heiraten, Dede?«

»Dann wären wir ja immer zusammen!« rief sie.

»Aber ich müßte zwischendurch fortgehen und pflügen«, warnte er, »oder Vorräte aus der Stadt besorgen.«

»Es wäre jedenfalls kein Kontor und kein Mensch, mit dem Sie bis zur Unendlichkeit über Geschäfte reden müßten. Aber das ist ja alles dummes Zeug und ganz unmöglich, und jetzt müssen wir machen, daß wir nach Hause kommen, wenn wir nicht naß werden wollen.«

Dann kam ein Augenblick unter den Bäumen vor dem Abstieg, wo Daylight sie hätte an sich ziehen und küssen können. Aber er war zu verwirrt über all das Neue, das sie ihm zu denken gegeben hatte, als daß er die Situation ausgenutzt hätte. Er faßte sie nur am Arm und half ihr über die unebene Stelle.

»Es ist verflucht schön da oben bei Glen Ellen«, sagte er überlegend. »Ich möchte, Sie könnten es mal sehen.«

Als sie den Waldrand erreichten, trennten sie sich.

Als das Fährsystem in Gang kam und es sich zeigte, daß die Fahrt zwischen Oakland und San Franzisko nur die Hälfte der Zeit kostete, trat in Daylights drückender Geldknappheit eine Wendung zum Bessern ein. In seinen Wohnvierteln wurden Tausende von Grundstücken verkauft und Tausende von Häusern gebaut. Im Herzen Oaklands wurden Fabriken und Geschäftsgrundstücke verkauft, und alles das hatte natürlich eine ständige Wertsteigerung seiner gewaltigen Besitzungen zur Folge. Aber wie früher nahm er seine Chance wahr und nutzte sie aus. Schon hatte er begonnen, bei den Banken Anleihen aufzunehmen. Der fabelhafte Verdienst an den Grundstücken wurde wieder in Grundbesitz und in neue Unternehmungen gesteckt, und statt die alten Schulden abzuzahlen, machte er neue. Wie früher in Dawson City, so ging er auch jetzt wieder aufs Ganze; aber er tat es in dem Bewußtsein, daß es ein solideres Unternehmen war, als eine Goldgräberstadt zu bauen.

In kleinerem Maßstabe folgten auch andere seinem Beispiel, kauften und verkauften Grundstücke und zogen Nutzen aus den Verbesserungen, die er durchgeführt hatte. Aber das war ja zu erwarten gewesen, und die kleinen Vermögen, die sie auf seine Kosten verdienten, ärgerten ihn nicht.

Auch die Arbeit an Daylights Docksystem schritt rasch vorwärts; aber es war nur eines jener Unternehmen, die riesige Summen verschlangen und nicht so schnell wie die Fähren betriebsfähig wurden. Es waren große technische Schwierigkeiten zu überwinden. Ein unablässiger Strom von Geld floß in tausend hungrige Magen. Aber es war alles so gesund und gesetzlich, daß Daylight mit seinem klaren Weitblick nicht vorsichtiger und sicherer hätte spielen können. Auch sein einziger Vertrauter, Larry Hegan, ermahnte ihn nicht zur Vorsicht.

Im Frühling aber begann eine große Panik. Als erstes Anzeichen kündigten die Banken die Kredite, für die sie keine genügende Sicherheit hatten. Daylight bezahlte prompt ohne Einwände die ersten Wechsel, die ihm präsentiert wurden, dann wurde er sich darüber klar, daß diese Mahnungen nur zeigten, woher der Wind blies, und daß einer der schrecklichsten finanziellen Stürme, von denen er je gehört hatte, über die Vereinigten Staaten hinwegfegen würde. Er traf jede Maßregel, die in seiner Macht stand, und machte sich keine Sorge, daß er den Sturm nicht überstehen würde. Das Geld wurde immer knapper. Zuerst machten verschiedene der größten Bankhäuser des Ostens Bankrott, die Knappheit wuchs, bis jede Bank im ganzen Lande ihre Kredite kündigte. Daylight saß in der Falle, weil er zum erstenmal rechtmäßiges Spiel gespielt hatte. In alten Tagen wäre eine derartige Panik mit der dazugehörigen ungeheuren Entwertung eine reiche Erntezeit für ihn gewesen. Jetzt sah er die Spieler, die auf der großen Wohlstandswoge geritten und ihre Maßnahme für die schlechten Zeiten getroffen hatten, sich in aller Eile in ihre sicheren Schlupfwinkel zurückziehen oder darangehen, eine doppelte Ernte einzuheimsen. Ihm blieb nichts übrig, als fest zu stehen und durchzuhalten.

Er durchschaute die Situation. Als die Banken ihre Guthaben einforderten, wußte er, daß sie das Geld dringend brauchten. Aber er brauchte es noch dringender.

Was er nötig hatte, war Bargeld, und wenn ihm alle ständig eingehenden Gelder zur Verfügung gestanden hätten, so wäre nichts zu befürchten gewesen. So aber mußte er um das Geld kämpfen, das er brauchte. Sein Privatkontor war beständig voll von Leuten, denn alle wollten ihn, oder er wollte sie sprechen. Es gab Arbeit, Arbeit von morgens bis zum Abend, und er war der einzige, der sie zu leisten imstande war. So ging es Tag für Tag, während die ganze Geschäftswelt um ihn her wankte und ein Handelshaus nach dem andern stürzte. Der Morgen sah ihn um acht an seinem Schreibtisch. Um zehn saß er in seinem Auto und machte die Runde bei seinen Banken. Und gewöhnlich hatte er im Auto die zehntausend und mehr Dollar bei sich, die seine Fähren und Eisenbahnen am Tage zuvor eingenommen hatten. Dies Geld sollte die ärgsten Löcher stopfen. Und mit einem Bankdirektor nach dem andern wurde dieselbe Szene aufgeführt. Sie waren vor Schrecken gelähmt, und zuerst spielte er dann seine Rolle als der große Optimist. Die Zeiten würden besser. Selbstverständlich. Die Anzeichen wären schon da. In den östlichen Staaten sei das Geld schon flüssiger geworden. Haben Sie gesehen, was für Geschäfte in den letzten vierundzwanzig Stunden in Wall Street gemacht worden sind? Hatte Ryan nicht dies und jenes gesagt? Und hieß es nicht, daß Morgan dies und jenes vorhatte?

Und was ihn selbst betraf: Trotz der Panik kamen immer mehr Leute nach Oakland. In den Verkauf der Grundstücke kam Fahrt. In eben diesem Augenblick unterhandelte er über den Verkauf von mehr als tausend Grundstücken in den Vororten. Natürlich war es ein Opfer, aber es würde doch den Druck, der auf ihnen allen lag, erleichtern und die Zagen ermutigen. Hätte es keine Zagen gegeben, so wäre es nicht zur Panik gekommen.

Daylights Schachzüge waren fabelhaft. Nicht das geringste entging seinen scharfen Blicken. Der Druck, in dem er sich befand, war schrecklich. Er hatte keine Zeit mehr zu frühstücken. Wenn der Tag zu Ende war, so war er vollständig fertig, und mehr als je suchte er Schutz hinter der schirmenden Mauer des Alkohols. Er fuhr geradewegs in sein Hotel und ging in sein Zimmer, wo er gleich den ersten einer ganzen Reihe doppelter Martinis nahm. Beim Essen war er schon benebelt und die Panik vergessen. Wenn er zu Bett ging, hatte er seinen Whiskyrausch – er war nicht betrunken, aber betäubt. So ging es Tag für Tag, und die Tage wurden zu Wochen.

Wenn Daylight auch nach außen stets als der starke, kräftige Mann mit der unerschöpflichen, überströmenden Energie auftrat, so war er innerlich doch sehr müde. Und zuweilen hatte er, vom Whisky betäubt, Augenblicke, in denen er alles weit klarer sah als in nüchternem Zustand, wie zum Beispiel eines Abends, als er, einen Schuh in der Hand, auf dem Bettrand saß und über Dedes Bemerkung grübelte, daß er immer nur in einem Bett auf einmal schlafen könne. Immer noch den Schuh in der Hand, ließ er den Blick über die Roßhaarzügel an der Wand gleiten. Dann erhob er sich, den Schuh in der Hand, zählte die Zügel feierlich und ging in die beiden anstoßenden Zimmer, um die

Zählung zu beenden. Als er wieder auf dem Bett saß, sprach er ernsthaft zu seinem Schuh:

»Die Kleine hat recht. Nur ein Bett auf einmal. Hundertvierzig Roßhaarzügel, ohne daß ich einen einzigen gebrauchen könnte. Ein Zügel auf einmal. Ich kann nur ein Pferd auf einmal reiten. Armer alter Bob. Es wäre besser, wenn ich dich auf die Weide schickte. Dreißig Millionen Dollar und hundert Millionen oder gar nichts in Sicht, und was hab' ich davon? Es gibt eine Menge Dinge, die man nicht für Geld kaufen kann. Die Kleine kann ich nicht kaufen. Tüchtigkeit kann ich nicht kaufen. Was hab' ich von dreißig Millionen, wenn ich nicht mehr als einen Liter Cocktail täglich nehmen kann? Wenn ich Durst auf hundert Liter hätte, dann wäre es was anderes. Aber einen Liter – ein elendes Literchen. Hier sitze ich, der dreißigfache Millionär, und schufte mich Tag für Tag mehr ab als ein Dutzend von den Leuten, die für mich arbeiten, und alles, was ich davon habe, sind zwei Mahlzeiten, die mir nicht schmecken, ein Bett, ein Liter Martini und hundertvierzig Roßhaarzügel an der Wand.« Er starrte melancholisch die ganze Ausstellung an. »Ich bin ein schöner Esel, Herr Schuh. Gute Nacht.«

Viel schlimmer als der beherrschte Dauertrinker ist der stille Säufer, und das wurde Daylight jetzt. Er trank selten in Gesellschaft, fast immer allein in seinem Zimmer. Täglich, wenn er von seiner Arbeit und Mühe heimkam, trank er, bis er schläfrig wurde, und schlief ein mit dem Bewußtsein, daß er am nächsten Morgen mit trockener, brennender Kehle aufwachen und dasselbe Tagesprogramm wiederholen würde.

Das Land erholte sich mit seiner gewöhnlichen Elastizität. Die Geldknappheit aber dauerte an, obwohl die Leser von Daylights Zeitungen wie von den andern von Privatleuten subventionierten Blättern zu dem Ergebnis hätten kommen können, daß jede Schwierigkeit vorbei und die Panik überstanden wäre. Alle öffentlichen Äußerungen waren zuversichtlich, aber die Privatleute befanden sich zum großen Teil in schrecklicher Verlegenheit. Die Auftritte, die in Daylights Privatkontor und bei seinen Direktionssitzungen stattfanden, hätten die Leitartikel in seinen Zeitungen Lügen gestraft, und auch die Reden, die er etwa den Großaktionären der Sierra- und Salvador-Elektrizitäts-Kompagnie der Vereinigten Wasserwerke und einiger anderer Gesellschaften hielt.

Schließlich, als der Sommer im Anzug war, trat eine Wendung zum Besseren ein. Es kam ein Tag, da Daylight etwas tat, was er noch nie getan hatte. Er verließ das Geschäft eine ganze Stunde früher als gewöhnlich, weil nicht die geringste Arbeit mehr zu tun war. Bevor er ging, trat er in Hegans Privatbüro, um einen Augenblick mit ihm zu schwatzen, und als er sich erhob, um zu gehen, sagte er:

»Hegan, wir sind übern Berg. Wir gehen als ganze Kerle aus diesem Pfandleihgeschäft heraus und tun es, ohne ein einziges Pfand im Stich zu lassen. Das Schlimmste ist überstanden und das Ende in Sicht. Nur noch die Zügel ein paar Wochen stramm halten, dann können wir loslassen und uns in die Hände spucken.«

Diesmal änderte er sogar sein Programm. Statt direkt in sein Hotel zu fahren, machte er die Runde durch verschiedene Bars und Cafés, trank hier und da einen Cocktail, auch zwei bis drei, wenn er Bekannte traf. Nachdem er wohl eine Stunde auf diese Art verbracht hatte, kam er ins Parthenon, um noch ein Glas zu trinken, ehe er zum Essen heimging. Er hatte schon ein gut Teil getrunken und war sehr aufgeräumt und guter Laune. An einer Ecke der Bar standen einige junge Leute und belustigten sich mit dem alten Trick, die Ellbogen auf die Schranke zu stemmen und sich gegenseitig die Hände herunterzudrücken. Ein breitschulteriger junger Riese schlug, ohne selbst den Ellbogen zu verrücken, alle Hände nieder, die sich ihm entgegenstreckten. Das erweckte Daylights Interesse. »Das ist Slosson«, antwortete der Barkeeper ihm auf seine Frage. »Der beste Schwerhammerwerfer von ganz Ober-Kanada. Er hat alle Rekorde heuer geschlagen, sogar den Weltrekord. Ein tüchtiger Kerl.« Daylight nickte, trat zu dem jungen Mann und legte seinen Arm zurecht.

»Ich möchte dir eine Chance geben, mein Sohn«, sagte er.

Der junge Mann lachte, griff zu, und zu Daylights Überraschung wurde seine eigene Hand auf den Schanktisch gezwungen.

»Warte«, murmelte er. »Noch einmal. Ich war noch nicht fertig diesmal.«

Wieder griffen die Hände der beiden Männer umeinander. Es ging schnell. Die Offensive von Daylights Muskeln ging sogleich in Abwehr über, aber wieder wurde seine vergebens widerstrebende Hand heruntergedrückt. Daylight war verblüfft. Es war kein Trick gewesen. Die Gewandtheit war auf beiden Seiten gleich, wenn nicht größer auf der seinen, Kraft, reine Kraft hatte es gemacht. Er bestellte Getränke, hob, immer noch verblüfft und grübelnd, seinen eigenen Arm und betrachtete ihn wie etwas Fremdes und Neues. Er erkannte ihn nicht wieder. Jedenfalls war es nicht der, mit dem er all die Jahre herumgegangen war. Der alte Arm? In alten Tagen wäre es Spielerei gewesen, die Hand des jungen Riesen niederzuzwingen. Aber dieser Arm – er betrachtete ihn immer noch mit einem so zweifelnden, verblüfften Ausdruck, daß die jungen Leute laut lachten.

Ihr Gelächter riß ihn aus seinen Betrachtungen. Im ersten Augenblick stimmte er ein, aber dann trat allmählich ein ernster Ausdruck in seine

Züge. Er lehnte sich über den Schanktisch und sagte zu dem Hammerwerfer:

»Mein Sohn, laß mich dir ein Geheimnis ins Ohr flüstern. Mach, daß
du von hier wegkommst und aufhörst zu trinken, ehe du richtig damit
angefangen hast.«

Der junge Mann wurde rot vor Zorn, aber Daylight fuhr ruhig fort:
»Hör auf deinen Papa und laß dir ein paar gute Ratschläge geben. Ich
bin selbst ein junger Mann, aber nicht mehr so richtig. Ich will dir was
sagen: Vor ein paar Jahren wäre es mir ein Kinderspiel gewesen, deine
Hand 'runterzudrücken.«

Slosson sah ihn zweifelnd an, während die andern sich grinsend um
Daylight drängten.

»Mein Sohn, ich bin kein Prediger. Es ist das erste Mal, daß ich den
reuigen Sünder spiele, und du selbst hast mich dazu gebracht. Ich hab'
in meinem Leben schon mit manchem zu tun gehabt, und ich war nicht
wählerisch, was du selbst am besten beurteilen kannst. Ich will dir sagen, daß ich reich bin, der Teufel weiß, wieviel Millionen ich habe, aber
ich will alles bis auf den letzten Shilling hier auf den Tisch legen, um
deine Hand 'runterzukriegen. Mein Sohn, so steht es mit mir, und so
sehe ich selbst die Sache an. Das Spiel lohnt sich nicht. Hüte dich und
denk' mal darüber nach, was ich dir gesagt habe. Gute Nacht.«

Er drehte sich um und taumelte hinaus, und der moralische Eindruck
seiner Predigt litt stark darunter, daß er, als er sie hielt, so offensichtlich
betrunken war.

Noch immer halb betäubt, fuhr Daylight in sein Hotel, aß zu Mittag
und schickte sich an, zu Bett zu gehen.

Er hielt den Arm, der ihn so geärgert hatte, hoch und betrachtete ihn
mit schlaffer Verwunderung. Die Hand, die noch jeden besiegt, die diesen Riesen von Circle City zum Winseln gebracht hatte! Und ein
Schuljunge hatte sie 'runtergedrückt – zweimal, mit grinsendem
Gesicht. Dede hatte recht. Er war nicht mehr der Mann, der er einst
gewesen. Er mußte ernster und gründlicher über die Situation nachdenken, als er bisher getan. Aber jetzt war nicht der rechte Zeitpunkt
dazu. Am Morgen, wenn er ausgeschlafen hatte, wollte er es tun.

Daylight erwachte mit dem gewöhnlichen trockenen Halse, trank einen
tiefen Schluck aus dem neben dem Bett stehenden Wasserkrug und
nahm die am Abend unterbrochenen Gedanken wieder auf. Er erinnerte sich, daß die finanzielle Lage lichter geworden war. Endlich wurde
es besser. Zwar lag noch ein tüchtiges Stück Weges vor ihm, aber das
Schlimmste war doch überstanden. Und nicht einer von seinen
Geschäftsfreunden war ruiniert. Er hatte sie gezwungen, durchzuhal-

ten, bis er gerettet war, und gleichzeitig waren sie selbst gerettet worden.

Seine Gedanken kehrten zu dem Auftritt an der Ecke der Bar im Parthenon zurück. Er war von dem Ereignis nicht mehr gelähmt, aber er fühlte sich gekränkt, wie es nur ein starker Mann sein kann, wenn seine Kräfte im Abnehmen sind. Und der Ausgang war zu klar, selbst für ihn. Er wußte, warum seine Hand heruntergepreßt worden war. Nicht, weil er alt war. Er war ein Mann in den besten Jahren, und eigentlich hätte er und nicht der Hammerwerfer der Sieger sein müssen. Daylight wußte, daß er mit sich gespielt hatte. Es war richtig: Er hatte Gottes freie Natur mit dem Käfig der Stadt vertauscht. Er fuhr in Autos, Droschken und elektrischen Bahnen. Er hatte sich keine Bewegung verschafft und hatte seine Muskeln durch Alkohol geschwächt.

Und war es das wert? Was bedeutete schließlich sein Geld? Dede hatte recht. Trotz seines Geldes konnte er nur in einem Bett auf einmal schlafen, und dazu machte ihn sein Geld auch noch zum Sklaven. Es band ihn an Händen und Füßen. Selbst wenn er wollte, konnte er nicht den ganzen Tag in seinem Bett liegen. Sein Geld rief ihn. Die Morgensonne schien durchs Fenster herein – ein schöner Tag, um in die Berge zu reiten, Dede neben sich auf ihrer Mab. Und doch konnten alle seine Millionen ihm nicht diesen einen Tag kaufen. Es konnten unerwartete Störungen eintreten, und er mußte auf dem Posten sein. Dreißig Millionen! Und sie konnten Dede nicht dazu bringen, Mab zu reiten – Mab – die jetzt auf seiner Weide fett wurde, ohne daß jemand Freude an ihr hatte. Was waren dreißig Millionen, wenn sie ihm nicht den Ausflug zu dem Mädchen verschaffen konnten, das er liebte? Dreißig Millionen, die ihn hinderten, dieses junge Mädchen zu zwingen, das für neunzig Dollar monatlich arbeitete.

Das war es ja gerade, was Dede meinte. Das war es ja, woran sie dachte, als sie betete, daß er Bankrott machen sollte. Er hob den rechten Arm, der ihn so gekränkt hatte. Es war nicht derselbe Arm wie früher. Er hatte ihn im Stich gelassen. Er setzte sich plötzlich auf. Nein, weiß Gott, er selbst war es, der den Arm im Stich gelassen hatte! Sie hatte recht, tausendmal recht, und sie hatte Verstand genug, um das zu wissen, Verstand genug, nicht einen Mann zu heiraten, dessen Körper vom Whisky zerrüttet und der Sklave seines Geldes war.

Er sprang aus dem Bett und betrachtete sich in dem großen Spiegel der Schranktür. Es war kein schöner Anblick. Die hageren Wangen von früher waren verschwunden. Jetzt waren seine Backen schwer und hingen wie unter ihrem eigenen Gewicht. Er suchte die Linien von Grausamkeit, von denen Dede gesprochen hatte, und er fand sie; er fand auch den harten Schimmer in den Augen, die mit Blut gesprenkelt waren von all dem Alkohol, den er am vorigen Abend und in den vergangenen Monaten und Jahren getrunken hatte. Dann krempelte er sich die Ärmel seines Pyjamas auf. Kein Wunder, daß der Hammerwerfer ihn bezwungen hatte! Das waren ja keine Muskeln mehr. Sie waren unter einer beginnenden Fettschicht begraben. Er warf die Jacke ab und erschrak von neuem: Die Muskeln auf Brust, Schulter und Leib, die sich so scharf abgezeichnet hatten, waren zu reinen Fettpolstern geworden.

Er setzte sich auf das Bett, und durch seinen Sinn flog die Erinnerung daran, wie stark und schön er in alten Tagen gewesen war; er dachte an die Indianer und die Hunde, denen er in jenen verzweifelten Tagen und Nächten das Leben aus dem Leibe gejagt, und an die alten Taten, die ihn zum König über ein hartes Volk von Grenzern gemacht hatten.

Dies war also das Alter. Vor seinem Auge stand das Bild des alten Mannes, den er über die Berge hatte kommen sehen; weißhaarig, weißbärtig, vierundachtzig Jahre alt.

Dann erinnerte er sich Fergusons, des kleinen Mannes, der wie ein Kaninchen über den Weg gelaufen war. Der war einmal Schriftleiter eines großen Blattes gewesen und lebte jetzt zufrieden in seinem Eichenwäldchen mit seiner Gebirgsquelle und seinen sorgsam gezüchteten und gehüteten Obstbäumen. Ferguson hatte ein Problem gelöst. Ja, dachte Daylight, wenn ein Kranker, den die Ärzte aufgegeben hatten, sich zu einem kräftigen, gesunden Landarbeiter entwickeln konnte, was konnte dann nicht ein Mann wie er unter ähnlichen Verhältnissen erreichen? Er sah im Geiste, wie er seinen Körper mit der alten Kraft seiner Jugend zu neuem Leben erweckte, und er dachte an Dede und setzte sich auf den Bettrand, halb erschreckt von dem großen Gedanken, der ihm kam. Er blieb nicht lange sitzen. Sein Hirn begann, schnell und sicher wie stets, die Sache von allen Seiten zu untersuchen. Es war ein großer Gedanke – größer als alle, die er je zuvor gehabt. Und er sah ihm fest ins Auge, nahm ihn in seine beiden Hände, drehte und wendete ihn nach allen Seiten und betrachtete ihn. Es war alles so unendlich einfach, daß es ihn geradezu belustigte. Er lachte laut, traf seine Entscheidung und begann sich anzukleiden. Mitten im Ankleiden hielt er inne, um zu telefonieren. Dede war die erste, die er anrief.

»Kommen Sie heute nicht ins Kontor«, sagte er. »Ich komme hinaus, um Sie einen Augenblick zu sprechen.« Er rief auch andere an. Er bestellte sein Automobil. Jones beauftragte er, Bob und Wolf nach Glen Ellen zu bringen. Hegan überraschte er, indem er ihn bat, die Papiere von Glen Ellen herauszusuchen und die Besitzung auf Dede Masons Namen zu übertragen. »Auf wessen Namen?« fragte Hegan. »Dede Mason«, antwortete Daylight mit unerschütterlicher Ruhe – »das Telefon muß heute nicht in Ordnung sein. D–e–d–e M–a–s–o–n. Verstanden?«

Eine halbe Stunde später jagte er nach Berkeley. Und zum erstenmal hielt das große rote Automobil gerade vor dem Hause. Dede wollte ihn ins Wohnzimmer führen, aber er schüttelte den Kopf und machte eine Bewegung nach ihrem eigenen Zimmer.

»Drinnen«, sagte er. »Anderswo will ich nicht.«

Als die Tür geschlossen war, streckte er die Arme nach ihr aus und zog sie an sich. Dann legte er ihr beide Hände auf die Schultern und sah ihr ins Gesicht.

»Dede, wenn ich Ihnen sage, mit reinen Worten sage, daß ich auf der Ranch von Glen Ellen leben und nicht einen Cent mitnehmen will, daß ich mir jeden Bissen erarbeiten und nie mehr eine Karte anrühren will von dem geschäftlichen Spiel, wollen Sie mich dann nehmen?«

Sie stieß einen kleinen Freudenschrei aus, und er schloß sie noch fester in seine Arme. Doch im nächsten Augenblick hatte sie sich frei gemacht und hielt ihn in der alten Stellung mit ausgestrecktem Arm von sich ab.

»Ich – ich verstehe nicht«, sagte sie atemlos.

»Und Sie haben mir noch keine Antwort gegeben – aber ich glaube im übrigen, daß das gar nicht nötig ist. Wir heiraten sofort und brechen auf. Ich habe Bob und Wolf schon hingeschickt. Wann sind Sie fertig?«

Dede mußte lächeln; Daylight lächelte auch. »Sehen Sie, Dede, wir müssen offen miteinander reden – die Wahrheit, die ganze Wahrheit und nichts als die Wahrheit. Jetzt beantworten Sie mir einige Fragen, und dann will ich Ihnen antworten.« Er wartete einen Augenblick, ehe er fortfuhr: »Also, vor allem eine Frage: Lieben Sie mich genug, um sich mit mir zu verheiraten?«

»Aber . . .«, begann sie.

»Kein Aber«, unterbrach er sie scharf. »Jetzt heißt es: Karten auf den Tisch. Wenn ich heiraten sage, so meine ich, was ich gesagt habe, daß wir von hier fortgehen und auf der Ranch leben wollen. Lieben Sie mich genug, um sich mit mir zu verheiraten?«

Sie sah ihn einen Augenblick an. Dann schlug sie die Augen nieder, und jede Linie ihres Körpers schien ihre Zustimmung zu verraten.

»Dann kommen Sie.« Unwillkürlich strafften sich seine Beinmuskeln, als wollte er sie gleich zur Tür führen. »Mein Auto wartet draußen. Sie brauchen sich nur noch den Hut aufzusetzen.«

Er beugte sich über sie. »Ich darf doch?« sagte er und küßte sie.

Es war ein langer Kuß, und sie sprach zuerst.

»Wie ist das möglich? Wie können Sie Ihr Geschäft im Stich lassen? Ist etwas geschehen?«

»Nein, noch ist nichts geschehen, aber es kommt verflucht schnell. Ich habe mir deine Predigt zu Herzen genommen, und ich verspreche, daß ich dir dienen werde. Alles übrige kann meinetwegen zum Teufel gehen. Du hast ganz recht. Ich bin ein Sklave meines Geldes gewesen, und da ich nicht zwei Herren dienen kann, lasse ich das Geld schwimmen. Ich will lieber dich haben als alles Geld auf der Welt, das ist alles.« Wieder schloß er sie in seine Arme. »Und jetzt habe ich dich, Dede. Ich habe dich.

Und ich will dir noch etwas sagen. Ich habe mein letztes Glas getrunken. Du heiratest einen Säufer, aber wenn ich dein Mann bin, wird die Geschichte anders. Er wird ein anderer Mensch, und das so schnell, daß du ihn gar nicht wiedererkennst. Wenn wir ein paar Monate in Glen Ellen sind, wachst du eines Morgens auf und entdeckst, daß du einen ganz fremden Mann bei dir hast. Du wirst sagen: ›Ich bin Frau Harnish, und wer sind Sie?‹, und ich werde sagen: ›Ich bin Elam Harnishs jüngerer Bruder. Ich bin eben aus Alaska zur Beerdigung gekommen.‹ – ›Was für eine Beerdigung?‹ wirst du dann fragen. Und ich werde sagen: ›Nun, die Beerdigung von dem Taugenichts, dem Spieler und Säufer Burning Daylight – dem Mann, der an Herzverfettung starb, weil er die Nächte hindurch das Geschäftsspiel spielte. Ja, gnädige Frau‹, werde ich sagen, ›er ist um die Ecke gegangen, das ist sicher, aber jetzt bin ich gekommen, um seinen Platz einzunehmen und Sie glücklich zu machen. Und jetzt, gnädige Frau, werde ich mit Ihrer Erlaubnis auf die Weide gehen und die Kuh melken, während Sie das Frühstück bereiten.‹«

Wieder ergriff er die Hand und tat, als ob er sie zur Tür ziehen wollte. Als sie Widerstand leistete, beugte er sich zu ihr herab, nahm ihren Kopf in seine Hände und küßte sie wieder und wieder.

»Ich sehne mich nach dir, mein Herz«, murmelte er.

»Setz dich und sei vernünftig«, bat sie mit brennenden Wangen, während das goldene Licht goldener flammte, als er es je gesehen.

Aber Daylight wollte seinen Willen durchsetzen, und als er sich hinsetzte, tat er es neben ihr und legte den Arm um sie.

»Du hast noch nicht auf meine Fragen geantwortet«, sagte sie vorwurfsvoll, während sie sich mit roten Wangen und strahlenden Augen aus der Umarmung löste.

»Also, was willst du denn wissen?« fragte er.

»Ich will wissen, wie das alles möglich ist? Wie du zu einem solchen Zeitpunkt dein Geschäft im Stich lassen kannst. Was du damit meintest, daß bald etwas geschehen würde. Ich –« Sie hielt inne und errötete. »Ich habe ja auch deine Fragen beantwortet.«

»Komm und laß uns heiraten«, sagte er, und der neckische Klang seiner Stimme wurde durch den Glanz seiner Augen verdoppelt. »Du weißt, daß ich meinem starken jungen Bruder weichen muß und nicht mehr lange zu leben habe.« Sie verzog das Gesicht ungeduldig, und er wurde plötzlich ernst. »Siehst du, die Sache ist so, Dede. Ich habe wie vierzig

Pferde gearbeitet, seit die verfluchte Panik anfing, und unterdessen lagen die Ideen, die du mir gegeben hattest, zum Keimen bereit in mir. Nun, und heute morgen keimten sie wirklich, das ist alles. Ich stand auf mit der Absicht, wie gewöhnlich ins Kontor zu gehen. Die Sonne schien durchs Fenster herein, und ich wußte, daß es ein herrlicher Tag in den Bergen würde. Und ich wußte, daß ich gern mit dir in die Berge reiten wollte – dreißigmillionenmal lieber als ins Kontor gehen. Aber dabei wußte ich, daß es unmöglich war. Und warum? Des Geschäfts wegen. Das Geschäft erlaubte es nicht. Mein ganzes Geld stellte sich auf die Hinterbeine, versperrte mir den Weg und wollte mich nicht durchlassen. Eine Art und Weise hat dies verfluchte Geld, sich einem in den Weg zu stellen.

Und da sagte ich mir, daß ich jetzt an einem Kreuzweg angekommen wäre. Der eine Weg führte ins Kontor. Der andere nach Berkeley. Und ich wählte den Weg nach Berkeley. Ich setze meine Füße nicht mehr ins Kontor. Das ist vorbei! Fertig! Und ich lasse alles zum Teufel gehen.«

Sie sah erschrocken zu ihm auf.

»Du meinst . . .«, begann sie.

»Eben das. Ich wische die Tafel rein. Ich lasse die ganze Geschichte zum Teufel gehen. Als die dreißig Millionen Dollar sich gegen mich erhoben und sagten, daß ich heute nicht mit dir in die Berge reiten könnte, da wußte ich, daß die Zeit zum Handeln gekommen war. Und nun handle ich. Jetzt hab' ich dich und die Kraft, für dich und für die kleine Ranch in Sonoma zu arbeiten. Das ist alles, was ich brauche und was ich aus den Trümmern retten will, dazu noch Bob und Wolf, eine Reisetasche und hundertvierzig Roßhaarzügel. Der Rest geht zum Teufel, und ich bin froh darüber.«

Aber Dede war hartnäckig.

»Dann ist dieser – dieser furchtbare Verlust nicht notwendig?« fragte sie.

»Ich sag' dir ja. Er ist notwendig. Wenn das Geld sich einbildet, es könne sich mir in den Weg stellen und mir verbieten, mit dir auszureiten –«

»Nein, nein, jetzt im Ernst«, unterbrach ihn Dede. »Das meine ich nicht, und das weißt du auch. Ich will wissen, ob der Bankrott vom geschäftlichen Standpunkt aus notwendig ist?«

Er schüttelte den Kopf.

»Nein, das ist er nicht. Das ist ja gerade der Witz dabei. Ich lasse nicht nach, weil die Panik mich gelähmt hat und mich dazu zwingt. Ich gehe jetzt, da ich die Panik bezwungen habe und vor dem Siege stehe. Das zeigt doch gerade, wie wenig mir daran liegt. An dir liegt mir, Liebling, und dementsprechend spiele ich.«

Doch sie entzog sich seiner schirmenden Umarmung.

»Du bist verrückt, Elam!«

»Sag das noch einmal«, murmelte er entzückt. »Das ist wahrhaftig sü-
ßer als Klang von Millionen.«

Aber sie beachtete es nicht.

»Es ist Wahnsinn, du weißt nicht, was du tust –«

»O doch«, versicherte er. »Ich gewinne das, was meinem Herzen am
teuersten ist. Dein kleiner Finger ist ja mehr wert –«

»Sei doch nur einen Augenblick vernünftig.«

»Ich bin in meinem ganzen Leben noch nie so vernünftig gewesen. Ich
weiß, was ich will, und ich tue es. Ich will dich haben und draußen mit
dir leben. Ich will nicht mehr die Füße auf dem Pflaster und das Ohr
den ganzen Tag am Telefon haben. Ich will eine kleine Ranch haben
auf einem der schönsten Fleckchen Erde, die Gott geschaffen, und will
selbst alles tun, was es da zu tun gibt – Kühe melken, Holz hacken,
Pferde striegeln, den Boden pflügen und was sonst dazu gehört. Und
ich bin sicher der glücklichste Mensch auf Erden, denn ich habe etwas,
das man nicht für Geld kaufen kann. Ich habe dich, die ich nicht für
dreißig Millionen, nicht für dreitausend Millionen und nicht für dreißig Cent kaufen könnte –«

Ein Klopfen an der Tür unterbrach ihn; Dede ging zum Telefon hinaus.

»Herr Hegan ist am Apparat«, sagte sie, als sie wiederkam. »Er wartet.
Er sagt, es sei wichtig.«

Daylight schüttelte den Kopf und lächelte.

»Bitte, sage Hegan, er soll einhängen. Ich bin fertig mit dem Geschäft
und will nichts mehr davon wissen.«

Nach einer Minute kam sie wieder.

»Er sagt, er will nicht einhängen. Er läßt dir sagen, daß Unwin im Kontor wartet und dich durchaus sprechen will. Und Harrison auch. Hegan
sagte, es stehe schlimm mit Grimshaw & Hodgkins, und du müßtest
sie stützen.«

Das war eine überraschende Nachricht. Sowohl Unwin wie Harrison
repräsentierten Großbanken, und Daylight wußte, daß die Firma
Grimshaw & Hodgkins, wenn sie Konkurs machte, eine ganze Reihe
anderer Häuser mit sich reißen würde.

Aber er lächelte nur, schüttelte den Kopf und sagte mit dem Ton, den
er im Geschäft anzuschlagen pflegte:

»Fräulein Mason, wollen Sie so freundlich sein und Herrn Hegan sagen, daß nichts dabei zu machen ist und daß er einhängen soll.«

»Aber das kannst du nicht«, drang sie in ihn.

»Wetten das«, sagte er kurz.

»Elam!«

»Sag das noch einmal!« rief er. »Sag das noch einmal, und dann kann meinetwegen ein ganzes Dutzend Grimshaw & Hodgkins zum Teufel gehen!«

Er ergriff ihre Hand und zog sie an sich.

»Laß Hegan nur am Telefon warten, bis er schwarz wird. An einem Tag wie heute können wir nicht eine Minute an ihn verschwenden. Er ist nur in seine Bücher und sein Zeugs verliebt, aber ich halte ein Weib in meinen Armen, das mich liebt, wenn es auch versucht, über die Stränge zu schlagen.«

»Aber ich weiß doch auch etwas von dem Kampf, den du geführt hast«, wandte Dede ein. »Wenn du jetzt aufhörst, so ist die ganze Arbeit umsonst gewesen. Du hast kein Recht, das zu tun. Du kannst es nicht tun.«

Daylight war unerbittlich. Er schüttelte den Kopf und lächelte nekkisch.

»Nichts wird zu nichts, Dede, nichts! Du verstehst nichts vom Geschäft. Es steht ja alles nur auf dem Papier. Alles, wofür ich kämpfe, ist Papier. Für tausend Morgen Land habe ich Papier bekommen. Schön. Verbrenne die Papiere und mich dazu. Das Land bleibt, nicht wahr? Der Regen fällt darauf, die Saat keimt darin, Bäume wachsen, Häuser stehen darauf, die elektrischen Bahnen fahren darüber. Das ganze Geschäft ist Papier. Ob ich das Papier verliere oder mein Leben, das ist einerlei; das macht das Land nicht um ein Sandkorn geringer und beugt keinen Grashalm.

Nichts ist verloren – nicht ein einziger Pfahl in der ganzen Dockanlage, nicht eine Speiche von all den Eisenbahnen, nicht ein bißchen Dampf von den Fährbooten. Die Wagen laufen weiter, ob das Papier mir gehört oder einem andern. Die Hochflut in Oakland hat schon begonnen. Die Leute strömen herbei. Wir verkaufen wieder Grundstücke. Die Flut läßt sich nicht mehr eindämmen. Was mir und dem Papier auch geschieht, die dreihunderttausend Menschen kommen doch! Und es wird Straßenbahnen geben, Häuser, gutes Wasser, Elektrizität und alles, was sonst noch dazu gehört.«

Unterdessen war Hegan in einem Automobil gekommen. Das Fauchen klang durch das offene Fenster herein, und sie hörten, wie es neben dem roten Wagen hielt. Im Wagen befanden sich auch Unwin und Harrison, während Jones neben dem Chauffeur saß.

»Hegan will ich sprechen«, sagte Daylight zu Dede. »Die andern kann ich nicht brauchen. Die können im Auto warten.«

»Ist er betrunken?« flüsterte Hegan Dede zu, die ihn an der Tür empfing.

Sie schüttelte den Kopf und wies ihn hinein.

»Guten Morgen, Larry«, grüßte Daylight. »Setz dich und beruhige dich. Du scheinst ein bißchen aufgeregt zu sein.«

»Das bin ich«, antwortete der kleine Irländer heftig. »Grimshaw & Hodgkins gehen zum Teufel, wenn nicht schnell etwas geschieht. Warum bist du heute morgen nicht ins Kontor gekommen? Was willst du tun?«

»Nichts«, sagte Daylight nachlässig. »Ich denke, wir lassen sie zum Teufel gehen.«

»Aber –«

»Ich habe nichts mit Grimshaw & Hodgkins zu schaffen. Ich schulde ihnen nichts. Außerdem geht es mir selbst nicht besser. Hör, Larry, du kennst mich doch. Du weißt, wenn ich zu etwas entschlossen bin, dann tue ich es auch. Und nun habe ich mich entschlossen. Ich hab' das ganze Spiel satt. Ich will heraus, so schnell ich kann, und mit einem Krach geht es am besten.«

Hegan starrte seinen Chef an und wandte dann sein entsetztes Gesicht Dede zu, die mitfühlend nickte.

»Und daher sollst du alles zum Teufel gehen lassen, Larry«, fuhr Daylight fort, »was du zu tun hast, ist, daß du für dich selbst und deine Freunde sorgst. Hör nun zu: Alles ist soweit in Ordnung. Keiner darf zugrunde gehen. Allen, die zu mir gehalten haben, muß geholfen werden, ohne daß sie Schaden leiden. Alle ausstehenden Löhne werden auf Heller und Pfennig bezahlt. Alles Geld, das ich vom Wasserwerk, von den Straßenbahnen und den Fähren genommen habe, wird zurückgezahlt. Und du selbst wirst auch keinen Schaden erleiden. Alle Gesellschaften, bei denen du beteiligt bist, werden sich halten –«

»Du bist verrückt, Daylight«, rief der kleine Rechtsanwalt. »Das ist der reine Wahnsinn. Hast du Gift gekriegt?«

»Wahrscheinlich«, erwiderte Daylight lächelnd. »Aber jetzt spucke ich's aus. Ich bin krank vom Leben in der Stadt und vom Geschäft. Ich will hinaus in den Sonnenschein, aufs Land und das grüne Gras. Und Dede geht mit mir. Du darfst mir als erster gratulieren.«

»Gratulieren – den Teufel will ich! Mit solchen Dummheiten will ich nichts zu tun haben. Was haben Sie denn nur mit ihm gemacht?« sprudelte Hegan heraus und wandte sich ärgerlich gegen Dede.

»Nichts weiter, Larry.« Zum erstenmal klang Daylights Stimme scharf, und die Linien in seinem Antlitz, die von Grausamkeit zeugten, traten stärker hervor. »Fräulein Mason wird meine Frau, und wenn ich auch selbstverständlich nichts dagegen habe, daß du mit ihr redest, soviel du willst, so mußt du doch einen andern Ton anschlagen. Und ich will dir noch etwas sagen. Es geht alles auf meine eigene Kappe. Sie sagt auch, daß ich verrückt bin.«

Hegan schüttelte traurig den Kopf, konnte aber kein Wort hervorbringen und stand mit weitaufgerissenen Augen da.

»Es wird natürlich vorläufig Zwangsverwaltung geben«, sagte Daylight, »aber die wird nicht lange dauern. Du hast unterdessen die Leute zu retten, die ihre Löhne bei mir haben stehen lassen, alle Gläubiger und alle Unternehmungen, die auf unserer Seite gestanden haben. Die New-Jersey-Leute sind nach ein paar tausend Morgen aus gewesen. Sie nehmen sie gern und schlagen sicher sofort zu, wenn du ihnen einen halbwegs anständigen Preis machst. Das hilft schon.«

Dede hatte kaum zugehört, aber plötzlich schien sie einen Entschluß zu fassen, und sie trat vor die beiden Männer. Sie war blaß, aber ihre Züge hatten einen Ausdruck von Entschlossenheit, der Daylight an den Tag erinnerte, als sie das erste Mal Bob ritt. »Halt!« sagte sie. »Ich will dir etwas sagen, Elam, wenn du diesen Unsinn machst, heirate ich dich nicht.«

In seinem Elend sandte Hegan ihr einen dankbaren Blick.

»Ich werde aber doch –«, begann Daylight.

»Halt!« unterbrach sie ihn wieder. »Und wenn du es nicht tust, heirate ich dich.«

»Den Vorschlag muß ich mir erst klarmachen.« Daylight sprach aufreizend langsam und nachdrücklich. »Wenn ich dich recht verstehe, so willst du mich heiraten, wenn ich das Spiel weiterspiele. Du willst mich heiraten, wenn ich weiter arbeite wie verrückt und weiter Martinis trinke.«

Nach jeder Frage machte er eine Pause, während sie zustimmend nickte.

»Und du willst mich gleich heiraten?«

»Ja.«

»Heute? Sofort?«

»Ja.«

Er grübelte einen Augenblick.

»Nein, mein Herz, ich tue es nicht. Das geht nicht gut aus, und das weißt du selbst. Ich will dich haben – dich mit Haut und Haar. Sieh, Dede, mit dir auf der Ranch bin ich deiner sicher und auch meiner selbst. Du kannst sagen, was du willst, heiraten tust du mich doch. Und jetzt, Larry, ist am besten, wenn du gehst. Ich bin bald wieder im Hotel, und da ich meine Füße nicht wieder ins Kontor setze, mußt du mir schon die Papiere, und was sonst zu erledigen ist, bringen. Du kannst mich jederzeit telefonisch erreichen. Der Krach muß seinen Weg gehen. Savvy? Ich bin fertig damit.«

Er erhob sich, um Hegan anzudeuten, daß er gehen solle. Der war wie gelähmt. Er erhob sich zwar, blieb aber dann stehen und sah sich hilflos um.

»Der reine Wahnsinn, völlig verrückt«, murmelte er.

Daylight legte ihm die Hand auf die Schulter.

»Nimm dich zusammen, Larry. Ich bin ein größerer Träumer als du, das ist alles, und jetzt träume ich etwas, das in Erfüllung gehen wird. Das ist der größte und schönste Traum, den ich je geträumt habe.«

»Indem du alles verlierst, was du hast«, rief Hegan heftig.

»Gewiß, indem ich alles verliere, was ich nicht brauche. Aber die hundertundvierzig Roßhaarzügel will ich doch behalten. Und nun mach lieber, daß du zu Unwin und Harrison hinauskommst und in die Stadt zurückfährst.«

Drei Tage darauf fuhr Daylight in seinem roten Wagen nach Berkeley. Es war das letzte Mal, denn morgen sollte die große Maschine einem andern gehören. Es waren drei anstrengende Tage gewesen, denn sein Bankrott war der größte, den die Panik in Kalifornien verursacht hatte. Die Zeitungen waren voll davon, und ein Wutgeschrei wurde von denen ausgestoßen, die später fanden, daß Daylight ihre Interessen in jeder Beziehung wahrgenommen hatte. Diese Tatsachen waren es, die, als sie allmählich bekannt wurden, die weitverbreitete Anschauung veranlaßten, daß der wilde Draufgänger von Alaska verrückt geworden wäre. Und Daylight hatte geschmunzelt und die Vermutung dadurch bestärkt, daß er sich weigerte, Reporter zu empfangen.

Er ließ das Auto vor Dedes Tür halten, und mit derselben gewaltsamen Taktik wie das letzte Mal schloß er sie in die Arme, ehe sie noch ein Wort hatte hervorbringen können.

»Erledigt!« kündigte er an. »Du hast natürlich die Zeitungen gelesen. Ich bin ausgepumpt bis auf den letzten Cent, und jetzt will ich nur wissen, an welchem Tage wir nach Glen Ellen ziehen können.«

Er hielt inne und sah sie an. Unentschlossenheit und Sorge standen auf ihrem Antlitz. Aber dann wich alles dem Lächeln, das er so gut kannte, sie warf den Kopf zurück und lachte auf ihre alte frische Knabenart.

»Wann kommen die Leute zum Einpacken?« fragte sie.

Sie lachte wieder und tat, als ob sie vergebens versuchte, sich aus seinen Bärentatzen loszumachen.

»Lieber Elam«, flüsterte sie, »lieber Elam.« Und zum ersten Male küßte sie ihn.

Sie strich ihm kosend mit der Hand übers Haar.

»Jetzt sind deine Augen ganz golden«, sagte er. »Ich kann genau in ihnen lesen, wie lieb du mich hast.«

»Sie sind schon lange golden für dich gewesen, Elam. Ich glaube, auf unserer kleinen Ranch werden sie immer golden sein.«

»In deinem Haar ist auch Gold, eine Art Feuergold.« Er drehte ihren Kopf gegen das Licht, hielt ihn zwischen seinen Händen und blickte ihr lange in die Augen. »Und neulich, als du sagtest, daß du mich nicht heiraten wolltest, da waren deine Augen auch golden.«

Sie nickte und lachte.

»Du wolltest deinen Willen haben«, gestand sie. »Aber ich konnte einen solchen Wahnsinn nicht mitmachen. All das Geld gehört ja dir und nicht mir. Aber ich liebte dich die ganze Zeit, Elam, weil du so ein großer Junge warst, der nun ein Spielzeug für dreißig Millionen zerbrechen wollte – nur weil er des Spielens müde geworden war. Und wenn ich auch nein sagte, so wußte ich doch die ganze Zeit, daß es ja war. Und ich wußte, daß meine Augen die ganze Zeit golden waren.«

Sie barg einen Augenblick ihr Gesicht an seiner Brust, dann sah sie wieder mit strahlendfrohen Augen zu ihm auf.

»Siehst du, Elam, ich – ich mußte dich einfach heiraten. Aber ich betete, daß es dir glücken möge, alles zu verlieren.«

»Ich habe eine Idee«, sagte Daylight, »wir entfliehen ja dem Stadtleben und allem, was damit zusammenhängt. Es hat doch eigentlich keinen Sinn, daß wir uns in der Stadt trauen lassen. Also meine Idee: Ich fahre nach der Ranch, um das Haus ein wenig instand zu setzen. Du kommst in ein paar Tagen mit dem Morgenzug nach. Dann hab' ich alles mit dem Pfarrer in Ordnung gebracht. Und noch eine Idee: Du nimmst dein Reitkleid im Handkoffer mit. Ich bin mit ein paar Pferden da, und wir reiten dann über Land. Du kannst gleich dein Gut besichtigen – es ist wirklich schön. Also, es ist alles in Ordnung, und ich erwarte dich übermorgen mit dem Frühzuge.«

Dede war rot geworden, und sie sagte:

»Du bist ein solcher Brausewind.«

»Ja, gnädige Frau«, sagte er langsam, »ich kann das Warten nicht vertragen. Und es ist ein Skandal, wie lange wir gewartet haben. Wir hätten uns schon vor mehreren Jahren heiraten können.«

Zwei Tage später stand Daylight wartend vor dem kleinen Gasthof von Glen Ellen. Die Trauung war vorüber, und Dede war hineingegangen, um ihr Reitkleid anzuziehen, während er die Pferde holte. Jetzt zog er Bob und Mab am Zügel hinter sich her, und im Schatten des Wassertroges saß Wolf und sah zu. Schon die zwei Tage der starken kalifornischen Sonne hatten Daylights früher so sonnenverbrannter Haut neue Glut verliehen. Aber wärmer war noch die Glut, die in seinen Wangen und Augen brannte, als er Dede zur Tür herauskommen sah, die Reitpeitsche in der Hand und in dem Reitkleid, das er so gut von früher her kannte. Auch in ihrem Gesicht waren Wärme und Glut, als ihr Blick dem seinen begegnete und dann auf die Pferde fiel.

Da sah sie Mab. Aber ihr Blick suchte wieder den Mann.

»Ach, Elam!« flüsterte sie.

Es war fast ein Gebet, aber ein Gebet, das tausendfachen Sinn enthielt. Daylight versuchte sich dumm anzustellen, aber das Lied, das in seinem Herzen klang, war zu jubelnd, als daß er sich hinter seiner gewöhnlichen Scherzhaftigkeit hätte verschanzen können. Alles lag in dem einen Wort – Vorwurf, in Dankbarkeit geläutert, und hinter allem Freude und Liebe.

Sie trat vor, liebkoste das Pferd, und dann wandte sie sich wieder zu ihm und flüsterte:

»Ach, Elam!«

Wieder machte er eine Anstrengung zu scherzen, aber der Augenblick war zu feierlich selbst für Liebesscherze. Keiner von ihnen sprach. Sie ergriff die Zügel, und Daylight beugte sich nieder und nahm ihren Fuß in die Hand. Er hob ihn, sie sprang und saß im nächsten Augenblick im Sattel. Gleich darauf saß er selbst im Sattel, und während Wolf in seinem typischen Wolfstrott vorauslief, ritten sie Seite an Seite bergauf, den Weg, der sie zur Stadt hinausführte – auf zwei rotbraunen Pferden, zwei frohe, verliebte Menschen, die durch den warmen Sommertag ihren Flitterwochen entgegenritten. Daylight war wie berauscht. Höher konnte nie ein Mensch gelangen, war nie einer gelangt.

Sie erreichten den Gipfel des Hügels, und er sah ihr Antlitz vor Freude leuchten, als sie das schöne Land vor sich sah.

»Das ist unser«, sagte er. »Und das ist nur eine Probe von der Ranch. Warte nur, bis du den großen Canjon siehst. Dort sind Waschbären, und dahinten in Sonoma gibt es Nerze. Tiere! – Weißt du, diese Berge wimmeln von ihnen, und ich glaube, wenn wir uns Mühe geben, können wir sogar einen Berglöwen erwischen. Und weißt du, da ist eine kleine Wiese – aber jetzt sag' ich nichts mehr. Wart, bis du alles selbst gesehen hast.«

Sie bogen in eine Gatterpforte ein, und beide sogen mit Entzücken den warmen Heuduft ein.

Wie bei Daylights erstem Besuch sangen die Lerchen und flogen vor den Pferden auf, bis sie den Wald mit den blumenübersäten Lichtungen erreichten.

»Jetzt sind wir auf unserem eigenen Grund und Boden«, sagte er, als sie über die jüngst gemähte Wiese kamen. »Er erstreckt sich über den unebensten Teil des Landes. Aber warte nur, bis du alles gesehen hast.«

Er bog bei der Lehmgrube ab und bahnte sich den Weg durch den Wald zur Linken, an der ersten Quelle vorbei, wo die Pferde über die zerfallenen Gatter springen mußten. Neben der glucksenden Quelle, zwischen den Rottannen, wuchs wieder eine große wilde Lilie, die auf ihrem schlanken Stengel eine Fülle weißer, wachsartiger Glocken trug. Diesmal stieg er nicht ab, sondern ritt voraus zu dem tiefen Canjon, den der Fluß in die Höhen geschnitten hatte. Hier hatte er einen steilen, glatten Reitweg angelegt, der über den Boden des Canjons in die tiefe Dämmerung der Rottannen und dann durch einen fast undurchdringlichen Wald von Eichen und Madronjos führte. Dann kamen sie an eine kleine Rodung von einigen Morgen, wo das Getreide ihnen fast bis an den Leib reichte.

»Unser«, sagte Daylight.

Sie beugte sich vom Sattel herab, pflückte einen Halm und schmeckte ihn.

»Süßes Bergheu«, rief sie aus. »Mabs Lieblingsfutter.« Und den ganzen Ritt hindurch äußerte sie ihr Entzücken und ihre Überraschung in frohen kleinen Ausrufen.

»Und davon hast du mir nie etwas erzählt!« sagte sie vorwurfsvoll, als sie über die kleine Rodung und die bewaldeten Höhen blickten, die sich ganz bis zur großen Krümmung des Sonoma-Tales erstreckten.

»Komm«, sagte er, und sie machten kehrt und ritten im Schatten zurück, setzten über den Fluß und kamen wieder zu der Lilie an der Quelle.

Auch hier, wo der Weg den steilen, mit Buschwerk bewachsenen Berg hinanführte, hatte er einen primitiven Reitweg angelegt. Als sie im Zickzack hinaufritten, konnten sie durch den dichten Laubvorhang einen Schimmer dessen sehen, was sich hinter ihnen bis zum Horizont erstreckte. Aber immer noch blieb die Aussicht versperrt durch die Reihen grüner Bäume, die sich den ganzen Weg entlang als Laubwölbung über ihnen schlossen und nur hier und dort einen schmalen Spalt ließen, der Bündel von Sonnenstrahlen eindringen ließ. Und zu allen Seiten wuchsen Farne aller Arten, von winzig kleinem Venushaar bis zu riesigen Adlerfarnen, die sich zu einer Höhe von sechs Fuß erhoben. Unten in der Tiefe konnten sie ständig die großen verzerrten Stämme und Äste der Bäume sehen, und über ihren Köpfen hingen ähnliche große verzerrte Äste.

Dede hielt ihr Pferd an und seufzte über all die Schönheit.

»Es ist, als wären wir Schwimmer, die aus der Tiefe eines stillen grünen Sees emportauchten!« sagte sie. »Hoch droben sind Himmel und Sonne, aber hier ist der See, und wir sind klaftertief unter seiner Oberfläche.«

Dann erreichten sie den Gipfel, kamen gleichsam in eine andere Welt, denn jetzt waren sie wieder in dem dichten Busch von jungen samtstämmigen Madronjos und sahen hinunter auf den freien, sonnenbeschienenen Hang, über die nickenden Gräser, zu den großen Sträußen blauer und weißer Nemophilen, die wie ein Teppich über der winzigen

Wiese zu beiden Seiten des kleinen Baches lagen. Dede klatschte in die Hände. Sie setzten über den Bach und ritten auf dem Viehsteige über die niedrige Felshöhe und durch das Manzanitagebüsch, bis sie das nächste Tal mit seinem kleinen Bach erreichten.

»Es sollte mich wundern, wenn wir nicht bald auf ein paar Wachteln stießen«, sagte Daylight.

Und kaum hatte er ausgesprochen, als auch schon wildes, aufgeregtes Trommeln erscholl und die alten Wachteln um Wolf aufflogen, während die jungen eilig Schutz suchten und wie durch Zauberwort gerade vor ihren Augen verschwanden.

Er zeigte ihr den Habichtshorst, den er in dem zersplitterten Wipfel der Rottannen gefunden, und sie entdeckte ein Waldrattennest, das er noch nicht gesehen hatte. Dann schlugen sie den alten Waldpfad ein und kamen an eine kleine Rodung, wo die Weintrauben in der roten vulkanischen Erde wuchsen. Hierauf folgten sie dem Viehsteig durch neue Wälder, neues Gestrüpp, durchritten hin und wieder ein bewaldetes Tal und erreichten den Hof, der am Rande des großen Canjons lag und erst in Sicht kam, als sie ihn fast erreicht hatten.

Dede stand auf der breiten Veranda, die rings um das Haus lief, während Daylight die Pferde anband. Es schien Dede, als wäre es sehr still. Es war die trockene, warme, atemlose Ruhe des kalifornischen Mittags. Die ganze Welt schien zu schlafen. Irgendwo gurrten träge Tauben. Sie hörte Daylight zurückkommen, und ihr Atem ging tief und schnell. Er nahm ihre Hand in die seine, und als er den Türgriff faßte, fühlte er, wie sie zögerte. Da legte er den Arm um sie; die Tür sprang auf, und zusammen traten sie ein.

Viele, die in der Stadt geboren und aufgewachsen, sind zum Mutterschoß der Erde geflohen und haben großes Glück gewonnen. Aber sie haben es sich nur durch eine Reihe bitterer Enttäuschungen erkämpft. Mit Dede und Daylight war es anders. Sie waren beide auf dem Lande geboren und kannten es. Sie glichen zwei Menschen, die nach langer Wanderung endlich heimgekehrt waren. Es war weniger das Unerwartete in ihrem Verhältnis zur Natur als die Freude des Wiedererkennens.

Und noch etwas hatten sie gelernt, nämlich daß es für sie, die sich an die Fleischtöpfe gewöhnt hatten, leichter war, sich an das trockene Brot zu gewöhnen, als für die, die nur das Brot gekannt hatten. Nicht etwa, daß sie ärmlich gelebt hätten, sie fühlten nur innige Freude und tiefe Befriedigung über die kleinen Dinge. Daylight, der das höchste und phantastischste Spiel gespielt hatte, fand, daß es hier auf den Hängen der Sonoma-Berge noch dasselbe Spiel war. Man hatte stets eine Arbeit zu verrichten, Kämpfe zu bestehen, Hindernisse zu überwinden. Wenn er im kleinen Versuche anstellte und Geflügel für den Markt züchtete, interessierte ihn die Spekulation in Küken nicht weniger als früher das Rechnen mit Millionen.

Die Hauskatze, die verwildert war und einen Überfall auf seine Tauben gemacht hatte, war keine geringere Gefahr als ein Spekulant, der seinerzeit versucht hatte, ihn um mehrere Millionen zu plündern. Die Habichte, Wiesel und Waschbären waren ebenso viele Dowsetts, Lettons und Guggenhammers, die es insgeheim auf ihn abgesehen hatten. Das Meer von Unkraut, das seine Rodungen überspülte und sie zuweilen in einer einzigen Woche ganz überschwemmen konnte, war auch kein zu verachtender Gegner.

Sein Gemüsegarten in dem Winkel zwischen den Bergen, dessen Ertrag trotz des fetten Bodens nicht der beste war, bedeutete ihm ein äußerst wichtiges Problem, und als er es durch Anlegen von Drainröhren gelöst hatte, konnte er sich immer wieder über das Ergebnis freuen. Wenn er darin arbeitete und den Boden leicht zu bearbeiten fand, wurde er stets von Freude über den Erfolg durchbebt.

Dann die Klempnerarbeit. Er hatte seine Roßhaarzügel zu einem guten Preise verkaufen können, was ihn in den Stand setzte, das Material für neue Anlagen kaufen zu können. Er machte alles selbst, wenn er auch mehrmals gezwungen war, Dede zu Hilfe zu rufen. Und als schließlich die Badewanne und andere eingebaute Gefäße installiert waren und ordnungsgemäß funktionierten, konnte er kaum seine Augen von dem, was er mit eigenen Händen geschaffen, losreißen. Dede, die ihn am ersten Abend vermißte, suchte und fand ihn mit der Lampe in der Hand neben der Wanne, die er mit stiller Freude betrachtete. Er streichelte den glatten Holzrand und lachte laut, wurde aber verlegen wie ein Schulknabe, als sie ihn so in heimliche Freude über seine eigene Geschicklichkeit versunken fand.

Dieses Abenteuer von Tischlerei und Klempnerei zog den Bau der kleinen Werkstatt nach sich, wo er allmählich eine ganze Sammlung ihm lieber Werkzeuge anlegte. Und er, der frühere Millionär, der sich alles, was er sich wünschte, augenblicklich hatte kaufen können, lernte jetzt die neue Freude kennen, endlich Dinge zu besitzen, die man sich lange gewünscht und durch strenge Sparsamkeit erworben hat. Es dauerte drei Monate, bis er sich den Luxus erlauben konnte, einen Patentschraubenzieher zu kaufen, und seine Freude über diesen kleinen Wundermechanismus war so groß, daß Dede gleich einen großen Plan entwarf. Sechs Monate sparte sie ihr Eiergeld – dieser Teil der Wirtschaft war ihr durchs Los zugefallen – und schenkte ihm zum Geburtstag eine Drehbank, die ungeheuer leicht zu hantieren und zu vielerlei zu gebrauchen war. Und ihr Entzücken an diesem Stück, das ihm gehörte, wurde nur von der Freude über Mabs erstes Füllen erreicht, das Dedes ausdrückliches Privateigentum war.

Erst im zweiten Sommer errichtete Daylight den mächtigen Herd, der bei weitem den Fergusons an der andern Seite des Tales in den Schatten stellte. Denn all diese Dinge brauchten Zeit, und Dede und Elam hatten keine Eile. Sie begingen nicht den Fehler der meisten Städter, die aufs Land flüchten, ohne das geringste vom Leben dort zu kennen. Sie versuchten nicht zuviel. Sie hatten auch keine Schulden abzubezahlen und trachteten nicht nach Reichtum. Sie machten keine großen Ansprüche bezüglich des Essens und hatten keine Miete zu bezahlen. Und daher konnten sie ohne Ehrgeiz ihre Pläne schmieden, lebten ihr Leben füreinander und genossen die Freuden, von denen der gewöhnliche Landbewohner abgeschnitten ist. Sie hatten auch ein ganz Teil von Ferguson gelernt. Er war ein Mann, der mit der einfachsten Kost vorliebnahm, eigenhändig für seine bescheidenen Bedürfnisse sorgte, wenn er Geld brauchte, für Tagelohn arbeitete, um sich Bücher und Zeitschriften zu kaufen, und der dafür sorgte, daß der größte Teil des Tages dem Genusse des Lebens gewidmet wurde. Er liebte es, nachmittags der Länge nach im Schatten zu liegen und zu lesen, oder mit der Sonne aufzustehen und weite Ausflüge über die Berge zu machen.

Hin und wieder begleitete er Dede und Elam auf der Jagd durch die wilden Canjons und über die steilen, zerrissenen Hänge der Hood-Berge, in der Regel aber ritten sie allein. Diese Ausritte machten ihnen immer noch das größte Vergnügen. Sie untersuchten jede Falte, jeden Riß in den Bergen und kannten zuletzt alle verborgenen Quellen und heimlichen Täler in der Bergreihe, die wie eine Mauer das Tal umgab.

Von diesen Ausritten brachten sie häufig Samen und Zwiebeln wilder Blumen mit, die sie in geschützten Winkeln ihrer Besitzung pflanzen konnten. Längs des Pfades, der durch den großen Canjon zur Wasserleitung führte, pflanzten sie ihre Farne. Sie wurden nicht weiter gepflegt, sondern sich selbst überlassen. Nur von Zeit zu Zeit pflanzten Dede und Elam neue Gewächse dazwischen oder gaben ihnen einen andern Standort. Sie sammelten Samen des kalifornischen Mohns und streuten ihn über ihre Felder, so daß die orangefarbenen Blumen überall hervorguckten und in den Ecken der Gehege und an den Rändern der Rodungen flammten.

All dies machte ihnen nicht viel Mühe. Sie blieben gewissermaßen im Vorübergehen stehen und reichten der Natur eine helfende Hand. Diese Blumen und Büsche wuchsen von selber, und ihr Vorhandensein bedeutete keine Beeinträchtigung der natürlichen Umgebung. Die Pferde mit ihren Füllen, die Kühe und Kälber weideten dazwischen, und Büsche und Blumen mußten zusehen, wie sie fertig wurden. Aber die Tiere vernichteten nicht viele von ihnen, denn das Gut war groß.

Ferguson kam herüber, um der feierlichen Einweihung des großen Steinherdes beizuwohnen. Daylight war mehr als einmal durch das Tal geritten, um sich mit ihm über dies Unternehmen zu beraten, und er war der einzige Fremde, der dem großen Augenblick, als das erste Feuer in dem neuen Kamin angezündet werden sollte, beiwohnte. Daylight hatte eine Scheidewand niedergerissen und zwei Räume zu einem gemacht, und in diesem großen Raum waren Dedes Schätze untergebracht – ihre Bücher, Bilder und Fotografien, der Flügel mit der Venus. Ihre Felle hatten sich um einige neue Hirsch- und Kojotenfelle vermehrt, zu denen ein von Daylight geschossener Berglöwe kam. Er hatte sie selbst, langsam und mühselig, nach Grenzerart gegerbt.

Er reichte Dede das Streichholz, und sie zündete das Feuer im Kamin damit an. Das trockene Manzanitaholz knisterte, während die Flammen herausschlugen und die Rinde der trockenen Holzstücke erfaßten. Dann lehnte sie sich an die Schulter ihres Mannes, und alle drei standen in atemloser Spannung da und sahen zu. Als Ferguson endlich sein Urteil sprach, tat er es mit strahlendem Gesicht.

»Der zieht! Weiß Gott, der zieht!« rief er.

Er drückte Daylight begeistert die Hand, und dieser erwiderte den Händedruck mit gleicher Wärme, und dann beugte er sich herab und küßte Dede auf den Mund. Sie waren ebenso glücklich über den Erfolg ihrer Arbeit wie ein großer Heerführer über einen erstaunlichen Sieg. Fergusons Augen waren verdächtig blank, während die Frau sich noch enger an den Mann preßte, dessen Werk es war. Plötzlich hob er sie in seine Arme, trug sie zum Flügel und rief: »Los, Dede! Spiel Gloria, Gloria!« Und während die Flammen auf dem Herde emporstiegen, klangen die siegreichen Töne der Zwölften Messe durch den Raum.

Daylight hatte kein Enthaltsamkeitsgelübde getan, aber dennoch seit dem Tage, da er sich vom Geschäft zurückgezogen hatte, nicht einen Tropfen Alkohol angerührt. Bald war er jedoch stark genug, ein Glas trinken zu können, ohne sofort ein zweites folgen zu lassen. Andererseits war der Drang zu trinken von dem Augenblick an, als er sich auf dem Lande niedergelassen hatte, vollkommen verschwunden. Er spürte kein Verlangen nach Alkohol und vergaß sogar, daß er existierte. Doch er wollte sich nicht davor fürchten, und wenn ihm der Kaufmann in der Stadt hin und wieder etwas anbot, pflegte er zu sagen: »Schön, mein Sohn! Wenn es Ihnen Spaß macht, daß ich ein Glas mit Ihnen trinke, gern. Geben Sie mir einen Whisky.«

Burning Daylight, der Finanzmann, war, wie er Dede prophezeit hatte, eines schnellen Todes verblichen, sein jüngerer Bruder, der Daylight aus Alaska, war auf die Ranch gekommen und hatte seinen Platz eingenommen. Sein Körper hatte die frühere Schlankheit und Geschmeidigkeit wiedergewonnen, und in den Wangen hatten sich die schwachen Höhlen wieder eingestellt, die an ihm den Höhepunkt körperlichen Wohlbefindens bezeichneten. Alljährlich feierte er seinen Geburtstag auf die alte Grenzerweise und lud das ganze Tal ein, auf den Hof zu kommen und sich werfen zu lassen. Und ein großer Teil des Tales folgte der Einladung, brachte Frau und Kinder mit und machte einen richtigen Familienausflug daraus. Anfänglich war er, wenn er bares Geld brauchte, Fergusons Beispiel gefolgt und hatte einfache Tagelöhnerarbeit verrichtet, aber es dauerte nicht lange, so fand er eine Erwerbsform, die angenehmer und befriedigender war und ihm zugleich mehr freie Zeit ließ. Seit der Grobschmied ihn einmal im Scherz aufgefordert hatte, ein ganz unzähmbares Füllen zuzureiten, und es ihm glänzend gelungen war, galt er als ein vorzüglicher Zureiter. Und bald konnte er mit dieser Arbeit, die ihm wirklich ausgezeichnet lag, so viel Geld verdienen, wie er wollte. Ein Zuckerkönig, dessen Zuchtfarm und Rennstall in Caliente, drei Meilen von Glen Ellen, lag, schickte, wenn Not am Mann war, nach ihm und bot ihm, ehe ein Jahr vergangen war, die Stellung eines Oberaufsehers über die Ställe an. Aber Daylight schüttelte lächelnd den Kopf. »Ich will mich nicht abrakkern«, versicherte er Dede, und er übernahm derlei Arbeit nur, wenn er durchaus Geld brauchte.

»Wir haben die Ranch und uns«, sagte er zu seiner Frau, »und ich will viel lieber mit dir nach den Hood-Bergen reiten als vierzig Dollar verdienen. Man kann nicht Sonnenuntergänge und zärtliche Frauen und kaltes Quellwasser und all das für vierzig Dollar kaufen; und für vierzig Dollar kann ich nicht einen einzigen Tag zurückkaufen, den ich dazu verwandt habe, mit dir nach den Hood-Bergen zu reiten!«

Sein Leben war außerordentlich gesund und natürlich. Er ging früh ins Bett, schlief wie ein Kind und war mit der Sonne auf. Es gab immer etwas zu tun, tausenderlei Kleinigkeiten, die ihn lockten, aber nicht riefen, und er überanstrengte sich nie. Dennoch mußte er sowohl wie Dede zuzeiten zugeben, daß sie müde waren, wenn sie zum Beispiel siebzig Meilen geritten waren.

Als sie eines Tages vor der Post in Glen Ellen hielten, um einen Brief abzuschicken, wurden sie von dem Grobschmied angesprochen.

»Hören Sie, Daylight«, meinte er, »ein junger Mensch namens Slosson hat Sie grüßen lassen. Er kam in einem Automobil durch und war auf dem Wege nach Santa Rosa. Er wollte wissen, ob Sie nicht in der Nähe wohnten, aber die Leute, mit denen er zusammen war, hatten keine Zeit zu warten. Und da sagte er nur, ich sollte Sie grüßen und sagen, daß er Ihren Rat befolgt habe und immer noch seine eigenen Rekorde schlage.«

Daylight hatte Dede längst die Geschichte erzählt.

»Slosson?« sagte er nachdenklich. »Slosson, das muß der Hammerwerfer sein. Er hat meine Hand zweimal 'runtergedrückt, der verdammte Kerl.« Dann wandte er sich plötzlich an Dede. »Hör, es sind ja nur zwölf Meilen bis Santa Rosa, und die Pferde sind frisch.«

Sie erriet, was er im Sinne hatte, denn seine glänzenden Augen und sein verlegenes jungenhaftes Lächeln sprachen deutlicher als Worte, und sie lächelte und nickte zustimmend.

»Wir können den Richtweg durch das Bennet-Tal einschlagen«, sagte er, »der ist näher.«

Als sie erst nach Santa Rosa gekommen waren, hatten sie keine Schwierigkeiten mehr, Slosson zu finden. Er und seine Gesellschaft hatten sich im Oberlin-Hotel einlogiert, und Daylight traf ihn in der Bar.

»Hören Sie mal, mein Sohn«, sagte Daylight, sobald er Dede vorgestellt hatte, »ich bin hergekommen, um Ihnen eine neue Chance zu geben. Wollen wir die Sache noch mal versuchen? Hier ist Platz genug.«

Slosson lächelte und ging auf seinen Vorschlag ein. Die beiden Männer standen einander gegenüber, legten die Ellbogen auf den Schanktisch und griffen zu. Slossons Hand wurde schnell heruntergepreßt.

»Sie sind der erste, der das je fertiggebracht hat«, sagte er, »lassen Sie uns noch einmal versuchen.«

Wieder umspannten die Hände sich, und wieder wurde die Slossons heruntergedrückt. Er war ein breitschulteriger junger Riese mit kräftigen Muskeln und mindestens einen halben Kopf größer als Daylight, er machte keinen Hehl aus seinem Ärger über die Niederlage und verlangte eine dritte Probe. Diesmal spannte er seine Kräfte aufs äußerste an, und einen Augenblick schien der Ausfall zweifelhaft. Mit brennenden Wangen und zusammengebissenen Zähnen begegnete er dem kräftigen Griff des andern, bis seine Muskeln knackend nachgaben. Seine Lungen ließen die Luft entweichen, seine Widerstandskraft erlahmte, und die Hand hing kraftlos herab.

»Sie sind mir zu stark«, gestand er. »Ich hoffe nur, daß Sie nicht auch noch mit Hammerwerfen anfangen.«

Daylight lachte und schüttelte den Kopf.

»Wir können einen Kompromiß schließen, daß jeder bei seinem Sport bleibt. Sie beim Hammerwerfen und ich beim Händedrücken.«

Aber Slosson wollte sich nicht endgültig ergeben.

»Hören Sie«, rief er, als Elam und Dede ihre Pferde wieder bestiegen hatten und aufbrechen wollten. »Hören Sie – haben Sie etwas dagegen, daß ich Sie nächstes Jahr besuche? Ich hätte Lust, es noch einmal mit Ihnen aufzunehmen?«

»Gewiß, mein Sohn, Sie sind jederzeit willkommen. Aber ich sage

Ihnen ganz offen, Sie müssen sich anstrengen, Sie müssen trainieren, denn ich pflüge, hacke Holz und reite Pferde zu.«

So wurde ihnen die Zeit nie lang. Immer gab es einen wunderbaren neuen Morgen, wenn sie erwachten, oder eine schöne, kühle Dämmerung, wenn die Arbeit des Tages beendet war, und bei all dem Tausenderlei, das seine Zeit in Anspruch nahm, war sie stets mit dabei. In dem neuen Spiel, das er spielte, fand er dieselbe Befriedigung wie früher in den wahnsinnigen Spekulationen. Und der Tisch, an dem er sein neues Spiel spielte, war jedenfalls rein. Hier gab es keine Lüge, keinen Betrug, keine Heuchelei. Das andere Spiel hatte nur zu Tod und Verderben geführt, das Ziel des neuen aber war Kraft. Und daher kam es, daß er, Dede an seiner Seite, mit großer Zufriedenheit dem Wechsel der Tage und Jahreszeiten von dem kleinen Hause hoch oben am Rande des Canjons folgte; daß er durch den klaren, frostigen Morgen oder unter der brennenden Sommersonne ritt und Schutz in dem großen Raum suchte, wo das Feuer auf dem Herde flammte, den er selbst gebaut hatte, während die Welt draußen sich vor Kälte schauernd unter dem harten Griff des Südostwindes wand.

Nur einmal fragte Dede ihn, ob er je bereut hätte, was er getan, und seine Antwort war, daß er sie stürmisch an sich zog und seine Lippen auf die ihren preßte. Und eine Minute später wurde diese Antwort durch die Worte ergänzt: »Mein Herz, wenn du auch dreißig Millionen gekostet hast, so bist du doch das Billigste, das ich mir je angeschafft habe.« Und er fügte hinzu: »Ja, einen Wunsch hab' ich noch, und dazu einen ganz großen. Ich möchte dich noch einmal erkämpfen müssen. Ich möchte so gern wieder durch die Berge reiten und Ausschau nach dir halten. Ich möchte so gern wieder zum erstenmal in deine Stube in Berkeley treten. Es hilft ja nichts, darüber zu reden, aber ich bin ganz krank vor Bedauern, daß ich nicht noch einmal meinen Arm um dich legen kann wie damals, als du in Sturm und Regen deinen Kopf an meine Brust lehntest und weintest.«

Aber dann kam ein Tag im April, da Dede in einem Lehnstuhl auf der Veranda saß und an einigen winzigen Kleidungsstücken nähte, während Daylight ihr vorlas. Es war am Nachmittag, und die Sonne schien hell auf eine Welt von jungem Grün herab. Die Rieselkanäle im Gemüsegarten waren voll Wasser, und hin und wieder hielt Daylight im Lesen inne und lief hin, um das Wasser in eine andere Richtung zu leiten. Von dem Platz, wo sie saßen, konnten sie das ganze Land übersehen. Wie die Klinge eines Krummsäbels lag das Mondtal vor ihnen, übersät mit Gehöften, die mit Wiesen, Feldern und Weinbergen abwechselten. Dahinter erhob sich die Mauer, die das Tal von der Umwelt schied und von der Dede und Elam jeden Winkel kannten, und an einer Stelle, wo die Sonnenstrahlen die Erde trafen, lag der weiße Schuttplatz der verlassenen Mine und flammte wie ein Edelstein. Im Vordergrund, auf der eingezäunten Weide, erging sich Mab und hütete das neugeborene Füllen, das sich auf seinen wackligen Beinen tummelte. Die Luft zitterte vor Hitze, es war ein träger, sonnenwarmer Tag. Die Wachteln pfiffen aus dem Gebüsch hinter dem Hause ihren Jungen. Die Tauben girrten leise, und aus der grünen Tiefe des großen Canjons war das klagende Schluchzen einer Waldtaube zu hören. Einmal erklang ein warnender Chor von den Hühnern, die dort gingen und Körner suchten, und sie hasteten in wilder Flucht in ihre sicheren Verstecke, während ein Habicht hoch oben am blauen Himmel seinen Schatten über die Erde gleiten ließ. Das war es vielleicht, was die alten Jagdinstinkte in Wolf erweckte. Auf jeden Fall entdeckten Dede und Daylight plötzlich eine Erregung im Gehege und sahen die harmlose Wiederholung einer alten grimmigen Tragödie aus der Urzeit. Brennend vor Eifer, auf Samtpfoten und lautlos wie ein Geist, gleitend, schleichend und am Boden entlangkriechend, suchte der Hund, der eigentlich ein gezähmter Wolf war, das verlockende junge Geschöpf zu fangen, das Mab erst vor kurzem zur Welt gebracht hatte. Und die Stute, deren Vorzeitinstinkte ebenfalls wieder erweckt wurden und bebten, kreiste beständig zwischen dem Füllen und dieser drohenden Erinnerung an die wilden alten Zeiten, da ihr ganzes Geschlecht in Angst vor ihm und seinen jagenden Brüdern gelebt hatte. Einmal drehte sie sich blitzschnell um und schlug nach ihm aus, meistens aber versuchte sie mit den Hufen seine Vorderfüße zu treffen oder mit weitaufgerissenem Maul und zurückgeworfenem Kopf auf ihn loszustürzen, um ihm das Rückgrat zwischen den Zähnen zu zermalmen. Doch der Wolfshund kroch zusammen und schlich mit flach am Kopfe liegenden Ohren auf seinen Samtpfoten weg, aber nur, um das Füllen von der andern Seite wieder anzuschleichen und die Stute wieder zu erschrecken. Da stieß Daylight auf Dedes Bitten einen leisen, drohenden Ruf aus; und Wolf sank plötzlich ganz in sich zusammen, trat augenblicklich wieder in seine gewohnte Abhängigkeit zu den Menschen und verschwand hinter der Scheune.

Wenige Minuten später unterbrach Daylight wieder das Lesen, um dem Wasser in einem der Rieselgräben eine neue Richtung zu geben. Aber da sah er, daß der Kanal trocken war. Er nahm Hacke und Schaufel auf die Schulter, holte Hammer und Kneifzange aus dem Werkzeugschuppen und kehrte dann auf die Veranda zu Dede zurück.

»Ich muß sicher das Rohr ausgraben«, sagte er zu ihr. »Es ist der Erdrutsch, der den ganzen Winter gedroht hat. Jetzt ist er wohl endlich gekommen.«

»Aber lies nicht allein weiter!« rief er, während er um das Haus den Pfad entlangschritt, der zum Canjon führte.

Als er halbwegs den Pfad hinuntergeschritten war, kam er zu dem Erdrutsch. Es war nichts von Bedeutung, nur ein paar Tonnen Erde und zusammengestürztes Gestein, aber es hatte fünfzig Fuß hoch angefangen und Gewalt genug gehabt, die Wasserleitung bei einer Zweigstelle zu zerreißen. Ehe er an die Arbeit ging, blickte er zu der Stelle hinauf, von der der Erdrutsch gekommen war, und er tat es in der Weise des geübten Minenarbeiters. Und was er sah, ließ fast seine Augen aus den Höhlen treten.

»Das müssen wir uns doch mal näher ansehen!« sagte er laut.

Sein Blick wanderte über die steile Oberfläche des Bruches. Hier und dort standen kleine, schwankende Manzanitabüsche mit verflochtenen Wurzeln, aber im großen und ganzen war dieser Teil des Canjons nackt und nur von Gras und Unkraut bedeckt. Man konnte sehen, daß die Oberfläche sich geändert hatte, sooft der Regen seine Flut von der Erde über den Rand des Canjons gespült hatte.

»Ein richtiger Quarzgang, so wahr ich lebe!« rief er leise aus.

Und wie vorher die alten Jagdinstinkte in dem Wolfshund erwacht waren, so kehrte in ihm jetzt die alte, brennende Gier nach dem Golde zurück. Er warf Hammer und Kneifzange hin, behielt aber Hacke und Schaufel und kletterte zu dem Erdrutsch hinauf, wo der vorspringende, aber größtenteils mit Erde bedeckte Fels zum Vorschein kam. Der Vorsprung war undeutlich, fast unsichtbar, aber sein geübtes Auge zeichnete sofort die versteckte Formation, die unter der Erde liegen mußte. Hier und da hieb er mit der Hacke auf das zerbröckelnde Gestein los und schaufelte die überflüssige Erde fort. Einige Male untersuchte er auch den Stein selbst. Der war so morsch, daß er mit den Fingern Stücke davon abbrechen konnte. Dann kletterte er ein paar Dutzend Fuß höher und begann von neuem mit Hacke und Schaufel draufloszuarbeiten. Und als er diesmal die Erde von einem Felsblock schabte und ihn untersucht hatte, richtete er sich plötzlich auf und schnappte vor Freude nach Luft. Dann sah er sich hastig um, wie um sich zu vergewissern, daß ihn niemand sah, wie ein Hirsch, der an der Tränke im Walde steht und sich ängstlich nach Feinden umsieht, ehe er trinkt. Er lachte laut über seine eigene Dummheit und machte sich wieder an die Untersuchung des Felsens. Die Sonne warf ein Streiflicht darüber, und es glitzerten winzig kleine Stellen darin, die nichts als reines Gold sein konnten.

»Von den Graswurzeln abwärts«, murmelte er mit Ehrfurcht in der Stimme, während er die Axt in die weiche Oberfläche trieb.

Er schien ein anderer Mensch geworden. Die größte Menge Cocktail hätte nicht diese Flamme in seinen Augen entzünden, nicht seine Wangen mit solcher Glut färben können. Während er arbeitete, fühlte er sich von neuem von der alten Leidenschaft gepackt, die ihn den größten Teil seines Lebens beherrscht hatte. Ein wilder Wahnsinn überkam ihn und wuchs von Minute zu Minute. Er arbeitete wie verrückt, bis er vor Anstrengung keuchte und der Schweiß ihm über die Stirn troff. Er suchte die ganze Breite des Erdrutsches ab und grub durch die rote vulkanische Erde, die von dem eingestürzten Felsen über ihn herabgekommen war, bis er Quarz fand, mürben Quarz, der ihm unter den Händen zerbröckelte und von reinem Golde wimmelte.

Zuweilen verursachte er kleine Erdrutsche, die seine Arbeit wieder zunichte machten und ihn zwangen, die Erde wegzugraben. Einmal wurde er fünfzig Fuß tief bis auf den Boden des Canjons mitgerissen, kam aber mit einiger Mühe auf die Beine und kroch wieder hinauf, ohne auch nur Luft zu schöpfen. Hier war der Quarz bröckelig, daß er fast Lehm glich, und hier war er reicher an Gold als irgendwo sonst. Es war die reine Schatzkammer.

Er verfolgte die Ader bergauf und bergab auf eine Strecke von hundert Fuß. Er kletterte sogar über den Rand des Canjons, um möglicherweise etwas von dem Quarzgange zu erspähen. Aber das hatte Zeit, und er kehrte schnell zu seinem Funde zurück.

Er arbeitete weiter in derselben wahnsinnigen Eile, bis Ermattung und unerträgliche Rückenschmerzen ihn zum Aufhören zwangen. Er richtete sich an einem Quarzblock auf, der noch goldhaltiger als die vorhergehenden war. Als er gebückt dagestanden hatte, war der Schweiß ihm von der Stirn auf die Erde getropft, jetzt lief er ihm in die Augen und blendete ihn. Er wischte ihn mit dem Handrücken ab und machte sich von neuem an die Untersuchung des Goldes. Es würde dreißigtausend auf die Tonne, ja fünfzigtausend oder noch mehr ergeben, das wußte er gut. Und als er so das gelbe, lockende Gold anstarrte, nach Luft schnappte und sich den Schweiß aus den Augen wischte, begannen in seinem Innern plötzlich die großen Gesichte aufzutauchen. Er sah die Eisenbahnschienen, die vom Tal in die Höhe, quer über die Wiesen bis zum Gipfel des Berges laufen mußten, und sein Blick glitt über die Hänge und baute die Brücke über den Canjon, bis alles vor seinen Augen Wirklichkeit wurde. Auf der andern Seite des Canjons mußte die Mühle errichtet werden, und er stellte sich dorthin und hing auch die endlose Kette von Eimern auf, die durch ihre Schwerkraft am Seil entlangglitten, um das Metall über den Canjon zum Quarzbrecher zu schaffen. Die ganze Mine lag zu seinen Füßen mit ihren Tunneln, Schächten, Galerien und Kränen. Er konnte die Sprengungen in der Mine hören, während von der andern Seite das Poltern des Stampfwerkes ertönte. Die Hand, die das kleine Stückchen Quarz hielt, zitterte, und er spürte in seinem Magen ein müdes, nervöses Klopfen. Plötzlich wußte er, daß er etwas trinken mußte – Whisky, Cocktail, irgend etwas, nur Alkohol. Und in diesem Augenblick, als der brennende Drang nach Alkohol ihn ganz beherrschte, hörte er in der Ferne Dedes Stimme, die über die grüne Tiefe des Canjons undeutlich zu ihm herüberdrang: »Komm, put, put, put, put, put! Komm, put, put, put!« Er war erstaunt, wieviel Zeit vergangen war. Sie hatte die Veranda verlassen und fütterte jetzt die Küken, ehe sie das Abendessen bereitete. Der Nachmittag war vergangen. Er konnte nicht fassen, daß er so lange Zeit fortgeblieben war.

Wieder hörte er ihr Rufen: »Komm, put, put, put, put, put! Komm, put, put, put!«

So rief sie immer, erst fünf-, dann dreimal. Er hatte es längst bemerkt. Und als er so an sie dachte, stiegen auch andere Gedanken in ihm auf, die allmählich den Ausdruck von Angst über seine Züge breiteten. Denn ihm war, als hätte er sie schon fast verloren. Nicht ein einziges Mal hatte er in diesen wahnsinnigen Stunden an sie gedacht, die ganze Zeit war sie ihm wahrhaftig verloren gewesen.

Er warf das Quarzstück fort, ließ sich den Erdrutsch hinabgleiten und begann mit schweren Schritten den Pfad entlang zur Ranch zu laufen. Am Rande der Rodung verlangsamte er seinen Schritt und kroch fast bis zu einer Stelle, von wo aus er sehen konnte, ohne selbst gesehen zu werden. Sie fütterte immer noch die Küken, streute ihnen Hände voll Korn aus und lachte über ihre drolligen Bewegungen.

Bei ihrem Anblick war ihm, als verließe ihn plötzlich der panische Schrecken, der ihn ergriffen hatte, er machte kehrt und lief den Pfad zurück. Dann kletterte er wieder den Erdrutsch hinauf, kletterte jetzt aber höher und nahm Hacke und Schaufel mit. Und wieder arbeitete er wie rasend, aber diesmal mit einer anderen Absicht. Er berechnete genau, lockerte die rote Erde, so daß sie herabstürzte, alles, was er ausgegraben hatte, unter sich begrub und den Schatz, den er entdeckt hatte, wieder vor dem Tageslicht verbarg. Er ging sogar in den Wald, schaufelte ganze Arme voll des im vergangenen Jahre gefallenen Laubes zusammen und streute es über den Erdrutsch. Aber diese Arbeit gab er bald als zwecklos wieder auf und ließ wieder Erde über den Schauplatz seiner harten Arbeit nachstürzen, bis jede Spur des vorspringenden Quarzganges vollständig verwischt war.

Dann setzte er das beschädigte Wasserrohr instand, nahm sein Werkzeug und machte sich auf den Heimweg. Er ging langsam, denn er fühlte eine große Müdigkeit, wie ein Mensch, der eine furchtbare Krise durchgemacht hat. Er legte das Werkzeug fort, nahm einen tüchtigen Schluck von dem Wasser, das jetzt wieder durch die Kanäle strömte, und setzte sich auf die Bank an der offenen Küchentür. Dede war drinnen dabei, das Abendessen zuzubereiten, und der Klang ihrer

Schritte erfüllte ihn mit unendlicher Zufriedenheit. Er atmete die balsamische Bergluft in tiefen Zügen, wie ein Taucher nach dem Aufsteigen aus der Tiefsee. Und während er die Luft einsog, tranken seine Augen die Schönheit der Wolkentäler, als wollten sie sich nie wieder davon losreißen.

Dede wußte nicht, daß er zurückgekommen war, und er wandte hin und wieder den Kopf und blickte sie verstohlen an – ihre geschickten Hände, den Bronzeschimmer über ihrem braunen Haar, das aufflammte, wenn sie in den breiten Sonnenscheinstreifen trat, der durch das Fenster hereinströmte, die Verheißung ihrer Gestalt, und ihn durchfuhr es wie ein Stich, so lieb und teuer war ihm das alles. Er hörte, wie sie sich der Tür näherte, und wandte absichtlich den Kopf nach dem Tale. Und dann wurde er von dem seligen Gefühl durchbebt, das er immer spürte, wenn ihre Finger weich und kosend durch sein Haar fuhren.

»Ich wußte nicht, daß du zurückgekommen bist«, sagte sie. »War es schlimm?«

»Ja, ein ziemlich schlimmer Erdrutsch«, antwortete er, während er noch fortsah und unter ihrer Liebkosung zitterte. »Es war ernster, als ich gedacht hatte. Aber ich habe eine gute Idee bekommen. Weißt du, was ich tun will? Eukalyptusbäume pflanzen. Die werden die Erde schon halten. Ich will sie so dicht wie Gras pflanzen, so daß nicht einmal ein hungriger Hase durchschlüpfen kann, und wenn die erst mal richtig Wurzel geschlagen haben, kann keine Macht der Welt die Erde wieder zum Rutschen bringen.«

»Ja, war es denn so schlimm?«

Er schüttelte den Kopf.

»Nein, du brauchst nicht bange zu sein. Aber ich will keine Mühe mehr haben durch diese verdammten Erdrutsche, das ist alles. Ich will die Erde auf dem Boden festnageln, daß sie Millionen Jahre dort bleibt. Und wenn die letzte Posaune ertönt und der Sonoma-Berg und alle anderen Berge vom großen Nichts verschlungen werden, dann wird hier die Erde noch stehen, von den Wurzeln gehalten.«

Er legte den Arm um sie und zog sie auf seine Knie.

»Hör, mein Kind, dir ist ja doch allerlei versagt geblieben, weil du hier auf der Ranch lebtest – Musik, Theater und dergleichen. Sehnst du dich nicht doch danach, alles hier zu lassen und zu den andern zurückzukehren?«

So groß war seine Angst, daß er sie gar nicht anzusehen wagte; als sie aber lachte und den Kopf schüttelte, fühlte er eine unsagbare Erleichterung. Und er bemerkte auch den ewig jungen Klang in ihrem frohen, knabenhaften Lachen.

»Hör«, sagte er plötzlich heftig, »geh nicht in die Nähe des Erdrutsches, bevor die Bäume, die ich pflanzen will, Wurzeln geschlagen haben. Es ist sehr gefährlich, und ich kann es mir jetzt nicht leisten, dich zu verlieren.«

Er zog sie an sich, preßte seine Lippen auf die ihren und küßte sie heiß und leidenschaftlich.

»Was für ein verliebter Mann!« sagte sie; und in ihrer Stimme lag Stolz über ihn und über ihre eigene weibliche Anziehungskraft.

»Sieh mal, Dede.« Er zeigte mit einer weitumfassenden Armbewegung über das Tal und die Berge drüben. »Das Mondtal – das ist ein guter Name, ein guter Name. Weißt du, wenn ich das alles sehe und an dich und an alles denke, was das bedeutet, so bekomme ich gleichsam Halsschmerzen, es rührt sich mir etwas im Herzen, das ich nicht in Worten ausdrücken kann, und ich habe ein Gefühl, daß ich beinahe Browning und die andern hochtrabenden Dichter verstehen kann. Sieh den Hood-Berg drüben im Sonnenschein. Dort unten im Spalt fanden wir die Quelle.«

»Und an dem Abend war es, als du die Kühe erst um zehn Uhr melktest«, sagte sie lächelnd. »Und wenn du mich hier jetzt noch lange aufhältst, dann wird das Abendessen nicht früher fertig als damals.«

Sie erhoben sich beide von der Bank, und Daylight nahm den Milcheimer von seinem Nagel neben der Tür. Dann blieben sie einen Augenblick stehen, um noch einmal über das Tal zu schauen.

»Wirklich großartig«, sagte er.

»Wirklich großartig«, sprach sie ihm nach und lachte lustig über und mit ihm, lachte über sich selbst und über die ganze Welt, während sie ins Haus trat.

Und wie der alte Mann, den er einst getroffen, schritt Daylight jetzt selbst durch das Feuer des Sonnenunterganges mit einem Milcheimer am Arm den Hang hinab.